FAUNE ET FLORE
DE L'AMÉRIQUE DU NORD

NOUVELLE ÉDITION

Sélection du Reader's Digest (Canada) Ltée   Montréal

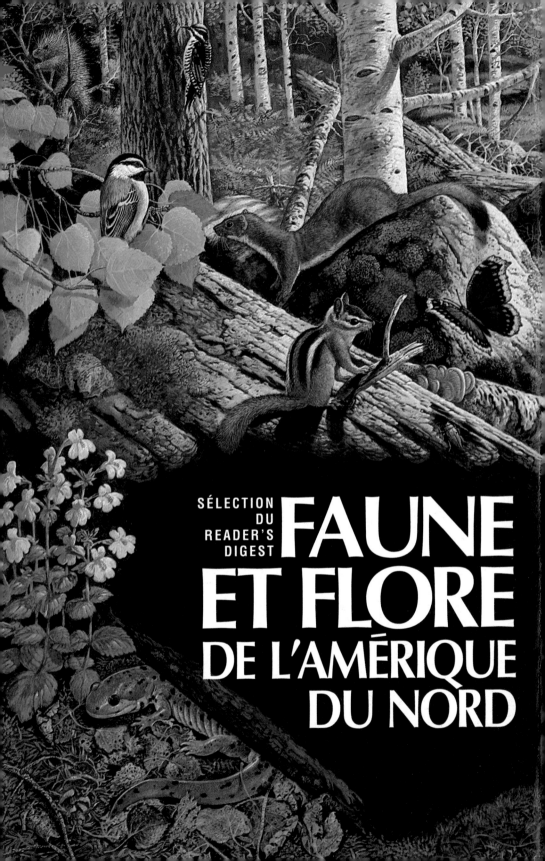

SÉLECTION
DU
READER'S
DIGEST

FAUNE
ET FLORE
DE L'AMÉRIQUE
DU NORD

FAUNE ET FLORE
DE L'AMÉRIQUE DU NORD

Equipe de Sélection du Reader's Digest

Rédaction : Agnès Saint-Laurent
Préparation de copie : Joseph Marchetti
Graphisme : John McGuffie, Cécile Germain, Manon Gauthier
Fabrication : Holger Lorenzen
Coordination : Susan Wong

Autres collaborateurs

Traduction : Suzette Thiboutot-Belleau
Révision : Geneviève Beullac
Consultation : Normand Cornellier, botaniste ; Yolande Simard-Perrault

Collaborateurs de la deuxième édition révisée

Consultation et terminologie :
Denis Faucher, biologiste
Index : Geneviève Beullac

L'éditeur remercie également les personnes suivantes pour leur contribution à la nouvelle édition : Mgr Bertrand Blanchet, René Cauchon, Alain Desrosiers, Roger Gélinas, Rolland Labbé

Cet ouvrage est l'adaptation française de *North American Wildlife*

Rédaction : Susan J. Wernert
Conception graphique : Richard J. Berenson

Couverture : John McGuffie

Photos de couverture — première : Alec Pytlowany/ Masterfile (chèvre de montagne) ; Gary Black/ Masterfile (iris) ; Zefa-Bauer/Masterfile (loup) ; Daryl Benson/Masterfile (lever de soleil, chardon- neret) ; Wayne Lynch/Masterfile (crotale) ; William H. Howe (illustration du monarque). — quatrième : George Calef/Masterfile (marmotte) ; Dale Wilson/Masterfile (héron) ; Freeman Patterson/Masterfile (champignon).

Données de catalogage avant publication (Canada)
Vedette principale au titre :
  Faune et flore de l'Amérique du Nord : guide pratique d'observation et d'identification
  Comprend un index.
  Traduction de : Reader's Digest North American Wildlife
  Nouv. éd. —
  ISBN 0-88850-326-1
  1. Botanique — Amérique du Nord.
2. Plantes — Identification. 3. Zoologie — Amérique du Nord. 4. Animaux — Identification. I. Sélection du Reader's Digest (Canada) (Firme).
QH102.R4214 1995   574,97   C95-940223-3

Les remerciements et les sources de la page ci-contre sont, par la présente, incorporés à cette notice.

DEUXIÈME ÉDITION

© 1995 Sélection du Reader's Digest (Canada) Ltée
215, avenue Redfern, Westmount, Qué. H3Z 2V9
© 1995 Sélection du Reader's Digest, S.A.
212, boulevard Saint-Germain, 75007 Paris
© 1995 N.V. Reader's Digest, S.A.
12-A, Grand-Place, 1000 Bruxelles
© 1995 Sélection du Reader's Digest, S.A.
Räffelstrasse 11, « Gallushof », 8021 Zurich

Imprimé au Canada
95 96 97 98 99 / 5 4 3 2 1

Conseillers

Durdward L. Allen, Alton A. Lindsay
Purdue University

John W. Andresen
Université de Toronto

John L. Behler, James G. Doherty,
Marc MacNamara
New York Zoological Society

Howard E. Bigelow
University of Massachusetts

John Bull, G. Stuart Keith,
William E. Old, C. Lavett Smith
American Museum of Natural History

George H. Burgess, Carter R. Gilbert,
Lee D. Miller
Florida State Museum

Howard Crum, Warren Herb Wagner, Jr.
University of Michigan

William A. Daily
Butler University

Thomas H. Everett, John T. Mickel,
William C. Steere
New York Botanical Garden

John M. Kingsbury
Cornell University

D. Bruce Means
Tall Timbers Research Station

Richard S. Mitchell, E. M. Reilly, Jr.,
Charles J. Sheviak
New York State Museum

Roger F. Pasquier
Smithsonian Institution

Robert O. Petty
Wabash College

Illustrations

Biruta Akerbergs, 160-165

Dorothea Barlowe, 536-559

George Buctel, 286

Eva Cellini, 54, 70-71, 287

Ken Chaya, 535

John D. Dawson, 2-3, 166-180, 182-195,
272-285, 534

Howard S. Friedman, 197 *(droite)*, 202-
203, 212 *(bas)*, 213 *(bas, gauche et droite)*,
214-225, 237-262

John Hamberger, 44-69, 72-75

William H. Howe, 264-271

Mary Kellner, 428-431

Gwen Leighton, 340-353, 358-367, 370-371,
386-397, 402-411, 416-419, 436-443, 452-
461, 464-465, 468-495, 500-507

Elizabeth McClelland, 354-357, 368-369,
372-373, 384-385, 414-415, 432-435,

444-451, 462-463, 466-467, 498-499,
509-521, 528-531

Robert Mullen, 208-211, 226-235

Lorelle Raboni *(dessins en noir et blanc)*,
44-45, 57-58, 61-65, 67, 73-75

Chuck Ripper, 4, 77 *(haut)*, 120-151

Allianora Rosse, 338-339, 374-383,
398-401, 412-413, 420-427

Ray Skibinski, 78-79, 332-337

Karen Lidbeck Stewart, 43

Wayne Trimm, 288-331, 509, 525-527,
532-533

Guy Tudor, 116-119

Nina Williams, 197 *(gauche)*, 198-201,
204-207, 212 *(haut et milieu)*, 213 *(haut,
gauche et droite)*

John Cameron Yrizarry, 77 *(bas)*, 80-115,
152-157

Photographies

12 Stephen J. Krasemann/DRK Photo

13 Keith Gunnar/Bruce Coleman Inc.

14 J. R. Wiliams/Earth Scenes

15 Richard J. Berenson

16 © 1976 Joe Rychetnik/Photo
Researchers

17 © Robert P. Carr

18 Dorothy May Small

19 John H. Gerard

20 George H. Harrison

21 Durdward L. Allen

22 © 1973 Tom McHugh/Photo
Researchers

23 Ray Atkeson

24 et **25** Dennis Brokaw

26 Jim Bones

27 Esther Henderson

28 Candace Cochrane

29 Lynn M. Stone/Bruce Coleman Inc.

30 Stephen J. Krasemann/DRK Photo

31 Craig Bracklock

32 Dock Dietrich

33 © 1978 Audrey Ross

34 © 1977 Wendell D. Metzen

35 Tom Myers

36 Werner Meinel

37 © 1979 Wendell D. Metzen/Photo
Researchers

38 Dick Dietrich

39 Edward S. Barnard

40 Anne Wertheim/Earth Scenes

41 Fred Sieb

Table des matières

Habitats

Mammifères

Oiseaux

Reptiles et amphibiens

Poissons

Invertébrés

Arbres et arbustes

Fleurs sauvages

Plantes non florifères

Champignons

Index

Introduction

FAUNE ET FLORE DE L'AMÉRIQUE DU NORD est avant tout un livre pratique qui nous invite à explorer la nature. Il nous explique, par exemple, ce que mangent les alligators, où nichent les canards branchus, pourquoi tel champignon préfère un type d'arbre à un autre. Il nous apprend aussi à identifier les espèces, à mettre un nom sur ce petit oiseau dont le chant est si mélodieux, sur cette humble fleur rencontrée au détour d'un sentier comme une messagère du printemps. Mais surtout, il nous révèle les mille et une richesses de notre faune et de notre flore, toutes les merveilles de cette vie frémissante et mystérieuse dont nous savons souvent si peu de chose.

Ce livre est unique en son genre ; il englobe l'Amérique du Nord à partir de la frontière mexicaine et traite de plus de 2 000 plantes et animaux. Vous n'y trouverez pas la gamme entière des espèces animales et végétales (il faudrait des douzaines de livres pour cela), mais bien les animaux et les plantes les plus répandus, les plus remarquables et ceux qui présentent un intérêt particulier.

Des qualités originales

Avec ses milliers d'illustrations en couleurs et ses textes descriptifs, FAUNE ET FLORE DE L'AMÉRIQUE DU NORD se lit à la maison ou s'emporte en excursion. C'est beaucoup plus qu'un manuel de sciences naturelles ou qu'un guide d'identification sur le terrain, mais à ce titre, néanmoins, il présente des qualités originales qui le rendent facile à consulter.

Chaque page est marquée d'un **onglet** dont la couleur et l'emplacement varient selon la section. (Voir la liste à droite.) Visibles même quand le livre est fermé, ces onglets permettent de repérer sans erreur la section voulue. Dans certaines sections, ces onglets sont particulièrement précis. Au chapitre des invertébrés, par exemple, il y en a un pour les mollusques, un autre pour les insectes et un troisième pour certaines créatures comme les méduses et les crustacés.

Au début de chaque section, une **introduction** de la couleur de l'onglet présente les animaux ou les plantes dont il sera question et donne des indices d'ordre général. (En consultant la table des matières, vous remarquerez que certaines sections ont deux introductions.) En outre, les chapitres les plus considérables, ceux des oiseaux et des fleurs sauvages, comportent des **tableaux d'identification** qui vous permettent de repérer plus vite le sujet que vous avez sous les yeux.

Dans un guide pratique d'observation et d'identification, tous les renseignements qui caractérisent une espèce — taille, traits, habitat — doivent être groupés et faciles d'accès. Dans FAUNE ET FLORE DE L'AMÉRIQUE DU NORD, ces renseignements sont présentés sous la forme de **fiches d'identité** distinctes. Il y a une fiche par espèce (une fiche par famille dans le cas des poissons et des invertébrés). En les consultant, vous vous rendez compte tout de suite que le lézard en train de prendre un bain de soleil devant vous n'est pas celui que vous regardez dans le guide, et vous en cherchez un autre plus conforme à la réalité.

Les fiches d'identité s'accompagnent d'illustrations en couleurs dans lesquelles certaines caractéristiques, mentionnées dans les fiches, sont mises en relief par une **coche**. Ces coches permettent de repérer rapidement quelques-uns des traits qui caractérisent plus sûrement un animal ou une plante. Mais attention : il n'y a pas autant de coches que de traits et ceux ainsi soulignés ne comportent pas nécessairement le trait le plus important.

Dans chaque section de ce guide se trouvent des espèces identifiables au premier coup d'œil, à cause de leur unicité, comme le raton laveur, le cardinal, le paon-de-lune et la sanguinaire ; le lieu où vous les apercevez a alors peu d'importance. Mais devant un sujet plus rare, moins connu ou que l'on peut confondre avec d'autres, l'endroit où vous le découvrez et le milieu dans lequel il se trouve constituent des indices importants. C'est ici que se révèle toute l'utilité des **cartes de peuplement** qui accompagnent les fiches d'identité. Plus faciles à saisir que de longues descriptions, elles montrent dans

7

MAMMIFÈRES

OISEAUX

REPTILES ET AMPHIBIENS

POISSONS

INVERTÉBRÉS

ARBRES ET ARBUSTES

FLEURS SAUVAGES

PLANTES NON FLORIFÈRES

CHAMPIGNONS

La **fiche d'identité,** imprimée en italique, est facile à repérer et donne des indices clés sur l'espèce ou le genre.

femelle

mâle

Tangara écarlate
Piranga olivacea

Longueur : 15-18 cm (6-7 po).
Traits : mâle : écarlate (vert-jaune en automne) ; queue et ailes noires ; femelle : vert-jaune, queue et ailes plus foncées.
Habitat : bois de feuillus épais, banlieues, parcs.

Le chant du tangara écarlate ressemble à celui du merle, mais les tons graves de sa voix sont beaucoup plus riches. Son cri aussi est distinctif : un rauque *tchip-cœurr* dans l'Est qui devient *tchip-tchœurr* ailleurs. Cet oiseau dévore de grandes quantités de chenilles et de perce-bois, surtout mais non exclusivement dans les chênes. Le plumage des jeunes mâles est orange ou maculé de rouge et de jaune.

OISEAUX

L'onglet de couleur identifie tout de suite chaque section.

La carte de peuplement précise dans quelle région vit une plante ou un animal. Dans le cas des oiseaux, différentes couleurs indiquent leurs déplacements saisonniers.

Tangara à tête rouge
Piranga ludoviciana

Longueur : 15-18 cm (6-7 po).
Traits : mâle : jaune vif ; tête rouge ; nuque, ailes et queue noires (pas de rouge en hiver) ; femelle : vert-jaune dessus, jaunâtre dessous, barres alaires blanches (la seule femelle tangara à en avoir).
Habitat : boisés clairsemés mixtes ou de conifères ; autres forêts en migration.

femelle

mâle

Le chant de ce tangara ressemble à celui du précédent : une série de courtes phrases séparées par des pauses. Son cri habituel est un plaintif *peurté* dont il fait parfois trois syllabes. En migration, on peut voir passer des vols complets de tangaras à tête rouge. Ils nichent surtout en montagne, parfois très haut dans des sapins et des pins. La femelle pond entre trois et cinq œufs ; elle assume seule la couvaison, mais le couple voit ensemble à nourrir et à protéger les petits.

Le texte explicatif traite d'espèces apparentées ou donne une description détaillée de la plante ou de l'animal.

femelle

mâle

Tangara vermillon
Piranga rubra

Longueur : 15-19 cm (6-7½ po).
Traits : bec jaunâtre ; mâle rouge ; femelle vert-jaune dessus, jaune dessous.
Habitat : boisés ; forêts de chênes, de noyers ou de pins en montagne.

Les **coches** mettent en relief certains des traits énumérés dans la fiche d'identité.

Erable à sucre
Acer saccharum

Taille : 18-25 m (60-80 pi) ; feuille 7,5-12,5 cm (3-5 po).
Traits : feuilles à 5 lobes, vert vif dessus, pâles dessous ; disamares à ailes en V (automne) ; écorce grise, velue, écailleuse ou les deux.
Habitat : terres humides et riches en plateaux et vallées.

Erables
Acer

Les érables se reconnaissent à leurs feuilles lobées et opposées (sauf chez l'érable négondo dont les feuilles sont composées) ainsi qu'à leurs fruits, appelés disamares, dont les graines gémellées et ailées tombent en tournoyant comme de petits hélicoptères. Certaines espèces portent leurs fruits au printemps, d'autres à l'automne. Tous donnent de grandes quantités de sève à la fin de l'hiver ou au début du printemps, mais seulement la sève de l'érable à sucre est assez sucrée pour justifier une exploitation commerciale et nous offrir ces produits dont tous les gourmands raffolent. On trouve aussi en Amérique du Nord plusieurs érables importés ; ceux de No...

fleurs

Erable de Norvège
Acer platanoides

Taille : 18-25 m (60-80 pi) ; feuille 10-15 cm (4-6 po).
Traits : feuilles à 5 ou 7 lobes, vert foncé dessus, vert vif dessous ; tiges exsudant un latex à la cassure ; disamares à ailes très écartées (automne).
Habitat : rues, pelouses.

Erable rouge
(plaine rouge)
Acer rubrum

Taille : 15-20 m (50-70 pi) ; feuille 5-15 cm (2-6 po).
Traits : feuilles à 3 ou 5 lobes dentés, vert pâle dessus, gris-vert dessous ; fleurs rouges précédant les feuilles ; disamares rouges à ailes en V (printemps). Habitat : terres d'alluvion et plateaux humides.

8

RBRES

quelle partie du continent vit normalement telle ou telle espèce. Les animaux ne sont pas statiques; les plantes non plus, puisqu'elles se répandent par leurs graines ou leurs spores. Il faut donc prendre ces cartes pour ce qu'elles sont: des outils et non des dogmes.

Sous les cartes de peuplement se trouvent des **symboles d'habitat** que nous expliquons ci-dessous. Ces symboles sont utiles: ils vous révèlent tout de suite si, par exemple, un oiseau est une espèce de montagne ou de désert. La fiche d'identité aussi le précise sous la rubrique « Habitat ». Quand la plupart des espèces d'une section occupent le même habitat (par exemple, les mollusques qui vivent géné-

ralement dans l'eau ou à proximité), les symboles sont omis, mais le renseignement se trouve dans la fiche.

Le chapitre qui suit s'intitule lui aussi **Habitats.** Il traite d'abord des relations — cycle naturel, chaîne alimentaire — qui existent entre les animaux et les plantes. Vient ensuite une étude détaillée de 30 habitats avec, pour chacun d'eux, un texte descriptif, une photographie, une liste d'animaux et de plantes et, souvent, un répertoire partiel des endroits — parcs, réserves, refuges — où vous pouvez rencontrer ces animaux et ces plantes au Canada et aux Etats-Unis; bref tout ce qu'il faut pour mieux connaître la faune et la flore qui nous entourent.

---

*Les **symboles d'habitat**, un autre moyen d'accélérer l'identification. Les oiseaux qu'on trouve rarement en forêt, par exemple, n'ont pas de symbole d'arbre.*

 déserts, champs d'armoise, terres arides

 herbages, prés, brousse, toundra

 forêts, terrains boisés

 bords de route (pour les fleurs sauvages seulement)

 villes, banlieue, terres agricoles

 étangs, lacs, rivières, ruisseaux, marais d'eau douce

 rivages rocheux et sableux, marais salés, océans

 eaux saumâtres (plus rare)

---

*Dans certains cas, il y a **plus d'une illustration**. Par exemple, on montrera les fleurs ou la silhouette d'un arbre, les différents plumages d'un oiseau.*

*Les **renseignements spéciaux**, d'un intérêt particulier pour la connaissance d'un groupe ou son identification, sont imprimés en bleu. D'autres renseignements de même nature se trouvent dans l'**introduction** au début de chaque section.*

*Certaines espèces ont un **deuxième nom** français; dans quelques cas, on le mentionne, mais on ne peut donner tous les régionalismes.*

Les feuilles d'automne. La chlorophylle, qui permet aux feuilles de s'alimenter, les fait paraître vertes en masquant les pigments rouges, orange et jaunes qu'elles contiennent. Lorsque les jours raccourcissent à l'automne, la chlorophylle cesse peu à peu d'être active et les autres pigments apparaissent. Dans certains cas, le feuillage se colore uniformément; il est jaune chez les peupliers et les bouleaux, écarlate chez l'érable rouge; dans d'autres espèces, il devient multicolore.

fleurs

Erable de Pennsylvanie (bois barré)
Acer pensylvanicum
Taille: 6-9 m (20-30 pi); feuille 12,5-15 cm (5-6 po).
Traits: feuilles à 3 lobes denticulés, pâles dessous; jeune écorce lisse, vert vif à raies blanches; fleurs jaune vif sur longs pédoncules pendants.
Habitat: vallées et pentes boisées, sol humide.

(30-40 pi); (6-15 po). composées irrégulière. entées; fleurs jaune-vert; les en V (automne). ximité des cours d'eau s.

9

Habitats

Quels liens y a-t-il entre les animaux et les plantes,
entre eux et l'environnement dans lequel ils vivent ?
Autant de questions traitées dans ce chapitre
dont l'objectif est avant tout pratique :
vous préparer à un rendez-vous avec la nature.

L'herbe est nourrissante parce qu'elle transforme l'énergie solaire. Puis, la sauterelle mange l'herbe, le troglodyte mange la sauterelle, le faucon mange le troglodyte : ainsi va la vie. C'est la chaîne alimentaire qui relie les plantes et les animaux entre eux ; elle assure la transmission de la vie et divise la faune et la flore en deux camps : victimes et prédateurs.

Mais loin d'être immuable, la chaîne alimentaire obéit à ses propres lois ; d'autre part, les végétaux et les animaux ont entre eux des relations autres qu'alimentaires. Les insectes pollinisent les fleurs et disséminent leur semence. Les animaux cherchent support et abri dans les plantes : où la chenille accrocherait-elle son cocon ? D'autres sortes de liens existent ; hiboux et serpents, par exemple, empruntent les terriers creusés par les chiens de prairie. Il y a plus. La nature de l'environnement — température, lumière, humidi-

té, sels minéraux — influe sur les animaux et les plantes. Si la faune et la flore de l'Amérique du Nord sont si complexes (plus de 600 espèces d'oiseaux en nidification, plus de 50 espèces de chênes), c'est qu'on y trouve une étonnante gamme d'habitats. Car aucun d'eux n'est totalement stérile : ni le désert, ni la toundra, ni même les sources d'eau chaude ; des plantes, des animaux s'y sont adaptés.

FAUNE ET FLORE DE L'AMÉRIQUE DU NORD s'attache à décrire ces relations, à replacer l'espèce dans son milieu. On ne saurait traiter des sarracénies sans expliquer à quel trait particulier de leur nature elles doivent d'être carnivores, ni parler de l'effraie des clochers sans dire d'où vient son nom. Cependant, la présentation des animaux et des plantes, espèce par espèce, permet difficilement d'examiner les liens qu'ils ont entre eux ; aussi, le faisons-nous dans ce chapitre.

Les relations entre victimes et prédateurs ne sont pas les seules. Voici un aperçu des liens entre végétaux et animaux dans le parc national des Everglades, aux Etats-Unis.

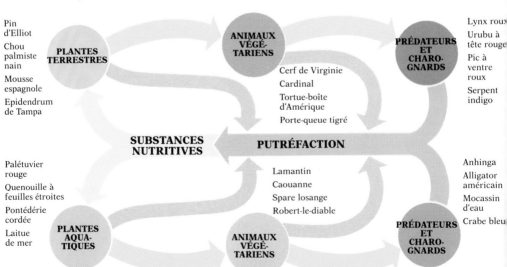

Comment utiliser cette section

Cette section vise à vous faire connaître d'avance la faune et la flore d'une région. Projetez-vous un voyage sur la côte Ouest? Vous voudrez sans doute visiter trois habitats du Pacifique : la forêt littorale, les grèves de sable et la côte rocheuse. Une page entière est consacrée à chacun d'eux; vous y trouverez une photographie, un texte descriptif et deux listes, l'une d'endroits typiques, l'autre de végétaux et d'animaux.

Après la description de l'habitat vient en général une liste d'endroits typiques à visiter tant au Canada qu'aux Etats-Unis : parcs nationaux, provinciaux ou d'Etat, refuges, réserves. Lorsqu'un parc s'étend sur deux provinces ou deux Etats, on le situe là où se trouve sa plus grande superficie. Cette liste n'est pas exhaustive; on trouverait ailleurs les mêmes espèces dans la même interdépendance. En outre, il y a bien plus dans ces parcs que les espèces végétales et animales mentionnées : les grandes superficies sont polyvalentes et dans certains parcs coexistent plusieurs habitats. Quand aucun lieu n'est indiqué, c'est qu'il s'agit d'habitats très communs dans l'ensemble du continent, comme les lacs et les étangs.

Chaque habitat comporte une liste partielle des espèces animales et végétales qui s'y trouvent. On a choisi de préférence des spécimens faciles à voir — mammifères, oiseaux, arbres, fleurs sauvages — en donnant dans chaque cas la page où l'espèce (ou ses proches parentes) est étudiée. Cette présentation rend le guide plus facile à consulter et accélère l'identification sur le terrain.

Dans la nature, les plantes et les animaux se retrouvent souvent dans plusieurs régions. Les oiseaux migrateurs, en particulier, ont des habitats saisonniers, tandis que plusieurs espèces animales et végétales, plus adaptables, habitent un peu partout; l'ours noir, par exemple, se rencontre dans six habitats différents.

L'invitation au voyage

Vous trouverez ci-dessous la table des matières de ce chapitre. Il aurait été facile de multiplier presque à l'infini les habitats de l'Amérique du Nord. Nous en avons choisi 30; ce sont les plus importants et les plus représentatifs. Dans certains cas, l'habitat se définit par la plante qui y vit, par exemple les marécages à cyprès; dans d'autres cas, par la région qu'il occupe, par exemple la Sierra Nevada.

A défaut de visiter tous ces endroits, vous les découvrirez dans ce guide. S'il suffit d'un seul sujet — le passerin cyris et son plumage multicolore, le séquoia toujours-vert et son port altier — pour nous révéler la beauté de notre faune et de notre flore, on n'en comprendra la grandeur et la diversité qu'en découvrant les lieux où les paysages nord-américains se révèlent dans leur splendeur.

Table des matières de cette section

Un coin de forêt en Colombie-Britannique : sous la cime touffue des sapins de Douglas, de jeunes pruches disputent aux fougères une échappée de soleil.

Forêt littorale du Pacifique

Le long du Pacifique, une écharpe de forêts coniferiennes s'étend de l'Alaska jusqu'au nord de la Californie. Ne dépassant jamais 160 km (100 mi) de large, elle présente quelques-uns des arbres les plus hauts du monde, un peuplement étonnant d'épinettes, de pruches et de sapins qui se dressent à 75 m (250 pi) du sol.

Le littoral est humide et brumeux. Dans l'île Meares, près du parc national Pacific Rim, en Colombie-Britannique, se trouve l'une des trois grandes forêts primitives qui restent dans le monde.

Des mousses pendent aux branches des arbres des forêts pluviales ; fougères, lichens et mousses tapissent le sol. Mais il suffit d'une faille dans la voûte des grands conifères pour qu'apparaissent les frondaisons de second étage, des feuillus arbustifs qui nourrissent cerfs et wapitis. On rencontre aussi la piste de l'ours noir et du couguar dans les sentiers des parcs. Les oiseaux se cachent, mais on entend le joyeux ramage des mésanges et des geais.

Plus au sud, dans le nord de la Californie, apparaît la forêt des séquoias toujours-verts au sous-bois dénudé où les animaux se laissent mieux voir. Les cimes, ici, surpassent celles des grands conifères du Nord et s'élèvent à 90 m (300 pi), parfois beaucoup plus. Bien qu'il en soit tombé beaucoup sous la hache des bûcherons, il reste encore de grands bosquets de troncs rouges, droits comme des obélisques, altièrement dressés vers le ciel au-dessus d'un sol éclaboussé de soleil, et c'est un spectacle qui ne s'oublie pas.

Où voir cet habitat
Californie : parc national Redwood ; forêt domaniale Six Rivers ; Muir Woods National Monument ; parcs d'Etat Big Basin, Humboldt et Jedediah Smith Redwoods
Colombie-Britannique : parcs provinciaux Garibaldi, MacMillan et Manning
Oregon : parcs d'Etat Cape Lookout, Cape Sebastian et Saddle Mountain
Washington : parc national Olympic ; parcs d'Etat Beacon Rock, Deception Pass, Larrabee et Moran

Les grands pins ponderosa se dispersent sur le versant oriental de la chaîne des Cascades, tandis que de jeunes conifères poussent à l'arrière-plan.

Sierra Nevada et Cascades

Sur les contreforts occidentaux et les basses pentes de la sierra Nevada, en Californie, on trouve des forêts presque ornementales où l'air embaume le cèdre et le pin. Autrefois, les incendies, souvent allumés par la foudre, ont espacé les arbres et débarrassé le sol des débris végétaux; aujourd'hui, les incendies étant mieux contrôlés, la forêt se fait plus dense.

D'une altitude variant entre 1 300 et 2 150 m (4 500-7 000 pi), les sierras ont les plus gros arbres du monde. Presque aussi grand que le séquoia toujours-vert, le séquoia géant au tronc lourd et aux fortes branches est beaucoup plus massif. Associé aux pins ponderosa, il occupe une ceinture étroite de 400 km (250 mi) de longueur. La chaîne des Cascades, au Washington et en Oregon, est dépourvue de ces arbres géants, mais dans ses forêts peu denses de pins ponderosa, le sous-bois se couvre de fleurs sauvages et d'arbustes dont les baies et les graines nourrissent de nombreux oiseaux et petits mammifères. Les écureuils courent partout; les cerfs et les ours sont fréquents et même le discret cougar vient s'y promener.

Où voir cet habitat

Californie: parcs nationaux Kings Canyon, Lassen Volcanic, Sequoia et Yosemite; forêts domaniales Inyo, Lassen, Shasta-Trinity, Sierra et Stanislaus; parc d'Etat Calaveras Big Trees
Oregon: parc national Crater Lake; forêt domaniale Deschutes
Washington: forêts domaniales Snoqualmie et Wenatchee

Faune
souris sylvestre *p. 51*
spermophile à mante dorée
   p. 55
martre d'Amérique *p. 60*
ours noir *p. 64*
cerf mulet *p. 67*
chouette naine *p. 115*
martinet à gorge blanche
   p. 116
pic glandivore *p. 118*
moucherolle à côtés olive
   p. 123
geai de Steller *p. 124*
casse-noix d'Amérique *p. 125*
mésange de Gambel *p. 127*
paruline à croupion jaune
   p. 141
tangara à tête rouge *p. 147*
bruant fauve *p. 156*

Flore
pin lodgepole *p. 290*
pin ponderosa *p. 290*
sapin concolore *p. 294*
sapin magnifique *p. 294*
séquoia géant *p. 295*
chêne de Kellogg *p. 305*
peuplier faux-tremble *p. 310*
arctostaphylos *pp. 325 et 377*
céanothes *p. 328*
sarcode sanguine *p. 379*
lupins *p. 391*
castilléjie vermillon *p. 431*
lis léopard *p. 485*

*Les peupliers faux-trembles
sèment des plages d'or dans
ce paysage sylvestre du
Colorado.*

Rocheuses

Plusieurs types de forêts peuplent les Rocheuses. Sur les basses pentes des Rocheuses centrales et méridionales et sur les plateaux environnants, c'est le pin qui domine. Il pousse haut mais peu dru et cède la place ici et là à des prés herbeux où paissent des cerfs; dans le parc Yellowstone, on trouve aussi des bisons.

Plus haut et plus au nord viennent les épinettes et les sapins. Mais cette forêt subalpine n'est pas exclusivement coniférienne. Là où les incendies ont ouvert des tranchées, où l'humidité s'infiltre, pousse le peuplier faux-tremble. A la limite de la végétation arborescente, des pins tordus s'accrochent à la vie de toutes leurs racines tentaculaires. Plus haut encore, les aigles survolent des précipices vertigineux qu'escaladent d'un pied sûr le mouflon d'Amérique et la chèvre de montagne.

Où voir cet habitat
Alberta: parcs nationaux de Banff,
    de Jasper et des Lacs-Waterton; parc
    provincial de Kananaskis
Colorado: parc national Rocky Mountain;
    forêt domaniale White River
Idaho: forêts domaniales Boise, Challis, Payette
Montana: parc national Glacier; forêts
    domaniales Flathead et Lewis and Clark
Wyoming: parcs nationaux Grand Teton et
    Yellowstone; forêt domaniale Shoshone

Régions semi-désertiques

Dans le Grand Bassin, des conifères nains, acclimatés à la sécheresse, poussent sur une étroite bande de terre entre la sierra Nevada et les Rocheuses. Le même habitat se retrouve sur le sommet et les flancs de plusieurs plateaux et mésas. Dans ces zones chaudes et sèches, les arbres poussent isolément ou en bosquets dispersés ; le sol que couvre une maigre végétation est rocheux ou caillouteux. Bien que peu variée, la flore suffit à nourrir, surtout en hiver, les mammifères et les oiseaux qui vivent dans ces parages. Quand le froid s'installe, les cerfs descendent des hautes forêts conifériennes pour venir brouter une herbe rare, suivis de leurs prédateurs, couguars et coyotes. Les oiseaux aussi y émigrent : le casse-noix de Clark, qui se nourrit de pignons, et le merle, amateur des baies de genièvre. Certaines espèces, peu vues ailleurs, vivent ici en permanence : le geai des pins à queue courte et sans huppe et la souris des pins à pieds blancs, proche parente de la souris sylvestre.

Où voir cet habitat

Arizona : parc national Grand Canyon ; canyon de Chelly et Navajo national monuments
Colorado : parc national Mesa Verde ; Colorado et Dinosaur national monuments
Nevada : forêts domaniales Humboldt et Toiyabe ; parcs d'Etat Cathedral Gorge et Valley of Fire
Nouveau-Mexique : forêt domaniale Cibola ; Bandelier National Monument ; San Andres National Wildlife Area
Utah : parcs nationaux Bryce Canyon, Canyonlands, Capitol Reef et Zion

Faune
porc-épic *p. 44*
tamia des falaises
  autres tamias p. 55
lièvre de Californie *p. 57*
coyote *p. 63*
couguar *p. 65*
cerf mulet *p. 67*
buse à queue rousse *p. 107*
colibri à gorge noire *p. 117*
geai à gorge blanche *p. 124*
casse-noix d'Amérique *p. 125*
mésange de Gambel *p. 127*
mésange unicolore *p. 128*
mésange buissonnière *p. 128*
troglodyte des canyons *p. 131*
pie-grièche migratrice *p. 132*
moqueur des armoises
  p. 133
merle d'Amérique *p. 134*
merle bleu azuré *p. 135*

Flore
pin pignon *p. 289*
genévrier de l'Utah *p. 296*
amélanchier de l'Utah
  autres amélanchiers p. 313
céanothe *p. 328*
armoise tridentée *p. 331*
chrysothamne *p. 331*
opuntia à plusieurs aiguilles
  p. 355
échinocéréus à fleurs rouges
  p. 356
stanleya pennée *p. 375*
herbe porc-épic *p. 474*
calochortus de Nuttall *p. 486*

Un plateau rocheux du Colorado : dans ce sol aride poussent un pin touffu et un yucca épineux ; un genévrier a succombé.

15

Près du mont McKinley, en Alaska, s'étendent à perte de vue des forêts d'épinettes et de sapins parsemées de fondrières et de muskegs.

Forêt boréale

La forêt boréale (du grec boreas, *personnification du vent du Nord) traverse le Canada de part en part. Au nord, c'est la toundra; au sud de la ceinture canadienne, la forêt boréale pénètre dans les Adirondacks et les Appalaches.*

Cette immense région a été pelée jusqu'au roc par l'érosion glaciaire; elle est maintenant émaillée de lacs et de tourbières. Même si la couche d'humus est mince, les arbres y poussent dru; quand le soleil atteint le sous-bois, celui-ci se couvre d'un tapis multicolore de fleurs sauvages. Plusieurs espèces d'oiseaux nichent dans ces forêts de conifères: les gros-becs, les becs-croisés et de nombreuses parulines. Il est rare d'apercevoir les grands mammifères, mais leur présence fascine ceux qui visitent cette contrée à pied ou en canot.

Où voir cet habitat
Alberta : parcs nationaux de Banff et de Jasper
Maine : parc national Acadia ; parc d'Etat Baxter
Michigan : parc national Isle Royale
Minnesota : forêt domaniale Superior
New Hampshire : forêt domaniale de White Mountain
New York : Adirondack Forest Preserve
Ontario : parcs provinciaux du Lac-Supérieur et Quetico
Québec : parc de la Gaspésie ; réserve faunique des Laurentides
Saskatchewan : parc national du Prince-Albert

Faune
castor *p. 45*
écureuil roux *p. 54*
lièvre d'Amérique *p. 57*
vison d'Amérique *p. 61*
loup *p. 63*
ours noir *p. 64*
lynx du Canada *p. 65*
orignal *p. 68*
caribou *p. 69*
tétras du Canada *p. 110*
pic tridactyle *p. 119*
mésangeai du Canada *p. 124*
mésange à tête brune *p. 127*
sittelle à poitrine rousse *p. 129*
roitelet à couronne rubis
   p. 136
parulines obscure, à tête cendrée, à gorge noire *et autres*
   parulines *pp. 138-143*
bec-croisé des sapins *p. 150*
dur-bec des sapins *p. 150*
junco ardoisé *p. 153*
bruant à gorge blanche *p. 155*

Flore
mélèze laricin *p. 292*
épinette noire *p. 292*
épinette blanche *p. 293*
sapin baumier *p. 294*
coptide *p. 344*
pyrole unilatérale *p. 378*
trientale *p. 382*
cornouiller quatre-temps
   p. 397
aralie à tige nue *p. 404*
linnée *p. 445*
maïanthème du Canada *p. 495*

Tourbières

*Les tourbières à sphaigne occupent souvent des cuvettes gla-
ciaires ; elles créent des microclimats froids dans lesquels survivent, bien au sud de leur milieu naturel, des arbustes de la
toundra comme le lédon du Groenland et le petit-daphné cali-
culé ; on peut même y trouver de rares orchidées et des plantes
carnivores. L'acidité de l'eau et sa faible teneur en oxygène ne
favorisent pas la vie aquatique ; les mammifères et les oiseaux
des forêts environnantes n'y viennent qu'en passant.*

*C'est dans les tourbières qu'on peut le mieux observer l'évo-
lution d'un milieu qui, de lac, s'apprête à devenir forêt. Tout
d'abord, une frange de mousses et de scirpes flotte sur la nappe
d'eau ; puis apparaissent des espèces arbustives, tandis que la
végétation flottante devient de plus en plus envahissante. L'eau
s'évapore peu à peu ; la mousse devient tourbe ; puis les épinettes et les mélèzes y prennent pied.*

Où voir cet habitat
Maine : parc national Acadia
Michigan : parc national Isle Royale ; forêt domaniale
Hiawatha ; parc d'Etat Tahquamenon Falls
Minnesota : parc national Voyageurs
New Jersey : forêt domaniale Wharton
Ohio : Brown's Lake Bog (comté de Wayne)
Ontario : parc provincial du Quetico
Québec : parc de la Gatineau : réserve faunique des Laurentides
Virginie de l'Ouest : Cranberry Glades (forêt domaniale Monongahela) ;
parc d'Etat Canaan Valley ; Cranesville Swamp Nature Preserve
Wisconsin : forêt domaniale Chequamegon

Faune
campagnol-lemming de Cooper
p. 49
orignal p. 68
moucherolles à ventre jaune et
à côtés olive pp. 122-123
mésangeai du Canada p. 124
troglodyte mignon p. 130
grive solitaire p. 134
jaseur d'Amérique p. 136
roitelet à couronne rubis p. 136
paruline des ruisseaux p. 139
paruline à couronne rousse
p. 141

Flore
épinette noire p. 292
mélèze laricin p. 292
thuya occidental p. 296
lédon du Groenland p. 324
laurier et andromède glauque
p. 325
chamaedaphné p. 325
sarracénie pourpre p. 368
droséra p. 369
gros atocas p. 377
grassette p. 440
carex porc-épic p. 472
cypripède soulier p. 500
aréthuse bulbeuse p. 501
pogonie langue-de-serpent
p. 501
habénaire ciliée p. 503
spiranthe penchée p. 505
calopogon p. 505

*Un tapis de lauriers prostrés et un
large cercle de mélèzes entourent cette
tourbière au Michigan.*

Forêt mixte de l'Est

Habitat de transition où dominent l'épinette, l'érable et le bouleau, la forêt mixte de l'Est occupe une ancienne région glaciaire. Aujourd'hui, c'est une zone de montagnes, de ravins et de vallées où les glaciers en se retirant ont dénudé le roc et abandonné des blocs erratiques.

Avant que l'homme ne l'exploite, la forêt mixte s'étendait des plaines du Midwest à la Nouvelle-Ecosse. Aujourd'hui, elle survit ici et là : dans les montagnes Vertes du Vermont, les monts Catskill de l'Etat de New York et les Alleghanys. Les arbres dominent plusieurs étages d'arbustes à feuilles persistantes ou caduques. Nourriture et lieux de nidification abondent ; aussi y rencontre-t-on une vaste gamme d'oiseaux : faucons et hiboux, parulines et bruants. Le sol, un humus fertile et noir, se couvre dès les premiers signes du printemps d'un tapis de fleurs sauvages qui persistent jusque tard en automne.

Où voir cet habitat

New Hampshire : forêt domaniale de la Montagne-Blanche
New York : parc d'Etat Allegany ; Catskill Forest Preserve
Nouveau-Brunswick : parc national de Fundy
Ontario : parc provincial du Lac-Supérieur
Pennsylvanie : forêt domaniale Allegheny
Québec : parc national de la Mauricie
Vermont : forêt domaniale des Montagnes-Vertes
Virginie : parc national Shenandoah
Virginie de l'Ouest : forêt domaniale Monongahela

Faune
écureuil gris *p. 54*
tamia rayé *p. 55*
raton laveur *p. 58*
renards *p. 62*
lynx roux *p. 65*
cerf de Virginie *p. 67*
buse à queue rousse *p. 107*
gélinotte huppée *p. 110*
grand pic *p. 118*
tyran huppé *p. 121*
geai bleu *p. 124*
mésange à tête noire *p. 127*
mésange bicolore *p. 128*
grive solitaire *p. 134*
grive fauve *p. 135*
viréo aux yeux rouges *p. 137*
paruline bleue *et autres*
  parulines pp. 138-143
tangara écarlate *p. 147*

Flore
pin blanc *p. 288*
pruche du Canada *p. 293*
hêtre américain *p. 303*
tilleul d'Amérique *p. 308*
érable rouge *p. 318*
érable à sucre *p. 318*
hamamélis *p. 323*
hépatique d'Amérique *p. 344*
podophylle *p. 350*
sanguinaire du Canada *p. 351*
dicentre à capuchon *p. 352*
claytonie *p. 360*
chimaphile *p. 378*
mitchella *p. 443*
arisème rouge foncé *p. 479*
trilles *p. 488*

Beauté de l'automne dans les montagnes Vertes : le vert sombre des conifères, le tronc blanc d'un bouleau, et partout le flamboiement des érables.

Chênes blancs et caryers ovales se côtoient dans cette forêt de l'Illinois.

Forêt de feuillus

Diverses espèces de chênes peuplent, outre de vastes espaces de la Californie, deux grandes régions forestières. L'une va du Texas jusqu'à l'Illinois en remontant le Mississippi. L'autre suit les contreforts des Appalaches jusqu'à New York et à la Nouvelle-Angleterre. Autrefois, le châtaignier disputait au chêne sa suprématie. La maladie ayant décimé les châtaigniers, les chênes s'associent maintenant aux caryers ; d'autres feuillus et des pins complètent ce peuplement.

Les forêts de feuillus sont sèches. Dans leur sol sableux, les arbres poussent loin les uns des autres ; aussi le sous-bois, composé d'arbustes et de grimpants, est-il dense. Dans le nord-est du continent, les chênes sont de grande taille et très branchus ; à l'ouest du Mississippi, ils deviennent arbustifs et forment des taillis qui couvrent les vallées et atteignent la plaine. Les viréos et les tangaras aiment bien nicher dans leur cime. Ratons laveurs, écureuils, cerfs et dindons sauvages raffolent des glands et des noix que donnent ces essences.

Où voir cet habitat

Alabama : forêt domaniale Talladega
Arkansas : forêts domaniales Ouachita et Ozark
Caroline du Nord : Blue Ridge Parkway
Illinois : parc d'Etat Starved Rock
Kentucky : forêt domaniale Cumberland
Mississippi : parcs d'Etat Carver Point et Hugh White
Missouri : forêts domaniales Clark et Mark Twain
New York : parc d'Etat Bear Mountain
Oklahoma : parc d'Etat Osage Hills
Québec : parc de la Gatineau
Texas : parcs d'Etat Davis Mountains, Garner et Possum Kingdom
Virginie : parc national Shenandoah ; forêts domaniales
George Washington et Jefferson

Faune
oppossum d'Amérique *p. 44*
écureuil gris *p. 54*
tamia rayé *p. 55*
lapin à queue blanche *p. 57*
raton laveur *p. 58*
renard gris *p. 62*
cerf de Virginie *p. 67*
petite buse *p. 106*
gélinotte huppée *p. 110*
dindon sauvage *p. 111*
engoulevent bois-pourri *p. 116*
pic à ventre roux *p. 118*
pic flamboyant *p. 119*
geai bleu *p. 124*
viréo aux yeux rouges *p. 137*
tangara écarlate *p. 147*
tangara vermillon *p. 147*
cardinal à poitrine rose *p. 149*

Flore
pin dur *p. 291*
tulipier de Virginie *p. 298*
liquidambar styraciflère *p. 300*
caryer ovale *p. 302*
caryer tomenteux *p. 302*
chênes rouges, des lieux
   arides, blanc, à gros
   glands *et autres chênes*
   pp. 304-306
gainier du Canada *p. 314*
cornouiller fleuri *p. 317*
benjoin odoriférant *p. 323*
noisetier d'Amérique *p. 324*
rhododendrons *p. 325*
kalmie à larges feuilles *p. 325*
violette pédalée *p. 370*
théophrasie de Virginie *p. 389*
célastre grimpant *p. 398*
géranium maculé *p. 401*
uvulaire à grandes fleurs *p. 487*
smilacine à grappes *p. 495*
smilax à feuilles rondes *p. 499*
cypripède acaule *p. 500*

Sud des Appalaches

Une mer de verdure se déploie en été sur les crêtes ondulantes du sud des Appalaches. Dans les Great Smoky Mountains, cette forêt devient vraiment magnifique et couvre de son abondante frondaison la plus vaste région boisée de l'est du continent. Dans le sol fertile des vallées abritées croissent de nombreuses espèces d'arbres et d'arbustes, tandis que les sommets et les plateaux non boisés se couvrent au printemps de rhododendrons et d'azalées.

Dans les « Smokies », la flore est d'une stupéfiante variété. On y a dénombré plus de 130 arbres et 1 600 fleurs sauvages ; des fougères tropicales y côtoient des plantes de l'Arctique. Ces montagnes n'ayant jamais connu les glaciers, plusieurs espèces qui y survivent sont les reliques d'anciennes colonies botaniques qui peuplaient jadis toute l'Amérique du Nord et l'Asie.

Les Appalaches abritent des salamandres qui trouvent refuge sous les troncs pourris ou le tapis de feuilles mortes. C'est une région bénie pour les observateurs d'oiseaux, surtout au printemps quand renaît la forêt. Certaines espèces ne sont que de passage, tandis que d'autres y font leur nid et charment les visiteurs de leurs chants mélodieux.

Où voir cet habitat

Caroline du Nord : forêts domaniales Pisgah et Nantahala ; Blue Ridge Parkway
Georgie : forêt domaniale Chattahoochee
Québec : parc Frontenac ; parc du Mont-Orford
Tennessee : parc national Great Smoky Mountains ; forêt domaniale Cherokee ; parcs d'Etat Cove et Harrison Bay
Virginie : parc national Shenandoah ; forêts domaniales George Washington et Jefferson
Virginie de l'Ouest : forêt domaniale Monongahela ; parcs d'Etat Blackwater Falls, Kanawha, Watoga

Faune
écureuil roux *p. 54*
écureuil gris *p. 54*
tamia rayé *p. 55*
renards *p. 62*
ours noir *p. 64*
cerf de Virginie *p. 67*
dindon sauvage *p. 111*
grand pic *p. 118*
mésange de Caroline *p. 127*
moqueur roux *p. 133*
grive des bois *p. 134*
viréo à tête bleue *p. 137*
parulines à capuchon, bleue *et autres parulines* *pp. 138-143*
tangara écarlate *p. 147*
cardinal rouge *p. 148*

Flore
tulipier de Virginie *p. 298*
caryer cordiforme *et autres caryers p. 302*
hêtre américain *p. 303*
chênes prin, blanc *et autres chênes pp. 304-306*
tilleul d'Amérique *p. 308*
cerisier tardif *p. 312*
amélanchier arborescent *p. 313*
gainier du Canada *p. 314*
nyssa sylvestre *p. 316*
marronnier jaune *p. 317*
érable rouge *p. 318*
frêne blanc *p. 321*
rhododendrons *p. 325*
kalmie à larges feuilles *p. 325*

Dans le parc national Shenandoah, on croit retrouver le mouvement des vagues en mer.

Bouleaux, trembles et épinettes dans une clairière au Michigan.

Terres en friche

Les terrains qui retournent à l'état sauvage après avoir été cultivés ou déboisés ne sont pas beaux à voir. Mais ils nous montrent comment la nature s'y prend pour restaurer la végétation et ramener la faune qui y habitait. Le scénario est constant : aux plantes prostrées succèdent les arbustes, puis les arbres.

Les premières plantes à s'installer sur un sol nu sont les herbacées et les graminées annuelles : herbe à poux ou chou gras. Elles résistent au soleil, aux grands écarts de température et dépendent du vent pour disséminer leur semence. Après viennent les asclépiades et les chardons, plantes vivaces qui, n'ayant pas à partir de zéro chaque printemps, prennent vite de l'avance sur les annuelles. C'est l'étape du « champ abandonné », vibrant du chant des sturnelles et des goglus, étoilé de fleurs que viennent butiner des papillons dans l'ardente chaleur du soleil. Petit à petit arrivent les arbustes et les vignes et, avec eux, les moqueurs et les colins qui aiment nicher dans leurs branches entrelacées. La marmotte les adopte, puis divers prédateurs, mouffettes et renards le font aussi.

Il faut de 15 à 20 ans avant qu'un arbre s'installe dans un terrain nu. Le choix de l'essence dépend surtout de facteurs géographiques et climatiques. Dans la région supérieure des Grands Lacs et aux mêmes latitudes dans l'Est, les trembles et les bouleaux précèdent les conifères et les bois francs. Le cerisier tardif dont les oiseaux répandent les graines vient souvent en premier dans l'est des Etats-Unis. Plus au sud, il s'associe rapidement au plaqueminier et au sassafras. Laissé à lui-même, le champ abandonné retrouve l'état dans lequel il était avant qu'on le modifie ; il devient ce qu'en premier lieu la nature l'avait fait.

Un pin d'Elliot domine de toute sa stature un groupe de jeunes arbres sur la côte du golfe du Mexique, en Floride.

Pinèdes du Sud

Une forêt de pins clairsemés recouvre la majeure partie de la plaine côtière entre l'est du Texas et la Caroline du Nord. Quatre essences dominent, parfois en peuplements purs, parfois associées entre elles ou à des chênes. N'étaient des fréquents incendies de forêt, de larges zones seraient occupées par le groupe chênes-caryers.

Cette terre est géologiquement jeune ; on y trouve une mince couche d'un sol sableux, plutôt stérile, sur un fond compact d'argile. L'égouttement se fait mal. Les eaux pluviales s'accumulent dans des cuvettes tourbeuses où prolifèrent les plantes carnivores et les arbustes à feuilles persistantes. Ici et là, des monticules de sable révèlent la présence des tortues et des gaufres ; les crapauds pieds-en-bêche fuient dans leur terrier la chaleur et la sécheresse du jour. Là où le sol s'élève, surtout en Floride, la couche de surface, plus fertile et plus importante, permet l'établissement des magnolias et d'autres feuillus.

Où voir cet habitat
Alabama : forêt domaniale Conecuh ; Geneva State Forest ; parc d'Etat Chewacla
Caroline du Sud : forêt domaniale Francis Marion ; parcs d'Etat Aiken et Lee
Floride : forêt domaniale Apalachicola ; Austin Carey Forest ; parc d'Etat Hillsborough
Georgie : forêt domaniale Oconee ; Piedmont National Wildlife Refuge ; parcs d'Etat Chehaw, Hard Labor, Franklin D. Roosevelt et Little Okmulgee
Mississippi : forêts domaniales Bienville et De Soto ; parcs d'Etat Clarkco et Shelby

Marécages à cyprès

On distingue le marécage du marais ou de la tourbière au fait qu'il y pousse des arbres. Dans le sud-est des Etats-Unis, ces arbres sont souvent des cyprès chauves. Tous les marécages ont une végétation luxuriante mais, dans les marécages à cyprès, la nature se surpasse. Très hauts, les pieds dans l'eau, les arbres s'entourent de grimpants, se couvrent de mousse espagnole, de fougères, d'orchidées et d'autres épiphytes. Sur les eaux dormantes flottent paresseusement les lentilles d'eau.

Dans les marécages les plus au sud, ceux de Big Cypress et d'Okefenokee par exemple, les alligators font les lézards au soleil ou à demi immergés, tandis que des tortues somnolent sur les troncs couchés. Les serpents sont nombreux, les uns inoffensifs, les autres paresseux mais venimeux comme le mocassin d'eau. D'une passerelle, on peut parfois les observer sans les effrayer. Il y a aussi des mammifères, mais ils se cachent. Les oiseaux sont spectaculaires. On verra souvent au crépuscule quelque cigogne ou quelque ibis retrouver à grands coups d'ailes son nid haut perché.

Où voir cet habitat

Caroline du Nord : forêt domaniale Croatan ; Great Dismal Swamp
Caroline du Sud : forêt domaniale Francis Marion ; parc d'Etat Santee
Floride : Big Cypress Swamp ; Corkscrew Swamp Sanctuary ;
   Wakula Springs
Georgie : Okefenokee National Wildlife Refuge
Tennessee : parc d'Etat Reelfoot
Virginie : Great Dismal Swamp

Faune
raton laveur *p. 58*
ours noir *p. 64*
lynx roux *p. 65*
anhinga d'Amérique *p. 83*
grand héron *p. 84*
aigrette neigeuse *p. 85*
grande aigrette *p. 85*
tantale d'Amérique *p. 86*
ibis blanc *p. 86*
grue du Canada *p. 87*
canard branchu *p. 90*
urubus *p. 106*
buse à épaulettes *p. 107*
chouette rayée *p. 114*
grand pic *p. 118*
pic à ventre roux *p. 118*
paruline orangée, à collier et à
   gorge jaune *pp. 138, 142*

Flore
cyprès chauve *p. 295*
magnolia de Virginie *p. 299*
liquidambar styraciflère *p. 300*
saule noir *p. 309*
tupélos *p. 316*
houx décidu *p. 316*
érable rouge *p. 318*
nymphée odorante *p. 340*
nénuphar jaune *p. 340*
utriculaire vulgaire *p. 440*
sagittaire à larges feuilles *p. 468*
tillandsie usnoïde *p. 478*
pontédérie à feuilles cordées
   p. 480
crinole américaine *p. 491*
iris faux-acore *p. 497*
épidendrums *p. 506*

En Floride, rivière marécageuse bordée de cyprès chauves aux curieuses protubérances (à gauche).

23

*Vert sombre des chênes, jaune-fauve des graminées :
un paysage typique de Monterey, en Californie.*

Chênaies de Californie

La Californie est le pays des chênes. On en trouve des dizaines d'espèces, sans compter les hybrides, et ils poussent partout, sauf dans les déserts les plus arides et en altitude. C'est surtout dans les contreforts montagneux qu'on les trouve en bosquets, entrecoupés d'herbages vallonnés et de maquis. Le chêne affectionne les endroits humides, les défilés par exemple, ou le versant nord des montagnes ; mais même en ces lieux privilégiés, il doit endurer les longues sécheresses estivales. Certains, comme le chêne vert de Californie, ont des feuilles persistantes et minuscules pour mieux lutter contre la déshydratation. D'autres, pour des raisons identiques, ont des feuilles velues.

Les chênaies attirent les animaux avides de glands. Le cerf mulet mange ceux qui tombent ; les écureuils en cachent beaucoup plus qu'ils n'en retrouvent et contribuent ainsi au repeuplement des forêts. Le pic glandivore martèle les troncs, non pour trouver des insectes, mais pour entreposer ses réserves. Ainsi truffés de glands, ces arbres attireront aussi les geais et les écureuils venus en maraude.

Où voir cet habitat
Californie : parcs nationaux Kings Canyon et Sequoia ; forêts domaniales Angeles et Los Padres ; Pinnacles National Monument ; parcs d'Etat Cuyamaca Rancho, Henry W. Coe, Malibu Creek, Mount Diablo, Mount Tamalpais, Samuel P. Taylor et Topanga ; parc Griffith (Los Angeles) ; parc Oak Grove (Pasadena)

Faune
écureuil gris de l'Ouest *p. 54*
spermophile de Californie
  autres spermophiles p. 55
coyote *p. 63*
cerf mulet *p. 67*
buse à queue rousse *p. 107*
buse de Swainson *p. 107*
colin de Californie *p. 111*
petit duc maculé *p. 115*
pic glandivore *p. 118*
geai à gorge blanche *p. 124*
mésange buissonnière *p. 128*
sittelle à poitrine blanche *p. 129*
merle bleu à dos marron *p. 135*
oriole du Nord *p. 146*
cardinal à tête noire *p. 149*
bruant à joues marron *p. 153*

Flore
laurier de Californie *p. 299*
chênes à tan, vert de Californie,
  de Kellogg, blanc de
  Californie *et autres chênes
  pp. 303-306*
arbousier de Menzies *p. 311*
marronnier de Californie :
  autres marronniers p. 317
érable à grandes feuilles *p. 319*
lupin jaune *p. 391*
amsinckie *p. 423*
sarriette de Douglas *p. 424*
pâturin annuel : *autres pâturins
  p. 473*
brodiéa divergente *p. 482*
chalocortus *p. 486*
bloomeries *p. 490*

Collines ondulantes, rocs en saillie, buissons épineux (tantôt verts, tantôt bruns) : le maquis californien au début de l'été.

Maquis

En espagnol, on l'appelle chaparral, *nom donné au chêne rabougri. C'est un habitat unique en son genre, typique des collines chaudes et sèches de Californie, peuplé d'arbustes à feuilles persistantes, versions naines des arbres des environs. Grâce à des racines pivotantes qui vont chercher l'eau en profondeur, ils survivent à l'aridité du sol. Si les pluies d'hiver les font fleurir, leur feuillage cireux devient sec comme de l'amadou en été et ils flambent souvent. Mais que viennent les ondées et les graines germent, des pousses apparaissent, tout renaît.*

Des fourrés denses, impénétrables à l'homme comme aux grands animaux, caractérisent le maquis. Voilà pourquoi chaparral, *ou* chaps, *désigne aussi en américain le pantalon de cuir porté par les cow-boys. Baies, glands et graines font du maquis le paradis des petits animaux. Les rats à queue touffue, les tamias et les lapins y abondent, tandis que s'ébattent au soleil les scinques et les lézards. En picorant le sol, les colins et les tohis se fraient des chemins dans les fourrés, et les chamas, rares ailleurs, volettent de ramille en ramille.*

Où voir cet habitat

Californie : parc national Sequoia ; forêts domaniales Angeles, Cleveland, Los Padres, Mendocina et Shasta-Trinity ; Pinnacles National Monument ; Santa Monica Mountains National Recreation Area ; parcs d'Etat Cuyamaca Rancho, Fremont Peak et Mount Diablo ; parc Griffith (Los Angeles)

Faune
rat à queue touffue de
  Californie *p. 52*
renard gris *p. 62*
coyote *p. 63*
lynx roux *p. 65*
cerf mulet *p. 67*
colin de Californie *p. 111*
colibri d'Anna *p. 117*
geai à gorge blanche *p. 124*
cama brune *p. 128*
mésange buissonnière *p. 128*
troglodyte de Bewick *p. 131*
moqueur de Californie *p. 133*
tohi à flanc roux *et autres tohis*
  p. 151
bruant à couronne blanche
  p. 155
bruant fauve *p. 156*
bruant chanteur *p. 156*

Flore
chêne vert de Californie *et*
  autres chênes pp. 304-306
cerisier à feuilles de houx :
  autres cerisiers p. 312
cercocarpe à feuilles de
  bouleau *p. 313*
yucca chandelle-du-seigneur :
  autres yuccas p. 322
arctostaphylos *p. 325*
hétéromèle à feuille d'arbousier
  p. 327
adénostome fasciculé *p. 327*
céanothe cunéiforme *p. 328*
lotiers *p. 390*
sauge des colombes *p. 430*
gaillet de Nuttall : *autres gaillets*
  p. 444
brodiéa divergente *p. 482*

Désert d'armoise

Le désert américain le plus grand, le plus élevé et le plus froid occupe le Nevada, l'Utah et certaines zones des États avoisinants. Cette région désolée, connue sous le nom de Grand Bassin, se présente comme une vaste étendue couverte d'armoises gris-vert odorantes entre lesquelles le sol reste nu. En réalité, ce désert est moins uniforme qu'il n'y paraît; on y trouve des crêtes parallèles couvertes de conifères, des rivières aux berges boisées et des playas, cuvettes d'eau à croûte de sel, parfois marais, parfois lacs.

Les touffes d'armoises fournissent des abris et une riche nourriture à plusieurs espèces animales. Certaines s'associent si étroitement à cette plante qu'elles en portent le nom: on parle du campagnol des armoises, du lézard épineux des armoises, de la gélinotte des armoises et du moqueur des armoises, au chant si mélodieux.

Où voir cet habitat
Californie: forêt domaniale Modoc
Colorado: Dinosaur National Monument
Nevada: forêts domaniales Humboldt et Toiyabe; Ruby Lake et Sheldon national wildlife refuges; Desert Game Range
Oregon: Malheur National Wildlife Refuge; Hart Mountain National Antelope Refuge
Utah: forêt domaniale Dixie; parc d'État Snow Canyon

Faune
campagnol des armoises *autres campagnols p. 49*
souris à abajoues du Grand Bassin *autres souris à abajoues p. 50*
rat kangourou d'Ord *p. 51*
lièvre de Californie *p. 57*
lapin pygméen à queue blanche *autres lapins à queue blanche p. 57*
blaireau d'Amérique *p. 58*
renards nain et gris *p. 62*
coyote *p. 63*
antilope d'Amérique *p. 66*
cerf mulet *p. 67*
buse de Swainson *p. 107*
aigle royal *p. 108*
faucon des prairies *p. 109*
gélinotte des armoises *autres gélinottes p. 110*
chevêche des terriers *p. 115*
tyran de l'Ouest *p. 120*
alouette hausse-col *p. 123*
moqueur des armoises *p. 133*
bruant des prés *p. 152*
bruant vespéral *p. 152*
bruant à gorge noire *p. 153*
bruant de Brewer *p. 154*

Flore
pourpier de mer *p. 324*
armoises *p. 331*
chrysotamnes *p. 331*
opuntias *p. 355*
vergerettes *p. 363*
oxytropis *p. 388*

Au printemps, armoises et cactus revivent. Le sommet à l'horizon appartient aux Rocheuses du Sud; il fait oublier l'altitude du désert qui est de 2 300 m (7 500 pi).

Désert de cactus

Il y a quatre déserts en Amérique du Nord. Au nord se trouve celui du Grand Bassin, plus froid que les autres et peuplé d'armoises. Le Mohave, au Nevada et en Californie, est petit mais célèbre ; on y trouve la vallée de la Mort. Le Chihuahuan, connu pour ses agaves centenaires, occupe le Texas et le Nouveau-Mexique, mais s'étend surtout au Mexique, tout comme le désert de Sonora qui traverse la frontière et couvre une partie de l'Arizona et de la Californie.

Nul désert au monde ne possède d'aussi belles plantes que le Sonora. On y trouve plus d'une centaine d'espèces de cactus, toutes sortes de plantes grasses et, après les pluies d'hiver et d'été, une quantité incroyable de fleurs sauvages. Les cactus jouent ici le rôle des arbres en forêt : le pic flamboyant s'y creuse des trous pour nicher ; la chouette elfe, la plus petite en Amérique du Nord, se les approprie ; les faucons nidifient dans les angles de leurs articles et les pigeons et les tourterelles pollinisent leurs fleurs et vivent de leurs graines et de leurs fruits.

Où voir cet habitat
Arizona : Chiricahua, Organ Pipe Cactus et Saguaro national monuments ; Arizona-Sonora Desert Museum (Tucson) ; Boyce Thompson Southwestern Arboretum (Superior) ; Desert Botanical Garden (Phoenix)
Californie : Death Valley et Joshua Tree national monuments ; parcs Cuyamaca Rancho et Anza-Borrego Desert ; Living Desert Reserve

Un bison dans la prairie mixte du parc national Wind Cave, dans le Dakota du Sud. L'arbre solitaire est un chêne à gros fruits émigré de l'Est.

Prairie mixte

Quand on abandonne la nature à elle-même, ce sont les précipitations qui déterminent le choix des graminées dans la grande plaine centrale. Là où il pleut beaucoup, on trouve les espèces les plus hautes à racines profondes, comme le barbon de Gérard qui peut atteindre 2,46 m (8 pi). Les sols plus secs donnent des graminées à courtes racines qui dépassent rarement 40 cm (16 po) comme le boutéloua grêle.

Les Rocheuses formant un écran devant les pluies de l'ouest, la région à l'est de cette chaîne est le pays des basses graminées que fréquentent l'antilope d'Amérique et le bison. Plus à l'est viennent les moyennes graminées mélangées à d'autres espèces dans la prairie mixte qui couvre les Dakotas, le Nebraska, l'Oklahoma et une partie du Texas. Encore plus à l'est, c'est le domaine des hautes graminées, puis celui de la forêt. Les frontières de ces zones changent selon qu'il pleut peu ou beaucoup. On trouve 20 prairies domaniales (National Grasslands) aux Etats-Unis et tous les types d'herbages y sont représentés.

Où voir cet habitat

Alberta : parc national des Lacs-Waterton ; parc Cypress Hills
Colorado : Comanche et Pawnee National Grasslands
Dakota du Nord : Long Lake et Lostwood national wildlife refuges
Dakota du Sud : parcs nationaux Badlands et Wind Cave ; Lacreek National Wildlife Refuge ; parc d'Etat Custer
Kansas : Cimarron National Grassland
Manitoba : parc national du Mont-Riding
Montana : Benton Lake, Black Coulee, Bowdoin, Hewitt Lake et Medicine Lake national wildlife refuges ; National Bison Range
Nebraska : forêt domaniale du Nebraska ; Crescent Lake, Fort Niobrara et Valentine national wildlife refuges
Oklahoma : Wichita Mountains Wildlife Refuge
Oregon : Hart Mountain National Antelope Refuge ; Lawrence Memorial Grasslands Preserve
Saskatchewan : parc national du Prince-Albert ; parc Cypress Hills
Texas : Caddo et Lyndon B. Johnson national grasslands
Wyoming : Hutton Lake National Wildlife Refuge

Faune
souris à sauterelles *p. 50*
souris à abajoues hispide *p. 50*
souris des moissons *p. 51*
gaufre brun *p. 53*
spermophiles *p. 55*
chien de prairie *p. 55*
lièvres de Californie, de
   Townsend et antilope *p. 57*
blaireau d'Amérique *p. 58*
coyote *p. 63*
antilope d'Amérique *p. 66*
bison *p. 69*
courlis à long bec *p. 95*
pluvier kildir *p. 97*
busard Saint-Martin *p. 109*
faucon des prairies *p. 109*
crécerelle d'Amérique *p. 109*
tétras à queue fine *p. 110*
hibou des marais *p. 115*
chevêche des terriers *p. 115*
alouette hausse-col *p. 123*
sturnelle de l'Ouest *p. 144*
quiscale de Brewer *p. 145*
bruant noir et blanc *p. 151*
bruants, juncos, pipits et
   moineau *pp. 152-157*

Flore
dauphinelle verdâtre *p. 346*
renoncule des prairies *p. 347*
opuntia à plusieurs aiguilles
   p. 355
callirhoë à involucre *p. 366*
sphéralcéa écarlate *p. 367*
citrouille sauvage *p. 373*
faux indigotier nain *p. 388*
onagre des prairies *et autres*
   onagres p. 396
castilléjies *p. 431*
penstémon ambigu *et autres*
   penstémons p. 433
grindélies *p. 448*
rudbeckie pourpre pâle *p. 455*
coréopsis des teinturiers *p. 457*
lygodesmie à grandes fleurs
   p. 465
pissenlit des prairies *p. 466*
faux-sorgho jaune, barbons *et*
   autres graminées pp. 473-477
calochortus *p. 486*
oignon de Drummond *p. 489*

Prairie haute

Collines ondulantes couvertes d'un tapis de graminées avec, ici et là, la tache sombre d'un bosquet, ce calme paysage bourdonne soudain de vie au printemps. Les gélinottes des prairies tambourinent bruyamment ; les grues du Canada exécutent leur étonnante danse de pariade ; les goglus des prés chantent à tue-tête pendant que poussent les graminées et les fleurs qui feront de la prairie un arc-en-ciel d'écarlates, de pourpres et d'ors.

La prairie haute occupait autrefois une partie du Canada et descendait jusqu'au Minnesota et aux deux Dakotas, couvrant l'Iowa, l'ouest du Nebraska et le Kansas, tandis qu'une autre bordait la côte ouest du golfe du Mexique. Ces terres fertiles ont été converties à l'agriculture ou transformées en villes, mais il en reste encore assez pour que ne disparaisse pas à tout jamais ce paysage d'une sérénité empreinte de noblesse.

Où voir cet habitat

Dakota du Nord : Arrowwood et Tewaukon national wildlife refuges
Dakota du Sud : Waubay National Wildlife Refuge;
   Samuel H. Ordway Memorial Prairie
Illinois : parc d'Etat Goose Lake Prairie
Iowa : parc d'Etat Pilot Knob; Crossman et Mark Sand Prairies; Freda Haffner Preserve; Caylor, Hayden et Kalsow state prairie preserves
Kansas : Flint Hills National Wildlife Refuge; Konza Prairie
Manitoba : Musée vivant de la Prairie (Winnipeg)
Minnesota : Pipestone National Monument; Audubon, Blazing Star, Bluestem, Chippewa, Ottertail et Zimmerman prairies
Ohio : Castalia, Irwin et Ora E. Anderson Compass Plant prairies
Ontario : Ojibway Prairie Provincial Nature Reserve
Texas : Attwater Prairie Chicken Sanctuary

Faune

souris sauteuse des champs
   p. 50
souris sylvestre p. 51
sigmodonte hispide p. 52
gaufre brun p. 53
maubèche des champs p. 101
busard Saint-Martin p. 109
crécerelle d'Amérique p. 109
hibou des marais p. 115
goglu des prés p. 144
sturnelles p. 144
bruants sauterelle, vespéral et
   lapon pp. 152, 157

Flore

violette des prairies *et autres
   violettes* pp. 370-371
gyroselle p. 380
filipendule rouge p. 385
potentille âcre p. 386
baptisie leucanthe p. 392
trèfle pourpre des prairies
   p. 393
panicaut à feuilles de yucca
   p. 407
eustoma à grandes fleurs p. 409
sabatie des plaines p. 410
castilléjie écarlate p. 431
liatrides p. 448
verge d'or élevée p. 449
silphies p. 454
rudbeckie des prairies p. 455
coréopsis p. 457
faux-sorgho jaune, barbon de
   Gérard *et autres graminées*
   pp. 473-477
iris des prairies p. 496
habénaire blanchâtre p. 503

Terres herbeuses sillonnées de cours d'eau, les collines Flint, au Kansas, forment l'une des plus grandes prairies hautes des Etats-Unis.

Un pré alpin émaillé de castilléjies écarlates dans les Rocheuses canadiennes.

Toundra alpine et subarctique

Très haut perchés dans les montagnes de l'Ouest, présents aussi dans les Appalaches orientales, des jardins naturels d'une exquise beauté se parent de mille couleurs durant la brève saison estivale. Les renoncules sont des versions alpines de plantes originaires des basses terres; les douglasies ne vivent qu'en montagne.

Les plantes d'altitude sont généralement vivaces et rustiques; en terrains exposés, elles forment des tapis ou des coussinets pour mieux conserver chaleur et humidité. Un épais manteau de neige les protège durant le long et rude hiver, tandis que les bêtes se terrent. La marmotte hiberne huit mois; le campagnol des champs se promène sous la neige. Des bandes de roselins bruns, amis des neiges éternelles et des gla-ciers, descendent de 1 000 m (3 000 pi) vers les basses vallées pour remonter en altitude dès que le temps s'adoucit.

Où voir cet habitat
Alaska : parc national Denali (mont McKinley);
    parc d'Etat Denali
Alberta : parcs nationaux de Banff, de Jasper et
    des Lacs-Waterton
Californie : parcs nationaux Sequoia et Yosemite
Colombie-Britannique : parc provincial Manning
Colorado : parc national Rocky Mountain;
    forêt domaniale White River
Montana : parc national Glacier; Absaroka-
    Beartooth, Bob Marshall, Cabinet Mountains
    et Mission Mountains wilderness areas
Utah : High Uintas Wilderness Area
Washington : parcs nationaux Mount Rainier,
    North Cascades et Olympic
Wyoming : parc national du Grand Teton

Près du mont McKinley, en Alaska, des carex se mirent dans une nappe d'eau qu'encadrent des collines moutonnantes et des basses terres humides.

Toundra arctique

Une plaine nue saturée d'eau s'étend de la côte septentrionale du continent jusqu'à la forêt coniférienne. Comme le sous-sol de la toundra arctique est gelé en permanence — c'est le pergélisol —, l'eau ne peut pénétrer en profondeur ; la terre demeure donc détrempée en dépit de faibles précipitations.

Le paysage n'est pas sans relief. Ici, ce sont des crêtes rocheuses tapissées de lichens et de mousses ; là, des collines arrondies garnies d'arbres rabougris, des lits de rivières caillouteux bordés de bouleaux décharnés. Plante amie des sols humides, le carex ondule doucement au vent. Raisins d'ours, camarines, arbres nains à feuilles persistantes offrent un peu de nourriture à la faune. La toundra arctique a un autre trait particulier : la plupart des oies sauvages y nidifient, car les oisons peuvent se nourrir abondamment durant les longues journées d'été.

Au Québec, plusieurs sommets présentent des paysages semblables à ceux de la toundra arctique ; on parle alors de toundra alpine. On y observe de petits troupeaux de caribous.

Où voir cet habitat

Alaska : parc national Denali (mont McKinley) ;
   Arctic National Wildlife Range
Manitoba : Cape Churchill Wildlife Management Area
Ontario : parc provincial Polar Bear
Québec : parc de la Gaspésie (monts Albert et Jacques-Cartier) ;
   parc des Grands-Jardins
Territoires du Nord-Ouest : parcs nationaux d'Auyuittuq et de Nahanni
Yukon : parc national Kluane ; Peel River Game Preserve

Scintillant entre des pics altiers, le lac Maligne, dans le parc national de Jasper, en Alberta, est alimenté par les glaciers avoisinants.

Lacs et étangs

L'Amérique du Nord est littéralement criblée de lacs. Dans certaines régions de l'Ontario et du Minnesota, des bras d'eau les relient entre eux, formant d'intéressantes voies navigables pour les canots. Comme dans l'Etat de New York, ils sont souvent les fils de glaciers dont les eaux ont rempli des dépressions naturelles. Des glissements de la croûte terrestre ont créé le lac Tahoe dans la sierra Nevada, le lac Okeechobee en Floride et le lac Reelfoot dans le Tennessee. D'autres, ronds et profonds comme le lac Crater, en Oregon, occupent les cratères de volcans éteints et effondrés.

La profondeur d'un lac détermine sa faune et sa flore. Ceux qui ont des fosses importantes dont les eaux demeurent à basse température sont généralement dépourvus de la flore microscopique nécessaire à l'alimentation d'une faune intéressante ; la sauvagine ne les fréquente pas. Par contre, les lacs et étangs peu profonds sont peuplés d'algues et de petits animaux.

Marais d'eau douce

Saturés d'eau et dépourvus d'arbres, les marais d'eau douce se créent sur les bords des lacs et des étangs, là où le courant, très lent, permet la croissance de quenouilles, de carex et de graminées aquaphiles sur les berges. Ils font souvent la transition entre la terre ferme et la nappe d'eau. Les lis d'eau prennent racine en eau profonde; d'autres plantes aquatiques flottent. Leurs racines, leurs graines et leurs feuilles nourrissent les rats musqués, les canards et les foulques, tandis que les hérons et les aigrettes mangent les amphibiens et les poissons.

La faune et les hommes tirent de grands avantages des nombreux marais d'Amérique du Nord. Présents partout mais abondants dans le haut Midwest, ce sont pour beaucoup des réserves fauniques protégées. Créées en premier lieu pour favoriser la multiplication de la sauvagine, ces réserves servent de lieux de nidification à des milliers de canards, d'escales en migration à des millions d'autres. En outre beaucoup d'autres oiseaux — faucons, hiboux, oiseaux de rivage, oiseaux chanteurs — s'y alimentent ou y nichent chaque année.

Où voir cet habitat
Californie: Lower Klamath et Tule Lake national wildlife refuges
Colombie-Britannique: Creston Valley Wildlife Management Area
Dakota du Nord: Upper Souris National Wildlife Refuge
Delaware: Bombay Hook National Wildlife Refuge
Idaho: Camas National Wildlife Refuge
Maine: Moosehorn National Wildlife Refuge
Manitoba: Delta Marsh; Oak Hammock Marsh Wildlife Area
Massachusetts: Great Meadows National Wildlife Refuge
Michigan: Seney National Wildlife Refuge
Minnesota: Agassiz National Wildlife Refuge
Montana: Red Rock Lakes National Wildlife Refuge
Nevada: Ruby Lake National Wildlife Refuge
New Jersey: Great Swamp National Wildlife Refuge
New York: Montezuma National Wildlife Refuge
Ontario: parc national de la Pointe-Pelée
Oregon: Malheur National Wildlife Refuge
Utah: Bear River Migratory Bird Refuge

Au Québec, on retrouve cet habitat dans la baie Lavallière, près de Sorel, au lac St-Pierre, dans la région de Baie-du-Fèbvre, et à la réserve nationale du cap Tourmente.

Jonché de feuilles mortes, un ruisseau de montagne, dans le nord de la Georgie, se fraie un chemin parmi les galets.

Eaux vives

Les rivières puissantes sont souvent au début de calmes ruisseaux dont rien ne laisse présager le destin tumultueux. Mais que vienne une pente abrupte, une crue printanière et ils se transforment en torrents rageurs charriant dans leur course sable, limon et cailloux. Tantôt leur lit affleure, tantôt il se creuse en cuvette, tantôt il franchit les dénivellations en formant chutes, cascades ou rapides.

Ces eaux turbulentes sont peu propices à la flore; seuls les lichens et les mousses y prospèrent. La faune, par contre, est abondante et puise dans les débris des plantes riveraines. Pour résister au courant, elle adopte une forme aplatie ou profilée, se dote de ventouses ou de crampons. Des myriades d'insectes vivent sous les cailloux et les pierres, s'agrippent aux surfaces rugueuses avec des coussinets adhésifs ou des pattes en forme de pince, se fixent à des supports au moyen de fils de soie. La salamandre bistrée du Nord, la salamandre à deux lignes et plusieurs autres passent presque toute leur vie dans l'eau, vivant de larves d'insectes et pondant leurs œufs sous les roches. Les insectes aquatiques, à leur tour, nourrissent les poissons. A l'est comme à l'ouest, le saumon remonte les rivières pour frayer, la truite frétille dans les ruisseaux. Pêcheurs et excursionnistes ont depuis longtemps découvert la beauté des eaux vives, mais le grand public maintenant les apprécie grâce à plusieurs réseaux à canoéisme au Canada. Aux Etats-Unis, la création en 1968 du Wild and Scenic Rivers System a permis de protéger plus de 20 cours d'eau.

Eaux lentes

Lorsqu'une rivière aux eaux vives arrive en terrain plat, comme dans la plaine côtière du sud-est des Etats-Unis, elle change d'allure. Ses eaux s'étalent, son cours se ralentit, elle se déleste du limon qu'elle charriait et son lit se couvre de vase. Elle multiplie les méandres et les bras morts qui deviendront des lacs autonomes si son cours se modifie. A l'écart du lit principal se forment des bayous et des fondrières, terrains indécis entre un destin aquatique et une vocation terrestre.

La région drainée par un cours d'eau lent est comme une éponge ; sa capacité d'absorption paraît infinie. Et pourtant, après de fortes pluies ou à la fonte des neiges, la rivière déborde, inonde la forêt qui occupe les terres d'alluvion et transforme le paysage en un vaste marécage. C'est que son lit est mal défini dans l'espace et dans le temps ; il est soumis aux caprices des saisons, du climat et du terrain.

Dans son cours inférieur, la rivière est plus chaude, plus riche en éléments nutritifs, plus hospitalière que dans son cours supérieur. Toutes sortes de plantes aquatiques comme des nénuphars y vivent, abritant des amphibiens (grandes salamandres et petites grenouilles), des reptiles (chélydres et tortues bourbeuses), de gros poissons (esturgeons et lépisostés d'eau douce). Friands des crustacés et des petits poissons qui affectionnent ces eaux boueuses, les oiseaux et d'autres animaux fréquentent sans discrimination les eaux lentes, les marais, les marécages et les eaux stagnantes.

De hauts peupliers ombragent les berges mal définies et les eaux lentes de cette fondrière dans le bassin de la rivière Sacramento.

Marais salés

Les marais salés, dont la végétation abondante abrite de nombreux coquillages et toutes sortes d'alevins de poissons commerciaux et sportifs, sont les plus productifs de tous les habitats naturels. D'un vert vif en été, d'un jaune fauve en automne, harmonie sans cesse renouvelée d'eau, d'ombre et de lumière, ils sont d'une étonnante beauté en tout temps.

C'est à marée basse qu'il faut les visiter pour voir à quel point ils diffèrent les uns des autres. Quelques centimètres de plus ou de moins en élévation font ici toute la différence. Dans les terres très basses poussent surtout des graminées, hautes et drues au bord des étangs salés, courtes et fines dans les lieux plus secs. Le scirpe noir reste à l'abri des flux et reflux, mais la salicorne aux tiges charnues affectionne les bords des cuvettes où l'eau de mer séjourne entre les marées.

Où voir cet habitat

Californie : Elkhorn Slough Estuary Sanctuary
Californie du Nord : plages du cap Hatteras et du cap Lookout
Caroline du Sud : Cape Romain National Wildlife Refuge
Floride : Chassahowitzka et St. Marks national wildlife refuges ;
  Gulf Islands National Seashore ; Waccasassa Bay State Preserve
Louisiane : Sabine National Wildlife Refuge
Maryland : Assateague Island National Seashore
Massachusetts : Parker River National Wildlife Refuge ;
  Cape Cod National Seashore ; Wellfleet Bay Audubon Sanctuary
New Jersey : Edwin B. Forsythe National Wildlife Refuge
Oregon : South Slough Estuarine Sanctuary
Québec : Vallée du Saint-Laurent (de Montmagny à Trois-Pistoles) ; réserve
  nationale de faune de la Baie-de-L'Isle-Verte ; parc provincial du Bic
Texas : Aransas National Wildlife Refuge
Virginie : Chincoteague National Wildlife Refuge

La terre a rendez-vous avec la mer dans les marais salés de la baie du Cap-Cod. De petites nappes d'eau comme celle-ci, abandonnées par le reflux, regorgent de vie animale.

Faune
rat musqué *p. 45*
hérons *p. 84*
aigrettes *p. 85*
marouette de Caroline *et
  autres râles p. 88*
canard noir *p. 91*
chevalier semi-palmé *p. 95*
mouette atricille *p. 103*
sterne de Forster *p. 104*
sterne pierregarin *p. 104*
bec-en-ciseaux noir *p. 104*
busard Saint-Martin *p. 109*
troglodyte des marais *p. 130*
bruants des prés, à queue aiguë
  et maritime *p. 152*
terrapin-diamant *p. 162*

Flore
bacchante de Virginie *p. 331*
limonie de Caroline *p. 364*
ketmie des marais *p. 366*
glaux maritime *p. 382*
potentille ansérine *p. 386*
sabatie des grands marais
  p. 410
gérardie toujours-verte *autres
  gérardies p. 430*
verge d'or toujours-verte *p. 449*
scirpe noir : *autres scirpes
  p. 471*

Mangroves

Très répandus sur le littoral sud-ouest des Everglades et dans les keys en Floride, les mangroves ou marécages de palétuviers remplacent les marais salés en climat tropical et illustrent avec éloquence les différents stades par lesquels passe un habitat. Près de la mer poussent les jeunes plants de palétuvier rouge. Ils forment bientôt des taillis où leurs racines en forme d'échasse emprisonnent la terre et les débris végétaux apportés par les marées. Rares sont les arbres qui poussent dans l'eau salée; le palétuvier rouge, ou manglier noir, tire une maigre pitance de la vase pauvre en oxygène qui se ramasse à son pied. Tel n'est pas le cas du palétuvier noir dont les racines érigées, appelées pneumatophores, sortent de la boue salée pour aider la plante à respirer. Vient un temps où,

mieux adapté à l'environnement, il remplace le palétuvier rouge avant d'être vaincu à son tour par le conocarpe droit ou arbre-bouton, qui assure la transition entre le marécage et la terre ferme.

Les fourrés de palétuviers où s'emmêlent racines et tiges dans un fouillis inextricable sont impénétrables à l'homme, si ce n'est par voie d'eau. A l'arrivée d'une barque, des nuées de grands oiseaux s'envolent, planent en décrivant des cercles avant de se poser à nouveau. On a pu observer dans un îlot de palétuviers que les hérons nichaient à l'intérieur, les cormorans sur le pourtour et les ibis entre les deux et que ces zones écologiques répondaient à celles des palétuviers eux-mêmes, une répartition naturelle qui se retrouve dans d'autres habitats.

Les racines en échasse d'un palétuvier rouge dans les keys, en Floride. Si la nature suit son évolution naturelle, ce marécage deviendra terre ferme un jour.

Faune
raton laveur *p. 58*
lamantin *p. 71*
pélicans *p. 82*
cormoran à aigrettes *p. 83*
anhinga d'Amérique *p. 83*
grand héron *p. 84*
aigrettes *p. 85*
tantale d'Amérique *p. 86*
ibis blanc *p. 86*
spatule rosée *p. 86*
pygargue à tête blanche *p. 108*
balbuzard pêcheur *p. 108*

Flore
palétuvier rouge *p. 316*
manglier blanc *p. 316*
palétuvier noir *p. 321*

Sur la côte de l'Oregon, le sable s'est accumulé entre deux promontoires, formant une plage profonde.

Grèves du Pacifique

Même si les falaises littorales du Pacifique sont souvent ourlées d'un cordon de sable, les véritables plages sont l'exception plutôt que la règle. Le sable s'amasse dans les zones à l'abri du vent, créant ici et là des croissants sableux, tandis que les grandes plages bordent les baies et les estuaires. On rencontre rarement des dunes, sauf en Californie et sur la côte de l'Oregon où se trouve un paysage digne du Sahara. La plupart des plages sont adossées à des falaises rocheuses ou à des terres hautes.

Riches en petits animaux, les grèves de sable et leurs cousins les bancs de vase sont des haltes pour les oiseaux migrateurs. S'ils nichent dans l'Arctique, les oiseaux s'envolent vers le sud bien avant la fin de l'été, pour la plus grande joie des ornithologues. Et en Colombie-Britannique, on peut même voir plusieurs espèces sur les plages en hiver. Les oiseaux de rivage se reposent au soleil à marée haute sur les grèves ou les bancs de sable ; dès que la mer se retire, ils picorent le sol à la recherche des petits animaux qui s'y terrent. Les bécasseaux patrouillent la ligne des eaux et plongent sur les débris végétaux que la mer entraîne, tandis que les pluviers fouillent les détritus abandonnés par le reflux sur la plage.

Où voir cet habitat

Californie : parcs nationaux de Channel Islands et Redwood ; Humboldt Bay National Wildlife Refuge ; Santa Monica Mountains National Recreation Area ; Point Reyes National Seashore ; parc Morro Bay
Colombie-Britannique : parc national Pacific Rim
Oregon : Oregon Dunes National Recreation Area
Washington : parc national Olympic ; parc d'Etat Fort Canby

Faune
pélican brun *p. 82*
barge marbrée *p. 95*
chevalier semi-palmé *p. 95*
pluviers semi-palmé, neigeux et argenté *p. 96*
bécasseau variable *p. 98*
bécasseau sanderling *p. 98*
bécasseaux d'Alaska et minuscule *p. 99*
goéland de l'Ouest *et autres* goélands *p. 102*
mouettes *p. 103*
rasoir du Pacifique, palourde pismo *et autres coquillages pp. 256-260*
dollars de sable *p. 285*

Flore
sabline dressée *p. 356*
mollugo verticillé *p. 362*
ficoïde glaciale *p. 362*
glaux maritime *p. 382*
potentille ansérine *p. 386*
gesse japonais *p. 388*
héliotrope des oiseaux *p. 423*
verveine de l'Ouest : *autres verveines p. 424*
cenchre pauciflore *p. 476*

Des graminées maritimes et des rosiers sauvages tapissent les dunes du cap Cod pendant que la mer gruge la plage.

Grèves de l'Atlantique

De la Floride aux îles de la Madeleine, la côte atlantique est une succession presque ininterrompue de plages de sable. Alors que le littoral du Pacifique est bordé de hautes falaises, celui de l'Atlantique et du golfe du Mexique s'abaisse doucement vers l'océan, tandis que des chaînes d'îles et de hauts-fonds le protègent des hautes vagues. Souvent, la plage est faite de dunes qui gagneraient du terrain avec l'aide du vent si des graminées maritimes et des plantes résistantes au sel de mer ne s'opposaient à leur avance.

Des myriades de petits animaux vivent dans le sable : des pucerons sortent la nuit ou les jours sans soleil ; des crabes émergent après chaque vague, passant au tamis de leurs antennes plumeuses le plancton qui roule dans l'écume de mer, puis replongent vers leur terrier à la vague suivante.

Où voir cet habitat

Caroline du Nord : plages du cap Hatteras et du cap Lookout
Caroline du Sud : Cape Romain National Wildlife Refuge
Delaware : parc d'Etat Cape Henlopen
Floride : plages de Canaveral et des Gulf Islands ; îles Captiva et Sanibel
Georgie : Cumberland Island National Seashore ; parc Jekyll Island
Ile-du-Prince-Edouard : parc national de l'Ile-du-Prince-Edouard
Maryland : Assateague Island National Seashore
New York : plage de Fire Island ; parc d'Etat Montauk Point
Nouveau-Brunswick : parc national de Kouchibougouac
Québec : îles de la Madeleine
Texas : plage de Padre Island
Virginie : Chincoteague National Wildlife Refuge

Faune
pélicans *p. 82*
huîtrier d'Amérique *p. 94*
échasse d'Amérique *p. 94*
barge marbrée *p. 95*
chevalier semi-palmé *p. 95*
pluvier semi-palmé *et autres pluviers pp. 96-97*
bécasseaux sanderling et à dos roux, *p. 98*
bécassin à long bec *p. 98*
goélands *p. 102*
mouettes *p. 103*
sternes *pp. 104-105*
caouannes *p. 165*
natices *p. 243*
couteau, coquina de Floride *et autres coquillages pp. 256-260*
crabes aux pieds agiles *p. 283*
limule de l'Atlantique *p. 284*

Flore
pruniers *p. 312*
ciriers *p. 323*
rosiers *p. 327*
armoise étoilée *p. 331*
opuntia à plusieurs aiguilles *p. 355*
sabline dressée *p. 356*
hudsonie tomenteuse *p. 372*
glaux maritime *p. 382*
potentille ansérine *p. 386*
gesse japonais *p. 388*
herbe à puce *p. 398*
héliotrope des oiseaux *p. 423*
gaillet gratteron *p. 444*
verge d'or toujours-verte *p. 449*
uniola paniculée *p. 473*
yucca filamenteux *p. 499*

Côte rocheuse du Pacifique

Sculptées par la vague, les falaises qui bordent le Pacifique se transforment en arcs, en grottes et en tourelles. Les oiseaux de mer nichent dans ces étranges citadelles, tandis que les otaries s'ébattent à leurs pieds. Au large de la côte, les loutres de mer batifolent dans le varech et les grandes baleines en migration ou en chasse s'approchent du rivage sans crainte.

Cette côte balayée par une mer souvent démontée, où les vents dominants sont d'ouest, est peu hospitalière. Le naturaliste choisira plutôt les rivages encadrés de promontoires ou protégés par des îles, des bancs de varech ou des récifs. Le reflux y abandonne des nappes d'eau miroitantes, aquariums naturels peuplés d'algues, de petits poissons et d'invertébrés de toutes sortes. Les langoustines pistolets font claquer leurs pinces ; les chitons fuient la lumière sous les roches et les pieuvres dans leur antre amusent ceux qu'attire cet univers évanescent.

Où voir cet habitat

Californie: parc national Channel Islands ; Cabrillo National Monument ; Point Reyes National Seashore ; parc d'Etat Andrew Molera ; Asilomar State Beach ; Point Lobos State Reserve
Colombie-Britannique: parc national Pacific Rim
Oregon: Cape Meares National Wildlife Refuge ; parcs d'Etat Cape Blanco et Seal Rock ; Sea Lion Caves (près de Florence)
Washington: parc national Olympic ; parc d'Etat Fort Canby

Faune

otarie de Californie *p. 70*
loutre de mer *p. 71*
épaulard *p. 73*
baleine grise de Californie *p. 75*
pélican brun *p. 82*
cormoran à aigrettes *p. 83*
huîtrier de Bachman *p. 94*
tourne-pierre noir *p. 97*
goéland de Californie *p. 102*
goéland de Heerman *p. 103*
guillemot marmette *p. 105*
macareux huppé *p. 105*
ormeaux *p. 238*
fissurelles *pp. 238-239*
patelles *p. 239*
littorines *p. 240*
chitons *p. 261*
pieuvre commune du Pacifique *p. 261*
langoustine pistolet *p. 283*
bernard-l'ermite *p. 283*
balanes *p. 283*
anémones de mer *p. 284*
étoiles de mer *p. 285*

Flore

armérie maritime *p. 364*
orpin rose *p. 383*
zauschnéries *p. 395*
campanule à feuilles rondes *p. 441*
algues *pp. 528-531*

D'abondantes algues recouvrent ce rivage rocheux du Washington. A droite, on aperçoit une étoile de mer rouge vif.

Faune
plongeon huard *p. 80*
cormoran à aigrettes *p. 83*
fou de Bassan *p. 83*
goélands argenté et marin
    p. 102
mouettes *p. 103*
guillemot marmette *p. 105*
macareux moine *p. 105*
fissurelles *pp. 238-239*
patelles *p. 239*
littorines *p. 240*
moules *p. 253*
balanes *p. 283*
bernard-l'ermite *p. 283*
anémones de mer *p. 284*
étoiles de mer *p. 285*
oursins *p. 285*

Flore
silène à feuilles rondes *p. 358*
orpin rose *p. 383*
campanule à feuilles rondes
    p. 441
zostère marine *p. 469*
algues *pp. 528-531*

Un paysage du Maine façonné par la mer et les glaciers ; sous un dais de conifères, la vague monte à l'assaut du roc.

Côte du Nord-Est

Il y a des milliers d'années, cette côte inhospitalière fut occupée par les glaciers. Quand le climat se réchauffa et les fit fondre, ils inondèrent le littoral et firent monter le niveau de la mer. L'eau salée envahit le rivage ; les collines devinrent des îles, les vallées, des baies et la côte prit peu à peu son allure actuelle, celle d'un littoral déchiqueté, dit « enfoncé » en géologie.

Du Labrador au sud du Maine règne le roc. Deux fois par jour, la mer monte et descend avec ponctualité. Là où les marées sont très puissantes — les plus fortes au monde, celles de la baie de Fundy, dépassent parfois 15 m (50 pi) —, la zonalité de la végétation, évidente sur tous les rivages océaniques du globe, est particulièrement marquée. Dans la partie du rivage éclaboussée par les vagues se trouvent les
algues bleu-vert et certains lichens, plantes capables de supporter alternativement l'embrun salé et une sécheresse presque totale. Au-dessous, les fucus jaune-brun sont exposés à l'air une partie du jour. Viennent ensuite la mousse d'Irlande crépue et les algues rouges, suivies des laminaires rubanées, brunes et coriaces.

Où voir cet habitat

Maine : parc national Acadia ; parcs d'Etat Cobscook Bay et Quoddy Head
Nouveau-Brunswick : parc national de Fundy ; île du Grand-Manan
Nouvelle-Ecosse : parc national des Hautes-Terres-du-Cap-Breton
Québec : parcs nationaux de l'Archipel-de-Mingan et Forillon ; îles Bonaventure et Anticosti
Terre-Neuve : parcs nationaux de Gros-Morne et de Terra Nova

Mammifères

*L'écureuil nous séduit par son espièglerie,
le chevreuil nous émeut par sa grâce.
Essayer d'observer et d'identifier les mammifères,
c'est découvrir un univers fascinant.*

Les mammifères regroupent des animaux qui ont deux traits communs : leur peau est au moins partiellement recouverte de poils et ils allaitent leurs petits au moyen de mamelles.

On trouve en Amérique du Nord environ 400 espèces de mammifères, souvent difficiles à observer. Certes, le raton laveur aime bien fréquenter les êtres humains et l'orignal se rencontre parfois en bordure des routes. Mais la majorité d'entre eux, par instinct de défense, se dérobe à la vue. Beaucoup fuient la lumière du jour, peut-être pour se protéger de la chaleur du soleil. Plusieurs, comme le vison et l'opossum, sont des animaux franchement nocturnes ; d'autres, comme le lièvre et le chevreuil, sortent surtout à l'aube et au crépuscule.

Autre difficulté : le pelage des mammifères se confond généralement avec le paysage. Le lièvre change même de couleur avec les saisons pour mieux se camoufler. Certains animaux, comme les faons, sont rayés ou tachetés, ce qui les rend difficiles à voir. Plusieurs ont un pelage plus clair sur l'abdomen et se fondent ainsi dans les coloris de leur environnement. Enfin, ils ne font pas assez de bruit pour attirer l'attention.

Leurs sens toujours en éveil, surtout l'ouïe et l'odorat, permettent aux mammifères de détecter la présence de l'homme à temps pour pouvoir fuir ou se cacher. Prédateur ou proie (et souvent les deux à tour de rôle), le mammifère survit grâce à sa vigilance, et l'observateur avisé doit toujours en tenir compte.

Où les trouver

Si vous voulez voir des mammifères, n'attendez pas qu'ils croisent votre route ; partez à leur recherche. Cherchez des indices de leur passage ; découvrez les endroits qu'ils fréquentent. Vous voyez des fissures, des rides sur le terrain ? Il y a peut-être une taupinière dessous. Vous remarquez des amas de plantes herbacées dans l'eau ? Un rat musqué est passé par là. Observez les débris d'aliments. Les écureuils abandonnent sur place des piles de cônes de pin qu'ils ont dégarnis de leurs graines. Le pica accumule des provisions pour l'hiver ; couche à couche, il construit un meulon de végétaux desséchés. Castors et porcs-épics laissent la marque de leurs dents sur les troncs.

Les empreintes sont aussi d'un précieux secours. Leur aspect dépend de la rapidité de l'animal et de la nature du terrain ; elles varient dans la neige ou la boue. Certaines pistes sont très éloquentes ; on les illustrera près de la fiche descriptive de l'animal s'il y a lieu. Examinez les surfaces qui prennent bien les empreintes : bords de ruisseaux ou de mares, terrains enneigés ou sablonneux. N'oubliez pas que les mammifères sont des animaux routiniers ; ils ont tendance à retourner aux mêmes endroits par les mêmes chemins.

Comment les identifier

En règle générale, les mammifères sont plus difficiles à identifier que les oiseaux. Peu d'entre eux ont de vifs coloris et de nombreux petits rongeurs se ressemblent. Vous aurez peu de mal à identifier les espèces que vous avez eu la chance de voir à loisir dans un endroit dégagé. Mais si un animal traverse à l'improviste votre chemin, essayez de noter en gros sa forme et sa couleur, la taille de ses oreilles et la longueur de sa queue. Ces signes vous mettront peut-être sur la bonne piste.

Comme dans tout le reste du livre, nous avons cherché le plus souvent à grouper les animaux par famille ; par exemple, les ongulés, ou animaux à sabots, se trouvent dans les pages 66 à 69.

Identification sur le terrain

• Ne portez pas de vêtements voyants, sauf, bien sûr, à l'automne pendant la saison de la chasse ; en forêt, par exemple, portez plutôt du brun, du vert ou du gris. Les tissus à motifs, les vêtements de camouflage notamment, ont l'avantage de briser votre silhouette et de la rendre moins visible. Évitez ceux qui luisent ou bruissent quand vous marchez, de même que les bijoux qui réfléchissent la lumière.

• Parlez bas, marchez lentement et sans faire de bruit. Si possible, cachez-vous derrière un arbuste ou des plantes pour vous approcher d'un animal ou d'un site d'observation. Baissez-vous ; marchez à quatre pattes s'il le faut et évitez les hauteurs dénudées où votre silhouette se détache contre le ciel. Ne gesticulez pas.

• Ne fumez pas. L'odeur du tabac est un signal d'alarme pour les animaux. On recommande de recouvrir les vêtements d'aiguilles de pin pendant un ou deux jours pour leur donner une odeur naturelle.

• Si vous avez l'intention de vous mettre à l'affût dans un endroit qui paraît prometteur, par exemple à proximité d'un ruisseau où vous avez repéré des pistes, apportez un pliant ou un coussin en caoutchouc mousse. Vérifiez d'où vient le vent et placez-vous pour l'avoir de face.

• Vous serez déjà ravi de voir un animal sauvage, surtout s'il s'agit d'une espèce farouche. Mais avec beaucoup de chance, de patience et d'expérience, vous le verrez peut-être *en action*, c'est-à-dire que vous pourrez l'observer en train de manger, de boire, de réagir à votre présence ou de jouer avec ses congénères. Voici décrits dessous quelques comportements typiques.

Menace

La mouffette tachetée se dresse sur ses pattes de devant et, si l'ennemi ne retraite pas, elle lui lance un jet de liquide nauséabond avec une précision redoutable. L'animal menacé fait souvent valoir ses moyens de défense. L'orignal présente son panache ; les loups et les coyotes montrent les dents. Certaines menaces sont sonores : l'opossum siffle ; le porc-épic grince des dents.

Jeu

Plus encore que chez les humains, ce sont les jeunes qui s'adonnent à des activités ludiques. (On sait cependant que le chat domestique ou sauvage adulte joue avec sa proie.) Le jeu prend souvent l'allure d'un combat simulé pendant lequel l'animal apprend l'attaque et la parade. Le chien de prairie est tout particulièrement joueur.

Soins aux petits

Les mammifères traitent leurs petits avec soin et amour. Les femelles les allaitent, les protègent, les gardent au chaud ; il arrive même aux mâles de leur prêter main-forte. Les phoques et les otaries élèvent leurs petits en colonies à ciel ouvert et reviennent au même endroit chaque année : ils sont alors faciles à observer. Regardez-les avec des jumelles sans les déranger.

Combat

Les combats se produisent en général entre mâles de la même espèce pour établir leur territoire ou prendre possession d'une femelle. Il s'agit de mettre l'adversaire en déroute. Certains luttent et mordent ; les mouflons se heurtent de leurs cornes.

 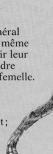

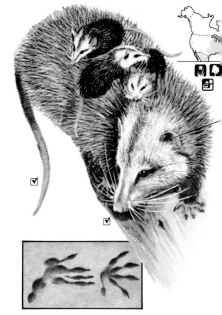

Opossum d'Amérique *Didelphis virginiana*

Longueur : *tête et corps 34-53 cm (13½-21 po) ;*
queue 24-50 cm (9½-20 po).
Traits : *museau pointu, long, rosé ; face blanche ;*
grandes oreilles ; queue longue, arrondie, peu poilue ;
gris clair au nord de son aire, plus foncé au sud.
Habitat : *champs cultivés, forêts ; près de l'eau.*

C'est le seul marsupial d'Amérique du Nord. Les petits, au
nombre de 14 environ, naissent à l'état d'embryons et s'en-
gouffrent dans la poche ventrale où ils s'allaitent durant 9 à
10 semaines. A leur sortie, ils restent agrippés au dos de la
mère pendant encore quelques semaines. Lorsqu'ils sont en
possession de leurs 50 dents (plus que tout autre mammifère terrestre du continent), ils adoptent un régime très varié : insectes, petits animaux, œufs d'oiseaux, champignons,
graines, fruits et charogne. Bien que leurs habitudes alimentaires leur fassent rechercher la proximité de l'homme, on a
peu souvent l'occasion de les apercevoir car ce sont des animaux essentiellement nocturnes. L'opossum d'Amérique a la
curieuse habitude de « faire le mort » quand il se sent en danger. Il s'écroule et entre dans une sorte de transe qui peut
durer plusieurs heures pour éloigner le prédateur qui croit
ainsi sa proie morte.

Porc-épic d'Amérique
Erethizon dorsatum

Longueur : *tête et corps 46-58 cm (18-23 po) ;*
queue 15-28 cm (6-11 po).
Traits : *corps massif, pattes courtes ;*
piquants longs et rigides ; démarche lente.
Habitat : *forêts et brousse.*

Contrairement à la croyance populaire, le porc-
épic d'Amérique ne lance pas ses piquants. Lorsqu'il se sent menacé, il tourne le dos à l'ennemi,
hérisse ses quelque 30 000 piquants et donne des
coups de queue. Les piquants (en réalité des poils
modifiés) se détachent facilement pour se planter
dans la chair de l'assaillant. Le porc-épic est un
rongeur nocturne de forte taille. Le jour, il s'installe en boule au sommet d'un arbre et c'est là
qu'on peut l'apercevoir. La nuit, il va d'arbre en
arbre, causant souvent beaucoup de dommages,
car il se nourrit de bourgeons, de ramilles et
d'écorce. Là où les trappeurs ont éliminé les prédateurs du porc-épic, sa population a augmenté,
ce qui n'est pas sans inquiéter les forestiers.

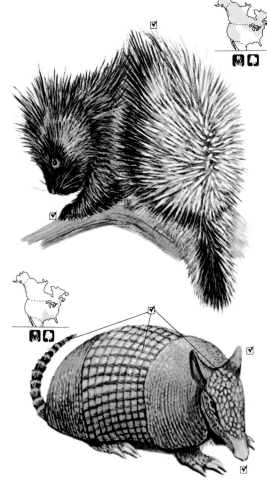

Dasypus à neuf bandes
Dasypus novemcinctus

Longueur : *tête et corps 38-45 cm (15-17½ po) ;*
queue 33-40 cm (13-15½ po).
Traits : *plaques osseuses sur le corps, la queue et*
la tête ; grandes oreilles ; museau long et carré.
Habitat : *brousse, terrains rocheux ; pinèdes.*

Avec sa peau de lézard et sa carapace écailleuse
disposée en arceaux, le dasypus peut se mettre en
boule lorsque des prédateurs l'attaquent, quoiqu'il
préfère se creuser un trou ou regagner son terrier.
Celui-ci comporte un couloir à chambres multiples où les femelles donnent toujours naissance à
quatre petits du même sexe. Cousin du tamanoir
et du paresseux, il est en expansion territoriale.

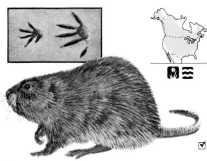

Rat musqué *Ondatra zibethicus*

Longueur : *tête et corps 23-38 cm (9-15 po) ;*
queue 19-27 cm (7½-10½ po).
Traits : *pelage rouge-brun, abdomen gris clair ;*
queue noire, écailleuse, aplatie latéralement.
Habitat : *lacs, étangs, fondrières,*
rivières lentes à joncs et quenouilles.

Ce mammifère aquatique survit à la disparition
progressive des fondrières parce qu'il s'acclimate
aux habitats situés près de l'eau. Son régime
alimentaire est varié : plantes et mollusques d'eau
douce, écrevisses et grenouilles. Il parcourt des
centaines de mètres sur terre pour aller cueillir les
plantes qu'il aime. La femelle met bas plusieurs
fois par an, jusqu'à 11 petits par portée. Le rat
musqué vit dans une hutte aquatique faite de quenouilles ou de scirpes.

Nutria *Myocastor coypus*

Longueur : *tête et corps 50-66 cm (20-26 po) ;*
queue 30-43 cm (12-17 po).
Traits : *rongeur gris-brun, entre le rat musqué et*
le castor pour la taille ; queue longue,
presque sans poils et ronde.
Habitat : *marais, lacs, étangs, fondrières.*

Originaire d'Amérique du Sud, le nutria a été introduit en Amérique du Nord vers 1930. Certains
sujets se sont évadés des colonies d'élevage ; d'autres ont été volontairement relâchés. Aujourd'hui,
le nutria fait partie de notre faune. Par son régime
alimentaire, son habitat et sa fertilité, il s'apparente au rat musqué, mais il est plus gros et plus
agressif. Il lui arrive de chasser celui-ci de sa hutte
pour se l'approprier avec tout ce qu'elle contient.
Ses pires ennemis sont l'homme et l'alligator.

Castor *Castor canadensis*

Longueur : *tête et corps 69-97 cm (27-38 po) ;*
queue 23-30 cm (9-12 po).
Traits : *incisives orange en saillie ;*
large queue écailleuse, en pagaie.
Habitat : *lacs et cours d'eau bordés de feuillus.*

Reconnu comme grand constructeur de digues, le plus grand rongeur
d'Amérique du Nord forme d'abord sous l'eau une assise de boue et de
cailloux. Puis il abat des arbres en laissant sur la souche un cône caractéristique ; il traîne ou fait flotter ses matériaux jusqu'au site de la digue
et les assemble avec de la boue. Bientôt il se forme un étang ; alors les
castors, mâle et femelle, se font une hutte avec du bois et de la boue en
se ménageant des entrées sous l'eau et une plate-forme intérieure au
sec. Ils y demeurent presque tout le jour, ne sortant qu'au crépuscule
pour cueillir des plantes ou couper arbres et arbustes. En automne, ils
accumulent des réserves au fond de l'eau en prévision de l'hiver. Les
petits naissent au printemps et habitent la hutte pendant deux ans.

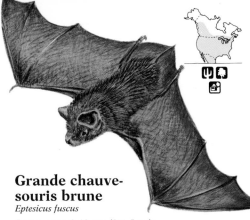

Petite chauve-souris brune
Myotis lucifugus

Longueur: *8-11 cm (3-4½ po); envergure 20-25 cm (8-10 po).*
Traits: *vol zigzagant et bas; petite taille, fourrure sombre et soyeuse.*
Habitat: *cavernes, arbres creux ou édifices, chasse près des forêts et de l'eau.*

Ce sont les chauves-souris les plus répandues en Amérique du Nord, dans les villes et à la campagne. L'été, on peut les apercevoir le jour, dormant accrochées par centaines au plafond des greniers. Ces groupes se composent seulement de femelles et de jeunes, car, habituellement, les deux sexes vivent séparément. Les mâles aussi se cachent durant le jour, mais en solitaires.

Chauve-souris argentée
Lasionycteris noctivagans

Longueur: *10-11 cm (4-4½ po); envergure 25-32 cm (10-12½ po).*
Traits: *vol haut, droit et lent; fourrure sombre; poils à extrémités argentées sur le dos.*
Habitat: *arbres près de l'eau; chasse en forêt.*

La plupart des chauves-souris américaines n'ont qu'un petit à la fois, mais celle-ci en a deux. (La chauve-souris rousse, *Lasiurus borealis*, en a parfois quatre.) Elle met bas alors qu'elle est suspendue et allaite ses petits durant plusieurs semaines. Ceux-ci s'accrochent au ventre de leur mère jusqu'à ce qu'ils puissent voler de leurs propres ailes.

Grande chauve-souris brune
Eptesicus fuscus

Longueur: *9-13 cm (3½-5 po); envergure 25-33 cm (10-13 po).*
Traits: *vol puissant et régulier; grande taille.*
Habitat: *cavernes, arbres creux ou édifices (surtout l'été); chasse en forêt.*

Si elle vole parfois de jour, cette chauve-souris préfère chasser au crépuscule, à la campagne, en banlieue et en pleine ville. Elle localise les insectes dont elle se nourrit en émettant des cris très aigus qui, agissant comme un sonar, rebondissent sur les obstacles et lui reviennent en écho. Cette technique, qu'elle partage avec d'autres chauves-souris insectivores, lui permet aussi d'éviter les obstacles.

Molosse du Brésil *Tadarida brasiliensis*

Longueur: *9-10 cm (3½-4 po); envergure 28-33 cm (11-13 po).*
Traits: *vol haut, droit et rapide; longue queue.*
Habitat: *édifices et cavernes, en particulier les cavernes Carlsbad du Nouveau-Mexique.*

Les chauves-souris sont les seuls mammifères volants. Elles le font grâce à une membrane interfémorale tendue entre des doigts très allongés. Une plus petite membrane relie les membres antérieurs à la queue, qui est plus longue chez les molosses. Cette chauve-souris se retrouve l'été dans des cavernes du sud-ouest des Etats-Unis et passe l'hiver au Mexique. La plupart des chauves-souris des régions tempérées hibernent.

Identification sur le terrain. Les chauves-souris sont difficiles à identifier en vol. Certes, on peut noter leur forme et leur taille, mais les chances de succès sont minces. Mieux vaut se renseigner sur les espèces présentes dans la région. En période de repos, l'identification est plus facile. Mais attention: il ne faut jamais toucher à une chauve-souris les mains nues; c'est un animal qui mord et qui peut, de ce fait, transmettre la rage.

Condylure étoilé *Condylura cristata*

Longueur: *tête et corps 11-13 cm (4½-5 po);
queue 6-9 cm (2½-3½ po).*
Traits: *museau large à disque rose
et tentacules; longue queue poilue.*
Habitat: *marais, champs en cuvettes.*

Cet animal à terrier est aussi à l'aise dans l'eau que sur terre. Les galeries sinueuses qu'il se creuse débouchent fréquemment dans une mare ou un cours d'eau. Excellent nageur, ses pattes de devant lui servent de rames et sa queue, de gouvernail. Le condylure étoilé se nourrit d'insectes aquatiques, de crustacés, d'escargots et de petits poissons. Ses calories de surplus, il les convertit en graisse qu'il emmagasine dans sa queue. Ses 22 tentacules sensitives, autour des deux narines centrales, lui servent à localiser ses proies. Si sa vue est médiocre, son ouïe semble très développée.

Taupe à larges pieds
Scapanus latimanus

Longueur: *tête et corps 14-17 cm
(5½-6½ po); queue 4-5 cm (1½-2 po).*
Traits: *pattes antérieures plus larges
que longues; fourrure brun foncé ou
noire; queue presque sans poils.*
Habitat: *sol meuble en prairie et forêt.*

Cette taupe fouit jour et nuit. Elle creuse ses galeries avec un mouvement de torsion du corps et utilise ses larges pattes comme des pelles, pendant que du museau elle tasse la terre. Elle détecte la présence des vers de terre et autres proies dont elle se nourrit à leurs vibrations. Comme toutes les taupes, celle-ci possède un métabolisme très actif qui l'oblige à absorber son propre poids de nourriture chaque jour. La taupe à larges pieds ressemble à deux autres taupes de l'Ouest: la taupe de Townsend *(Scapanus townsendii)* et la taupe du Pacifique *(Scapanus orarius).*

Taupe à queue glabre
Scalopus aquaticus

Longueur: *tête et corps 11-17 cm (4½-6½ po);
queue 2-4 cm (1-1½ po).*
Traits: *pelage touffu et velouté, gris dans le Nord,
doré ou brun sombre ailleurs; queue sans poils.*
Habitat: *sols humides et sablonneux, herbeux.*

La taupe à queue glabre passe presque toute sa vie dans son terrier. Après une averse, elle parcourt ses galeries à la recherche de vers de terre et de larves d'insectes. Ses galeries permanentes se trouvent à 25 cm (10 po) de profondeur; elle s'y réfugie quand il fait grand froid. Les taupes n'hibernent pas; elles sont actives à longueur d'année. Peu sociable, la taupe à queue glabre tolère assez mal ses congénères; certaines rencontres fortuites donnent parfois lieu à des combats sans merci. Elle vit donc en solitaire sauf durant la période d'accouplement qui a lieu au printemps. Quatre semaines plus tard, la femelle, qui est un peu plus petite que le mâle, met bas dans un nid tapissé de végétaux desséchés. Il est plus facile d'apercevoir les arêtes et les monticules de terre qui signalent son travail que de voir la taupe elle-même. Bien qu'elle puisse endommager les pelouses, elle se rend utile en dévorant des quantités d'insectes et en aérant le sol.

Taupes et musaraignes. On confond souvent ces deux mammifères. Voici comment les distinguer.
• FORME GÉNÉRALE. La taupe est plus grosse et plus grasse que la musaraigne, qui ressemble à une souris.
• MUSEAU. Toutes deux ont de longs museaux, mais celui de la taupe est glabre et rose et celui de la musaraigne, presque entièrement velu.
• YEUX. Ceux de la taupe sont minuscules. Certaines espèces sont même aveugles, une pellicule leur couvrant entièrement l'œil.
• PATTES. Contrairement à la musaraigne, la taupe a les pattes antérieures très grandes et légèrement tournées vers l'extérieur.
• QUEUE. La taupe a la queue épaisse, velue ou glabre selon l'espèce; la musaraigne a la queue longue et fine, garnie de poils rigides.

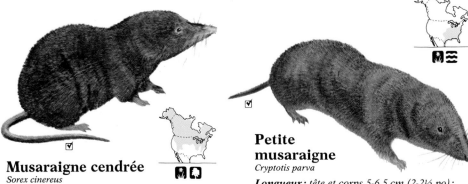

Musaraigne cendrée
Sorex cinereus

Longueur : *tête et corps 4,5-6,5 cm (1¾-2½ po) ;*
queue 2-5 cm (1-2 po).
Traits : *pelage gris-brun ; queue longue.*
Habitat : *sols humides en forêt, prairie et brousse.*

Cette petite musaraigne dotée d'une énergie fébrile s'accommode d'habitats beaucoup plus variés que la plupart des autres mammifères d'Amérique du Nord. Dans le nord du continent, elle fréquente aussi bien les champs herbeux que les marais salés, les forêts de conifères et les pentes abruptes des montagnes. S'affairant à toute heure, mais plus active la nuit que le jour, elle chasse férocement et dévore chaque jour plus que son poids en insectes, mollusques, vers de terre et même charogne. Peu encline à creuser son propre terrier, elle emprunte souvent celui d'autres mammifères. La musaraigne cendrée n'hiberne pas. Chaque année, du printemps à l'automne, elle donne naissance à plusieurs portées d'au plus 10 petits. Peu vivent plus d'un an.

Petite musaraigne
Cryptotis parva

Longueur : *tête et corps 5-6,5 cm (2-2½ po) ;*
queue 1-2 cm (½-¾ po).
Traits : *pelage brun cannelle ; queue très courte.*
Habitat : *prairies découvertes, marais d'eau*
douce, brousse peu dense.

Ce minuscule mammifère niche parfois dans les ruches où il se régale d'abeilles et de larves. Mais plus fréquemment, la petite musaraigne fait son nid dans les feuilles mortes et utilise les pistes du campagnol pour repérer à l'odorat les insectes et autres proies dont elle se nourrit. Chez elle tout comme chez d'autres musaraignes, la digestion est très rapide ; les parties coriaces des insectes traversent le canal alimentaire en quelque 90 minutes. Les musaraignes jouent un rôle important dans la chaîne alimentaire et constituent le régime habituel des hiboux, des faucons et des serpents. Il existe environ 30 espèces de musaraignes en Amérique du Nord, mais beaucoup ne se retrouvent que dans un territoire restreint.

Identification des petits mammifères. Malgré leurs similitudes, musaraignes, campagnols, lemmings, souris et rats se distinguent bien.
• FORME. La musaraigne a le corps long et le nez pointu. Campagnols et lemmings sont dodus ; le cou est court. Souris et rats ont la tête bien dessinée.
• OREILLES. Celles des souris et des rats sont en saillie ; celles des campagnols et des lemmings, partiellement cachées par des poils longs et soyeux ; celles des musaraignes, presque invisibles.
• YEUX. Souris et rats ont de grands yeux ; campagnols et lemmings, des yeux petits et ronds ; chez les musaraignes, ils sont encore plus petits.
• QUEUE. Par rapport au corps, souris et rats ont la queue longue ; musaraignes, campagnols et lemmings ont la queue relativement courte.

Grande musaraigne
Blarina brevicauda

Longueur : *tête et corps 8-10 cm (3-4 po) ; queue 2-2,5 cm (¾-1 po).*
Traits : *pelage gris métallique sombre ; queue relativement courte.*
Habitat : *tous les types de terrains sauf le désert.*

Cette espèce très commune en Amérique du Nord possède une caractéristique inusitée : sa salive est venimeuse. C'est sans doute ainsi qu'elle peut vaincre des animaux de plus forte taille qu'elle. Mais elle se nourrit aussi d'insectes. On lui devrait la destruction à 60 p. 100 de la tenthrède du mélèze dans l'est du Canada. Cette musaraigne connaît deux périodes d'accouplement : au printemps et en automne. Le mâle poursuit alors la femelle en émettant des bruits secs ; lorsque celle-ci le repousse, elle le lui fait savoir par des cris aigus et des claquements. Après trois semaines de gestation, les petits, huit au maximum, naissent nus et sont sevrés trois semaines plus tard.

Campagnol-lemming de Cooper
Synaptomys cooperi

Longueur : *tête et corps 9-11 cm (3½-4½ po) ; queue 1-2 cm (½-¾ po).*
Traits : *pelage gris-brun, abdomen gris ; queue courte ; oreilles presque cachées.*
Habitat : *tourbières et marais herbeux.*

Semblable au campagnol par ses mœurs et son apparence, ce rongeur vit dans des colonies qui peuvent rassembler plusieurs douzaines d'individus. Sociable, il fait bon ménage avec les campagnols, les musaraignes et les taupes et n'hésite pas à habiter leur terrier. S'il se nourrit surtout de feuilles et de tiges, il est friand de baies, de graines, d'écorce et d'insectes. Le campagnol-lemming boréal *(Synaptomys borealis)* est un peu plus gros et habite la haute toundra ; le lemming brun *(Lemmus sibiricus)* habite encore plus au nord. En Scandinavie, les explosions démographiques de lemmings provoquent des migrations massives.

Campagnol-lemming de Cooper

Campagnol à dos roux de Gapper   *Clethrionomys gapperi*

Longueur : *tête et corps 9-11 cm (3½-4½ po) ; queue 2-5 cm (1-2 po).*
Traits : *pelage brun-roux, à flancs gris et abdomen blanchâtre ; parfois tout gris.*
Habitat : *forêts humides.*

Ce petit animal très actif trottine sur les troncs couchés et grimpe agilement aux arbres pour se nourrir ou y faire son nid. On dit qu'il est capable de faire mourir un arbre de 30 cm (1 pi) de diamètre en en rongeant l'écorce. Bien que ses prédateurs soient nombreux, il est si prolifique qu'il dépasse souvent en nombre les autres mammifères de la forêt.

Campagnol à dos roux de Gapper

Campagnol sylvestre

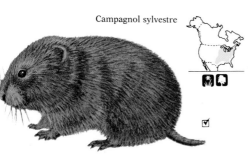

Campagnol des champs

Campagnol des champs
Microtus pennsylvanicus

Longueur : *tête et corps 9-13 cm (3½-5 po) ; queue 4-6,5 cm (1½-2½ po).*
Traits : *dos et flancs bruns ou brun foncé ; abdomen gris.*
Habitat : *champs à hautes herbes, forêts peu denses, vergers, orée des bois.*

Sous les herbes d'un pré, on découvre souvent un réseau de pistes qui révèlent les allées et venues du campagnol des champs. Les statistiques, à son sujet, sont étonnantes ; des colonies de campagnols ont atteint une densité de plusieurs centaines d'individus à l'hectare. Très prolifique, la femelle donne naissance à une centaine de petits par an. Le campagnol cause de grands dommages aux récoltes, mais en revanche il nourrit les oiseaux de proie et divers petits mammifères carnivores.

Campagnol sylvestre
Microtus pinetorum

Longueur : *tête et corps 8-10 cm (3-4 po) ; queue 1-2,5 cm (½-1 po).*
Traits : *fourrure soyeuse, brun-rouge ; abdomen gris ; queue très courte.*
Habitat : *forêts à sol riche en humus ; vergers.*

C'est le plus petit campagnol d'Amérique du Nord. Dans le sud des Etats-Unis, il fréquente les pinèdes ; chez nous, les forêts de feuillus à sol meuble. S'il creuse des galeries superficielles sous les feuilles, il ne s'en fait pas moins un terrier à 30 cm (12 po) de profondeur. Ce petit rongeur a les oreilles et la queue courtes, un poil doux, de petits yeux et des pieds antérieurs puissants, bref tout ce qu'il faut pour vivre sous le sol. Il mange les organes souterrains des plantes sauvages et ne dédaigne pas les arachides et les pommes de terre, au grand dam des cultivateurs.

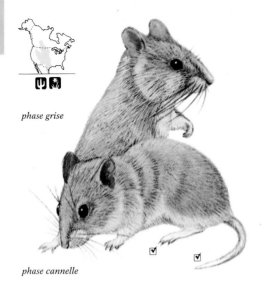

phase grise

phase cannelle

Souris à sauterelles
Onychomys leucogaster

Longueur: *tête et corps 11-14 cm (4½-5½ po);
queue 2,5-6,5 cm (1-2½ po).*
Traits: *corps dodu; queue courte;
pelage gris ou cannelle; abdomen blanc;
pattes et bout de la queue blancs.*
Habitat: *prairie, désert.*

Très carnivore, ce petit animal nocturne dévore sauterelles, punaises, grillons, chenilles, lézards, araignées et petits mammifères. Lorsque la proie est de bonne taille, la souris à sauterelles la suit à l'affût, bondit dessus et lui inflige une morsure mortelle au cou. Elle est tout particulièrement friande de scorpions, goût qu'elle partage avec sa cousine du sud *(Onychomys torridus)*, de plus petite taille. Si la souris à sauterelles niche dans un terrier, elle préfère s'emparer de celui d'un autre petit animal plutôt que de creuser le sien. On la voit parfois assise sur son arrière-train, la tête rejetée en arrière et émettant un sifflement strident. Ce comportement s'apparente à celui des chiens de prairie et de certains écureuils.

Souris à abajoues hispide *Perognathus hispidus*

Longueur: *tête et corps 11-13 cm (4½-5 po);
queue 9-11 cm (3½-4½ po).*
Traits: *taille imposante; pelage brun-fauve;
abdomen blanchâtre; poils rudes.*
Habitat: *terrains herbeux; près des routes et clôtures.*

Cette souris se sert de ses abajoues extensibles pour transporter les graines à son terrier, dont l'entrée est dissimulée sous un arbuste. Là, elle vide promptement ses abajoues en les pressant vers l'avant d'un coup de patte. Ce petit rongeur boit peu et se contente de l'eau métabolique produite par la digestion de sa nourriture. Les quelque 20 espèces de souris à abajoues vivent toutes dans les régions sèches à l'ouest du Mississippi. De mœurs et d'apparence semblables (elles sont toutes nocturnes), elles varient de taille, de couleur et de texture de poils. La souris à abajoues hispide (ce terme veut dire « garni de poils raides ») est la plus grosse de toutes.

Souris sauteuse des champs
Zapus hudsonius

Longueur: *tête et corps 8-9 cm (3-3½ po);
queue 11-15 cm (4½-6 po).*
Traits: *pelage brun-jaune; abdomen blanc; pattes
postérieures larges; queue longue, peu poilue.*
Habitat: *prairies, clairières.*

Souris
sauteuse
des
champs

Souris
sauteuse
de l'Ouest

La souris sauteuse exécute des bonds de 1,5 m (5 pi) sur ses membres postérieurs en se servant de sa longue queue comme d'un balancier. Ce petit rongeur nocturne échappe à ses prédateurs, notamment le hibou et la belette, grâce à une série de sauts en zigzags. Contrairement à la plupart des souris, elle ne loge dans son terrier que pour hiberner. En été, elle vit dans un nid qu'elle installe dans une touffe d'herbe ou sous un tronc. C'est là que naissent ses petits. L'accouplement suit son réveil au printemps. Après quelques semaines de gestation, elle met au monde environ cinq souriceaux aveugles et nus. Une autre période d'accouplement se produit à la fin de l'été. Sa cousine, la souris sauteuse de l'Ouest *(Zapus princeps)*, n'a qu'une portée par an.

Souris des moissons

Reithrodontomys montanus

Longueur : *tête et corps 6,5-8 cm (2½-3 po) ; queue 5-6,5 cm (2-2½ po).*
Traits : *petite taille, pelage gris clair ou fauve ; abdomen clair ; quelques rayures sur le dos.*
Habitat : *prairies à basses herbes.*

Cette petite souris est une moissonneuse de talent. Elle plie les hautes herbes pour en manger les sommités ou ramasse des graines sur le sol. Elle est aussi une habile tisserande et entrelace les herbes pour se faire un nid dans un buisson ou à ras de terre. Mais elle passe l'hiver dans un terrier. On trouve cinq espèces de souris des moissons en Amérique du Nord ; leur habitat couvre les Etats-Unis et le sud de l'Alberta, de la Saskatchewan et de la Colombie-Britannique. Elles ressemblent toutes à la souris commune. On peut les distinguer de celle-ci en leur regardant les dents... mais encore faut-il les capturer ! La souris des moissons a les incisives supérieures rainurées.

Souris sylvestre

Peromyscus maniculatus

Longueur : *tête et corps 8-10 cm (3-4 po) ; queue 5-13 cm (2-5 po).*
Traits : *pieds et abdomen blancs ; queue sombre dessus, blanche dessous ; oreilles en saillie.*
Habitat : *partout sauf dans les endroits très humides ; pénètre dans les édifices.*

Cette souris indigène est répandue partout en Amérique du Nord, mais son pelage varie de couleur d'une région à l'autre. C'est un petit animal éminemment sociable. En hiver, les souris sylvestres se serrent les unes contre les autres par groupes d'une douzaine ou davantage pour se tenir chaud. Cette souris est active à longueur d'année, mais elle ne survit à l'hiver que grâce aux provisions qu'elle se fait durant la belle saison. C'est un petit rongeur de mœurs nocturnes ; durant le jour, il préfère se reposer en prenant logis sur une bille de bois, dans un arbre, un terrier, une maison et même un nid d'oiseau.

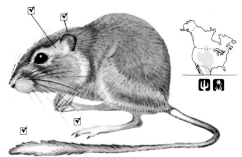

Souris commune

Mus musculus

Longueur : *tête et corps 8-9 cm (3-3½ po) ; queue 6,5-10 cm (2½-4 po).*
Traits : *pelage terne, brun-gris ; abdomen gris ; queue longue et écailleuse ; oreilles en saillie.*
Habitat : *lieux habités.*

Cet hôte peu estimé n'apprécie pas seulement la nourriture des êtres humains, mais aussi le savon et la colle. Pour son nid, la souris choisit tout ce qu'elle trouve de doux et de souple, aussi bien du duvet d'oreiller que des journaux déchiquetés. Comme plusieurs animaux indésirables, la souris commune n'est pas originaire d'Amérique du Nord mais bien d'Asie ; elle est arrivée sur notre continent au XVIe siècle en passant par l'Europe. C'est un rongeur très prolifique. Dans de bonnes conditions, la femelle peut mettre bas huit fois par an des portées d'une douzaine de souriceaux et elle s'accouple dès l'âge d'un mois.

Rat kangourou d'Ord   *Dipodomys ordii*

Longueur : *tête et corps 10-11 cm (4-4½ po) ; queue 12-15 cm (5-6 po).*
Traits : *gros corps ; longues pattes postérieures ; queue longue, rayée, touffue ; petites oreilles ; marque claire derrière les yeux.*
Habitat : *terrains secs et sablonneux.*

On l'aperçoit parfois traversant un chemin, la nuit tombée ; ce rongeur habile peut changer de direction en plein bond et franchir 60 cm (2 pi) en un seul saut. C'est le plus répandu des rats kangourous. Il est réputé aussi pour sa façon de transporter sa nourriture. Doté de sacs à l'extérieur de la cavité buccale, comme la souris à abajoues, il s'en sert pour apporter ses provisions au terrier. C'est également dans le terrier que naissent les petits et que les adultes s'abritent du dur soleil du désert. Le rat kangourou se contente de l'eau métabolique que lui fournit la digestion de ses aliments.

51

Rat à queue touffue
Neotoma cinerea

Longueur : *tête et corps 18-25 cm (7-10 po) ; queue 13-19 cm (5-7½ po).*
Traits : *queue touffue (moins que celle de l'écureuil) ; pelage gris-rouge plus ou moins foncé ; abdomen blanc ; pattes blanches.*
Habitat : *terrains rocheux ; forêts de conifères.*

Sigmodonte hispide   *Sigmodon hispidus*

Longueur : *tête et corps 15-20 cm (6-8 po) ; queue 9-14 cm (3½-5½ po).*
Traits : *pelage long et rude, brun sombre et chamois ; abdomen blanc ; oreilles peu visibles.*
Habitat : *prés humides, fossés.*

Ce prolifique rongeur se caractérise par la rugosité de son pelage. Commun dans les régions agricoles, il endommage les cultures, surtout celles de coton et de luzerne, et les cultivateurs le redoutent beaucoup. A l'instar de bien d'autres rats, il consomme ce qui se trouve à sa portée ; par exemple, le rat des fossés mange presque exclusivement des écrevisses et des crabes appelants. Comme le sigmodonte occupe généralement un territoire restreint, sa densité est élevée. On en a déjà compté plus de 1 000 en un seul hectare, alors que la moyenne se situe plutôt aux environs de 30 individus.

Les campeurs s'aperçoivent parfois qu'on leur a dérobé un petit objet à la place duquel on a déposé un bout de bois ou un caillou. Le coupable est souvent le rat à queue touffue. Ce n'est pas qu'il fasse un échange ; plus probablement il abandonne un objet pour en prendre un autre qu'il juge plus attrayant. Son terrier, construit de bouts de bois et de débris d'os dans une fissure rocheuse ou un fourré, réunit les articles les plus hétéroclites. Il est pourtant de taille modeste, comparé à celui de son cousin de Californie, *Neotoma fuscipes*. Celui-ci habite une hutte de près de 2 m (6 pi) de hauteur, construite au ras du sol ou dans les arbres.

Rat surmulot   *Rattus norvegicus*

Longueur : *tête et corps 18-25 cm (7-10 po) ; queue 14-20 cm (5½-8 po).*
Traits : *pelage rude, gris-brun terne ; abdomen plus clair ; queue longue, écailleuse, presque sans poils, d'une seule teinte.*
Habitat : *édifices, quais, dépotoirs, champs.*

Originaire d'Asie, ce rongeur, considéré comme le mammifère le plus destructeur au monde, nous est arrivé par bateau vers 1775. Depuis lors, il menace l'économie et la santé publique. Le rat surmulot mange de tout : plantes ou animaux, vivants ou morts. Il communique à l'homme des maladies et contamine les aliments. Son taux de reproduction est effarant : cinq portées de 8 à 10 ratons par an. Le rat noir *(Rattus rattus)*, également originaire d'Asie, s'éloigne rarement des ports de mer. Sa fourrure est plus sombre et sa queue plus longue, mais il est tout aussi dangereux et causerait autant de dommages que le surmulot si celui-ci ne le chassait pas.

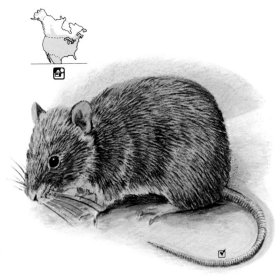

Oryzomys des marais
Oryzomys palustris

Longueur: *tête et corps 11-14 cm (4½-5½ po); queue 10,5-19 cm (4¼-7½ po).*
Traits: *pelage gris-brun; abdomen gris ou blanc terne; queue longue et écailleuse; pieds blancs.*
Habitat: *marais; lieux humides.*

L'oryzomys, nom scientifique du rat des rizières américain, se nourrit des tendres pousses et des grains mûrs du riz, mais ne dédaigne pas pour autant les autres plantes. De mœurs nocturnes, ce rongeur sort quand même le jour et n'hiberne pas. C'est un animal semi-aquatique qui plonge et nage longtemps sous l'eau lorsqu'il se sent menacé. Il est pourtant vulnérable aux attaques, dans l'eau, du vison et du mocassin aquatique, sur terre, des mouffettes et des belettes, ainsi que des hiboux et des faucons. Les petits naissent dans un nid de feuilles sèches, construit à environ 30 cm (1 pi) au-dessus du niveau de l'eau, dans un entrelacement de joncs. L'accouplement se produit en tout temps chez les espèces les plus méridionales.

Néotome à queue blanche
Neotoma floridana

Longueur: *tête et corps 20-23 cm (8-9 po); queue 15-20 cm (6-8 po).*
Traits: *fourrure soyeuse, brun-gris; abdomen blanc; queue bicolore touffue.*
Habitat: *fondrières et terrains rocheux, dégagés.*

Effrayé ou excité, le néotome claque des dents, agite la queue et tambourine avec ses pieds postérieurs comme le font certains lapins et souris. Ce rongeur solitaire se construit un nid volumineux dans une fissure rocheuse ou sous des buissons. Les petits, de deux à quatre par portée, y demeurent pendant un mois environ; ils s'accrochent aux mamelons de la mère grâce à une fente ménagée entre leurs deux incisives supérieures et c'est ainsi qu'en cas de danger elle peut facilement les transporter hors du nid. Les adultes se nourrissent de fruits, de graines et de noix. Ils ne causent aucun tort à l'homme, mais, en raison de leur ressemblance avec le rat, ils ne sont guère appréciés.

Gaufre brun
Geomys bursarius

Longueur: *tête et corps 14-23 cm (5½-9 po); queue 5-11 cm (2-4½ po).*
Traits: *corps trapu; queue courte, presque glabre; dents jaunes en saillie.*
Habitat: *prairies, pâturages, champs.*

Ce rongeur est muni d'abajoues dans lesquelles il amasse la nourriture, bulbes ou racines, qu'il veut transporter à son terrier. Sauf durant la brève saison printanière des amours, c'est un solitaire qui ne peut rencontrer un autre gaufre sans se battre. Le territoire que ces animaux habitent se reconnaît aux petits tertres rayonnants qui signalent l'entrée d'un couloir d'alimentation. On distingue facilement le gaufre des autres rongeurs de sa taille grâce à ses dents jaunes qui sont visibles même lorsqu'il a la bouche fermée. Les savants ont identifié 15 espèces de gaufres, mais les distinguer les unes des autres n'est pas à la portée de l'amateur. Le gaufre brun est le seul cependant dont les incisives supérieures portent deux rainures longitudinales.

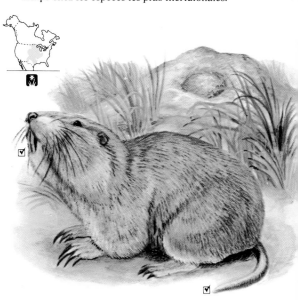

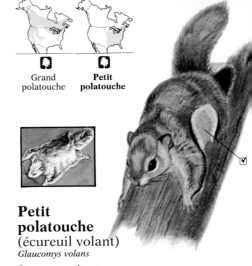

Grand
polatouche

Petit
polatouche

Ecureuil roux
Tamiasciurus hudsonicus

Longueur: *tête et corps 19-22 cm (7½-8½ po);*
queue 10-15 cm (4-6 po).
Traits: *dos roux, abdomen blanchâtre; plus petit*
que l'écureuil gris; queue moins fournie.
Habitat: *forêts de montagne.*

Ce petit rongeur bruyant lance un cri strident à l'approche d'un intrus. C'est après l'aurore et avant le crépuscule qu'il est le plus actif. En été, il consacre une grande partie de son temps à rassembler des cônes de conifères qu'il cache dans une souche ou dans son terrier: ce sont ses provisions pour l'hiver. L'écureuil roux consomme des champignons mortels pour l'homme. Son régime alimentaire comprend aussi des bourgeons, de la sève, des œufs et même des oisillons. Mais il a ses prédateurs: les oiseaux de proie.

Petit polatouche
(écureuil volant)
Glaucomys volans

Longueur: *tête et corps*
14-15 cm (5½-6 po); queue 9-13 cm (3½-5 po).
Traits: *dos gris-brun, abdomen blanc; plis entre*
les pattes antérieures et postérieures; gros yeux.
Habitat: *forêts de feuillus ou mixtes.*

L'écureuil volant ne vole pas: il plane, grâce à une membrane musculaire tendue le long de ses deux flancs. Pour planer, il bondit en étendant les pattes et il utilise sa queue comme gouvernail. Il atterrit à une distance de 6 à 10 m (20-30 pi) de son point de départ et se précipite aussitôt de l'autre côté d'un arbre au cas où un hibou le poursuivrait. Les polatouches sont les seuls écureuils nocturnes d'Amérique du Nord.

Nid

Ecureuil
gris de
l'Ouest

Ecureuil gris *Sciurus carolinensis*

Longueur: *tête et corps 20-28 cm (8-11 po);*
queue 20-25 cm (8-10 po).
Traits: *dos et flancs gris, abdomen blanchâtre*
(on trouve des sujets tout noirs); grosse queue touffue.
Habitat: *forêt de feuillus, parcs, banlieues.*

L'accouplement, qui se produit deux fois par an, donne lieu à des poursuites effrénées, à des luttes et à des tournois bruyants. Les portées du printemps naissent au creux d'un arbre; celles de l'été, parfois dans un nid feuillu. Le mâle ne s'occupe pas des petits. Ceux-ci, au nombre de trois en moyenne, tètent plusieurs mois. L'écureuil gris et son cousin de l'Ouest *(Sciurus griseus)* sont actifs toute l'année. L'hiver, ils mangent leurs réserves et volent des graines aux oiseaux.

Ecureuil gris

Le langage de l'écureuil.
L'écureuil gris est un animal bruyant, mais il sait se faire comprendre:
• Un *tchic-tchic-tchic* rapide: signal d'alarme.
• Un *tchi-i-i-c* étiré: le danger s'éloigne.
• Un *tchic-tchic-tchic* lent: l'alerte est terminée.

L'écureuil gris parle aussi avec sa queue:
• secousses rapides: menace;
• ondulation lente: agitation;
• queue rabattue sur le dos: le danger est passé.

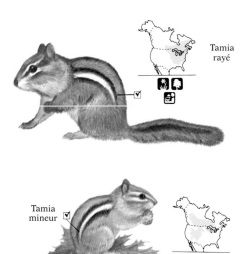

Tamia
rayé

Tamia
mineur

Tamia mineur   *Eutamias minimus*

Longueur: *tête et corps 9-11 cm (3½-4½ po);
queue 8-11 cm (3-4½ po).*
Traits: *corps petit et effilé; rayures sur la tête,
les flancs et le dos, se terminant à la queue.*
Habitat: *toundra, forêts, champs d'armoise.*

C'est le plus petit des tamias, mais aussi le plus actif. Il n'arrête pas de courir au sol et de grimper
aux arbres. Des amas de pulpe de fruits ou de dé-
chets de noix signalent sa présence. Il hiberne
dans un terrier et s'accouple au printemps. Après
un mois de gestation, la femelle donne naissance
à une portée de un à sept petits qui restent avec
elle plusieurs mois. Dans l'Ouest, on compte une
douzaine d'espèces de tamias, qui sont plus petits
et plus gris que leur cousin de l'Est, le suisse; leur
pelage est plus clair dans les régions désertiques
qu'en forêt.

Chien de prairie   *Cynomys ludovicianus*

Longueur: *tête et corps 25-36 cm (10-14 po);
queue 8-10 cm (3-4 po).*
Traits: *tête large, corps dodu à pelage brun
jaunâtre; queue à bout noir.*
Habitat: *prairie à herbes mixtes.*

Le chien de prairie n'est pas du tout un chien,
même si son cri d'alarme ressemble à un jappe-
ment. Il se construit un réseau élaboré de galeries
auquel il accède par une cheminée verticale dont
la profondeur dépasse parfois 4 m (12 pi). Très
grégaires, les chiens de prairie vivent en colonies
denses. Certaines auraient rassemblé des millions
d'individus. Ces sortes de « cités » se divisent en
quartiers à l'intérieur desquels les individus forment des cellules sociales dites « coteries », sous
la gouverne d'un mâle. Les membres de ces coteries se partagent les galeries, se font mutuellement la toilette et communiquent par sons et par
gestes. Leurs cousins à queue blanche, *Cynomys
leucurus*, sont moins sociables.

Tamia rayé (suisse)
Tamias striatus

Longueur: *tête et corps 14-17 cm (5½-6½ po);
queue 7-11 cm (3-4½ po).*
Traits: *rayures sur la tête, les flancs et le dos,
se terminant à la croupe.*
Habitat: *forêts, broussailles, jardins.*

Les suisses sont avant tout terrestres et fouisseurs,
mais ils savent aussi grimper. Très considérable,
leur terrier peut mesurer jusqu'à 4 m (12 pi) de
long et comporter un garde-manger, une chambre, une salle à ordures et des latrines. Le garde-
manger est spacieux; le suisse y accumule un
demi-boisseau de noix et autres aliments qu'il
transporte dans ses abajoues. S'il hiberne, il se réveille fréquemment pour se nourrir. Les petits, au
nombre de deux à huit, naissent au printemps ou
à la mi-été. Comme tous les écureuils, ils sont nus
et aveugles à la naissance.

Spermophile rayé
Spermophilus tridecemlineatus

Longueur: *tête et queue 11-17 cm (4½-6½ po);
queue 5-12 cm (2-5 po).*
Traits: *nombreuses rayures sur les flancs et le
dos (parfois des points); petites oreilles.*
Habitat: *broussailles, champs envahis d'herbes,
bosquets, terrains découverts.*

C'est un écureuil dont la livrée, marquée de rayures et de points, est remarquable. Son terrier est
un véritable labyrinthe de couloirs et de galeries.
Il y élève ses petits et s'y réfugie en cas d'urgence.
S'il s'affaire le jour, il retourne la nuit sur terrier la
nuit. On confond souvent le spermophile à mante
dorée *(Spermophilus lateralis)*, qui fréquente les
terrains de camping, avec le tamia. Plus gros que
ce dernier, le spermophile à mante dorée a la tête
unie et une seule rayure sur les flancs.

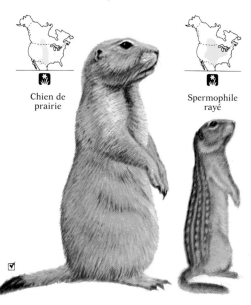

Chien de
prairie

Spermophile
rayé

Marmotte commune *Marmota monax*

Longueur : *tête et corps 36-50 cm (14-20 po) ;
queue 11-17 cm (4½-6½ po).*
Traits : *tête large, corps trapu ; membres courts ;
petite queue touffue.*
Habitat : *forêts peu denses, terrains rocheux,
clairières, bords de routes.*

Contrairement à la légende, la marmotte ne sort pas de son
terrier le 2 février pour voir si elle aperçoit son ombre. Elle y
reste plutôt jusqu'à la fin de l'hiver. Ce terrier se compose
d'un entrelacement de couloirs et de galeries où mènent de
multiples entrées. Sitôt sortis de leur gîte, les mâles se battent entre eux à coups de dents avant de partir à la recherche
d'une femelle. Les petits naissent quatre semaines après l'accouplement. Bien que nus, aveugles et minuscules à la naissance, ils sont prêts à quitter le terrier un mois plus tard. On
voit souvent les adultes se prélasser au soleil à l'entrée de
leur terrier, toujours aux aguets devant un prédateur possible, ou se régaler de trèfle ou de luzerne.

Marmotte à ventre jaune

Marmota flaviventris

Longueur : *36-50 cm (14-20 po) ;
queue 14-22 cm (5½-8½ po).*
Traits : *corps trapu ; taches blanches
sur face noire ; queue touffue.*
Habitat : *pentes rocheuses, vallées.*

Si la marmotte commune est solitaire, celle-ci vit
en colonies de plusieurs dizaines d'individus. On a
parfois l'impression qu'une marmotte fait la sentinelle pendant que les autres se régalent d'herbes
fraîches. A la moindre menace, l'apparition d'un
aigle par exemple, la sentinelle émet un sifflement
sonore et toutes les marmottes des alentours se
précipitent vers leur terrier, ordinairement situé
sous un amas de roches. Une autre espèce, plus
grosse et plus grise, la marmotte des Rocheuses
(Marmota caligata), vit à plus grande altitude et
plus au nord. Les deux hibernent la moitié de l'année. Il arrive que la marmotte à ventre jaune
demeure sous terre même par temps chaud, plongée dans une sorte de léthargie.

Pica d'Amérique *Ochotona princeps*

Longueur : *17-22 cm (6½-8½ po).*
Traits : *tête et corps de rat ; petites oreilles arrondies ;
queue non apparente.*
Habitat : *pentes d'éboulis rocheux.*

Le pica cueille une grande variété de plantes durant le court
été, les empile et les met à sécher au soleil avant de les cacher
dans des endroits abrités, parmi les roches. Pour se reposer,
il sommeille au soleil accroupi sur le roc, quasi invisible. Le
pica ressemble à un rongeur, mais c'est en réalité un cousin
du lapin et du lièvre. Comme eux, il demeure actif tout l'hiver, mais fait quand même des provisions. Très babillards,
les picas communiquent entre eux par des cris aigus qui
semblent provenir de plusieurs points à la fois. Sa plainte
nasillarde est presque celle d'un ventriloque. C'est un trait
dont se souviendra l'observateur s'il veut localiser le petit
animal, souvent perché sur une roche voisine et à découvert.

Lièvre de Californie

Lepus californicus

Longueur: *tête et corps 43-53 cm (17-21 po); queue 10 cm (4 po).*
Traits: *longues oreilles à pointe noire; grandes pattes postérieures; raies noires sur la queue.*
Habitat: *prairies, déserts.*

Ce lièvre est parfaitement adapté à la vie en terrain découvert. Comptant sur sa rapidité pour échapper au coyote et à ses autres prédateurs, il fait des bonds de plus de 6 m (20 pi) et court à une vitesse de 50-55 km/h (30-35 mi/h). Le jour, il se repose sous des arbustes, près de rochers ou dans l'herbe haute. Ses longues oreilles lui servent d'antennes, repérant le moindre bruit, et de climatiseurs, laissant échapper la chaleur du corps. Le lièvre de Townsend *(Lepus townsendii)* lui ressemble, mais sa livrée d'hiver est blanche. Le lièvre antilope *(Lepus alleni)*, qui vit au Mexique, a les oreilles encore plus grandes.

Lièvre de Californie

Lièvre de Townsend

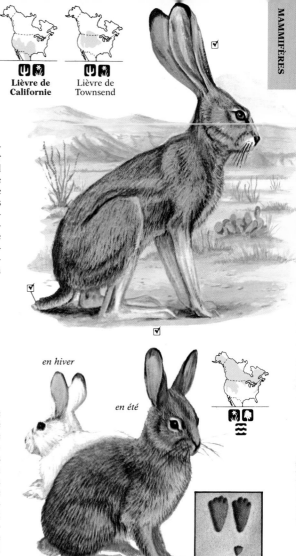

Lièvre d'Amérique *Lepus americanus*

Longueur: *tête et corps 38-47 cm (15-18½ po); queue 5 cm (2 po).*
Traits: *grandes pattes postérieures; fourrure sombre (blanche en hiver).*
Habitat: *forêts alpines et boréales, marécages, broussailles.*

Deux fois par an, ce lièvre à moustaches change de livrée. Dès septembre, son pelage brun foncé mue progressivement pour devenir blanc. Une mue contraire s'amorce en mars. Autre trait particulier, les pattes de ce lièvre se couvrent de longs poils à l'automne; si cette fourrure le protège bien contre le froid, elle le rend aussi plus habile à marcher dans la neige. Son régime alimentaire varie avec les saisons. Lorsqu'il ne peut plus trouver de plantes vertes, il se nourrit de brindilles et de bourgeons en laissant sur les branches l'empreinte caractéristique de ses dents. Le jour, il se cache; quand il sort, bien camouflé par sa robe, il ne révèle ses allées et venues que par ses pistes.

en hiver

en été

Lapin à queue blanche *Sylvilagus floridanus*

Longueur: *tête et corps 34-40 cm (13½-16 po); queue 5 cm (2 po).*
Traits: *oreilles et queue courtes; queue blanche, très visible quand il détale.*
Habitat: *buissons, marécages, orées des forêts.*

Ce lapin est abondant à l'est des Rocheuses. (Il en existe une espèce parente dans l'Ouest.) Chats, renards, faucons et hiboux stabilisent sa population; les chasseurs en font autant. Mais sa fécondité légendaire lui permet de se renouveler constamment. La femelle donne naissance plusieurs fois par an à des portées atteignant sept petits; ceux qui sont nés au début du printemps peuvent déjà se reproduire à l'été. Les lapereaux naissent sans poils et aveugles, tandis que les levrauts ont du poil et les yeux ouverts à la naissance. Un autre trait distingue les deux espèces: grâce à ses pattes plus courtes, le lapin a une course plus régulière que celle du lièvre.

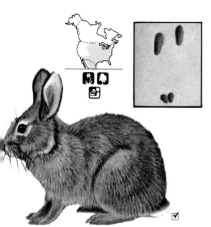

57

Raton laveur *Procyon lotor*

Longueur: *tête et corps 40-65 cm (16-26 po); queue 20-30 cm (8-12 po).*
Traits: *loup noir; queue touffue, à anneaux.*
Habitat: *vallées fluviales, rives boisées des cours d'eau ou des lacs, falaises au bord de l'eau.*

Heureux en ville, en forêt ou à la campagne, le raton laveur ne se laisse pas troubler par la présence de l'homme. Ayant appris comment soulever le couvercle des poubelles, il multiplie les incursions nocturnes et mange de tout ou presque: noix, baies, graines, œufs d'oiseaux, charogne, rongeurs, insectes et écrevisses. Une croyance populaire veut que le raton laveur lave tout ce qu'il mange. Il est vrai qu'en captivité il plonge sa nourriture dans l'eau, moins par souci de propreté, croit-on, que par l'habitude qu'il a de pêcher pour se nourrir. Les ratons laveurs s'accouplent à la fin de l'hiver. Les petits, quatre en moyenne, naissent au printemps et la mère passe le premier hiver avec eux. L'espèce n'hiberne pas, mais demeure inactive pendant les grands froids.

Bassaride rusée
Bassariscus astutus

Longueur: *tête et corps 36-40 cm (14-16 po); queue 36-39 cm (14-15½ po).*
Traits: *pelage de teinte claire; très longue queue, touffue et annelée, à bout noir.*
Habitat: *collines rocheuses, falaises, maquis près de l'eau.*

Plus petite et plus agile que le raton laveur, la bassaride habite les régions boisées et rocheuses du sud-ouest américain. C'est un animal nocturne qui chasse à l'affût et bondit sur sa proie, oiseaux ou petits mammifères, qu'il tue d'un coup de dent à la nuque. Il servait autrefois dans les mines à éliminer les rongeurs. C'est aussi un agile grimpeur, sa queue faisant office de balancier. Le jour, la bassaride aime dormir au sommet d'un arbre, ne laissant voir que sa longue queue ballante. Dans le sud de son territoire, on lui donne le nom de « cacomiztle », mot dérivé de deux termes indiens voulant dire « demi » et « lion de montagne ».

Blaireau d'Amérique
Taxidea taxus

Longueur: *tête et corps 45-58 cm (18-23 po); queue 11-15 cm (4½-6 po).*
Traits: *corps aplati, membres courts; pelage grossier; ligne médiane blanche sur la tête, tache sombre de chaque côté.*
Habitat: *lieux secs et dénudés.*

Tenace, robuste et courageux, ce membre imposant de la famille des belettes est doté de glandes à sécrétions musquées et de membres antérieurs à très longues griffes. Pris de court, il se creuse vite une cache. Les trous qu'il aménage dans le sol à la poursuite des rongeurs sont plus faciles à voir que l'animal lui-même qui s'affaire surtout de nuit. Le blaireau a mis au point une méthode de chasse ingénieuse. Il s'introduit dans le terrier de sa proie, par la sortie de secours qu'il agrandit à sa taille, et attend près de l'entrée principale, gueule ouverte, que sa victime s'y précipite. Le blaireau est solitaire, sauf en période d'accouplement.

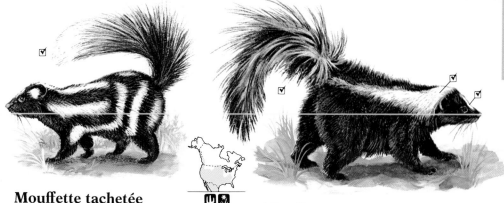

Mouffette tachetée
Spilogale putorius

Longueur : *tête et corps 20-36 cm (8-14 po);
queue 12-23 cm (5-9 po).*
Traits : *rayures et taches blanches sur fond noir;
queue touffue terminée par un panache blanc.*
Habitat : *bois peu denses, terrains rocheux ou
broussailleux, prairies; souvent près de l'eau.*

Menacée, cette mouffette met son poids sur ses
pattes antérieures, redresse l'arrière-train et vise
son agresseur avec ses glandes à sécrétion nauséabonde. Le jet est plus précis et le liquide plus fétide
que chez la mouffette rayée. La mouffette tachetée est plus carnivore aussi que sa cousine rayée et
se nourrit surtout de souris et de rats. Leur régime
à toutes deux varie d'ailleurs avec les saisons. Des
observations faites en Iowa, aux Etats-Unis, ont
démontré que la mouffette tachetée mange des
mammifères en hiver, mais préfère les insectes au
printemps et à l'été, et les fruits en automne.

Mouffette rayée *Mephitis mephitis*

Longueur : *tête et corps 38-48 cm (15-19 po);
queue 18-25 cm (7-10 po).*
Traits : *rayure faciale blanche; rayure blanche
en V sur le dos; queue touffue bicolore.*
Habitat : *bois peu denses, régions agricoles,
champs broussailleux et prairies; près de l'eau.*

Devant un agresseur, elle lève la queue en panache, cambre le dos et découvre ses glandes anales.
Si cette parade ne suffit pas, elle lance un double
jet de liquide fétide qui aveugle momentanément
sa victime. Peu de bêtes osent s'attaquer à elle en
dehors des grands hiboux. La mouffette rayée
trottine sans hâte au crépuscule, ou la nuit venue,
à la recherche des animaux et des plantes dont elle
se nourrit. Elle raffole des sauterelles, des coléoptères et des larves d'abeilles. Après avoir engraissé
beaucoup en automne, elle entre en hibernation
et ne ressort qu'au printemps.

Carcajou (glouton) *Gulo gulo*

Longueur : *tête et corps 70-86 cm (28-34 po); queue 20-24 cm (8-9½ po).*
Traits : *pelage foncé; bandes jaunâtres sur le front et les flancs; queue touffue.*
Habitat : *haute montagne, toundra arctique.*

Le carcajou est un animal agressif, curieux, audacieux et fort, membre de la famille des belettes
comme la mouffette. Pour sa taille, le carcajou est
étonnamment puissant; il peut tuer une bête aussi
grosse qu'un chevreuil et intimiderait même à
l'occasion le grizzli. Sa démarche est lente, mais le
carcajou est capable de parcourir de très longues
distances dans la neige. Il vide les pièges et s'empare des réserves alimentaires des trappeurs qui
ne l'apprécient guère. Il se nourrit principalement
de mammifères, mais aussi de poissons, de baies
et des carcasses laissées par d'autres prédateurs.
Rien d'étonnant donc que le carcajou porte aussi
le nom évocateur de glouton.

Martre d'Amérique   *Martes americana*

Longueur: *tête et corps 34-50 cm (13½-20 po);
queue 17-24 cm (6½-9½ po).*
Traits: *corps allongé; longue queue touffue;
queue et abdomen plus sombres que le dos;
taches chamois sur la gorge et la poitrine.*
Habitat: *forêts de conifères; cédraies humides.*

Chasseur nocturne, cette belette grimpeuse se rencontre parfois le jour lorsqu'elle poursuit des écureuils dans les arbres. Elle mange aussi d'autres
petits mammifères, des oiseaux, des insectes et
des baies. La martre est solitaire. Le mâle, querel-
leur, ne se joint à la femelle qu'en été, durant la
saison des amours. Les jeunes martres naissent le
printemps suivant. Cette période de gestation peut
sembler anormalement longue si l'on ignore que
l'ovule fécondé demeure stationnaire dans l'uté-
rus; le fœtus se développe rapidement, seulement
au cours du mois qui précède la naissance. Cette
nidation différée se produit également chez le dasypus à neuf bandes, l'ours noir et le pékan *(Mar-
tes pennanti)*, grande martre à pelage tout noir.

**Martre
d'Amérique**

Pékan

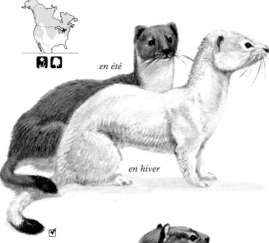

en été

en hiver

Hermine   *Mustela erminea*

Longueur: *tête et corps 13-24 cm (5-9½ po);
queue 5-10 cm (2-4 po).*
Traits: *long corps effilé; pelage brun sombre en
été, blanc en hiver; touffe noire au bout de la
queue en tout temps.*
Habitat: *forêts et broussailles près de l'eau.*

Ce petit mammifère est à la fois vif, agile et féroce.
Son corps effilé se faufile de manière serpentine à
travers buissons et fourrés à la poursuite des petits rongeurs dont l'hermine se nourrit. Elle est
aussi habile à grimper aux arbres et d'un coup de
dents précis tue écureuils et tamias. Elle ne dévore
pas immédiatement toute sa proie mais revient à
la carcasse à plusieurs reprises. Deux fois par an,
au printemps et en automne, sa livrée change radicalement de couleur. Les peaux blanches d'hiver font de précieuses fourrures, prélevées sur des
hermines du Canada, d'Asie et d'Europe.

Belette à longue queue   *Mustela frenata*

Longueur: *tête et queue 19-38 cm (7½-15 po);
queue 9-18 cm (3½-7 po).*
Traits: *long corps effilé; queue noire au bout; pelage brun,
abdomen plus clair; pelage blanc-jaune (sauf le bout de la
queue) en hiver, dans le nord de son territoire.*
Habitat: *terrains découverts et forêts, près de l'eau.*

Plus longue et plus puissante que l'hermine, cette belette
n'en poursuit pas moins les mêmes proies. Cependant, elle
chasse aussi les oiseaux qui nichent au sol et peut, de ce fait,
ravager un poulailler. (Elle se rachète auprès de l'homme en
dévorant aussi rats et souris.) Comme sa cousine l'hermine,
la belette à longue queue change de livrée deux fois par an,
sauf dans le sud de son territoire. La mue dure environ quatre semaines; voilà pourquoi il peut arriver à l'observateur
de rencontrer des individus qui sont mi-bruns, mi-blancs.
C'est la longueur variable des jours qui déclenche ce proces-
sus, mais peut-être aussi la température.

Vison d'Amérique *Mustela vison*

Longueur : *tête et corps 29-50 cm (11½-20 po) ;*
queue 13-23 cm (5-9 po).
Traits : *long corps effilé ; pelage brun-rouge sombre ;*
tache pâle sur le menton, points blancs sur l'abdomen.
Habitat : *près des cours d'eau et des lacs ;*
parfois en marais salés.

Le vison d'Amérique vit toujours à proximité de l'eau. Excellent nageur, il est aussi bon pêcheur que chasseur et se nourrit de rats musqués, de poissons, de lapins et de serpents. Plus robuste que la femelle, le mâle a un territoire de chasse plus étendu. Les visons sont de farouches combattants ; quand ils se battent, ils font entendre des cris allant du roucoulement aux hurlements et aux sifflements les plus variés. Ils émettent aussi une odeur musquée. Les adultes sont en général solitaires, sauf durant la période d'accouplement qui a lieu en hiver ; mâles et femelles ont plusieurs partenaires. Les petits, de 2 à 10 par portée, naissent au printemps ; dès l'été, ils suivent leur mère à la chasse et, à l'automne, ils peuvent s'alimenter seuls. Le vison sauvage est actuellement peu trappé, remplacé par le vison d'élevage.

Loutre de rivière *Lontra canadensis*

Longueur : *tête et corps 50-90 cm (20-35 po) ;*
queue 25-47 cm (10-18½ po).
Traits : *corps de belette ; pelage brun sombre, souvent à reflets dorés sur la tête et les épaules ; queue épaisse, touffue et effilée.*
Habitat : *près des cours d'eau et des lacs ; parfois près de la mer.*

Enjouée et sociable, la loutre s'amuse à lutter avec les siens, joue à chat perché, se laisse glisser sur les berges enneigées ou boueuses des rivières et se roule dans l'herbe ou les roseaux. Sa gamme d'expressions sonores est vaste : cris, sifflements, gloussements et grognements. Le mâle vit avec la femelle une partie de l'année ; au printemps cependant, avant la naissance de ses deux ou trois rejetons, elle le chasse. Aveugles à la naissance mais couverts de duvet, les petits demeurent dans la litière natale, dans une souche ou dans un terrier de castor ou de rat musqué, 10 ou 12 semaines. La mère leur apprend alors à nager, à plonger et à chasser et, quand ils ont six mois, le mâle vient compléter cet apprentissage. Remarquablement adaptées à la vie aquatique, les loutres se nourrissent surtout de poissons, mais aussi de grenouilles et d'écrevisses.

une glissade sur la neige

Renard roux
Vulpes vulpes

Longueur: *tête et corps 50-75 cm (20-30 po);*
queue 36-40 cm (14-16 po).
Traits: *dos et face roux; abdomen blanc;*
queue touffue à bout blanc; pattes noires.
Habitat: *terrains agricoles, forêts à clairières.*

Le renard roux n'est pas toujours roux. On trouve aussi des renards noirs, à jarres argentés (on les appelle « renards argentés »), ainsi que des sujets croisés dont la fourrure ocre ou brune comporte des zones sombres qui s'étendent depuis l'abdomen jusque sur le dos et les épaules. Ces variations génétiques se retrouvent souvent chez les rejetons d'une même portée. Les renards roux naissent au printemps; un mois plus tard, ils sont sevrés. Le renard reste actif pendant toute l'année; c'est surtout au petit matin ou en fin d'après-midi qu'on pourra l'observer. Voleur traditionnel de volaille, il sait au besoin varier son menu et dévorer de petits mammifères ou de la charogne, mais aussi des oiseaux, des insectes et des fruits.

Renard nain   *Vulpes macrotis*

Longueur: *tête et corps 36-56 cm (14-22 po);*
queue 23-29 cm (9-11½ po).
Traits: *plus petit que le renard roux;*
pelage gris-roux; abdomen blanc;
queue à bout noir; grandes oreilles.
Habitat: *terrains plats, sablonneux, découverts;*
déserts; près des pins à pignons.

C'est le plus petit renard d'Amérique du Nord; ses grandes oreilles lui permettraient, croit-on, de dépister les rongeurs ou autres proies qui circulent dans son environnement. Comme le renard roux, il s'accouple en hiver et emprunte le terrier des autres pour y loger ses rejetons. La femelle n'a qu'une portée par an de quatre ou cinq renardeaux. Le renard nain est surtout un animal nocturne, même s'il lui arrive de circuler près de son logis le jour. Des appâts empoisonnés destinés à d'autres animaux ont diminué sa population.

Renard gris
Urocyon cinereoargenteus

Longueur: *tête et corps 56-75 cm (22-30 po);*
queue 25-38 cm (10-15 po).
Traits: *pelage rude, poivre et sel, à marques*
orange et blanches; queue touffue à bout
noir et rayure noire dessus.
Habitat: *bois peu denses, maquis,*
abords de déserts.

Les renards appartiennent à la famille des chiens (canidés); ces animaux ne sont pas grimpeurs. Le renard gris fait toutefois exception; il grimpe facilement aux arbres grâce à ses griffes recourbées et pointues. Pour fuir le danger et donner naissance à ses petits, il se terre. Mais souvent il dort dans des souches et des troncs d'arbres creux, ou parmi des tas de roches.

Coyote *Canis latrans*

Longueur: *tête et corps 80 cm-1 m (32-40 po);*
queue 30-38 cm (12-15 po).
Traits: *pelage gris, teinté de roux sur les*
flancs; membres et oreilles fauves;
queue entre les pattes durant la course.
Habitat: *prairies, forêts peu denses, brousse.*

L'animal est connu pour ses jappements nocturnes. Originaires de l'Ouest, les coyotes se retrouvent maintenant jusque dans l'Est. Ils tolèrent bien la présence de l'homme (et apprécient ses poubelles qu'ils visitent régulièrement). Leur présence en milieu agricole les a fait accuser de méfaits dont ils ne sont pas responsables. En effet, les coyotes ne s'attaquent pas au bétail, mais bien plutôt aux rongeurs, aux lapins et autres petits animaux. A l'occasion, plusieurs coyotes se mettent ensemble pour chasser le gros gibier, un chevreuil par exemple. Le coyote appartient à la famille du chien. Il ressemble au berger allemand et on sait qu'il s'accouple parfois à des chiens domestiques.

Loup *Canis lupus*

Longueur: *tête et corps 1-1,30 m (40-52 po); queue 33-48 cm (13-19 po).*
Traits: *apparence d'un gros chien; fourrure grise, allant du blanc argenté au noir.*
Habitat: *forêts peu denses, toundra.*

On prête au loup les pires défauts, mais on devrait plutôt l'admirer pour la complexité de son organisation sociale. La bande, composée d'environ sept individus, est en réalité une cellule familiale groupant parents, enfants et proches parents selon une hiérarchie très structurée. Le chef dirige la bande; c'est généralement le seul à s'accoupler. Il s'unit d'ordinaire à la femelle dominante. Les loups ont des moyens de communication complexes faisant intervenir la voix, l'odeur et la posture. Ils s'occupent collectivement de nourrir, de protéger et d'entraîner les louveteaux. S'ils chassent le gros gibier (chevreuil, caribou et orignal), ils se nourrissent aussi de petits mammifères et d'oiseaux. Le loup est originaire d'Amérique du Nord et d'Eurasie; le loup roux *(Canis rufus)*, en voie d'extinction, se trouve uniquement dans le sud-est des Etats-Unis.

Ours brun (grizzli)
Ursus arctos horribilis

Longueur : *tête et corps 1,80-2,15 m (6-7 pi).*
Hauteur à l'épaule 90 cm-1 m (3-3½ pi).
Traits : *pelage de chamois à brun foncé ou noir ;*
bout des poils grisâtre ; protubérance sur les épaules ;
queue à peine visible.
Habitat : *forêts montagneuses, toundra.*

Dépourvu de prédateurs naturels, ce géant ne se cache pas ; alerté, il se dresse sur ses pattes de derrière pour voir ce qui se passe. Comme son grand cousin, l'ours de Kodiak *(Ursus arctos middendorffi)*, il court aussi vite qu'un cheval sur de courtes distances. Capable de tuer un orignal ou un caribou, il mange plus souvent des proies de petite taille, rongeurs ou poissons, et des plantes vertes. L'ours brun n'attaquera l'homme que s'il est surpris, coincé, blessé ou encore accompagné de ses petits.

Ours noir *Ursus americanus*

Longueur : *tête et corps 1,35-1,50 m (4½-5 pi).*
Hauteur à l'épaule 60-90 cm (2-3 pi).
Traits : *pelage allant de cannelle à noir ;*
museau brun ; pas de protubérance ;
petite tache blanche sur la poitrine.
Habitat : *forêts, marécages, montagnes.*

Omnivore, l'ours noir se nourrit aussi bien d'insectes que de grands mammifères, sans compter les ordures ménagères, la charogne et les plantes. En automne, il engraisse et se réfugie dans une caverne ou sous un arbre tombé et, là, il s'endort pour plusieurs mois, comptant sur ses réserves de graisse pour survivre. L'ours noir n'hiberne pas au sens strict du terme : la température de son corps ne chute pas radicalement et, de temps à autre, il sort de sa léthargie pour faire une courte promenade. Les petits naissent vers la fin janvier dans l'abri où se trouvent les parents. De petite taille, ils ne pèsent qu'environ 250 g (½ lb) à la naissance alors que l'adulte fait bien 135 kg (300 lb).

Ours blanc
(ours polaire) *Ursus maritimus*

Longueur : *tête et corps : 2-2,40 m (6½-8 pi).*
Hauteur à l'épaule 90 cm-1,20 m (3-4 pi).
Traits : *pelage blanc-jaune.*
Habitat : *rivages rocheux, îles, banquises.*

Doté d'épaules puissantes, de pieds palmés, d'un corps long et d'une fourrure épaisse et huileuse, l'ours blanc est comme un poisson dans l'eau. Il n'est pourtant pas assez habile pour attraper les phoques à la nage. Il les traque ou attend au-dessus d'un trou d'air qu'ils viennent y respirer. Plus carnivore que les autres ours, il fréquente beaucoup les banquises. A la fin de l'été, il vient à terre se nourrir de petits animaux, de plantes et d'ordures ménagères. Les femelles gravides passent l'hiver et mettent bas dans des abris creusés dans la neige ; les autres individus n'y font que de courts séjours. C'est à Churchill, au Manitoba, qu'on a le plus de chance d'apercevoir l'ours blanc.

Couguar *Felis concolor*

Longueur : *tête et corps 1-1,50 m (42-60 po) ;*
queue 60-90 cm (24-36 po).
Traits : *pelage fauve à grisâtre, tacheté chez les jeunes ;*
petite tête ; longue queue à bout noir.
Habitat : *montagnes, forêts, marécages, déserts.*

Animal solitaire, le couguar ou puma est, dit-on, le carnivore dont l'aire est la plus répandue dans le Nouveau Monde. De mœurs nocturnes, il chasse les mammifères comme le chevreuil soit en les attaquant à l'improviste, soit en sautant sur eux du haut d'un arbre ou d'un rocher. Comme d'autres grands chats, il tue d'un coup de dents à la gorge. Des morsures plus tendres se font durant l'accouplement. La saison des amours n'est pas définie, mais les petits naissent généralement en été. Les chatons à livrée tachetée tètent durant cinq à six semaines, perdent leurs macules vers six mois mais restent auprès de la mère pendant deux ans. Le couguar est l'un des rares chats à arborer une fourrure non maculée ni rayée.

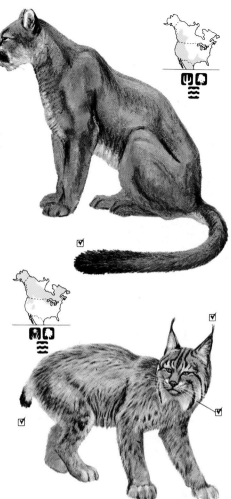

Lynx du Canada *Lynx canadensis*

Longueur : *tête et corps 75-96 cm (30-38 po) ;*
queue 10 cm (4 po).
Traits : *oreilles à mèches, petite queue à bout noir ;*
pelage gris-fauve, tacheté en été ; collier de poils.
Habitat : *forêts boréales, marécages, toundra.*

Timide et solitaire, le lynx du Canada grimpe avec agilité, nage bien et se meut aisément parmi les arbres tombés et les pierres moussues. En hiver, ses grands pieds coussinés lui permettent de se déplacer rapidement dans la neige. La population de cet animal augmente et diminue selon l'abondance de sa proie la plus commune, le lièvre d'Amérique. Lorsque le cycle de celui-ci est à son plus haut (tous les 10 ans environ), le lynx du Canada est prolifique et sa population augmente. Mais les populations s'effondrent dès que les lièvres se raréfient. Une relation de cette sorte existe entre le hibou et certains rongeurs, avec toutefois des cycles plus courts.

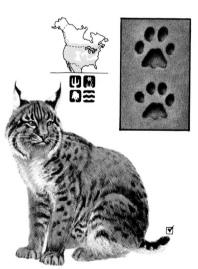

Lynx roux *Lynx rufus*

Longueur : *tête et corps 65-90 cm (26-36 po) ;*
queue 13 cm (5 po).
Traits : *queue courte, à bout noir sur le dessus*
seulement ; pelage maculé, sombre en forêt, clair en
lieux dégagés ; abdomen tacheté.
Habitat : *marais, maquis, forêts, défilés.*

Le lynx roux est le félin sauvage le plus répandu sur notre continent. Il s'adapte à toutes sortes d'habitats, s'habitue à la présence de l'homme et sa population augmente en plusieurs endroits, contrairement à celle de son cousin, le loup-cervier, avec lequel on le confond souvent. Ce sont tous deux des animaux solitaires dont le territoire de chasse est plus ou moins étendu selon l'abondance des proies. Bien que lièvres et lapins forment la base de son alimentation, le lynx mange toutes sortes de mammifères, des reptiles et des oiseaux ; on l'a même vu capturer des chauves-souris dans des grottes. Les femelles gravides trouvent généralement abri dans des cavernes, des troncs creux ou des fissures rocheuses. Les chatons naissent au printemps. Dans le sud de leur aire, les femelles ont parfois deux portées par an.

65

Mouflon d'Amérique *Ovis canadensis*

Longueur: *tête et corps 1,50-1,80 m (5-6 pi).*
Hauteur à l'épaule *75 cm-1 m (2½-3½ pi).*
Traits: *panache massif, recourbé en spirale;*
courtes cornes chez la femelle, simplement
courbées vers l'arrière; pelage brun ou gris-brun;
croupe blanchâtre.
Habitat: *pentes abruptes, peu boisées.*

Le mouflon d'Amérique, dont le panache peut atteindre 1,20 m (4 pi), saute et grimpe avec adresse grâce à ses sabots concaves à coussinets rugueux qu'une échancrure sépare en deux. Cette structure permet à l'animal de prendre solidement pied sur le roc et de se déplacer en terrains rocailleux ou boueux sans déraper. Le mouflon est grégaire. Les vieux béliers font bande à part en été, mais rejoignent le troupeau des brebis et des agneaux à l'automne. Ils émigrent alors vers les basses vallées pour l'hiver. Le mouflon se nourrit surtout d'herbe; il consomme cependant des plantes ligneuses lorsque les herbacées deviennent rares.

Chèvre de montagne
Oreamnos americanus

Longueur: *tête et corps 1,50-1,70 m (5-5½ pi).*
Hauteur à l'épaule *90 cm-1 m (3-3½ pi).*
Traits: *longue fourrure blanc crème; cornes*
noires recourbées en arrière; barbe au menton.
Habitat: *escarpements abrupts, falaises; souvent*
au-dessus de la limite des arbres.

Les chèvres de montagne ont le pied sûr. Elles se déplacent lentement mais, menacées, atteignent rapidement des crêtes hérissées ou des crevasses inaccessibles à leurs prédateurs. Les avalanches seules ont raison d'elles, encore que, parfois, un loup, un cougar, un renard ou un aigle puissent s'emparer d'un chevreau. Quelques minutes après leur naissance, en avril ou mai, les petits se dressent sur leurs pattes et, quelques jours plus tard, ils peuvent suivre leur mère en terrain difficile.

Antilope d'Amérique *Antilocapra americana*

Longueur: *tête et corps 1,20-1,40 m (4-4½ pi).*
Hauteur à l'épaule *90 cm-1 m (3-3½ pi).*
Traits: *pelage fauve, blanc sur l'abdomen et la croupe;*
deux rayures blanches sur la gorge; cornes à pointes
recourbées et fourche antérieure.
Habitat: *plaines et steppes.*

L'antilope est le mammifère le plus rapide en Amérique du Nord. Elle atteint 64 km/h (40 mi/h) et fait des bonds de 6 m (20 pi), laissant ses prédateurs loin derrière. Adaptée aux écarts climatiques de la prairie, elle régularise sa température interne avec sa fourrure. Lorsque les poils sont à plat, l'air glacial ne pénètre pas; quand ils se redressent, la chaleur du corps s'échappe. En situation de danger ou durant la saison des amours, elle communique avec ses congénères en hérissant les longs poils luisants de sa croupe. L'antilope est le seul animal à renouveler la partie externe de ses cornes annuellement.

Cerf de Virginie *Odocoileus virginianus*

Longueur: *tête et corps 1,20-1,80 m (4-6 pi);*
queue 18-28 cm (7-11 po).
Hauteur à l'épaule 80 cm-1 m (2¾-3½ pi).
Traits: *queue blanche dessous, dressée en signe d'alerte;*
bois à nombreux andouillers;
pelage roux en été, brun-gris en hiver.
Habitat: *bois, marais; lisières broussailleuses.*

Les coupes en forêt et la multiplication des terres agricoles ont été favorables à ce gracieux animal qui est maintenant l'ongulé le plus abondant en Amérique du Nord. On aperçoit surtout les cerfs à l'aube et au crépuscule; le jour, ils se reposent et digèrent leur repas. Sauf en hiver, ils ne sont pas grégaires et se promènent rarement à plus de trois: la femelle et deux faons. La femelle est dépourvue de bois. Ils apparaissent chez les mâles plusieurs mois après la naissance, tombent en hiver et repoussent au printemps. On ne peut pas estimer l'âge d'un mâle au nombre des andouillers ou pointes de ses bois, car ce nombre dépend de l'alimentation de l'animal.

Cerf mulet *Odocoileus hemionus*

Longueur: *tête et corps 1,40-2 m (4½-6½ pi);*
queue 11-23 cm (4½-9 po).
Hauteur à l'épaule 90 cm-1 m (3-3½ pi).
Traits: *queue noire sur le dessus ou à bout noir;*
bois à merrains divisés en deux branches; pelage
roux en été, gris en hiver; grandes oreilles.
Habitat: *forêts en montagne, collines et vallées*
boisées, maquis, brousse désertique.

Les cerfs mulets (ainsi nommés à cause de leurs grandes oreilles) fuient l'homme. On peut parfois les voir en petits groupes à l'orée des forêts, les soirs d'été. En hiver, ils se rassemblent en hardes au pied des montagnes où ils se nourrissent de brindilles ou de bourgeons de plantes ligneuses. Au printemps, ils retournent vers les hauteurs. Comme les autres cervidés, les mâles s'affrontent à l'époque du rut, en automne. La femelle donne naissance à des jumeaux à livrée tachetée; six semaines plus tard, ils sont sevrés. Les biches restent avec la mère deux ans, mais les mâles la quittent dès la première année.

Wapiti *Cervus elaphus*

Longueur: *tête et corps 2,30-2,90 m (7½-9½ pi);*
queue 11-20 cm (4½-8 po).
Hauteur à l'épaule *1,20-1,50 m (4-5 pi).*
Traits: *taille majestueuse; bois importants;*
pelage brun-roux; croupe pâle; queue courte.
Habitat: *alpages, régions boisées, bords de*
lacs; vallées et lisières de prairie en hiver.

Wapiti est un terme indien qui signifie « croupe
blanche ». Bien que moins nombreux qu'autrefois où on rencontrait les wapitis même dans
l'Est, ces cervidés habitent encore en grand
nombre les forêts montagneuses et les vallées de
l'Ouest. En été, femelles et petits paissent en
groupe; les mâles se réunissent en hardes, à
part. A l'automne, le brame sonore des mâles
annonce le rut ou la saison des amours; les mâles se battent alors, parfois à mort, pour la possession d'un harem. Mâles et femelles wapitis
passent ensemble l'hiver et se séparent avant la
naissance des petits. Les faons ont une livrée tachetée, contrairement aux rejetons de l'orignal
et du caribou.

Orignal
Alces alces

Longueur: *tête et corps 2,30-3 m*
(7½-10 pi); queue 6,50-9 cm (2½-3½ po).
Hauteur à l'épaule *1,50-2 m (5-6½ pi).*
Traits: *taille majestueuse; bois massifs,*
très larges, à nombreux andouillers;
fanon de crin sous la gorge;
mufle pendant.
Habitat: *forêts septentrionales,*
souvent près de l'eau.

L'orignal est le plus grand cervidé actuel.
Le poids du mâle, en automne, peut dépasser les 500 kg (1 100 lb). Debout dans
l'eau ou à la nage, l'orignal va chercher
les plantes aquatiques dont il se nourrit.
Il n'est pas grégaire; il vit seul ou avec
quelques individus. A l'automne, les mâles deviennent nerveux et agressifs; ils
luttent entre eux, panache contre panache, pour la possession de femelles. Les
faons, souvent des jumeaux, naissent au
printemps. Vacillants et maladroits, les
nouveau-nés ont une livrée uniforme; ils
restent cachés et inactifs durant plusieurs jours; ils sont souvent la proie des
loups et des ours, comme les adultes âgés
ou malades. Mais l'orignal en santé est un
adversaire dangereux: il nage bien, court
facilement dans la neige et son coup de
sabot ou de panache est redoutable. Le
mâle perd ses bois en hiver; il lui en
repousse de nouveaux au printemps.

Caribou *Rangifer tarandus*

Longueur : *tête et corps 1,70-2,30 m (5½-7½ pi) ;*
queue 10-14 cm (4-5½ po).
Hauteur à l'épaule *1-1,20 m (3½-4 pi).*
Traits : *corps massif ; panache à trois*
andouillers dont l'un, très plat, fait visière
au-dessus du front ; anneau au-dessus du sabot,
croupe et cou blancs.
Habitat : *forêts boréales, marécages, toundra.*

Contrairement aux autres cervidés, mâles et femelles ont des bois chez les caribous, ceux des premiers étant beaucoup plus volumineux. Autre trait : durant la marche, un tendon du pied frotte contre l'os produisant un son particulièrement audible lorsque l'animal se déplace en troupeau, surtout chez les populations habitant la toundra. Parfois considéré comme une espèce en soi, le caribou de la toundra passe l'hiver dans les forêts peu denses d'épinettes et de sapins, à la lisière méridionale de son territoire. Bien que 100 000 têtes puissent se rassembler juste avant cette migration, le troupeau normal est beaucoup moins important et plutôt homogène sur les plans de l'âge et du sexe. Le renne d'Europe appartiendrait à la même espèce que le caribou américain.

Bison *Bison bison*

Longueur : *tête et corps 2,15-3,50 m (7-11½ pi) ; queue 50-66 cm (20-26 po).*
Hauteur à l'épaule *1,50-1,80 m (5-6 pi).*
Traits : *tête massive ; bosse imposante sur le garrot ; cornes latérales ;*
crinière frisée sur les épaules et les pattes antérieures.
Habitat : *plaines arides, forêts dégagées dans le Nord.*

L'aire du bison s'étendait autrefois des montagnes de l'Ouest jusqu'à la Georgie. Chassé aux limites de l'extinction à la fin du XIXᵉ siècle, ce superbe animal ne doit sa survie qu'à quelques individus élevés dans les jardins zoologiques et les ranchs, puis relâchés en milieu protégé. Aujourd'hui, il habite les parcs nationaux Yellowstone, au Wyoming, Wood Buffalo, en Alberta, et Bison Range, au Montana. Le bison est de la même famille que le mouton et la chèvre. Il porte des cornes à noyau osseux qu'il ne perd pas annuellement. L'espèce se déplace en hardes de quelque 60 individus, rarement plus. Les bisonneaux restent près de leur mère durant les deux ou trois semaines qui suivent la naissance, puis font bande avec d'autres jeunes. Sevrés après sept mois, ils se nourrissent leur vie durant de plantes vertes. Le bison peut se reproduire jusqu'à l'âge de 30 ans.

Otarie à fourrure

Callorhinus ursinus

Longueur: *1,40-2 m (4½-6½ pi).*
Traits: *fourrure noirâtre dessus, brun-roux dessous; face brune; épaules grises; petites oreilles pointues.*
Habitat: *mers froides; se reproduit à terre.*

Recherchée pour sa fourrure lustrée, cette otarie met bas dans trois groupes d'îles du Pacifique Nord. Le plus gros troupeau se trouve dans les îles Pribilof, au large de l'Alaska. Après un hiver en mer, les mâles arrivent sur les plages, suivis de près par les femelles qui mettent bas. Peu après a lieu l'accouplement; les petits naîtront le printemps suivant. Les femelles allaitent leurs rejetons pendant quelques jours puis les abandonnent pour passer une semaine en mer. Elles pêchent poissons et calmars, reviennent allaiter leurs petits durant une journée et recommencent jusqu'au sevrage. En automne, les mâles, affaiblis par des combats incessants et le manque de nourriture (ils ne s'alimentent pas durant la saison de l'accouplement), sont les premiers à partir. En décembre, ils atteignent la limite sud de leur aire de dispersion, la côte californienne, à des milliers de kilomètres de leur point de départ.

Phoque commun *Phoca vitulina*

Longueur: *1,40-1,70 m (4½-5½ pi).*
Traits: *pelage gris sombre maculé de brun, brun sombre maculé de gris, tout gris ou tout brun; oreilles inapparentes.*
Habitat: *eaux côtières, estuaires, ports.*

Peu de phoques passent autant de temps au sol que ceux-ci et leur aire de dispersion est aussi la plus vaste. Ils attendent la marée sur la plage et se font porter parfois très loin à l'intérieur des estuaires tout en pêchant. Comme les éléphants de mer, ils se laissent glisser dans l'eau, tandis que les otaries, arquant le dos, plongent. Le phoque commun peut descendre à des profondeurs de 90 m (300 pi) et rester sous l'eau une demi-heure. L'espèce s'accouple dans l'eau et sur terre; on a vu des femelles mettre bas dans l'eau, mais elles le font généralement sur des récifs, des flèches de sable ou des îles au large de la côte.

Otarie de Californie

Zalophus californianus

Longueur: *1,80-2,40 m (6-8 pi).*
Traits: *pelage brun (noir quand il est mouillé); front haut; petites oreilles pointues; fréquents aboiements.*
Habitat: *rivages rocheux, brisants, haute mer.*

Deux caractéristiques importantes distinguent les otaries des phoques: elles ont des oreilles visibles et elles peuvent retourner leurs membres postérieurs vers l'avant pour marcher. Les « phoques » des zoos, cirques et aquariums sont le plus souvent des otaries de Californie. Dans leur habitat naturel, ces gracieuses créatures font du surf sur les vagues, plongent, bondissent hors de l'eau et exécutent des cabrioles près du rivage. Elles passent le plus clair de la journée à se reposer sur terre et se nourrissent la nuit de mollusques et de poissons, comme la plupart des phoques. L'otarie de Steller *(Eumetopias jubatus)* est de taille plus imposante et de pelage plus clair.

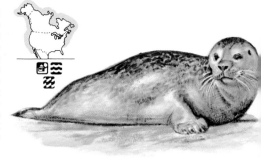

Loutre de mer *Enhydra lutris*

Longueur : tête et corps 74-99 cm (29-39 po) ;
queue 24-30 cm (9½-12 po).
Traits : fourrure lustrée, brun-noir, à jarres argentés,
plus claire sur la tête ; pattes-nageoires à pieds palmés.
Habitat : lits de varech sur rivages rocheux.

La loutre de mer est le plus petit mammifère marin. Elle mène
une vie surtout aquatique et ne vient à terre que par très gros
temps. Elle nage avec grâce en se propulsant avec ses larges pieds
palmés, le plus souvent sur le dos, la tête hors de l'eau. Son régime
alimentaire se compose d'ormeaux, de calmars, de poulpes et
d'oursins qu'elle pêche en eau peu profonde. Avec ses prises, elle
monte en surface et, utilisant son abdomen en guise de table, elle
y pose une pierre et frappe les coquillages dessus pour les ouvrir.

Lamantin *Trichechus manatus*

Longueur : 2,25-3,80 m (7½-12½ pi).
Traits : corps massif, lèvres fendues
au centre, couvertes de poils souples ;
pas de nageoires arrière ; queue aplatie et
arrondie au bout.
Habitat : lagunes peu profondes, estuaires,
cours d'eau côtiers ; eaux saumâtres.

Bien que cet animal de forme étrange vienne parfois brouter sur le sol, il se sent plus à l'aise dans
l'eau. Le lamantin est un mammifère ; il a donc besoin d'air pour respirer. Son unique petit naît
dans l'eau ; la mère le monte immédiatement à la
surface et l'enfonce à plusieurs reprises dans
l'eau, jusqu'à ce qu'il sache plonger par lui-même.
Pour l'allaiter, elle le maintient contre elle avec
ses nageoires. Les lamantins sont rares ; on estime
leur population à environ 1 000 sujets. C'est sur les
lits d'algues et, en hiver, dans les déversoirs d'usi-
nes hydro-électriques qu'on peut parfois les voir.

Eléphant de mer
Mirounga angustirostris

Longueur : mâles 6 m
(20 pi) max. ; femelles
3,35 m (11 pi) max.
Traits : taille
imposante ; peau de
brun à gris, presque
glabre ; trompe flasque
chez les mâles âgés ;
oreilles inapparentes.
Habitat : plages de
sable, eaux tièdes.

Ce phoque doit son nom à sa forte taille
et à sa trompe. Le mâle pèse plusieurs
tonnes ; devant un agresseur ou pour
défendre son harem, il mugit et gonfle
sa trompe. De caractère assez léthargi-
que, il a été victime au XIXᵉ siècle d'une
chasse intense pour l'huile qu'on tirait
de sa graisse. En 1890, il n'en restait
plus qu'une petite colonie dans une île,
au large de la Basse-Californie. Protégé
depuis 1911 par le gouvernement mexi-
cain, l'éléphant de mer s'est mis à proli-
férer ; on en compte maintenant
10 000 sujets et son territoire
s'étend jusqu'à San
Francisco.

Dauphin commun
Delphinus delphis

Longueur: 2-2,60 m (6½-8½ pi).
Traits: dos et nageoires noirs; flancs jaunâtres, abdomen blanc; deux lignes blanches entre le bec et le front.
Habitat: mers tempérées ou chaudes, parfois près du rivage.

Avec un art consommé et une grâce incomparable, les troupeaux de dauphins font escorte aux navires, plongeant avec un ensemble parfait et ressortant tous pour respirer à l'unisson. Il semble exister parmi eux une structure hiérarchique avec des mâles dominants au sommet. Ils ne fréquentent pas les eaux profondes, mais nagent en surface, respirent toutes les 30 secondes et se nourrissent de poissons et de calmars. Dauphins et marsouins sont cousins de la baleine; on les distingue les uns des autres à la forme de leur museau. Celui du dauphin se termine par un bec ou un gros nez; celui du marsouin est arrondi au bout.

Dauphin à gros nez
Tursiops truncatus

Longueur: 2,75-3,65 m (9-12 pi).
Traits: museau peu saillant; gris sur le dos, pâlissant progressivement vers le ventre.
Habitat: le long des côtes du Pacifique et de l'Atlantique.

La gaieté, la gentillesse et l'intelligence du dauphin à gros nez lui a valu de faire carrière dans les aquariums et les films. Cet animal émet une gamme variée de sons — claquements, glapissements, sifflements — grâce auxquels il communique avec ses congénères. Comme tous les cétacés à dents, il émet également des ultra-sons qui l'aident à se diriger et à repérer ses proies. (Cette technique dont se servent aussi les chauves-souris s'appelle écholocation ou sonar.) Amical avec l'homme, il devient féroce quand les requins menacent ses petits. On a vu des dauphins charger leur agresseur jusqu'à ce que celui-ci en meure. Le dauphin à gros nez est commun dans l'Atlantique; une sous-espèce, *Tursiops gillii*, vit dans le Pacifique.

Baleines et proches parents.
Dauphins et marsouins sont pour l'essentiel de petites baleines. A titre de cétacés, ils ont en commun plusieurs traits:
• ils sont aquatiques et s'accouplent dans l'eau;
• ils sont gros; les plus petits mesurent au moins 1,50 m (5 pi);
• les membres antérieurs sont des nageoires;
• la queue est plate, séparée en deux lobes par une encoche;
• ils n'ont pas de pelage, seulement quelques soies près de la gueule.

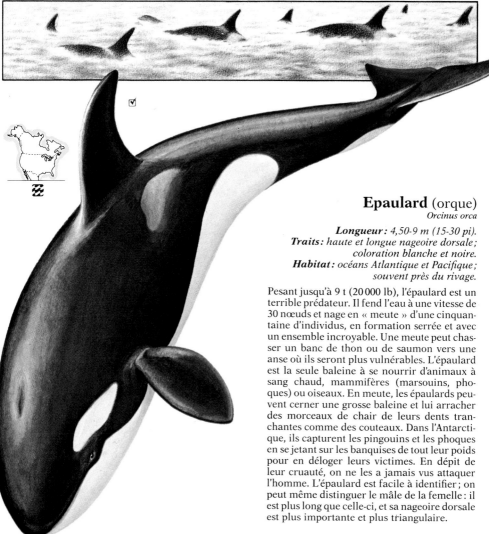

Marsouin commun
Phocoena phocoena

Longueur : *1,20-1,80 m (4-6 pi).*
Traits : *nez arrondi ; dos noir ; flancs roses ; ventre blanc ; ligne noire de la gueule aux nageoires ; nageoire dorsale triangulaire.*
Habitat : *côtes du Pacifique et de l'Atlantique ; ports ; parfois rivières.*

Deux par deux ou en petites bandes, les marsouins nagent en surface et émergent pour respirer environ quatre fois par minute. Les dauphins, les marsouins et les baleines à dents ont un seul évent situé au sommet de la tête ; les baleines à fanons en ont deux. Le marsouin commun n'est pas aussi enjoué que le sont certains de ses proches parents : il ne suit pas les navires et ne se mêle pas aux autres cétacés. Cependant, mâles et femelles nagent ensemble, se touchent et se font la cour en émettant une gamme élaborée de sons. Après un an de gestation naît un seul petit.

Epaulard (orque)
Orcinus orca

Longueur : *4,50-9 m (15-30 pi).*
Traits : *haute et longue nageoire dorsale ; coloration blanche et noire.*
Habitat : *océans Atlantique et Pacifique ; souvent près du rivage.*

Pesant jusqu'à 9 t (20 000 lb), l'épaulard est un terrible prédateur. Il fend l'eau à une vitesse de 30 nœuds et nage en « meute » d'une cinquantaine d'individus, en formation serrée et avec un ensemble incroyable. Une meute peut chasser un banc de thon ou de saumon vers une anse où ils seront plus vulnérables. L'épaulard est la seule baleine à se nourrir d'animaux à sang chaud, mammifères (marsouins, phoques) ou oiseaux. En meute, les épaulards peuvent cerner une grosse baleine et lui arracher des morceaux de chair de leurs dents tranchantes comme des couteaux. Dans l'Antarctique, ils capturent les pingouins et les phoques en se jetant sur les banquises de tout leur poids pour en déloger leurs victimes. En dépit de leur cruauté, on ne les a jamais vus attaquer l'homme. L'épaulard est facile à identifier ; on peut même distinguer le mâle de la femelle : il est plus long que celle-ci, et sa nageoire dorsale est plus importante et plus triangulaire.

73

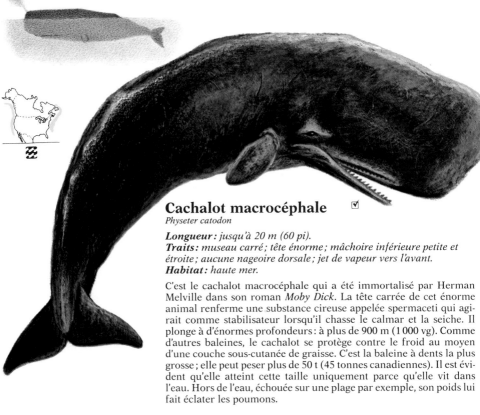

Cachalot macrocéphale ☑

Physeter catodon

Longueur : *jusqu'à 20 m (60 pi).*
Traits : *museau carré ; tête énorme ; mâchoire inférieure petite et étroite ; aucune nageoire dorsale ; jet de vapeur vers l'avant.*
Habitat : *haute mer.*

C'est le cachalot macrocéphale qui a été immortalisé par Herman Melville dans son roman *Moby Dick*. La tête carrée de cet énorme animal renferme une substance cireuse appelée spermaceti qui agirait comme stabilisateur lorsqu'il chasse le calmar et la seiche. Il plonge à d'énormes profondeurs : à plus de 900 m (1 000 vg). Comme d'autres baleines, le cachalot se protège contre le froid au moyen d'une couche sous-cutanée de graisse. C'est la baleine à dents la plus grosse ; elle peut peser plus de 50 t (45 tonnes canadiennes). Il est évident qu'elle atteint cette taille uniquement parce qu'elle vit dans l'eau. Hors de l'eau, échouée sur une plage par exemple, son poids lui fait éclater les poumons.

Rorqual commun

Balaenoptera physalus

Longueur : *jusqu'à 25 m (80 pi).*
Traits : *corps gris dessus, blanc dessous ; petite nageoire dorsale près de la queue ; jet de vapeur en éventail s'élevant à 6 m (20 pi).*
Habitat : *l'Atlantique, jusqu'au sud de la mer des Antilles ; le Pacifique, jusqu'au sud de la Basse-Californie.*

Le rorqual se caractérise par des sillons profonds sous la gorge. Comme la baleine grise et le rorqual à bosse, il n'a pas de dents, mais des lames de corne dures et flexibles appelées fanons, fixées à la mâchoire supérieure et qui font office de tamis. Pour se nourrir, le rorqual prend de grandes goulées d'eau, serre les mâchoires et expulse l'eau à travers ses fanons. Les bords effilochés de ceux-ci retiennent les crustacés planctoniques dont il se nourrit. En été, c'est dans l'Arctique et l'Antarctique que cette nourriture abonde. Aussi, deux fois par an, les baleines à fanons font-elles le grand voyage entre leur territoire d'alimentation, les pôles, et leur territoire de reproduction, l'équateur.
Le rorqual bleu *(Balaenoptera musculus)*, au corps moucheté, ☑
est le plus grand animal de tous les temps.

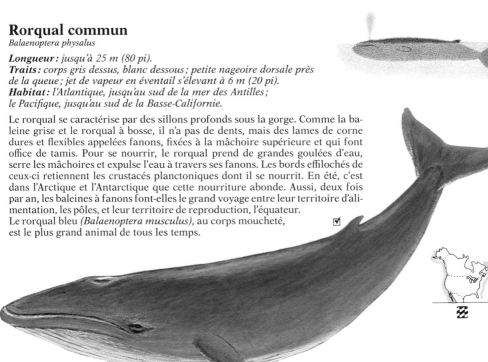

Identification des baleines. Ceux qui ont la chance d'apercevoir une baleine ne la voient jamais en entier. Quand elle fait surface pour respirer, elle n'expose souvent que ses évents.
• L'identification sera plus facile si vous vous renseignez d'abord sur les espèces qui vivent dans la région. Prenez note de la longueur de l'animal en vous rappelant que les tailles se rejoignent d'une espèce à l'autre : un grand rorqual commun peut avoir la même taille qu'un petit rorqual bleu.
• Remarquez la coloration de la baleine. A-t-elle une nageoire dorsale ? Sinon, examinez sa forme générale ou tout au moins celle de sa tête.
• Si vous la voyez de loin, regardez surtout la forme, l'angle et la hauteur du jet de vapeur.

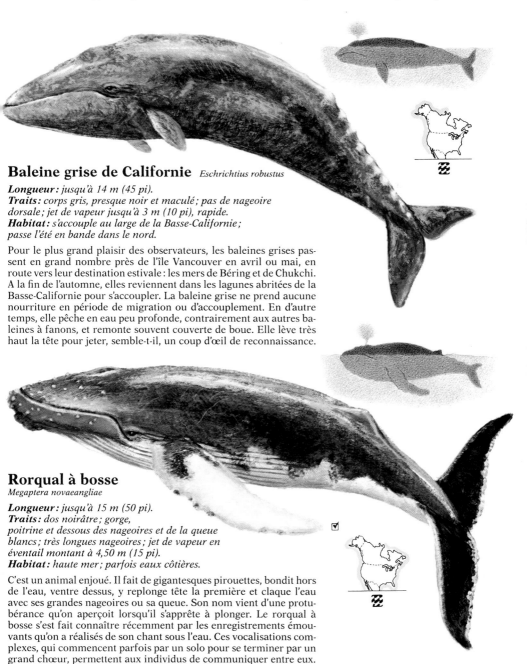

Baleine grise de Californie *Eschrichtius robustus*

Longueur : *jusqu'à 14 m (45 pi).*
Traits : *corps gris, presque noir et maculé ; pas de nageoire dorsale ; jet de vapeur jusqu'à 3 m (10 pi), rapide.*
Habitat : *s'accouple au large de la Basse-Californie ; passe l'été en bande dans le nord.*

Pour le plus grand plaisir des observateurs, les baleines grises passent en grand nombre près de l'île Vancouver en avril ou mai, en route vers leur destination estivale : les mers de Béring et de Chukchi. A la fin de l'automne, elles reviennent dans les lagunes abritées de la Basse-Californie pour s'accoupler. La baleine grise ne prend aucune nourriture en période de migration ou d'accouplement. En d'autre temps, elle pêche en eau peu profonde, contrairement aux autres baleines à fanons, et remonte souvent couverte de boue. Elle lève très haut la tête pour jeter, semble-t-il, un coup d'œil de reconnaissance.

Rorqual à bosse
Megaptera novaeangliae

Longueur : *jusqu'à 15 m (50 pi).*
Traits : *dos noirâtre ; gorge, poitrine et dessous des nageoires et de la queue blancs ; très longues nageoires ; jet de vapeur en éventail montant à 4,50 m (15 pi).*
Habitat : *haute mer ; parfois eaux côtières.*

C'est un animal enjoué. Il fait de gigantesques pirouettes, bondit hors de l'eau, ventre dessus, y replonge tête la première et claque l'eau avec ses grandes nageoires ou sa queue. Son nom vient d'une protubérance qu'on aperçoit lorsqu'il s'apprête à plonger. Le rorqual à bosse s'est fait connaître récemment par les enregistrements émouvants qu'on a réalisés de son chant sous l'eau. Ces vocalisations complexes, qui commencent parfois par un solo pour se terminer par un grand chœur, permettent aux individus de communiquer entre eux.

75

Oiseaux

*Regarder et écouter les oiseaux est en soi
un plaisir. Pourquoi ne pas y ajouter celui de
les identifier et de connaître leur mode de vie?*

De tous les animaux qui peuplent la nature, ce sont peut-être les oiseaux qui nous charment le plus. Ils ont des coloris merveilleux; leur chant est ravissant. Ils nous touchent par le soin qu'ils mettent à construire leur nid, par le dévouement avec lequel ils s'occupent de leur nichée. Leur vol réveille en nous un mystérieux désir d'évasion.

Leur diversité et leur migration nous étonnent. Plus de 650 espèces d'oiseaux se rencontrent en Amérique du Nord. On les trouve sur les plages sablonneuses et les falaises abruptes, dans les marais et les déserts, les villes et les campagnes. On n'en voit pas toujours autant partout ou en toutes saisons, mais il y en a toujours. Et c'est un plaisir de les voir accourir et se percher près de nous lorsqu'on leur ménage une mangeoire ou une baignoire.

Pour augmenter vos chances d'observer les oiseaux tout à loisir, rappelez-vous qu'ils s'envolent vite quand ils ont peur. Marchez lentement ou restez immobile. Ne sortez pas de la voiture: ils seront moins inquiets. Ne parlez pas fort; portez des vêtements sombres. Et levez-vous à l'aube. Les oiseaux, au printemps surtout, ne font pas grasse matinée.

Un bon départ

L'équipement nécessaire à l'observation des oiseaux est simple. Il faut de bonnes jumelles dotées d'une mise au point à molette centrale et à grossissement de sept ou huit fois. Les plus courantes sont des 7×35 et 8×40. (Le premier chiffre définit le grossissement; le second donne l'objectif en millimètres.) Vous voudrez sans doute aussi emporter un guide et un carnet. Les néophytes en ornithologie ne tardent pas à vouloir noter les espèces qu'ils voient et qu'ils identifient.

L'observation des oiseaux est une activité qui s'accommode bien de la solitude. Mais les excursions en groupe ont des avantages, surtout si l'on se fait accompagner d'une personne expérimentée capable de transmettre ses connaissances et d'identifier les oiseaux. Plus on est nombreux, plus il y a d'yeux pour regarder... et voir. Il existe des clubs d'observation qui offrent des excursions et des rencontres. Si vous n'en connaissez pas, adressez-vous au musée d'histoire naturelle le plus proche ou au département de biologie d'un collège ou d'un cégep.

Comment utiliser cette section

Vous trouverez ici les espèces les plus nombreuses, les plus remarquables et les plus répandues. Pour faciliter l'identification, nous avons séparé les oiseaux aquatiques des oiseaux terrestres. A l'intérieur de ces deux grands groupes, nous avons respecté les classifications scientifiques. (Cependant, l'étourneau sansonnet, le moineau domestique et d'autres ont été placés auprès d'espèces qui leur ressemblent.) Lorsque vous serez habitué à notre présentation ainsi qu'aux caractéristiques fondamentales des groupes, vous vous y retrouverez facilement. Dans l'intervalle, consultez les deux pages dans lesquelles nous avons regroupé les oiseaux par traits distinctifs.

Les cartes donnent l'aire de nidification, la distribution géographique et l'aire de dispersion. Il ne faut pas cependant

nidification — migration
toute l'année — en hiver

prendre ces renseignements trop à la lettre. Certains oiseaux s'aventurent loin de leur territoire coutumier, sans compter que ces territoires se modifient constamment. Réjouissez-vous s'il vous arrive de voir un oiseau au « mauvais » endroit et à la « mauvaise » saison.

Comme le soulignent nos fiches descriptives, de nombreuses espèces ont plusieurs plumages distinctifs; aussi en illustrons-nous plus d'un dans bien des cas (voir l'oriole des vergers ci-contre). Pour les autres espèces avec des différences sexuelles ou saisonnières marquées, les illustrations donnent le mâle en plumage nuptial, sauf avis contraire.

Oriole des vergers

Femelle

Mâle, premier automne

Les traits distinctifs se retrouvent chez le mâle en plumage nuptial. Les juvéniles ressemblent plutôt à la femelle.

Mâle adulte

L'identification sur le terrain

Attitude et marche. La façon dont un oiseau se tient ou se déplace constitue un indice. Les troglodytes portent la queue haute, dressée au-dessus du dos. Le chardonneret se reconnaît à son vol ondulé. Ce sont des traits qui ne peuvent s'illustrer, mais vous les trouverez dans la fiche descriptive.

Taille et proportions. Quand vous apercevez un oiseau que vous ne reconnaissez pas, comparez sa taille avec celle d'un oiseau qui vous est familier. Remarquez si votre inconnu a le corps effilé ou trapu, les pattes ou le bec

anormalement longs. Nous avons reproduit à l'échelle les espèces apparentées; vous pouvez ainsi noter plus facilement les différences de taille ou de proportions.

Chant et appel. Il est souvent plus facile d'identifier au son les petits oiseaux qui se cachent dans les feuilles. Encore faut-il reconnaître les chants et les appels. Il existe des disques de ces chants dans le commerce, mais c'est une méthode d'identification difficile. Mieux vaut essayer de voir l'oiseau qui chante de façon à établir une relation entre l'image et le son.

Autre difficulté : les chants d'oiseaux s'expriment mal graphiquement. Sortez au petit matin et écoutez en essayant de voir.

Coloris et marques. Voilà les traits les plus faciles à identifier. Mais comme les oiseaux restent rarement longtemps perchés, vous éprouverez au début quelques frustrations. Avec le temps, vous apprendrez à rechercher les détails les plus caractéristiques : la couleur du bec chez la sterne, la présence ou l'absence de bandes alaires chez le viréo.

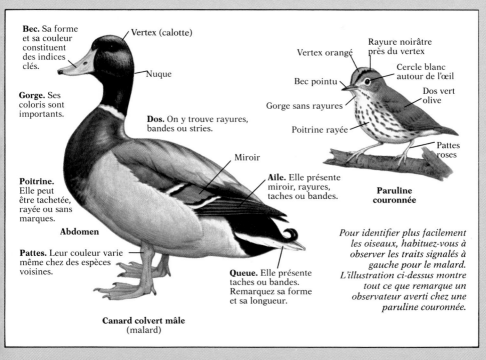

Bec. Sa forme et sa couleur constituent des indices clés.

Vertex (calotte)

Nuque

Gorge. Ses coloris sont importants.

Dos. On y trouve rayures, bandes ou stries.

Miroir

Poitrine. Elle peut être tachetée, rayée ou sans marques.

Aile. Elle présente miroir, rayures, taches ou bandes.

Abdomen

Pattes. Leur couleur varie même chez des espèces voisines.

Queue. Elle présente taches ou bandes. Remarquez sa forme et sa longueur.

Canard colvert mâle (malard)

Vertex orangé

Rayure noirâtre près du vertex

Cercle blanc autour de l'œil

Bec pointu

Dos vert olive

Gorge sans rayures

Poitrine rayée

Pattes roses

Paruline couronnée

Pour identifier plus facilement les oiseaux, habituez-vous à observer les traits signalés à gauche pour le malard. L'illustration ci-dessus montre tout ce que remarque un observateur averti chez une paruline couronnée.

Traits distinctifs

Pour identifier les oiseaux sur le terrain, référez-vous aux traits distinctifs qui sont présentés ci-dessous. La liste comprend uniquement les espèces qui sont décrites et illustrées dans les pages qui suivent. Le texte principal pourra citer d'autres espèces. Le plumage d'un oiseau varie avec l'âge, le sexe et la saison ; il n'est donc pas rare de rencontrer des sujets dépourvus de leurs traits distinctifs.

OISEAUX

Bleu
dominant ou marques

Petits
Merle bleu de l'Est, *p. 135*
Merle bleu azuré, *p. 135*
Paruline à collier, *p. 138*
Paruline bleue, *p. 142*
Passerin bleu, *p. 148;*
  indigo, *p. 149*

Moyens
Geai bleu, *p. 124*
Geai à gorge blanche, *p. 124*

Gros
Martin-pêcheur
  d'Amérique, *p. 113*
Geai de Steller, *p. 124*

Noirâtre
iridescent ou non

Petits
Martinet ramoneur, *p. 116*
Bruant noir et blanc, *p. 151*

Moyens
Océanite cul-blanc, *p. 80*
Guifette noire, *p. 105*
Hirondelle noire, *p. 127*
Phénopèle luisant, *p. 137*
Carouge à épaulettes, *p. 144*
Vacher à tête brune, *p. 145*
Quiscale de Brewer, *p. 145*
Etourneau sansonnet, *p. 145*

Gros
*Gallinule poule-d'eau, *p. 89*
*Foulque d'Amérique, *p. 89*
*Canard noir, *p. 91*
*Huîtrier de Bachman, *p. 94*
Corneille d'Amérique, *p. 125*
Quiscale bronzé, *p. 145*

Très gros
*Cormoran à aigrettes, *p. 83*
*Anhinga d'Amérique, *p. 83*
*Ibis falcinelle, *p. 86*
Urubu à tête rouge, *p. 106*
Grand corbeau, *p. 125*

Rose, rouge ou orange
dominant ou marques

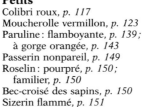

Petits
Colibri roux, *p. 117*
Moucherolle vermillon, *p. 123*
Paruline : flamboyante, *p. 139;*
  à gorge orangée, *p. 143*
Passerin nonpareil, *p. 149*
Roselin : pourpré, *p. 150;*
  familier, *p. 150*
Bec-croisé des sapins, *p. 150*
Sizerin flammé, *p. 151*

Moyens
Pic : à ventre roux, *p. 118;*
  à tête rouge, *p. 118;*
  maculé, *p. 119*
Merle d'Amérique, *p. 134*
Grive à collier, *p. 134*
Carouge à épaulettes, *p. 144*
Tangara : écarlate, *p. 147;*
  à tête rouge, *p. 147;*
  vermillon, *p. 147*
Cardinal : rouge, *p. 148;*
  à poitrine rose, *p 149;*
  à tête noire, *p. 149*
Dur-bec des sapins, *p. 150*

Gros
Grand pic, *p. 118*

Très gros
*Spatule rosée, *p. 86*

Blanc
dominant

Petits
Gravelot à collier interrompu, *p. 96*
Bruant des neiges, *p. 157*

Moyens
Bécasseau sanderling, *p. 98*
Sterne naine, *p. 104*

Gros
*Aigrette neigeuse, *p. 85*
Héron garde-bœufs, *p. 85*
*Garrot à œil d'or, *p. 93*
*Petit garrot, *p. 93*
*Goéland à bec cerclé, *p. 102*
*Mouette de Bonaparte, *p. 103*
*Sterne : de Forster, *p. 104;*
  *pierregarin, *p. 104;*
  *caspienne, *p. 105*
Lagopède à queue
  blanche, *p. 110*

Très gros
Pélican blanc d'Amérique, *p. 82*
*Fou de Bassan, *p. 83*
*Grande aigrette, *p. 85*
*Tantale d'Amérique, *p. 86*
*Grue blanche, *p. 87*
*Cygne : tuberculé, *p. 88;*
  *siffleur, *p. 88*
*Oie des neiges, *p. 89*
*Goéland argenté, *p. 102*
Harfang des neiges, *p. 114*

Jaune vif *dominant ou marques*

Petits
Auripare verdin, *p. 128*
Paruline : à collier, *p. 138;*
  orangée, *p. 138*
  des buissons, *p. 139;*
  flamboyante, *p. 139;*
  du Canada, *p. 140;*
  à capuchon, *p. 140;*
  masquée, *p. 140;*
  à tête cendrée, *p. 141;*
  à croupion jaune, *p. 141;*
  à couronne rousse, *p. 141;*
  jaune, *p. 141;*
  à gorge noire, *p. 142;*
  à gorge jaune, *p. 142;*
  à gorge orangée, *p. 143;*
  des pins, *p. 143*
Chardonneret jaune, *p. 151*

Moyens
Pic flamboyant, *p. 119*
Tyran : de l'Ouest, *p. 120;*
  huppé, *p. 121*
Alouette hausse-col, *p. 123*
Paruline polyglotte, *p. 140*
Sturnelle de l'Ouest, *p. 144*
Carouge à tête jaune, *p. 144*
Oriole jaune verdâtre, *p. 146*
Gros-bec errant, *p. 148*

*Espèces aquatiques

Huppe ou aigrette

Petits
Mésange bicolore, *p. 128*

Moyens
Colin : de Californie, *p. 111 ;*
  écaillé, *p. 111*
Petit duc maculé, *p. 115*
Alouette hausse-col, *p. 123*
Geai bleu, *p. 124*
Jaseur d'Amérique, *p. 136*
Phénopèle luisant, *p. 137*
Cardinal rouge, *p. 148*

Gros
*Grèbe esclavon, *p. 81*
*Canard branchu, *p. 90*
*Harle couronné, *p. 93*
*Macareux huppé, *p. 105*
Gélinotte huppée, *p. 110*
Grand géocoucou, *p. 113*
Martin-pêcheur d'Amérique, *p. 113*
Grand duc d'Amérique, *p. 114*
Hibou moyen duc, *p. 115*
Grand pic, *p. 118*
Geai de Steller, *p. 124*

Très gros
*Grand harle, *p. 93*

Longue queue

Petits
Hirondelle rustique, *p. 126*
Chama brune, *p. 128*
Gobemoucheron gris-bleu, *p. 136*

Moyens
Crécelle d'Amérique, *p. 109*
Moqueur : polyglotte, *p. 132 ;*
  -chat, *p. 132 ;* roux, *p. 133 ;*
  de Californie, *p. 133 ;*
  des armoises, *p. 133*

Gros
*Canard pilet, *p. 90*
*Sterne : de Forster, *p. 104 ;*
  *pierregarin, *p. 104*
Epervier brun, *p. 106*
Busard Saint-Martin, *p. 109*
Faucon : des prairies, *p. 109 ;*
  pèlerin, *p. 109*
Tétras à queue fine, *p. 110*
Tourterelle triste, *p. 112*
Coulicou à bec jaune, *p. 113*
Grand géocoucou, *p. 113*
Tyran à longue queue, *p. 120*
Pie bavarde, *p. 125*
Quiscale bronzé, *p. 145*

Très gros
Faisan de Colchide, *p. 111*

Très long bec

Petits
Colibri ; à gorge rubis, *p. 117 ;*
  d'Anna, *p. 117 ;* roux, *p. 117 ;*
  à gorge noire, *p. 117*

Moyens
*Râle de Virginie, *p. 88*
*Bécassin à long bec, *p. 98*
*Bécasseau variable, *p. 98*
*Bécassine des marais, *p. 100*
Bécasse d'Amérique, *p. 100*
Moqueur de Californie, *p. 133*

Vol sur place

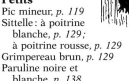

Petits
Colibri ; à gorge rubis, *p. 117 ;*
  d'Anna, *p. 117 ;*
  roux, *p. 117 ;*
  à gorge noire, *p. 117*

Moyens
*Sterne naine, *p. 104*
*Guifette noire, *p. 105*
Crécerelle d'Amérique, *p. 109*
*Martin-pêcheur d'Amérique, *p. 113*

Gros
*Sterne : de Forster, *p. 104 ;*
  *pierregarin, *p. 104*
Buse à queue rousse, *p. 107*
*Balbuzard pêcheur, *p. 108*

Vol plané

Petits
Martinet : ramoneur, *p. 116 ;*
  à gorge blanche, *p. 116*
Hirondelle : bicolore, *p. 126 ;*
  rustique, *p. 126*

Moyens
Hirondelle noire, *p. 127*

Gros
*Goéland : à bec cerclé, *p. 102 ;*
  *argenté, *p. 102*
Buse : à queue rousse, *p. 107 ;*
  à épaulettes, *p. 107 ;*
  de Swainson, *p. 107*

Gros
*Canard souchet, *p. 91*
*Huîtrier d'Amérique, *p. 94*
*Avocette d'Amérique, *p. 94*
*Echasse d'Amérique, *p. 94*
Courlis à long bec, *p. 95*
*Barge marbrée, *p. 95*
*Bec-en-ciseaux noir, *p. 104*

Très gros
*Pélican : brun, *p. 82 ;*
  *blanc d'Amérique, *p. 82*
Grand héron, *p. 84*
*Grande aigrette, *p. 85*
Tantale d'Amérique, *p. 86*
*Ibis falcinelle, *p. 86*
*Spatule rosée, *p. 86*

Oiseaux grimpeurs

Petits
Pic mineur, *p. 119*
Sittelle : à poitrine
  blanche, *p. 129 ;*
  à poitrine rousse, *p. 129*
Grimpereau brun, *p. 129*
Paruline noire et
  blanche, *p. 138*

Moyens
Pic : à ventre roux, *p. 118 ;*
  à tête rouge, *p. 118 ;*
  à chênes, *p. 118 ;*
  flamboyant, *p. 119 ;*
  maculé, *p. 119 ;*
  chevelu, *p. 119 ;*
  tridactyle, *p. 119*

Gros
Grand pic, *p. 118*

*Balbuzard pêcheur, *p. 108*
Busard Saint-Martin, *p. 109*
Hibou des marais, *p. 115*

Très gros
*Pélican : brun, *p. 82 ;*
  *blanc d'Amérique, *p. 82*
*Grand héron, *p. 84*
*Grande aigrette, *p. 85*
Tantale d'Amérique, *p. 86*
Grue du Canada, *p. 87*
*Goéland marin, *p. 102*
Urubu à tête rouge, *p. 106*
Aigle royal, *p. 108*
*Pygargue à tête blanche, *p. 108*

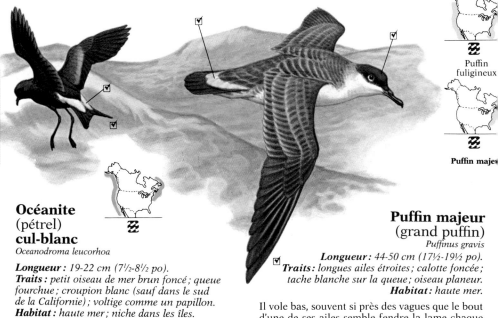

Puffin
fuligineux

Puffin majeur

Océanite
(pétrel)
cul-blanc
Oceanodroma leucorhoa

Longueur : *19-22 cm (7¹/₂-8¹/₂ po).*
Traits : *petit oiseau de mer brun foncé ; queue fourchue ; croupion blanc (sauf dans le sud de la Californie) ; voltige comme un papillon.*
Habitat : *haute mer ; niche dans les îles.*

C'est l'un des plus petits oiseaux aquatiques ; il passe la majeure partie de sa vie sur l'océan et ne vient à terre que pour nicher. Tout comme l'océanite de Wilson *(Oceanites oceanicus)*, son proche parent, il niche en colonies, souvent très populeuses. Le nid consiste en une chambre au fond d'un étroit terrier ; la femelle y pond un unique œuf. Les parents se partagent l'incubation.

Puffin majeur
(grand puffin)
Puffinus gravis
Longueur : *44-50 cm (17½-19½ po).*
Traits : *longues ailes étroites ; calotte foncée ; tache blanche sur la queue ; oiseau planeur.*
Habitat : *haute mer.*

Il vole bas, souvent si près des vagues que le bout d'une de ses ailes semble fendre la lame chaque fois qu'il vire. Il pêche le poisson et le calmar en surface, mais nage aussi en profondeur, ses longues ailes lui servant alors de nageoires. Au printemps, il niche à plus de 4 000 km (2 500 mi) au sud de l'équateur. Il émigre ensuite en colonies nombreuses vers l'Atlantique Nord. Un proche parent, le puffin fuligineux *(Puffinus griseus)*, émigre à la fois dans l'Atlantique et le Pacifique.

en hiver

Plongeon huard
(huart à collier) *Gavia immer*
Longueur : *71-76 cm (28-30 po).*
Traits : *grand corps ; bec effilé ; tête noire ; collier blanc rayé ; damier noir et blanc sur le dos en plumage nuptial ; gris en hiver.*
Habitat : *lacs de forêts, cours d'eau, côtes.*

*en plumage
nuptial*

Plainte solitaire ou vocalise mystérieuse, son cri est impressionnant. Le plongeon huard a un vol puissant, mais son envol, qui ne peut se faire à partir de la terre ferme, exige beaucoup d'efforts et une grande étendue d'eau. Il marche gauchement sur terre, mais dans l'eau il est parfaitement à l'aise. On le voit souvent nager en surface le bec et les yeux dans l'eau, cherchant sa nourriture, et plonger en un éclair. Il reste longtemps sous l'eau, ne sortant que la pointe du bec pour respirer de temps à autre. Le plongeon catmarin, dit aussi huart à gorge rousse *(Gavia stellata)*, plus petit, hiverne aussi le long des côtes.

en hiver

en plumage nuptial

Grèbe à bec bigarré
Podilymbus podiceps

Longueur: *30-38 cm (12-15 po).*
Traits: *petite taille; cou fort; tache blanche sous-caudale; bec court à anneau noir en plumage nuptial.*
Habitat: *étangs, marais ouverts; baies et anses en hiver.*

C'est un oiseau robuste qui plonge avec la rapidité de l'éclair en chassant l'air de ses poumons et en comprimant ses plumes. Les poussins de tous les grèbes sont d'excellents plongeurs dès l'éclosion des œufs. Ils arborent un plumage tacheté qu'ils gardent jusqu'à l'âge adulte. Les poussins voyagent sur le dos de leurs parents et s'y maintiennent même en plongée, probablement en s'accrochant aux plumes avec leur bec.

Grèbe esclavon (grèbe cornu)
Podiceps auritus

Longueur: *30-38 cm (12-15 po).*
Traits: *petite taille; cou court; bec mince; deux touffes dorées sur la tête en plumage nuptial; joues et cou blancs en hiver.*
Habitat: *lacs, étangs; côtes en hiver.*

Dans son aire de nidification, cet oiseau est très beau à voir. (La migration se fait parfois en plumage nuptial.) Le grèbe cornu niche en solitaire: un couple par étang. Il se nourrit de petits poissons, de grenouilles, d'escargots et d'insectes, mais comme tous les grèbes, il mange aussi des plumes. Les ornithologues croient qu'elles servent à isoler les parcelles de coquilles ou d'arêtes qui séjournent ainsi plus longtemps dans l'estomac.

Grèbe élégant
Aechmophorus occidentalis

Longueur: *55-75 cm (22-30 po).*
Traits: *grande taille; cou long et mince; calotte noire; bec pointu jaune.*
Habitat: *lacs bordés de joncs; côtes en hiver.*

Cet élégant grèbe à taille de cygne hante les lacs de l'Ouest. Son nid est un amas de végétation, accroché à des plantes. Nageant côte à côte, pendant la période d'accouplement, mâle et femelle arquent le cou en cadence, jusqu'à toucher leur dos, et courent à la surface de l'eau, la tête projetée en avant et le corps en érection. On voit aussi le couple plonger, émerger avec de la végétation dans le bec et se retrouver poitrine contre poitrine. Battant l'eau de leurs pattes, ils se dressent d'un même élan, étirent vers le ciel leur long cou et tournent ensemble comme des danseurs.

juvénile

Pélican brun
Pelecanus occidentalis

Longueur : *1-1,35 m (3½-4½ pi) ;*
envergure 2,15 m (7 pi).
Traits : *grand et gros bec ; corps gris-brun ; tête blanchâtre ;*
cou marron, rayé de blanc en plumage nuptial.
Habitat : *haute mer ; eaux saumâtres.*

Le pélican repère sa proie en plein vol et plonge le bec
fermé dans un grand éclaboussement d'eau. C'est à ce moment qu'il
élève sa maxille (sa mandibule supérieure) et ouvre sa poche gulaire
comme un filet pour y capturer le poisson. Lorsque celui-ci est en sa possession, avec une quantité d'eau égale au double de son propre poids, le
pélican ferme le bec et remonte à la surface. Cette opération s'exécute en
deux secondes. Lorsqu'il fait surface, il demeure une minute immobile,
le bec pointé vers le bas, attendant que l'eau s'écoule avant d'avaler le
poisson. On a déjà dit de la Louisiane que c'était l'Etat du pélican ; on l'y
trouve toujours mais en bien moins grand nombre qu'autrefois.

Pélican d'Amérique
(pélican blanc)
Pelecanus erythrorhynchos

Longueur : *1,20-1,50 m (4-5 pi) ;*
envergure 2,75 m (9 pi).
Traits : *plumage blanc ; un peu*
de noir sur les ailes ;
bec et poche gulaire rose orangé
(gris chez les juvéniles).
Habitat : *lacs, étangs pendant la*
nidification ; côtes océaniques en hiver.

Rien n'est plus spectaculaire qu'un groupe de ces
grands oiseaux volant en formation et battant des
ailes à l'unisson. Durant la migration, ils se déplacent en file ou en « V ». Parfois un groupe d'entre
eux fait halte sur une plage de sable ; ils se tournent alors tous dans la même direction, le bec
pointé vers le ciel. Si l'un bâille paresseusement,
tous les autres l'imitent d'un commun accord.
Contrairement aux pélicans bruns, les pélicans
d'Amérique ne plongent pas. Pour pêcher, ils se
mettent en ligne et, battant l'eau de leurs pattes
et de leurs ailes, avancent vers le rivage en poussant le banc de poissons devant eux.

Fou de Bassan
Morus bassanus

Longueur : *90 cm-1 m (3-3½ pi) ;
envergure 1,80 m (6 pi).*
Traits : *longues ailes pointues à bout noir ;
queue pointue ; corps blanc (gris-brun
chez les juvéniles) ; tête orange clair ;
bec long et conique.*
Habitat : *océans, îles côtières.*

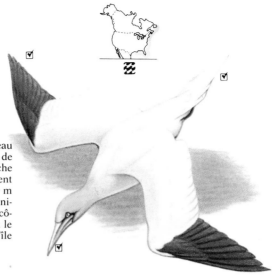

Cousin des cormorans et des pélicans, cet oiseau surveille les bancs de poissons d'une hauteur de 25 à 30 m (80-100 pi) et plonge comme une flèche en repliant les ailes, dans un grand jaillissement d'écume. On dit qu'il peut plonger à plus de 30 m (100 pi) de profondeur. Les fous de Bassan nichent dans de très anciennes colonies des deux côtés de l'Atlantique. Le site le plus important et le plus connu en Amérique du Nord est celui de l'île Bonaventure, au large de Percé, au Québec.

Cormoran à aigrettes
Phalacrocorax auritus

Longueur : *75-90 cm (2½-3 pi).*
Traits : *gros oiseau foncé ; bec mince ; gorge orangée ;
poitrine blanchâtre et abdomen chamois
chez les juvéniles ; perché, il ouvre à demi les ailes.*
Habitat : *côtes, eau douce.*

On peut confondre en vol les cormorans à aigrettes et les outardes. Mais au lieu de battre des ailes régulièrement comme celles-ci, les cormorans planent par moments. Ils sont silencieux en vol. Comme les huarts et les grèbes, ils plongent depuis la surface pour pêcher. Les cormorans nichent en colonies, surtout dans des îles rocheuses ou dans des bosquets d'arbres et de buissons. Le nid est ordinairement fait de branchages, de plumes et de tiges de plantes.

Anhinga d'Amérique
Anhinga anhinga

Longueur : *environ 90 cm (3 pi).*
Traits : *cou long et sinueux ; bec pointu ;
ailes marbrées de blanc ; femelle brune
à gorge blanchâtre.*
Habitat : *cours d'eau lents à eau fraîche
ou saumâtre ; eaux salées protégées.*

mâle

Comme font d'autres espèces, l'anhinga perché étend les ailes. Cette posture servirait à régulariser la température du corps ou à assurer l'équilibre de l'oiseau. On dit aussi qu'il déploie ainsi ses ailes pour les faire sécher ; c'est une théorie plausible puisque ses plumes, poreuses et non huileuses comme celles des canards et des grèbes, absorbent plus d'eau. On a des chances d'observer l'anhinga en train de nager, sa tête serpentine et son cou émergeant seuls de l'eau. Son régime, très varié, va des œufs de grenouilles et des insectes aux poissons et aux petits alligators.

femelle

83

Grand héron
Ardea herodias

Longueur : *90 cm-1 m (36-40 po) ;*
hauteur 1,20 m (4 pi) ; envergure 1,80 m (6 pi).
Traits : *taille imposante ; plumage gris-bleu ;*
bec et cou longs ; replie le cou et la tête en vol.
Habitat : *eau douce, marais salés.*

Ce puissant oiseau harponne les poissons ou les saisit en se servant de son bec comme de ciseaux. Il mange aussi grenouilles, serpents, souris et oiseaux. Le grand héron est capable d'attendre, immobile et avec une infinie patience, que sa proie s'approche de lui. Bien que lourd, il flotte aussi facilement qu'une bernache et prend son envol sans effort. Il niche en colonies au faîte des arbres. Selon une décision récente des ornithologues, le grand héron blanc qui habite la Floride, les Antilles et le Mexique ne serait pas une espèce en soi, mais bien plutôt une version blanche de notre grand héron.

adulte

juvénile

Héron vert
Butorides virescens

Longueur : *45-55 cm (18-22 po).*
Traits : *petite taille, corps brunâtre*
(raies blanches dessous chez les juvéniles) ;
cou roux ; bec très pointu ; pattes orange.
Habitat : *lacs, étangs, marais d'eau douce*
et marais salés.

On l'aperçoit souvent immobile sur une berge ou une souche dominant une étendue d'eau ; en réalité, sans dédaigner les petits animaux terrestres, c'est un pêcheur acrobate et plein d'astuces. On l'a déjà vu perché sur une branche, le corps incliné au point de se trouver en dessous de ses pieds ; dans cette position incommode, il attrapait des poissons et se redressait pour les avaler. A l'occasion, le héron vert plonge sous l'eau à la poursuite de sa proie. On aurait même vu un individu se servir d'une plume comme d'un leurre pour attirer les petits poissons à la surface.

Bihoreau gris
(bihoreau à couronne noire)
Nycticorax nycticorax

Longueur : *58-66 cm (23-26 po).*
Traits : *vertex et dos noirs ; dessous blanc ;*
ailes grises ; bec noir et fort ; courtes pattes ;
juvéniles brun et blanc.
Habitat : *marais bordés d'arbres, marécages, étangs.*

Ce héron nocturne s'affaire surtout entre le crépuscule et l'aube. Bien que friand de poissons, il ne dédaigne pas les poussins et les œufs de sternes s'il s'en trouve une colonie dans les parages. Le jeune bihoreau gris ressemble beaucoup à son cousin, le bihoreau violacé (*Nycticorax violacea*), moins commun et dont le territoire se situe surtout dans le Sud-Est. Un détail les distingue : en vol, les pattes du second dépassent largement la queue alors que chez le premier, on aperçoit à peine les pieds.

Aigrette neigeuse
Egretta thula

Longueur:
55-65 cm (22-26 po).
Traits: *corps blanc élancé;*
plumes souples en plumage nuptial;
bec noir; pattes noires à pieds jaune vif.
Habitat: *marais d'eau douce ou saumâtre.*

En plumage nuptial, peu d'oiseaux peuvent rivaliser avec l'aigrette neigeuse pour la beauté. Cette beauté lui a même été presque fatale puisque les chasseurs de plumes ont décimé cette espèce tout comme sa cousine, la grande aigrette. En dépit de ses mouvements vifs de la tête et de ses «chaussons» jaunes, on la confond souvent avec le juvénile de l'aigrette bleue *(Egretta caerulea)*, un oiseau blanc à pattes et pieds verts et à bec bleuâtre. L'aigrette roussâtre *(Egretta rufescens)* a elle aussi une phase blanche.

Grande aigrette
Casmerodius albus

Longueur:
90 cm-1,05 m
(36-42 po).
Traits: *grand*
oiseau blanc;
cou long, fin, incurvé en
vol; bec jaune orangé;
pattes et pieds noirs.
Habitat: *terrains et*
pâturages humides.

Les aigrettes et les hérons nichent dans les arbres, souvent en colonies mixtes comprenant aussi des cormorans et des ibis. Lorsque le mâle de la grande aigrette est prêt à couver les œufs, il se perche sur une branche près du nid en dressant les longues plumes ornementales de son dos. La femelle réagit en dressant à son tour les plumes de son dos pendant qu'il la caresse de la tête. Une fois la femelle partie, le mâle s'installe sur les œufs, en redressant une fois de plus ses belles plumes.

Butor d'Amérique
Botaurus lentiginosus

Longueur:
63-75 cm (25-30 po).
Traits: *plumage brun*
et blanc; gorge blanche;
« moustaches » noires; bout des
ailes foncé en vol; bec jaunâtre.
Habitat: *marais, fondrières,*
marécages; parfois marais salés.

Lorsqu'il se tient immobile, le bec pointé vers le ciel, le butor se confond avec les roseaux. Au printemps, il émet le soir ou à l'aube un cri profond qui rappelle le bruit de succion des pompes à eau ou celui d'un maillet frappant un pieu qu'on enfonce dans la boue. C'est pour cela qu'on le surnomme le « Pompeux » ou « l'Oiseau pompe-à-eau » dans certains lieux. Pour émettre ce cri, il prend de profondes inspirations puis resserre fortement les muscles de son cou tout en expulsant l'air de ses poumons.

en hiver

Héron garde-bœufs
Bubulcus ibis

Longueur: *47-50 cm (18½-20 po).*
Traits: *petit, blanc; macules*
chamois; pattes orange en plumage
nuptial; bec orange ou jaune.
Habitat: *broussailles, champs.*

Jusqu'à la fin du XIXᵉ siècle, on ne trouvait le héron garde-bœufs qu'en Europe. Comment a-t-il traversé l'Atlantique? Sur des bateaux ou en volant? On n'a pas encore trouvé de réponse à cette question. On l'a identifié pour la première fois en Amérique du Sud en 1880; il s'est mis à nicher en Floride en 1952 et depuis lors, il ne cesse d'agrandir son territoire. Le héron garde-bœufs recherche la proximité du bétail, car il s'alimente d'insectes que ces animaux font lever avec leurs sabots. Il suit également les tracteurs dans les champs, sans doute pour la même raison.

Tantale d'Amérique
(cigogne américaine)
Mycteria americana

Longueur : *90 cm-1,05 m (36-42 po) ; envergure 1,65 m (5½ pi).*
Traits : *grand oiseau blanc ; tête et cou noirâtres, sans plumes ; bec long, robuste, effilé ; plumes alaires noires.*
Habitat : *terrains marécageux, eaux douces peu profondes.*

Le tantale vole le cou tendu comme une grue et retient l'attention au sol par sa tête et son cou dégarnis de plumes, contrairement à ses juvéniles qui en ont. Alors que les adultes sont le plus souvent silencieux, les petits piaillent avec un entrain incroyable. Un observateur à qui il arriva d'entendre toute la gamme des cris qu'émettent les juvéniles — grognements, glapissements, bêlements et mugissements — eut beaucoup de mal à croire qu'un tel vacarme pût provenir d'une colonie de tantales et pensa d'abord qu'il s'agissait d'un concert de ouaouarons ou d'alligators.

Ibis à face blanche

niche sur la côte

en Floride toute l'année

Ibis falcinelle

Floride, ouest du golfe du Mexique et ouest du Mexique

Spatule rosée
Ajaia ajaja

Longueur : *75-84 cm (30-33 po).*
Traits : *bec en spatule ; corps rose et blanc ; juvéniles blancs à pattes jaunâtres.*
Habitat : *marais de palétuviers, îles côtières, lagunes.*

Ibis falcinelle
Plegadis falcinellus

Longueur : *48-66 cm (19-26 po).*
Traits : *plumage sombre ; long bec effilé, incurvé vers le bas ; cou et gorge pâles chez les juvéniles.*
Habitat : *marais, étangs, lagunes d'eau salée ou saumâtre.*

Ce bel oiseau au plumage chatoyant étend son aire de dispersion vers le nord. Auparavant, les colonies d'ibis falcinelles habitaient uniquement la Floride et les Etats américains du golfe du Mexique ; maintenant, l'espèce niche sur presque toute la côte atlantique et s'aventure même au Canada. L'ibis falcinelle trouve sa nourriture dans les marais herbeux et peu profonds. Il fouille la vase avec son long bec à la recherche d'écrevisses et de mollusques, mais mange aussi des insectes, des grenouilles et de petits poissons. Moins répandu, l'ibis à face blanche *(Plegadis chihi)* se rencontre plus à l'ouest ; l'ibis blanc *(Eudocimus albus)* se trouve uniquement dans le sud-est des Etats-Unis.

La spatule rosée balaie la vase des marais avec son bec à demi ouvert qu'elle referme sitôt qu'elle attrape un poisson, une crevette ou un coquillage. Si c'est un poisson, elle le frappe contre l'eau avant de l'avaler. L'espèce niche dans les arbres, souvent en colonies mixtes avec des hérons, des aigrettes, des cormorans, des ibis et des anhingas. Elle habite principalement la Floride et le littoral du golfe du Mexique, mais son nombre a considérablement diminué car on l'a beaucoup chassée dans le passé pour ses ailes dont on faisait des éventails. Encore aujourd'hui, son habitat ne cesse de rétrécir. C'est dans le parc national des Everglades, en Floride, et près de Rockport, au Texas, qu'on peut le mieux l'observer.

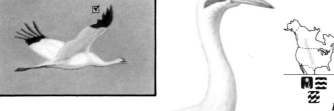

Grue blanche
Grus americana

Longueur : *1,20-1,35 m (4-4½ pi) ; envergure 2,15-2,30 m (7-7½ pi).*
Traits : *grand oiseau blanc (juvéniles chamois) ; bout des ailes noir ; face rouge.*
Habitat : *terrains marécageux ou herbeux.*

Ce superbe oiseau pousse un cri fort et clair, semblable à une sonnerie de clairon. C'est un individu inquiet qui regarde souvent au loin avec son long cou et ses hautes pattes. Pas assez méfiant cependant pour avoir échappé à son pire prédateur, l'homme. En 1940, il ne restait pas deux douzaines de grues blanches en liberté. Autrefois, l'aire de nidification de l'espèce couvrait la plus grande partie du centre de l'Amérique du Nord. Maintenant, la grue blanche niche uniquement dans le parc national Wood Buffalo, qui chevauche la frontière des Territoires du Nord-Ouest et de l'Alberta. Si son nombre augmente constamment, c'est grâce aux efforts intensifs de conservation dont elle fait l'objet. Pour créer de nouvelles colonies, on a confié à des grues du Canada le soin de couver des œufs prélevés dans la petite colonie des grues blanches. On peut voir ce bel oiseau si menacé dans le parc national Aransas, au Texas, où il passe l'hiver.

Grue du Canada
Grus canadensis

Longueur : *90 cm-1,20 m (3-4 pi) ; envergure 2-2,15 m (6½-7 pi).*
Traits : *grand oiseau gris (juvéniles brun rosé) ; tache rouge sur la face.*
Habitat : *toundra, marais, terrains herbeux ; champs de grain (en migration et en hiver).*

Toutes les grues sont de grandes danseuses. Celle-ci salue, replie à demi les ailes, sautille, se dandine et exécute des sauts de 4 à 6 m (13-20 pi). Les couples font des pas de deux durant la saison des amours, mais les individus dansent en tout temps et on peut en voir des centaines le faire en même temps. L'espèce niche sur des monticules de plantes souvent entourés d'eau. La femelle pond deux œufs et les juvéniles restent avec les parents durant près d'un an. La grue mange des amphibiens, des reptiles, des insectes et de petits mammifères, mais aussi des fruits, des graines et des plantes.

Râle de Virginie
Rallus limicola

Longueur: *23-28 cm (9-11 po).*
Traits: *bec long; pattes orange; poitrine rousse; flancs rayés de blanc; tache sous-caudale blanche.*
Habitat: *marais d'eau douce; marais salés en hiver.*

Les râles sont des oiseaux farouches. Sauf durant la migration, ils ne volent pas là où ils peuvent marcher. Après avoir parcouru quelques mètres en vol, le râle de Virginie se hâte d'atterrir pour se cacher. Le râle élégant *(Rallus elegans)* des marais d'eau douce et le râle gris *(Rallus longirostris)* des marais salés ressemblent à celui-ci par leurs coloris, mais sont deux fois plus gros.

Marouette (râle) de Caroline
Porzana carolina

Longueur:
23-25 cm (9-10 po).
Traits: *petite taille; bec court; flancs rayés de blanc; tache sous-caudale blanche; pattes jaune-vert.*
Habitat: *marais herbeux, marécages; marais salés en hiver.*

C'est le râle le plus commun, bien qu'on l'aperçoive rarement. Comme les autres membres de sa famille, il préfère la marche au vol. Son corps effilé lui permet de se faufiler entre les joncs sans révéler sa présence. Il se nourrit de petits mollusques, d'insectes, de graines et de riz sauvage. Son cri comporte un sifflement ascendant et une suite de notes descendantes et plaintives.

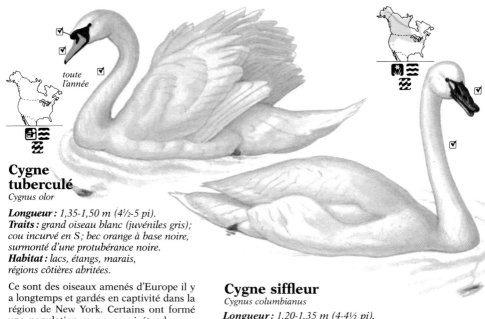

toute l'année

Cygne tuberculé
Cygnus olor

Longueur: *1,35-1,50 m (4¹/₂-5 pi).*
Traits: *grand oiseau blanc (juvéniles gris); cou incurvé en S; bec orange à base noire, surmonté d'une protubérance noire.*
Habitat: *lacs, étangs, marais, régions côtières abritées.*

Ce sont des oiseaux amenés d'Europe il y a longtemps et gardés en captivité dans la région de New York. Certains ont formé une population sauvage qui étend constamment son territoire. Le cygne tuberculé se nourrit de plantes et d'insectes aquatiques. Le nid consiste en un monticule végétal d'environ 1 m (3-4 pi) de diamètre édifié près de l'eau ou dans les joncs en eau peu profonde. La femelle pond une douzaine d'œufs. Les juvéniles piaillent à qui mieux mieux et les adultes, plutôt silencieux, émettent parfois un sifflement. En vol, leurs puissantes ailes produisent un bourdonnement qui s'entend de loin.

Cygne siffleur
Cygnus columbianus

Longueur: *1,20-1,35 m (4-4½ pi).*
Traits: *grand oiseau blanc (juvéniles gris); cou droit; bec blanc à tache jaune.*
Habitat: *lacs de toundra; étangs en régions herbeuses; estuaires en hiver.*

C'est un cygne de la toundra qui niche très loin au nord. On ne sait pas d'où lui vient ce nom de cygne siffleur. Peut-être du bruit de ses ailes en vol. En tout cas, son cri n'a rien d'un sifflement; c'est plutôt une sorte d'aboiement gémissant. Certains interprètent ce son comme un « rire musical » dont le timbre rappellerait celui du cor ou de la clarinette.

Gallinule poule-d'eau
Gallinula chloropus

Longueur : *30-35 cm (12-14 po).*
Traits : *type canard ; plumage sombre ; plaque frontale rouge (blanchâtre chez les juvéniles) ; bec rouge à bout jaune ; marques blanches sur les flancs et sous la queue.*
Habitat : *berges herbeuses, lacs, étangs.*

Gallinules, râles et foulques appartiennent à la famille des rallidés qui comprend quelque 130 espèces. La gallinule poule-d'eau est plus répandue que la talève violacée *(Porphyrio martinicus)* qu'on retrouve dans le Sud des États-Unis. Excellentes nageuses toutes les deux, elles agitent la tête à chaque coup de patte ; il leur arrive de marcher sur les feuilles de nénuphars.

Foulque d'Amérique
Fulica americana

Longueur : *33-38 cm (13-15 po).*
Traits : *type canard ; plumage sombre ; bec blanc ; plaque frontale ; tache sous-caudale blanchâtre.*
Habitat : *lacs, étangs, marais ; terrains herbeux près de l'eau ; baies et estuaires en hiver.*

Contrairement à certaines espèces de canards, la foulque ne s'envole pas facilement ; elle doit courir à la surface de l'eau dans le vent et prendre de la vitesse avant de décoller. A vrai dire, il lui arrive rarement de s'envoler ; elle préfère assurer sa sécurité en s'éloignant du rivage ou en se cachant dans les joncs.

Oie des neiges
Anser caerulescens

Longueur : *60-75 cm (24-30 po).*
Traits : *plumage blanc et bout des ailes noir (phase blanche) ; sombre, tête et cou blancs (phase bleue).*
Habitat : *étangs en toundra, lacs ; terrains herbeux, eau salée en migration.*

Cette oie présente deux phases distinctes. Les oisons en phase blanche sont jaunâtres ; en phase bleue, ils sont vert olive. Audubon croyait que ceux-ci étaient des juvéniles ; plus tard, on les classa dans une espèce à part. C'est en 1929 seulement qu'on découvrit une colonie d'oies bleues au nord de la baie d'Hudson. Les ornithologues observèrent que les deux types d'oies pouvaient s'accoupler. On considère maintenant que les deux sont une seule et même espèce.

phase bleue

phase blanche

Bernache du Canada (outarde)
Branta canadensis

Longueur : *55 cm-1 m (22-40 po).*
Traits : *joues blanches ; cou, dos et queue foncés ; région sous-caudale blanche.*
Habitat : *étangs, lacs, baies, estuaires.*

L'outarde pèse, selon les variétés, de 1 kg (2 lb) à 8 kg (18 lb). Elle fait son nid près de l'eau sur une plate-forme modérément élevée, une petite île par exemple ou un terrier de rat musqué. Certains sujets préfèrent loger dans les fissures rocheuses ou dans des nids dans les arbres. Les efforts déployés pour protéger cette espèce ont complètement modifié ses habitudes migratoires. Les outardes s'arrêtent maintenant par milliers dans les refuges qui ont été aménagés dans le centre des Etats-Unis alors que, normalement, elles iraient hiverner beaucoup plus au sud.

en demi-plongée

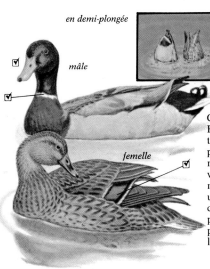

mâle

femelle

Canard colvert (malard)
Anas platyrhynchos

Longueur: *40-60 cm (16-24 po).*
Traits: *tête et cou vert luisant à anneau
blanc chez le mâle; plumage brun chez
la cane; miroir bleu; bec jaune ou orange.*
Habitat: *étangs peu profonds,
marais; eaux salées abritées en hiver.*

Ce canard, qui est le plus commun au monde, niche en
Europe, en Asie et en Amérique du Nord. Parfaitement adapté à la présence de l'homme, il pourrait s'installer dans un
parc s'il y trouvait un étang à son goût. Le malard fait son
nid près de l'eau, mais à l'occasion il choisit un site plus élevé. Quand ces canards sont effrayés, ils s'envolent directement de la surface sans avoir à prendre leur élan sur l'eau;
une fois dans les airs, ils font du « surplace » avant de
choisir une direction. On peut souvent les observer en demi-
plongée, la queue seule au-dessus de la surface, en quête de
plantes et de petits animaux qu'ils trouvent dans le fond de
l'eau. Ils mangent aussi des graines.

Canard pilet
Anas acuta

Longueur: *50-75 cm (20-30 po).*
Traits: *long cou mince; bande blanche sur le cou
et longue queue pointue chez le mâle; plumage
brun tacheté et queue plus courte chez la cane.*
Habitat: *lacs, étangs, marais;
eaux salées abritées en hiver.*

Ce gracieux canard a une aire de nidification aussi étendue que celle du malard. Comme lui, il pratique la demi-
plongée pour se nourrir. La ligne blanche que le mâle
porte sur le cou permet de l'identifier même de loin, mais
la femelle ressemble à plusieurs autres canards. Entre la
période de nidification et la migration automnale, les
mâles de plusieurs espèces ont une mue qui les dote d'un
plumage « éclipse » semblable à celui de la femelle, mais
d'un brun plus sombre.

mâle

femelle

femelle

Canard branchu (canard huppé)
Aix sponsa

Longueur: *45-53 cm (18-21 po).*
Traits: *régions blanches sur la face et la gorge
chez le mâle; cercle blanc autour des yeux
chez la cane; huppe.*
Habitat: *lacs, étangs, marais, marécages
en bordure de forêt.*

Si vous n'êtes pas sur vos gardes, vous entendrez sans
doute ce bel oiseau avant de le voir, car il lance en s'envo-
lant un *oû-ic* aigu. La cane niche dans des trous d'arbres
ou dans de petites maisons aménagées par l'homme. Elle
pond jusqu'à 15 œufs sur un lit de duvet blanc et les couve quatre semaines. Peu après l'éclosion des œufs, les
canetons sautent hors du nid à l'appel de la mère. Si le
nid se trouve à l'intérieur des terres, elle les conduit immédiatement vers l'eau. Le canard huppé n'est pas le seul
canard à nicher dans les arbres; le garrot à œil d'or, le
harle couronné et plusieurs espèces de canards siffleurs
en font autant.

mâle

Canard noir
Anas rubripes

Longueur:
50-58 cm (20-23 po).
Traits: corps brun
foncé; dessous des ailes
blanc; miroir bleu
pourpré; bec jaune-vert.
Habitat: étangs, lacs;
eaux salées abritées en hiver.

La femelle de cette espèce pond de 10 à 12 œufs. Quand un œuf est près d'éclore, le caneton perce une série de trous à une extrémité: il n'a plus qu'à pousser ce « chapeau » pour sortir. La tête apparaît d'abord, puis une aile, l'autre aile et le reste du corps. Le caneton sort enfin complètement épuisé, mouillé et nu, sauf pour quelques rares poils foncés. A mesure qu'il se sèche, ces poils se fendent et s'ouvrent; il en sort une touffe de duvet aussi grosse que le bout du doigt. En peu de temps, le caneton, bien au chaud dans son manteau de duvet, peut suivre sa mère hors du nid.

mâle

Canard souchet
Anas clypeata

Longueur:
43-56 cm (17-22 po).
Traits: bec long et élargi
au bout; tache bleue peu visible
sur l'aile; mâle: tête verte et
marques brunes sur les flancs;
femelle: corps brun tacheté.
Habitat: lacs vaseux, marais;
eaux salées peu profondes en hiver.

Près de deux fois plus large au bout qu'à la base, le bec particulier du souchet le distingue de tous les autres canards. Il s'en sert comme d'une pelle et racle les fonds vaseux pour y récolter sa nourriture. Il mange des escargots, des insectes aquatiques et toutes sortes de petites plantes comme des lentilles d'eau. La cane niche près de l'eau. Elle pond de 8 à 12 œufs sur un lit creux de végétaux, au rythme d'un œuf par jour. En même temps, elle arrache une partie de son duvet pour en garnir son nid et protéger ses œufs. L'incubation ne commence qu'après la ponte du dernier œuf.

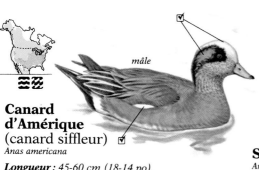

mâle

Canard d'Amérique
(canard siffleur)
Anas americana

Longueur: 45-60 cm (18-14 po).
Traits: mâle: calotte blanche et marques vertes
sur la tête; marque blanche sur les ailes;
dessous blanc, queue noire;
femelle: dessus brunâtre; flancs chamois.
Habitat: étangs, lacs, rivières, terres irriguées;
eaux salées abritées en hiver.

Avec sa calotte blanche, ce canard a l'air chauve. Il fréquente les eaux peu profondes où il pêche en demi-plongée comme le colvert et les autres canards de surface. On le trouve parfois en compagnie de la foulque d'Amérique, du fuligule et d'autres espèces plongeuses, mangeant les herbes des grands fonds que ces oiseaux rapportent en surface. Le canard d'Amérique se nourrit aussi volontiers de petits animaux, insectes et escargots, et d'herbes tendres. Son cri diffère selon qu'il s'agit du mâle ou de la femelle. Le premier émet des sons doux par groupes de trois; la cane fait entendre un son rauque.

Sarcelle à ailes bleues
(mâle)

Sarcelle à ailes vertes *(mâle)*

Sarcelle à ailes vertes
Anas crecca carolinensis

Longueur: 30-40 cm (12-16 po).
Traits: petite taille; mâle: région
oculaire verte, miroir vert peu visible,
bande verticale blanche sur le flanc;
femelle: corps brun tacheté.
Habitat: étangs, lacs, cours d'eau, marais;
parfois eaux salées abritées en hiver.

On voit souvent les sarcelles à ailes vertes virevolter en groupe dans le ciel avec un ensemble parfait. Elles hivernent surtout dans les Etats du sud des Etats-Unis et au Mexique, bien que certaines demeurent dans la région des Grands Lacs ou en Alaska. Les sarcelles à ailes bleues *(Anas discors)* hivernent au sud des Etats-Unis. Certaines d'entre elles parcourent quelque 11 000 km (7 000 mi) pour aller du nord du Canada au sud de l'Amérique du Sud. Aussi sont-elles généralement les dernières à rejoindre leur aire de nidification et les premières à la quitter.

Fuligule à tête rouge

mâle

Fuligule (morillon) à dos blanc
Aythya valisineria

Longueur : *48-60 cm (19-24 po).*
Traits : *front fuyant ; mâle : tête marron
et dos clair ; femelle : tête, poitrine et cou bruns.*
Habitat : *lacs, étangs, marais ;
eaux salées abritées en hiver.*

On le reconnaît de loin à son long bec et à son
front fuyant. Le fuligule à dos blanc est un puissant plongeur : il peut atteindre des profondeurs
de 9 m (30 pi) quand il cherche de petits invertébrés et des racines de plantes aquatiques. On le
trouve souvent en compagnie du fuligule à tête
rouge *(Aythya americana).* Les deux se ressemblent, mais ce dernier a le cou plus court, la tête
plus ronde et le dos plus gris.

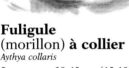

femelle

mâle

femelle

Fuligule
(morillon) à collier
Aythya collaris

Longueur : *38-45 cm (15-18 po).*
Traits : *bec bleuâtre à anneau blanc
et bout noir, blanc à la base ; mâle : reflets
pourpres sur la tête, dos noir, zone blanche
sur les flancs ; femelle : corps brun, cercle blanc
autour des yeux, rayure blanche vers la nuque.*
Habitat : *lacs en forêt, étangs, rivières, marais ;
eaux salées abritées en hiver.*

Par un gris matin de printemps, sur un étang à
demi dégelé, le fuligule à collier mâle a des coloris qui se fondent absolument dans le paysage. Le
collier marron qui lui barre le cou est à peu près
invisible. En vol, le fuligule à collier se distingue
des autres fuligules (morillons) par une rayure
légère sur les ailes.

mâle

Petit fuligule
(petit morillon)
Aythya affinis

Longueur : *38-45 cm
(14-18 po).*
Traits : *bec bleu ;
bande alaire blanche ;
mâle : reflets
pourpres sur la tête ;
femelle : blanc à la base du bec.*
Habitat : *étangs, lacs, marais ;
eaux salées abritées en hiver.*

Le petit fuligule hiverne en eau douce, mais parfois aussi dans des lieux protégés le long des
côtes. La migration se fait généralement par
grandes bandes. Le fuligule milouinan, appelé
aussi grand morillon *(Aythya marila),* hiverne
uniquement le long des côtes. Il ressemble beaucoup au petit fuligule, mais sa bande alaire est
plus importante et sa tête a un reflet vert.

Erismature rousse
(canard roux) *Oxyura jamaicensis*

Longueur : *35-43 cm (14-17 po).*
Traits : *calotte foncée ; grande tache blanche sur la joue
(trait sombre chez la femelle) ; bec bleu en plumage nuptial ;
queue courte, hérissée, dressée.*
Habitat : *lacs, étangs, rivières, marais ; eaux salées en hiver.*

À l'époque de la reproduction, le mâle en plumage nuptial arque
vers la tête les plumes de sa queue, étale en cornes celles qui surplombent l'œil, gonfle le cou et la poitrine et, du bec, se tambourine
la gorge. Ce tambourinage fait sortir l'air emprisonné dans les plumes de sa poitrine et l'eau se met à faire des bulles devant lui. La
femelle fait son nid au milieu des joncs, qu'elle rabat en une sorte
de toit. Elle pond de très gros œufs pour un si petit canard ; des
œufs plus gros que celui du morillon à dos blanc dont la taille est
pourtant bien supérieure à la sienne.

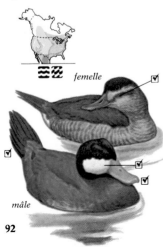

femelle

mâle

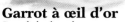

femelle

mâle

femelle

Garrot à œil d'or
Bucephala clangula

Longueur : *39-50 cm (15¹/₂-20 po).*
Traits : *mâle : reflets verts sur
la tête ; rond blanc sous l'œil, dos noir
et blanc, abdomen blanc ; femelle :
plumage gris moucheté, tête rousse et cou blanc.*
Habitat : *rivières, lacs ; baies ouvertes,
estuaires en hiver.*

Ce canard émet en volant un sifflement très perceptible. Son comportement en période nuptiale est étonnant. Pendant que le mâle donne de violents coups de tête, la femelle se laisse flotter comme si elle était morte. Le garrot d'Islande ou garrot de Barrow *(Bucephala islandica)*, répandu dans l'Ouest, ressemble au garrot à œil d'or sauf qu'il est plus foncé et porte un croissant blanc au-dessus de l'œil. Sa tête est pourprée. Les deux nichent dans des trous d'arbres.

Petit garrot
mâle
Bucephala albeola

Longueur : *30-40 cm (12-16 po).*
Traits : *petite taille ; tache blanche sur la tête ;
plumage du mâle très voyant en vol ;
tache alaire blanche chez la femelle.*
Habitat : *étangs, lacs, rivières ;
eaux salées abritées en hiver.*

Le petit garrot fait sa cour à la femelle avec autant d'imagination que le garrot commun. Pour se rendre plus visible, le mâle gonfle la plaque blanche qu'il porte sur la nuque ; il donne de grands coups de tête de haut en bas et agite les ailes, le corps élevé au-dessus de l'eau. En guise de nid, la femelle adopte souvent un trou creusé dans un arbre par un pic. Bien que l'orifice en soit généralement très petit — il peut mesurer seulement 8 cm (3 po) —, elle trouve moyen de s'y glisser pour y pondre ses œufs.

femelle

mâle

femelle

mâle

mâle

Harle (bec-scie) couronné
Lophodytes cucullatus

Longueur : *40-50 cm (16-20 po).*
Traits : *bec étroit et sombre ; mâle : poitrine
blanche, huppe blanche frangée de noir ;
femelle : huppe fauve et poitrine grise.*
Habitat : *lacs en bordure de forêt, rivières,
étangs, marais ; parfois eaux salées.*

Le harle couronné a la tête ornée d'une huppe en éventail. Quand il nage, il la referme presque complètement (le mâle la déploie pour faire sa cour à la femelle), mais il la replie vers l'arrière pour voler, ce qui change sa silhouette. Le harle couronné niche dans un trou d'arbre, en région marécageuse et boisée ; il retourne souvent au nid de l'année précédente. C'est un bon plongeur qui se nourrit aussi bien sous l'eau qu'en surface.

Grand harle
(grand bec-scie) *Mergus merganser*

Longueur : *53-69 cm (21-27 po).*
Traits : *corps long et fin ; bec mince et
rougeâtre ; mâle : tête vert sombre et poitrine
blanche ; femelle : tête rousse, huppée.*
Habitat : *lacs, étangs, marais,
rivières en régions boisées ; eau douce
ouverte, eaux salées abritées en hiver.*

Comme le plongeon ou le grèbe, ce canard friand de poissons nage le bec et les yeux dans l'eau. C'est aussi un bon plongeur. Son bec en forme de scie a des lamelles pointues qui l'aident à capturer ses proies. Comme il préfère l'eau douce à l'eau salée, il y restera tant qu'il trouvera de quoi se nourrir en hiver. Chez le harle huppé, ou becscie à poitrine rousse *(Mergus serrator)*, mâle et femelle ont une huppe mais le mâle a aussi une bande roussâtre sur la poitrine.

Huîtrier
de Bachman

Huîtrier
d'Amérique

Huîtrier d'Amérique
Haematopus palliatus

Longueur : *43-50 cm (17-20 po).*
Traits : *grande taille ; plumage panaché ;
long bec rouge ; rayure alaire blanche,
très visible en vol.*
Habitat : *zones côtières.*

Cet oiseau au plumage remarquable ne se nourrit pas que d'huîtres. L'huîtrier d'Amérique, comme l'huîtrier de Bachman *(Haematopus bachmani),* mange les mollusques bivalves que la mer en se
retirant abandonne sur le rivage, mais aussi des bernacles, des
patelles, des escargots et des vers de mer. Il se sert de son bec pour
ouvrir ou briser les coquilles, mais aussi pour fouiller le sable et
détacher des rochers les petits crustacés qui s'y accrochent. L'espèce niche dans de petites dépressions tapissées de galets ou de parcelles de coquillages, de plantes et de bois de grève.

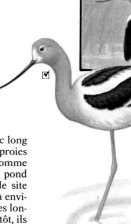

Avocette d'Amérique
Recurvirostra americana

Longueur : *38-50 cm (15-20 po).*
Traits : *tête et cou cannelle en plumage nuptial
(gris en hiver) ; long bec retroussé ;
coloris frappant en vol.*
Habitat : *marais, basses terres planes,
grèves, lacs peu profonds, étangs.*

L'avocette attrape une grande variété d'aliments avec son bec long
et retroussé. Elle balaie les fonds aquatiques, identifiant ses proies
au toucher, et gobe les insectes aquatiques de surface tout comme
les insectes volants. L'espèce niche en colonies ; la femelle pond
en moyenne quatre œufs dans une petite dépression. Si le site
s'inonde, l'oiseau remonte rapidement le nid pour qu'il soit à environ 30 cm (1 pi) au-dessus de l'eau. Les poussins ont les pattes longues comme les adultes, mais leur bec est peu retroussé. Très tôt, ils
sont capables de nager et de plonger pour se nourrir.

Echasse d'Amérique
Himantopus mexicanus

Longueur : *34-39 cm (13½-15½ po).*
Traits : *oiseau haut et effilé ;
longues pattes rouges ; bec fin et droit ;
ailes, dos et arrière du cou noirs ;
pattes dépassant largement la queue en vol.*
Habitat : *lacs peu profonds, basses terres
planes, rizières, régions irriguées.*

De nombreux oiseaux de rivage effectuent des manœuvres de diversion lorsque leur nid ou leurs petits sont menacés. L'échasse d'Amérique est passée maître en cet art. Par exemple, elle s'accroupit, les
ailes étendues, et frissonne. Ou encore, elle saute à plusieurs reprises dans de l'eau peu profonde pour provoquer des éclabousse-
ments. Elle peut aussi se laisser soudainement tomber comme si
elle avait la patte cassée, se relever, faire quelques pas et retomber.
Comme les échasses nichent en colonies, elles s'exécutent souvent
toutes ensemble dans un beau concert de cris. Les ornithologues
croient que ces comportements tiennent au fait que l'oiseau est
incapable de décider s'il doit s'enfuir ou attaquer.

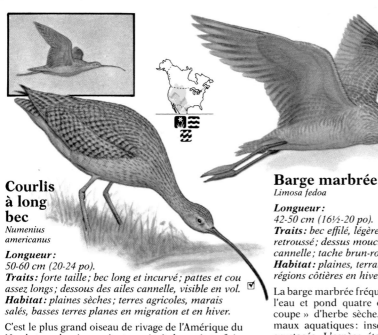

Courlis à long bec

Numenius americanus

Longueur:
50-60 cm (20-24 po).
Traits: *forte taille; bec long et incurvé; pattes et cou assez longs; dessous des ailes cannelle, visible en vol.* ☑
Habitat: *plaines sèches; terres agricoles, marais salés, basses terres planes en migration et en hiver.*

C'est le plus grand oiseau de rivage de l'Amérique du Nord et son bec incurvé est aussi très long. Autrefois, l'espèce nichait dans la Prairie; la situation se détériora lorsqu'on consacra ces terres à la culture des céréales. Là où les champs sont redevenus des herbages pour les bestiaux, le courlis est réapparu. En migration, les courlis volent très haut dans le ciel en faisant entendre ce cri mélodieux qui leur a valu leur nom. L'hiver, ils fréquentent les grèves marines et les prés salés où ils rencontrent le petit courlis corlieu *(Numenius phaeopus)* qui en est un hôte habituel.

Barge marbrée

Limosa fedoa

Longueur:
42-50 cm (16½-20 po).
Traits: *bec effilé, légèrement retroussé; dessus moucheté, dessous cannelle; tache brun-rouge sous les ailes.*
Habitat: *plaines, terrains humides; régions côtières en hiver.*

La barge marbrée fréquente les plaines près de l'eau et pond quatre œufs dans une « soucoupe » d'herbe sèche. Elle se nourrit d'animaux aquatiques: insectes, escargots, petits crustacés. L'espèce était autrefois beaucoup plus répandue. Les chasseurs l'ont décimée, et la transformation des plaines en terres agricoles a considérablement réduit son aire de nidification. La barge hudsonienne *(Limosa haemastica)*, plus petite que la barge marbrée, a une rayure alaire blanche et une large bande blanche à la base de la queue. Elle nidifie dans l'extrême nord, émigre à travers le centre du continent et hiverne en Amérique du Sud.

Chevalier semi-palmé

Catoptrophorus semipalmatus

Longueur:
35-43 cm (14-17 po).
Traits: *long bec robuste; plumage gris tacheté; marque alaire blanc et noir visible en vol.*
Habitat: *terrains humides et plats; marais salés, grèves en hiver.*

Les oiseaux nous réservent toujours quelque surprise: le chevalier semi-palmé est un oiseau de littoral; on ne l'imaginerait pas perché sur un arbre, un buisson ou une clôture et pourtant il le fait souvent. Quand il atterrit, il redresse au-dessus de la tête ses belles ailes marbrées. Les chevaliers sont des oiseaux bruyants. On les entend fréquemment lancer un cri caractéristique: *pîl-ouilette, pîl-ouilette, pî-ouil-ouilette* qu'ils font suivre d'une gamme de sons aigus.

Grand chevalier (grand chevalier à pattes jaunes)

Tringa melanoleuca

Longueur:
30-38 cm (12-15 po).
Traits: *longues pattes jaunes; bec effilé; dos gris tacheté; croupion blanc et queue à barres visibles en vol.*
Habitat: *marais; marécages, cours d'eau, étangs d'eau douce et à marée en migration et en hiver.*

Avec son cri retentissant qu'il lance par séries de trois ou quatre notes, c'est le chevalier le plus bruyant. Cet oiseau de rivage n'aime pas qu'on le dérange et le fait savoir. Durant la migration, on peut l'observer dans les étangs, s'activant à pêcher de petits poissons ou à fouiller la vase. Le petit chevalier *(Tringa flavipes)*, plus petit et à pattes plus courtes, s'identifie à son cri modulé sur une ou deux syllabes.

OISEAUX

Pluvier semi-palmé
(pluvier à collier)
Charadrius semipalmatus

Longueur :
15-20 cm (6-8 po).
Traits : *cou court ; bande pectorale noire ; bec court ; pattes orange.*
Habitat : *toundra ; bord de lac, basses terres humides, grèves.*

En dépit de son plumage aux couleurs vives, cet oiseau est un bel exemple de camouflage. Sa bande pectorale brise sa silhouette et le rend virtuellement invisible en terrain graveleux. Sur les plages où il cherche habituellement sa nourriture, le plumage de son dos se confond avec le sable humide ou la vase. C'est un oiseau aux pattes semi-palmées, c'est-à-dire qu'une petite membrane réunit partiellement ses doigts de pied.

Pluvier à collier interrompu
Charadrius alexandrinus

Longueur :
15-18 cm (6-7 po).
Traits : *plumage clair ; bande noire sur le côté du cou ; tache noire derrière l'œil ; pattes et bec foncés.*
Habitat : *grèves, dunes, terrains découverts près de l'eau.*

Cet oiseau vit sur les grèves au-dessus de la ligne des hautes marées. Il trahit sa présence par l'habitude qu'ont tous les pluviers d'agiter la tête de haut en bas. Sur les côtes de l'Atlantique, on trouve plutôt le pluvier siffleur *(Charadrius melodus)*, aux pattes orangées. Les deux espèces pondent dans de petites dépressions, sur un lit de coquillages brisés. La fréquentation croissante des plages nuit à leur nidification.

en hiver

en hiver

en plumage nuptial

en plumage nuptial

Pluvier bronzé
(pluvier doré d'Amérique)
Pluvialis dominica

Longueur :
23-28 cm (9-11 po).
Traits : *cou court ; port dressé ; dessous noir jusqu'à la queue, dessus tacheté de jaune en plumage nuptial ; brun moucheté en hiver.*
Habitat : *toundra ; terrains marécageux ou herbeux en migration.*

Très abondant autrefois, ce pluvier élancé, au vol rapide, a été presque éliminé par les chasseurs. En observation près de La Nouvelle-Orléans, en 1821, Audubon estimait que quelque 200 chasseurs abattraient en un jour environ 48 000 oiseaux. L'espèce a peut-être échappé à l'extinction grâce à son étrange périple migratoire. A l'automne, les pluviers dorés volent sans escale au-dessus de l'Atlantique, de la Nouvelle-Ecosse aux pampas de l'Amérique du Sud. Au printemps, le chemin est différent : ils remontent la vallée du Mississippi.

Pluvier argenté
(pluvier à ventre noir)
Pluvialis squatarola

Longueur :
28-38 cm (11-15 po).
Traits : *en plumage nuptial : tache noire sous l'aile, dessous noir, tache sous-caudale blanche, dessus blanc tacheté de noir ; gris en hiver.*
Habitat : *toundra ; plaines, terres basses humides en migration ; terrains marécageux, marais salés en hiver.*

Plus farouche que le pluvier bronzé, le pluvier argenté a pu survivre aux prédations de l'homme durant le XIXe siècle ; certains chasseurs ont parlé avec admiration de sa prudence et de sa rapidité. Son sifflement plaintif *(ti-yû-ii)* s'entend longtemps avant qu'il arrive. Dans les champs et les marécages, il se nourrit de sauterelles, de graines et de baies. Mais on le voit plus souvent parcourir les grèves à marée basse. Il bascule en avant, pique du bec un brin de nourriture, se redresse, la tête haute comme s'il flairait le danger, fait quelques pas et recommence le même manège.

Pluvier kildir
Charadrius vociferus

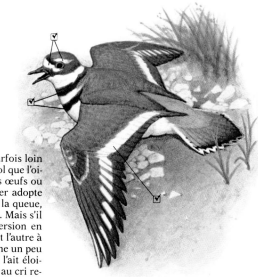

Longueur : *22-28 cm (8½-11 po).*
Traits : *double bande pectorale noire ;*
cou, front et tache derrière l'œil
blancs ; croupion et plumage
sous-caudal roux ; large bande
alaire blanche, visible en vol.
Habitat : *plaines, prés, terrains dégagés,*
côtes, terres marécageuses, champs irrigués.

Ce pluvier familier niche en terrain découvert, parfois loin
de l'eau. Le nid est une légère dépression dans le sol que l'oiseau défend farouchement quand il s'y trouve des œufs ou
des oisillons. Dès qu'approche un intrus, le pluvier adopte
un comportement de menace : il étend les ailes et la queue,
piaille et peut même foncer sur l'animal en volant. Mais s'il
s'agit d'un prédateur, l'oiseau essaie de faire diversion en
jouant l'animal blessé. Une aile repliée sur le dos et l'autre à
la traîne, il laisse son ennemi avancer, puis s'éloigne un peu
et recommence la même comédie jusqu'à ce qu'il l'ait éloi-
gné suffisamment du nid. Ce pluvier doit son nom au cri retentissant, *kill-dî*, qu'il répète rapidement.

Tourne-pierre à collier
(tourne-pierre roux)
Arenaria interpres

Longueur : *18-23 cm (7-9 po).*
Traits : *oiseau trapu ; pattes orange ;*
plumage noir et blanc sur la tête
et la poitrine ; dos roux (grisâtre en hiver) ;
coloration frappante en vol.
Habitat : *toundra ; côtes*
(en migration et en hiver).

Le tourne-pierre utilise son bec pour aller chercher sous les pierres, les coquilles et le bois de
grève, les petits animaux dont il se nourrit. Si
l'obstacle est trop lourd, il se fait aider d'un congé-
nère ou le pousse de la poitrine en se propulsant
avec ses pieds. On le voit souvent sur la grève picorer dans les bancs de débris qu'abandonne la marée en envoyant des bouts d'algues et de coquilles
autour de lui, en véritable pluie. Ce faisant, il
creuse des trous presque assez grands pour pouvoir s'y abriter en cas de danger.

Tourne-pierre noir
Arenaria melanocephala

Longueur : *23 cm (9 po).*
Traits : *dessus et*
poitrine gris-noir ; dessous
blanc ; coloration
blanc et noir en vol.
Habitat : *toundra ; côtes*
rocheuses en hiver.

Contrairement au tourne-pierre à collier qui niche
partout dans l'Arctique, celui-ci ne se reproduit
que sur les rivages de l'Alaska où il pond dans une
dépression en sol marécageux, sur un lit de plantes herbeuses. Les parents participent à l'incubation des œufs qui dure 21 jours. Le tourne-pierre
noir est la sentinelle de la toundra. Toujours sur
ses gardes, il poursuit courageusement même le
pire oiseau de proie sans cesser de lancer son cri
d'alarme. Quand un prédateur menace son nid, il
profère des *pît-ouît-ouît* aigus, semblables au cri
du chevalier grivelé.

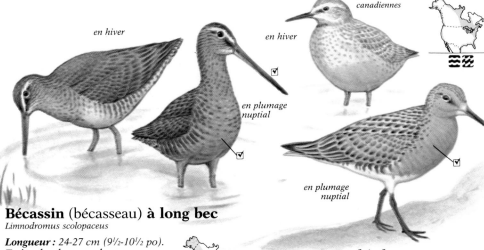

en hiver

en hiver

niche en Alaska
et dans les îles
canadiennes

en plumage
nuptial

en plumage
nuptial

Bécassin (bécasseau) à long bec
Limnodromus scolopaceus

Longueur : *24-27 cm (9¹/₂-10¹/₂ po).*
Traits : *bec long et robuste ;
dessus moucheté, poitrine
rousse en plumage nuptial ;
bas du dos et croupion blancs ;
queue blanche marquée de noir.*
Habitat : *toundra ; étangs, marais, battures
en migration et en hiver.*

Le bécassin à long bec et le bécassin roux *(Limnodromus griseus)* confondent les observateurs
tant ils se ressemblent. La longueur seule de leur
bec permet de les distinguer, et encore n'est-ce
pas évident même quand ils sont ensemble. Le
premier est peut-être aussi un peu plus gros que
le second. Bien que chez les deux le cri soit mono-
syllabique, celui du bécassin à long bec est un
couic aigu, tandis que le bécassin roux émet un
faible *tiou* de basse tonalité.

Bécasseau sanderling
Calidris alba

Longueur : *18-20 cm (7-8 po).*
Traits : *tête, poitrine et dos roux
moucheté en plumage nuptial ;
dessus gris, dessous blanc en hiver ;
pattes et bec noirs ; large bande
alaire blanche, visible en vol.*
Habitat : *toundra ; plages de sable
en migration et en hiver.*

Ce petit bécasseau trapu affectionne les grèves
sableuses. Là où chaque vague abandonne sa moisson, on voit les bécasseaux sanderlings avancer en
bande, reculer quand vient l'onde pour retourner
se nourrir lorsque l'eau se retire. Les grandes bandes s'envolent facilement, mais un petit groupe ne
fuira pas à l'approche d'un promeneur.

Bécasseau maubèche
(bécasseau à poitrine rousse)
Calidris canutus

Longueur : *25-28 cm (10-11 po).*
Traits : *trapu, à cou et bec courts ; poitrine
rousse (blanchâtre en hiver).*
Habitat : *toundra ; battures, grèves
en migration et en hiver.*

C'est le seul bécasseau à bec court et droit qui ait
la poitrine rousse au printemps ; en automne, il
ressemble à une maubèche trapue. Il niche dans
les régions arctiques du globe et émigre en Australie ou en Amérique du Sud. L'espèce voyage en
bandes qui exécutent les mêmes mouvements. A
marée basse, ils se nourrissent l'un à côté de l'autre en fouillant la vase de leur bec.

Bécasseau variable
(bécasseau à dos roux)
Calidris alpina

Longueur : *20-23 cm (8-9 po).*
Traits : *abdomen noir, dessus rouge-
brun en plumage nuptial ;
long bec incurvé au bout.*
Habitat : *toundra ; marais, étangs, bords
de mer en migration et en hiver.*

Ce bécasseau de taille moyenne, au bec plutôt
long et incurvé au bout, hiverne le long des deux
océans. Pour se nourrir, il picore le sol mouillé,
le bec entrouvert. Lorsqu'il repère un ver, il le
pique du bec et le tire à lui. Sur son passage, il
laisse une multitude de trous, gros comme une
tête d'épingle.

en hiver

en plumage
nuptial

en plumage
nuptial

en hiver

Bécasseau d'Alaska
Calidris mauri

Longueur: *15-18 cm (6-7 po).*
Traits: *bec long (surtout chez la femelle)
et incurvé au bout; pattes noires; dessus
rougeâtre, rayures sur la face et la poitrine
(gris en hiver); se nourrit en eau assez profonde.*
Habitat: *toundra; marais, terres marécageuses,
régions côtières en migration et en hiver.*

C'est un de nos trois plus petits bécasseaux. Ces
oiseaux se ressemblent beaucoup, surtout lorsqu'ils ne sont pas en plumage nuptial. Leur cri
aide à les distinguer. Le bécasseau d'Alaska lance
un *chîp-chî-î-îp* qui rappelle celui du jeune merle.
Le cri du bécasseau semi-palmé, d'une tonalité
plus basse, ressemble à un *chîrp* et celui du bécasseau minuscule s'entend comme un *coûîîîît* moins
bref que le cri du précédent. Leurs voies migratoires aident également à les identifier. Le bécasseau
d'Alaska suit généralement la côte du Pacifique
que fréquente peu le bécasseau semi-palmé.

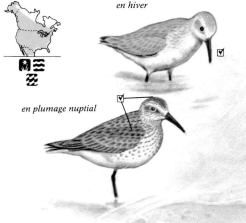

en hiver

en plumage nuptial

juvénile

*bande mélangée
d'oiseaux de rivage*

Bécasseau minuscule
Calidris minutilla

Longueur: *13-15 cm (5-6 po).*
Traits: *petite taille; dos brun foncé
en plumage nuptial (plus clair en hiver);
poitrine rayée; pattes jaunes;
se nourrit en terrains herbeux ou marécageux.*
Habitat: *toundra, terrains humides
dans le Nord; marais, rives d'étangs, terres
basses, bords de mer en migration et en hiver.*

C'est le plus petit de nos bécasseaux et il aime les
terrains vaseux. Comme la plupart de ses congénères, le mâle exécute un vol nuptial. Il s'élève et,
les ailes inclinées vers le bas, il les agite d'un mouvement vibratoire, vole en rond et lance de multiples trilles. Il peut monter jusqu'à 45 m (150 pi) et
changer d'altitude en cours d'exécution. Il chante
aussi quand il est au sol. Son chant est très varié;
un observateur a particulièrement apprécié une
série de trilles très doux et très purs qui montaient
d'une octave sur le mode mineur.

Bécasseau semi-palmé
Calidris pusilla

Longueur: *13-18 cm (5-7 po).*
Traits: *dessus brun-gris tacheté (plus gris
en hiver); dessous blanc; pattes et pieds noirs.*
Habitat: *toundra; bords de lac,
terres humides, côtes en migration et en hiver.*

Souvent réunis en grandes bandes mixtes, les bécasseaux semi-palmés sont parmi les oiseaux de
rivage les plus répandus ici. Les juvéniles, comme
beaucoup d'oiseaux de rivage, peuvent quitter le
nid quelques heures à peine après l'éclosion des
œufs. Clairs dessous et chamois rayé de crème
dessus, ils se confondent avec les paysages de la
toundra et deviennent invisibles lorsqu'ils s'im-
mobilisent. On a vu en Alaska un harfang des neiges poursuivre un bécasseau femelle et son petit.
Pour lui échapper, les deux se sont aplatis au sol
sans bouger. Le harfang a survolé l'endroit puis
s'en est allé, incapable de les distinguer.

99

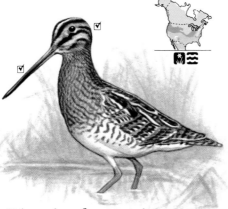

Bécassine des marais
Gallinago gallinago

Longueur : *25-30 cm (10-12 po).*
Traits : *long bec effilé ; tête, gorge et dos rayés ;
croupion sombre ; pattes moyennes.*
Habitat : *marais d'eau douce, marécages,
vasières, prés humides, berges de cours d'eau.*

Si bécassines et bécasses sont à proprement parler
des bécasseaux, elles diffèrent de ceux-ci par leur
habitat et leur aire de dispersion. La bécassine fréquente les prés humides. Le mâle est célèbre pour
les vols spectaculaires qu'il exécute devant la
femelle au temps des amours. Au crépuscule, le
printemps, on entendra parfois une sorte de tré-
molo qui semble venir de nulle part. Ce n'est pas
un cri, c'est un son produit par le passage de l'air à
travers les plumes déployées de sa queue.

Bécasse d'Amérique
Scolopax minor

Longueur : *25-30 cm (10-12 po).*
Traits : *oiseau trapu à courtes pattes ;
long bec ; ailes arrondies ; queue
courte ; bruissement d'ailes à l'envol.*
Habitat : *terrains boisés humides près de
clairières ; fourrés d'aulnes, terres basses.*

Le rituel de la parade chez la bécasse d'Amérique commence par des *pînt* nasillards et espacés
au crépuscule ou à l'aube, parfois durant la nuit.
Puis l'oiseau s'envole dans un grand sifflement
d'ailes et s'élève à quelque 60 m (200 pi) ; il vole
en cercle et fait entendre une sorte de vrombis-
sement qui accompagne sa descente. La bécasse
fréquente des terrains plus secs que la bécassine,
mais il est possible de les apercevoir ensemble.
Au premier coup d'œil, elles se ressemblent. Cependant, la bécasse s'envole en ligne droite et la
bécassine, en zigzag ; la bécasse a des rayures
transversales sur la tête, tandis qu'elles sont longitudinales chez la bécassine.

Chevalier solitaire
Tringa solitaria

Longueur : *18-23 cm (7-9 po).*
Traits : *pourtour des yeux blanc ;
queue rayée ; longues pattes noires.*
Habitat : *régions boisées et humides,
bords de lacs et de cours d'eau ; parfois
régions côtières en hiver.*

Cet oiseau svelte et élégant pond ses œufs non au
sol comme la plupart des chevaliers, mais dans
les nids abandonnés par des merles dans les
arbres. Il se nourrit dans des endroits humides :
marais, marécages, rivages vaseux et peu profonds, trous bourbeux de bestiaux. On peut le
confondre avec le chevalier grivelé, mais son
comportement est moins fébrile, il n'a pas de
rayure alaire blanche et son cri est plus strident.
Son appel, *pît-ouît*, est tout à la fois léger et aigu.

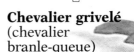

Chevalier grivelé
(chevalier
branle-queue)
Trinea macularia

Longueur : *18-20 cm (7-8 po).*
Traits : *dos foncé ; dessous blanc
à taches rondes noires
en plumage nuptial :
rayure alaire blanche en vol.*
Habitat : *rivages rocailleux
des lacs, étangs, rivières et
ruisseaux ; parfois régions côtières
en migration et en hiver.*

Ce chevalier a l'habitude, au sol, d'agiter de haut
en bas la partie postérieure du corps, particulièrement la queue. En cas de danger, il s'envole, les
ailes tendues et arquées vers le bas. Des séries de
courts battements d'ailes alternent avec de courtes glissades. Contrairement aux bécasseaux, le
chevalier femelle n'est pas monogame : elle peut
s'accoupler avec deux ou trois mâles. Le dernier
seulement demeurera avec elle durant l'incubation et l'aidera à prendre soin des petits.

Maubèche des champs
Bartramia longicauda

Longueur : 24-27 cm (9½-10½ po).
Traits : *petite tête ; long cou ; dessus brun ; dessous blanc ; poitrine et flancs mouchetés ; plumes externes des ailes plus sombres que le reste des ailes et le dos ; plumes centrales de la queue brun foncé, plumes externes rayées.*
Habitat : *prairies, champs cultivés.*

Cet oiseau à longues ailes vole très haut en migration et en période d'accouplement. Il descend en plongée, les ailes repliées le long du corps, freine à la dernière minute, atterrit lentement et garde un instant les ailes ouvertes au-dessus du dos avant de les replier avec soin. La voix de la maubèche des champs est très émouvante. « Lorsqu'on l'a entendue une fois dans toute sa perfection, on ne peut plus l'oublier », déclarait un ornithologue. C'est un trille doux et mélodieux, légèrement roulé. On avait autrefois classé cette maubèche parmi les pluviers ; l'erreur a été rectifiée depuis.

Phalarope de Wilson
Steganopus tricolor

Longueur : 20-25 cm (8-10 po).
Traits : *cou long et fin ; bec mince ; femelle : dos rayé noir et rouge ; mâle en plumage nuptial : dos plus clair, moins rouge ; dos gris en hiver.*
Habitat : *étangs peu profonds, marais et nappes d'eau salée.*

Les phalaropes sont des oiseaux remarquables à plusieurs égards. Bien qu'oiseaux de rivage, ils passent beaucoup de temps dans l'eau. Par ailleurs, c'est la femelle au plumage coloré qui prend l'initiative de la pariade ; le mâle, de teinte terne, construit le nid, couve les œufs et élève les petits. Le phalarope de Wilson fréquente les eaux douces. Pour se nourrir, il nage au milieu des lacs et des étangs herbeux peu profonds en décrivant de petits cercles pour saisir d'un coup de bec rapide les bribes de nourriture qui flottent. Les phalaropes à bec large et à bec étroit (*Phalaropus fularius* et *lobatus*) préfèrent les eaux salées.

Bécasseau à poitrine cendrée
Calidris melanotos

Longueur :
20-23 cm (8-9 po).
Traits : *poitrine chamois à rayures verticales tranchant sur l'abdomen blanc ; pattes jaunâtres.*
Habitat : *toundra ; terres humides, étangs, prés, marais en migration.*

Cet oiseau de rivage niche depuis l'est de l'Alaska jusqu'à la baie d'Hudson et hiverne en Amérique du Sud. Durant son périple vers le nord, il fait escale dans les marais et les champs, alors que les bécasseaux fréquentent d'ordinaire les terrains vaseux et les grèves. L'espèce s'immobilise en cas d'alerte, puis prend son envol en zigzaguant. Dans son aire de nidification, le mâle en comportement de pariade gonfle la gorge et émet un roucoulement qui ressemble à un grognement.

mâle

Phalarope de Wilson

femelle

Goéland à bec cerclé
Larus delawarensis

Longueur : *43-50 cm (17-20 po).*
Traits : *manteau gris clair ; bout des ailes noir maculé de blanc ; bec jaune à anneau noir au bout ; pattes jaunes ; bande noire sur la queue des juvéniles.*
Habitat : *lacs, rivières, côtes, dépotoirs.*

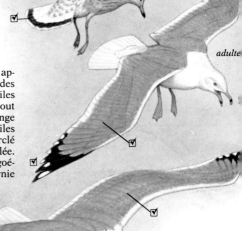

juvénile

adulte

Pour distinguer les goélands les uns des autres, il faut apprendre à remarquer certains traits : taille respective des espèces, couleur de la tête, du dos et du dessus des ailes (le manteau), du bec et des pattes ; marques sur le bout des ailes et la queue. Le plumage des goélands change aussi avec les saisons et avec l'âge. Comme les juvéniles de plusieurs autres espèces, le jeune goéland à bec cerclé présente un manteau brunâtre et une tête maculée. Quant aux adultes, ils ressemblent en plus petit au goéland argenté, plus commun, et au goéland de Californie *(Larus californicus).*

Goéland argenté
Larus argentatus

Longueur : *56-66 cm (22-26 po).*
Traits : *manteau gris clair ; bout des ailes noir tacheté de blanc ; bec jaune (tache rouge près du bout) ; pattes rosées ; juvénaux et juvéniles, brun clair à queue sombre.*
Habitat : *lacs, rivières, côtes, dépotoirs.*

adulte

Très commun, le goéland argenté joue un rôle important dans la nature en nettoyant les ports et les grèves. Il mange aussi des crabes et de petits animaux aquatiques, sait ouvrir les palourdes en les laissant tomber sur un rocher ou une route et ne dédaigne pas les œufs et les poussins des autres oiseaux. L'espèce niche en colonies sur les dunes, derrière la ligne des hautes marées, dans une dépression tapissée de brindilles, d'algues et de plantes. Les poussins, qui mangent les aliments régurgités par l'adulte, signalent l'heure du repas en picorant la tache rouge sur le bec des parents.

juvénal

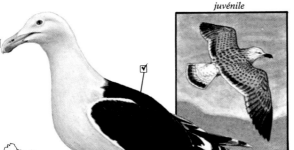

juvénile

Goéland marin
(goéland à manteau noir)
Larus marinus

Longueur : *69-81 cm (27-32 po).*
Traits : *manteau noir ; bec jaune à tache rougeâtre près du bout ; pattes roses ; juvéniles : bec sombre et frange blanche au bout de la queue.*
Habitat : *côtes, rivages des grands lacs et rivières ; dépotoirs.*

Le goéland marin, le plus grand goéland au monde, étend sans cesse son territoire vers le sud, comme le goéland argenté. C'est un nécrophage et un prédateur. Dans les bandes mixtes, cet oiseau remarquable occupe d'ordinaire le perchoir le plus haut et domine tous les autres sans se gêner pour s'emparer de leur pitance. Le goéland d'Audubon *(Larus occidentalis)*, qui fréquente la côte du Pacifique, arbore un manteau ardoise plutôt que noir et il est plus petit.

juvénile

adulte

adulte

juvénile

Mouette atricille
(mouette à tête noire)
Larus atricilla

Longueur : 38-43 cm (15-17 po).
Traits : tête noire en plumage
nuptial, blanche avec tache
grise sur la nuque en hiver ;
manteau gris foncé ; ailes à bout
noir et frange blanche ; juvéniles :
dessus et poitrine foncés ; bande
sombre sur la queue.
Habitat : côtes, estuaires, marais salés.

Les mouettes atricilles s'éloignent rarement de la
mer, même s'il leur arrive de se baigner et de boire
dans l'eau douce, ou de visiter les champs fraî-
chement labourés en quête d'insectes et de vers
de terre. Dans le Sud, elles se tiennent avec les
pélicans bruns auxquels elles volent des poissons.
Elles suivent les bateaux de pêche en quête de
nourriture. Leur cri ressemble à un rire.

Mouette de Franklin *Larus pipixcan*

Longueur : 35-40 cm (14-16 po).
Traits : semblable à tout âge à la mouette à tête
noire sauf l'adulte qui a une étroite bande blanche
entre le manteau gris et le bout noir des ailes.
Habitat : prairies, marais, étangs ; côtes en hiver.

La mouette de Franklin niche loin de l'eau salée,
dans les marais de la prairie. Son nid est une
masse de plantes aquatiques flottantes, ancrée à
des plantes vivantes. En été, on voit souvent ces
gracieux oiseaux en quête d'insectes décrire de
grands cercles au-dessus des champs, comme des
pigeons. L'espèce porte le nom de Sir John Franklin, explorateur au XIXe siècle.

*adulte
en hiver*

en plumage nuptial

Goéland (mouette) de Heermann
Larus heermanni

Longueur : 43-50 cm (17-20 po).
Traits : seule mouette foncée
à tête pâle ; bec rouge ;
juvéniles : gris-brun foncé.
Habitat : côtes, eaux côtières
après la nidification et en hiver.

Ce goéland se distingue par sa couleur et ses
mœurs migratoires. Au printemps, il niche dans
les îles du Mexique. Après la nidification, une partie de la population passe l'été très au nord puis
hiverne au large de la Californie, tandis que les
autres vont au sud du Guatamela. Le goéland de
Heermann dérobe souvent des poissons aux pélicans, mais il en attrape lui-même à la surface de
l'eau après les avoir répérés du haut des airs.

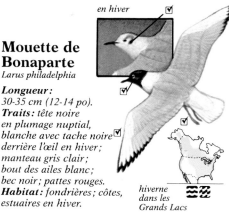

en hiver

Mouette de Bonaparte
Larus philadelphia

Longueur :
30-35 cm (12-14 po).
Traits : tête noire
en plumage nuptial,
blanche avec tache noire
derrière l'œil en hiver ;
manteau gris clair ;
bout des ailes blanc ;
bec noir ; pattes rouges.
Habitat : fondrières ; côtes,
estuaires en hiver.

*hiverne
dans les
Grands Lacs*

La mouette de Bonaparte niche dans la zone fo-
restière et marécageuse du Nord. Elle construit
son nid avec des brindilles et de la mousse dans
une épinette, à 6 m (20 pi) de hauteur parfois.
En hiver, l'espèce fréquente les côtes de l'Atlantique et du Pacifique. Cette petite mouette vole
comme une sterne et pêche à la volée des petits
poissons et des crustacés à la surface de la mer.
Elle doit son nom non pas au célèbre empereur de
France, mais à son neveu, Charles-Lucien Bonaparte, ornithologue.

en hiver

Sterne de Forster
Sterna forsteri

Longueur : *34-40 cm (13½-16 po).*
Traits : *queue très fourchue ;
manteau gris, bord externe de
l'aile blanc ; en plumage nuptial :
bec orangé à bout noir, calotte
noire ; en hiver : tête blanche, raie
sourcilière noire, bec noir.*
Habitat : *marais, lacs, étangs, côtes.*

Si elle ressemble à la sterne pierregarin avec ses
ailes pointues et sa queue fourchue, elle en diffère
par ses mœurs. C'est un oiseau de marais qui fréquente peu les grèves où ses cousines nichent. Elle
fait son nid dans une petite dépression tapissée de
verdure et non dans le sable. Contrairement aux
sternes, elle gobe des insectes en plein vol. La
sterne de Forster se distingue encore par son cri
bas et légèrement nasillard.

Sterne pierregarin
Sterna hirundo

Longueur : *33-38 cm (13-15 po).*
Traits : *queue très fourchue ;
manteau gris ; noir sur le bord
externe de l'aile ; en plumage
nuptial : bec rouge à bout noir, calotte noire,
pattes rougeâtres ; en hiver : front et
vertex blancs, raie sourcilière et nuque noires.*
Habitat : *marais, lacs, côtes.*

Cet oiseau a un vol admirable. Gracieuse, souple,
agile, la sterne pierregarin fréquente les lacs intérieurs, les ports de mer et les plages où elle niche.
L'aire de nidification de cette sterne recouvre
celle de la sterne arctique *(Sterna paradisaea)*
dans le Nord-Est du continent, où il est facile de
les confondre. Même leurs cris rauques, *quèrr,
quèrr* et aussi *quit, quit* se ressemblent.

Sterne naine
(petite sterne) *Sterna albifrons*
Longueur : *20-23 cm (8-9 po).*
Traits : *petite taille ; queue peu fourchue ; bec jaune ;
calotte et raie sourcilière noires en plumage nuptial ; front blanc ;
manteau gris et frange externe des ailes noire ; pattes jaunâtres.*
Habitat : *fondrières, plages, rivières, estuaires, côtes.*

Comme ses cousines, la plus petite sterne de l'Amérique du Nord
nidifie en colonies. Son nid, une dépression dans le sable, est
tapissé de plantes, de cailloutis et de fragments de coquillages. La
femelle y pond deux ou trois œufs mouchetés. Les poussins couleur de sable peuvent voler dès la troisième semaine.

Bec-en-ciseaux noir
Rynchops niger

Longueur : *40-45 cm (16-18 po).*
Traits : *grande taille ; bec robuste, rouge, à bout
noir et longue mandibule ; dessus noir,
dessous blanc ; juvéniles : dessus brun tacheté.*
Habitat : *marais salés, côtes, estuaires, lagunes.*

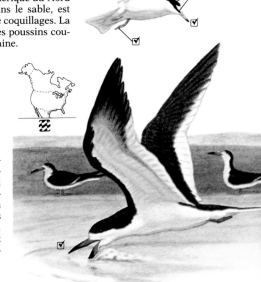

Apparenté aux goélands et aux sternes, le bec-en-
ciseaux noir vole à la surface de l'eau en y enfon-
çant seulement l'extrémité de sa mandibule. Ainsi
peut-il écumer tous les petits poissons et les crustacés qu'il rencontre. La mandibule mesure 2,5 cm
(1 po) de plus que la maxille et elle croît deux fois
plus vite, car la friction de l'eau l'use sans cesse.
Le bec-en-ciseaux noir pêche aussi en marchant
dans l'eau peu profonde et cueille ses proies comme un poussin s'empare d'un ver de terre.

Guifette noire
(sterne noire)
Chlidonias niger

Longueur : *22-25 cm (8¹/₂-10 po).*
Traits : *petite taille ; corps sombre en vol ; tête et abdomen noirs (un peu de blanc en hiver) ; manteau, croupion et queue gris foncé.*
Habitat : *lacs, marais ; côtes en migration.*

Même si la guifette noire fréquente les bords de mer, elle nidifie dans les lacs intérieurs et les marais d'eau douce ou saumâtre, construisant son nid dans un endroit surélevé et entouré d'eau, un terrier de rat musqué par exemple. Deux autres espèces à plumage foncé se rencontrent aussi en Amérique du Nord ; il s'agit de la sterne fuligineuse *(Sterna fuscata)* et du noddi brun *(Anous stolidus)* qui nidifient dans l'île de la Tortue, au sud-ouest des Keys, en Floride.

Guillemot marmette
(marmette de Troïl)
Uria aalge

Longueur : *35-40 cm (14-16 po).*
Traits : *dessus noir, dessous blanc ; long bec fin ; plus de blanc sur la tête en plumage d'hiver ; se tient au large en dehors des périodes de nidification.*
Habitat : *falaises, îles ; haute mer en hiver.*

Les guillemots marmettes nidifient en vastes colonies sur des falaises. La femelle pond un seul œuf piriforme sur le roc nu (sa forme l'empêche de rouler dans l'abîme). Avant que le jeune oiseau sache voler, il plonge dans la mer retrouver les adultes — pas nécessairement ses parents — qui le nourrissent durant plusieurs semaines. Ces oiseaux pêchent sous l'eau ; on en trouve par milliers dans les filets de pêche industrielle à saumons.

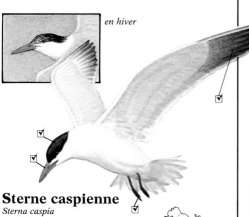

en hiver

Macareux
huppé

Sterne caspienne
Sterna caspia

Longueur : *48-56 cm (19-22 po).*
Traits : *grande taille ; bec robuste et rouge ; calotte noire (front rayé de blanc en hiver) ; manteau gris ; extrémités sous-alaires noirâtres ; pattes et pieds noirs.*
Habitat : *lacs, marais, estuaires, côtes.*

C'est une sterne de forte taille qui se compare au goéland argenté et vole en planant comme lui. Elle niche partout dans le monde sur le bord des lacs et des océans ; le premier sujet décrit avait été observé près de la mer Caspienne. La sterne royale *(Sterna maxima)*, qui hante les côtes du Sud, est presque aussi grosse que celle-ci, mais a un bec plus fin, des pattes plus courtes et son front est toujours blanc.

Macareux moine
Fratercula artica

Longueur : *25-33 cm (10-13 po).*
Traits : *gros bec comprimé latéralement et très coloré ; dessus noir ; face et poitrine blanches ; face noirâtre et bec plus petit en hiver ; rapides coups d'aile en vol.*
Habitat : *côtes rocheuses ; haute mer en hiver.*

Ce curieux oiseau (emblème aviaire de la province de Terre-Neuve) poursuit les poissons en « volant » sous l'eau. En période de nidification, un adulte peut rapporter d'un coup à son terrier plus de 20 petits poissons. Les poussins sont nourris au nid pendant une cinquantaine de jours. Dans le Pacifique, le macareux huppé *(Fratercula cirrhata)* nidifie dans les îles depuis le sud de la Californie jusqu'au nord de l'Alaska.

105

urubu   épervier   buse   aigle   balbuzard   busard   faucon

Classification des oiseaux de proie. L'urubu a de grandes ailes et une petite tête. L'épervier est un faucon aux ailes arrondies et à petite queue, tandis que la buse est un faucon à larges ailes et à queue courte. Les ailes de l'aigle sont très longues et larges ; celles du balbuzard, étroites et incurvées au carpe. Le busard des marais a les ailes et la queue pointues et longues, comme le faucon.

Urubu (vautour) à tête rouge
Cathartes aura

Longueur : *66-80 cm (26-32 po) ; envergure 1,80 m (6 pi).*
Traits : *grand oiseau noir ; tête dégarnie rouge (noirâtre chez les juvéniles) ; longue queue ; ailes en V quand il plane.*
Habitat : *divers, surtout près des arbres morts.*

L'urubu à tête rouge vole avec une aisance admirable. Seul ou en bande, il plane et ondoie avec grâce, les ailes étendues en un grand V ouvert. L'urubu noir *(Coragyps atratus)*, qui habite plus au sud, garde les ailes droites et les agite souvent, tandis que l'urubu à tête rouge ne bat des ailes que s'il veut rejoindre un courant ascendant. Les urubus se nourrissent de chair fraîche, mais surtout de charogne. Le plus grand urubu d'Amérique du Nord, le condor de Californie *(Gymnogyps californianus),* qui est menacé d'extinction, mesure jusqu'à 3 m (10 pi) d'envergure.

Epervier brun
Accipiter striatus

Longueur : *25-35 cm (10-14 po).*
Traits : *petite taille ; ailes courtes et arrondies ; longue queue rayée ; poitrine finement striée de cannelle.*
Habitat : *forêts, brousse.*

C'est le plus petit épervier d'Amérique du Nord ; il se nourrit d'oiseaux et de petits mammifères. Les femelles sont plus grosses que les mâles. Le plus grand épervier est l'autour des palombes *(Accipiter gentilis)* des forêts nordiques. L'épervier de Cooper *(Accipiter cooperii)* ressemble à l'épervier brun, mais il est plus lourd et plus audacieux en vol. Les éperviers battent des ailes, puis se laissent planer, les ailes à plat ou un peu redressées, avant de recommencer à ramer.

Petite buse
Buteo platypterus

Longueur : *34-48 cm (13½-19 po).*
Traits : *queue fortement rayée de noir et de blanc ; ailes blanchâtres dessous ; poitrine rayée de brun roux ; juvéniles : dessous rayé et queue rayée plus finement.*
Habitat : *forêts de feuillus.*

Cette petite buse est silencieuse et presque sédentaire. En période de nidification, cependant, les couples décrivent de grands cercles dans les airs en lançant un cri mélancolique. Leur migration est spectaculaire. Les oiseaux forment une spirale autour d'un courant chaud et ascendant et se laissent planer jusqu'au courant suivant. A mesure que les groupes se réunissent, leur ligne s'allonge entre les spirales, à une telle altitude que souvent on ne peut plus la voir.

Buse à queue rousse
Buteo jamaicensis

Longueur : *48-66 cm (19-26 po) ;*
envergure 1,35 m (4½ pi).
Traits : *queue roux vif, très visible en vol ; gorge et dessous blancs, bande sombre sur l'abdomen ; juvéniles : queue brune finement rayée.*
Habitat : *divers types ; surtout forêts à clairières.*

Lorsqu'un oiseau se laisse planer, puis s'immobilise comme s'il était « épinglé dans le ciel » en dépit du grand vent, c'est une buse à queue rousse. La coloration de cette buse est très variable ; dans l'Ouest, certains sujets sont très foncés ; d'autres, très pâles. Les buses chassent du haut des airs ou d'un grand arbre. Elles se nourrissent surtout de petits mammifères. Parmi les grandes buses, on connaît la buse rouilleuse *(Buteo regalis)* des prairies de l'Ouest, moins commune, et la buse pattue *(Buteo lagopus)* qui niche dans l'Arctique.

Buse à épaulettes
Buteo lineatus

Longueur : *43-60 cm (17-24 po) ;*
envergure 1 m (3½ pi).
Traits : *tache rouge-brun sur l'épaule ; abdomen et dessous des ailes près du corps roux ; longue queue à larges bandes noires et raies blanches ; juvéniles : pas d'épaulettes ; brun rayé dessous.*
Habitat : *forêts humides et clairsemées, terres basses, régions humides.*

Cette buse au coloris frappant plane peu et se perche généralement sous la cime d'un grand arbre. C'est là que la femelle construit son nid, dans l'angle de deux grosses branches. Elle pond deux ou trois œufs, parfois davantage. Les parents couvent à tour de rôle pendant trois semaines et demie et s'occupent tous deux des petits. Cinq ou six semaines après l'éclosion, ceux-ci quittent le nid. La buse à épaulettes mange de tout : mammifères, oiseaux, grenouilles, serpents, etc.

Buse de Swainson
Buteo swainsoni

Longueur : *48-56 cm (19-22 po).*
Traits : *queue finement rayée, bande large près du bout ; dessus noir ; dessous sombre (phase foncée) ou blanc avec bande pectorale sombre (phase claire) ; juvéniles : fortes rayures pectorales.*
Habitat : *brousse, plaines, forêts clairsemées.*

Cette buse se voit fréquemment en terrain découvert dans l'Ouest et émigre en bande, comme la petite buse. En vol, elle tient ses ailes un peu au-dessus de l'horizontale : indice qui permet de l'identifier. Lorsque la bande fait escale, quelques buses demeurent au sol s'il n'y a pas assez de perchoirs pour toutes dans les arbres. Elles dévorent grillons et sauterelles mais attrapent aussi des spermophiles en s'installant sur un monticule de terre devant l'entrée du terrier dans l'espoir qu'un étourdi vienne se jeter dans leurs serres.

107

Aigle royal
Aquila chrysaetos

Longueur : *75 cm-1,05 m (30-41 po) ;*
envergure 2,30 m (7½ pi).
Traits : *grande taille ; ailes à l'horizontale*
en planant ; plumage brun sombre ; nuque et
vertex brun doré ; juvéniles : base de la queue
et rémiges secondaires blanches.
Habitat : *endroits isolés et dégagés, montagnes.*

En vol, comme à la chasse, l'aigle royal porte bien
son nom. Sa rapidité lui permet d'attraper au vol
gélinottes et lagopèdes, mais il se nourrit plus souvent de spermophiles, de chiens de prairie et de
lapins. Il s'attaque en hiver à des mammifères de
la taille d'un chevreuil sans pouvoir cependant
s'envoler avec sa proie. L'espèce construit son nid
avec des branchages sur une falaise ou dans un
arbre et protège tout autour un territoire de
200 km² (75 mi²). Les juvéniles qui ont du blanc à
la base de la queue et sur les rémiges secondaires
ressemblent peu aux adultes.

Pygargue (aigle) à tête blanche
Haliaeetus leucocephalus

Longueur : *90 cm-1 m (35-40 po) ;*
envergure 2,30 m (7½ pi).
Traits : *grande taille ; tête, queue et cou*
blancs ; corps brun sombre ; juvéniles : corps
brun, dessous des ailes blanc.
Habitat : *régions dégagées, forêts, près de l'eau.*

Cet aigle s'accouple pour la vie. Il construit son
nid dans un arbre, sur une falaise ou à même le
sol et l'agrandit chaque année avec des branchages, des herbes et de la terre, si bien que ce nid
finit par peser dans les 450 kg (1 000 lb). Un observateur a vu un pygargue à tête blanche s'envoler
avec la partie supérieure d'un terrier de rat musqué, assuré d'y trouver d'un coup bien des matériaux utiles. L'espèce se nourrit de charogne,
d'oiseaux aquatiques et surtout de poissons. Les
pesticides ont contaminé ses aliments, entraînant
dans bien des endroits le déclin des populations.

Balbuzard (aigle) pêcheur
Pandion haliaetus

Longueur : *53-63 cm (21-25 po) ;*
envergure jusqu'à 1,80 m (6 pi).
Traits : *tête blanche, rayure oculaire sombre ;*
dessus brun ; abdomen blanc ; ailes longues,
incurvées en vol ; tache sombre près du carpe.
Habitat : *près des grands étendues d'eau.*

Le balbuzard pêcheur cherche ses proies du haut
des airs et plonge les pieds en avant, dans un
bruyant jaillissement d'eau. S'il a réussi à capturer un poisson, il s'élève dans les airs et le transporte dans ses serres en le tenant la tête en haut.
L'espèce niche dans les arbres morts, sur les
poteaux de téléphone et les tours, parfois au sol
en milieu isolé. Le nid est construit avec les différents débris qu'on trouve sur le bord de l'eau,
mais aussi avec des branches vertes. Les populations de balbuzard pêcheur — l'emblème aviaire
de la Nouvelle-Écosse — augmentent légèrement.

Busard Saint-Martin
(busard des marais)
Circus cyaneus

femelle

Longueur : *43-60 cm (17-24 po).*
Traits : *ailes et queue longues ; croupion blanc ;
mâle : dessus gris, dessous blanc ; femelle et
juvéniles : dessus brun, dessous clair.*
Habitat : *plaines, lieux déboisés, marais.*

C'est un inlassable chasseur. Ses longues ailes relevées en V, il
plane au-dessus des champs et des marais. Dans son aire de nidification, il plonge et s'élève en décrivant de grands U. Mais il
peut aussi fondre sur sa proie de très haut. Quand il la rapporte
à sa compagne, elle quitte le nid en le voyant approcher et saisit
la proie au vol au moment où il la laisse tomber. Ou encore, ils
se la passent de serres à serres sans que le mâle se pose.

Faucon
des prairies
Falco mexicanus

Longueur : *43-50 cm (17-20 po).*
Traits : *ailes pointues ; longue queue ; dessus
brun clair ; marques sur la tête ; dessous
blanchâtre rayé ; tache noire à la base des ailes.*
Habitat : *lieux dégagés en montagne,
plaines, désert.*

Les faucons sont renommés pour leur vol puissant. Les grandes espèces, comme le faucon des
prairies, se nourrissent d'oiseaux qu'ils cueillent
au vol avec leurs serres dans un spectaculaire
piqué. Les faucons ne construisent pas de nid. La
femelle, qui est un peu plus grosse que le mâle,
pond le plus souvent au sommet d'un rocher isolé
ou sur le bord d'une falaise ; il lui arrive de s'emparer du nid qu'un autre oiseau a abandonné,
fréquemment un nid de corbeau.

Faucon
pèlerin
Falco peregrinus

Longueur : *38-50 cm (15-20 po).*
Traits : *ailes pointues ; longue
queue ; dessus gris-bleu ;
favoris noirâtres ; poitrine
blanchâtre finement rayée ;
juvéniles : dessus brun ; favoris bruns ;
dessous rayé de brun.*
Habitat : *lieux dégagés, des montagnes aux côtes.*

C'est un faucon robuste, capable d'enlever dans
les airs canards et autres oiseaux aquatiques. Son
vol est tout spécialement rapide. Chronométré en
plongée, il a déjà atteint 440 km/h (275 m/h). Le
faucon pèlerin avait été chassé de ses aires de nidification dans l'est du continent par les effets con-
jugués des pesticides et de l'urbanisation. Mais
divers projets ont réussi à réimplanter avec succès
des colonies de faucons pèlerins dans ces régions.

femelle

mâle

Crécerelle d'Amérique *Falco sparverius*

Longueur : *23-30 cm (9-12 po).*
Traits : *petite taille ; mâle : dos roux, ailes bleu-gris,
marques faciales noires, ligne terminale noire sur la queue ;
femelle : ailes rousses, queue et dos roux rayés de noir.*
Habitat : *bois clairsemés, plaines, déserts,
terres agricoles, banlieues, villes.*

On peut observer ce petit faucon diurne, capable de s'adapter
à notre environnement, le long des grandes routes et dans les
banlieues. Il chasse de deux façons : soit qu'il attende, perché
sur un poteau de téléphone ou un arbre, de voir sa proie ; soit
qu'il la cherche en planant et en piquant. Il lui arrive aussi de
survoler les champs en voltigeant à basse altitude. Si la crécé-
relle mange parfois des oiseaux, elle se nourrit surtout d'insectes et de petits mammifères.

109

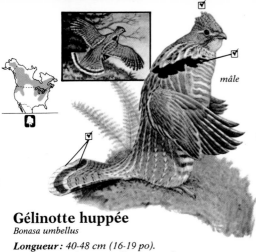

mâle

*mâle
en parade*

Gélinotte huppée
Bonasa umbellus

Longueur : *40-48 cm (16-19 po).*
Traits : *petite huppe ; collerette sombre ; queue en éventail, bordée de noir et de blanc ; dessus tacheté de roux, de brun ou de gris.*
Habitat : *forêts mixtes ou de feuillus.*

Les gélinottes adoptent lors de la pariade un comportement typique à chaque espèce. Le mâle de la gélinotte huppée se perche sur une souche et tambourine des ailes, en produisant une série de sons sourds et lents qui s'accélèrent pour se terminer en un roulement rapide. Dans l'Ouest, la gélinotte des armoises *(Centrocercus urophasianus)* est renommée elle aussi pour son rituel de pariade.

Tétras
(gélinotte) à queue fine
Tympanuchus phasianellus

Longueur : *35-50 cm (14-20 po).*
Traits : *queue étroite, pointue, blanche à l'extérieur en vol ; dessus brun roux, rayé brun sombre ; dessous clair à marques en chevrons.*
Habitat : *plaines, brousse.*

Des danses au sol marquent la pariade. Les coqs écartent leurs ailes, redressent la queue, gonflent les plumes et les sacs d'air qu'ils ont sur le cou. Commencent alors une série de piétinements rapides, de courses et de courbettes pour conquérir les poules. Le tétras à queue fine est l'emblème de la Saskatchewan. Le tétras sombre *(Dendragapus obscurus)* produit un mugissement avec les sacs d'air de son cou. Le tétras du Canada *(Dendragapus canadensis)* tambourine en vol.

hiver

mâle

Lagopède à queue blanche
Lagopus leucurus

Longueur : *30-33 cm (12-13 po).*
Traits : *brun moucheté ; queue, ailes et abdomen blancs ; blanc en hiver ; tache rouge au-dessus de l'œil.*
Habitat : *au-delà de la limite des arbres en montagne, prairies alpines ; lieux peu élevés en hiver.*

C'est le plus petit de nos lagopèdes. Il aime les hauteurs et descend rarement en dessous de la limite des arbres. Les plumes qui lui recouvrent les pieds le tiennent bien au chaud et il survit à l'hiver même s'il mange très peu, quelques bourgeons de saule à l'occasion. En période de nidification, le plumage moucheté de la femelle constitue un camouflage parfait lorsqu'elle couve ; en hiver, les deux sexes, tout blancs, se confondent avec le paysage.

Colin de Virginie
Colinus virginianus

Longueur : *20-25 cm (8-10 po).*
Traits : *petite taille ; queue courte ; mâle : dessus brun roux, raie sourcilière et gorge blanches, collier noir, flancs rayés ; femelle plus terne.*
Habitat : *brousse ; pinèdes ; terres agricoles.*

femelle

mâle

Mâle et femelle construisent ensemble le nid. Il s'agit le plus souvent d'une simple dépression dans le sol, tapissée de brins d'herbe et camouflée par un toit tissé à même la végétation environnante, entremêlée d'aiguilles de pin et d'herbe. La nuit, les colins se reposent en formant un cercle sur le sol, collés les uns contre les autres, la tête tournée vers l'extérieur. Ils restent ainsi bien au chaud même si la neige les recouvre.

OISEAUX

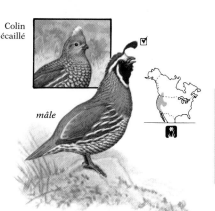

Colin de Californie
Callipepla californicus

Longueur : 23-28 cm (9-11 po).
Traits : *aigrette courbée en avant ; dos brun,
poitrine bleu-gris ; flancs rayés de blanc ;
écailles sur l'abdomen ; motif facial noir et blanc.*
Habitat : *brousse, prés, banlieues.*

mâle

Les colins se nourrissent en bande, et ils postent des senti-
nelles autour d'eux. Ils ne sont pas timides, mais ils s'ef-
fraient facilement. Le cas échéant, ils courent plutôt qu'ils
ne volent pour se cacher. Le colin de Gambel *(Callipepla
gambelii)* fréquente les déserts, comme le colin écaillé *(Callipepla squamata)* dont l'aigrette est toute blanche.

Faisan de Colchide
(faisan à collier)
Phasianus colchicus

Longueur : 56-89 cm (22-35 po).
Traits : *grande taille ; queue longue et
pointue ; mâle à collier blanc ;
femelle plus petite, brunâtre.*
Habitat : *plaines, brousses, terres agricoles.*

Le faisan doit son nom latin aux anciens Grecs
qui importaient cet oiseau, aussi beau que bon à
manger, d'une région arrosée par le fleuve Phase,
en Colchide, près de la mer Noire. L'espèce s'est
acclimatée partout dans le monde. Parmi le gibier
à plume importé en Amérique du Nord, il faut
mentionner la perdrix bartavelle *(Alectoris grae-
ca)*, répandue dans l'Ouest, et la perdrix grise
(Perdix perdix), qu'on rencontre un peu partout
dans le sud du Canada et le nord des Etats-Unis.

mâle

femelle

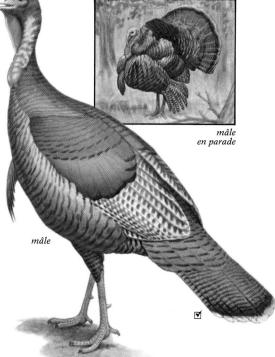

*mâle
en parade*

Dindon sauvage
Meleagris gallopavo

Longueur : 90 cm-1,20 m (3-4 pi).
Traits : *très gros oiseau ;
queue longue à bande subterminale noire ;
mâle brun irisé à tête bleu pâle et caroncules
rouges ; femelle plus petite et plus terne.*
Habitat : *forêts de feuillus, boisés humides.*

Le comportement du coq en pariade est spectaculaire. Il déploie la queue, gonfle les caroncules,
fait vibrer ses ailes et se pavane tout en émettant
un glouglou ininterrompu. Exterminé en plusieurs endroits par le déboisement et la chasse,
l'espèce fait une timide réapparition grâce à des
programmes de repeuplement et de protection. Le
dindon sauvage perche dans les arbres et mange
insectes, baies, graines et noix. Le nid est une dépression tapissée de feuilles en brousse ou en forêt ; la poule est seule à couver jusqu'à 20 œufs à la
fois. Inquiet et farouche, le dindon sauvage peut
voler sur de courtes distances, mais préfère marcher ou courir.

mâle

Pigeon biset
(pigeon domestique)
Columba livia

Longueur : *28-35 cm (11-14 po).*
Traits : *plumage gris, cou pourpre, croupion blanc, queue frangée de noir ; parfois blanc, brun, noir ou panaché.*
Habitat : *villes, fermes.*

Originaire d'Europe et d'Asie, le pigeon biset, qui niche sur des falaises à l'état sauvage, s'est acclimaté à l'environnement de l'homme. Il s'accouple plusieurs fois par an, à partir du mois de mars où le roucoulement des mâles annonce le printemps. Le couple partage l'incubation et le soin des petits qui sont nourris de « lait de pigeon », sécrétion régurgitée par l'adulte à partir de sa nourriture coutumière. Les éleveurs ont créé des races de toutes les couleurs, mais les sujets sauvages sont généralement gris à cou irisé.

Tourterelle à ailes blanches
Zenaida asiatica

Longueur :
25-30 cm (10-12 po).
Traits : *coloris brun ; queue arrondie ; régions alaires et caudale blanches.*
Habitat : *bords de rivières boisés ; fourrés ; broussailles près de l'eau ; oasis ; terres agricoles ; villages et villes.*

Les débutants confondront certaines tourterelles avec le pigeon biset. Mais la tourterelle à ailes blanches, qui habite le sud-ouest des Etats-Unis, la côte du golfe du Mexique et certains endroits plus au sud, est légèrement plus petite que le pigeon et elle porte des marques blanches dans les coins supérieurs de la queue. Elle niche dans des buissons et des arbres, ni très haut, ni très bas et souvent en colonies. Son cri, un ululement rauque, porte loin bien qu'il soit peu fort.

Tourterelle triste
Zenaida macroura

Longueur : *25-30 cm (10-12 po).*
Traits : *corps effilé ; queue longue, pointue, ourlée de blanc ; dessus brun-gris parsemé de points noirs.*
Habitat : *déserts, brousse, boisés, fermes, banlieues, parcs.*

Le cri de la tourterelle triste, un lent et plaintif *o-whou-whou-whou-whou* qui monte sur la seconde syllabe pour descendre sur les trois dernières notes, semble sonner le glas de la tourte, sa cousine, exterminée par l'homme. Dans son nid de brindilles, situé près du tronc dans un conifère, elle pond deux œufs. Le mâle couve le jour, la femelle, la nuit. Les petits, nourris par régurgitation, passent bientôt graduellement aux insectes et aux graines que mangent les adultes.

Colombe à queue noire
Columbina passerina

Longueur : *13-17 cm (5-6½ po).*
Traits : *petite taille ; queue courte et arrondie ; tache alaire fauve visible en vol.*
Habitat : *déserts, champs secs, clairières, terres agricoles.*

Tout en marchant en quête de nourriture, la colombigalline hoche sans cesse la tête (comme d'autres espèces de cette famille). Peu farouche, elle laisse venir le curieux. Si elle s'envole, c'est pour se poser un peu plus loin. Ses marques alaires rouge-brun sont bien identifiables. Dans son habitat méridional, la colombigalline préfère les terrains sableux ou herbeux, les champs de coton, les vergers d'agrumes. Une autre colombe du Sud-Ouest, la tourterelle des Incas *(Scardafella inca)*, qui lui ressemble, a une longue queue étroite ourlée de blanc, comme la tourterelle triste.

Coulicou à bec jaune
Coccyzus americanus

Longueur : *27-32 cm (10½-12½ po).*
Traits : *oiseau long et effilé ; dessus brun-gris ; dessous blanc ; dessous de la queue noir marqué de trois paires de grandes taches blanches ; mandibule jaune ; marques alaires fauves visibles en vol.*
Habitat : *forêts de regain humides, buissons près de l'eau.*

Contrairement aux autres coucous, celui-ci ne pond pas ses œufs dans le nid des autres oiseaux, mais la structure de brindilles grossièrement assemblée et tapissée de végétation molle qui lui tient lieu de nid paraît fragile et anormalement petite pour recevoir une femelle et ses œufs. Depuis l'éclosion jusqu'au moment où ils quittent le nid, les oisillons sont recouverts de piquants comme de petits porcs-épics. En éclatant, ces piquants se transforment en un duvet serré. Le coulicou à bec jaune et son cousin, le coulicou à bec noir *(Coccyzus erythropthalmus),* commun dans l'Est, sont des oiseaux discrets. Ils sautent sans bruit de branche en branche, en lançant de temps à autre un petit *clouc-clouc-clouc.*

Grand géocoucou
Geococcyx californianus

Longueur : *50-60 cm (20-24 po).*
Traits : *grande taille ; longue queue ; huppe échevelée ; marque rouge et bleu clair derrière l'œil ; court vite mais vole peu.*
Habitat : *déserts, régions semi-arides pauvres en buissons et en arbres.*

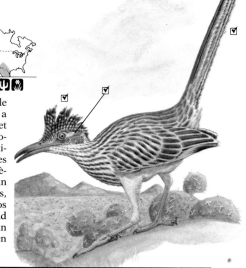

Devenu célèbre grâce à Walt Disney *(The Roadrunner),* le grand géocoucou est un coucou terrestre, même s'il n'en a ni le comportement, ni l'allure. Cet oiseau à longue queue et à longues pattes marche et court avec célérité ; on l'a chronométré à 24 km/h (15 mi/h). Il se nourrit de serpents, venimeux ou non, et de lézards, mais ne dédaigne pas les scorpions, araignées, sauterelles, grillons, petits mammifères, œufs d'oiseaux et petits oiseaux qu'il attrape au vol d'un coup de bec en sautant dans les airs. Dans la plupart des cas, il avale sa proie telle quelle ; mais lorsqu'il s'agit d'un gros lézard, il le bat contre une roche pour l'attendrir. Le grand géocoucou n'est pas silencieux : il croasse, glousse, émet un claquement en frottant sa maxille contre sa mandibule et en plus, il roucoule comme un pigeon !

femelle

mâle

Martin-pêcheur d'Amérique
Megaceryle alcyon

Longueur : *28-35 cm (11-14 po).*
Traits : *huppe échevelée ; bec robuste et pointu ; dessus gris-bleu ; bande pectorale gris-bleu (doublée d'une bande marron chez la femelle).*
Habitat : *rives des lacs, étangs, cours d'eau ; côtes.*

Lorsqu'il quitte son perchoir près d'un lac ou d'un étang, le martin-pêcheur fait entendre son cri habituel : une sorte de crépitement rauque et retentissant. Toujours criant, il s'élance à l'eau, la tête un peu relevée comme s'il voulait voir au loin. Il pêche parfois en surface et plonge sur sa proie. Ou il vole en altitude, fait du surplace en battant des ailes, la tête de côté, et pique en un éclair. Le martin-pêcheur niche de préférence dans un terrier sur une rive abrupte, près de l'eau. La galerie, qui peut mesurer 4,5 m (15 pi), mène à un nid légèrement surélevé.

Effraie des clochers
Tyto alba

Longueur: 33-48 cm (13-19 po).
Traits: face en cœur, presque blanche;
*dessus brun doré; dessous blanc; pattes longues
et emplumées; vole comme un lépidoptère.*
Habitat: forêts en région dégagée, fermes, villes.

Bien avant que ce hibou cosmopolite ne fréquente les fermes, il nichait dans les arbres creux, les cavernes et les terriers. Il le fait encore, mais les constructions de l'homme, clochers, tours, greniers, puits de mines abandonnées, lui conviennent très bien. L'effraie est un chasseur nocturne. Des expériences ont révélé qu'il repère ses proies, des petits mammifères, non à la vue, mais à l'ouïe.

Harfang des neiges
Nyctea scandiaca

Longueur:
48-63 cm (19-25 po).
Traits: grande taille; blanc
mouchété de noir; hibou diurne.
Habitat: toundra; plaines, champs, marais,
grèves en hiver.

Ce hibou niche dans la toundra, près du pôle Nord. Alors qu'il est silencieux en hiver, il ulule, siffle et aboie dans son aire de nidification. Lorsque sa nourriture de lemmings et de lièvres devient rare, il peut migrer jusque dans le nord des Etats-Unis. Il est devenu l'emblème aviaire du Québec en 1987: il en symbolise la blancheur des hivers et l'enracinement de ses habitants dans un climat semi-nordique.

Grand duc d'Amérique
Bubo virginianus

Longueur:
45-60 cm (18-24 po).
Traits: grande taille;
aigrettes saillantes
au-dessus des oreilles;
dessus brun moucheté;
dessous clair, rayé.
Habitat: broussailles;
forêts; déserts;
canyons; terres basses.

Chouette rayée
Strix varia

Longueur: 40-58 cm (16-23 po).
Traits: grosse tête ronde; yeux
noirs; dessus brun moucheté; raies horizontales
sur la gorge, verticales sur l'abdomen.
Habitat: forêts humides, marécages, plaines.

Dans le jour, on verra souvent une bande de petits oiseaux prendre bruyamment à partie un hibou perché dans un arbre: une chouette rayée. Son cri est un ululement moins grave et plus varié que celui du grand duc et avec une note de plus: *hou-hou-ho-iou-â*. Elle émet aussi un appel qui s'apparente au miaulement du chat. La chouette lapone *(Strix nebulosa)*, plus imposante mais plus rare, niche dans les forêts boréales: elle est l'emblème aviaire du Manitoba.

Ce grand hibou, emblème de l'Alberta, est répandu partout dans les deux Amériques. Il ne recule devant aucun mammifère ou oiseau de taille moyenne: mouffette ou porc-épic, canard ou gélinotte. Le grand duc entre en pariade au plus fort de l'hiver. La femelle pond deux ou trois œufs dans le nid abandonné d'un urubu ou d'une corneille, parfois dans un arbre creux ou une grotte. Le cri le plus courant est une série de profonds *hou*. La voix du mâle est plus aiguë que celle de la femelle; ensemble, ils chantent à la tierce.

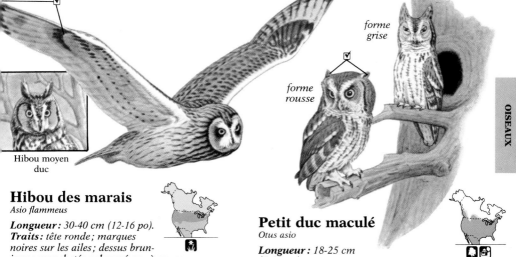

Hibou moyen
duc

forme
grise

forme
rousse

Hibou des marais
Asio flammeus

Longueur : *30-40 cm (12-16 po).*
Traits : *tête ronde ; marques noires sur les ailes ; dessus brun-jaune moucheté ; vol ramé par à-coups.*
Habitat : *toundra, broussailles, plaines, dunes, marais.*

C'est le hibou des grands espaces. Ce chasseur diurne est également actif au crépuscule ; on peut l'apercevoir guettant un petit mammifère du haut d'un pieu de clôture. Il préfère cependant survoler les champs et les marais. L'aire de distribution du hibou des marais englobe les deux Amériques et l'Eurasie. Le hibou moyen duc *(Asio otus)*, très répandu lui aussi mais nocturne, niche dans les arbres et non au sol.

Petit duc maculé
Otus asio

Longueur : *18-25 cm (7-10 po).*
Traits : *petite taille ; aigrettes aux oreilles ; rouge, brun ou gris ; parfois perché devant un trou d'arbre.*
Habitat : *forêts, bosquets, fermes, villes, parcs.*

Le cri de ce petit hibou est un long sifflement tremblotant et sourd qui devient grave vers la fin. Facile à imiter, il provoque alors tout un concert de cris venant de petits oiseaux curieux ou offensés. Le petit duc à moustaches *(Otus trichopsis)*, des montagnes du Sud-Ouest, lui ressemble mais son cri n'a qu'une seule note en diminuendo.

Chevêche (chouette) des terriers
Speotyto cunicularia

Longueur : *20-27 cm (8-10½ po).*
Traits : *tête ronde ; longues pattes ; courte queue ; dessus brun tacheté de chamois et de blanc ; dessous clair.*
Habitat : *plaines, déserts, régions dégagées.*

On l'aperçoit souvent à l'entrée de son terrier, hochant la tête de façon curieuse. Dans l'Ouest, elle niche dans le terrier abandonné d'un chien de prairie. Ce terrier descend doucement sur 1 m (3 pi) environ, revient en arrière au même niveau pour déboucher dans un nid situé à quelque 3 m (10 pi) de l'entrée. La femelle pond cinq ou six œufs sur un lit de plumes, d'herbes et d'excréments séchés de mammifères. Les deux parents se partagent l'incubation et l'éducation des petits. L'espèce se nourrit d'insectes, de reptiles et de rongeurs et chasse aussi bien le jour que le soir.

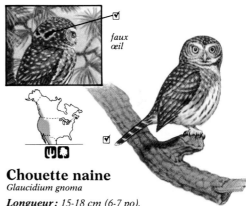

faux
œil

Chouette naine
Glaucidium gnoma

Longueur : *15-18 cm (6-7 po).*
Traits : *petit hibou ; dessus brun, taches noires ourlées de blanc sur la nuque ; dessous blanc rayé sombre ; queue longue.*
Habitat : *forêts mixtes ou de conifères ; canyons boisés en régions sèches.*

La chouette naine ne dépasse pas la taille d'un pinson. Deux traits la caractérisent : une longue queue qu'elle tient souvent relevée et deux taches noires, de « faux yeux », sur la nuque. L'espèce niche dans les trous d'arbres. La chevêchette des saguaros *(Micrathene whitneyi)*, du sud-ouest des Etats-Unis, est encore plus petite et sa queue est courte. Une autre espèce naine, la petite nyctale *(Aegolius acadicus)*, se rencontre partout en Amérique du Nord ; ce hibou nocturne et dépourvu d'aigrettes émet des sifflements.

115

Engoulevent bois-pourri
Caprimulgus vociferus

Longueur: *23-25 cm (9-10 po).*
Traits: *brun moucheté; ailes arrondies; collier blanc ou chamois; plumes externes de la queue blanches chez le mâle; actif au crépuscule.*
Habitat: *bois mixtes ou de feuillus avec clairières.*

Son cri est un retentissant *ouîp-pour-ouîl* dont la dernière syllabe est plus forte et plus accentuée, mais qui ne révèle pas où se trouve l'oiseau. C'est un chasseur nocturne peu visible le jour quand il dort parmi les feuilles mortes en forêt. La femelle pond deux œufs au sol, sans nid. L'engoulevent de Caroline *(Caprimulgus carolinensis)* se retrouve dans le même territoire que son cousin et son cri est comparable, mais plus lent. L'un et l'autre se nourrissent de lépidoptères.

Engoulevent d'Amérique
Chordeiles minor

Longueur:
20-25 cm (8-10 po).
Traits: *brun tacheté; taches blanches sur la gorge, les ailes et la queue (femelle à gorge chamois et queue non rayée); ailes longues et pointues; queue un peu fourchue; vol irrégulier.*
Habitat: *pâturages, bois clairsemés, villes et villages.*

Comme les autres espèces d'engoulevents, celui-ci a une bouche énorme avec laquelle il capture les insectes en vol. L'oiseau chasse de nuit et au crépuscule, en lançant fréquemment son cri, un *pînt* unique, nasillard et rauque. La femelle pond sur le sol, dans du sable ou du gravier, ou encore dans des brûlis ou sur le roc nu; dans les villes, elle affectionne les toits plats des édifices.

Martinet ramoneur *Chaetura pelagica*

Longueur: *10-12,5 cm (4-5 po).*
Traits: *petite taille; plumage gris foncé; plus clair sur la gorge; ailes en lame de faux; queue courte; corps fusiforme en vol.*
Habitat: *boisés, terres agricoles, villes.*

Avant que l'homme ne lui offre des cheminées ou des puits, ce petit oiseau logeait dans des trous d'arbres. Le martinet ramoneur passe la majeure partie de sa vie dans les airs où son vol rapide et saccadé alterne avec de courtes glissades planées. Il émet un cri aigu, *tchit-tchit-tchit.* Personne ne savait jusqu'à récemment où l'espèce passait l'hiver; on sait maintenant que la population entière de martinets ramoneurs émigre dans un coin reculé du cours supérieur de l'Amazone.

Martinet à gorge blanche
Aeronautes saxatalis

Longueur: *15-18 cm (6-7 po).*
Traits: *dessous à motif noir et blanc; longues ailes; queue fourchue.*
Habitat: *régions montagneuses, canyons et falaises.*

C'est un grand martinet qui se perche et niche dans des fissures de falaises, surtout celles qui surplombent de profonds défilés. Une seule fissure peut abriter toute une colonie. Au coucher du soleil, on verra alors une file d'oiseaux s'engouffrer dans les entrailles de la montagne en un rien de temps et dans un ordre parfait. Le martinet de Vaux *(Chaetura vauxi),* plus petit que le martinet à gorge blanche, n'as pas la queue fourchue.

femelle

mâle

Colibri à gorge rubis
Archilochus colubris

Longueur: *7,5-9 cm (3-3½ po).*
Traits: *long bec effilé; dessus vert lustré; gorge rouge chatoyant chez le mâle, blanchâtre chez la femelle.*
Habitat: *forêts mixtes ou de feuillus; jardins dans les villes ou à la campagne.*

Des 15 espèces de colibris, aussi appelés oiseaux-mouches, qui nichent au nord du Mexique, celle-ci est la seule à l'est de la Prairie. Le colibri à queue large *(Selasphorus platycercus)* des montagnes de l'Ouest ressemble à celui-ci, mais leur territoire respectif ne se recouvre pas. Contrairement aux autres oiseaux, le colibri peut monter et descendre en vol, voler à reculons ou s'immobiliser et boire le nectar des fleurs sans se poser. Les fleurs qu'il préfère ont de longues corolles tubulaires, de teinte orangée ou rouge.

Colibri d'Anna
Calypte anna

Longueur: *7,5-10 cm (3-4 po).*
Traits: *bec long et effilé; dessus vert lustré; vertex et gorge rouge sombre irisé chez le mâle; femelle à queue blanche au bout.*
Habitat: *bois clairsemés; maquis, jardins.*

La femelle du colibri d'Anna pond parfois ses œufs dans un nid à demi terminé qu'elle achève tout en couvant. Il est fait, comme tous les nids de colibris, de brindilles et de plantes entrelacées; elle l'accroche à une branche avec du fil d'araignée et le camoufle parfois avec un peu de lichen. La femelle nourrit ses petits sans l'aide du mâle. Elle introduit son long bec dans le leur et leur passe la nourriture qu'elle a glanée: nectar de fleurs, sève, insectes ou araignées.

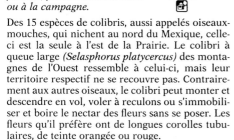

Colibri roux
Selasphorus rufus

Longueur: *9-10 cm (3½-4 po).*
Traits: *mâle: surtout rouge-brun; gorge et côtés de la tête rouge orangé irisé; femelle: dos vert, flancs et base de la queue roux.*
Habitat: *prés alpins, orée des forêts; terres basses en migration.*

Le colibri roux va plus au nord que tout autre colibri. Quand il émigre vers le sud en juillet et en août pour aller au Mexique, il peut se rencontrer en montagne à une altitude de plus de 4 000 m (13 200 pi). Les colibris sont des oiseaux batailleurs, mais celui-ci est particulièrement agressif. On le voit pourtant nicher en colonies, et certains couples ne sont qu'à quelques centimètres les uns des autres. Le colibri d'Allen *(Selasphorus sasin)* qui réside sur la côte Ouest, au sud de l'Oregon, a le dessus de la tête et le dos verts.

Colibri à gorge noire
Archilochus alexandri

Longueur: *7,5-9,5 cm (3-3¾ po).*
Traits: *dos vert lustré; gorge noire, bordée d'amarante irisé chez le mâle; queue un peu fourchue.*
Habitat: *broussailles, bois près des cours d'eau, canyons boisés, prés alpins, jardins.*

Les colibris ne se trouvent qu'au Nouveau Monde. Les explorateurs furent saisis d'admiration devant ces minuscules créatures au plumage chatoyant qui pouvaient monter, descendre, reculer ou s'immobiliser dans un bourdonnement ininterrompu. A la saison des amours, le colibri à gorge noire se laisse balancer au-dessus de la femelle; arrivé au sommet de son arc, il s'arrête et frappe ses ailes l'une contre l'autre sous son abdomen.

Pic à ventre roux
Melanerpes carolinus

Longueur : *20-25 cm (8-10 po).*
Traits : *dos à fines rayures noir et blanc ; nuque rouge ; vertex rouge chez le mâle ; tache blanche au bout des ailes visible en vol.*
Habitat : *forêts, bosquets, vergers, terres agricoles, banlieues.*

Cette espèce abondante dans le sud des Etats-Unis s'étend maintenant vers le nord. Dans le sud de son aire de distribution, elle picore parfois les oranges, mais dévore aussi de grandes quantités d'insectes nuisibles. Ce pic niche d'ordinaire dans un arbre mort, à l'orée de la forêt ; il reprend souvent le même nid d'une année à l'autre. La femelle pond quatre ou cinq œufs immaculés, trait caractéristique des pics. Le pic à ventre roux n'est pas très bien nommé, puisque la tache rouge qu'il a sur l'abdomen est en réalité très peu visible.

Grand pic
Dryocopus pileatus

mâle

Longueur : *35-47 cm (14-18½ po).*
Traits : *grande taille ; huppe rouge ; motif blanc, noir et rouge sur la tête ; dos noir ; dessous des ailes blanc, visible en vol.*
Habitat : *forêts adultes.*

Le martèlement lent et bien rythmé du grand pic peut faire croire qu'un homme fend du bois dans les environs. D'un coup de bec puissant, ce pic creuse de grands trous ovales ou rectangulaires au cœur des arbres infestés par les fourmis perce-bois, son principal aliment. Il y a du bran de scie frais au pied d'un arbre ? Attention : le grand pic est à l'œuvre.

femelle

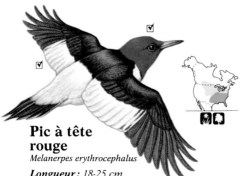

Pic à tête rouge
Melanerpes erythrocephalus

Longueur : *18-25 cm (7-10 po).* **Traits :** *tête et cou rouges ; dessus blanc et noir ; grande tache alaire blanche ; juvéniles : dos et tête bruns.*
Habitat : *bois clairsemés, bosquets, marais à arbres morts.*

Le pic à tête rouge a un régime varié : faines, glands, maïs, fruits, insectes, œufs et poussins. Comme plusieurs pics, cette espèce a l'habitude de se faire des provisions. Elle entasse des sauterelles dans des fentes de poteaux de clôture ; des noix dans les nœuds du bois et les fissures des édifices. Le pic à tête rouge fréquente beaucoup les endroits où les noisetiers poussent en abondance. On reconnaît sa présence au cri qu'il lance fréquemment, un *tcheurr-tcheurr* rauque.

Pic glandivore (pic à chênes)
Melanerpes formicivorus

Longueur : *21-24 cm (8½-9½ po).*
Traits : *motif rouge, noir et blanc sur la tête et le cou ; dessus noir ; tache alaire et croupion blancs.*
Habitat : *chênaies, bois mixtes, canyons, prés alpins peu boisés.*

Le pic glandivore crible le tronc des arbres de petits trous dans lesquels il cache les glands qu'il emmagasine, un par trou. On a déjà trouvé un pin ponderosa truffé de 50 000 glands. Ce pic est aussi remarquable pour son comportement en période de nidification. Contrairement aux autres pics, il est très sociable et niche en colonies d'une douzaine d'individus. Plusieurs couples se mettent ensemble pour creuser un nid et se partagent ensuite la couvaison des œufs et le soin des petits.

pic rosé

pic doré

Pic flamboyant
Colaptes auratus

Longueur : *25-33 cm (10-13 po).*
Traits : *croupion blanc ; croissant noir sur la gorge ; dessous des ailes et de la queue jaune dans l'Est, rouge dans l'Ouest ; « moustache » noire dans l'Est, rouge dans l'Ouest.*
Habitat : *déserts, terres agricoles, banlieues, parcs, forêts clairsemées.*

Le pic flamboyant cherche sa nourriture au sol et capture les insectes avec sa langue qui est très longue. Il niche cependant dans les arbres ou les poteaux de téléphone. Les pics flamboyants voyagent en automne en bandes peu ordonnées qui ne passent pas inaperçues. Au printemps, ils annoncent leur arrivée avec des cris perçants : *fliqueur-fliqueur-fliqueur.*

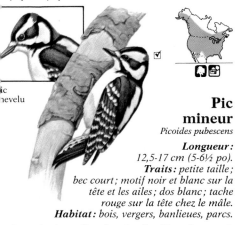

pic chevelu

Pic mineur
Picoides pubescens

Longueur :
12,5-17 cm (5-6½ po).
Traits : *petite taille ; bec court ; motif noir et blanc sur la tête et les ailes ; dos blanc ; tache rouge sur la tête chez le mâle.*
Habitat : *bois, vergers, banlieues, parcs.*

Ce petit pic est l'un des plus familiers de nos régions. En hiver, il vient manger le suif qu'on dépose dans les mangeoires d'oiseaux et se joint souvent à des bandes de petits oiseaux pour voleter en forêt, chaque espèce se nourrissant à sa façon mais protégée par les autres. Le pic chevelu *(Picoides villosus)* vit plus dans les bois que celui-ci. Il est aussi plus grand puisqu'il atteint 25 cm (10 po) de long. Son bec est presque aussi long que sa tête, alors que celui du pic mineur est plus robuste et nettement plus court que la tête.

Pic maculé
Sphyrapicus varius

pic maculé de l'Est

Longueur :
18-22 cm (7-8½ po).
Traits : *longue rayure alaire blanche ; motif noir, blanc et rouge sur la tête et le cou dans l'Est ; tête et poitrine rouges dans l'Ouest ; front, nuque et gorge rouges dans les Rocheuses ; juvéniles : brunâtres avec rayure alaire.*
Habitat : *forêts, boisés, vergers ; parcs en migration.*

Contrairement aux pics précédents, celui-ci n'a pas le bout de la langue corné et ne peut pas extraire les insectes des arbres. Mais il perce une série de trous, surtout dans les bouleaux et les arbres fruitiers, enlève la riche écorce interne et mange la sève ainsi que les insectes qui s'y sont pris au piège.

pic maculé de l'Ouest

Pic tridactyle
(pic à dos rayé)
Picoides tridactylus

Longueur : *18-23 cm (7-9 po).*
Traits : *vertex jaune chez le mâle ; dos noir à barres ou mouchetages blancs ; flancs rayés ; ailes noires.*
Habitat : *forêts de conifères.*

Le pic tridactyle est un oiseau curieux à bien des égards. C'est le seul pic à fréquenter l'Amérique du Nord et l'Eurasie. L'espèce présente trois doigts au lieu de quatre, deux pointant vers l'avant, un vers l'arrière ; le pic à dos noir *(Picoides arcticus)* est lui aussi dans le même cas. Le pic tridactyle mâle a une tache jaune et non rouge sur la tête. Dernier trait : au lieu de forer des trous dans les troncs, il détache l'écorce des arbres morts et se nourrit des perce-bois et autres insectes nichés dessous.

attaquant une corneille

Tyran tritri
Tyrannus tyrannus

Longueur : *18-23 cm (7-9 po).*
Traits : *dessus noirâtre ; dessous blanc ;*
queue noire frangée de blanc ;
battements d'ailes rapides et saccadés.
Habitat : *orée des forêts ; bois ; régions*
dégagées avec quelques grands arbres.

L'écrivain américain Henry Thoreau disait de ce tyran que c'était « un oiseau joyeux » et que son gazouillement « mettait une note de vie et de fraîcheur dans l'air ». Vivant, certes il l'est ce tyran, et même féroce lorsqu'il s'agit de défendre son nid. Corneille ou buse, il vole au-dessus du prédateur et l'attaque du bec inlassablement ; il peut même se poser sur son dos. Le tyran gris *(Tyrannus dominicensis)*, plus gros et plus clair, habite les côtes de la Floride ; il a un gros bec et sa queue fourchue n'a pas de bande blanche.

Tyran de l'Ouest
Tyrannus verticalis

Longueur : *18-23 cm (7-9 po).*
Traits : *plumes externes de la queue*
blanches ; calotte, nuque et dos gris ;
gorge blanche ; dessous jaune.
Habitat : *régions dégagées et arides*
avec quelques arbres ou de hautes
broussailles ; vallées boisées ; fermes.

Ce tyran, comme ses cousins, chasse du haut d'un perchoir. Il s'élance, gobe un insecte au vol et revient en planant à son perchoir. Les adultes entraînent leurs poussins en leur faisant attraper des insectes qu'ils ont auparavant mutilés. Une espèce proche parente, le tyran de Cassin *(Tyrannus vociferans)*, qui est aussi de l'Ouest, a la poitrine plus sombre et n'arbore pas de plumes blanches à la queue.

Tyran à longue queue
Tyrannus forficata

Longueur : *28-39 cm (11-15½ po).*
Traits : *queue profondément fourchue et à très*
longues plumes ; dessus gris pâle ; petite tache rose à l'épaule ;
dessous blanchâtre ; flancs, abdomen et dessous des ailes rosés ;
juvéniles : moins de rose ; queue plus courte.
Habitat : *brousse dégagée avec quelques arbres, poteaux,*
fils et autres perchoirs élevés.

Chez les tyrans à longue queue, le mâle exécute un vol nuptial absolument remarquable. Il monte d'abord à quelque 30 m (100 pi), puis exécute une série de piqués et de remontées abrupts qui se terminent par deux ou trois sauts périlleux exécutés à la suite. Ce tyran chasse les insectes dans les airs et au sol où sa longue queue ne semble pas l'ennuyer pour marcher. Mâles et femelles arborent tous deux de longues plumes à la queue.

OISEAUX

Tyran (moucherolle) huppé
Myiarchus crinitus

Longueur: *18-23 cm (7-9 po).*
Traits: *queue et tache alaire brun-rouge;*
abdomen jaune; rayures alaires blanches;
petite huppe.
Habitat: *forêts, bosquets.*

Ce bel oiseau signale sa présence par un fort et sifflant *couíp*, rauque et caractéristique, ou par une
série de *ouîc-ouîc-ouîc* roulés. Il niche toujours
dans une cavité: un trou de pic abandonné, un arbre creux, un nid artificiel. Si le trou est trop profond, il le remplit avant d'y construire son nid.
Petite coquetterie, il laisse pendre sur le bord une
vieille mue de serpent ou un morceau de plastique
coloré. Dans les régions arides de l'ouest des Etats-
Unis, le tyran à gorge cendrée *(Myiarchus cineras-
cens)* niche souvent au cœur d'un grand cactus.

Moucherolle phébi
Sayornis phoebe

Longueur:
13-18 cm
(5-7 po).
Traits:
dessus brun
olive; tête sombre;
dessous blanc; poitrine grise;
se tient droit et hoche la queue.
Habitat: *bois, terres agricoles,*
banlieues; près de l'eau.

Fî-bî crie le moucherolle phébi du haut de son perchoir en dodelinant de la queue. Les moucherolles ne sont pas farouches. On les rencontre près
des garages, des entrées de maison, des granges et
des ponts, nichés sur une poutre ou une corniche.
Cette espèce a fait les manchettes lorsque Audubon, en 1803, réussit à mettre un fil d'argent à la
patte de quelques juvéniles. C'était la première
expérience de baguage réalisée en Amérique du
Nord. L'année suivante, il en vit revenir deux qui
firent leur nid tout près de là.

Moucherolle à ventre roux
Sayornis saya

Longueur: *15-19 cm (6-7½ po).*
Traits: *poitrine et abdomen roux;*
dessus grisâtre; queue noirâtre;
hoche la queue.
Habitat: *déserts, régions semi-arides,*
champs broussailleux, entrées de défilés.

Ce moucherolle des régions arides remplace dans
l'Ouest le moucherolle phébi dont il a les mœurs.
Comme lui, il a l'habitude de dodeliner de la
queue et de nicher près des lieux habités. Son cri
est différent: un plaintif *pî-eûrr*. Il aime se percher au sommet des broussailles, sur un roseau ou
sur un rocher peu élevé. Dans le nord de son aire
de distribution, il émigre, mais il reste à longueur
d'année dans les régions chaudes.

Moucherolle noir
Sayornis nigricans

Longueur: *14-18 cm (5½-7 po).*
Traits: *le seul moucherolle à gorge et poitrine*
noires; plumes externes de la queue et abdomen
blancs; se perche droit et hoche la queue.
Habitat: *étangs et cours d'eau ombragés,*
lieux boisés ou broussailleux, fermes, banlieues.

Le moucherolle noir construit son nid près de l'eau, sur une
poutre de pont ou dans un puits; il ne déteste pas non plus
les édifices, les arbres et les falaises. Une branche basse et
ombragée, surplombant un étang ou un cours d'eau, est son
perchoir favori. Il lance un cri clair, *tzîp*, en donnant un
coup de queue et fait entendre un chant plaintif, *tî-wî, tî-wî*.
C'est un des quelques moucherolles qui n'émigrent pas.

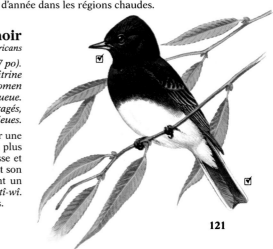

L'identification des moucherolles. Les 10 petits moucherolles *Empidonax*, dont trois sont illustrés ci-dessous, sont parmi les oiseaux les plus difficiles à distinguer les uns des autres. Ils ont tous entre 10 et 15 cm (4 à 6 po) de longueur, le dos sombre, un cercle clair autour des yeux et deux bandes pâles sur les ailes. Des variations de nuances, des différences dans les habitats peuvent aider à l'identification, mais leur chant constitue le meilleur indice. Or, le malheur veut que ce soit des oiseaux plutôt silencieux, sauf en période d'accouplement. Bref, la plupart des observateurs se contentent de noter sur leur carnet : « *Empidonax*, espèce non identifiée. »

Moucherolle à ventre jaune
Empidonax flaviventris

Longueur : *11-14 cm (4½-5½ po).*
Traits : *petite taille ; dessus brun olive ; dessous et gorge jaunes ; pourtour des yeux jaunâtre ; bandes alaires blanchâtres.*
Habitat : *forêts de conifères, fondrières ; bosquets d'aulnes, forêts mixtes en migration.*

Le moucherolle à ventre jaune niche sur le sol, dans le flanc d'un talus couvert de mousse ou entre les racines tapissées de fougères d'un arbre tombé. Son chant ? Un *tchélec* doux et mélancolique, ou un court *pi-ouhîp*. En plumage nuptial, cette espèce arbore plus de jaune que le moucherolle tchébec (ci-dessous), le moucherolle des saules *(Empidonax traillii)* ou le moucherolle des aulnes *(Empidonax alnorum)*. Le moucherolle vert *(Empidonax virescens)* fréquente le sud-est des Etats-Unis. En migration, il partage le territoire du moucherolle à ventre jaune.

Moucherolle tchébec
Empidonax minimus

Longueur : *11-13 cm (4½-5 po).*
Traits : *petite taille ; abdomen blanc ou jaune clair ; tête et dos gris olive ; pourtour des yeux et bandes alaires blanchâtres.*
Habitat : *forêts clairsemées, vergers, petites villes, banlieues, parcs.*

Le moucherolle tchébec fait entendre au printemps un perçant *tchébec* au rythme de 75 à la minute durant plusieurs heures. Le mâle ajoute un gazouillement *tchébec-trrrî-trîo, tchébec-trrrî-tchou.* Ou un cri d'appel : *ouît.* L'espèce niche dans les conifères et les feuillus, parfois presque au sol, parfois à près de 18 m (60 pi) de haut. Accroché dans l'angle de deux branches, le nid est constitué d'écorces, de brindilles, de fils d'araignée, de ramilles et d'herbes. Dans le sud de leur aire, ces moucherolles ont parfois deux portées.

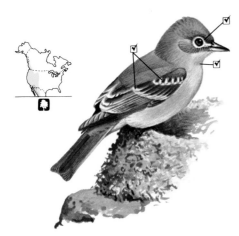

Moucherolle côtier
Empidonax difficilis

Longueur : *13-15 cm (5-6 po).*
Traits : *gorge et abdomen jaunes ; dos brun olive ; pourtour des yeux et bandes alaires blanchâtres.*
Habitat : *forêts humides mixtes ou de conifères, bosquets de feuillus, canyons boisés.*

C'est toujours dans un bois humide que le moucherolle côtier construit son nid de mousse tapissé d'écorce ; parfois même près d'un cours d'eau ou dans le repli des berges rongées par l'eau. On en découvre aussi à plus de 9 m (30 pi) de hauteur dans les arbres. Deux de ses proches parents fréquentent son territoire, mais se distinguent de lui par leur habitat. Le moucherolle de Hammond *(Empidonax hammondii)* niche dans les grands conifères et le moucherolle sombre *(Empidonax oberholseri)*, dans les fourrés au pied des montagnes ou sur les versants broussailleux. Leurs coloris et leur chant se ressemblent.

Moucherolle à côtés olive
Contopus borealis

Longueur : *15-19 cm (6-7½ po).*
Traits : *dessus brun-gris ; dessous blanc à flancs rayés de brun ; tache sous-alaire blanche, parfois visible.*
Habitat : *bois mixtes ou de conifères, lisières marécageuses des forêts, marais à arbres morts ; bosquets d'eucalyptus en Californie.*

Perché sur un grand arbre ou une souche, le moucherolle à côtés olive lance un fort sifflement, *hûp-pî-biii*, dont la première note est presque inaudible à distance, mais les deux autres sont claires et aiguës. Quand il est contrarié, il émet trois *pip-pip-pip* en léger decrescendo. Le moucherolle de Coues *(Contopus pertinax)* des montagnes du sud-ouest du continent ressemble à celui-ci, mais il n'a ni flancs rayés, ni taches sous-alaires.

Pioui de l'Est   *Contopus virens*

Longueur : *13-15 cm (5-6 po).*
Traits : *dessus brun olive ; dessous blanc ; rayures alaires blanches, très visibles ; aucun cercle oculaire.*
Habitat : *forêts adultes de feuillus ; berges de cours d'eau boisées.*

Cet oiseau porte comme nom la transcription phonétique de son cri : un plaintif *pi-oui* en decrescendo. Durant le jour, le mâle peut répéter cet appel toutes les 5 à 10 secondes. A l'aube et au crépuscule, il chante encore plus assidûment en ajoutant une variante : *pi-e-ouî* en gamme ascendante. Le pioui de l'Ouest *(Contopus sordidulus)* lance au crépuscule un *pî-îîr* rauque et nasillard.

Moucherolle vermillon
Pyrocephalus rubinus

Longueur : *13-15 cm (5-6 po).*
Traits : *mâle : calotte et dessous rouge vif ; dos, ailes et queue brun foncé ; femelle : dessus brun, dessous clair ; fines rayures et nuances rosées sur les flancs.*
Habitat : *cours d'eau à berges boisées en régions arides ; bosquets près de l'eau.*

En vol nuptial, le moucherolle vermillon mâle décrit de grands cercles en battant des ailes et s'immobilise pour lancer un cri grêle. Il grimpe jusqu'à 15 m (50 pi) avant de plonger rejoindre sa compagne. Habituellement construit dans un saule ou un prosopis, le nid, peu profond, est tapissé de brindilles, d'herbes, de poils et de plumes, maintenus par du fil d'araignée.

femelle

mâle

Alouette hausse-col (alouette cornue)
Eremophila alpestris

Longueur : *15-19 cm (6-7½ po).*
Traits : *poitrine et motif facial noir et jaune ; queue noire, blanche sur les bords ; « cornes » peu visibles.*
Habitat : *déserts rocailleux, toundra, champs, rivages.*

L'alouette hausse-col aime les sols dégarnis (où elle niche et se nourrit, car c'est un oiseau terrestre) et le ciel où elle plane et chante, et d'où elle pique vers le sol. A l'automne, l'espèce quitte le Grand Nord et se joint aux bandes locales en nidification partout où elle trouve un territoire à son goût, c'est-à-dire des sols à végétation éparse qui lui fournissent les graines dont elle se nourrit. C'est la seule véritable alouette d'Amérique du Nord.

race de la Prairie

race du nord

123

Mésangeai du Canada
(geai gris)
Périsoreus canadensis

Longueur : *24-32 cm (9¹/₂-12¹/₂ po).*
Traits : *dessus gris ; nuque sombre ; gorge et front blancs ; juvéniles : gris à « moustaches » claires.*
Habitat : *forêts de conifères, bosquets de peupliers faux-trembles ou de bouleaux.*

adulte

juvénile

C'est un oiseau curieux et même hardi, qui se tient auprès des campements en forêt et n'hésite pas à pénétrer dans les tentes pour y dérober des aliments, du savon, des bougies ou du tabac. Le mésangeai construit son nid quand le sol est encore recouvert de neige et, pour le rendre plus chaud, le tapisse de plumes. L'espèce ne descend pas au sud, sauf en période de grande famine.

Geai bleu *Cyanocitta cristata*

Longueur : *24-30 cm (9¹/₂-12 po).*
Traits : *huppe pointue, collier noir ; dessus bleu vif ; marques blanches sur les ailes et la queue.*
Habitat : *boisés, terres agricoles, banlieues, parc urbains.*

Ce bel oiseau, renommé pour sa voix rauque et pour la grande variété de ses cris, appels et caquetages, est l'emblème aviaire de l'Ile-du-Prince-Edouard. Comme les autres geais, il ajoute à son répertoire une sorte de gazouillis fait de sifflements doux qu'il émet dissimulé dans le feuillage. Les geais bleus sont omnivores et mangent fruits, graines, noix, insectes, œufs d'oiseaux, poussins, souris, rainettes, escargots et poissons. Ils émigrent parfois par centaines.

Geai
à gorge blanche
Aphelocoma coerulescens

Longueur : *24-30 cm (9¹/₂-12 po).*
Traits : *pas de huppe ; tête, ailes et queue bleues ; dessous surtout blanc.*
Habitat : *chênaies, boisés de genévriers et pins pignons ; bosquets de pins et palmiers en Floride.*

Ce geai présente des populations séparées en Floride et dans l'Ouest. Cette situation résulte peut-être de changements dans le climat ou dans les ressources alimentaires. Parmi les autres geais sans huppe, citons : dans le Sud-Est, le geai du Mexique *(Aphelocoma ultramarina)* et, dans l'Ouest, le geai des pinèdes *(Gymnorhinus cyanocephalus).*

Geai
de Steller
Cyanocitta stelleri

Longueur : *29-34 cm (11¹/₂-13¹/₂ po).*
Traits : *longue huppe pointue et noire ; face rayée de blanc ; haut du dos et poitrine noirâtres ; ailes et queue bleu sombre.* **Habitat :** *boisés de pins et de chênes, forêts de conifères.*

Les geais se perchent tous de la même façon. Ils atterrissent sur une basse branche et, voletant de branche en branche, gagnent le faîte de l'arbre d'où ils s'envoleront. Emblème aviaire de la Colombie-Britannique, le geai de Steller, comme ses cousins, construit un nid volumineux avec des feuilles et des brindilles mortes près du tronc d'un conifère.

OISEAUX

Pie bavarde
Pica pica

Longueur: *44-55 cm (17½-21½ po).*
Traits: *queue longue et étagée, vert iridescent; large motif noir et blanc en vol.*
Habitat: *forêts clairsemées; brousse au pied des montagnes et dans la Prairie; terres basses et boisées; ranch.*

Cet oiseau de forte taille à très longue queue se construit un nid robuste dans un buisson ou au bas d'un arbre. Il s'agit d'un amoncellement de branchages, souvent épineux, recouvert d'un toit de même nature, étoffé à l'intérieur de boue ou d'excréments d'animaux mélangés à des plantes et tapissé de racines, de tiges et de poils. La pie à bec jaune *(Pica nuttalli)* de Californie se construit un nid semblable.

Corneille d'Amérique
Corvus brachyrhynchos

Longueur: *40-50 cm 16-20 po).*
Traits: *corps noir luisant; bec, pattes et pieds noirs; ailes et queue arrondies.*
Habitat: *forêts; bois près de l'eau; terrains découverts; terres agricoles, banlieues.*

C'est l'oiseau le plus intelligent, selon les critères de l'homme. Il peut compter jusqu'à trois ou quatre, acquiert sans cesse des connaissances nouvelles, semble posséder un langage et une structure sociale complexes. Il en existe deux autres variétés: la corneille d'Alaska *(Corvus caurinus)* et la corneille de rivage *(C. ossifragus)* qui, elles, fréquentent les grèves. L'observateur la confond parfois avec le corbeau à cou blanc *(Corvus cryptoleucus)*, de forte taille et à queue en forme de coin, et le grand corbeau *(C. corax)*, qui est l'emblème aviaire du Yukon.

Corneille d'Amérique

Grand corbeau

Casse-noix d'Amérique
Nucifraga columbiana

Longueur: *30-33 cm (12-13 po).*
Traits: *corps gris clair; ailes et queue noires à taches blanches; bec long et pointu.*
Habitat: *forêts de conifères à la limite des arbres ou plus bas; bosquets isolés.*

C'est un oiseau gris, trapu, dont le bec noir est long et effilé. L'explorateur William Clark le prit pour un pic, mais le plus grand ornithologue américain de l'époque, Alexander Wilson, décida que c'était une corneille. Le casse-noix vole tantôt comme un pic, tantôt comme une corneille. Il picore cônes et noix comme le premier et pille les nids des oiseaux comme la seconde.

Hirondelle de rivage

Hirondelle bicolore
Tachycineta bicolor

Longueur : *11-14 cm (4¹/₂-5¹/₂ po).*
Traits : *dessus luisant bleu-noir ou verdâtre (juvéniles, brun) ; dessous blanc ; queue un peu fourchue.*
Habitat : *terrains dégagés avec quelques arbres ou souches ; près de l'eau.*

C'est la plus robuste des hirondelles. Elle arrive tôt au printemps et, dans le sud de son aire, n'émigre pas en hiver. Quand elle manque d'insectes, elle se nourrit de baies de laurier et va picorer des graines sur la glace d'un étang. L'hirondelle bicolore niche dans des nichoirs, des boîtes aux lettres et dans son habitat naturel : des trous dans les arbres morts. En automne, les juvéniles peuvent être confondus avec l'hirondelle de rivage *(Riparia riparia)*, à bande pectorale foncée, et avec l'hirondelle à ailes hérissées *(Stelgidopteryx serripennis)*, lavée de brun sur la gorge. Dans l'Ouest, l'hirondelle bicolore ressemble à l'hirondelle à face blanche *(Tachycineta thalassina)* qui a plus de blanc dans le bas du dos.

Hirondelle à front blanc
Hirundo pyrrhonota

Longueur : *12,5-15 cm (5-6 po).*
Traits : *dessus sombre ; front clair ; gorge et croupion roux ; queue carrée.*
Habitat : *falaises dégagées ; régions agricoles avec ponts ou bâtiments où nicher ; près de l'eau.*

Après avoir été identifiée à la baie d'Hudson en 1772, l'hirondelle à front blanc tombe dans l'oubli jusqu'en 1815 quand Audubon la reconnaît au Kentucky. Depuis lors, on la voit un peu partout en Amérique du Nord. Cette longue absence tient sans doute au fait qu'on ne l'avait pas remarquée. Il se peut aussi que l'hirondelle à front blanc se soit peu à peu habituée à la présence de l'homme et ait adopté pour y nicher les maisons et les granges de préférence aux falaises, son habitat naturel. Ce sont les hirondelles à front blanc qui reviennent fidèlement chaque année le 19 mars à la Mission de San Juan Capistrano, en Californie.

Hirondelle rustique
(hirondelle des granges)
Hirundo rustica

Longueur : *14-18 cm (5¹/₂-7 po).*
Traits : *queue très fourchue, dessus bleu sombre et luisant ; dessous roux clair ; gorge plus foncée.*
Habitat : *bois clairsemés ; terrains dégagés, fermes, banlieues.*

juvénile

Cette espèce a tiré bon parti de la présence de l'homme et fréquente assidûment ponts et maisons, remises, garages et granges où elle construit son nid de boue. L'hirondelle rustique se nourrit presque exclusivement d'insectes qu'elle gobe en plein vol d'un gracieux mouvement, ou à la surface d'un étang où elle va se baigner de temps à autre. Avant la migration d'automne, elle se joint à d'autres espèces d'hirondelles et elles forment toutes ensemble de grandes bandes qui font halte sur les poteaux ou les fils du téléphone.

Hirondelle noire
(hirondelle pourprée)
Progne subis

Longueur: *18-20 cm (7-8 po).*
Traits: *notre plus grande hirondelle;
queue un peu fourchue; mâle bleu-noir
et luisant; femelle plus terne avec gorge
tachetée et abdomen blanchâtre.*
Habitat: *lieux dégagés, bois clairsemés,
terres agricoles, banlieues; près de l'eau.*

femelle

mâle

OISEAUX

L'hirondelle noire recherche depuis longtemps la présence de l'homme. Autrefois,
elle nichait dans les gourdes creuses des
Amérindiens; aujourd'hui, elle fréquente
les nichoirs. L'espèce a le sens de la continuité. On raconte que, ne trouvant plus
leur nichoir, une année, une colonie d'hirondelles noires auraient manifesté leur
mécontentement en décrivant des cercles
à l'endroit exact où il se trouvait.

Mésange à tête noire
Parus atricapillus

Longueur: *11-14 cm
(4½-5½ po).*
Traits: *corps gris clair;
calotte et gorge noires;
flancs chamois; joues blanches.*
Habitat: *forêts mixtes ou de feuillus;
banlieues, parcs.*

La mésange à tête noire est l'emblème aviaire du
Nouveau-Brunswick. C'est à leur chant qu'on distingue les mésanges. *Fi-bi* siffle la mésange à tête
noire au printemps en faisant la première syllabe
plus aiguë. Mais son cri le plus familier est le fameux *qui-es-tu-tu-tu* bien articulé. La mésange de
Caroline *(Parus carolinensis)* module un *sou-fi* plus
sifflant et un *qui-es-tu-tu-tu* plus rapide.

Mésange à tête brune
Parus hudsonicus

Longueur: *11-12,5 cm (4½-5 po).*
Traits: *calotte et dos bruns; flancs
brun-rouge; gorge noire.*
Habitat: *forêts de conifères dans le Nord.*

Les mésanges à tête brune restent dans le Nord.
Mais certains hivers, elles descendent en bande
vers le sud, sans doute parce que les vivres (insectes, œufs, larves et graines de conifères) se font
plus rares. Leur cri, *sicâdé-dé*, est lent et plus aigu
que celui de la mésange à tête noire. La mésange à
dos marron *(Parus rufescens)* qui fréquente la
côte du Pacifique ainsi que l'Idaho et le Montana a
un cri plus strident et plus rapide.

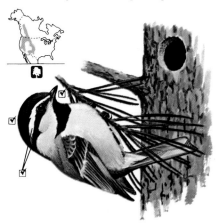

Mésange de Gambel *Parus gambeli*

Longueur: *11-14 cm (4½-5½ po).*
Traits: *joues blanches, ligne superciliaire noire;
calotte et gorge noires.*
Habitat: *forêts de conifères en montagne;
forêts mixtes plus bas en hiver.*

Toutes les mésanges nichent dans des trous d'arbres,
mais parfois aussi dans des nichoirs ou des dépressions
dans le sol. Certaines espèces, comme la mésange à tête
noire, se creusent un trou dans du bois pourri. La mésange de Gambel préfère se servir de ce qui existe et ne
dédaigne pas les trous des pics qu'il lui suffit d'agrandir.
Lorsque les petits sont élevés, les parents rejoignent des
bandes mixtes d'oiseaux qui vont se nourrir en forêt.

127

Mésange bicolore (mésange huppée)
Parus bicolor

Longueur : *14-15 cm (5¹/₂-6 po).*
Traits : *corps gris à flancs chamois ; huppe grise.*
Habitat : *forêts de feuillus, plantations de cyprès, pinèdes, bois marécageux, vergers, banlieues.*

Longtemps considérée comme une espèce du Sud, ce petit oiseau peu farouche étend de plus en plus son aire de distribution vers le nord. Ses chants d'appel varient. On entend le plus souvent un sifflement rapide sur deux notes : *pîto, pîto.* Dans l'Ouest, la mésange unicolore *(Parus inornatus),* qui n'a pas les flancs chamois de sa cousine bicolore, lance un cri qui ressemble au *qui-es-tu-tu-tu* de la mésange à tête noire.

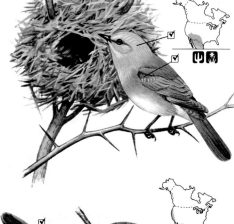

Auripare verdin *Auriparus flaviceps*

Longueur : *10-11 cm (4-4½ po).*
Traits : *petite taille ; corps gris ; tête jaune (plus pâle chez la femelle) ; tache marron sur l'épaule.*
Habitat : *régions arides ou semi-arides à buissons épineux.*

Ce petit oiseau est un remarquable ingénieur. Il se construit un solide nid rond avec des branchages épineux et le tapisse ensuite de fibres végétales, de fils d'araignée et de plumes. A l'intérieur, une dénivellation subite décourage les intrus. Le verdin place son nid bien en évidence dans un cactus, un buisson épineux ou un petit arbre, dans l'angle de deux branches basses. L'oiseau continue à s'y percher et à s'y abriter en hiver.

Cama brune
Chamaea fasciata

Longueur :
*12,5-15 cm
(5-6 po).*
Traits : *dos brun ; poitrine rayée ; longue queue arrondie, souvent dressée ; yeux clairs.*
Habitat : *maquis, brousse, parcs.*

Une fois qu'on a repéré ce petit oiseau à son chant fort et sifflant, on ne l'a pas longtemps dans ses jumelles. Il ne reste pas à découvert mais va plutôt se dissimuler rapidement dans les taillis. Ce que l'on sait de cette espèce nous vient d'une observatrice qui en a découvert une colonie dans un canyon de Californie. Elle a remarqué que, la nuit venue, les oiseaux se rassemblent par paires, côte à côte, et mêlent leur plumage de façon à ne plus former qu'une seule boule de plumes.

Mésange buissonnière
Parus major

Longueur : *7,5-10 cm
(3-4 po).*
Traits : *petit oiseau gris à longue queue ; calotte brune (dans les Rocheuses, calotte grise et joues brunes) ; mâle dans le Sud : masque noir.*
Habitat : *forêts mixtes ; chênaies, pins pignons, genévriers ; maquis.*

Ce petit oiseau peu voyant bâtit un nid très élaboré. Il s'agit d'une construction en forme de sac qui commence par un plancher horizontal entre deux ramilles. L'oiseau le complète et l'agrandit souvent de l'intérieur, en y ajoutant une toiture et un trou servant d'entrée. Les matériaux varient selon la région, mais on y trouve le plus souvent de la mousse et des lichens admirablement tissés et reliés entre eux avec des fils d'araignée.

Sittelle à poitrine blanche
Sitta carolinensis

Longueur: *12,5-15 cm (5-6 po).*
Traits: *nuque et vertex noirs; dessus gris-bleu; dessous blanc; bec long et droit.*
Habitat: *forêts et bois mixtes ou de feuillus; bosquets; banlieues.*

Les sittelles explorent les troncs et les branches des arbres en marchant la tête en bas d'une façon qui leur est caractéristique. Elles cherchent ainsi des larves et des insectes. Ces oiseaux ont l'habitude d'insérer des noix dans les fentes des troncs d'arbres et de les frapper avec leur bec jusqu'à ce qu'elles éclatent. La sittelle à tête brune *(Sitta pusilla)* du Sud-Est et la sitelle pygmée *(Sitta pygmaea)* sont plus petites que celle-ci.

Sittelle à poitrine rousse
Sitta canadensis

Longueur: *9-11 cm (3½-4½ po).*
Traits: *ligne superciliaire blanche; calotte noire; dos gris-bleu; dessous roux.*
Habitat: *forêts de conifères ou mixtes, surtout en hiver.*

La sittelle à poitrine rousse creuse généralement son nid dans du bois mort, mais il lui arrive d'utiliser le trou d'un pic, une cavité naturelle ou même des nichoirs d'oiseaux. Elle enduit toujours l'entrée de son nid de poix qu'elle va chercher sur les résineux, peut-être pour décourager les intrus. Cette sittelle est fort active; elle volette d'arbre en arbre et explore avec célérité troncs et branches. Son cri est un triple *gniac-gniac-gniac* nasillard et plus aigu que celui de la sittelle à poitrine blanche.

Grimpereau brun *Certhia americana*

Longueur: *11-14 cm (4½-5½ po).*
Traits: *dessus brun rayé; dessous blanc; bec long, fin et incurvé.*
Habitat: *forêts, bosquets et bois mixtes ou de conifères.*

Au printemps, le grimpereau brun fait entendre un chant court et cristallin, bien différent de son cri habituel, un *sîp* très aigu. Mais ce chant, qui semble venir de partout, n'aide pas à repérer l'oiseau. Quand il se nourrit, le grimpereau se pose d'abord au pied d'un arbre et grimpe sur le tronc jusqu'au faîte en quête d'insectes. Puis il vole au pied d'un autre arbre et recommence le même manège.

Cincle d'Amérique *Cinclus mexicanus*

Longueur: *14-20 cm (5½-8 po).*
Traits: *oiseau trapu, gris ardoise; cercle blanc autour des yeux; longues pattes jaunâtres; queue courte; élève et abaisse constamment le corps.*
Habitat: *près des eaux vives, en montagne.*

Cet oiseau ne peut vivre loin de l'eau; aussi ne s'en écarte-t-il pas. Pour trouver sa nourriture (insectes aquatiques et petits poissons), il plonge et patauge dans le fond. En Alaska, on a vu des cincles circuler près des trous d'eau dans la glace et plonger alors que la température de l'air était bien au-dessous de zéro. Le cincle d'Amérique construit son nid sous une chute ou dans la berge d'un cours d'eau.

129

Troglodyte familier *Troglodytes aedon*

Longueur: *10-12,5 cm (4-5 po).*
Traits: *dessus gris-brun, dessous plus clair;*
ailes et queue rayées; queue souvent dressée.
Habitat: *bois clairsemés, orée des forêts,*
broussailles, banlieues, parcs.

Le troglodyte familier prend ses aises. On le verra
nicher partout où il trouve cavité à son goût: pots
à fleurs, boîtes de conserve vides, poches d'un
vieux manteau, mais aussi trous dans les arbres et
nichoirs. Il déloge même les autres oiseaux de
leur nid pour s'en emparer après avoir détruit
œufs ou poussins. L'espèce élève deux couvées durant la saison de nidification et le mâle change habituellement de partenaire pour la seconde, de
sorte qu'une femelle peut voir aux poussins pendant que l'autre couve.

Troglodyte mignon (troglodyte des forêts)
Troglodytes troglodytes

Longueur: *7,5-10 cm (3-4 po).*
Traits: *petite taille; dessus brun-roux; flancs*
rayés de brun foncé; queue très courte.
Habitat: *forêts mixtes ou de conifères à*
sous-bois dense, près de l'eau; boisés marécageux.

Le chant du troglodyte des forêts est clair, rapide
et si aigu que certains sons dépassent la gamme
audible pour l'oreille humaine. Il lance environ 16
notes à la seconde qu'il unit en une série prolongée comportant des trilles et des roulades admirables. Dans les lointaines îles au large de l'Alaska
où il niche dans des falaises ou des escarpements,
son chant domine le grondement des vagues. Ailleurs, il préfère les bois denses et fait son nid dans
la terre qui s'accroche aux racines des arbres tombés ou dans des fissures rocheuses.

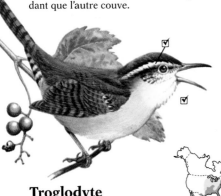

Troglodyte de Caroline
Thryothorus ludovicianus

Longueur: *11-14 cm (4½-5½ po).*
Traits: *large rayure superciliaire blanche;*
dessus roux; gorge blanche; flancs chamois.
Habitat: *forêts à sous-bois dense;*
broussailles; bosquets; près de l'eau.

Le chant fort et résonnant du troglodyte de Caroline s'entend en toutes saisons dans les bois du
Sud-Est, et même en hiver. Il se compose d'une série de doubles ou triples notes qui ressemblent à
des *tit-tulut-tit-tulut-tit-tulut* sifflants et riches. On
l'a parfois qualifié de « moqueur » parce qu'il
imite les cris de certains oiseaux, par exemple
ceux du martin-pêcheur ou du moqueur-chat.

Troglodyte des marais
Cistothorus palustris

Longueur: *10-12,5 cm (4-5 po).*
Traits: *calotte brune;*
raie superciliaire blanche; dos rayé;
croupion roux; dessous blanc.
Habitat: *marais d'eau douce ou saumâtre.*

A cause de leurs mœurs et de leur habitat, il est
souvent plus facile d'entendre les troglodytes
que de les voir. Le troglodyte des marais sort
rarement des fourrés de quenouilles, de joncs
et de scirpes qu'il affectionne pour chanter de
sa voix grave et saccadée. Le troglodyte à bec
court *(Cistothorus platensis)* est aussi timide,
mais préfère les herbes des marais aux quenouilles. Son chant: de maigres et secs *tsip*.

Troglodyte de Bewick

Thryomanes bewickii

Longueur: *11-14 cm (4½-5½ po).*
Traits: *rayure superciliaire blanche; dessus brun; dessous blanc; queue longue à taches blanches sur les plumes externes.*
Habitat: *boisés, broussailles, maquis, banlieues.*

Audubon donna à cette espèce le nom d'un de ses amis, Thomas Bewick (prononcer de la même façon que s'il s'agissait de la voiture « Buick »), dont les gravures d'oiseaux sur bois étaient renommées à l'époque. De plus forte taille que le troglodyte familier, il est moins agressif que lui et doit lui céder la place en cas de litige. Comme tous les troglodytes, il se nourrit surtout d'insectes, d'araignées et de petits invertébrés. On lui doit la destruction de grandes quantités d'insectes nuisibles, comme les cochenilles et les scolytes.

Troglodyte des rochers

Salpinctes obsoletus

Longueur: *11-15 cm (4½-6 po).*
Traits: *dessus brun-gris; croupion roux; gorge et poitrine blanches, finement rayées de brun.*
Habitat: *déserts; prés alpins secs; régions rocailleuses.*

Le troglodyte des rochers est un oiseau babillard qui se reconnaît à sa voix forte et rauque. Il émet toutes sortes de sons avec une persistance presque lassante. Mais son cri le plus fréquent comporte plusieurs groupes dissyllabiques de *tra-li tra-li tra-li tra-li* en contralto et de fréquents trilles. Il niche au sol dans des trous, entre des mottes de terre, sous des roches mal assises ou dans des talus et dispose des petits cailloux, parfois même des os, dans le fond de son nid et autour. Le troglodyte des canyons *(Catherpes mexicanus)*, plus petit et à poitrine blanche, se retrouve aussi dans l'Ouest.

Troglodyte des cactus

Campylorhynchus brunneicapillus

Longueur: *15-22 cm (6-8½ po).*
Traits: *forte taille; rayure superciliaire blanche; gorge et poitrine abondamment tachetées de noir; barres noires sur les ailes et la queue.*
Habitat: *déserts de brousse avec cactus, yucca et prosopis.*

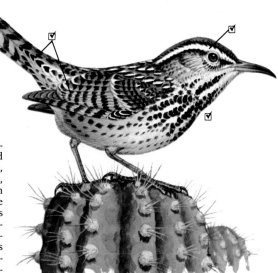

C'est le plus gros des troglodytes; il habite les terres basses et arides où pousse le cactus. Son nid est énorme: une construction voyante à dôme, ayant l'allure d'une gourde couchée sur le flanc, dont la galerie d'entrée atteint de 13 à 15 cm (5-6 po). Fait de fibres végétales, de feuilles et de brindilles tissées avec soin, il tient sur un gros article de cactus ou dans les branches d'un buisson épineux ou d'un prosopis. Chaque couple entretient plusieurs nids, peut élever jusqu'à trois couvées par saison et déménage au début de chaque cycle. En hiver, lorsque les petits se sont envolés, les parents continuent d'habiter le nid.

Pie-grièche migratrice *Lanius ludovicianus*

Longueur: 18-24 cm (7-9½ po).
Traits: dessus gris; masque facial noir;
dessous plus clair; bec court et robuste;
ailes noires à taches blanches;
plumes externes de la queue blanches.
Habitat: lieux dégagés avec
quelques arbres ou buissons.

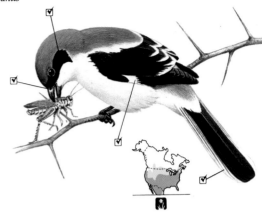

Cette pie-grièche et sa cousine, la pie-grièche grise *(Lanius excubitor)*, ont toutes deux l'habitude d'empaler leurs proies, insectes, serpents, rongeurs ou petits oiseaux, sur des épines ou des fils barbelés ou de les coincer dans des rameaux fourchus avant de les déchiqueter du bec. Elles accumulent ainsi d'importantes provisions. Cette habitude a peu à voir avec la prudence. Elle tient surtout au fait que les pies-grièches ont les pattes faibles et peu faites pour tenir des proies alors même que leur bec ressemble à celui d'un rapace.

Moqueur polyglotte
Mimus polyglottos

Longueur: 23-28 cm (9-11 po).
Traits: dessus gris; dessous blanc;
queue longue et noirâtre;
taches alaires blanches.
Habitat: lieux dégagés, fermes,
banlieues, parcs; broussailles
près de l'eau en régions sèches.

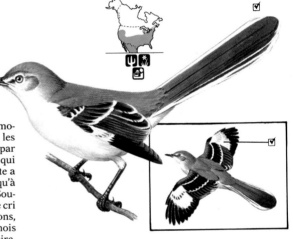

Dans les limites de leur territoire, les moqueurs sont beaucoup plus nombreux que les pies-grièches auxquelles ils ressemblent par leurs coloris. On les reconnaît à leur chant qui s'entend jour et nuit. Le moqueur polyglotte a l'habitude de répéter la même strophe jusqu'à six fois avant d'en entonner une nouvelle. Souvent il imite le chant d'un autre oiseau ou le cri d'un animal quelconque, grenouilles, grillons, chiens, et le retient pendant plusieurs mois sans avoir besoin de se rafraîchir la mémoire.

Moqueur-chat
Dumetella carolinensis

Longueur: 18-23 cm (7-9 po).
Traits: longue queue; corps gris sombre;
calotte noire; dessous de la queue roux.
Habitat: sous-bois, haies, broussailles,
banlieues, parcs.

En période de nidification, cet oiseau élancé fréquente volontiers les lieux habités. Comme le moqueur polyglotte, il imite, mais ce sont des sons musicaux qu'il plagie. Ainsi que le remarquait un observateur, il suggère les chants de divers oiseaux, il ne chante pas comme eux. Son propre chant, parfois doux, parfois fort, comporte des notes musicales et d'autres discordantes et son cri, une sorte de miaulement strident, lui a valu le nom qu'il porte.

Moqueur roux
Toxostoma rufum

Longueur: *24-28 cm (9½-11 po).*
Traits: *longue queue; dessus brun roux vif; deux bandes alaires blanches; dessous blanc rayé de brun.*
Habitat: *lieux broussailleux sans arbres, orée des forêts, haies, bosquets, banlieues, parcs.*

Le moqueur roux, le moqueur-chat et le moqueur polyglotte sont membres de la famille des Mimidae. Ce sont de remarquables chanteurs et ils ont la réputation, comme le suggère leur nom, de pouvoir imiter les chants et les cris de plusieurs animaux. Ils sont aussi renommés pour l'habileté avec laquelle ils enchaînent leurs séquences musicales. Voici à peu près ce que cela donne: *trou-it trou-it; toulou-étoupe-toulou-étoupe; toulit-oup-toulit-oup.* Pour chanter, les moqueurs s'installent habituellement sur des perchoirs élevés dans des endroits bien dégagés.

Moqueur de Californie
Toxostoma redivivum

Longueur: *28-33 cm (11-13 po).*
Traits: *bec long et incurvé; queue longue; dessus gris-brun sombre; dessous plus clair; abdomen et dessous de queue cannelle; moustaches sombres; rayure superciliaire claire.*
Habitat: *lieux broussailleux et secs, banlieues, parcs.*

Les oiseaux qui se nourrissent au sol ont l'habitude de remuer la terre et les feuilles avec leurs pattes. Le moqueur de Californie se sert plutôt de son long bec incurvé pour débusquer les proies cachées et dégager du sol les larves dont il se nourrit. Son régime alimentaire comporte des fourmis, des chenilles, des abeilles et toutes sortes de lépidoptères. Très solide sur ses pattes, il aime mieux marcher que voler, sauf en cas d'urgence. Trois autres moqueurs fréquentent la Californie et le Sud-Ouest: le moqueur à bec courbe *(Toxostoma curvirostre),* le moqueur de Le Conte *(Toxostoma lecontei)* et le moqueur cul-roux *(Toxostoma crissale).*

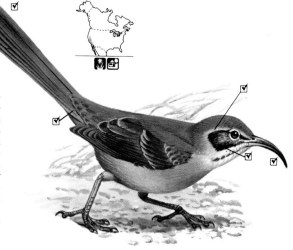

Moqueur des armoises
Oreoscoptes montanus

Longueur: *20-23 cm (8-9 po).*
Traits: *petite taille; bec court et fin; dessus gris-brun; deux bandes alaires blanches; dessous blanc, rayé de brun; bout de la queue blanc.*
Habitat: *pentes et terrains broussailleux, plaines sèches à armoises; déserts en hiver.*

Ce petit moqueur fréquente les plaines sèches et les fourrés arides. Il niche au sol ou à faible hauteur dans les armoises et autres plantes buissonnantes. Son nid, tissé de brindilles, de tiges et de fibres d'écorce, est tapissé de poils et de fines racines. Parfois, il construit une sorte d'auvent dans les branches qui surplombent son nid, comme s'il voulait protéger ses petits des ardeurs du soleil. Son chant, qui s'apparente à celui du moqueur roux, semble plus coulant parce qu'il est dépourvu de pauses entre les strophes.

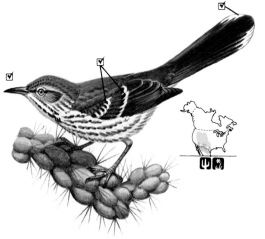

133

Merle d'Amérique
Turdus migratorius

juvénile

Longueur: *23-28 cm (9-11 po).*
Traits: *dessous orange vif; dessus gris sombre (femelle: tête plus claire); petites taches blanches près des yeux; bout de la queue blanc; juvéniles: poitrine plus claire et tachetée.*
Habitat: *bois clairsemés, terres agricoles, banlieues, parcs; endroits abrités à arbres fruitiers en hiver.*

Membre de la famille des grives, cet oiseau est familièrement appelé rouge-gorge. Ce merle peut construire son nid, une structure solide de boue et d'herbe, dans un arbre, à l'entrée d'une maison ou sur la corniche d'un perron et chercher des vers dans la pelouse ou le jardin, absolument indifférent à ce qui se déroule près de lui. Il se nourrit aussi d'insectes et il raffole des petits fruits sauvages et cultivés.

femelle
mâle

Grive à collier
(merle à collier)
Zoothera naevius

Longueur: *20-24 cm (8-9½ po).*
Traits: *dessus gris sombre; rayure superciliaire et barres alaires orange clair; dessous orange; large bande noire sur la poitrine; femelle plus claire, plus brune, à barre pectorale grise.*
Habitat: *forêts humides, mixtes ou de conifères; terrains humides; canyons boisés.*

Originaire du nord-ouest du Pacifique, la grive à collier émigre parfois très loin de son territoire habituel en hiver. On l'a même déjà aperçue sur la côte atlantique. Son chant est remarquable. Elle adopte une gamme de cinq ou six notes et lance une série de sifflements très purs qui montent en crescendo sur le même ton, se prolongent puis s'éteignent comme si le son se perdait au loin.

Grive des bois
Catharus mustelina

Longueur: *19-22 cm (7½-8½ po).*
Traits: *tête et nuque fauves; dessous blanc avec de gros points ronds et brun foncé sur la gorge et l'abdomen.*
Habitat: *forêts humides de feuillus, banlieues, parcs.*

Cette grive fait son nid dans les bois sombres et humides avec des brins d'herbe, des tiges et des feuilles mortes qu'elle assemble avec de la boue et tapisse de racines. On peut y voir de l'écorce de bouleau, du papier ou du tissu blanc. Clair et lent, son très beau chant consiste en une série de trois syllabes mélodieuses ponctuées de trilles aigus.

Grive solitaire
Catharus guttatus

Longueur: *15-19 cm (6-7½ po).*
Traits: *dessus brun; croupion et queue rougeâtres; dessous blanc; points sombres sur la gorge et la poitrine.*
Habitat: *forêts humides, mixtes ou de conifères; boisés et parcs en migration.*

Cette grive passe pour le meilleur oiseau chanteur en Amérique du Nord. Son chant clair et argentin commence par un sifflement unique et se termine par une cascade de notes brillantes et harmonieuses. Dans les forêts du Nord où elle niche, on l'entend souvent avec la grive à dos olive *(Catharus ustulatus)* et la grive à joues grises *(Catharus minimus)*, oiseaux à dos olive sans queue fauve.

Grive fauve *Catharus fuscescens*

Longueur: *17-19 cm (6½-7½ po).*
Traits: *dessus fauve; dessous blanchâtre;*
bande pectorale chamois tachetée de brun;
dans l'Ouest, dessus plus sombre.
Habitat: *forêts humides de feuillus,*
berges des cours d'eau, marais peuplés d'arbres.

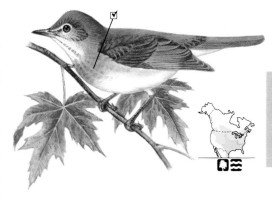

La grive fauve se distingue des autres grives par
son chant. Il s'agit d'une spirale descendante de
roucoulements liquides et clairs qui sonnent ainsi: *vi-ou, vi-ou, ri-a, ri-a.* Comme ses congénères,
elle chante au crépuscule et parfois même la nuit
tombée. La grive fauve cherche ordinairement sa
nourriture au sol parmi les brindilles et les feuilles tombées.

Merle bleu de l'Est
(merle bleu à poitrine
rouge) *Sialia sialis*

Longueur: *13-18 cm (5-7 po).*
Traits: *mâle: dessus bleu vif, gorge et*
poitrine orange; femelle plus pâle; juvéniles:
surtout gris; dos et poitrine tachetés de blanc.
Habitat: *terrains dégagés avec arbres*
dispersés ou en écran; terres agricoles,
vergers, banlieues.

femelle

mâle

Cet oiseau dont les superbes coloris égaient
les jardins, les vergers et les chemins de
campagne a été menacé d'extinction par
des espèces importées d'Europe comme le
moineau domestique et l'étourneau sansonnet qui lui ont disputé avec succès ses
trous d'arbres. On a donc dressé le long des
itinéraires qu'il emprunte des centaines de
nichoirs inaccessibles à ses ennemis pour
qu'il s'y reproduise. Grâce à cet ambitieux
stratagème, les populations se sont stabili-
sées et l'espèce serait même en expansion
dans certaines régions.

Merle bleu azuré
(merle bleu des montagnes)
Sialia currucoides

Longueur: *15-19 cm (6-7½ po).*
Traits: *mâle: dessus bleu ciel, dessous bleu*
clair; femelle: plutôt grise avec un peu
de bleu; juvéniles: gris à dessous rayé.
Habitat: *terrains dégagés en altitude*
avec quelques arbres et de la broussaille;
parfois en basses terres.

femelle

mâle

Tandis que le merle bleu de l'Est, tout comme le
merle bleu de l'Ouest *(Sialia mexicana),* repère
les insectes au sol du haut d'un poteau ou d'un
fil, le merle bleu azuré chasse surtout en vol et
dévore encore plus d'insectes qu'eux, mais aussi
des graines et des baies. Comme les autres merles bleus, il niche dans des trous d'arbres, ceux
abandonnés par les pics par exemple, mais aussi dans les fissures des falaises et les nichoirs.

135

Jaseur d'Amérique
(jaseur des cèdres) *Bombycilla cedrorum*

Longueur : *14-19 cm (5¹/₂-7¹/₂ po).*
Traits : *huppe ; corps plutôt brun ;*
masque facial noir ; queue à bout jaune ;
taches alaires rouges ; juvéniles : raies brunes.
Habitat : *forêts clairsemées, régions peu boisées,*
marais peuplés d'arbres, vergers, banlieues.

Les jaseurs sont des oiseaux sociables. Perchés
côte à côte en bande sur une branche, ils se passent un insecte ou une baie de bec en bec jusqu'à
ce que l'un d'eux, plus gourmand que les autres,
finisse par le gober. Cette espèce se déplace par
vols entiers et de façon vraiment imprévisible. Le
jaseur boréal *(Bombycilla garrulus)* a des mœurs
semblables ; il n'est pas rare de l'apercevoir fort
loin de son aire habituelle de distribution.

juvénile

Gobemoucheron gris-bleu
Polioptila caerulea

Longueur : *10-13 cm (4-5 po).*
Traits : *corps élancé ; longue queue ; dessus*
gris-bleu ; dessous blanc ; queue noirâtre à plumes
externes blanches ; cercle blanc autour des yeux.
Habitat : *chênaies, forêts mixtes, maquis, bois clairsemés de*
pins pignons et de genévriers, bosquets et fourrés près de l'eau.

Ce petit oiseau élancé volette de-ci de-là en lançant de temps à autre
un cri clair et aigu, *tchî,* sur un ton gémissant. Il retrousse et agite
souvent la queue et se nourrit de petits insectes. En période de nidification, le mâle émet un chant particulier, doux et modulé. Il construit son nid dans de grands arbres, parfois à 1 m (3 pi) du sol, parfois
à 24 m (80 pi). Fait de duvet végétal, de tiges de plantes, de pétales, de
plumes et de poils, ce nid a la forme d'une courge creusée.

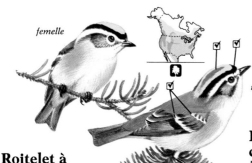

femelle

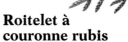

mâle

Roitelet à couronne dorée
Regulus satrapa

Longueur : *8-10 cm (3-4 po).*
Traits : *petite taille ; vertex doré à tache ver-*
millon (mâle), sans tache (femelle) ; dessus olive ;
rayure superciliaire et barres alaires blanches.
Habitat : *forêts de conifères ; forêts de toutes*
sortes et fourrés en migration et en hiver.

Si vous voyez un oiseau minuscule qui voltige
constamment de branche en branche, c'est probablement un roitelet. Il glane ainsi, dans les feuilles
et sur le tronc, les petits insectes et leurs œufs dont
il se nourrit. Son chant est varié mais son cri est
un *ti-tît* aigu et mince qu'il répète plusieurs fois.

Roitelet à couronne rubis
Regulus calendula

Longueur : *9-10 cm (3½-4 po).*
Traits : *petite taille ; dessus verdâtre ; cercle blanc*
autour des yeux ; barres alaires blanches ; vertex
rouge chez le mâle ; s'ébroue souvent au repos.
Habitat : *forêts de conifères ; autres bois et*
fourrés en migration et en hiver.

Le vertex rubis qui caractérise ces oiseaux n'apparaît que chez le mâle et encore n'est-il pas toujours
évident. (Il serait d'autant plus visible que l'oiseau
est dans un état de nervosité.) Ce minuscule roitelet a une voix étonnamment forte pour sa taille ;
tous les ornithologues depuis Audubon ont men-
tionné leur surprise quand ils l'ont entendu chanter pour la première fois.

OISEAUX

mâle

Phénopèple luisant *Phainopepla nitens*

Longueur : 17-19 cm (6½-7½ po).
Traits : huppe ; mâle noir luisant avec des taches alaires blanches très visibles en vol ; femelle et juvéniles gris terne à tache alaire claire.
Habitat : terrains broussailleux arides et semi-arides peu boisés ; chênaies de canyons.

Cet oiseau tire son nom de deux mots grecs qui veulent dire : robe brillante, allusion à son plumage soyeux. On le croit apparenté aux jaseurs ; comme eux, il mange des insectes et des baies. Son nid, une soucoupe peu profonde, est fait de brindilles, de feuilles et de fleurs maintenues par du fil d'araignée ; il le loge à la fourche de deux branches dans un petit arbre comme un prosopis. Si le mâle en commence la construction, c'est la femelle qui le termine.

Viréo mélodieux
Vireo gilvus

Longueur :
11-14 cm
(4½-5½ po).
Traits : dessus gris-vert ; dessous blanc.
Habitat : forêts clairsemées, mixtes ou de feuillus ; bosquets, vergers, villes et banlieues.

Douze espèces de viréos nichent en Amérique du Nord. Certains, comme le viréo mélodieux, se retrouvent dans tout le continent ; d'autres, comme le viréo aux yeux blancs *(Vireo griseus)* et le viréo de Bell *(Vireo bellii)*, sont moins répandus. Ce sont des oiseaux plus calmes que les roitelets et les parulines avec lesquels ils se tiennent en migration. Ils ont le bec court et robuste.

Viréo aux yeux rouges
Vireo olivaceus

Longueur : 13-17 cm (5-6½ po).
Traits : rayure superciliaire blanche ; calotte grise ; dessus verdâtre ; dessous blanc ; aucune rayure alaire.
Habitat : boisés de feuillus, terrains dégagés avec quelques arbres, banlieues.

Durant la saison de nidification, le viréo aux yeux rouges est un chanteur inlassable. Il lance sans relâche de longues strophes composées de courtes phrases de deux à six notes qu'il répète inlassablement. Durant la saison des amours, il émet un sifflement presque murmuré qui ne ressemble en rien à son chant habituel.

Viréo à tête bleue *Vireo solitarius*

Longueur : 11-15 cm (4½-6 po).
Traits : cercle blanc autour des yeux ; bandes alaires blanches ; tête grise ou bleutée ; dessus olive ou gris, dessous plutôt blanc.
Habitat : forêts mixtes ou de conifères.

Ce viréo, comme tous les autres, accroche son nid par le bord à la fourche de deux petites branches. Les matériaux qu'il emploie sont typiques de l'espèce : petits morceaux d'écorce, mousse, feuilles, brins de laine et plumes. Les parents couvent les œufs et élèvent les poussins ensemble, sans cesser de chanter. Gai et rythmé, ce chant ressemble un peu à celui du merle américain.

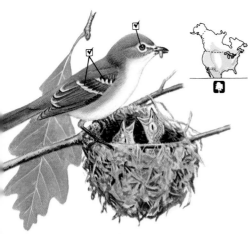

137

L'identification des parulines (fauvettes). On trouve plus de 50 espèces de parulines en Amérique du Nord. Ce sont des oiseaux de petite taille, au bec effilé et pointu, qui sont très actifs. Les mâles en plumage nuptial se parent de couleurs brillantes, qu'ils perdent à l'automne cependant, où ils ressemblent aux femelles et aux juvéniles, plutôt ternes : il devient donc alors difficile de les distinguer les uns des autres. Sauf indication contraire, les oiseaux illustrés dans ces pages sont des mâles. Notons que jusqu'à tout récemment, les parulines étaient appelées à tort « fauvettes ».

Paruline noir et blanc
Mniotilta varia

Longueur: 10-14 cm (4-5½ po).
Traits: dessus rayé noir et blanc; dessous blanc; large rayure blanche au centre du vertex; femelle et juvéniles ternes.
Habitat: forêts.

Cet oiseau se distingue des autres parulines noir et blanc par sa raie centrale blanche sur la tête. En quête d'insectes, elle grimpe aux troncs et aux branches des arbres comme un grimpereau et descend comme une sittelle. Son chant, aigu et sifflant, comporte une série de deux syllabes : *ici-ici-ici-ici-ici.*

Paruline obscure
Vermivora peregrina

Longueur: 10-13 cm (4-5 po).
Traits: calotte grise; rayure superciliaire blanche; dessus verdâtre; dessous blanc; femelle et juvéniles jaunâtres.
Habitat: forêts mixtes ou de feuillus.

L'ornithologue Alexander Wilson découvrit cet oiseau et la paruline à joues grises *(Vermivora ruficapilla)* en 1810. On distingue la paruline obscure de certains viréos auxquels elle ressemble par ses mouvements beaucoup plus rapides.

Paruline à collier
Parula americana

Longueur: 9-10 cm (3½-4 po).
Traits: dessus bleu; tache verte sur la nuque; bandes alaires blanches; gorge et poitrine jaunes; collier noir chez le mâle.
Habitat: forêts humides, près de l'eau; autres forêts en migration.

Le terme parula, qui signifie petite mésange, rappelle l'habitude qu'elle a de se tenir la tête en bas, agrippée à une branche. En été, elle se creuse un nid dans les masses de lichens du genre *Usnea*; dans le Sud, elle recherche les touffes d'alpha. Son chant ressemble à un trille ascendant qui se termine brusquement par un *zip* sonore.

Paruline orangée
Protonotaria citrea

Longueur: 11-13 cm (4½-5 po).
Traits: tête et poitrine jaune d'or; dessous plus clair; ailes et queue grises; femelle plus terne.
Habitat: terrains bas et humides; marais; bois fréquemment inondés.

Elle doit son nom latin aux robes jaune vif que portaient certains officiers de cour. C'est une paruline jaune d'or qui niche habituellement aux abords des terrains inondés, dans une cavité naturelle d'un arbre ou dans un trou abandonné par un pic. De plus en plus familière, elle utilise à l'occasion les nichoirs construits par l'homme.

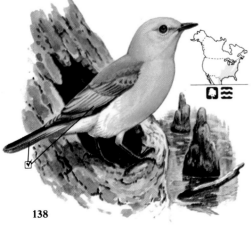

Paruline des buissons
Oporornis tolmiei

Longueur: *11-14 cm (4½-5½ po).*
Traits: *tête gris ardoise, gorge noirâtre;*
taches blanches sur les paupières; dessus olivâtre;
dessous jaune; femelle et juvéniles ternes.
Habitat: *broussailles denses; fourrés humides.*

Trois parulines portent des capuchons gris: celle-ci, la paruline triste *(Oporornis philadelphia)* et la paruline à gorge grise *(Oporornis agilis).* Les trois affectionnent les endroits où la végétation est dense et basse pour y construire leur nid qu'elles tapissent à l'intérieur de radicelles et de poils.

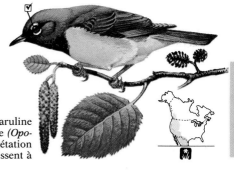

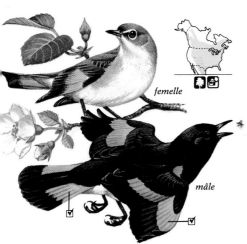

femelle

mâle

Paruline flamboyante
Setophaga ruticilla

Longueur: *10-14 cm (4-5½ po).*
Traits: *mâle noir à abdomen blanc et taches*
orange sur les ailes et la queue; femelle et juvéniles
gris dessus, blancs dessous à taches jaunes.
Habitat: *forêts en regain, fourrés,*
banlieues, parcs.

C'est l'une des parulines les plus répandues et les plus jolies. L'habitude qu'elle a d'étaler la queue et d'incliner les ailes vers le bas met ses taches orangées en évidence et fait penser à un papillon. Elle attrape les insectes au vol. Son chant, aigu, vibrant mais variable, comporte une série de notes simples ou doubles qui montent ou descendent sur la dernière syllabe: *tsî-tsî-tsî-tsîo.*

Paruline couronnée   *Seiurus aurocapillus*

Longueur: *13-15 cm (5-6 po).*
Traits: *dessus olive; vertex orange bordé de noir;*
dessous blanc à marques sombres; cercle blanc
autour des yeux; pattes rosées; marche au sol.
Habitat: *bois de feuillus.*

Une fois qu'on a reconnu son chant, on ne peut plus s'y tromper. Il comporte deux syllabes *titche* répétées plusieurs fois avec de plus en plus de force sur le même ton. Son nid, construit sur le sol en forêt, est recouvert d'un dôme qui lui donne l'allure d'un four à pain. Voilà pourquoi on l'appelait autrefois la « fauvette à fourneau ».

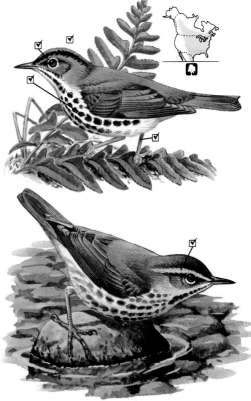

Paruline des ruisseaux
Seiurus noveboracensis

Longueur: *13-15 cm (5-6 po).*
Traits: *rayure superciliaire pâle;*
dessus brun foncé; dessous chamois
à raies sombres; dodeline de la queue.
Habitat: *boisés humides;*
terrains broussailleux en migration.

C'est près des eaux calmes qu'on a l'habitude de voir et d'entendre cette paruline, tandis que la paruline hochequeue *(Seiurus motacilla)* fréquente les lieux à eaux vives. Elles dodelinent toutes deux de la queue partout où elles se posent. Elles se ressemblent d'ailleurs, mais leur voix les distingue. Elles construisent leur nid près de l'eau avec de la mousse et des végétaux.

Paruline à capuchon
Wilsonia citrina

Longueur : *10,5-14 cm (4¼-5½ po).*
Traits : *mâle : face jaune, capuchon noir se prolongeant sur la gorge ; femelle : capuchon brunâtre ; dessus verdâtre ; dessous jaune ; du blanc sur la queue.*
Habitat : *forêts de feuillus denses, bois marécageux, fourrés ; près de l'eau.*

Paruline du Canada *Wilsonia canadensis*

Longueur : *11-14 cm (4½-5½ po).*
Traits : *dessus gris, dessous jaune ; cercle jaune autour des yeux ; collier noir chez le mâle ; femelle terne ; ébauche d'un collier.*
Habitat : *boisés de feuillus adultes près de marais ou de cours d'eau ; terrains broussailleux et humides ; forêts de regain en migration.*

Cette espèce aux coloris remarquables niche dans les forêts humides. Elle construit son nid à même le sol, près d'une souche ou d'un tronc moussu ou dedans. Son chant : un rapide et joyeux gazouillis sur une seule note.

Dans l'Est, deux parulines communes ont une tête jaune à capuchon : celle-ci et la paruline à calotte noire *(Wilsonia pusilla)*, qui n'a pas de noir sur la gorge. La paruline à capuchon affectionne les sous-bois denses. Elle niche dans un buisson ou un gaulis. De loin, son nid ressemble à un tas de feuilles mortes ; à l'intérieur, on découvre une savante construction d'écorce, de fibres végétales, de duvet, d'herbes et de fils d'araignée.

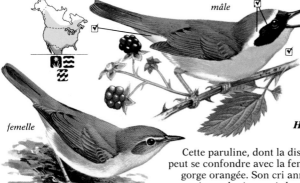

mâle

femelle

Paruline masquée
Geothlypis trichas

Longueur : *10-14 cm (4-5½ po).*
Traits : *mâle : masque noir ourlé de blanc dans le haut ; dessus brun-vert ; gorge, poitrine et tache sous-caudale jaunes ; femelle sans masque.*
Habitat : *broussailles humides, marais d'eau douce et marais salés.*

Cette paruline, dont la dispersion au Canada est occasionnelle, peut se confondre avec la femelle ou les juvéniles de la paruline à gorge orangée. Son cri annonce sa venue. Elle niche parfois en petites colonies, mais la plupart du temps les couples nidifient isolément, dans des terrains marécageux ou broussailleux.

Paruline polyglotte *Icteria virens*

Longueur : *17-19 cm (6½-7½ po).*
Traits : *forte taille ; masque sombre ; bec robuste ; rayure superciliaire blanche ; dessus vert ; poitrine jaune.*
Habitat : *fourrés denses, près de l'eau ; hautes clairières à buissons.*

Depuis longtemps les ornithologues s'entendent pour dire que cet oiseau n'est probablement pas une paruline. C'est en effet une espèce de grandes dimensions si on la compare à la plupart des parulines. Son chant, fort et varié, comprend une série étonnante de bruits distincts, pas toujours musicaux, de ricanements, de gloussements et de sifflements que l'oiseau ne se lasse pas de faire entendre.

OISEAUX

Paruline à tête cendrée
Dendroica magnolia

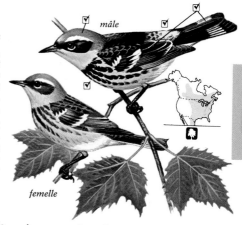
mâle

femelle

Longueur: *10-13 cm (4-5 po).*
Traits: *dessus noir; dessous jaune rayé de noir;
calotte grise; croupion jaune; ailes et queue noires
à grandes macules blanches;
femelle et juvéniles plus pâles.*
Habitat: *forêts de conifères; bois divers en migration.*

C'est dans un magnolia qu'Alexander Wilson aperçut
cette paruline pour la première fois et c'est pour cela qu'il
la baptisa ainsi en latin. Ce bel oiseau fréquente pourtant
peu les magnolias puisque c'est un habitué des forêts septentrionales à épinettes et à sapins baumiers. La paruline
à tête cendrée se distingue des autres parulines par une
large bande blanche sur la queue en tout temps.

« paruline à croupion jaune »

« paruline d'Audubon »

Paruline à croupion jaune
Dendroica coronata

Longueur: *11-14 cm (4½-5½ po).*
Traits: *mâle: vertex, croupion et tache de chaque côté
de la poitrine jaunes; gorge blanche (Est) ou jaune
(Ouest); poitrine noire, taches caudales blanches
(visibles surtout en vol); femelle et juvéniles brun clair.*
Habitat: *forêts mixtes ou de conifères;
bois divers et fourrés en migration et en hiver.*

C'est une espèce très répandue; en migration, elles semblent plus nombreuses que toutes les autres parulines
réunies. Leur cri habituel, *tchèp*, est facile à identifier,
mais non pas leur chant, un trille délicat devenant aigu
ou grave. On a longtemps cru que la paruline à croupion
jaune et que la « paruline d'Audubon » (sous-espèce de
l'Ouest) étaient des espèces distinctes.

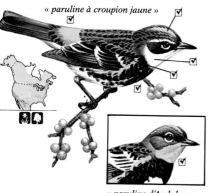

Paruline à couronne rousse
Dendroica palmarum

Longueur: *10-14 cm (4-5½ po).*
Traits: *vertex roux en plumage nuptial;
dessous jaune ou blanchâtre et rayé;
tache sous-caudale jaune; hoche la queue.*
Habitat: *forêts marécageuses, fondrières;
broussailles en migration et en hiver.*

Observée pour la première fois en Floride,
son nom latin évoque des palmiers, alors
qu'elle niche dans les marais du Nord. En
migration, la paruline à couronne rousse
se perche fréquemment sur un petit arbre
et hoche la queue de haut en bas. En route,
elle rencontre la paruline des prés *(Dendroica discolor)* qui hoche aussi la queue,
mais latéralement, et n'a ni vertex rouge, ni
tache sous-caudale jaune.

femelle

mâle

Paruline jaune
Dendroica petechia

Longueur: *10-13 cm (4-5 po).*
Traits: *surtout jaune (verdâtre
sur le dessus); mâle: rayures
rougeâtres sur la poitrine;
femelle plus terne.*
Habitat: *boisés près des
cours d'eau, fourrés humides,
bords de marais broussailleux,
vergers, banlieues, parcs.*

Commune jusqu'au Pérou, cette espèce occupe l'aire de nidification la plus grande de
toutes les parulines. Elle niche dans les aulnes ou les saules en bordure de routes ou
de marais. Son nid, un entrelacement de fibres végétales argentées, tient entre les basses branches d'un arbre ou d'un buisson.
Le mâle a un chant vif et joyeux, un *tzi-tzi-
tzi-tzi-zeta-oui-zi* qu'on entend souvent.

141

Paruline à gorge noire
(paruline verte à gorge noire)
Dendroica virens

Longueur : *10-13 cm (4-5 po).*
Traits : *face jaune ; gorge et poitrine noires ;
dessus vert ; bandes alaires blanches ;
femelle et juvéniles ternes avec moins de noir.*
Habitat : *forêts de conifères ; boisés divers.*

La paruline à gorge noire préfère les pins et autres conifères ; en migration et en hiver, cependant, on peut l'observer perchée au sommet des feuillus ou dans des fourrés en bordure des routes. C'est la seule paruline de l'Est à joues jaunes. Deux espèces de l'Ouest, la paruline de Townsend *(Dendroica townsendi)* et la paruline à tête jaune *(Dendroica occidentalis)*, lui ressemblent.

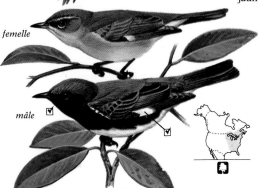

femelle

mâle

Paruline bleue
(paruline bleue à gorge noire)
Dendroica caerulescens

Longueur : *13-14 cm (5-5¹/₂ po).*
Traits : *mâle : dessus bleu foncé ; tache alaire blanche très visible ; face, gorge et flancs noirs ;
femelle : olive à dessous clair ; tache alaire.*
Habitat : *forêts à sous-bois dense.*

Le mâle de cette espèce conserve le même plumage en toutes saisons sauf en hiver ; aussi est-il facile à identifier. Facile à voir aussi car il ne se perche pas haut : dans des rhododendrons, des lauriers ou des plantes de même taille. Pour observer une autre paruline à plumage bleu, la paruline azurée *(Dendroica cerulea)*, il faut regarder beaucoup plus haut, car elle va chercher sa nourriture au sommet des arbres.

Paruline grise (paruline grise
à gorge noire) *Dendroica nigrescens*

Longueur : *10-13 cm (4-5 po).*
Traits : *mâle : tête et gorge noires ; rayure blanche encadrant l'œil ; dessus gris, dessous blanc ;
femelle et juvéniles plus clairs, moins de noir.*
Habitat : *forêts de chênes, de genévriers ou de pins pignons, boisés mixtes à sous-bois dense.*

Comme bien d'autres parulines, celle-ci a une préférence marquée pour les forêts conifériennes, du moins dans les montagnes du Nord-Ouest qu'elle fréquente. Au Sud, on la rencontre surtout dans les canyons broussailleux et les vallées encaissées. Son nid n'est pas facile à découvrir ; elle le construit au milieu du feuillage, bien dissimulé entre plusieurs branches.

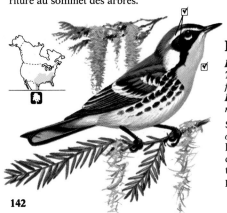

Paruline à gorge jaune *Dendroica dominica*

Longueur : *13-14 cm (5-5½ po).*
Traits : *gorge jaune ; dessus gris ; masque blanc et noir ;
femelle semblable mais plus terne.*
Habitat : *forêts de chênes et de pins,
marais peuplés de cyprès.*

Son chant est un sifflement clair et vif : *sî-ouî-sî-ouî-sî-ouî* qui s'accélère et descend sur la denière note. La paruline à gorge jaune paraît moins nerveuse que la plupart des autres parulines. Elle cherche patiemment des insectes dans l'écorce des troncs, un peu à la manière du grimpereau brun et de la paruline noir et blanc.

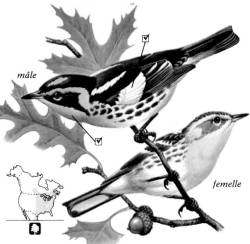

male

femelle

Paruline à gorge orangée
Dendroica fusca

Longueur : *10-14 cm (4-5½ po).*
Traits : *mâle : gorge orange vif, dos rayé noir,
large bande alaire blanche ; femelle et juvéniles
brun clair ; masque distinctif chez tous.*
Habitat : *forêts mixtes ou de conifères ;
boisés divers en migration.*

Hôte habituel des forêts profondes, la paruline à
gorge orangée niche dans plusieurs conifères : épinettes, sapins ou pins. En période de migration,
elle perche et se nourrit dans le haut des arbres où
il est difficile de l'apercevoir en dépit de ses vives
couleurs. Son chant est aigu et métallique ; il se
termine sur une seule note haute, tenue en un glis-
sando ascendant.

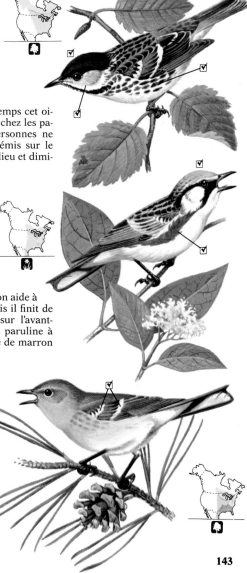

Paruline rayée *Dendroica striata*

Longueur : *10,5-14 cm (4¼-5½ po).*
Traits : *mâle : calotte noire, face blanche,
flancs rayés de noir ; femelle brune sans calotte ;
en automne, les deux sont verdâtres
avec des bandes alaires blanches.*
Habitat : *boisés de conifères ;
autres boisés en migration.*

Les observateurs d'oiseaux accueillent chaque printemps cet oiseau avec regret, car il signale la fin de la migration chez les parulines. Son chant serait si aigu que certaines personnes ne
pourraient pas l'entendre. C'est une série de sons émis sur le
même ton, mais dont l'intensité augmente vers le milieu et diminue vers la fin.

Paruline à flancs marron
Dendroica pensylvanica

Longueur : *10-13 cm (4-5 po).*
Traits : *mâle : calotte jaune, flancs marron,
dessous blanc ; femelle terne à macules marron ;
juvéniles vert olive dessus, blancs dessous.*
Habitat : *champs broussailleux,
bois clairsemés, terres agricoles.*

Le chant très particulier de la paruline à flancs marron aide à
la repérer. Il rappelle celui de la paruline jaune, mais il finit de
façon caractéristique par une forte accentuation sur l'avant-
dernière syllabe : *vieux-vieux-vieux-vieux-vi-e-ou*. La paruline à
poitrine baie *(Dendroica castanea)* a une riche teinte de marron
sur la tête, la poitrine et les flancs.

Paruline des pins
Dendroica pinus

Longueur : *13-14 cm (5-5½ po).*
Traits : *dessus vert olive ; dessous jaunâtre
rayé ; bandes alaires blanches ; femelle terne.*
Habitat : *pinèdes clairsemées ;
boisés de feuillus en migration.*

Cette paruline est particulièrement bien nommée.
Sauf en période de migration, elle fréquente assidûment les pinèdes. Son nid repose dans une
touffe d'aiguilles ou sur une branche de pin à une
hauteur variant de 5 à 25 m (15 à 80 pi). Son chant
est un trille doux et musical.

143

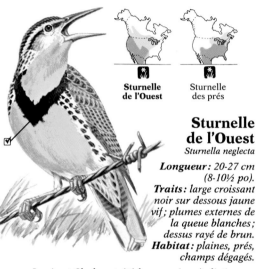

Goglu des prés *Dolichonyx oryzivorus*

Longueur: *14-19 cm (5½-7½ po).*
Traits: *mâle en plumage nuptial: noir;
nuque jaunâtre; grandes marques blanches sur les
ailes et le croupion; autres plumages chamois,
fortement rayés sur le dessus.*
Habitat: *champs humides, prés, fermes, marais.*

mâle

femelle

Le joyeux glouglou du goglu s'entend de partout et de nulle
part dans les champs de grains ou les prés humides où niche
l'oiseau. Impossible de le repérer à son chant. Est-il perché
sur une tige herbeuse, un poteau ou un arbre dégagé? Plane-
t-il ou fait-il sa cour à la femelle en un piqué spectaculaire?
Passé la saison des amours, il se tait. Le mâle prend les couleurs de la femelle et les goglus filent en bande vers l'Amérique du Sud en lançant un petit *pingue* de temps à autre.

Sturnelle
de l'Ouest

Sturnelle
des prés

Sturnelle de l'Ouest
Sturnella neglecta

Longueur: *20-27 cm
(8-10½ po).*
Traits: *large croissant
noir sur dessous jaune
vif; plumes externes de
la queue blanches;
dessus rayé de brun.*
Habitat: *plaines, prés,
champs dégagés.*

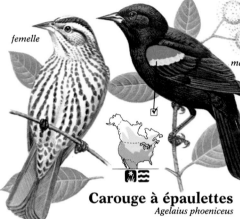

femelle

mâ

Lewis et Clark ont été les premiers à distinguer
cette espèce de la sturnelle des prés *(Sturnella ma-
gna).* A vrai dire, l'observation visuelle ne suffit
pas; seul leur chant les différencie. Lorsque Audubon la redécouvrit en 1843, il la surnomma en latin « la négligée », faisant allusion à cette longue
période durant laquelle on ne l'avait pas remarquée. Ceux qui ont entendu l'une et l'autre chanter
ne peuvent plus jamais confondre la sturnelle des
prés aux notes claires et aiguës et la sturnelle de
l'Ouest au chant glougloutant, riche et flûté.

Carouge à épaulettes
Agelaius phoeniceus

Longueur: *18-24 cm (7-9½ po).*
Traits: *mâle: noir; tache rouge et jaune
sur l'épaule; femelle: brun foncé, fortement rayé;
mâle juvénile: comme la femelle
avec la tache rouge du mâle.*
Habitat: *marais et champs adjacents; fermes.*

Le chant du carouge à épaulettes célèbre le retour
du printemps avec un sonore *quand-qui-ri* comme
s'il claironnait sa victoire sur l'hiver. Cette espèce
vit en colonies une partie de l'été; à l'approche de
l'automne, les oiseaux se cachent dans la végétation. Une mue partielle les dote de nouvelles plumes alaires, puis ils partent en bande vers le sud.

Carouge à tête jaune
Xanthocephalus xanthocephalus

Longueur: *20-25 cm (8-10 po).*
Traits: *mâle: noir avec tête et poitrine jaunes
et tache alaire blanche; femelle: dessus brun
avec face et poitrine jaune terne et gorge blanche.*
Habitat: *marais d'eau douce
et champs adjacents.*

mâle

femelle

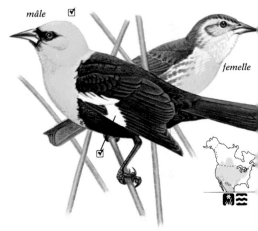

Cet oiseau fait habituellement son nid au-dessus
d'une nappe d'eau de 60 cm à 1,20 m (2 à 4 pi) de
profondeur et l'abandonne si l'eau baisse. Fixé à
des plantes aquatiques, le nid est tissé de plantes
mortes gorgées d'eau. En séchant, celles-ci solidi-
fient la structure que le carouge tapisse alors de
feuilles, d'herbes et de duvet de quenouilles.

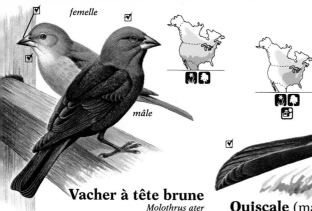

femelle

mâle

Vacher à tête brune
Molothrus ater

Longueur: *15-20 cm (6-8 po).*
Traits: *bec conique; mâle: noir luisant et
tête brune; femelle: grise à gorge claire.*
Habitat: *terres agricoles, bosquets,
orées des forêts, berges boisées.*

Peu d'oiseaux ont aussi mauvaise réputation que ce vacher accusé de déposer ses œufs dans le nid des bruants, viréos, moucherolles et parulines. En peu de temps, les petits vachers atteignent une taille supérieure à celle des poussins hôtes et se nourrissent à leurs dépens quand ils ne les délogent pas tout simplement. Les parents adoptifs s'occupent des intrus jusqu'à ce qu'ils soient en âge de voler.

Quiscale (mainate) bronzé
Quiscalus quiscula

Longueur: *25-32 cm (10-12½ po).*
Traits: *longue queue carénée; bec pointu;
œil jaune clair; mâle: noir luisant à reflets pourpres,
bronze ou verts; femelle moins lustrée.*
Habitat: *terres agricoles, bosquets, banlieues, parcs.*

Les arbres sont encore dégarnis que déjà le quiscale bronzé (autrefois appelé mainate) courtise la femelle. Perché dans un arbre, il gonfle les plumes, déploie la queue et lance de rapides *tchoc*. On connaît deux espèces de plus forte taille: le grand quiscale *(Quiscalus mexicanus)* du sud des Etats-Unis et le quiscale des marais *(Quiscalus major)* qui fréquente les marais salés.

Quiscale de Brewer
Euphagus cyanocephalus

Longueur: *14-24 cm (7½-9½ po).*
Traits: *mâle: noir à œil jaune et reflets pourpres
sur la tête; femelle: brun-gris à œil sombre;
queue plus courte que chez le quiscale bronzé.*
Habitat: *lieux dégagés, rives de lac.*

Le quiscale de Brewer et le quiscale rouilleux *(Euphagus carolinus)* se ressemblent par leur plumage et par leur taille. En hiver, ils fréquentent à peu près les mêmes lieux, mais le premier préfère les champs herbeux et émet un sifflement rauque et puissant, tandis que le second recherche les bois marécageux et son chant court se termine par une note aiguë et grinçante.

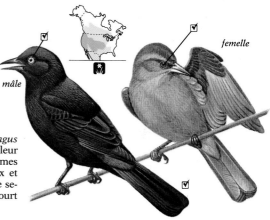

mâle

femelle

Etourneau sansonnet
Sturnus vulgaris

Longueur: *18-22 cm (7-8½ po).*
Traits: *bec long et pointu; queue courte
et carrée; plumage noir à reflets verts
et pourpres (tacheté en hiver);
juvéniles: bruns; dessus plus sombre.*
Habitat: *terres agricoles, bois clairsemés,
broussailles, villes et villages.*

en hiver

en plumage
nuptial

En 1890, l'introduction délibérée de cette espèce européenne en Amérique du Nord était réussie et les descendants des quelque 100 individus importés se répandaient partout. Son habitude d'arriver par grands vols a valu bien des inimitiés à l'étourneau qui ne se fait pas faute de voler les nids des autres oiseaux, mais consomme beaucoup d'insectes nuisibles.

145

Oriole du Nord
(oriole de Baltimore)
Icterus galbula

Longueur : *15-19 cm (6-7½ po).*
Traits : *bec très pointu ;*
mâle : orange vif ; tête, gorge,
dos, ailes et queue noirs ;
femelle et juvéniles : dessous jaune
ou orange clair, dessus brun,
bandes alaires blanches.
Habitat : *bois de feuillus clairsemés ;*
terres agricoles avec arbres
d'ornement ; villes et villages.

Oriole
du Nord
(mâle)

Oriole
du Nord
(femelle)

Oriole à ailes
blanches
(mâle)

Un sifflement clair et liquide, une tache orange vif au sommet d'un arbre : c'est l'oriole de Baltimore. On pourrait le confondre avec l'oriole à ailes blanches *(Icterus bullockii)* sauf qu'il a la tête toute noire. Les deux peuvent s'accoupler, ce qui porte à croire que le second est une sous-espèce du premier. L'oriole du Nord niche dans une étrange structure en forme de bourse suspendue au bout d'une branche d'arbre, tandis que son cousin de l'Ouest accroche son nid par les côtés et le haut.

mâle

femelle

Oriole jaune-verdâtre
(oriole de Scott)
Icterus parisorum

Longueur : *17-20 cm (6½-8 po).*
Traits : *mâle : jaune vif ; tête, nuque*
et gorge noires ; taches noires sur les
ailes et la queue ; femelle et juvéniles :
vert-jaune ; dessus plus foncé,
barres alaires blanches.
Habitat : *déserts ; régions*
semi-arides ; versants arides peuplés
de chênes, de pins pignons et de yuccas.

Comme d'autres orioles, cette espèce de l'Ouest se nourrit d'insectes, de fruits et probablement du nectar des fleurs. Ces oiseaux chantent tout le jour durant la période de nidification. Le nid de l'oriole jaune-verdâtre est une structure complexe de fibres végétales de forme variable, souvent dissimulé dans les feuilles mortes d'un yucca.

femelle

mâle

mâle
juvénile

Oriole des vergers
Icterus spurius

Longueur : *17-18 cm (6½-7 po).*
Traits : *mâle adulte : brun-roux ; tête,*
gorge, haut de la poitrine et du dos noirs ;
marques noires sur les ailes et la queue ;
mâles juvéniles : vert terne, gorge noire ; femelle : vert-
jaune, dessus foncé, barres alaires blanches.
Habitat : *fermes, vergers, banlieues, villes et villages.*

Cet oiseau niche dans les vergers où sa prédilection pour certains insectes le rend fort utile, mais on le trouve aussi ailleurs. On l'a déjà vu, en Louisiane, nicher dans une structure d'herbes de marais salés, installée en plein marécage. Cette espèce a des mœurs grégaires. Dans un terrain de 3 ha (7 acres) du delta du Mississippi, on a compté 114 nids en une seule saison et une vingtaine en Louisiane dans le même chêne.

femelle

mâle

Tangara écarlate
Piranga olivacea

Longueur: *15-18 cm (6-7 po).*
Traits: *mâle: écarlate (vert-jaune en automne); queue et ailes noires; femelle: vert-jaune, queue et ailes plus foncées.*
Habitat: *bois de feuillus épais, banlieues, parcs.*

Le chant du tangara écarlate ressemble à celui du merle, mais les tons graves de sa voix sont beaucoup plus riches. Son cri aussi est distinctif: un rauque *tchip-cœurr* dans l'Est qui devient *tchip-tchœurr* ailleurs. Cet oiseau dévore de grandes quantités de chenilles et de perce-bois, surtout mais non exclusivement dans les chênes. Le plumage des jeunes mâles est orange ou maculé de rouge et de jaune.

Tangara à tête rouge
Piranga ludoviciana

Longueur: *15-18 cm (6-7 po).*
Traits: *mâle: jaune vif; tête rouge; nuque, ailes et queue noires (pas de rouge en hiver); femelle: vert-jaune dessus, jaunâtre dessous, barres alaires blanches (la seule femelle tangara à en avoir).*
Habitat: *boisés clairsemés mixtes ou de conifères; autres forêts en migration.*

Le chant de ce tangara ressemble à celui du précédent: une série de courtes phrases séparées par des pauses. Son cri habituel est un plaintif *peurté* dont il fait parfois trois syllabes. En migration, on peut voir passer des vols complets de tangaras à tête rouge. Ils nichent surtout en montagne, parfois très haut dans des sapins et des pins. La femelle pond entre trois et cinq œufs; elle assume seule la couvaison, mais le couple voit ensemble à nourrir et à protéger les petits.

femelle

mâle

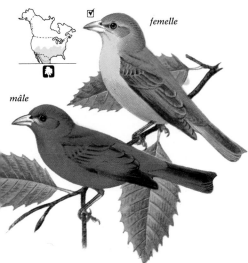

femelle

mâle

Tangara vermillon *Piranga rubra*

Longueur: *15-19 cm (6-7½ po).*
Traits: *bec jaunâtre; mâle rouge; femelle vert-jaune dessus, jaune dessous.*
Habitat: *boisés; forêts de chênes, de noyers ou de pins en montagne.*

Les tangaras se nourrissent de bourgeons et de baies, mais surtout d'insectes. Le tangara vermillon est particulièrement friand de lépidoptères et d'abeilles; il n'hésite pas à démolir les nids de guêpes pour aller se nourrir des larves. Comme il ne digère pas les parties coriaces des insectes, il les rejette dans un accès de toux. Cette espèce fait son nid au bout d'une branche horizontale. Son chant est plus mélodieux que celui du tangara écarlate et son cri ressemble à un crépitement: *tchiké-tické-tchiké.* Moins commun, le tangara orangé *(Piranga flava)* à masque sombre habite les montagnes du sud-ouest des Etats-Unis.

Cardinal rouge
Cardinalis cardinalis

Longueur : 18-22 cm (7-8½ po).
Traits : huppe très visible ; bec conique rouge ;
mâle : rouge vif, plastron et pourtour des
yeux noirs ; femelle : brun-jaune,
marques alaires et caudales rouges.
Habitat : bois clairsemés, orée des forêts,
fourrés, banlieues, parcs.

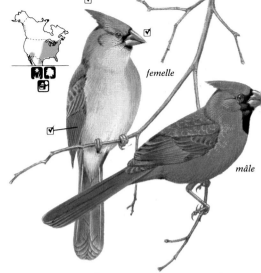

femelle

mâle

Les riches coloris du cardinal et son empresse-
ment à fréquenter les mangeoires en ont fait le
préféré des ornithophiles. Son répertoire est varié ; il lance différentes notes sifflantes et claires ;
souvent aussi des *herré, herré, herré*, ainsi qu'un
cri d'alarme, *tsip*, et un *pink* métallique. Mâles et
femelles chantent à tour de rôle comme s'ils se
donnaient la réplique. Comme le moqueur polyglotte, la mésange bicolore, l'urubu à tête rouge
et le pic à ventre rouge, il a étendu son territoire
vers le nord au cours du XXᵉ siècle.

mâle   *femelle*

Gros-bec errant
Hesperiphona vespertina

Longueur : 18-20 cm (7-8 po).
Traits : bec très fort,
conique, pâle ; mâle jaune-
brun ; queue noire ; ailes
blanc et noir ;
femelle grisâtre.
Habitat : forêts de
conifères ; autres forêts
et mangeoires en
migration et en hiver.

Un observateur aurait ainsi nommé cette espèce
après avoir aperçu au crépuscule un vol de gros-
becs errants au nord-ouest du lac Supérieur, en
1823. A cette époque, l'espèce vivait uniquement
dans l'Ouest. Aujourd'hui, on la trouve partout
dans l'Est. On prétend que l'oiseau aurait été attiré par les mangeoires pleines de graines de tournesol qu'on lui offrait ; on sait maintenant qu'il
aime encore davantage les graines sauvages et
notamment celles des érables.

Guiraca (passerin) bleu
Guiraca caerulea

Longueur : 15-18 cm (6-7 po).
Traits : bec fort et conique ;
barres alaires rousses ou chamois ;
mâle bleu ; femelle brunâtre à ailes sombres.
Habitat : broussailles, boisés clairsemés,
forêts près des rivières.

mâle

femelle

A l'occasion, le guiraca bleu tisse son nid avec des
mues de serpents ; il utilise aussi des feuilles
sèches, des épluchures de maïs et des morceaux
de plastique ou de journal. La femelle couve ses
quatre œufs pendant 11 jours ; nourris par les
parents d'insectes et d'escargots, les petits ne passent pas deux semaines au nid après l'éclosion des
œufs. Cependant, le tiers du régime alimentaire
des adultes se compose de fruits et de graines.

Cardinal (gros-bec) à poitrine rose
Pheucticus ludovicianus

Longueur : *18-20 cm (7-8 po).*
Traits : *bec fort ; mâle : poitrine rose, plumage noir et blanc ; femelle : raies brunes, rayure superciliaire et barres alaires blanches.*
Habitat : *boisés de feuillus, bosquets, banlieues.*

Facile à identifier à son plumage noir et blanc et à la tache rose de sa poitrine, ce cardinal (classé autrefois parmi les gros-becs) se joint en avril ou mai au concert des oiseaux printaniers. Son chant, plus grave et plus mélodieux que celui du merle ou du tangara, a des accents plus entraînants. C'est la femelle qui d'ordinaire construit le nid, mais le couple se partage l'incubation. S'il survient une deuxième nichée, le mâle s'occupera de la première pendant que la femelle couvera les nouveaux œufs.

Cardinal (gros-bec) à tête noire
Pheucticus melanocephalus

Longueur : *17-19 cm (6½-7½ po).*
Traits : *bec fort et blanchâtre ; mâle : jaune orange, tête noire, ailes blanc et noir ; femelle : brunâtre, masque facial et raies.*
Habitat : *bois clairsemés mixtes ou de feuillus, orée des forêts, maquis, vergers, parcs.*

Cette espèce est l'équivalent dans l'Ouest du cardinal à poitrine rose et leur chant clair et sifflant se ressemble. Le cardinal à tête noire se fait généralement entendre pendant cinq secondes, parfois plus longtemps.

Passerin (bruant) indigo
Passerina cyanea

Longueur : *11-14 cm (4½-5½ po).*
Traits : *mâle : bleu indigo, ailes et queue noirâtres ; femelle : dessus brun, dessous blanchâtre ; pâles rayures sur la poitrine.*
Habitat : *broussailles, orée des forêts.*

Le passerin indigo, autrefois bruant indigo, est un des rares oiseaux à chanter en plein midi. Son chant ressemble à *zoui-zoui-zoui, zorré-zorré, tsoutsou*. Dans l'Ouest, le passerin azuré *(Passerina amoena)* a la tête bleu ciel avec la poitrine et des barres alaires fauves ; il s'accouple avec le passerin indigo là où leur territoire se recoupe.

Passerin nonpareil
(passerin ciris) *Passerina ciris*

Longueur : *13-14 cm (5-5½ po).*
Traits : *mâle : tête bleue, dessous et croupion rouges, dos vert ; femelle : dessus vert, dessous jaunâtre.*
Habitat : *berges et champs broussailleux, orée des forêts, écrans d'arbres, villages.*

Plusieurs observateurs considèrent que cet oiseau est le plus beau en Amérique du Nord ; dans le sud des Etats-Unis, on l'a surnommé aussi, en français, « non pareil ». Si le mâle se perche pour chanter, ce passerin picore et niche de préférence dans les couvre-sols épais et les terres broussailleuses. L'espèce émigre en Amérique centrale pour l'hiver, mais quelques sujets restent en Floride.

femelle

mâle

Roselin pourpré
Carpodacus purpureus

Longueur: *13,5-15 cm (5¼-6 po).*
Traits: *mâle: abdomen blanc; tête,*
haut du corps et poitrine rouge framboise;
femelle: dessus brun, dessous fortement rayé;
large rayure superciliaire blanche.
Habitat: *boisés mixtes; banlieues et mangeoires*
en migration et en hiver.

Ces jolis petits oiseaux volent de-ci de-là en grandes bandes. En hiver, ils arrivent par milliers là où il n'y en avait pas un seul la veille. Parfois c'est tout un vol de mâles que l'on aperçoit; à d'autres moments, un vol entier de femelles ou de juvéniles. A la fin de l'été, les roselins pourprés muent; dans leur plumage d'hiver, les riches teintes rouges du mâle paraissent givrées. Mais ce blanc s'estompe et le beau plumage nuptial revient.

femelle

mâle

Roselin familier
Carpodacus mexicanus

Longueur: *13-14 cm (5-5½ po).*
Traits: *mâle: tête, poitrine et croupion rouge vif;*
femelle: brun terne, rayures pectorales pâles;
aucune rayure superciliaire.
Habitat: *déserts, terrains broussailleux,*
forêts clairsemées, fermes, banlieues; mangeoires.

Cet oiseau s'adapte à tout. A partir des années 20, il s'est mis à étendre son territoire dans le Sud-Ouest. Après la mise en liberté de sujets en cage à New York en 1940, il s'est répandu dans l'Est. Il niche dans des trous d'arbres, entre des aiguillons de cactus, sur les poutres des édifices et dans les nids d'autres oiseaux. Dans l'Ouest, le roselin de Cassin *(Carpodacus cassinii)* ressemble beaucoup aux roselins pourpré et familier.

mâle

femelle

Bec-croisé des sapins (bec-croisé rouge)
Loxia curvirostra

Longueur: *14-15 cm (5½-6 po).*
Traits: *bout des mandibules croisé;*
mâle: rouge brique, ailes et queue sombres;
femelle: jaune-vert, dessous plus clair.
Habitat: *forêts de conifères; parfois autres boisés.*

Tout comme le bec-croisé à ailes blanches *(Loxia leucoptera),* il est nomade et va là où il trouve à manger. Son époque de nidification — tôt au printemps ou même en fin d'hiver — semble dépendre de l'abondance ou de la rareté des cônes. Son bec lui sert à les ouvrir pour en extraire les graines avec la langue.

Dur-bec des sapins
(dur-bec ou gros-bec des pins)
Pinicola enucleator

Longueur: *19-24 cm (7½-9½ po).*
Traits: *forte taille; bec conique noirâtre;*
barres alaires blanches; mâle: rouge rosé,
ailes et queue sombres; femelle: vert-brun.
Habitat: *forêts de conifères.*

Son nom scientifique indique qu'il « vit dans les pins et décortique des graines ». A dire vrai, son régime comprend aussi des cônes de sapins, des faînes, des pommettes, des graines de roseaux et des insectes. Il nidifie dans le Grand Nord et en régions montagneuses. L'hiver, il émigre vers le sud et à des altitudes moins élevées.

femelle

mâle

Sizerin flammé
(sizerin à tête rouge) *Carduelis flammea*

femelle

mâle

Longueur : *11-14 cm (4¹/₂-5¹/₂ po).*
Traits : *front rouge ; menton noir ;*
dos et flancs rayés ;
barres alaires blanches ;
poitrine et croupion rosés (mâle).
Habitat : *brousse, toundra ;*
broussailles et mangeoires en hiver.

Cet oiseau des régions polaires fréquente parfois les mangeoires, mais il est plutôt farouche. Il piaille un instant et s'envole aussitôt vers un fourré. Le tarin (chardonneret) des pins *(Carduelis pinus)* qui se tient avec les sizerins flammés a du jaune sur les ailes et la queue, mais pas de rouge.

femelle de l'Est

mâle de l'Est

âle de l'Ouest

Tohi à flanc roux
(tohi commun)
Pipilo erythrophthalmus

Longueur : *18-20 cm (7-8 po).*
Traits : *mâle : corps noir et blanc, flancs roux,*
marques alaires et caudales blanches ;
taches blanches sur le dos dans l'Ouest ;
femelle : brune plutôt que noire.
Habitat : *fourrés, forêts clairsemées,*
broussailles, maquis, banlieues, parcs.

Un cri perçant, *tô-ouî*, des feuilles mortes qu'on bouscule : il y a un tohi dans le sous-bois. Son chant s'écrit *dri-cou-tiii*, mais les syllabes varient. Le tohi des canyons *(Pipilo fuscus)*, qui portait avant le nom de tohi brun, fréquente les pépinières et les maquis des côtes de la Californie.

mâle en hiver

mâle

femelle

Chardonneret jaune
Carduelis tristis

Longueur : *10-13 cm (4-5 po).*
Traits : *mâle : jaune vif ; front, ailes et*
queue noirs ; femelle : dessus vert olive,
dessous plus clair ; croupion blanc ;
les deux brun-jaune en hiver ; vol ondulé.
Habitat : *terres agricoles, terrains herbeux,*
bosquets près des rivières, banlieues, parcs.

Les chardonnerets s'accouplent à la fin de l'été, lorsqu'ils trouvent le duvet de cirse avec lequel ils tissent leur nid. On reconnaît leur présence à leur chant, un *pèr-ri-o-ri* tout à fait particulier à cette espèce. Le chardonneret mineur *(Carduelis psaltria)*, que l'on rencontre dans l'Ouest, a le dos noir.

Bruant (pinson) noir et blanc
Calamospiza melanocorys

Longueur : *14-18 cm (5½-7 po).*
Traits : *mâle : noir ou gris foncé ; grande tache*
alaire blanche ; femelle, juvéniles et mâle en
hiver : dessus brun, dessous finement rayé,
marque alaire pâle.
Habitat : *plaines, régions semi-arides, broussailles.*

Les bruants noirs et blancs sont grégaires. Ils hivernent et émigrent en bande et nichent en colonies. Les mâles en plumage nuptial chantent en vol ; ils montent presque en ligne droite à une hauteur de 3 à 9 m (10-30 pi) et se laissent planer vers le sol sans cesser de chanter, en faisant de lents battements de leurs ailes déployées.

mâle

femelle

Bruant des prés
Passerculus sandwichensis

Longueur: *10-15 cm (4-6 po).*
Traits: *dessus rayé; dessous fortement rayé;*
étroite rayure superciliaire pâle; queue courte;
coloris plus ou moins foncés.
Habitat: *toundra, plaines, prés, marais salés, grèves.*

Il faut noter que tous nos pinsons ont été reclassifiés bruants. Le bruant des prés marche en cas de menace ou vole au ras du sol avant de prendre de la hauteur. Du haut d'une tige herbacée, le mâle lance son chant, un *tsip-tsip-tsip-tsi-ouîîî-îou* terminé par un double trille, seule partie qui s'entende au loin. Son ancien nom « des savanes » faisait allusion à son habitat, mais aussi à la ville de Savannah, en Georgie, où il a été observé pour la première fois.

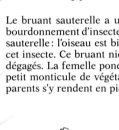

Bruant sauterelle
Ammodramus savannarum

Longueur: *10-13 cm (4-5 po).*
Traits: *cou court; tête plate; queue courte;*
poitrine chamois, peu rayée; dos rayé.
Habitat: *terrains herbeux, prés, champs*
de mauvaises herbes, marais.

Le bruant sauterelle a un chant particulier qui s'entend comme un bourdonnement d'insecte, précédé d'un ou de deux *tchip*. On dirait une sauterelle: l'oiseau est bien nommé, sans compter qu'il se nourrit de cet insecte. Ce bruant niche en colonies dans des terrains herbeux et dégagés. La femelle pond ses œufs dans une dépression au pied d'un petit monticule de végétation; le nid est difficile à découvrir, car les parents s'y rendent en piétant dans les hautes herbes.

Bruant à queue aiguë
Ammodramus caudacuta

Longueur: *11-14 cm (4¹/₂-5¹/₂ po).*
Traits: *joues grises sur face chamois;*
vertex sombre; poitrine chamois,
finement rayée; rayures claires sur le dos.
Habitat: *fondrières, bords de marais*
peuplés de joncs; marécages.

Le bruant à queue aiguë fréquente les bords des marais salés, tandis que le bruant maritime *(Ammodramus maritimus)*, plus gris que lui et avec une tache jaune entre l'œil et le bec, préfère les sols humides. Ces deux bruants sont timides. Pour les débusquer des broussailles où ils se cachent, il faut les appeler en faisant *schîîî* à plusieurs reprises, méthode qui réussit aussi avec d'autres oiseaux.

Bruant vespéral
Pooecetes gramineus

Longueur: *13-15 cm (5-6 po).*
Traits: *plumes externes de la queue blanches;*
cercle blanc autour de l'œil; tache rougeâtre sur l'épaule;
dessus brun à raies sombres; dessous blanc rayé de brun.
Habitat: *champs, terrains herbeux avec peu d'arbres, savanes.*

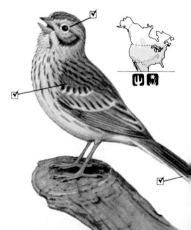

Voici un bruant qui niche au sol, dans une petite dépression qu'il tapisse d'herbes, de racines et de poils. La femelle y pond de trois à cinq œufs qui éclosent deux semaines plus tard si aucun prédateur ne vient les détruire. En moins de deux autres semaines, les poussins sont prêts à quitter le nid. Le bruant vespéral s'appelle ainsi parce qu'il a l'habitude de chanter au crépuscule.

OISEAUX

152

junco à dos roux

junco ardoisé

Bruant à gorge noire
Amphispiza bilineata

Longueur: *11-14 cm (4½-5½ po).*
Traits: *gorge noire; rayure blanche
au-dessus et au-dessous de l'œil; dos gris
uni; plumes externes de la queue blanches.*
Habitat: *déserts de savane;
régions semi-arides.*

Cette espèce dispute parfois ses nids au
bruant de Bell *(Amphispiza belli)*, mais le
bruant à gorge noire est vraiment un oiseau de désert et il se tient habituellement
loin des points d'eau. Comme toutes les espèces qui nidifient en terrains chauds et découverts, les poussins de ces deux bruants
sont recouverts d'un duvet très clair, qui ré-
fléchit la lumière au lieu de l'absorber.

Junco ardoisé   *Junco hyemalis*

Longueur: *13-17 cm (5-6½ po).*
Traits: *plumes externes de la queue blanches;
bec rose clair; abdomen blanc; reste du corps
gris ardoise (avec ou sans barres alaires blanches)
ou brun-roux avec tête sombre et flancs brun rosé.*
Habitat: *forêts mixtes ou de conifères;
orée des forêts et mangeoires en hiver.*

Bien que leurs plumages soient très différents, le junco
ardoisé, le junco à dos roux, de même que le junco à tête
grise, dans le sud-ouest des Etats-Unis, ne formeraient,
d'après les taxonomistes, qu'une seule et même espèce.
Ils ont en effet un comportement et des cris d'appel semblables et s'accouplent entre eux. Le junco à ailes blanches qu'on rencontre dans l'Ouest est considéré pour sa
part comme une race de l'Ouest.

Bruant à joues marron   *Chondestes grammacus*

Longueur: *14-17 cm (5½-6½ po).*
Traits: *masque; poitrine claire à tache noire
(rayée chez les juvéniles); queue ourlée de blanc.*
Habitat: *plaines, boisés clairsemés,
champs, terres agricoles.*

Ces bruants se groupent en bande pour manger, mais
près des nids, les mâles sont très combatifs. Ils se battent
dans les airs ou au sol, de façon souvent désordonnée. Un
observateur rapporte avoir vu six individus se battre en
vol et se préoccuper si peu de ce qui se passait autour
d'eux qu'ils ont failli le heurter au visage.

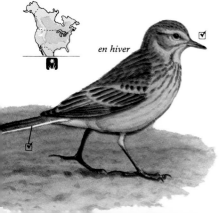

en hiver

Pipit spioncelle (pipit commun)
Anthus spinoletta

Longueur: *13-17 cm (5-6½ po).*
Traits: *corps et bec effilés; dessus sombre, dessous rayé
(plus clair, moins rayé en plumage nuptial); plumes
externes de la queue blanches; agite souvent la queue.*
Habitat: *toundra, prés alpins; grèves en migration.*

C'est le plus répandu des pipits; le pipit de Sprague
(Anthus spragueii), connu avant sous le nom de pipit des
prairies, fréquente plutôt le centre du continent. On distingue les pipits des bruants parce qu'ils marchent au
lieu de sautiller. En pariade, le mâle s'élève à 60 m
(200 pi), ouvre les ailes et choit avec un cri grêle.

Bruant hudsonien
Spizella arborea

Longueur : *14-17 cm (5½-6½ po).*
Traits : *calotte et rayure derrière l'œil marron ;
poitrine gris clair à point sombre.*
Habitat : *toundra subarctique basse à arbres rabougris ;
broussailles, prairies, orée des forêts, champs de
mauvaises herbes et mangeoires en hiver.*

Ce bruant préfère les broussailles et les buissons aux
grands arbres. C'est une espèce qui niche au sol dans les
fourrés denses du Grand Nord et n'émigre en bande vers
le sud en hiver que si le temps est particulièrement inclé-
ment. On les voit alors dans les broussailles à demi défo-
liées, égrenant de petites notes claires ; ils consomment
beaucoup de graines de mauvaises herbes.

Bruant familier
Spizella passerina

Longueur : *11-14 cm (4½-5½ po).*
Traits : *calotte marron ; rayure
superciliaire blanche ; rayure noire derrière
l'œil ; dessous gris clair ; juvéniles : tête rayée.*
Habitat : *boisés clairsemés, orée des forêts,
terres agricoles, vergers, banlieues, parcs.*

juvénile

On l'entend souvent lancer son chant du haut d'un conifère : un trille ou une série de *tchips* musicaux, parfois
rapides, parfois très lents. C'est aussi dans les conifères
qu'il préfère nicher, encore qu'il fasse son nid dans les
vergers, les plantes grimpantes près des habitations et
les buissons, parfois même au sol.

Bruant des champs
Spizella pusilla

Longueur : *13-15 cm (5-6 po).*
Traits : *bec rosé ; calotte marron ;
dessous chamois ; juvéniles : calotte rayée
et bande pectorale chamois.*
Habitat : *broussailles et mauvaises
herbes, prés, orée des forêts.*

Le chant harmonieux de ce bruant
commence par une série de sifflements lents au début,
rapides à la fin. Au printemps, les mâles délimitent
leur territoire en en chassant leurs voisins. Passé la
saison des amours, le
bruant chante beaucoup
moins. Il construit son
nid au sol ou à faible
hauteur en début de
pariade ; mais à mesure
que la saison avance,
quand arrive une
deuxième et parfois une
troisième nichée, l'oiseau
construit son nid plus
haut au-dessus du sol,
mais jamais à plus de
1 m (3 pi).

juvénile

Bruant de Brewer
Spizella breweri

Longueur : *11-13 cm (4½-5 po).*
Traits : *calotte chamois finement rayée ;
joues grises ; dessous clair.*
Habitat : *savane, broussailles, prés alpins ;
champs de mauvaises herbes en hiver.*

Le bruant de Brewer est un oiseau timide
qui se cache bien et dissimule encore
mieux son nid. Un observateur a délogé un
jour un de ces bruants, occupé à couver.
Après l'avoir vu s'envoler tout près de lui, il
lui a fallu examiner le sol avec le plus
grand soin et à quatre pattes avant de découvrir le nid. En migration, l'espèce se
joint au bruant des plaines *(Spizella pallida)*, avec lequel on le confond, mais dont le
territoire s'étend davantage vers l'est.

mâle

femelle

Moineau domestique
Passer domesticus

Longueur : *13-15 cm (5-6 po).*
Traits : *mâle : tête et poitrine noir, blanc, gris et fauve ; femelle : dessus brun clair, dessous gris.*
Habitat : *terres agricoles, banlieues, villes.*

Cet oiseau apporté d'Europe au XIXᵉ siècle fait concurrence aux bruants, merles bleus, troglodytes et autres espèces indigènes, et les chasse de leur nid en fracassant les œufs et en tuant les poussins. L'espèce semble en déclin à cause de la disparition des chevaux en ville et de leur crottin dans lequel elle trouvait sa nourriture.

juvénile

Bruant à couronne dorée
Zonotrichia atricapilla

Longueur : *15-18 cm (6-7 po).*
Traits : *vertex jaune bordé de noir (juvéniles : vertex terne bordé de brun) ; poitrine grise.*
Habitat : *régions arctiques et montagneuses à arbres rabougris ; boisés d'épinettes, pentes broussailleuses ; fourrés, broussailles en hiver.*

En migration et en hiver, ce bruant de l'Ouest fréquente les terrasses et les jardins, se nourrissant de graines, de jeunes plants, de bourgeons et de fleurs. C'est un oiseau de grande taille ; le bruant fauve et le bruant à face noire *(Zonotrichia querula)*, espèce à gorge noire du Centre, sont les deux seuls bruants plus gros que lui.

Bruant à couronne blanche
Zonotrichia leucophrys

Longueur : *14-18 cm (5½-7 po).*
Traits : *vertex largement rayé noir et blanc (brun pâle et foncé chez les juvéniles) ; poitrine grise ; bec rose ou jaunâtre ; gorge claire.*
Habitat : *fourrés montagneux, boisés à sous-bois broussailleux ; bords de route, banlieues en hiver.*

Cet élégant bruant niche en terrain ouvert et broussailleux dans les régions subarctiques, les montagnes de l'Ouest et la côte du Pacifique. Il construit son nid au sol ou tout près. Mâle et femelle s'y rendent différemment. Le mâle y vole directement ; la femelle se pose à distance et s'y rend par petites étapes en se perchant souvent.

juvénile

Bruant à gorge blanche
Zonotrichia albicollis

Longueur : *14-17 cm (5½-6½ po).*
Traits : *gorge blanche ; poitrine grise ; vertex rayé noir et blanc ; tache jaune en avant de l'œil ; juvéniles : vertex rayé brun et chamois.*
Habitat : *boisés à sous-bois broussailleux ; brousse, orée des forêts en migration et en hiver.*

C'est ce bruant qu'on appelle au Québec le « pinson Frédéric » parce qu'on prétend qu'il chante *Où es-tu, Frédéric, Frédéric, Frédéric.* Le chant du bruant à gorge blanche serait, dit-on également, annonciateur de pluie.

155

forme grise

forme fauve

Bruant fauve
Passerella iliaca

Longueur : *15-18,5 cm (6-7¼ po).*
Traits : *forte taille ; queue fauve ; dessus brun, fauve ou gris ; dessous rayé à large tache centrale.*
Habitat : *régions subarctiques et montagneuses à arbres rabougris ; sous-bois des forêts ; fourrés, terres agricoles, parcs en migration et en hiver.*

Un petit saut en avant, un petit saut en arrière, ce vigoureux bruant gratte avec énergie le sous-bois des forêts pour y trouver des graines, des baies et des insectes parmi les feuilles mortes qu'il éparpille en tous sens. En été, il se nourrit surtout d'insectes ; Audubon rapporte qu'on l'aurait vu manger de petits crustacés sur les côtes de Terre-Neuve et du Labrador. Sa voix est charmante. C'est une série de sifflements riches, parfois un peu brouillés, qu'il enchaîne en une courte phrase musicale. On croirait presque qu'il parle.

Bruant des marais
Melospiza georgiana

Longueur : *11-14 cm (4½-5½ po).*
Traits : *calotte fauve ; face et poitrine grises ; gorge blanchâtre ; flancs chamois ou fauve pâle ; ailes rousses.*
Habitat : *marais broussailleux, fondrières, marécages ; champs, orée des forêts broussailleuses en migration et en hiver.*

Dans son aire de dispersion géographique, c'est le dernier oiseau à se taire le soir et le premier à chanter le matin, bien avant le lever du jour. Le bruant des marais chante même la nuit à certains moments. Ses trilles musicaux, plus riches que ceux du bruant familier mais assez semblables à ceux-ci, s'entendent partout dans les marais septentrionaux où il niche. Il fait son nid dans une touffe de plantes des marais ou dans le bas d'un buisson avec de gros brins d'herbe ou des plantes herbacées et le tapisse à l'intérieur de brins d'herbe fins.

Bruant chanteur
Melospiza melodia

Longueur : *13-18 cm (5-7 po).*
Traits : *dessous fortement rayé ; tache sombre au centre de la poitrine ; queue assez longue ; juvéniles : rayures plus fines.*
Habitat : *orée des forêts, lieux broussailleux, fourrés, haies, parcs, grèves.*

Les ornithologues ont identifié plus de 30 sous-espèces de bruants chanteurs. Les oiseaux ont des tailles très différentes, les plus gros étant de 40 p. 100 plus robustes que les plus petits. La gamme des coloris va du fauve au brun foncé et au gris clair. Le chant commence toujours par plusieurs notes espacées régulièrement, suivies d'un trille puis d'une cascade de notes. Comme les bruants chanteurs apprennent à chanter les uns des autres, on a constaté l'existence de variantes selon les régions. Sans compter que chaque individu s'accorde le droit d'improviser si le cœur lui en dit.

juvénile

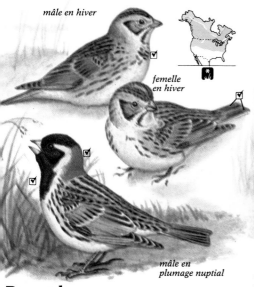

mâle en hiver

femelle en hiver

mâle en plumage nuptial

mâle

femelle

Bruant lapon *Calcarius lapponicus*

Longueur: *14-17 cm (5½-6½ po).*
Traits: *quelques sujets à nuque noisette; plumes externes de la queue blanches; mâle en plumage nuptial: tête, gorge et poitrine noires; en hiver: gorge blanche, bande pectorale noire; femelle: raies fines.*
Habitat: *toundra; plaines, prés, grèves en hiver.*

Le superbe plumage nuptial de ce bruant n'est pas accessible aux observateurs puisqu'il niche dans les régions circumpolaires. Les ornithologues qui ont observé son comportement de pariade le trouvent remarquablement synchronisé. Les mâles se mettent à chanter tous ensemble; les couples se forment au même moment et la couvaison commence à la même date. Enfin adultes et juvéniles muent en même temps, avant la migration.

Bruant à ventre noir
Calcarius ornatus

Longueur: *14-17 cm (5½-6½ po).*
Traits: *queue blanche à triangle central noir; mâle en plumage nuptial: masque frappant, nuque noisette, dessous noir; femelle et mâle en hiver: brun chamois rayé.*
Habitat: *plaines, champs étendus.*

Les bruants à ventre noir fréquentent les terrains à herbe courte ou à mauvaises herbes. En période de nidification, le mâle défend son territoire en chantant en plein vol ou du haut d'un perchoir. Camouflée par son plumage, la femelle creuse un trou peu profond près d'une touffe de plantes et le tapisse de brins d'herbe. Elle couve seule les œufs, mais les deux s'occupent de nourrir les petits. En été, ces bruants mangent des graines et des insectes; en hiver, seulement des insectes.

Bruant des neiges
Plectrophenax nivalis

Longueur: *14-18 cm (5½-7 po).*
Traits: *blanc dominant; mâle en plumage nuptial: dos, ailes et queue partiellement noirs; en hiver, tête et épaules brun-roux; femelle plus pâle.*
Habitat: *toundra; plaines, prés, grèves en migration et en hiver.*

Dans le sud du Canada, l'arrivée du bruant des neiges signale la venue de l'hiver. Dans l'Arctique, son retour annonce le printemps. Les bruants des neiges sont les oiseaux chanteurs qui nidifient le plus au nord. Les mâles arrivent quelques semaines avant les femelles; celles-ci s'installent en terrain rocheux, dans des crevasses ou des trous tapissés de poils et de plumes. En hiver, ils s'abattent par grands vols sur les champs de mauvaises herbes ou vont se nourrir de graines et d'insectes aux abords des routes et des fermes.

mâle en plumage nuptial

mâle en hiver

Reptiles
et amphibiens

On se laisse d'abord apprivoiser par une gentille petite salamandre, une grenouille verte et luisante. Puis le goût de la découverte l'emporte et l'appréhension cède la place à la fascination.

On demandait à un biologiste pourquoi les amphibiens étaient toujours groupés avec les reptiles. « Parce qu'ils sont affreux », répondit-il avec un sourire. Affreux ? Les coloris de la tortue peinte, les anneaux du serpent corail, la livrée de la rainette faux-criquet du Nord sont admirables. Et que dire des tactiques d'attaque et de défense : le lézard qui perd la queue pour sauver sa vie, les excroissances vermiformes de la tortue de Temminck pour attirer les poissons dans sa bouche, les paupières à « fenêtre » du scinque fouisseur.

Reptiles

Lézards, serpents, tortues et alligators sont de la classe des reptiles. Pourtant, ils ne se ressemblent pas, ne se déplacent pas de la même façon et vivent différemment. Qu'ont-ils donc en commun ? Un reptile a le corps couvert d'écailles ou de plaques osseuses ; c'est un animal rampant, avec ou sans pattes, qui respire par des poumons. Il est carnivore (sauf la tortue de terre) et pond des œufs (bien que la majorité des serpents venimeux d'ici donnent naissance à des petits).

Moins assujettis à l'eau douce que les amphibiens, les reptiles occupent divers habitats aux Etats-Unis et dans le sud du Canada : eaux douces et salées, forêts, champs, déserts et villes. Le Sud-Ouest est plus riche en lézards, l'Est en serpents.

Alligators et crocodiles

Ces reptiles à cuirasse fréquentent seulement le sud-est des Etats-Unis et c'est en Floride, dans certaines sections du parc national des Everglades, qu'on peut le mieux les observer. D'un trottoir élevé, on les voit au naturel : faisant les lézards au soleil dans la vase des berges ou se laissant flotter comme du bois mort au fil de l'eau. (Les crocodiles devenant rares aux Etats-Unis, on a créé une réserve à leur intention à Key Largo, en Floride.) Au printemps, dans les Everglades, on entend parfois le mâle vagir d'amour devant la femelle, chant puissant et étrange, car la plupart des reptiles sont silencieux.

Tortues

Quelque 50 espèces de tortues vivent au Canada et aux Etats-Unis, la Floride étant particulièrement riche à cet égard. Ce sont des animaux dont la vie se déroule dans l'eau ou à proximité de l'eau.

On a dit de la tortue qu'elle transportait sa maison sur son dos. C'est un peu vrai puisque son corps est partiellement enfermé dans une double cuirasse cornée couverte d'écailles, dont le dessus s'appelle carapace et le dessous plastron. Celles qui vivent peu sur terre, comme les trionyx, ont des carapaces plus petites.

Pour identifier une tortue, on doit parfois regarder son plastron. La tortue n'a pas de dents (tous les autres reptiles en ont), mais elle est dotée d'un bec corné capable d'infliger de cruelles morsures. Il faut donc la saisir avec prudence, et ne pas toucher aux plus grosses.

Lézards

Bien qu'on trouve ici peu d'espèces de lézards, 115 sur un total de 3 000, on ne peut imaginer un groupe plus diversifié. La plupart ont quatre pattes, mais les orvets n'en ont pas. Leur corps est tantôt grêle,

Les reptiles et les amphibiens n'ont en commun aucun moyen particulier de locomotion ; en effet, les serpents rampent, les tortues de mer nagent, les rainettes grimpent, les crapauds sautent, les lézards courent, certains serpents tropicaux planent et beaucoup creusent des galeries dans le sol.

Reptiles et amphibiens ont une colonne vertébrale comme les mammifères, les oiseaux et les poissons, mais à l'encontre des autres vertébrés, ils n'ont ni fourrure, ni plumes, ni nageoires. Ce sont des animaux à sang froid ; la température de leur corps varie en fonction de celle de leur environnement et ils cessent toute activité lorsque le temps se met au froid. Aussi les trouve-t-on davantage dans les régions chaudes du globe, c'est-à-dire dans les zones tropicales et subtropicales. En Améri-que du Nord, ils sont peu nombreux : moins de 300 espèces de reptiles et 200 espèces d'amphibiens.

Le corps des reptiles est couvert d'écailles ou de plaques osseuses, tandis que les amphibiens ont une peau fine qui les rend vulnérables aux blessures et à la sécheresse — ils dépendent donc de l'eau. Contrairement à ceux des amphibiens, les œufs des reptiles ont une coquille, parfois fragile comme celle des œufs d'oiseaux, parfois coriace comme du cuir pour les protéger de la déshydratation lorsqu'ils sont incubés dans le sable.

Vous en saurez davantage sur chaque groupe en lisant les textes d'introduction. Celui qui concerne les reptiles commence ci-dessous. Les salamandres, les crapauds et les tortues, membres de la famille des amphibiens, sont présentés page 181.

tantôt massif ; leur queue, longue et fine ou courte et épaisse ; leurs écailles sont lisses ou épineuses ; la texture même de ces écailles peut servir à l'identification. C'est ainsi que les lézards-fouets ont de grosses écailles sur l'abdomen et de petites sur le dos. La couleur n'est pas un trait distinctif, car elle varie avec l'âge, le sexe et l'habitat. Chez certaines espèces, les mâles sont plus colorés et plus trapus que les femelles et leur queue est plus longue.

Les lézards adorent le soleil et la plupart sont de mœurs diurnes. Ils aiment flâner sur les murs de pierre, courir sur les clôtures et les souches, se cacher dans les feuilles mortes et les débris végétaux ; ils fréquentent les bâtiments abandonnés, les amas de bran de scie, les pentes rocheuses, les défilés et les terrains sableux. Tous les lézards mordent, mais une seule espèce, l'héloderme (gila) suspect, est venimeuse ; de toute façon, sa taille rebuterait l'observateur le plus résolu.

Les serpents

La fascination qu'exerce le serpent sur l'imaginaire de l'homme se reflète dans toutes les légendes dont il est l'objet. Les serpents sont dépourvus de membres — mais chez le boa caoutchouc et les autres boas, les membres postérieurs sont réduits à de simples ergots. Ils n'ont pas de paupières. Ils sont exclusivement carnivores, alors que les autres reptiles mangent aussi des végétaux. Enfin, ils peuvent blesser et même tuer l'homme.

C'est souvent au moment où il s'enfuit qu'on aperçoit le serpent. Pour le voir, il faut le chercher : sous des planches ou des souches, dans des piles de débris végétaux, sous les roches, près des murs de pierre, en bordure des étangs et ruisseaux. C'est une quête qui demande de la prudence. Ne fouillez pas avec vos mains. Pour les espèces nocturnes, le mieux est de se promener à pied ou en voiture dans des chemins de campagne à la tombée de la nuit. A l'occasion, ce n'est pas le serpent qu'on rencontre, mais la vieille peau qu'il a abandonnée dans l'une de ses multiples mues annuelles.

Il vaut mieux ne jamais toucher à un serpent. Serait-on sûr qu'il s'agit d'une espèce inoffensive, on risque quand même de se faire mordre. Si le sixième seulement des 115 espèces qui habitent le Canada et les Etats-Unis sont des serpents venimeux, il s'en trouve au moins une dans chaque région. Vous ne les rencontrerez pas toutes dans ce livre ; le serpent corail d'Arizona et plusieurs crotales ont été laissés de côté et on ne montre pas toutes les livrées des autres. Soyez prudent là où il peut y avoir des serpents.

Alligators *Alligator*

Ce sont les plus gros reptiles d'Amérique du Nord et les plus bruyants. Au printemps, saison des amours, les mâles poussent des vagissements assourdissants. La femelle pond de 20 à 60 œufs dans un monticule de débris végétaux près de l'eau et les surveille jusqu'à l'éclosion, une dizaine de semaines plus tard. Les petits restent un an au nid se nourrissant de grenouilles, de crustacés et d'insectes aquatiques, tandis que les parents préfèrent poissons, tortues, oiseaux et petits mammifères. Le crocodile américain *(Crocodylus acutus)*, à museau pointu, fréquente les marais d'eau salée et saumâtre du sud de la Floride.

Alligator américain *Alligator mississippiensis*

Longueur : *1,80-4,50 m (6-15 pi).*
Traits : *large museau arrondi ; vieux adultes gris-noir ; jeunes noirs à bandes transversales jaunes.*
Habitat : *eaux douces, marais saumâtres ; marécages, rivières, bayous.*

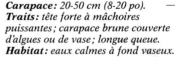

Tortues alligators *Macroclemys*

La tortue alligator est l'une des tortues d'eau douce les plus grosses au monde ; son poids dépasse 90 kg (200 lb). Plus sédentaire que sa cousine la chélydre, elle se tapit dans la vase, ouvre la bouche en découvrant deux excroissances rosées en forme de ver qui attirent les poissons dans un vrai guet-apens. (Les tortues n'ont pas de dents, mais leurs mâchoires sont enfermées dans des fourreaux cornés redoutables.) Elle se nourrit aussi de vers, d'escargots, de moules et de charogne.

Tortue de Temminck
Macroclemys temmincki

Carapace : *33-66 cm (13-26 po).*
Traits : *carapace brune ou grise à longues crêtes ; tête forte ; bouche à excroissances ; longue queue.*
Habitat : *lacs, marécages, rivières profondes.*

Chélydres *Chelydra*

La chélydre serpentine ou tortue hargneuse a la tête et les membres si gros et la plaque osseuse du dessous si petite qu'elle ne peut rentrer complètement dans sa carapace, mais ses puissantes mâchoires infligent des morsures terribles à qui l'importune. Elle mange toutes sortes de plantes et d'animaux aquatiques. L'observateur la voit généralement flotter paresseusement au fil de l'eau. La femelle vient parfois au sol chercher un nid pour ses œufs ; elle est alors très agressive.

Chélydre serpentine
(tortue hargneuse)
Chelydra serpentina

Carapace : *20-50 cm (8-20 po).*
Traits : *tête forte à mâchoires puissantes ; carapace brune couverte d'algues ou de vase ; longue queue.*
Habitat : *eaux calmes à fond vaseux.*

Tortue musquée *Sternotherus odoratus*

Carapace: *7,5-14 cm (3-5½ po).*
Traits: *deux rayures claires de chaque côté de la tête; carapace lisse et bombée; plastron à 11 plaques.*
Habitat: *cours d'eau, bayous, étangs, canaux.*

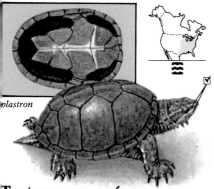

plastron

Petite tortue musquée
Sternotherus minor

Carapace: *7,5-13,5 cm (3-5¼ po).*
Traits: *carapace brune ou orange à bordure foncée, marquée de raies ou de crêtes; plastron rose ou jaune à 11 plaques.*
Habitat: *ruisseaux, rivières, souillards.*

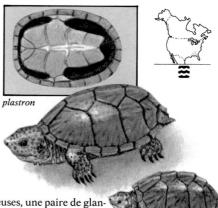

plastron

carapace à crêtes d'une jeune tortue

Tortues musquées *Sternotherus*

Ces petites tortues possèdent, comme les tortues bourbeuses, une paire de glandes qui leur permettent de lancer un liquide jaunâtre à odeur musquée en cas de danger. Elles marchent au fond de l'eau et volent souvent les appâts des pêcheurs. Les tortues odorantes ou musquées, comme certaines tortues bourbeuses, cherchent à mordre lorsqu'on les prend. Au printemps, elles dorment au soleil en eau peu profonde, parmi des plantes flottantes; le dôme de la carapace seul sort de l'eau. On sait que le soleil fait monter la température des animaux à sang froid et accélère leur métabolisme.

Tortue bourbeuse jaune
Kinosternon flavescens

Carapace: *9-15 cm (3½-6 po).*
Traits: *carapace lisse à plaques bordées d'olive ou de brun; plastron jaune ou brun à 11 plaques, 2 charnières et sillons noirs; mâchoires et gorge blanches ou jaunes.*
Habitat: *ruisseaux, rivières, étangs, lacs.*

charnières

plastron

Tortue bourbeuse de l'Est
Kinosternon subrubrum

Carapace: *8-9,5 cm (3-3¾ po).*
Traits: *carapace lisse, olive ou brun foncé; plastron jaune ou brun à 11 plaques et 2 charnières.*
Habitat: *lacs, marécages, marais salés, fossés inondés.*

charnières

plastron

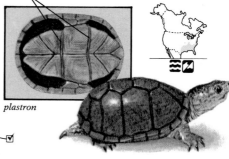

Tortues bourbeuses *Kinosternon*

Si ces tortues ressemblent à première vue aux précédentes, elles s'en distinguent par leur bouclier ventral. Le plastron, ou carapace inférieure, de la tortue bourbeuse lui couvre presque tout le corps et comporte deux charnières transversales; lorsque les membres sont rentrés, la tortue peut refermer sa carapace en rabattant vers le haut les deux moitiés du bouclier ventral. La tortue musquée n'a qu'un petit plastron doté d'une seule charnière à peine visible.

161

plastron

Tortue des bois
Clemmys insculpta

Carapace: *12,5-23 cm (5-9 po).*
Traits: *carapace brune à crêtes pyramidales; plastron jaune maculé de noir; cou et pattes antérieures souvent orange.*
Habitat: *cours d'eau en forêt; fermes; marais, marécages.*

Tortue ponctuée
(clemmyde à gouttelettes)
Clemmys guttata

Carapace:
9-12,5 cm (3½-5 po).
Traits: *carapace noire maculée de jaune; yeux bruns (mâle) ou orange (femelle).*
Habitat: *boisés inondés, cours d'eau à fond bourbeux, prés humides, étangs à castors.*

Clemmydes *Clemmys*

Il y a quatre espèces de clemmydes en Amérique du Nord.
La tortue des bois hiverne à l'abri sous l'eau et fréquente à l'occasion boisés, prés et champs cultivés. La tortue ponctuée aime bien prendre le soleil sur des touffes de tussack au printemps. Elle s'installe sur des troncs à demi submergés et plonge se cacher dans la vase en cas d'urgence. La tortue de l'Ouest, seule tortue d'eau douce dans son territoire qu'occupe partiellement la jolie tortue peinte, aime davantage l'eau que ses cousins. Elle prend des bains de soleil sur une roche, un tronc ou la berge d'un ruisseau, et plonge rapidement si on vient la déranger. La quatrième espèce, le clemmyde de Muhlenberg *(Clemmys muhlenbergi)*, fréquente des endroits isolés de l'Etat de New York à la Caroline du Nord. Ses marques jaune vif ou orange sur les côtés de la tête font un saisissant contraste avec sa carapace brune. Tous les clemmydes se nourrissent de mollusques, de petits animaux et de plantes aquatiques.

Tortue de l'Ouest
(clemmyde marbré)
Clemmys marmorata

Carapace:
9-18 cm (3½-7 po).
Traits: *carapace lisse, aplatie, olive ou brun sombre, chaque plaque marquée de lignes ou de taches rayonnantes.*
Habitat: *eaux calmes ou stagnantes; parfois eaux saumâtres.*

Terrapin-diamant *Malaclemys terrapin*

Carapace: *10-24 cm (4-9½ po).*
Traits: *carapace de grise à noire, souvent à anneaux profondément ciselés; tête et cou gris à écailles noires.*
Habitat: *marais salés, estuaires.*

Terrapins aquatiques d'Amérique
Malaclemys

La femelle peut être deux fois plus longue que le mâle, comme chez la tortue géographique. Mais la queue plus longue et plus épaisse du mâle et son plastron concave facilitent l'accouplement. La femelle pond de 4 à 18 œufs au-dessus de la ligne des marées dans une dépression qu'elle a creusée de ses pattes postérieures et remplie de sable. Les œufs mettent de deux à quatre mois à éclore quand ils n'ont pas été dévorés par un raton laveur, une mouffette, un renard ou un goéland.

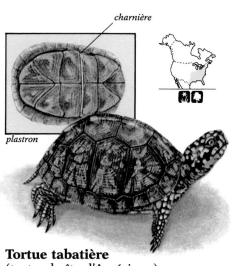

charnière

plastron

Tortue tabatière
(tortue-boîte d'Amérique)
Terrapene carolina

Carapace :
10-22 cm (4-8½ po).
Traits : *carapace très bombée, brun foncé, à lignes ou marques jaunes, orange ou olive ; plastron uni ou maculé avec charnière.*
Habitat : *forêts humides, champs, plaines inondées.*

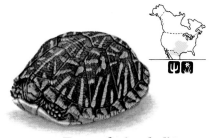

Tortue-boîte de l'Ouest
Terrapene ornata

Carapace: *10-14,5 cm (4-5¾ po).*
Traits : *carapace très bombée, noire ou brune, à lignes rayonnantes jaunes ; plastron à charnières de même couleur.*
Habitat : *prairies sèches, broussailles, boisés, champs de prosopis.*

Tortues-boîtes
Terrapene

Si la plupart des tortues peuvent trouver refuge dans leur carapace, la tortue-boîte se referme plus complètement que les autres espèces grâce à son plastron à charnière dont les deux moitiés remontent se souder à la carapace. Ces tortues de terre vont à l'occasion prendre le frais dans un étang ou une mare en forêt. Leur longévité est remarquable. Certains individus auraient dépassé les cent ans. A dire vrai, déterminer l'âge d'une tortue n'est pas chose facile. Les dates incisées dans les carapaces ne révèlent que la personnalité de leur auteur. Quant aux cercles de croissance des plaques osseuses sous la carapace, ils ne sont pas très fiables non plus. Ces cercles ne viennent pas tous les ans et, après dix ou quinze ans, ils s'effacent.

Tortue géographique
Graptemys geographica

Carapace: *10-27 cm (4-10¾ po).*
Traits : *carapace à petite crête centrale, verdâtre, à cercles fins orangés ; tache triangulaire jaune derrière l'œil.*
Habitat : *rivières et lacs à fond vaseux.*

Tortues géographiques *Graptemys*

Les 10 espèces présentes en Amérique du Nord présentent une crête au centre de la carapace. Chez certaines, comme la tortue pseudogéographique, la crête porte des nœuds qui s'usent avec l'âge. Le graptémyde de Ouachita *(Graptemys ouachitensis)*, semblable à la précédente et qui fréquente à peu près le même territoire, se distingue par quatre grosses taches jaunes ou par des barres jaunes et vertes en alternance sous la tête. D'autres tortues géographiques habitent spécifiquement certaines rivières du sud des Etats-Unis. Toutes sont grégaires, aiment prendre le soleil à plusieurs sur des troncs couchés ou des berges escarpées et se sauvent dès qu'un intrus approche. Elles se nourrissent surtout d'invertébrés. La femelle capture des mollusques d'eau douce et des escargots et les petits mâles mangent des insectes et des écrevisses.

Tortue pseudo-géographique
Graptemys pseudogeographica

Carapace : *9-27 cm (3½-10¾ po).*
Traits : *carapace brune ou verte à macules foncées et à ovales clairs ; crête sombre à nœuds ; marque jaune (barre ou croissant) derrière l'œil.*
Habitat : *lacs herbeux, rivières, fondrières, bassins.*

163

plastron

Tortue peinte
Chrysemys picta

Carapace: *10-24,5 cm (4-9¾ po).*
Traits: *carapace lisse, vert foncé,
ourlée de barres ou de croissants rouges;
plastron jaune parfois maculé.*
Habitat: *eaux douces peu
profondes et herbeuses.*

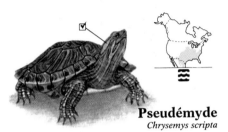

Pseudémyde
Chrysemys scripta

Carapace: *12,5-29 cm (5-11½ po).*
Traits: *raie ou tache rouge, orange ou jaune
derrière l'œil; menton arrondi dessous; carapace
vert foncé à raies ou barres jaunes.*
Habitat: *eaux douces herbeuses
et peu profondes.*

Déirochélydes *Deirochelys*

Les besoins alimentaires des tortues se modifient avec l'âge. Le déirochélyde réticulaire, comme les espèces aquatiques, se nourrit d'abord de petits animaux avant d'adopter un régime végétarien. Ses ennemis changent aussi avec les années. C'est d'abord le raton laveur, les loutres et les oiseaux planeurs; adulte, il doit surtout redouter les alligators et les hommes. (Sa chair succulente était autrefois vendue dans le commerce.) Quant aux grandes tortues comme les chélydres, elles ne sont menacées que par l'homme.

Déirochélyde réticulaire
Deirochelys reticularia

Carapace: *10-25 cm (4-10 po).*
Traits: *cou long, rayé de jaune;
carapace à fines raies incisées.*
Habitat: *marais; étangs et lacs
peu profonds et herbeux.*

Tortues de terre, de mer et d'eau douce. Tout reptile à carapace osseuse et à bec dépourvu de dents est une tortue. Il y en a environ 50 espèces en Amérique du Nord dont trois sont véritablement des tortues de terre à pattes courtes, à pieds non palmés et à carapace très bombée. Le terme « terrapin » n'a rien de scientifique; c'est une appellation vernaculaire pour désigner certaines espèces comestibles vivant en eau douce et autrefois commercialement exploitées.

Chrysémydes *Chrysemys*

Si toutes les tortues aiment bien dormir au soleil, cette habitude est particulièrement marquée chez les chrysémydes qui s'empilent littéralement sur un tronc d'arbre couché. Font partie de ce groupe le pseudémyde, qui se laisse glisser timidement dans l'eau dès qu'on s'en approche, la magnifique tortue peinte, la tortue la plus répandue en Amérique du Nord, et deux pseudémydes à ventre jaune *(Chrysemys concinna* et *C. floridana)*, qui fréquentent le sud-est des Etats-Unis. Le pseudémyde à oreilles rouges se vendait autrefois dans les animaleries. Ces petites tortues familières ont les besoins de l'espèce à laquelle elles appartiennent, mais il leur faut un régime varié, un aquarium propre, un endroit où prendre le soleil... et des amis qui comprennent leurs habitudes.

Tortues de Blanding *Emydoidea*

On confond parfois la seule espèce de ce groupe avec une tortue-boîte; en réalité, elle en diffère par son long cou à gorge jaune et ne peut fermer sa carapace hermétiquement même si son plastron a une charnière. C'est une tortue des régions froides; on l'a déjà vue nager sous la glace.

Tortue de Blanding *Emydoidea blandingi*

Carapace: *12,5-27 cm (5-10½ po).*
Traits: *carapace bombée, lisse, noire, à taches, macules ou lignes jaunâtres; plastron à charnière; menton et gorge jaunes.*
Habitat: *marais, étangs, mares et lacs peu profonds et herbeux.*

charnière

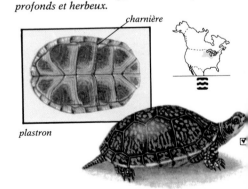

plastron

Tortue du désert
Gopherus agassizii

Carapace: 23-37 cm (9-14½ po).
Traits: carapace très bombée à lignes concentriques profondément incisées; crêtes jaunes ou orange; pieds antérieurs plats à larges écailles; pieds postérieurs ronds et trapus.
Habitat: canyons; pentes, terrains limoneux, oasis.

Tortues fouisseuses *Gopherus*

Ces tortues sont les seules en Amérique du Nord à présenter des membres antérieurs aplatis dont elles se servent pour creuser. Deux espèces, la tortue du désert et la tortue fouisseuse, dégagent une longue galerie débouchant dans leur nid. Une troisième, la tortue de Berlandier *(Gopherus berlandieri)*, qui habite le Texas et le Mexique, se contente d'un simple trou à l'oblique. Les trois ont la démarche insouciante et le régime végétarien qui caractérisent ces tortues de terre partout dans le monde.

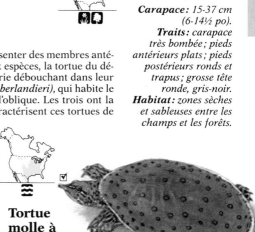

Tortue fouisseuse
Gopherus polyphemus

Carapace: 15-37 cm (6-14½ po).
Traits: carapace très bombée; pieds antérieurs plats; pieds postérieurs ronds et trapus; grosse tête ronde, gris-noir.
Habitat: zones sèches et sableuses entre les champs et les forêts.

Tortues à carapace molle
Trionyx

La plupart des tortues ont une carapace osseuse doublée de plaques cornées. La tortue à carapace molle a, malgré son nom, un bouclier osseux; mais les plaques cornées cèdent la place à une peau lisse, marquée de cercles sombres chez les jeunes et les mâles adultes. Ceux-ci sont beaucoup plus petits que les femelles. Les tortues à carapace molle passent de longs moments enfouies dans la vase au fond de l'eau, le bout de leur museau affleurant seulement à la surface. Deux espèces sont répandues: le trionyx épineux et le trionyx mutique *(Trionyx muticus)*, du Mississippi.

Tortue molle à épine (trionyx épineux) *Apalone spinifera*

Carapace: 12,5-45 cm (5-18 po). **Traits:** carapace lisse, coriace, mince, plate, garnie d'épines sur le bord; pieds palmés; museau long et effilé. **Habitat:** cours d'eau rapides; lacs, cours d'eau vaseux, étangs.

Caouanne *Caretta caretta*

Carapace: 80 cm-1,20 m (31-48 po).
Traits: pattes en forme de nageoire; carapace brun-rouge à 3 rangs de crêtes irrégulières; 2 paires d'écailles entre les yeux.
Habitat: haute mer, marais salés, baies.

Caouannes *Caretta*

Les tortues de mer ne viennent à terre que le soir pour pondre leurs œufs. La caouanne est la tortue de mer la plus répandue en Amérique du Nord. Après l'accouplement en eau peu profonde, la femelle creuse un trou sur la grève, y pond une centaine d'œufs, les recouvre de sable et retourne à la mer. L'éclosion se produit huit semaines plus tard. Les tortues de mer ont été décimées par l'homme. Leur grande taille, leur ponte importante et leurs mœurs immuables ont joué contre elles, tout comme l'urbanisation des côtes.

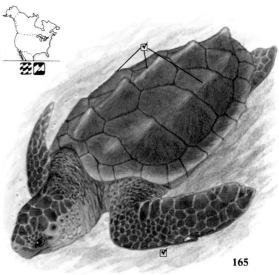

Gecko varié
Coleonyx variegatus

Longueur: *11-15 cm (4½-6 po).*
Traits: *corps crème, jaune ou rosé bigarré de brun; yeux à pupilles verticales et grosses paupières mobiles.*
Habitat: *flancs rocheux de collines; canyons; terrains inondés; dunes.*

Geckos Coleonyx

Les geckos forment une grande famille de lézards tropicaux et subtropicaux; leur nom vient du clappement *gec-ko* qu'ils émettent. Ils passent le jour dans une fissure; la nuit, ils chassent les insectes. Les trois espèces du sud-ouest des Etats-Unis ont des paupières mobiles, contrairement aux autres geckos, et ne sont pas grimpeuses.

Lézards léopardins
Gambelia

Ces grands lézards agiles, de mœurs diurnes, se tapissent dans l'ombre d'un buisson, prêts à dévorer araignées, insectes et petits lézards. Comme les lézards à collier, ils courent sur les pattes postérieures en tenant les pattes antérieures repliées contre le corps. Méfiants et agressifs, ils sifflent s'ils sont coincés et mordent si on les prend. Le lézard léopardin à museau arrondi *(Gambelia silus)*, menacé d'extinction, habite la vallée de San Joaquin, en Californie.

Lézard de Wislizen
Gambelia wislizenii

Longueur: *22-38 cm (8½-15 po).*
Traits: *corps et queue arrondis, gris ou fauves, maculés de taches brunes et de barres blanches.*
Habitat: *déserts, prairies sèches.*

Anolis de la Caroline
Anolis carolinensis

Longueur: *12,5-20 cm (5-8 po).*
Traits: *vert; parfois brun uni ou moucheté; fanon rose sur la gorge; grands coussinets sous les pieds.*
Habitat: *arbres, buissons, vignes, murs, clôtures.*

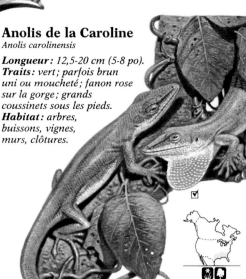

Anolis Anolis

Très répandus sous les tropiques, les anolis constituent le groupe de reptiles le plus important de l'hémisphère occidental avec près de 200 espèces. Seul l'anolis de la Caroline est indigène ici; cinq espèces des Antilles ont cependant été acclimatées dans le sud de la Floride. De type grimpeur, les anolis ont des pieds à orteils élargis garnis de coussinets adhésifs. Comme les caméléons d'Afrique, ils changent de couleur sous l'influence de la lumière, de la température et de leurs émotions. Les mâles protègent leur territoire à grands coups de tête en déployant leur fanon rose.

Iguanes sourds Holbrookia

Si l'ouïe des serpents et des salamandres n'est pas très fine, les lézards sont normaux sous ce rapport. Sauf les iguanes sourds. Plus grand que le petit iguane sourd mais moins répandu, le grand iguane sourd *(Cophosaurus texanus)* porte des bandes noires remarquables sous la queue.

Petit iguane sourd
Holbrookia maculata

Longueur: *10-12,5 cm (4-5 po).*
Traits: *pas d'oreilles; corps couleur du sol (gris ou brun); 2 rangs de taches noires, du cou à la queue, sur les côtés.*
Habitat: *sable ou cailloutis en plaines à herbes courtes; terres cultivées; déserts.*

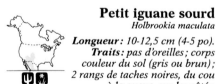

Lézards nocturnes
Xantusia

Ce lézard dit nocturne ne l'est pas vraiment. Si certaines espèces se cachent dans les arbres ou sous des pierres durant le jour, le lézard nocturne du désert chasse les insectes dont il se nourrit. Les lézards sont en général ovipares. Celui-là fait exception : c'est un vivipare dont les petits naissent queue devant et ventre dessus.

Lézard à queue zébrée
Callisaurus draconoides

Longueur :
15-23 cm (6-9 po).
Traits : *2 rangs de taches grisâtres sur le dos ; queue à dessous blanc et à barres noires ; orifices auriculaires.*
Habitat : *terrains dégagés à sol ferme.*

Lézards à queue zébrée
Callisaurus

Peu tacheté et d'aspect terne, ce lézard se confond tout à fait avec son environnement. Mais s'il est effrayé, il dresse et replie la queue sur le dos, exposant ainsi les rayures zébrées qui lui donnent son nom. C'est l'un des lézards les plus rapides d'Amérique du Nord ; il peut dépasser 24 km/h (15 mi/h) sur de courtes distances.

Iguanes du désert *Dipsosaurus*

Heureux quand il fait plus de 38°C (100°F), cet animal s'active vers midi, alors que la plupart des reptiles dorment dans leur repaire. Lorsque le sable devient insupportablement chaud, il grimpe dans un bosquet de larreas pour se rafraîchir et manger quelques feuilles de cette plante. La nuit et en période d'hibernation, il loge dans un terrier de rongeur dont il bouche l'entrée avec du sable.

Lézard nocturne du désert
Xantusia vigilis

écailles du dos

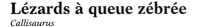

écailles de l'abdomen

Longueur : *9,5-12,5 cm (3¾-5 po).* **Traits :** *yeux à pupilles verticales ; pas de paupières ; peau douce ; petites écailles granuleuses sur le dos ; grandes écailles abdominales carrées ; rayure claire de l'œil au cou.* **Habitat :** *affleurements rocheux, débris sous les plantes du désert.*

Lézard à collier
Crotaphytus collaris

Longueur : *20-35 cm (8-14 po).*
Traits : *forte tête ; bandes noires et blanches sur le cou ; coloris vifs ; femelle : taches et rayures orange sur les flancs au printemps.*
Habitat : *collines rocheuses ; montagnes dénudées.*

Lézards à collier *Crotaphytus*

Ces lézards s'accouplent au printemps et pondent à la mi-été. Le mâle (illustré) présente, comme tous les lézards, des coloris plus vifs que ceux de la femelle. Cependant, la femelle pleine d'œufs fertilisés se pare de marques colorées sur les flancs.

Iguane du désert
Dipsosaurus dorsalis

Longueur : *25-40 cm (10-16 po).*
Traits : *petite crête de grandes écailles au milieu du dos ; corps dodu ; petite tête à museau court.*
Habitat : *déserts à larreas.*

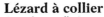

167

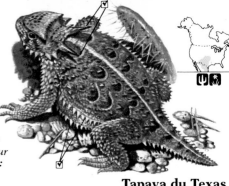

Iguane à petites cornes
(tapaya de l'Est) *Phrynosoma douglassi*

Longueur : *6-14,5 cm (2½-5¾ po).* **Traits :** *corps plat ;
tête armée de courtes épines ; rang d'écailles pointues sur
les flancs ; deux taches sombres sur la nuque.* **Habitat :**
forêts en plaine et en montagne.

Tapayas *Phrynosoma*

La présence d'écailles dressées sur la tête et les flancs donne à ces
lézards cornus un aspect redoutable qui effraie leurs prédateurs. En
cas d'attaque, ils ouvrent la bouche, sifflent, mordent et lancent à
plus de 1 m un jet de sang qui sort du coin des yeux. Des températures
de plus de 38°C (100°F) ne les accablent pas ; s'il fait vraiment trop
chaud, ils entrent dans le sol en se tortillant.

Tapaya du Texas
Phrynosoma cornutum

Longueur : *6-18 cm (2½-7 po).*
Traits : *corps plat ; tête armée
d'épines dont deux longues
au centre ; rangs d'écailles
pointues sur les flancs.*
Habitat : *plaines sèches.*

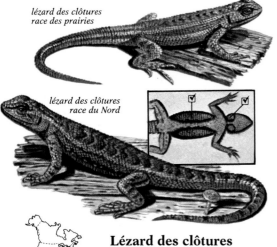

*lézard des clôtures
race des prairies*

*lézard des clôtures
race du Nord*

Lézard des armoises
Sceloporus graciosus

Longueur : *12,5-15 cm (5-6 po).*
Traits : *marque fauve derrière les
pattes antérieures ; tache noire sur
l'épaule ; petites écailles granuleuses
sur les cuisses ; mâle : macule bleue
sur la gorge, bleu foncé sur l'abdomen.*
Habitat : *champs d'armoise ; forêts en montagne.*

Lézard des clôtures
Sceloporus undulatus

Longueur : *9-19 cm (3½-7½ po).*
Traits : *corps gris ou brun à
rayures ondulées foncées ou bandes foncées
et claires, couvert de rudes écailles dressées ;
mâle : taches bleues sur gorge et abdomen.*
Habitat : *boisés secs, plaines, brousse.*

Lézards épineux *Sceloporus*

Ce sont les lézards les plus répandus en Amérique du
Nord ; il en existe 16 espèces aux Etats-Unis et au Canada.
Les mâles se signalent par des plaques bleu vif sur l'abdomen, plus apparentes lorsqu'ils aplatissent les flancs
pour attirer une femelle ou écarter un intrus.

Uta à flancs maculés
Uta stansburiana

Longueur : *10-16 cm (4-6¼ po).*
Traits : *tache bleue ou noire
derrière les pattes antérieures ;
repli cutané sur la gorge ;
orifices auriculaires.*
Habitat : *déserts et
montagnes ; lieux
rocheux ou sableux
peu boisés.*

Utas *Uta*

Le seul uta à fréquenter les Etats-Unis, l'uta à
flancs maculés, se lève de bon matin, prend un
bain de soleil pour faire monter sa température et
se met en quête de nourriture. Gourmand, il consomme quantité d'insectes, d'araignées et de scorpions et chasse prédateurs et intrus à grands
coups de tête comme le font les lézards épineux.
On pourrait le confondre avec un de ceux-ci, sauf
pour la macule foncée de chaque côté de la nuque
et le repli cutané qui lui garnit la gorge.

Chuckwalla
Sauromalus obesus

Longueur : *28-42 cm (11-16½ po).*
Traits : *gros corps bouffi ; replis cutanés sur le
cou et les flancs ; queue épaisse, arrondie au bout.*
Habitat : *versants rocheux de collines ;
affleurements rocheux dans le désert.*

Chuckwallas *Sauromalus*

Le chuckwalla commence sa journée par un bain
de soleil jusqu'à ce que sa température monte à
quelque 38°C (100°F). Puis il musarde dans les
fleurs, les fruits et les feuilles. A la moindre alerte,
ce grand lézard timide se réfugie dans une cre-
vasse rocheuse et se gonfle le corps à n'en plus
pouvoir sortir. Les chuckwallas n'ont pas tous la
même livrée : les jeunes portent des stries transversales qui disparaissent avec le temps.

REPTILES

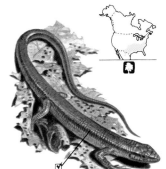

Scinque de terre *Scincella lateralis*

Longueur : *7,5-12,5 cm (3-5 po).*
Traits : *corps brun ; rayure latérale sombre partant de l'œil ;
courtes pattes ; longue queue ; écailles lisses et luisantes.*
Habitat : *bois à sol humide couverts de feuilles.*

Scinques de terre *Scincella*

La plupart des lézards ont des paupières mobiles comme les nôtres,
contrairement aux serpents dont les yeux sont recouverts de lentilles
cornées, transparentes et inamovibles. Les scinques et quelques autres lézards sont cependant dotés de paupières inférieures à « fenêtre » transparente qui leur permettent de voir les yeux fermés. C'est
une particularité fort avantageuse pour les espèces fouisseuses ou
souterraines qui creusent des galeries dans le sol.

Scinques *Eumeces*

Comme les espèces qui vivent dans les régions tempérées d'Amérique
du Nord, ces petits lézards luisants se réfugient dans le sol en hiver,
s'accouplent au printemps et pondent des œufs qui éclosent un mois
ou deux plus tard. Après la pariade, la femelle devient farouche. Elle
creuse un petit trou dans le sol humide ou le bois pourri, y dépose de
2 à 21 œufs et les protège jusqu'à l'éclosion. Les petits ressemblent si
peu aux parents qu'on en a déjà fait des espèces différentes.

Scinque des plaines
Eumeces obsoletus

Longueur : *16,5-35 cm
(6½-13¾ po).*
Traits : *écailles relevées sur
les flancs ; adulte : beige ou gris
à écailles ourlées de brun ;
juvéniles : noir luisant maculé
de blanc et d'orange sur la tête,
queue bleue.*
Habitat : *terrains herbeux,
plateaux, canyons, lieux rocheux.*

Scinque pentaligne
(scinque à bandes) *Eumeces fasciatus*

Longueur : *13-20 cm (5-8 po).* **Traits :** *adulte :
raies ternes et queue grise ; mâle en livrée
nuptiale : mâchoires orangées ; juvéniles : cinq
raies claires et queue bleue.* **Habitat :** *bois à sol
humide couverts de feuilles ; jardins ombragés.*

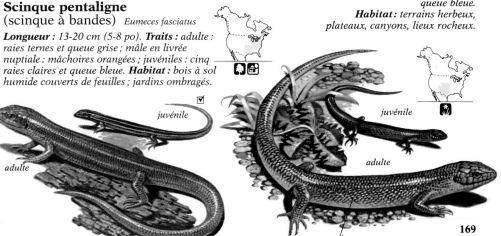

juvénile

juvénile

adulte

adulte

169

race marbrée

race du Grand Bassin

Lézard-fouet à six raies
Cnemidophorus sexlineatus

Longueur: *15-26,5 cm (6-10½ po).*
Traits: *6 ou 7 raies claires séparées de noir;*
écailles petites et granuleuses sur le dos,
grandes et rectangulaires sur l'abdomen;
gorge bleue ou verte (mâle), blanche (femelle).
Habitat: *boisés secs, terrains herbeux.*

Lézards-fouets   *Cnemidophorus*

Ces lézards à queue longue et fine comme un fouet
progressent par ondulations latérales en agitant
nerveusement la tête. Ils se nourrissent d'insectes
et d'araignées. Mâles et femelles sont présents
chez les deux espèces illustrées ici. Le lézard-fouet
du Nouveau-Mexique *(Cnemidophorus neomexi-
canus)* fait exception: tous les sujets sont hermaphrodites à autofécondation — ils pondent des
œufs fertilisés sans accouplement.

Lézard-fouet de l'Ouest
Cnemidophorus tigris

Longueur: *20-30 cm (8-12 po).*
Traits: *poitrine maculée de noir;*
corps à raies claires et à barres transversales
ou taches sombres; écailles petites et granuleuses
sur le dos, grandes et rectangulaires sur l'abdomen
Habitat: *déserts ou boisés secs.*

Lézard-alligator multicaréné
Gerrhonotus multicarinatus

Longueur: *25-42,5 cm (10-16¾ po).*
Traits: *repli cutané à petites écailles sur les flancs;*
dos et queue fortement rayés de noir;
lignes sombres sur l'abdomen.
Habitat: *champs*
broussailleux,
boisés de chênes
et de pins.

Lézards-alligators
Gerrhonotus

Ces lézards ont comme les alligators un bouclier
protecteur sous forme de plaques osseuses insérées entre les écailles. Le repli cutané que l'animal
présente sur les flancs lui permet d'augmenter de
volume lorsqu'il digère une proie ou porte des
œufs. Les orvets ont ces mêmes traits.

Orvet svelte   *Ophisaurus attenuatus*

Longueur: *56 cm-1 m (22-42 po).*
Traits: *pas de membres; paupières et oreilles;*
repli cutané sur les flancs, raies ou
mouchetures foncées au-dessous.
Habitat: *plaines et boisés; près de l'eau.*

Orvets   *Ophisaurus*

Les orvets ou serpents de verre ont une queue fragile qui
se brise en morceaux. Il est rare de trouver un individu
qui ait conservé la sienne (la nouvelle est plus courte et
plus sombre). On prend souvent l'orvet pour un serpent,
parce qu'il n'a pas de pattes, mais les serpents n'ont ni
paupières ni oreilles.

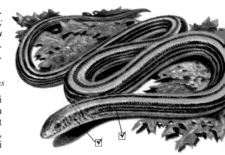

REPTILES

Héloderme (gila) suspect
Heloderma suspectum

Longueur: *45-60 cm (18-24 po).*
Traits: *corps trapu; queue courte et épaisse; face et pieds noirs;*
écailles en forme de petites perles noires et jaunes, orange ou roses.
Habitat: *lieux rocheux peu fertiles; canyons; terrains inondés.*

Hélodermes   *Heloderma*

Les seuls lézards venimeux au monde, l'héloderme suspect et son cousin l'héloderme horrible ou gila monstrueux *(Heloderma horridum)*, ne lâchent pas leur proie quand ils l'ont saisie par leurs crochets. Le venin, sécrété par des glandes à l'intérieur de la lèvre inférieure, leur permet d'avoir raison de leurs prédateurs et de tuer leurs proies. Les hélodermes se nourrissent de rongeurs, d'œufs d'oiseaux et de poussins au sol. Ils sont surtout actifs en fin de journée et fuient la chaleur du jour dans des terriers abandonnés, sous des roches ou dans des galeries qu'ils creusent eux-mêmes.

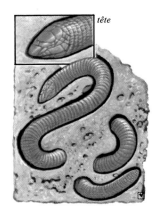

tête

Amphisbène de Floride
Rhineura floridana

Longueur: *18-40 cm (7-16 po).*
Traits: *corps vermiforme violet; anneaux*
écailleux; queue plate à petits renflements.
Habitat: *sol sec et sableux;*
bosquets de pins ou de feuillus.

Amphisbènes   *Rhineura*

Aveugles et apodes, les amphisbènes sont les lézards les mieux adaptés à la vie fouisseuse. Dépourvus d'oreilles visibles et munis d'une peau lisse, ils vivent dans des galeries souterraines où ils se déplacent aussi bien en avant qu'à reculons. On peut les prendre pour des vers de terre, mais ceux-ci n'ont ni tête ni queue.

Lézard sans pattes de Californie
Anniella pulchra

Longueur: *15-23,5 cm (6-9¼ po).*
Traits: *museau en pelle fouisseuse;*
pas de membres; pas d'oreilles visibles;
paupières mobiles; écailles luisantes; dos argenté
ou beige à lignes noires; abdomen jaune.
Habitat: *sable ou terre humide;*
grèves, boisés de chênes et de pins.

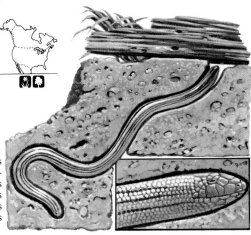

Lézards sans pattes   *Anniella*

Plus répandus qu'on ne le croit, ces lézards sans membres se trouvent généralement dans la couche superficielle du sol, ou sous les roches ou les troncs couchés, dans leur aire de dispersion. Ils serpentent dans le sol meuble et viennent parfois en surface le soir pour chercher des insectes dans les feuilles, sous les arbustes.

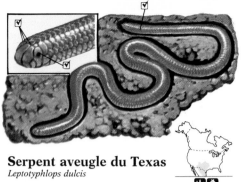

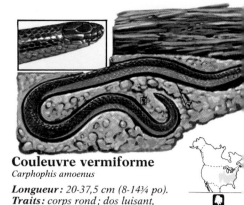

Serpent aveugle du Texas
Leptotyphlops dulcis

Longueur : *12,5-27 cm (5-10¾ po).*
Traits : *corps vermiforme et luisant ;
tête et queue arrondies ; petits yeux noirs ;
mêmes écailles sur le dos et l'abdomen ;
lentille cornée transparente sur l'œil ;
3 petites écailles entre les yeux.*
Habitat : *poches de sable ou de terre grasse
humide ; plaines, déserts, collines rocheuses.*

Serpents aveugles *Leptotyphlops*

Les « yeux » de ce petit serpent nocturne servent
à l'odorat et non pas à la vue. Il se nourrit de fourmis et de termites. Généralement caché dans le sol
humide, sous une roche ou une souche, il ne sort
pendant le jour qu'après une forte pluie. Le serpent aveugle de l'Ouest *(Leptotyphlops humilis)*
n'a qu'une seule écaille entre les yeux.

Couleuvre vermiforme
Carphophis amoenus

Longueur : *20-37,5 cm (8-14¾ po).*
Traits : *corps rond ; dos luisant,
brun ou noir ; abdomen rose-rouge ;
queue terminée par un aiguillon.*
Habitat : *forêts humides ; collines près
des cours d'eau.*

Couleuvres vermiformes
Carphophis

Les trois quarts des 2 700 espèces de serpents qui
peuplent la terre sont des couleuvres, caractérisées par de grandes pupilles, des écailles de même
taille sur l'abdomen et le reste du corps et des mâchoires à dents. Sauf deux espèces d'Afrique, les
couleuvres ne sont pas venimeuses. Les couleuvres vermiformes se nourrissent de vers de terre.

Boa caoutchouc
(serpent de gomme)
Charina bottae

Longueur : *30-75 cm (1-2½ pi).*
Traits : *corps caoutchouteux ; queue comme la
tête ; écailles larges sur la tête, petites, lisses et
luisantes ailleurs ; petits yeux à pupilles verticales.*
Habitat : *sol humide, bois pourri ; plaines
herbeuses et forêts.*

Boas caoutchouc *Charina*

Le boa caoutchouc, appelé aussi serpent de gomme
ou serpent à deux têtes, est un boa constricteur, parent de l'anaconda et du python. Il se nourrit de
mammifères et d'oiseaux. Le mâle utilise ses ves-
tiges de membres postérieurs pour caresser la femelle durant la pariade. Cette espèce est vivipare.

Serpent luisant *Arizona elegans*

Longueur : *60 cm-1,65 m (2-5½ pi).*
Traits : *écailles lisses et luisantes ;
museau pointu ; ligne noire de l'œil
aux commissures ; abdomen sans marques.*
Habitat : *déserts, maquis, boisés.*

Serpent luisant *Arizona*

On l'appelle aussi serpent décoloré ; c'est le seul
membre de ce groupe. Ce reptile du désert s'affaire la nuit. Quittant son terrier au crépuscule, il
chasse les lézards et les petits rongeurs qu'il tue en
les étouffant. Le serpent luisant n'a ni les marques
abdominales du serpent royal, ni les écailles à sillon du serpent ratier et du serpent-taureau.

Serpent écarlate
Cemophora coccinea

Longueur : 30-75 cm (1-2½ pi).
Traits : museau rouge, pointu ; minces bandes noires non annelées sur le dos ; abdomen blanc ou jaune, sans marques ; ressemble au serpent corail et au serpent royal écarlate.
Habitat : forêts ; champs boisés à sol meuble.

Serpents écarlates *Cemophora*

Ce serpent, seul membre de son groupe, se régale des œufs des autres reptiles. Il mange les petits entiers et déchire les gros avec son crochet supérieur. Les serpents écarlates se dissimulent sous une roche ou un arbre tombé durant le jour.

| race bleue | race de l'Ouest à abdomen jaune |

Coryphodons *Coluber*

Cette couleuvre serpente à vive allure sur le sol en tenant haut la tête. Poursuivie, elle n'hésite pas à grimper à un arbuste ou un arbre. Devant un ennemi, elle fait vibrer le bout de sa queue contre des végétaux morts et produit ainsi un bruit de crécelle. Le coryphodon ne tue pas ses proies par constriction, mais les avale entières et vivantes.

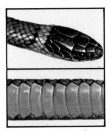
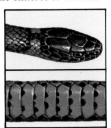

| race du Nord | race des prairies |

Couleuvres à collier *Diadophis*

Pourtant assez répandues, les couleuvres à collier se laissent rarement observer. Au printemps, elles se cachent sous des roches plates ou de l'écorce d'arbre ; plus tard, la chaleur leur fait rechercher des abris plus frais où le sol reste humide. Elles se rassemblent à plusieurs au même endroit et les femelles pondent parfois dans un nid collectif. Menacée, la couleuvre à collier dresse la queue en spirale, exposant son abdomen rouge.

Serpent à museau spatulé de l'Ouest *Chionactis occipitalis*

Longueur : 25-43 cm (10-17 po).
Traits : blanc ou jaune avec une vingtaine d'anneaux foncés plus ou moins complets (parfois bandes rouges en alternance) ; museau plat.
Habitat : déserts à petits arbustes.

Serpents à museau spatulé
Chionactis

Avec leur museau spatulé, leurs écailles luisantes et leur corps plat, ces serpents nagent littéralement dans le sable des déserts. Ils sont plutôt de mœurs nocturnes et se nourrissent d'insectes, de scolopendres, d'araignées et de scorpions.

race noire

Couleuvre agile (coryphodon constricteur) *Coluber constrictor*

Longueur : 90 cm-1,80 m (3-6 pi).
Traits : corps effilé ; écailles lisses ; couleur variable. **Habitat :** bois, terrains broussailleux ou rocheux.

race du Sud

Couleuvre à collier (serpent à collier)
Diadophis punctatus

Longueur : 30-75 cm (1-2½ pi).
Traits : dos olive, gris, brun ou noir uni ; collier généralement visible ; abdomen rouge, orange ou jaunâtre, souvent orné de taches noires ; écailles lisses.
Habitat : endroits humides en forêt, champs, désert ; collines boisées et rocheuses.

Serpent de boue
Farancia abacura

Longueur : 90 cm-2 m (3-6¾ pi).
Traits : dos bleu-noir ; abdomen noir
à barres roses ou rouges remontant
sur les flancs ; queue à aiguillon.
Habitat : marais, cours d'eau lents.

Serpents de boue et arc-en-ciel *Farancia*

La légende veut que ces serpents tiennent leur
queue dans la bouche et puissent tuer l'homme
d'un coup d'aiguillon. Au pire, ils peuvent lui enfoncer cet aiguillon dans la main, mais il n'est pas
venimeux. Le serpent de boue chasse les amphibiens. La grenouille attaquée se gonfle ; peine per-
due : d'un coup d'aiguillon, il la dégonfle avant de
l'avaler. Le serpent arc-en-ciel *(Farancia erytro-
gramma)*, aux belles raies rouges et jaunes, est
moins répandu et se nourrit d'anguilles.

Serpent indigo
Drymarchon corais

race de l'Est

Longueur : 1,50-2,60 m (5-8½ pi).
Traits : corps trapu à écailles lisses d'un bleu-noir
luisant ; gorge et côtés de la tête orange, rouges ou
crème ; race du Texas brunâtre et un peu marquée.
Habitat : boisés, orangeraies, fourrés, champs ;
près de l'eau.

Serpents indigo *Drymarchon*

C'est le plus gros serpent d'Amérique du Nord et
curieusement on le trouve, avec des traits un peu
différents, dans deux régions distantes de plusieurs centaines de kilomètres. Les deux races ont
habité le même territoire en des temps lointains et
leur isolement n'est pas l'œuvre de l'homme. Mais
c'est lui qui est responsable du déclin de la race de
l'Est qu'on voit ici avec ses œufs.

serpent ratier des plaines

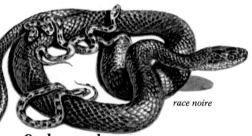

race noire

Couleuvre obscure
(serpent ratier)
Elaphe obsoleta

race jaune

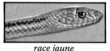

race grise

Longueur : 90 cm-2,45 m
(3-8 pi). **Traits :** corps
trapu, rayé, maculé ou
uni ; abdomen plat ;
flancs droits, non arrondis ;
écailles du milieu de
l'abdomen à angle contraire
de celles des flancs ; léger
sillon sur celles du dos.
Habitat : marais ; forêts
de feuillus ; collines
rocheuses et boisées.

race
de l'Est

Couleuvre à gouttelettes
Elaphe guttata

Longueur : 60 cm-1,80 m (2-6 pi).
Traits : abdomen plat ; flancs droits ; écailles
de l'abdomen plates, puis obliques au niveau des
flancs ; tache cunéiforme sur la tête ; abdomen
maculé de noir ; dessous de la queue rayé.
Habitat : pinèdes désertiques ; collines rocheuses
et boisées ; bosquets et fermes abandonnées.

Couleuvres obscures *Elaphe*

Comme de nombreux serpents inoffensifs pour l'homme, la couleuvre obscure
(serpent ratier) a un comportement agressif en cas de menace. Agitant la queue
contre des végétaux secs, elle produit un bruit de crécelle, siffle, redresse la partie antérieure du corps, replie le cou en S et donne de violents coups de tête.
Son menu habituel est fait de grenouilles, de lézards, d'oiseaux et d'œufs, mais
surtout de rats et d'autres rongeurs, trait qui lui vaut l'amitié des fermiers. Si
elle rampe la plupart du temps, elle grimpe aussi avec adresse grâce à ses écailles
abdominales concaves près des flancs qui agissent comme des ventouses.

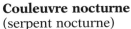

Couleuvre à nez plat
(serpent à groin de l'Est)
Heterodon platyrhinos

Longueur : *45 cm-1,15 m (1½-3¾ pi).*
Traits : *museau retroussé ; large cou ; corps trapu ; dessous de la queue plus pâle que l'abdomen ; jaune, brun, fauve ou rougeâtre, à macules carrées et foncées sur le dos, arrondies sur les flancs ; parfois tout noir.*
Habitat : *terrains sableux, champs d'herbes.*

Serpents à groin *Heterodon*

En cas de menace, le serpent à groin de l'Est siffle, se gonfle, abaisse le cou et donne des coups de tête. Si tout cela ne suffit pas à intimider l'adversaire, il se met sur le dos et fait le mort. Le serpent à groin de l'Ouest *(Heterodon nasicus)*, identifiable à ses grosses macules noires sur l'abdomen, joue le même jeu mais avec moins de conviction.

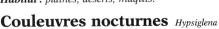

Couleuvre nocturne
(serpent nocturne)
Hypsiglena torquata

Longueur : *30-60 cm (1-2 pi).*
Traits : *grandes macules foncées sur le cou (parfois reliées au sommet) ; pupilles verticales ; ligne noire derrière l'œil ; écailles blanches sur la lèvre supérieure.*
Habitat : *plaines, déserts, maquis.*

Couleuvres nocturnes *Hypsiglena*

Ces couleuvres chassent de nuit lézards et grenouilles ; le jour, elles se cachent dans des fissures rocheuses ou sous des débris végétaux. La couleuvre nocturne a les pupilles verticales des serpents de nuit, celles des serpents de jour étant habituellement rondes. Apparemment inoffensive pour l'homme, il vaut mieux la traiter avec respect, car elle a de longues dents à l'arrière de la mâchoire supérieure.

Serpent à lait (couleuvre tachetée) *Lampropeltis triangulum*

Longueur : *45 cm-1,20 m (1½-4 pi).*
Traits : *marque claire en V ou en Y sur la nuque, ou collier blanc ou jaune ; bandes rouges ourlées de noir séparées par des anneaux blancs ou jaunes plus larges sur les flancs ; écailles lisses et luisantes.* **Habitat :** *varié : boisés, collines rocheuses, champs d'herbes, banlieues.*

Serpents à lait et serpents royaux
Lampropeltis

La légende veut que le serpent à lait profite de la nuit pour boire le lait aux pis des vaches ; en réalité, il se nourrit de rongeurs, d'oiseaux, de lézards et d'autres serpents, y compris le crotale et le mocassin à tête cuivrée. Ces serpents tuent leur proie par étouffement et l'ingurgitent tête la première. Capables de distendre fortement leurs mâchoires, ils peuvent avaler un animal beaucoup plus gros que leur propre tête. La race de l'Est du serpent à lait ressemble au mocassin à tête cuivrée et la race écarlate, au serpent corail.

race de l'Est

race du Sud
(serpent royal
écarlate)

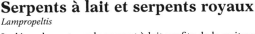

race mouchetée   race de Californie
du Midwest

race de l'Est

Serpent royal commun
Lampropeltis getulus

Longueur : *90 cm-2 m (3-6½ pi).*
Traits : *écailles lisses, luisantes, claires au centre ; brun chocolat à noir avec macules, anneaux, chaînons, raies et mouchetures.*
Habitat : *varié ; pinèdes, marais, marécages, vallées, collines rocheuses, champs herbeux, déserts, maquis.*

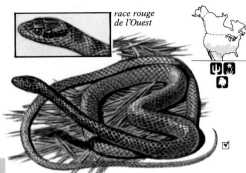

race rouge
de l'Ouest

Couleuvre-fouet

race
de l'Est

Masticophis flagellum

Longueur : 90 cm-2,60 m (3-8½ pi).
Traits : corps fin, non rayé ; longue queue
rose ou plus claire que le corps dessous ;
écailles lisses ; couleur générale variant du noir
au rouge, rose, fauve ou gris.
Habitat : pinèdes, collines rocheuses,
prairies, brousse, maquis.

Couleuvres-fouets *Masticophis*

Ce sont les serpents les plus rapides d'Amérique
du Nord ; ils se déplacent en S sur le sol. La pro-
gression des serpents peut également être rectili-
gne (comme une chenille), ondulante (le corps se
raccourcit et s'allonge comme une onde) ou latérale (le corps balaie le sol).

Couleuvres d'eau
et de marais salés *Nerodia*

Elles aiment « lézarder » au soleil dans un arbre au-dessus
d'un étang ou d'un ruisseau, invisibles tant qu'elles ne s'en-
fuient pas vers l'eau. Excellentes nageuses et plongeuses,
elles se nourrissent de grenouilles et de poissons. Souvent
confondues avec le mocassin à tête cuivrée ou le mocassin
d'eau, elles ne sont pas venimeuses mais leur morsure est
cruelle. Comme tous les serpents, elles se servent de leurs
dents pour maintenir leur proie et non pour la broyer.

Couleuvre d'eau à ventre uni
Nerodia erythrogaster

Longueur : 75 cm-1,50 m (2½-5 pi).
Traits : abdomen rouge, orange ou
jaune ; dos uni ou marqué de bandes
claires ourlées de foncé ; corps trapu ;
tête forte distincte du cou ;
écailles à sillon.
Habitat : marais, berges boisées, étangs, lacs.

Couleuvre verte
Opheodrys vernalis

Longueur : 30-60 cm (1-2 pi).
Traits : corps fin ; longue queue ; dessus vert vif ;
abdomen blanc ou jaune clair ; écailles lisses.
Habitat : sols humides et herbeux
près des boisés ; berges ; marais.

Couleuvres vertes *Opheodrys*

Les œufs de cette couleuvre mettent seulement de
4 à 23 jours à éclore, contrairement à plusieurs
mois chez bien d'autres serpents, et les embryons
sont déjà développés lorsque la femelle pond.
Chez la couleuvre verte vulgaire *(Opheodrys aesti-
vus)*, grande espèce répandue dans le Sud, l'incubation est plus longue.

Couleuvre
d'eau (couleuvre
d'eau du Nord) *Nerodia sipedon*

Longueur : 60 cm-1,20 m (2-4 pi).
Traits : barres transversales sur le cou ;
macules foncées sur le dos et les flancs ;
croissants éparpillés ou en deux rangs sur
l'abdomen ; corps trapu ; écailles à sillon.
Habitat : eaux douces, marais salés.

Couleuvre d'eau du Sud
Nerodia fasciata

Longueur : 45 cm-1,50 m (1½-5 pi).
Traits : dos à barres foncées ; ligne
foncée de l'œil aux commissures ;
abdomen maculé ; corps trapu ;
tête forte ; écailles à sillon.
Habitat : eaux douces ; marais salés.

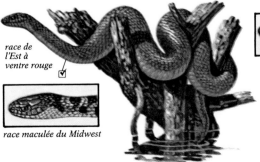

race de
l'Est à
ventre rouge

race maculée du Midwest

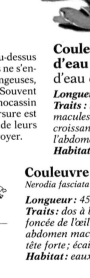

race à larges
bandes du Midwest

race de l'Est
à bandes

Couleuvre à nez mince

(serpent-taureau) *Pituophis melanoleucus*

Longueur : *1,20-2,45 m (4-8 pi).*
Traits : *corps trapu ; tête petite et pointue ; écailles à sillon ; 4 écailles en travers du museau, devant les yeux (2 chez la plupart des serpents) ; siffle fort.*
Habitat : *champs, brousse, pinèdes désolées, déserts rocheux.*

Serpents-taureaux *Pituophis*

C'est un serpent constricteur puissant qui va déloger les rongeurs dans leur terrier. Amateur d'oiseaux et d'œufs, il grimpe aux arbres pour aller s'en chercher. Enfin, pour varier son ordinaire, il dévore parfois un autre serpent constricteur. Il y a plusieurs races de serpents-taureaux.

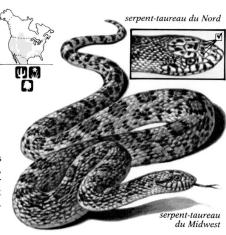

serpent-taureau du Nord

serpent-taureau
du Midwest

Serpent à long nez
Rhinocheilus lecontei

Longueur : *60-90 cm (2-3 pi).*
Traits : *museau pointu en saillie sur la mâchoire inférieure ; plaques noires maculées de blanc, alternant avec des plaques rougeâtres ou roses.*
Habitat : *prairies, déserts broussailleux, maquis.*

Serpents à long nez *Rhinocheilus*

Il n'y a qu'un seul membre de ce groupe en Amérique du Nord ; il passe sa vie sous terre ou caché entre les roches. Le soir, il sort manger petits mammifères, petits reptiles ou œufs de serpents.

Serpent à museau maculé de l'Ouest *Salvadora hexalepis*

Longueur : *60 cm-1,15 m (2-3¾ pi).*
Traits : *grande écaille triangulaire et redressée au bout du museau ; rayures crème ou jaunes sur le dos, foncées sur les flancs.*
Habitat : *déserts, maquis.*

Serpents à museau maculé
Salvadora

Contrairement aux serpents qui peuplent habituellement les déserts de l'Ouest, celui-ci tolère la chaleur et s'affaire en plein midi à chasser lézards, autres serpents et petits rongeurs.

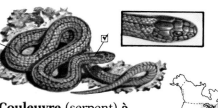

Couleuvre (serpent) à ventre rouge *Storeria occipitomaculata*

Longueur : *20-40 cm (8-16 po).*
Traits : *nuque à trois marques claires ; abdomen rouge, orange, jaune ou noir ; dos brun à quatre raies sombres décolorées ou une raie large et claire.*
Habitat : *vallons boisés, prés humides, fondrières.*

Couleuvres à ventre rouge et couleuvres brunes *Storeria*

Ces couleuvres chassent sans attirer l'attention les vers et les limaces dont elles se nourrissent. Les femelles ne sont pas ovipares ; elles donnent naissance en été ou en début d'automne à une portée de 5 à 18 petits de 8 à 10 cm (3-4 po) de long.

Couleuvre brune
(serpent jaune) *Storeria dekayi*

Longueur : *25-50 cm (10-20 po).*
Traits : *raie large et claire sur le dos, bordée de rangs de macules foncées ; petites macules noires sur le bord de l'abdomen ; écailles sans sillon.*
Habitat : *boisés humides, bords d'étangs, marais d'eau douce ou salée, parcs de banlieue, terrains en friche.*

177

Couleuvre (serpent-jarretière) de l'Ouest
Thamnophis elegans

Longueur : 45 cm-1 m (1½-3½ pi).
Traits : dos à raie ; raie sur les flancs occupant les 2e et 3e rangées d'écailles au-dessus de l'abdomen ; régions entre les raies marquées de mouchetures claires ou foncées ; couleur générale variable ; 8 écailles sur la lèvre supérieure (6e et 7e plus grosses) de chaque côté.
Habitat : prés humides ; rives d'étangs, de lacs, de cours d'eau.

Couleuvres rayées *Thamnophis*

Bien que leur livrée change avec les régions, tout le monde connaît ces couleuvres rayées dont les 13 espèces fréquentent les Etats-Unis et le sud du Canada. Ce sont des reptiles vivipares qui donnent naissance à des petits et se nourrissent surtout de poissons et de vers de terre. Comme la plupart des serpents, ceux-ci muent plusieurs fois par saison. La peau s'enlève d'un seul coup et non par petits morceaux. Quand vient la mue, le serpent perd l'appétit ; ses yeux deviennent troubles. Pendant que la nouvelle peau se forme sous l'ancienne, il se cache ; quand le temps est venu, il sort, se frotte le museau et la tête contre des aspérités. C'est d'abord l'épiderme de la tête qui se détache. Le serpent glisse peu à peu hors de sa vieille peau.

Serpents couronnés, serpents à tête noire *Tantilla*

Bien qu'inoffensives pour l'homme, ces couleuvres nocturnes ont une salive toxique qui leur permet d'ankyloser leurs proies, vers et araignées. Des 13 espèces d'Amérique du Nord, seuls le serpent à tête noire des plaines, le serpent couronné du Sud-Est *(Tantilla coronata)* et le serpent à tête plate du Midwest *(Tantilla gracilis)* sont répandus.

Serpent à tête noire des plaines
Tantilla nigriceps

Longueur : 18-37,5 cm (7-14¾ po).
Traits : tête à tache noire, arrondie ou pointue sur la nuque ; abdomen blanc à raie rose, rouge ou orange ; dos fauve à gris.
Habitat : collines rocheuses, prairies, brousse, boisés clairsemés.

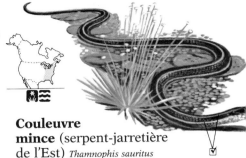

Couleuvre mince (serpent-jarretière de l'Est) *Thamnophis sauritus*

Longueur : 45-90 cm (1½-3 pi). **Traits :** corps fin ; dos et flancs à raie vive (souvent jaune) sur fond sombre, celle des flancs occupant les troisième et quatrième rangées d'écailles au-dessus de l'abdomen ; abdomen uni, bordé de brun foncé.
Habitat : marais, prés humides ; rives herbeuses des étangs, des lacs et des cours d'eau.

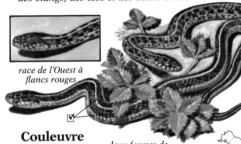

race de l'Ouest à flancs rouges

Couleuvre rayée (serpent-jarretière commun) *Thamnophis sirtalis*

deux formes de la race de l'Est

Longueur : 45 cm-1,20 m (1½-4 pi). **Traits :** dos et flancs à raie ; celle des flancs occupant les deuxième et troisième rangées d'écailles au-dessus de l'abdomen ; régions entre les raies souvent maculées de noir ou de rouge. **Habitat :** champs herbeux, marais, boisés, parcs de banlieues ; près de l'eau.

Serpents de terre *Virginia*

Deux serpents de terre fréquentent l'est des Etats-Unis ; ils sont petits et vivent en terrier. Le serpent de terre rugueux *(Virginia striatula)* a des écailles à sillon, tandis que celles de son cousin sont lisses. Pour les différencier, les savants comptent les écailles : le premier a cinq écailles de chaque côté sur la lèvre supérieure ; l'autre en a six.

Serpent de terre lisse *Virginia valeriae*

Longueur : 18-33 cm (7-13 po).
Traits : dos gris ou brun, parfois à mouchetures foncées ; abdomen blanc ou jaune ; écailles lisses ou à fin sillon.
Habitat : forêts humides de feuillus, boisés de banlieue.

dessous

dessous

Serpent rayé
Tropidoclonion lineatum

Longueur: 20-53 cm (8-21 po).
Traits: abdomen à 2 rangées de demi-cercles foncés; raie au centre du dos; sur les flancs, raie sur les 2e et 3e rangées d'écailles au-dessus de l'abdomen; gris clair à sombre.
Habitat: orée des forêts, collines peu boisées, terres en friche, parcs urbains.

Serpents rayés *Tropidoclonion*

La seule espèce de ce groupe se différencie du serpent-jarretière par son abdomen, observation peu facile à exécuter quand on sait que le serpent rayé, comme d'autres d'ailleurs, émet une sécrétion à odeur musquée quand on le brusque. On ne doit prendre aucun serpent dans ses mains sans savoir comment faire, ni sans s'être assuré qu'il s'agit d'un sujet non venimeux.

Serpent corail de l'Est
Micrurus fulvius

Longueur: 60 cm-1,20 m (2-4 pi).
Traits: larges anneaux rouges (parfois mouchetés de noir) et noirs séparés par d'étroits anneaux jaunes; museau arrondi et noir jusqu'aux yeux.
Habitat: bois secs ou humides en régions subtropicales; collines rocheuses et canyons au Texas.

Serpents corail de l'Est *Micrurus*

Il y a deux groupes de serpents venimeux en Amérique du Nord: les serpents corail de l'Est et d'Arizona *(Micruroides euryxanthus)*, dotés de deux crocs fixes dans la mâchoire supérieure, et les vipères à fossettes, dont les crochets se replient quand la bouche est fermée. Le venin du serpent corail attaque les systèmes nerveux et respiratoire; celui des vipères, les globules rouges.

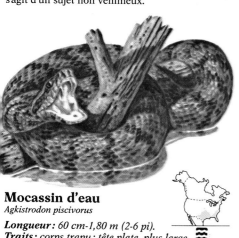

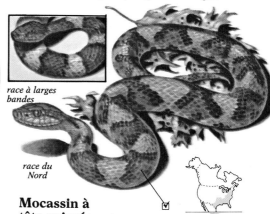

race à larges bandes

race du Nord

Mocassin d'eau
Agkistrodon piscivorus

Longueur: 60 cm-1,80 m (2-6 pi).
Traits: corps trapu; tête plate, plus large que le cou; fossette sous l'œil; pupilles verticales; dos uni ou à bandes transversales larges et foncées en zigzag (juvéniles à motif vif et tache jaune au bout de la queue); intérieur de la bouche blanc.
Habitat: marais, cours d'eau lents; lacs peu profonds, fossés, rizières.

Mocassin à tête cuivrée *Agkistrodon contortrix*

Longueur: 60 cm-1,35 m (2-4½ pi).
Traits: dos cuivre, orange ou rosé à larges bandes transversales brun-rouge, plus étroites au centre; tête unie; fossette devant l'œil; pupilles verticales.
Habitat: affleurements rocheux et ravins boisés; bords de marais ou de plaines inondées.

Mocassins d'eau et à tête cuivrée *Agkistrodon*

Comme les crotales, ces deux mocassins ont entre l'œil et la narine des fossettes pourvues de récepteurs thermiques qui leur permettent de repérer les proies à sang chaud et de diriger leurs coups avec précision. Ces vipères à fossettes sont en outre dotées de crochets venimeux qui se replient à plat contre le palais lorsqu'elles ferment la bouche. Ce sont des reptiles vivipares dont les petits, dès la naissance, sont en mesure d'infliger des morsures dangereuses.

fossette   *gros plan d'un mocassin à tête cuivrée*

179

Crotale diamant de l'Est
Crotalus adamanteus

Longueur: *90 cm-2,45 m (3-8 pi).*
Traits: *tambours cornés sur la queue; losanges
à contour foncé, entourés d'écailles claires;
2 raies claires en diagonale sur la joue;
lignes verticales claires sur le museau.*
Habitat: *boisés de pins et chênes, palmeraies.*

Crotale diamant du Texas
Crotalus atrox

Longueur: *90 cm-2,15 m (3-7 pi).*
Traits: *queue à tambours cornés et à anneaux
noirs et blancs; taches hexagonales ou
en losange à contour clair sur le dos, souvent
affadies ou à macules foncées; 2 raies claires
en diagonale sur la joue.* **Habitat:** *prairies
sèches, déserts de brousse, vallons rocheux.*

*forme du Nord
(phase jaune)*

*« crotale
canné »*

race des prairies

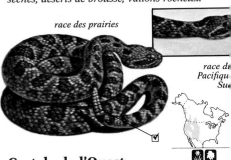

*race du
Pacifiqu
Su*

Crotale des bois (serpent
à sonnette) *Crotalus horridus*

Longueur: *90 cm-1,80 m (3-6 pi).* **Traits :** *queue
noire à tambours cornés; tête plus large que
le cou; dans le Nord, forme toute noire ou jaune
avec taches foncées; dans le Sud, forme à
dos rayé de fauve ou de rouge-brun et
raie sombre derrière l'œil.* **Habitat :** *collines
boisées et rocheuses dans le Nord; marais, boisés
humides, cannaies dans le Sud.*

Crotale de l'Ouest
(crotale des prairies) *Crotalus viridis*

Longueur : *38 cm-1,60 m (1¹/₄-5¹/₄ pi).*
Traits : *tambours cornés sur la queue; taches
foncées de forme variable sur le cou, s'annelant
vers la queue; fond rougeâtre, jaune, brun ou
noirâtre.* **Habitat :** *prairies, forêts de conifères.*

tambour

juvénile   adulte   âg

Crotales *Crotalus*

Ces vipères à fossettes venimeuses ont un dispositif de mise en garde au bout de
la queue: une série de tambours cornés et creux qui s'entrechoquent, produisant un bruit de crécelle lorsque l'animal excité agite la queue. A chaque mue,
un nouveau tambour se forme, mais on ne peut s'y fier pour calculer l'âge du
serpent. Il existe 13 espèces de crotales en Amérique du Nord, la plupart à
l'ouest du Mississippi. *Crotalus cerastes* laisse des traces en J dans le sable.

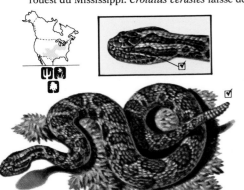

Massasauga *Sistrurus catenatus*

Longueur: *45 cm-1 m (1½-3¼ pi).*
Traits: *raie sombre ourlée de clair derrière l'œil;
rangs de taches noires au centre du dos et sur les flancs;
queue épaisse; petits tambours.*
Habitat: *terres humides et bois secs dans l'Est;
champs herbeux secs ou humides dans le Sud-Ouest.*

Massasaugas et crotales pygmées
Sistrurus

Neuf grandes écailles sur la tête distinguent ces peti
crotales des autres qui en ont plusieurs petites. Le crotal
pygmée du Sud-Est *(Sistrurus miliarius)* mesure seule
ment 45 cm (1½ pi) environ.

Amphibiens

Le terme « amphibien », de deux mots grecs, *amphi* (des deux côtés) et *bios* (vie), désigne des êtres qui peuvent vivre dans l'air et dans l'eau : salamandres, tritons, crapauds et grenouilles. Ces animaux, qu'on appelle aussi « batraciens », subissent diverses métamorphoses : leurs branchies deviennent des poumons, leurs nageoires des membres et ils passent d'un régime végétarien à un régime carné.

Les salamandres

On trouve plus de salamandres et de tritons en Amérique du Nord que sur tout autre continent. Cependant, à quelques exceptions, dont la salamandre-tigre, on ne les rencontre ni dans les Rocheuses, les glaciers leur en ayant sans doute barré l'entrée, ni dans les plaines et les déserts du centre, habitats trop secs pour eux.

Salamandres et lézards se ressemblent ; cependant les salamandres ont la peau mince et humide, quatre doigts et les extrémités sans griffes, tandis que les lézards ont des écailles ou des plaques osseuses et cinq doigts. Les salamandres dépendent davantage de l'eau que les lézards, qui sont des reptiles. Les adultes vivent sur terre mais pondent dans l'eau.

Des œufs sortent des têtards à grosses touffes de branchies sur la nuque. (Les salamandres des bois échappent à cette phase.) Certaines espèces, comme les nectures et les sirènes, gardent leurs branchies et ne quittent jamais l'eau ; d'autres, après des périodes allant de plusieurs mois pour la salamandre maculée à plusieurs années pour la salamandre à deux lignes, perdent leurs branchies et se métamorphosent en adultes terrestres à respiration cutanée ou pulmonaire. Adultes et têtards se nourrissent de poissons, d'insectes, de crustacés, de vers et de souris.

Les salamandres sont silencieuses et nocturnes. C'est de préférence au printemps et en automne qu'il faut les chercher sous des roches dans l'eau, sous des troncs et des feuilles en forêt. Quelquesunes, la salamandre maculée entre autres, trouvent sous terre l'humidité et la sécurité dont elles ont besoin et y passent la plus grande partie de leur vie.

Les crapauds et les grenouilles

Plus répandus que les salamandres, ils sont aussi moins farouches. Mais, sauf quelques exceptions comme la rainette-criquet du Nord et le crapaud tanné, ces animaux sortent plutôt la nuit. Le jour, ils demeurent dans leur terrier, dans les arbres ou sous les feuilles et passent inaperçus à moins de détaler sous vos pieds. Au printemps, époque des amours, on entend la nuit les mâles chanter en chœur. Vous les débusquerez peut-être avec une lampe de poche et, l'expérience aidant, vous reconnaîtrez les appels de chaque espèce. Ils ont été enregistrés sur disque comme les chants d'oiseaux.

L'accouplement a lieu dans l'eau. Le mâle, qui est plus petit que la femelle, la séduit par son chant, puis l'étreint grâce aux callosités qui apparaissent sur ses membres antérieurs à cette époque. Dès qu'elle a pondu tous ses œufs, il les fertilise. A l'éclosion, les larves ont un abdomen rond et une longue queue ; leurs branchies sont externes, comme chez les salamandres, mais elles se couvrent rapidement d'une membrane : les têtards que vous pêcherez n'auront donc probablement pas de branchies visibles.

Survient alors une métamorphose complexe durant laquelle le têtard se mue en grenouille ou en crapaud, créature terrestre sans queue, à membres postérieurs et à poumons. La durée de la phase larvaire dépend des espèces et du climat. Chez les crapauds pieds-en-bêche du désert, elle dure à peine deux semaines, chez les ouaouarons du Nord, plusieurs années.

L'identification sur le terrain

Certaines espèces ne présentent, de ce point de vue, aucune difficulté ; telles sont la salamandre maculée, la salamandre géante ou la rainette crucifère. Pour identifier les autres, vous devrez, bête en main, vérifier certains détails de coloration ou d'anatomie. Chez les salamandres, examinez surtout les membres postérieurs et les sillons costaux sur les flancs ; chez les crapauds et les grenouilles, surveillez les bosses sur la tête, les motifs de coloration et la structure des pattes antérieures et postérieures ; la forme des orteils en particulier peut être très significative.

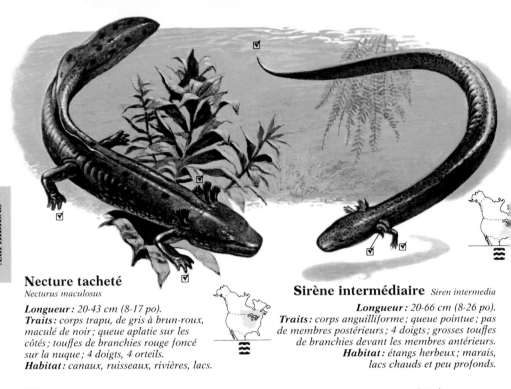

Necture tacheté
Necturus maculosus

Longueur : 20-43 cm (8-17 po).
Traits : corps trapu, de gris à brun-roux, maculé de noir ; queue aplatie sur les côtés ; touffes de branchies rouge foncé sur la nuque ; 4 doigts, 4 orteils.
Habitat : canaux, ruisseaux, rivières, lacs.

Sirène intermédiaire *Siren intermedia*

Longueur : 20-66 cm (8-26 po).
Traits : corps anguilliforme ; queue pointue ; pas de membres postérieurs ; 4 doigts ; grosses touffes de branchies devant les membres antérieurs.
Habitat : étangs herbeux ; marais, lacs chauds et peu profonds.

Nectures *Necturus*

Ce sont des salamandres à queue trapue dont les doigts et les orteils ne portent pas de griffes et qui chassent de nuit les petits animaux aquatiques. Mâles et femelles sont à peu près identiques. Après l'accouplement au printemps, la femelle pond des douzaines d'œufs un à un et va les cacher sous des roches et des morceaux de bois dans l'eau. Le necture tacheté est l'espèce la plus répandue de ce groupe. Les autres nectures fréquentent surtout les régions du sud-est des Etats-Unis.

Sirènes *Siren*

Les nectures et les sirènes ont un cycle vital remarquable. Contrairement à la plupart des autres amphibiens qui se métamorphosent de têtards aquatiques en adultes terriens, ils atteignent la maturité sexuelle à l'état de têtards, ne perdent jamais leurs branchies et passent la vie dans l'eau. La sirène n'a que des membres antérieurs, ce qui la distingue des amphiumes, amphibiens anguilliformes à deux paires de membres qui vivent dans le sud-est des Etats-Unis.

Salamandres géantes
Cryptobranchus

La salamandre-alligator est un batracien de rivière à quatre membres bien développés qui se propulse dans l'eau avec sa queue aplatie. On croit que les grosses rides de son corps lui servent à absorber l'oxygène de l'eau ; elle n'a d'ailleurs que des branchies internes. Si cette salamandre géante est le plus grand amphibien d'Amérique du Nord, c'est un nain auprès de sa cousine des rivières et des ruisseaux, la salamandre géante du Japon (*Andrias japonica*) qui atteint 1,65 m (5½ pi) et reste le plus grand représentant vivant des batraciens urodèles.

Salamandre-alligator
Cryptobranchus alleganiensis

Longueur : 30-74 cm (12-29 po).
Traits : corps trapu gris ou brun et tacheté ; pan de peau molle de chaque côté du corps ; tête forte et plate.
Habitat : rivières et ruisseaux à fond rocheux.

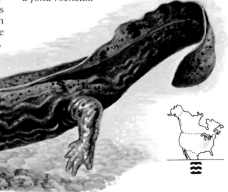

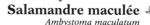

Salamandre à points bleus
Ambystoma laterale

Longueur: 7,5-12,5 cm (3-5 po).
Traits: dos et flancs brun foncé ou
bleu-noir à macules bleu clair.
Habitat: forêts humides de feuillus.

Salamandre maculée
Ambystoma maculatum

Longueur: 14-24,5 cm (5½-9¾ po).
Traits: corps trapu, de brun foncé à noir;
2 rangs irréguliers de macules orange
ou jaunes sur le dessus.
Habitat: boisés et collines près de l'eau.

Salamandre à grands doigts
Ambystoma macrodactylum

Longueur: 10-17 cm (4-6¾ po). **Traits:** corps
effilé, de brun foncé à noir; raies orange, jaunes
ou vertes sur le dos; doigts et orteils allongés.
Habitat: champs d'armoise, forêts humides.

Salamandre-tigre
Ambystoma tigrinum

Longueur: 15-34 cm
(6-13½ po).
Traits: corps trapu; tête forte;
petits yeux; coloris très
variable avec des marques
claires ou sombres; 1 ou
2 tubercules sous le pied.
Habitat: varié: plaines arides,
forêts en montagne.

Salamandre marbrée   *Ambystoma opacum*

Longueur: 9-12,5 cm (3½-5 po).
Traits: corps trapu, de grisâtre à noir,
à barres transversales blanches ou
argentées, parfois réunies sur les flancs.
Habitat: terres marécageuses;
collines boisées; étangs éphémères.

tubercules
sous le pied

Vraies salamandres fouisseuses
Ambystoma

Ces salamandres se creusent, comme les taupes, des terriers dans les sols humides ou les
débris de feuilles; on les voit rarement, sauf par les nuits pluvieuses ou en groupe près
d'un étang lors de la pariade. Elles pondent leurs œufs dans l'eau, sauf la salamandre
marbrée qui pond les siens sur le sol. Les ambystomes portent sur les flancs des rides
profondes appelées sillons costaux qui correspondent aux espaces intercostaux. Leur
nombre varie avec les espèces.

aucun
tubercule

Salamandres fouisseuses
Dicamptodon

Ces salamandres de l'Ouest pondent des amas d'œufs
dans des lacs et des étangs d'eau fraîche. Les têtards
frais éclos nagent vers les cours d'eau tributaires puis
commencent leur vie sur terre. Certains individus demeurent cependant toute la vie des larves néoténiques
ou sexuellement adultes. Cette salamandre est le plus
grand batracien terrestre au monde; elle se nourrit
d'insectes, mais aussi de serpents et de souris.

Salamandre du Pacifique
Dicamptodon ensatus

Longueur: 18-30 cm (7-11¾ po).
Traits: corps lourd, pourpré ou brun, tacheté
de noir; aucun tubercule sous les pieds.
Habitat: rivières et forêts riveraines humides.

AMPHIBIENS

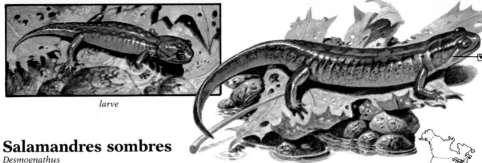

larve

Salamandres sombres
Desmognathus

Toutes les salamandres décrites dans ces pages, sauf les tritons, sont dépourvues de branchies et de poumons quand elles sont adultes. Elles respirent par la peau et l'intérieur de la bouche; aussi les voit-on parfois prendre plusieurs grosses goulées d'air de suite. Très répandues dans les Appalaches, les salamandres sombres pondent des grappes d'œufs dans de petites soucoupes aménagées dans le sol meuble près de l'eau. Les larves vivent plusieurs semaines sur terre avant d'entrer dans l'eau pour y subir leur ultime métamorphose.

Salamandre sombre du Nord *Desmognathus fuscus*

Longueur: *6,5-14 cm (2½-5½ po).*
Traits: *corps fauve ou brun foncé à macules sombres ou taches jumelées formant une rayure mal définie; raie claire de l'œil aux commissures.*
Habitat: *sources, cours d'eau rocheux, plaines d'inondation, régions humides.*

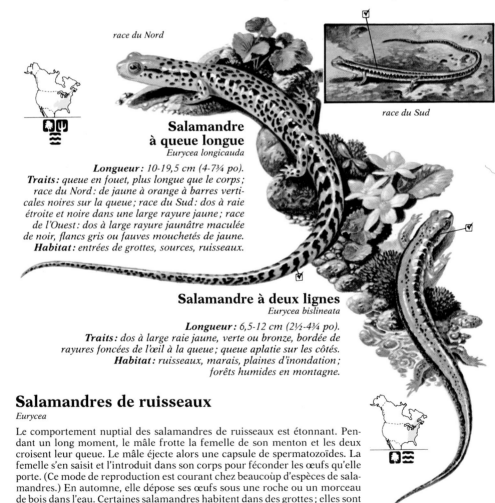

race du Nord

Salamandre à queue longue
Eurycea longicauda

Longueur: *10-19,5 cm (4-7¾ po).*
Traits: *queue en fouet, plus longue que le corps; race du Nord: de jaune à orange à barres verticales noires sur la queue; race du Sud: dos à raie étroite et noire dans une large rayure jaune; race de l'Ouest: dos à large rayure jaunâtre maculée de noir, flancs gris ou fauves mouchetés de jaune.*
Habitat: *entrées de grottes, sources, ruisseaux.*

race du Sud

Salamandre à deux lignes
Eurycea bislineata

Longueur: *6,5-12 cm (2½-4¾ po).*
Traits: *dos à large raie jaune, verte ou bronze, bordée de rayures foncées de l'œil à la queue; queue aplatie sur les côtés.*
Habitat: *ruisseaux, marais, plaines d'inondation; forêts humides en montagne.*

Salamandres de ruisseaux
Eurycea

Le comportement nuptial des salamandres de ruisseaux est étonnant. Pendant un long moment, le mâle frotte la femelle de son menton et les deux croisent leur queue. Le mâle éjecte alors une capsule de spermatozoïdes. La femelle s'en saisit et l'introduit dans son corps pour féconder les œufs qu'elle porte. (Ce mode de reproduction est courant chez beaucoùp d'espèces de salamandres.) En automne, elle dépose ses œufs sous une roche ou un morceau de bois dans l'eau. Certaines salamandres habitent dans des grottes; elles sont alors décolorées et ont de petits yeux.

AMPHIBIENS

Salamandre rouge
Pseudotriton ruber

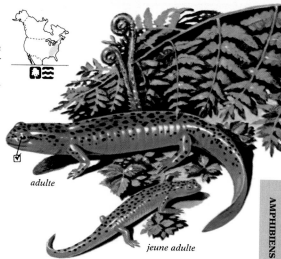

Longueur : 9,5-18 cm (3¾-7 po).
Traits : corps trapu, rouge, à macules noires ;
membres et queue courts ; yeux jaunes.
Habitat : sources, ruisseaux de montagne,
bras de mer ; bois et champs environnants.

Salamandres rouges
Pseudotriton

La salamandre rouge et sa cousine, la salamandre des vasières *(Pseudotriton montanus)*, ont des territoires qui se recoupent. Cette dernière a les yeux bruns, le nez camus et le corps brunâtre. Dans les deux cas, ce sont les juvéniles qui sont rouges, les coloris s'affadissant chez les adultes à mesure qu'apparaissent les macules.

adulte

jeune adulte

Salamandre pourpre
(salamandre des sources)
Gyrinophilus porphyriticus

Longueur : 10-21,5 cm (4-8½ po).
Traits : corps brun-rouge ou brun-jaune,
rose-brun ou saumon ; macules noires ;
raie pâle de l'œil à la narine ; peau de teinte trouble.
Habitat : sources, ruisseaux de montagne, grottes.

Salamandres pourpres *Gyrinophilus*

La salamandre pourpre, la plus répandue du groupe, fait le plus souvent preuve de gentillesse et de bonnes manières comme la plupart de ses congénères. Certes, elle essaiera de mordre si elle a peur, mais elle a les dents trop petites pour blesser. C'est un animal carnivore et même cannibale, comme ses deux proches parents qui vivent dans des cavernes et occupent des territoires très restreints, l'un en Virginie, l'autre au Tennessee.

Salamandre serpentiforme de Californie
Batrachoseps attenuatus

Longueur : 7,5-14 cm (3-5½ po).
Traits : corps effilé, gris-de-suie, à large raie jaune,
brunâtre ou rougeâtre sur le dos ; 4 orteils.
Habitat : des prés herbeux aux forêts de séquoias.

Salamandres serpentiformes
Batrachoseps

Ce groupe comprend huit espèces, limitées pour la plupart à des canyons ou à des forêts spécifiques du littoral du Pacifique. Cachées sous un tronc ou une roche, ces salamandres s'enroulent sur elles-mêmes comme des serpents ; découvertes, elles se tortillent violemment et perdent souvent la queue. La femelle pond sur le sol une douzaine d'œufs ronds d'où sortent de petits adultes et non des têtards.

185

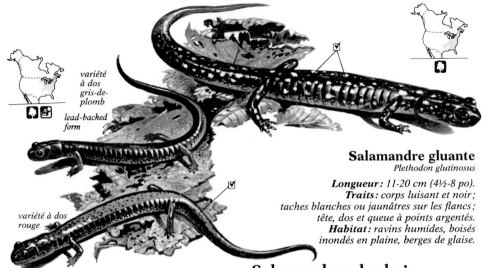

variété
à dos
gris-de-
plomb

lead-backed
form

variété à dos
rouge

Salamandre gluante
Plethodon glutinosus

Longueur : *11-20 cm (4½-8 po).*
Traits : *corps luisant et noir ;*
taches blanches ou jaunâtres sur les flancs ;
tête, dos et queue à points argentés.
Habitat : *ravins humides, boisés*
inondés en plaine, berges de glaise.

Salamandre rayée
(salamandre cendrée)
Plethodon cinereus

Longueur : *6,5-12,5 cm (2½-5 po).*
Traits : *corps effilé ; variété à dos rouge :*
large raie rougeâtre bien délimitée à partir
de la nuque ; variété à dos gris-de-plomb :
dessus gris clair ou foncé.
Habitat : *forêts de feuillus ou de conifères.*

Salamandres des bois *Plethodon*

Deux douzaines d'espèces, dont l'aire de distribution ne couvre parfois que quelques kilomètres carrés, se rencontrent d'un océan à l'autre dans les boisés humides. Leur démarche est lente, mais en cas de danger elles se redressent et courent sur leurs membres postérieurs. La salamandre cendrée saute, en donnant un coup de queue sur le sol. La plupart des espèces exsudent un liquide blanc âcre qui décourage les prédateurs.

Salamandre verte
Aneides aeneus

Longueur : *7,5-14 cm (3-5½ po).*
Traits : *marques vertes sur fond*
noir ; tête gonflée sur la nuque ;
orteils et doigts allongés et carrés.
Habitat : *fissures humides*
des falaises de grès et
sous l'écorce.

Salamandre à quatre
doigts *Hemidactylium scutatum*

Longueur : *5-10 cm (2-4 po).*
Traits : *dos brun-rouge ; flancs gris ;*
abdomen blanc à taches noires ;
petit sillon rentré à la base
de la queue ; quatre doigts.
Habitat : *marais de sphaigne,*
forêts de feuillus avoisinantes.

Salamandres grimpeuses
Aneides

Grâce à leurs extrémités à ventouses, ces salamandres escaladent les parois verticales et grimpent sans difficulté aux arbres. Ce sont des animaux terrestres sans phase larvaire aquatique ; de petits adultes sortent des œufs. Des cinq espèces d'Amérique du Nord, seule la salamandre verte habite à l'est du Mississippi. Son coloris de camouflage la rend pratiquement invisible sur les arbres.

Salamandres à quatre doigts
Hemidactylium

Un sillon indique clairement à quel endroit se détache la queue chez ces salamandres. Coupée, elle continue de frétiller détournant ainsi l'attention du prédateur, raton laveur ou renard. Une nouvelle queue repousse, mais dépourvue d'os. Cette salamandre, comme quelques autres, n'a que quatre doigts aux membres postérieurs ; mais toutes ont quatre doigts aux membres antérieurs.

Salamandre ensatina

Ensatina eschscholtzi

Longueur: *7,5-14,5 cm (3-5¾ po).*
Traits: *queue resserrée à la base; 5 orteils;*
cuisses et pieds de couleur différente.
Habitat: *forêts fraîches et humides;*
canyons ombragés.

race de Monterey

race de la Sierra Nevada

race de l'Oregon

Salamandre ensatina *Ensatina*

Délogée, cette salamandre se dresse sur ses membres, arrondit le dos et sécrète un liquide blanc et poisseux à partir de glandes logées dans le dos et la queue. Plus longue chez le mâle (elle fait la longueur de son corps), la queue se détache si un prédateur la saisit. Seule espèce de ce genre, la salamandre ensatina présente une étonnante variété de coloris et de motifs.

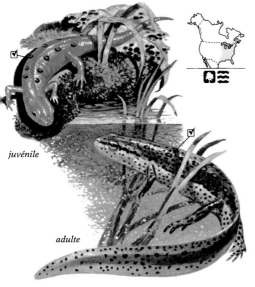

juvénile

adulte

Triton vert

Notophthalmus viridescens

Longueur: *6,5-14 cm (2½-5½ po).*
Traits: *adulte aquatique: de vert olive à brun foncé; abdomen jaune à nombreux points noirs; juvénile terrestre: d'orange vif à brun-rouge; marques rouges sur le dos chez les deux.*
Habitat: *étangs, mares et lacs herbeux; boisés humides.*

Tritons de l'Est *Notophthalmus*

Ces salamandres à flancs lisses passent par trois phases. Le triton vert et le triton ligné *(Notophthalmus perstriatus)* du Sud-Est pondent dans l'eau au printemps. A la fin de l'été, les larves aquatiques perdent leurs branchies et se métamorphosent en petites créatures terrestres rouges: les juvéniles. Après un séjour de un à trois ans sur terre, ils retournent s'accoupler dans l'eau, deviennent verts; leur respiration devient pharyngienne, c'est-à-dire qu'ils absorbent l'oxygène de l'eau par la membrane très irriguée de la bouche. Le triton à taches noires *(Notophthalmus meridionalis)* du Texas n'a pas de phase terrestre.

Triton à peau rude

Taricha granulosa

Longueur: *12,5-21,5 cm (5-8½ po).*
Traits: *peau verruqueuse; dos brun foncé; abdomen jaune ou orangé; paupières inférieures foncées.*
Habitat: *cours d'eau lents, étangs, lacs; terres et forêts avoisinantes.*

Tritons de l'Ouest

Taricha

Attaqué par un oiseau, un serpent ou quelque autre prédateur, le triton de l'Ouest, en guise d'avertissement, fait voir les brillantes couleurs de son abdomen. Si l'ennemi la saisit, les verrues du dos, en réalité des glandes, sécrètent immédiatement une substance âcre et toxique de nature à l'incommoder sérieusement. Les tritons de l'Ouest passent du stade larvaire à celui d'adulte terricole.

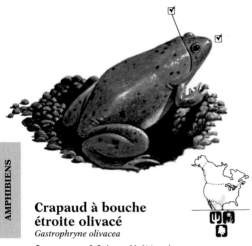

Grenouille ou crapaud? Avec leurs longues pattes et leur corps sans queue, les grenouilles et les crapauds se distinguent bien des autres amphibiens; mais ils sont moins faciles à distinguer les uns des autres.
• Les grenouilles sont minces et alertes; les crapauds, trapus et lents.
• La peau des grenouilles est lisse; celle des crapauds, verruqueuse.
• Les grenouilles vivent près de l'eau; les crapauds sont plus terrestres.
• Les deux pondent dans l'eau, mais les œufs de grenouilles viennent en grappe, ceux des crapauds en chapelet à deux rangs.

Crapaud à bouche étroite olivacé
Gastrophryne olivacea

Longueur: *2,5-4 cm (1-1½ po).*
Traits: *petite tête à museau pointu; repli cutané sur la nuque; abdomen blanc sans marques.*
Habitat: *déserts, champs d'herbes, boisés; en terriers humides, sous roches et troncs.*

Crapauds à bouche étroite
Gastrophryne

Ils passent presque toute leur vie dans des terriers ou sous des roches, des troncs et des débris végétaux et ne sortent que le soir pour manger des fourmis. Ces créatures farouches ont un corps bulbeux, un museau pointu et une petite tête garnie d'un pli transversal sur la nuque. Leurs têtards sont faciles à identifier à leur bouche en entonnoir à disque mou, dépourvue de dents en râpe. Généralement, il est difficile de différencier les têtards de crapauds des têtards de grenouilles; il faut observer non seulement leur bouche, mais aussi leur spiracle (opercule de la chambre branchiale interne) et leur cloaque (orifice anal).

Crapaud à bouche étroite de Caroline
Gastrophryne carolinensis

Longueur: *2,5-4 cm (1-1½ po).*
Traits: *petite tête à museau pointu; repli cutané sur la nuque; coloris variables; abdomen tacheté de gris.*
Habitat: *terrains humides avec feuilles mortes, bois pourrissant; en terrier, sous des roches.*

Crapaud à moignon caudal
Ascaphus truei

Longueur: *2,5-5 cm (1-2 po).*
Traits: *petites verrues; longs doigts effilés; pupilles verticales; petite « queue » chez le mâle; pas d'oreilles externes.*
Habitat: *torrents de montagne.*

Crapauds de Bell *Ascaphus*

Chez les grenouilles et les crapauds, les mâles sont souvent dotés de sacs vocaux gonflables; ils appellent les femelles en chantant en chœur. Le crapaud de Bell, qui vit dans des torrents mugissants, serait muet pour cette raison. A défaut d'appel, il marche dans le fond de l'eau jusqu'à ce qu'il ait rencontré une compagne. Grâce à sa queue, qui est en réalité un organe copulatoire, il pratique la fécondation interne, seul mode d'accouplement possible dans son habitat.

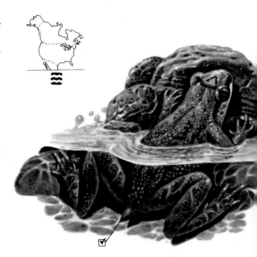

Crapauds pieds-en-bêche

Scaphiopus

Ces crapauds dodus à peau lisse creusent dans le sable ou la terre meuble, avec la bêche de leurs pieds, de grands terriers où ils s'enfoncent à reculons et en vrille. La nuit, ils sortent pour chasser les insectes et les petits animaux dont ils se nourrissent ou pour se rassembler autour des étangs d'accouplement. Les mâles lancent des coassements puissants, rauques et nasillards auxquels les femelles répondent avec plus de retenue. Après l'accouplement, elles pondent des amas d'œufs sur des plantes submergées. L'évolution d'un individu, de l'œuf à l'adulte en passant par le têtard, se fait en deux semaines, le plus court délai parmi les grenouilles et les crapauds d'Amérique du Nord. Les pieds-en-bêche vivent sur terre, mais s'accouplent dans des mares éphémères d'eau de pluie. Les phases durant lesquelles ils ont besoin d'un milieu aquatique sont brèves.

bêche en faucille
sur le pied

bêche arrondie sur le pied

AMPHIBIENS

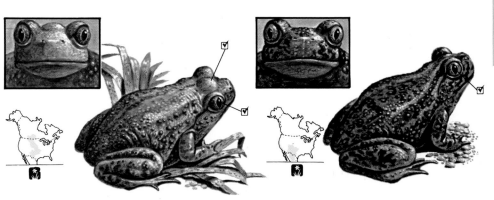

Pied-en-bêche des plaines

Scaphiopus bombifrons

Longueur : 4-6,5 cm (1½-2½ po).
Traits : *corps trapu ; bêche arrondie noire près de l'orteil interne du pied ; doigts semi-palmés ; pupilles verticales ; bosse osseuse entre les yeux.*
Habitat : *prairies sableuses ou caillouteuses à herbes courtes.*

Pied-en-bêche de Hammond

Scaphiopus hammondi

Longueur : 4-6,5 cm (1½-2½ po).
Traits : *corps trapu ; bêche arrondie noire près de l'orteil interne du pied ; doigts semi-palmés ; pupilles verticales ; sans bosse entre les yeux.*
Habitat : *plaines sèches, vallées, plaines d'inondation.*

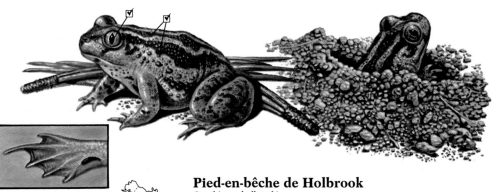

pied

Pied-en-bêche de Holbrook

Scaphiopus holbrooki

Longueur : 4,5-8 cm (1¾-3¼ po).
Traits : *corps trapu ; bêche en forme de faucille près de l'orteil interne du pied ; doigts semi-palmés ; pupilles verticales ; lignes claires irrégulières sur le corps.*
Habitat : *sols sableux, caillouteux ou argileux ; des terres agricoles aux forêts.*

189

Crapauds véritables *Bufo*

Ce groupe comprend une douzaine d'espèces allant du crapaud tanné de 2 cm (¾ po) de longueur jusqu'au crapaud marin *(Bufo marinus)*, espèce tropicale de 23 cm (9 po) maintenant installée au Texas et en Floride. Les crapauds véritables ont deux bosses osseuses (appelées crêtes crâniennes) sur la tête et, derrière les yeux, deux glandes parotidiennes visibles dont les sécrétions infectes éloignent les prédateurs. Les verrues cutanées dégagent un venin semblable. Contrairement à la légende, les crapauds ne donnent pas de verrues et ne sont pas venimeux au toucher.

Au printemps et en été, de grandes bandes de crapauds se rassemblent près des nappes d'eau lente. Les mâles, reconnaissables à leur gorge foncée et à la face cornée interne des quatre pouces, coassent à tue-tête. (Chaque espèce a son chant.)

Durant l'accouplement, le mâle grimpe sur la femelle et la maintient solidement de ses mains aux doigts garnis de callosités, d'éperons ou d'aiguillons. Sous l'étreinte, la femelle pond des chapelets d'œufs que le mâle fertilise aussitôt. Après l'accouplement, ils s'en vont loin de l'eau.

Les têtards se nourrissent de plantes et les adultes, d'insectes. La longue langue des crapauds, rattachée à l'avant de la bouche, est dirigée au repos vers l'intérieur. Lorsqu'une proie passe à proximité, elle se déploie avec la vitesse de l'éclair et, comme elle est enduite d'une substance gluante, elle ramène la victime vers le gosier de l'animal. Les crapauds mangent aussi des fruits et des plantes; en lieux habités, ils pillent la nourriture des animaux familiers. En détruisant des insectes nuisibles, ils rendent de très grands services.

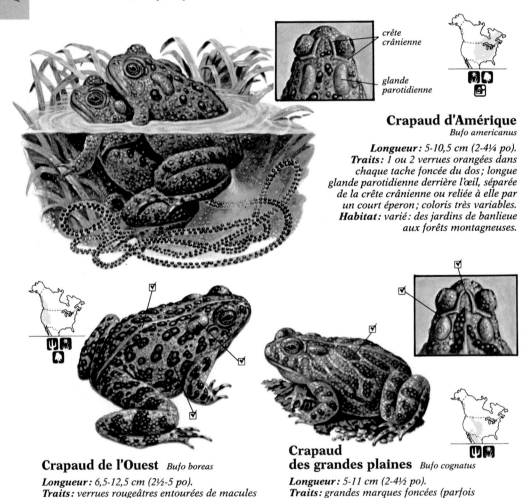

crête crânienne

glande parotidienne

Crapaud d'Amérique
Bufo americanus

Longueur: 5-10,5 cm (2-4¼ po).
Traits: 1 ou 2 verrues orangées dans chaque tache foncée du dos; longue glande parotidienne derrière l'œil, séparée de la crête crânienne ou reliée à elle par un court éperon; coloris très variables.
Habitat: varié: des jardins de banlieue aux forêts montagneuses.

Crapaud de l'Ouest *Bufo boreas*

Longueur: 6,5-12,5 cm (2½-5 po).
Traits: verrues rougeâtres entourées de macules foncées; ligne médiane claire sur le dos; glande parotidienne ovale derrière l'œil; pas de crête.
Habitat: varié: des terres basses et arides aux prés boisés en montagne.

Crapaud des grandes plaines *Bufo cognatus*

Longueur: 5-11 cm (2-4½ po).
Traits: grandes marques foncées (parfois jumelées) à contour clair; crêtes crâniennes se rejoignant sur le museau; glandes parotidiennes ovales touchant aux crêtes.
Habitat: champs herbeux, brousse désertique.

Crapaud
à points rouges
Bufo punctatus ☑

Longueur: *4-7,5 cm (1½-3 po).*
Traits: *verrues à bout rouge ou orangé;
petite tête plate; glandes parotidiennes rondes;
crêtes crâniennes absentes ou peu définies.*
Habitat: *des champs herbeux aux canyons
désertiques; près de l'eau.*

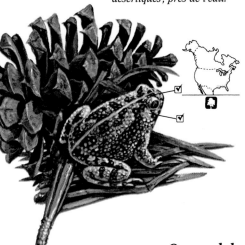

Crapaud tanné
Bufo quercicus

Longueur: *2-3 cm (¾-1¼ po).*
Traits: *petite taille; ligne médiane blanche ou
orangée et 4 ou 5 paires de taches foncées sur
le dos; glandes parotidiennes allongées;
crêtes crâniennes peu marquées.*
Habitat: *forêts de chênes arbustifs et pinèdes.*

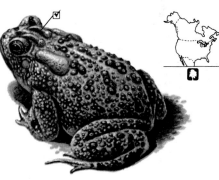

Crapaud du Sud
Bufo terrestris

Longueur: *4-10,5 cm (1½-4¼ po).*
Traits: *corps brun, gris ou rouge brique;
verrues à aiguillon; enflures en bouton
à l'arrière des crêtes crâniennes.*
Habitat: *dunes, chênaies.*

*race de l'Est
(crapaud de Fowler)*

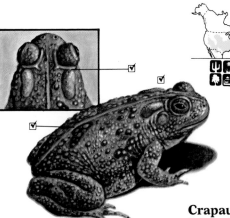

*mâle gonflant
son sac vocal*

une race de l'Ouest

Crapaud de Woodhouse
Bufo woodhousei

Longueur: *6,5-12,5 cm (2½-5 po).*
Traits: *ligne médiane claire sur le dos; glandes parotidiennes
allongées rejoignant les crêtes crâniennes saillantes; race de
l'Est: 3 verrues ou davantage dans chaque macule foncée sur
le dos; races de l'Ouest: macules et verrues variées.*
Habitat: *endroits sableux près de l'eau douce.*

191

Rainettes-criquets *Acris*

Comme la plupart des bruits qu'on entend dans la nature, le chant d'amour du mâle peut s'interpréter de bien des façons. Les uns y retrouvent les sons stridents du criquet; d'autres, une sorte de crépitement sec à tonalité métallique. Du printemps à la mi-été, et plus tard encore dans le sud de leur territoire, les rainettes-criquets se rassemblent près des étangs et des lacs pour lancer leur chant d'amour et s'accoupler. Après l'accouplement, la femelle pond environ 200 œufs un à un et non en grappe comme la plupart des autres grenouilles. A l'automne, les têtards sont devenus de jeunes adultes. Les rainettes-criquets vivent sous les plantes près de l'eau et s'affairent de jour comme de nuit. Elles sautent prestement à l'eau quand on les importune, font demi-tour en nageant et reviennent en un autre point du rivage.

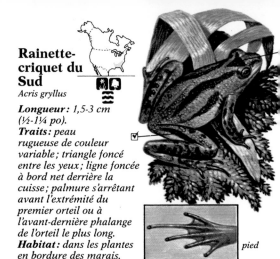

Rainette-criquet du Sud
Acris gryllus

Longueur: *1,5-3 cm (½-1¼ po).*
Traits: *peau rugueuse de couleur variable; triangle foncé entre les yeux; ligne foncée à bord net derrière la cuisse; palmure s'arrêtant avant l'extrémité du premier orteil ou à l'avant-dernière phalange de l'orteil le plus long.*
Habitat: *dans les plantes en bordure des marais, marécages, étangs, fossés et cours d'eau.*

pied

Vraies rainettes *Hyla*

Les vraies rainettes ont un coussinet élargi au bout de chaque orteil et sont d'excellentes grimpeuses. Les 13 espèces présentées ici mesurent presque toutes moins de 5 cm (2 po) et une simple feuille suffit à les supporter. Au printemps, les mâles perchés sur des plantes près de l'eau lancent à pleine voix un chant clair et mélodieux durant la nuit ou quand il fait sombre. Après l'accouplement, la femelle pond plusieurs douzaines d'œufs sur une fine pellicule qui flotte. En moins d'une semaine, il en sort de minuscules têtards qui se métamorphosent en adultes deux mois plus tard. La plupart des rainettes changent de couleur avec la température, la lumière ou l'humidité; la transformation est complète en une heure environ. Ce phénomène se produit aussi chez les animaux en captivité, ce qui rend fascinants les terrariums de rainettes. On se rappellera cependant que ces petites grenouilles mangent des insectes vivants et qu'il leur faut beaucoup de soins pour survivre en milieu artificiel.

pied d'une rainette

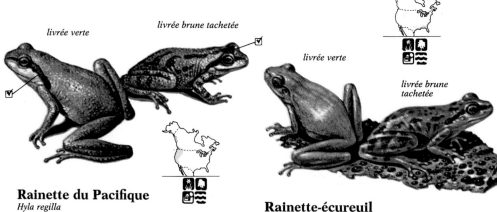

livrée verte

livrée brune tachetée

livrée verte

livrée brune tachetée

Rainette du Pacifique
Hyla regilla

Longueur: *2-5 cm (¾-2 po).*
Traits: *peau rude, verte, fauve, brune ou noirâtre; rayure noire sur l'œil; parfois macules sur le dos, triangle foncé entre les yeux.*
Habitat: *dans les roches ou les plantes basses près de l'eau; rarement en position élevée.*

Rainette-écureuil
Hyla squirella

Longueur: *2,5-4 cm (1-1½ po).*
Traits: *peau lisse, de verte à brune; parfois raie claire peu marquée sur les flancs.*
Habitat: *arbres, arbustes; des banlieues aux pinèdes planes.*

Rainette-criquet du Nord
Acris crepitans

race du Midwest

race de l'Est

Longueur: 1,5-4 cm (½-1½ po).
Traits: peau verruqueuse de teinte variable; triangle foncé entre les yeux; raie sombre dentelée à l'arrière des cuisses; palmure atteignant le bout du premier orteil et l'avant-dernière phalange de l'orteil le plus long.
Habitat: étangs peu profonds, fondrières.

pied

pied

Rainette faux-grillon de l'Ouest (rainette faux-criquet du Nord) *Pseudacris triseriata*

Longueur: 2-4 cm (¾-1½ po).
Traits: peau lisse; trois raies foncées sur le dos; raie claire sur la lèvre supérieure; bout des doigts petit et arrondi.
Habitat: champs herbeux, marais boisés.

Rainettes faux-criquets *Pseudacris*

Ces petites rainettes aux membres fins se font entendre de loin au printemps lorsque les mâles rassemblés autour d'un étang lancent leur chant d'amour résonnant. Les sept espèces de ce groupe sont de la famille des rainettes mais n'en ont ni les palmures, ni les coussinets.

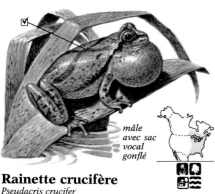

mâle avec sac vocal gonflé

Rainette crucifère
Pseudacris crucifer

Longueur: 2-3 cm (¾-1¼ po).
Traits: peau lisse; marque en forme de X sur le dos; barre foncée entre les yeux.
Habitat: dans les plantes basses près des étangs éphémères en fourrés et régions boisées.

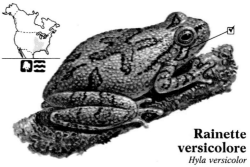

Rainette versicolore
Hyla versicolor

Longueur: 3-5,5 cm (1¼-2¼ po).
Traits: peau verruqueuse; marque claire frangée de noir sous l'œil; intérieur des cuisses orange ou jaune moucheté de noir.
Habitat: arbres et buissons en régions boisées, près de nappes d'eau permanentes.

Rainette verte
Hyla cinerea

Longueur: 3-6,5 cm (1¼-2½ po).
Traits: peau lisse, de jaune à vert; raie blanche ou jaune sur la mâchoire supérieure et les flancs; dos parsemé de points dorés ourlés de noir.
Habitat: arbres et buissons près des lacs, étangs, marais et cours d'eau.

Rainette jappeuse *Hyla gratiosa*

Longueur: 5-7 cm (2-2¾ po).
Traits: peau rugueuse allant du vert au brun, marquée de taches foncées rondes; raie pâle sur la mâchoire supérieure et les flancs.
Habitat: arbres et buissons près des mares et des étangs; terriers; flotte sur l'eau.

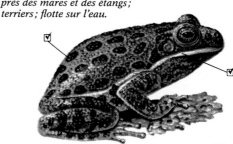

193

Vraies grenouilles

Rana

Ce sont les grenouilles typiques de nos lacs et étangs. Abondantes autrefois, elles se font rares maintenant à cause de la pollution et de la destruction de leurs habitats marécageux. Les 21 espèces de ce groupe ont le corps verdâtre ou brunâtre marqué de points ou de taches plus ou moins foncés. Trait important : la présence ou l'absence de sillons dorso-latéraux, double pli bien développé sur le dos de certaines espèces. La grenouille verte en a ; le ouaouaron, la plus grosse grenouille d'Amérique du Nord, n'en a pas. Autrefois confiné dans l'Est, le ouaouaron a été implanté un peu partout ou s'est échappé des fermes d'élevage. Le rugissement retentissant des mâles, si familier au printemps, efface les cris plus faibles des autres grenouilles. Les mâles ouaouarons ne chantent pas en chœur comme les autres grenouilles ; ce sont des solistes qu'on distingue des femelles à leurs plus grandes membranes tympaniques derrière les yeux.

sillons dorso-latéraux

race du Nord

race du Sud

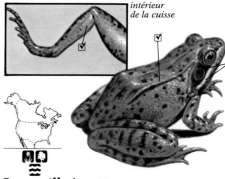

intérieur de la cuisse

Grenouille verte

Rana clamitans

Longueur : *5-10 cm (2-4 po).*
Traits : *verte ou brune ; sillons sur les deux tiers du dos ; grandes membranes tympaniques ; lèvre supérieure typiquement verte.*
Habitat : *terres humides, cours d'eau.*

Grenouille à pattes rouges   *Rana aurora*

Longueur : *5-13,5 cm (2-5¼ po).*
Traits : *de rouge-brun à gris ; mouchetures ou taches noires ; sillons saillants ; masque foncé ; raie pâle sur la mâchoire ; intérieur de la cuisse jaune-rouge.*
Habitat : *étangs, lacs, cours d'eau et bois avoisinants.*

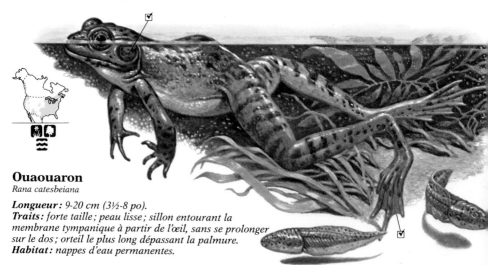

Ouaouaron

Rana catesbeiana

Longueur : *9-20 cm (3½-8 po).*
Traits : *forte taille ; peau lisse ; sillon entourant la membrane tympanique à partir de l'œil, sans se prolonger sur le dos ; orteil le plus long dépassant la palmure.*
Habitat : *nappes d'eau permanentes.*

têtard

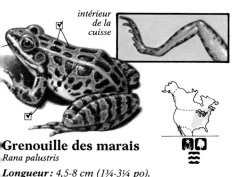

intérieur
de la
cuisse

Grenouille des marais
Rana palustris

Longueur : 4,5-8 cm (1¾-3¼ po).
Traits : rangs parallèles de taches carrées ;
raie pâle sur les mâchoires ; sillons jaunes ;
intérieur des cuisses jaune vif ou orange.
Habitat : cours d'eau, étangs, lacs en forêt ;
prés avoisinants ; marais dans le Sud.

Grenouille des bois
Rana sylvatica

Longueur : 3-8 cm (1¼-3¼ po).
Traits : rose, fauve, brun-rouge ou brun foncé ;
masque foncé ; ligne pâle sur la mâchoire
supérieure ; sillons très saillants. **Habitat :** boisés
humides et ombragés ; terrains découverts
dans le Nord.

Grenouille du Nord
Rana septentrionalis

Longueur : 4-7,5 cm (1½-3 po).
Traits : grandes membranes tympaniques ; membres postérieurs
maculés ou mouchetés ; palmure atteignant la dernière phalange
de l'orteil le plus long ; odeur musquée ; sillons parfois absents.
Habitat : lacs froids, étangs.

Grenouille-léopard
Rana pipiens

Longueur : 5-12,5 cm (2-5 po).
Traits : verte ou brune ; grandes taches rondes à
contour clair sur le dos ; sillons pâles ; raie pâle
sur la mâchoire supérieure ; pas de point
clair au centre des membranes tympaniques.
Habitat : prés humides ; rives herbeuses
de lacs et cours d'eau ; marais d'eau saumâtre.

Grenouille mouchetée   *Rana pretiosa*

Longueur : 5-10 cm (2-4 po). **Traits :** œil
légèrement tourné vers le haut ; taches foncées à
centre pâle ; raie pâle sur les mâchoires ; intérieur
de la cuisse de jaunâtre à rouge orangé ; sillons.
Habitat : nappes d'eau permanentes et froides.

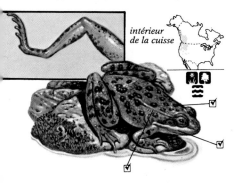

intérieur
de la cuisse

Grenouille-léopard du Sud
Rana sphenocephala

Longueur : 5-13 cm (2-5 po).
Traits : verte ou brune ; taches foncées sans
contour clair ; tête fine ; museau pointu ; sillons
pâles ; raie pâle sur la mâchoire supérieure.
Habitat : eau douce et environs ; marais d'eau
un peu saumâtre.

Grenouille à aréoles   *Rana areolata*

Longueur : 6-11,5 cm (2¼-4½ po).
Traits : corps dodu ; petite tête large ; jambes
courtes ; peau lisse ou verruqueuse ; plusieurs
macules foncées sur le dos et les flancs.
Habitat : plaines d'inondation, prés humides ;
dunes ; terriers d'autres animaux.

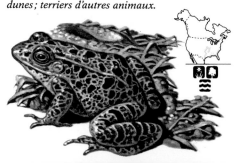

Poissons

Qu'y a-t-il de commun entre un poisson-scie, une raie et un hérisson de mer ? Entre le poisson qui marche, celui qui vole et celui qui s'étend au soleil ? Les pages qui suivent vous réservent bien des surprises.

L e monde aquatique n'est pas toujours bien connu. On sait que les poissons ont des écailles et des nageoires, qu'ils respirent par des branchies et sont ectothermes (leur température corporelle varie selon la température du milieu ambiant). Mais sait-on que l'évolution naturelle des espèces a donné naissance à des groupes très diversifiés ayant des comportements spécifiques ? Il y a des poissons aveugles, d'autres qui font des nids, d'autres encore qui rampent leur vie durant sur les fonds marins. Et pour échapper à leurs prédateurs, certains émettent des décharges électriques, d'autres se gonflent ou changent instantanément de livrée.

Des quelque 2 000 espèces qui peuplent les eaux de l'Amérique du Nord, les neuf dixièmes sont des poissons à squelette osseux, comme l'achigan illustré ci-contre. Ils ont des branchies couvertes d'un opercule et une vessie natatoire, organe hydrostatique qui sécrète et absorbe des gaz pour contrebalancer les changements de pression. Chez eux, la fécondation est externe : la femelle pond les œufs, le mâle les fertilise. On dit qu'ils fraient.

Les poissons cartilagineux comme les raies et les requins sont les plus primitifs. Le requin bleu illustré ci-contre possède, au lieu de branchies, des fentes branchiales. Il n'a pas de vessie natatoire ; pour flotter, il doit bouger, sinon, comme le requin dormeur, il repose dans le fond. Chez ces poissons, la fécondation est interne et les femelles donnent souvent naissance à des petits (ils sont vivipares). Ils habitent en général les eaux salées et sont carnivores.

Comment utiliser cette section

Elle commence par les poissons à squelette cartilagineux comme les requins et les raies (pp. 198 à 203). Les poissons à squelette osseux occupent la majeure partie de la section (pp. 204 à 235). Et puis, on trouve un petit groupe d'individus sans mâchoires, les myxines et les lamproies (p. 203, en bas).

Pour que tous les poissons les plus importants d'Amérique du Nord soient représentés dans ce livre, nous avons choisi de consacrer les fiches d'identité en italique aux familles plutôt qu'aux espèces. Par exemple, la fiche de l'aiguille de mer décrit la famille en général, et non une espèce en particulier. Chaque famille est cependant représentée par une ou plusieurs espèces ; les cartes donnent en gris la distribution géographique de la famille et en rose celle de l'espèce. Pour éviter de compliquer les cartes à l'excès, nous avons situé l'habitat des poissons de mer près des côtes, mais certaines espèces fréquentent exclusivement la haute mer.

dispersion de la famille (aiguilles de mer)

dispersion de l'espèce (aiguille de mer de l'Atlantique)

La taille des poissons adultes varie de 1,2 cm (½ po) pour certains gobies à plus de 12 m (40 pi) pour le requin-baleine. Impossible donc d'avoir des illustrations à l'échelle. Dans les pages qui se font face, cependant, les espèces sont en proportion les unes avec les autres. Les très petits poissons ont été grossis pour que leurs traits distinctifs ressortent. Dans ces cas, une silhouette en noir rétablit leurs véritables dimensions.

L'identification sur le terrain

Pour identifier un poisson, il faut l'examiner de près, soit en le pêchant, soit en nageant près de lui avec un tuba ou un autre appareil de plongée pour voir sous la surface de l'eau. Voici ce qu'il faut remarquer.

Forme du corps. Les poissons de haute mer, comme les maquereaux et les thons, ont le corps fusiforme, arrondi en coupe transversale. (Pour avoir une idée de la forme en coupe, il suffit de regarder le poisson de face.) Votre sujet est-il fait autrement ? Les plies et les espèces apparentées sont des poissons plats, tout en flancs ; les papillons de mer, des poissons aplatis dans l'autre sens.

Nageoires. Les fiches d'identité montrent l'importance des nageoires — taille, forme, structure, emplacement — pour identifier un poisson. Les illustrations ci-dessous donnent les nageoires et les autres organes essentiels d'un poisson cartilagineux, le requin, et d'un poisson osseux, l'achigan. Cependant l'exocet a les pectorales si grandes qu'elles lui permettent de planer ; celles des brosmes, filiformes, leur servent à sonder les fonds marins. Les nageoires des poissons osseux se composent de fines membranes, les palettes, soutenues par des tiges parfois rigides et pointues, les épines, parfois souples et flexibles, les rayons. La nature de ces tiges, surtout celles des dorsales, est importante.

Tête. Elle est adaptée au mode d'alimentation qui varie selon les poissons. Il faut vérifier la place de la bouche (au bout du museau ou dessous), le nombre et l'emplacement des dents (elles ne sont pas toujours visibles), la présence de barbillons (chez les silures et les poissons-chèvres par exemple) ou de cils (chez les hexagrammes et les blennies).

Ecailles. La présence ou l'absence d'écailles (les barbottes n'en ont pas) et leur répartition (les harengs ont la tête nue) sont des traits permettant de distinguer une espèce d'une autre. Il faut aussi examiner leur nature. Les hippocampes piqueraient notre curiosité, même sans les anneaux blindés qui leur couvrent le corps, et les plaques osseuses de l'esturgeon le distinguent de tous les autres poissons.

Coloration. Certains poissons n'ont pas les coloris illustrés ici. Une fois sortis de l'eau, ils pâlissent rapidement, sans compter que leurs couleurs varient selon la saison, la température de l'eau, le milieu ambiant, le sexe, l'âge et l'humeur de l'individu. Les taches et les mouchetures changent elles aussi. On se fiera davantage à la ligne latérale chez certains poissons comme les barracudas et les tambours. Elle se compose d'un tube sous-cutané à terminaisons nerveuses qui renseigne le poisson sur les vibrations de l'eau.

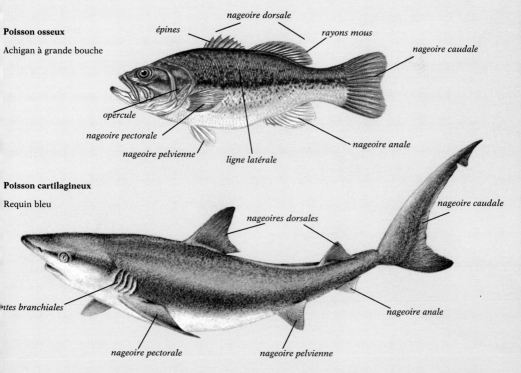

Poisson osseux

Achigan à grande bouche

nageoire dorsale
épines
rayons mous
nageoire caudale
opercule
nageoire pectorale
nageoire pelvienne
ligne latérale
nageoire anale

Poisson cartilagineux

Requin bleu

nageoire caudale
nageoires dorsales
...tes branchiales
nageoire anale
nageoire pectorale
nageoire pelvienne

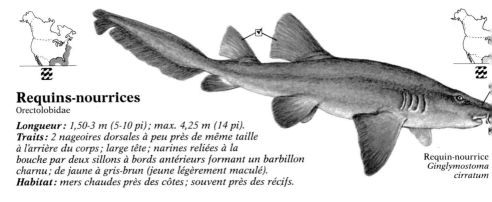

Requins-nourrices
Orectolobidae

Longueur: *1,50-3 m (5-10 pi); max. 4,25 m (14 pi).*
Traits: *2 nageoires dorsales à peu près de même taille
à l'arrière du corps; large tête; narines reliées à la
bouche par deux sillons à bords antérieurs formant un barbillon
charnu; de jaune à gris-brun (jeune légèrement maculé).*
Habitat: *mers chaudes près des côtes; souvent près des récifs.*

Requin-nourrice
*Ginglymostoma
cirratum*

Le seul requin-nourrice d'Amérique du Nord est
un animal paresseux qui se rencontre près des côtes, nageant lentement ou couché dans le fond de
l'eau. Il a de courtes dents et n'est généralement
pas d'humeur belliqueuse; mais s'il se sent attaqué, par exemple si on veut le dégager d'un hameçon destiné à une autre proie, il mord pour se
défendre. Ainsi vu de près, il est possible d'identifier le mâle, qui porte un long tubercule du côté
intérieur des deux pelviennes. Durant l'accouplement, il maintient la femelle en mordant une de
ses nageoires pectorales, qui, selon le degré de la-
cération, sont une indication de l'âge du sujet. Les
petits se développent dans le corps de la mère
mais, contrairement aux embryons de mammifères, ne reçoivent d'elle aucune nourriture.

Requins-baleines
Rhiniodontidae

Longueur: *4,50-10,65 m (15-35 pi);
maximum 13,70 m (45 pi).*
Traits: *grande taille; taches
blanches sur le dos et les flancs;
3 sillons de chaque côté du dos; tête arrondie;
bouche au bout du museau (et non dessous).*
Habitat: *mers chaudes; haute mer, en surface.*

Le requin-baleine pèse jusqu'à 18 tonnes métri-
ques (20 t); c'est le plus gros poisson au monde.
Il a beaucoup de petites dents dont il ne se sert
pas car, comme les baleines, il se nourrit d'animalcules marins. Nageant la bouche ouverte, il
emprisonne ses proies dans un appareil de filtrage disposé le long des arcs branchiaux. Le requin flâneur ou requin pèlerin *(Cetorhinus
maximus)*, qui est un peu plus petit que lui,
s'alimente de la même façon;
ce membre de la famille des
requins-maquereaux a le corps
effilé et remonte plus
loin au nord.

Requin-baleine
Rhiniodon typus

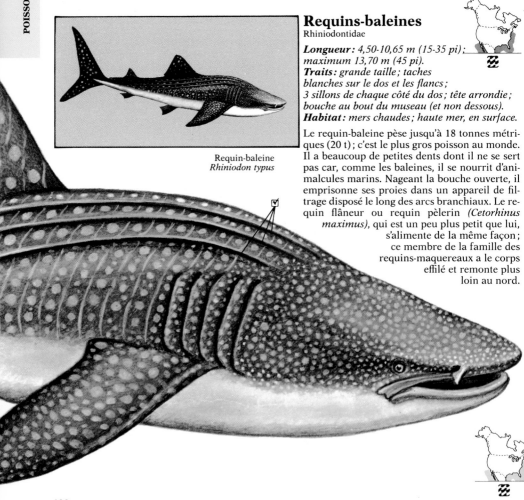

Requins de sable Odontaspididae

Longueur : 1,20-2,75 m (4-9 pi) ; maximum 3,20 m (10½ pi).
Traits : bouche en dessous du museau ; dents fines en saillie ; cinquième fente branchiale devant les nageoires pectorales ; nageoires anale et dorsales de même taille.
Habitat : mers côtières.

Le requin de sable explore lentement mais inlassablement les fonds marins à la recherche des poissons et des crustacés dont il se nourrit. C'est un chasseur nocturne. Bien qu'armé de grandes dents et capable d'attaquer l'être humain, il n'est belliqueux et dangereux, estime-t-on, que s'il se sent menacé. Le requin de sable supporte bien la captivité ; aussi le voit-on souvent dans les grands aquariums. La femelle a sa première portée lorsqu'elle mesure environ 2 m (7 pi) de longueur. Elle produit beaucoup d'œufs, mais deux seulement se développent dans son corps, un de chaque côté, car les embryons dévorent tous les autres au cours de la gestation qui dure un an. (Le même phénomène s'observe pour la famille des requins-maquereaux.) Le requin de sable hante l'Atlantique ; son cousin, le requin féroce (*Eugomphodus ferox*), fréquente le Pacifique.

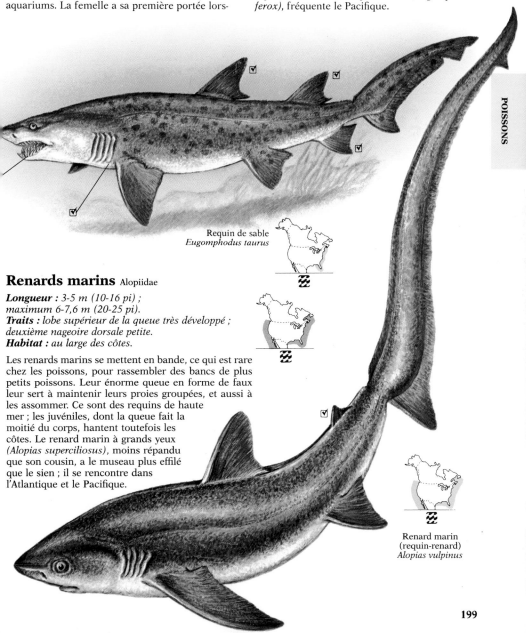

Requin de sable
Eugomphodus taurus

Renards marins Alopiidae

Longueur : 3-5 m (10-16 pi) ;
maximum 6-7,6 m (20-25 pi).
Traits : lobe supérieur de la queue très développé ; deuxième nageoire dorsale petite.
Habitat : au large des côtes.

Les renards marins se mettent en bande, ce qui est rare chez les poissons, pour rassembler des bancs de plus petits poissons. Leur énorme queue en forme de faux leur sert à maintenir leurs proies groupées, et aussi à les assommer. Ce sont des requins de haute mer ; les juvéniles, dont la queue fait la moitié du corps, hantent toutefois les côtes. Le renard marin à grands yeux (*Alopias superciliosus*), moins répandu que son cousin, a le museau plus effilé que le sien ; il se rencontre dans l'Atlantique et le Pacifique.

Renard marin
(requin-renard)
Alopias vulpinus

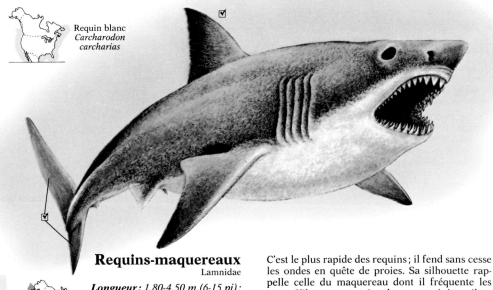

Requin blanc
*Carcharodon
carcharias*

Requins-maquereaux
Lamnidae

Longueur: *1,80-4,50 m (6-15 pi);
maximum 6,40 m (21 pi).*
Traits: *haute nageoire dorsale;
les deux lobes de la queue égaux;
nageoire caudale carénée à base
étroite; fortes dents peu nombreuses.*
Habitat: *en haute mer et
près des côtes.*

C'est le plus rapide des requins; il fend sans cesse les ondes en quête de proies. Sa silhouette rappelle celle du maquereau dont il fréquente les eaux. S'il mange certains de ses congénères, il ne dédaigne ni les harengs, ni les maquereaux; son cousin, le requin blanc, se nourrit en plus de phoques et de tortues de mer. Cette espèce est dangereuse pour l'homme qu'elle attaque sans motif. Le mako *(Isurus oxyrinchus)* est bien connu des pêcheurs pour ses bonds remarquables, mais aussi pour sa chair exquise rappelant celle de l'espadon.

Requins bleus
Carcharhinidae

Longueur:
*60 cm-4 m (2-13 pi);
maximum 7,30 m (24 pi).*
Traits: *cinquième fente
branchiale au-dessus de la
base des nageoires pectorales;
première dorsale en face de la pelvienne;
dépression devant la caudale.*
Habitat: *les océans; parfois en eau
saumâtre ou douce.*

Ce groupe comprend deux types de requins. Les plus petits, comme le requin-léopard et le chien de mer lisse *(Mustelus canis)*, fréquentent les côtes: le premier celles du Pacifique, le second celles de l'Atlantique. Les plus gros requins « mangeurs d'hommes » sont généralement pélagiques, mais le requin bleu, le requin citron *(Negaprion brevirostris)* et le requin-tigre *(Galeocerdo cuvieri)* restent près des côtes. Une espèce, le dangereux requin-taureau *(Odontaspis taurus)*, a déjà remonté le Mississippi jusqu'à l'Illinois. C'est le seul requin d'eau douce en Amérique du Nord.

Requin obscur
(requin bleu)
*Carcharhinus
obscurus*

Requin-léopard
*Triakis
semifasciata*

Requins-marteaux
Sphyrnidae

Longueur: 1,20-4,25 m (4-14 pi); maximum 6 m (20 pi).
Traits: tête en forme de marteau ou de bêche.
Habitat: près des côtes en eau plus ou moins profonde.

Ces requins ont une tête élargie latéralement au point de former deux protubérances aplaties portant chacune un œil et une narine à leur extrémité. Les savants croient qu'ils ont ainsi un champ de vision élargi et une plus grande acuité olfactive. Ce sont des requins très voraces qui s'attaquent à la redoutable raie pastenague. Lors de sa capture, un spécimen nourri de ces raies avait dans la bouche et la gorge plusieurs queues barbelées de pastenague. Le requin-bonnet *(Sphyrna tiburo)* à dos gris appartient à la même espèce.

Grand requin-marteau
Sphyrna mokarran

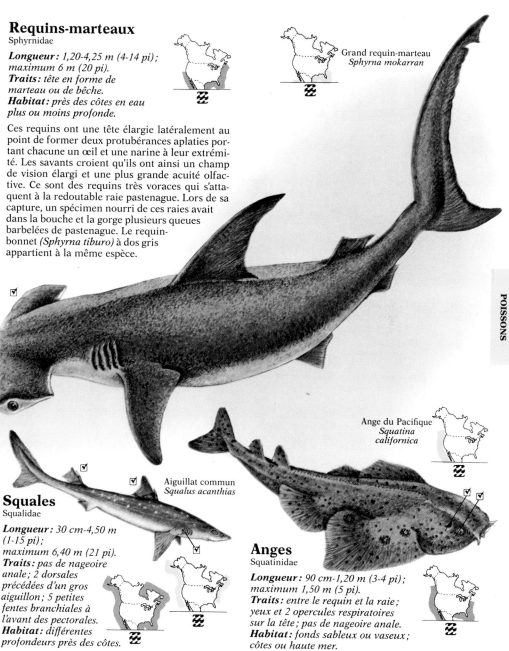

Ange du Pacifique
Squatina californica

Aiguillat commun
Squalus acanthias

Squales
Squalidae

Longueur: 30 cm-4,50 m (1-15 pi); maximum 6,40 m (21 pi).
Traits: pas de nageoire anale; 2 dorsales précédées d'un gros aiguillon; 5 petites fentes branchiales à l'avant des pectorales.
Habitat: différentes profondeurs près des côtes.

Anges
Squatinidae

Longueur: 90 cm-1,20 m (3-4 pi); maximum 1,50 m (5 pi).
Traits: entre le requin et la raie; yeux et 2 opercules respiratoires sur la tête; pas de nageoire anale.
Habitat: fonds sableux ou vaseux; côtes ou haute mer.

L'aiguillat commun, le plus répandu des squales en Amérique du Nord, préfère des eaux froides où la température se maintient entre 5° et 15°C (42°-60°F). Lorsque la mer se réchauffe près des côtes, il va vers le large ou vers le nord. Les pêcheurs le redoutent, car il mord à l'hameçon ou se prend dans les filets; le détacher n'est pas simple, car il est d'une ténacité légendaire et les aiguillons venimeux qu'il porte sur le dos peuvent infliger des blessures douloureuses. Plusieurs autres squales, dont les requins dormeurs et les requins pélagiques luminescents, sont aussi dotés d'aiguillons.

Avec un peu d'imagination, on peut voir dans ce requin une sorte d'ange qui aurait les ailes grandes ouvertes. Il se nourrit de poissons, de crustacés et de mollusques qu'il attrape en parcourant les fonds marins. En été, il se rapproche des côtes, mais s'en éloigne en hiver, les eaux profondes demeurant plus chaudes. L'emplacement des fentes branchiales sur les côtés de la tête et non en dessous place sans le moindre doute ce poisson parmi les requins et non parmi les raies. L'ange de l'Atlantique *(Squatina dumerili)* est le représentant de ce groupe dans l'Est.

201

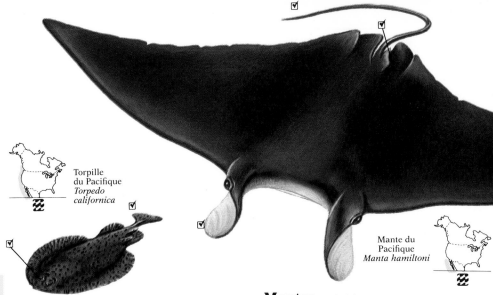

Torpille
du Pacifique
*Torpedo
californica*

Mante du
Pacifique
Manta hamiltoni

Raies électriques
Torpedinidae

Longueur : *30 cm-1,20 m (1-4 pi) ;
maximum 1,50 m (5 pi).*
Traits : *disque antérieur épais ;
nageoires pectorales allongées ; petits
yeux sur le dessus ; nageoire caudale développée.*
Habitat : *fonds de mer sableux ou vaseux
en eau peu profonde.*

Les torpilles ont de chaque côté du corps des organes composés de muscles modifiés dont les décharges, de plus de 200 volts, diminuent peu à peu
d'intensité ; il faut plusieurs jours pour recharger
la « batterie ». Ce mécanisme d'attaque et de
défense servirait aussi à l'orientation.

Raies communes Rajidae

Longueur : *45 cm-1,80 m (1½-6 pi) ;
maximum 2,45 m (8 pi).*
Traits : *disque aplati ; queue fine et
épineuse ; 2 petites nageoires dorsales ; nageoire caudale peu visible.*
Habitat : *fonds de mer.*

Les nageoires pectorales des raies incluent la tête
et vont jusqu'à la queue. Derrière les yeux se
trouvent les pores par lesquels l'eau pénètre dans
les branchies. Ces raies pondent leurs œufs dans
des coques rigides appelées « bourses de sirène »
ou « oreillers de mer », nanties d'une corne à chaque angle. La chair de la raie à binocle et de la
grande raie *(Raja laevis)* est assez estimée.

Mantes Mobulidae

Envergure : *90 cm-6 m (3-20 pi) ;
maximum 7,60 m (25 pi).*
Traits : *grandes « ailes » ; deux
protubérances cornues sur la tête ;
yeux latéraux ; petite nageoire dorsale ;
queue en fouet sans nageoire.*
Habitat : *mers tropicales et tempérées.*

Les mantes ou raies cornues sont de tailles variées. Une mante atlantique *(Manta birostris)* de
6,70 m (22 pi), prise aux Bahamas, pesait 1 369 kg
(3 000 lb) ; le diable de mer *(Mobula hypostoma)*,
également dans l'océan Atlantique, ne dépasse pas
90 cm-1,20 m (3-4 pi). Les mantes se nourrissent
en haute mer de plancton et de petits poissons ;
parfois elles sautent complètement hors de l'eau.

Raies épineuses Dasyatidae

Longueur : *30 cm-1,50 m (1-5 pi) ;
maximum 2,15 m (7 pi).*
Traits : *corps circulaire ; queue en
fouet garnie d'un ou de plusieurs
aiguillons venimeux ; nageoires
dorsales et caudales absentes.*
Habitat : *mers tièdes et peu profondes.*

Ces raies balaient le fond des océans avec leurs
« ailes » pour déloger les petits crustacés qu'elles
broient de leurs mâchoires puissantes garnies de
dents plates. Leurs dards venimeux, pleins de den-
telures acérées, causent de douloureuses blessures. Les grandes raies papillons, souvent incluses
dans ce groupe, sont moins dangereuses.

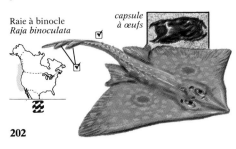

Raie à binocle
Raja binoculata

*capsule
à œufs*

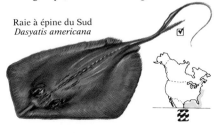

Raie à épine du Sud
Dasyatis americana

Poissons-scies Pristidae

Longueur: 2,50-5 m (8-16 pi);
maximum 6 m (20 pi).
Traits: museau prolongé en « scie »;
corps de requin; tête plate.
Habitat: fonds de sable ou de vase en mer peu
profonde; cours inférieur des rivières.

Poisson-scie
Pristis pectinata

Pour se nourrir, ils tailladent les poissons qui se déplacent
en bancs avec leur rostre équipé de dents et fouillent le sable
et la boue des fonds de mer. Peu agressifs de nature, ils peuvent néanmoins blesser l'homme de leur corps puissant.
Avec leurs fentes branchiales en position inférieure
et leurs nageoires pectorales développées,
poissons-scies et guitares sont
techniquement des raies.

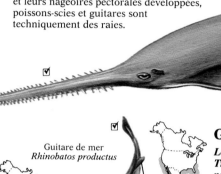

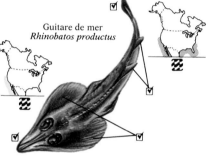

Guitare de mer
Rhinobatos productus

Guitares de mer Rhinobatidae

Longueur: 30 cm-1,20 m (1-4 pi); max. 1,50 m (5 pi).
Traits: tête plate; museau cunéiforme; nageoires
pectorales modérément développées prolongeant la tête;
2 petites nageoires dorsales; nageoire caudale de requin.
Habitat: fonds sableux ou vaseux; mers peu
profondes; eaux saumâtres.

Cette raie cherche de petits crustacés dans les fonds de mer
et se cache à demi dans le sable ou la boue. Poissons-scies et
guitares ont une queue bien développée qui sert à la propul-
sion; les raies se déplacent par un mouvement sinueux de
leurs énormes nageoires pectorales, la queue ne jouant dans
la locomotion qu'un rôle de gouvernail.

Myxine du Nord
Myxine glutinosa

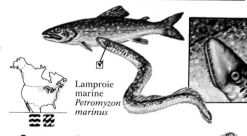

Lamproie
marine
*Petromyzon
marinus*

Myxines Myxinidae

Longueur: 40-60 cm (16-24 po);
maximum 80 cm (31 po).
Traits: corps anguilliforme, sans nageoires
pectorales et pelviennes; bouche à barbillons
sans mâchoires mobiles; pas d'yeux visibles.
Habitat: haute mer, à plus de 30 m
(100 pi) de profondeur.

Poissons sans écailles dont l'origine remonte à
500 millions d'années, lamproies et myxines ont
un disque suceur à dents cornées et une langue râpeuse. La myxine sécrète du mucus et se colle aux
poissons morts ou mourants dont elle suce la
chair. On en a déjà compté 125 sur une morue.

Lamproies Petromyzonidae

Longueur: 15-60 cm (6-24 po);
maximum 90 cm (36 po).
Traits: corps anguilliforme, sans nageoires
pectorales et pelviennes; disque suceur sans
mâchoires ni barbillons; grands yeux.
Habitat: cours d'eau froids; parfois en mer.

Les lamproies marines pondent en eau douce et
sont apparues dans les Grands Lacs après le perce-
ment de la Voie maritime. Leur habitude de se
nourrir du sang des poissons ou de leur chair
qu'elles liquéfient grâce à des sécrétions buccales
a causé des dégâts dans les pêcheries de cette région. Toutes les espèces ne sont pas parasitaires.

POISSONS

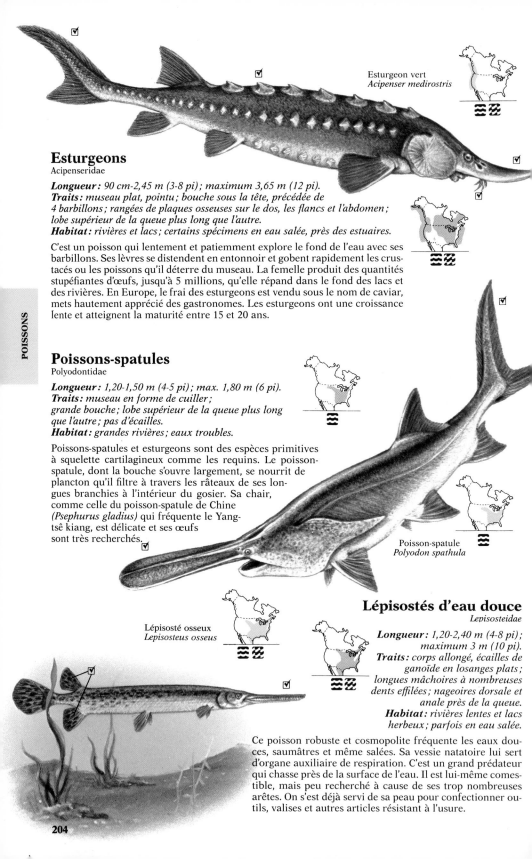

Esturgeons
Acipenseridae

Esturgeon vert
Acipenser medirostris

Longueur: *90 cm-2,45 m (3-8 pi); maximum 3,65 m (12 pi).*
Traits: *museau plat, pointu; bouche sous la tête, précédée de
4 barbillons; rangées de plaques osseuses sur le dos, les flancs et l'abdomen;
lobe supérieur de la queue plus long que l'autre.*
Habitat: *rivières et lacs; certains spécimens en eau salée, près des estuaires.*

C'est un poisson qui lentement et patiemment explore le fond de l'eau avec ses
barbillons. Ses lèvres se distendent en entonnoir et gobent rapidement les crustacés ou les poissons qu'il déterre du museau. La femelle produit des quantités
stupéfiantes d'œufs, jusqu'à 5 millions, qu'elle répand dans le fond des lacs et
des rivières. En Europe, le frai des esturgeons est vendu sous le nom de caviar,
mets hautement apprécié des gastronomes. Les esturgeons ont une croissance
lente et atteignent la maturité entre 15 et 20 ans.

Poissons-spatules
Polyodontidae

Longueur: *1,20-1,50 m (4-5 pi); max. 1,80 m (6 pi).*
Traits: *museau en forme de cuiller;
grande bouche; lobe supérieur de la queue plus long
que l'autre; pas d'écailles.*
Habitat: *grandes rivières; eaux troubles.*

Poissons-spatules et esturgeons sont des espèces primitives
à squelette cartilagineux comme les requins. Le poisson-
spatule, dont la bouche s'ouvre largement, se nourrit de
plancton qu'il filtre à travers les râteaux de ses longues branchies à l'intérieur du gosier. Sa chair,
comme celle du poisson-spatule de Chine
(Psephurus gladius) qui fréquente le Yang-
tsê kiang, est délicate et ses œufs
sont très recherchés.

Poisson-spatule
Polyodon spathula

Lépisostés d'eau douce
Lepisosteidae

Lépisosté osseux
Lepisosteus osseus

Longueur: *1,20-2,40 m (4-8 pi);
maximum 3 m (10 pi).*
Traits: *corps allongé, écailles de
ganoïde en losanges plats;
longues mâchoires à nombreuses
dents effilées; nageoires dorsale et
anale près de la queue.*
Habitat: *rivières lentes et lacs
herbeux; parfois en eau salée.*

Ce poisson robuste et cosmopolite fréquente les eaux douces, saumâtres et même salées. Sa vessie natatoire lui sert
d'organe auxiliaire de respiration. C'est un grand prédateur
qui chasse près de la surface de l'eau. Il est lui-même comestible, mais peu recherché à cause de ses trop nombreuses
arêtes. On s'est déjà servi de sa peau pour confectionner outils, valises et autres articles résistant à l'usure.

Amies
Amiidae

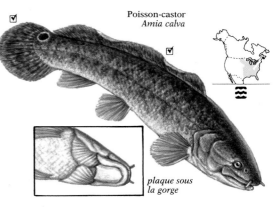

Poisson-castor
Amia calva

Longueur: 45-60 cm (18-24 po);
maximum 85 cm (34 po).
Traits: longue nageoire dorsale, caudale
arrondie avec une tache sombre bordée
de jaune ou d'orange chez le mâle en
livrée nuptiale; plaque osseuse sous
la gorge; dents nombreuses et robustes.
Habitat: eaux douces, calmes et herbeuses.

Ce « fossile vivant » est le seul de son groupe. Il respire par les branchies, mais en eaux boueuses il se sert de sa vessie natatoire richement irriguée comme d'un poumon et monte en surface engloutir de l'air. En période de sécheresse, il peut survivre si la vase reste humide. Au printemps, le mâle dégage une zone parmi les roseaux pour y faire un nid et y conduit une ou deux femelles. C'est lui qui veille sur le nid et les petits.

plaque sous
la gorge

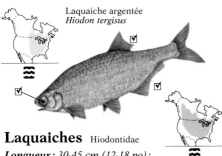

Laquaiche argentée
Hiodon tergisus

Hareng du Pacifique
Clupea harengus pallasi

POISSONS

Laquaiches Hiodontidae

Longueur: 30-45 cm (12-18 po);
maximum 50 cm (20 po).
Traits: grands yeux; corps comprimé latéralement; écailles argentées; abdomen non caréné; longue nageoire anale, dorsale près de la queue.
Habitat: lacs, rivières aux eaux claires
ou un peu troubles.

Semblables mais non apparentées aux harengs, la laquaiche argentée et la laquaiche aux yeux d'or *(Hiodon alosoides)*, plus petite, sont les seules espèces de ce groupe. Elles se nourrissent d'insectes, de mollusques et de poissons et sont généralement vendues fumées.

Harengs
Clupeidae

Longueur: 5-45 cm (2-18 po);
maximum 65 cm (25 po).
Traits: tête sans écailles; corps
à écailles argentées; abdomen
caréné; nageoires sans aiguillon.
Habitat: côtes et haute mer; estuaires,
rivières, étangs et lacs.

Ces poissons argentés qui se déplacent en bancs incluent non seulement les harengs, mais aussi les sardines, les aloses et les gaspareaux. Ils vivent en eau salée, mais les aloses et d'autres espèces viennent frayer en eau douce. Ils se nourrissent de plancton grâce à un appareil de filtrage situé le long des arcs branchiaux. Les harengs sont une importante source d'aliments pour l'homme et les autres poissons et donnent de l'huile.

Anchois Engraulidae

Longueur: 4-15 cm (1½-6 po);
maximum 23 cm (9 po).
Traits: ouverture buccale au-delà
des yeux; mâchoire supérieure en
saillie; grands yeux; corps à raies
argentées; écailles qui tombent
facilement; nageoires sans épines.
Habitat: mers peu profondes; plusieurs espèces
en eaux saumâtres et parfois douces.

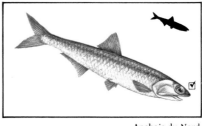

Anchois du Nord
Engraulis mordax

Ce sont des poissons grégaires qui se déplacent en bancs et font les délices de bien des espèces. L'homme s'en sert souvent comme appâts. Comme les harengs, ils se nourrissent du plancton filtré à travers leurs arcs branchiaux. Les femelles pondent des œufs ovales translucides qui flottent à la surface de l'eau (les œufs de poisson sont en général ronds).

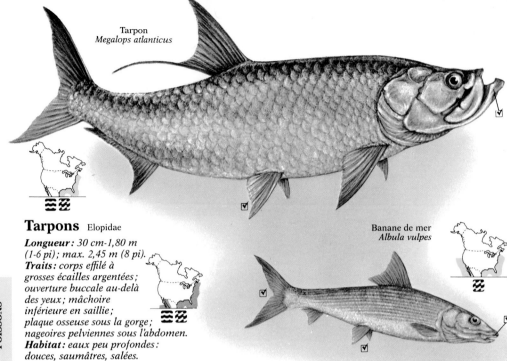

Tarpon
Megalops atlanticus

Tarpons Elopidae

Longueur: *30 cm-1,80 m (1-6 pi); max. 2,45 m (8 pi).*
Traits: *corps effilé à grosses écailles argentées; ouverture buccale au-delà des yeux; mâchoire inférieure en saillie; plaque osseuse sous la gorge; nageoires pelviennes sous l'abdomen.*
Habitat: *eaux peu profondes: douces, saumâtres, salées.*

Le tarpon est un animal vigoureux, de 23 à 135 kg (50-300 lb), fort estimé des pêcheurs non pour sa chair mais pour son esprit combatif. Aussi le relâchent-ils vivant; seuls les individus d'une taille exceptionnelle ou qui ont livré un combat remarquable sont parfois conservés comme trophée. Le tarpon se nourrit de petits poissons et de crustacés. Il monte régulièrement et bruyamment engloutir de l'air, sa vessie natatoire lui tenant lieu d'organe respiratoire. Les femelles pondent jusqu'à 12 millions d'œufs dans les estuaires au printemps. La croissance des jeunes est lente; un individu de 45 kg (100 lb) peut avoir 13 ans et plus. Les cousins du tarpon, l'élops franc *(Elops saurus)*, dans l'Atlantique, et l'élops-coutelas *(Elops affinus)*, dans le Pacifique, sont aussi énergiques que lui mais plus petits; ils dépassent rarement 90 cm (3 pi) et 2,25 kg (5 lb).

Anolies de mer
Synodontidae

Longueur: *15-30 cm (6-12 po); maximum 45 cm (18 po).*
Traits: *tête plate; corps en forme de cigare; peau à écailles; bouche à dents; petite nageoire charnue entre la nageoire dorsale et la queue.*
Habitat: *fonds de mer.*

Maintenu sur place par ses puissantes nageoires pelviennes, ce synodonte attend qu'une proie passe au-dessus de lui et il fonce alors sur elle avec la vitesse de l'éclair. Comme la plupart des poissons, il se meut en ondulant du corps et en agitant la queue. Avec ses nageoires pelviennes et pectorales, il monte, descend, plonge, s'immobilise et tourne, tandis que sa queue lui sert surtout de gouvernail et ses nageoires anale et dorsale, de stabilisateurs.

Banane de mer
Albula vulpes

Bananes de mer Albulidae

Longueur: *30-60 cm (1-2 pi); maximum 1 m (3½ pi).*
Traits: *ouverture buccale en deçà des yeux, mâchoire supérieure en saillie; plaque osseuse sous la bouche; nageoires pelviennes sous l'abdomen; corps arrondi, couvert d'écailles argentées; queue fourchue.*
Habitat: *eaux peu profondes; lits de vase ou de sable.*

Les pêcheurs traquent ce poisson (seul représentant de son groupe en Amérique du Nord) dans les bas-fonds au moment où la banane de mer, tête en bas, cherche des crustacés dans la vase. Elle est estimée, non pour sa chair peu comestible, mais pour le combat émouvant qu'elle livre contre « l'esprit sportif ». C'est un poisson rempli d'arêtes, qu'on rejette souvent vivant à la mer.

Anolie de mer
Synodus foetens

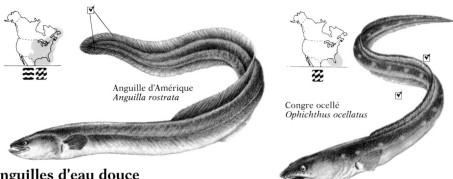

Anguille d'Amérique
Anguilla rostrata

Congre ocellé
Ophichthus ocellatus

Anguilles d'eau douce
Anguillidae

Longueur : 60-90 cm (2-3 pi) ;
maximum 1,20 m (4 pi).
Traits : corps long et fin ; nageoires
dorsale, anale et pectorales bien
développées ; les deux premières
continues ; grande bouche.
Habitat : rivières, ruisseaux, lacs et
baies, sous des roches ou des troncs ;
adultes en fraie et larves en mer.

Les anguilles d'eau douce s'en vont frayer dans la
mer des Sargasses, près des Bermudes. Chaque
femelle pond quelque 20 millions d'œufs que le
mâle fertilise, après quoi les adultes meurent. Les
œufs donnent naissance à des larves leptocéphales
qui se laissent porter par les courants. En trois
ans environ, elles se transforment en civelles et
gagnent la côte. Les femelles remontent les cours
d'eau pour atteindre lacs et étangs, tandis que les
mâles restent près des côtes. Huit ans après, les
deux se mettent en route vers la mer des Sargasses
et le cycle recommence.

Anguilles-congres   Ophichthidae

Longueur 30 cm-1,20 m (1-4 pi) ;
maximum 1,80 m (6 pi).
Traits : corps long et fin, sans
écailles ; nageoire dorsale
commençant là où finissent les
pectorales et nageoire anale partant
du milieu de l'abdomen, les deux se
terminant avant le bout dur de la queue ;
2 paires de narines, les antérieures près
de la lèvre supérieure ou dedans.
Habitat : fonds de sable ou de vase (récifs
parfois) ; côtes et haute mer.

Le jour, le congre s'enfouit, queue la première,
dans le sable ou la vase. La nuit, de grands bancs
de congres vont vers les lumières des pêcheurs.
Des plongeurs racontent qu'ils en ont vu ramper
comme des serpents. Ce sont des anguilles vis-
queuses, rapides, qui peuvent mordre lorsqu'on
les prend ; ces prédateurs se nourrissent de poissons, de crabes, de crevettes et de poulpes.

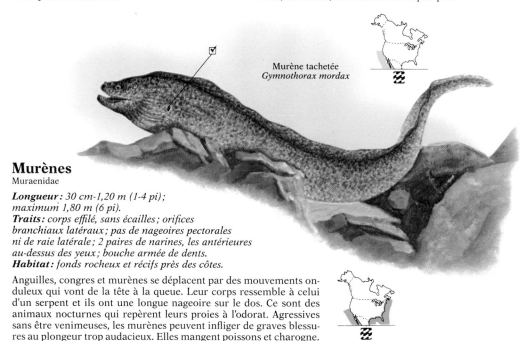

Murène tachetée
Gymnothorax mordax

Murènes
Muraenidae

Longueur : 30 cm-1,20 m (1-4 pi) ;
maximum 1,80 m (6 pi).
Traits : corps effilé, sans écailles ; orifices
branchiaux latéraux ; pas de nageoires pectorales
ni de raie latérale ; 2 paires de narines, les antérieures
au-dessus des yeux ; bouche armée de dents.
Habitat : fonds rocheux et récifs près des côtes.

Anguilles, congres et murènes se déplacent par des mouvements on-
duleux qui vont de la tête à la queue. Leur corps ressemble à celui
d'un serpent et ils ont une longue nageoire sur le dos. Ce sont des
animaux nocturnes qui repèrent leurs proies à l'odorat. Agressives
sans être venimeuses, les murènes peuvent infliger de graves blessures au plongeur trop audacieux. Elles mangent poissons et charogne.

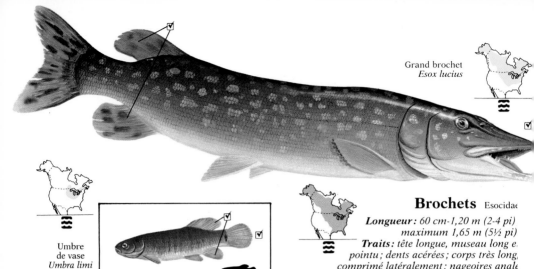

Grand brochet
Esox lucius

Umbre
de vase
Umbra limi

Umbres de vase Umbridae

Longueur : 7,5-16,5 cm (3-6^1/$_2$ po) ; maximum 20 cm (8 po).
Traits : queue ronde ; museau court et arrondi ; nageoires dorsale et anale près de la queue.
Habitat : petits lacs, étangs, vasières et cours d'eau lents à plantes aquatiques.

L'umbre de vase, ou vairon de boue, a besoin de peu d'oxygène pour survivre et passe de longues périodes enfoui dans la boue en hiver. Il se nourrit d'invertébrés aquatiques et de petits poissons.

Brochets Esocidae

Longueur : 60 cm-1,20 m (2-4 pi) ; maximum 1,65 m (5½ pi)
Traits : tête longue, museau long et pointu ; dents acérées ; corps très long, comprimé latéralement ; nageoires anale et dorsale à la même hauteur.
Habitat : lacs, fondrières et cours d'eau lents à plantes aquatiques.

Le brochet est un pirate solitaire. Dissimulé sous du bois mort ou dans des plantes, il guette ses proies. Les leurres colorés en forme de cuiller qu'utilisent les pêcheurs pour attirer le grand brochet, le brochet maillé *(Esox niger)* et le maskinongé *(Esox masquinongy)* bougent et brillent comme les proies qu'il poursuit. Le grand brochet se rencontre en Amérique du Nord, en Europe et en Asie, caractéristique qu'il partage avec une seule autre espèce de poisson d'eau douce.

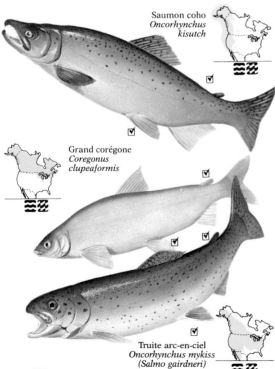

Saumon coho
Oncorhynchus kisutch

Grand corégone
Coregonus clupeaformis

Truite arc-en-ciel
Oncorhynchus mykiss
(Salmo gairdneri)

Truites, saumons, corégones et ouananiches Salmonidae

Longueur : 30-90 cm (1-3 pi) ; maximum 1,50 m (5 pi).
Traits : nageoire adipeuse près de la queue ; corps élancé, rond en coupe transversale ; nageoires sans épines ; écailles petites et lisses ; nageoires pelviennes sous l'abdomen.
Habitat : lacs et cours d'eau clairs et frais, souvent tumultueux ; certaines espèces vivent partiellement en eau salée.

Les salmonidés sont répandus au Canada et aux Etats-Unis ; le sud de leur aire s'arrête aux montagnes. Le saumon atlantique *(Salmo salar)* et les différentes races de saumons du Pacifique *(Oncorhynchus)* vivent dans l'océan et ne viennent en eau douce que pour frayer. Comme l'apparence d'un salmonidé varie avec son environnement, il est difficile de déterminer combien il y en a d'espèces. Parmi les quelque 40 groupes identifiés en Amérique du Nord, on note :
• la truite brune, ou truite fario *(Salmo trutta)*, espèce brun doré venue d'Europe ;
• la truite fardée *(Salmo clarki)*, espèce de l'Ouest à mâchoires orangées ;
• l'omble de fontaine *(Salvelinus fontinalis)*, espèce de l'Est très mouchetée ;
• le saumon chinook, ou saumon quinnat *(Oncorhynchus tshawytscha)*, le plus gros des saumons.

POISSONS

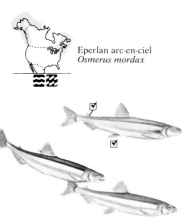

Eperlan arc-en-ciel
Osmerus mordax

Eperlans et capelans Osmeridae

Longueur : *10-20 cm (4-8 po) ; max. 30 cm (12 po).*
Traits : *nageoire dorsale adipeuse à l'arrière ; long corps élancé ; bouche large à dents ; nageoires sans épines, pelviennes sous l'abdomen ; petites écailles lisses.*
Habitat : *lacs, cours d'eau, eaux côtières.*

Les éperlans vivent dans la mer et viennent frayer en eau douce, à l'exception de l'éperlan à petite bouche *(Hypomesus olidus)* et de quelques éperlans arc-en-ciel qui passent leur vie en eau douce. Les neuf espèces d'Amérique du Nord ont une importance commerciale : le capelan *(Mallotus villosus)* comme aliment ; d'autres pour l'huile. Autrefois, les Amérindiens s'éclairaient à l'eulakane de l'Ouest *(Thaleichthys pacificus)* ; une fois séché, le poisson entier était allumé, queue la première.

Ménés et carpes Cyprinidae

Longueur : *4-90 cm (1½-36 po) ; maximum 1,80 m (6 pi).*
Traits : *dents dans le pharynx ; nageoires sans épines ; écailles lisses ; parfois barbillons charnus ; bouche suceuse, mâchoire supérieure rarement en saillie.*
Habitat : *varié, des lacs herbeux aux rivières tumultueuses.*

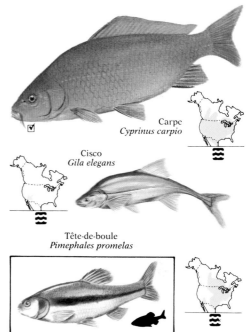

Carpe
Cyprinus carpio

Cisco
Gila elegans

Tête-de-boule
Pimephales promelas

Tous les ménés ne sont pas de petits poissons ; tous les petits poissons ne sont pas des ménés. Nos plus grandes espèces indigènes, les quatre sauvagesses de l'Ouest *(Ptychocheilus)*, atteignent 90 cm (3 pi), tout comme la carpe à doubles barbillons importée d'Asie. La famille des ménés comprend en Amérique du Nord quelque 280 espèces dont des ménés émeraude, des chattes de l'Est et des ménés de lacs. Toutes ont des dents dans le pharynx, trait qu'on ne peut observer sans tuer l'animal. Certaines ont des dents dans la bouche ou sur les mâchoires. Les ménés se nourrissent de petits animaux, mais le campostome *(Campostoma anomalum)* se nourrit d'algues, la carpe *(Ctenopharyngodon idella)* mange des plantes aquatiques luttant ainsi contre la végétation qui étouffe les petits étangs (elle a été importée dans ce but) et les sauvagesses dévorent de gros poissons.

Suceurs Catostomidae

Longueur : *15-75 cm (6-30 po) ; maximum 1 m (40 po).*
Traits : *mâchoire supérieure en saillie ; bouche suceuse à fortes lèvres ; pas de nageoire adipeuse ni de barbillons ; dents dans le pharynx ; nageoires sans épines ; écailles lisses.*
Habitat : *varié, des fondrières aux cours d'eau rapides.*

Meunier
à tête carrée
*Hypentelium
nigricans*

Les poissons suceurs hantent les fonds aquatiques à la recherche de vers et autres invertébrés sans carapace qu'ils aspirent. Plusieurs espèces à nageoires rouges, appelées suceurs rouges *(Moxostoma)*, mangent des palourdes et des escargots. Au printemps, le meunier noir *(Castotomus commersoni)* et de nombreuses espèces émigrent vers les petits cours d'eau pour frayer sur les cailloutis. Les suceurs sont comestibles, mais ils ont beaucoup d'arêtes.

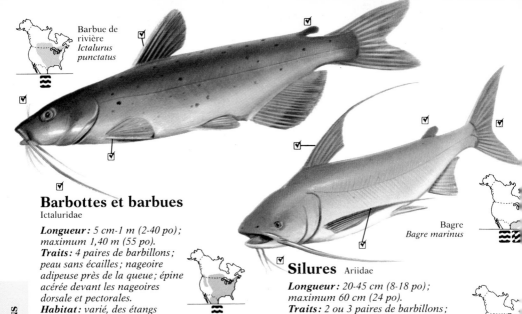

Barbue de rivière
Ictalurus punctatus

Bagre
Bagre marinus

Barbottes et barbues
Ictaluridae

Longueur : 5 cm-1 m (2-40 po) ;
maximum 1,40 m (55 po).
Traits : 4 paires de barbillons ;
peau sans écailles ; nageoire
adipeuse près de la queue ; épine
acérée devant les nageoires
dorsale et pectorales.
Habitat : varié, des étangs
herbeux aux grandes rivières.

Les membres de cette famille détectent les invertébrés aquatiques et les poissons dont ils se nourrissent en explorant le fond de l'eau avec leurs barbillons. Même si la barbue de rivière et la barbotte brune *(Ameiurus nebulosus)* font l'objet de pêche sportive et commerciale, l'individu le plus réputé appartient à un autre groupe. Le poisson-chat ambulant *(Clarias batrachus)*, membre de la famille des clariidés, est un poisson agressif capable de respirer hors de l'eau et de se déplacer sur terre. Importé d'Asie pour être élevé en aquarium, il fraie en liberté dans le sud de la Floride.

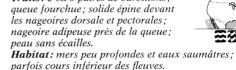

Silures Ariidae

Longueur : 20-45 cm (8-18 po) ;
maximum 60 cm (24 po).
Traits : 2 ou 3 paires de barbillons ;
queue fourchue ; solide épine devant
les nageoires dorsale et pectorales ;
nageoire adipeuse près de la queue ;
peau sans écailles.
Habitat : mers peu profondes et eaux saumâtres ;
parfois cours inférieur des fleuves.

Le mâle joue un rôle inusité lors de la reproduction. Il transporte les œufs fécondés dans sa bouche et les y garde plusieurs semaines, jeûnant jusqu'à leur éclosion. Il fait de même avec les petits. Les épines des silures sont venimeuses. Ces poissons de mer se déplacent souvent en bancs ; ils s'écartent du rivage l'hiver pour y revenir au printemps. Le chat-crucifix *(Arius felis)* qui vit dans l'Atlantique fréquente parfois les eaux douces.

Omisco
Percopsis omiscomaycus

Omiscos
(perches-truites) Percopsidae

Longueur : 5-10 cm (2-4 po) ;
maximum 15 cm (6 po).
Traits : nageoire adipeuse près de
la queue ; ligne sur toute la longueur
des flancs ; corps à écailles ;
tête nue ; nageoires dorsale et anale
courtes à 1 ou 2 épines.
Habitat : lacs, rivières, ruisseaux.

Il existe parmi les poissons des espèces moins primitives que d'autres, c'est-à-dire dont le cerveau est plus complexe et le corps plus évolué. Les salmonidés sont moins avancés que les perches. Les perches-truites se situent entre les deux. Leurs nageoires pelviennes ne sont pas sous l'abdomen (étape primitive) ni derrière la gorge (étape avancée), mais entre les deux. La nageoire adipeuse est un trait primitif ; les épines, un développement récent. Très intéressants pour les ichtyologues, ces poissons jouent un rôle important dans la chaîne alimentaire aquatique.

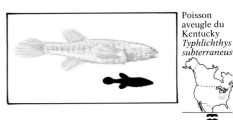

Poisson
aveugle du
Kentucky
Typhlichthys subterraneus

Poissons aveugles du Kentucky Amblyopsidae

Longueur : 4-7,5 cm (1½-3 po) ;
maximum 9 cm (3½ po).
Traits : yeux absents ou très petits ;
corps blanc ou brun ; petites crêtes sur
tout le corps ; nageoires pelviennes
absentes ou très petites ; queue arrondie.
Habitat : cavernes de pierre dolomitique ;
endroits isolés dans les rivières et les fossés.

Les poissons des cavernes sont aveugles ; ils détectent vibrations et odeurs au moyen des crêtes à papilles sensibles qu'ils ont sur le corps. Vivant de peu, les débris organiques que leur apporte l'eau leur suffisent. Pour les voir, il est conseillé de visiter les cavernes Mammoth du Kentucky.

POISSONS

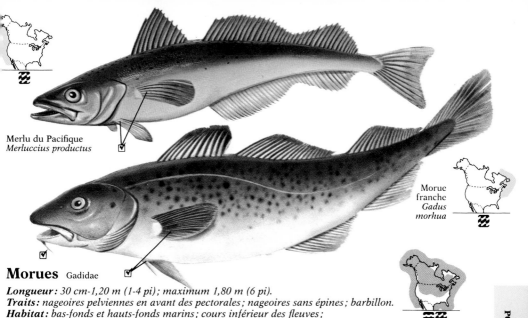

Merlu du Pacifique
Merluccius productus

Morue
franche
*Gadus
morhua*

Morues Gadidae

Longueur : 30 cm-1,20 m (1-4 pi) ; maximum 1,80 m (6 pi).
Traits : nageoires pelviennes en avant des pectorales ; nageoires sans épines ; barbillon.
Habitat : bas-fonds et hauts-fonds marins ; cours inférieur des fleuves ;
lacs, rivières chez la lotte (Lota lota).

Ce sont des poissons abyssaux, ichtyophages et incroyablement fertiles : une seule morue franche aurait pondu 9 millions d'œufs. Voici quelques espèces :

• l'aiglefin *(Melanogrammus aeglefinus)*, espèce atlantique à trois dorsales, ligne latérale foncée et tache noire au-dessus des pectorales ;
• la merluche-écureuil *(Urophycis chuss)*, espèce atlantique dotée d'un long filament au bout de la première des deux dorsales ;

• la goberge *(Pollachius virens)*, espèce atlantique à mâchoire inférieure en saillie, queue fourchue, trois dorsales et ligne latérale ;
• les poulamons de l'Atlantique et du Pacifique *(Microgadus tomcod et M. proximus)*, à trois dorsales et filament au bout des pelviennes.

Brosmes et brotules
Ophidiidae

Longueur : 2,5-60 cm (1-24 po) ;
maximum 90 cm (36 po).
Traits : corps anguilliforme ; tête plus large
que le corps ; nageoires dorsale, caudale et anale dans le
même prolongement ; pelviennes à filaments sous la gorge.
Habitat : crevasses en récifs ou terriers sableux
en mer peu ou très profonde.

Brosme
tachetée
*Otophidium
taylori*

Ce groupe, dont certaines espèces vivent dans des récifs coralliens peu profonds et d'autres à des profondeurs de 7 000 m (23 000 pi), couvre le plus vaste éventail de profondeurs. Les espèces des hauts-fonds mangent les invertébrés qu'elles détectent avec leurs nageoires pelviennes transformées en organe sensoriel. Farouches, elles se cachent dans des crevasses ou des terriers qu'elles creusent de leur queue. Les lycodes (zoarcidae), semblables aux brosmes, ont des nageoires pelviennes moins modifiées.

Aurins Carapidae

Longueur : 5-15 cm (2-6 po) ; max. 18 cm (7 po).
Traits : corps élancé, aminci vers la queue ;
nageoires dorsale et anale très longues,
pelviennes et caudale absentes ; peau sans
écailles, presque transparente.
Habitat : dans des invertébrés ; une espèce nord-américaine
habite les concombres de mer, en mers tropicales peu profondes.

Aurin
*Carapus
bermudensis*

Seules de leur genre, ces farouches créatures vivent en parasite dans d'autres animaux, oursins de mer, étoiles de mer et mollusques (où elles s'incrustent parfois dans une couche de nacre). Certaines se nourrissent des organes internes de leur hôte ; d'autres parcourent les fonds marins en quête de nourriture.

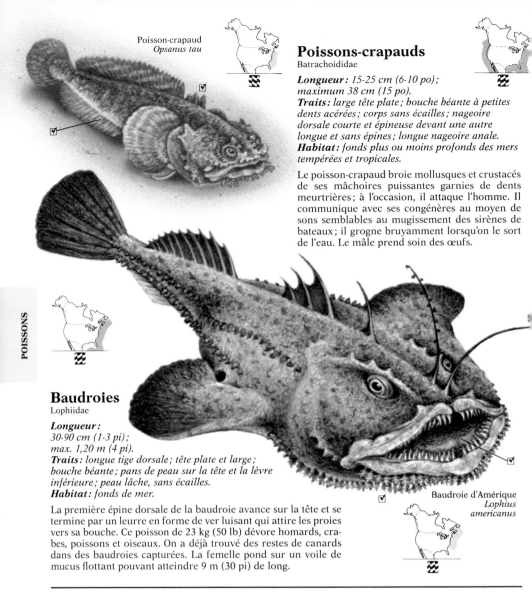

Poisson-crapaud
Opsanus tau

Poissons-crapauds
Batrachoididae

Longueur: *15-25 cm (6-10 po);*
maximum 38 cm (15 po).
Traits: *large tête plate; bouche béante à petites*
dents acérées; corps sans écailles; nageoire
dorsale courte et épineuse devant une autre
longue et sans épines; longue nageoire anale.
Habitat: *fonds plus ou moins profonds des mers*
tempérées et tropicales.

Le poisson-crapaud broie mollusques et crustacés de ses mâchoires puissantes garnies de dents meurtrières; à l'occasion, il attaque l'homme. Il communique avec ses congénères au moyen de sons semblables au mugissement des sirènes de bateaux; il grogne bruyamment lorsqu'on le sort de l'eau. Le mâle prend soin des œufs.

Baudroies
Lophiidae

Longueur:
30-90 cm (1-3 pi);
max. 1,20 m (4 pi).
Traits: *longue tige dorsale; tête plate et large;*
bouche béante; pans de peau sur la tête et la lèvre
inférieure; peau lâche, sans écailles.
Habitat: *fonds de mer.*

La première épine dorsale de la baudroie avance sur la tête et se termine par un leurre en forme de ver luisant qui attire les proies vers sa bouche. Ce poisson de 23 kg (50 lb) dévore homards, crabes, poissons et oiseaux. On a déjà trouvé des restes de canards dans des baudroies capturées. La femelle pond sur un voile de mucus flottant pouvant atteindre 9 m (30 pi) de long.

Baudroie d'Amérique
Lophius
americanus

Aiguilles de mer Belonidae

Longueur: *30-90 cm (1-3 pi); max. 1,20 m (4 pi).*
Traits: *corps anguilliforme; grande bouche;*
mâchoires allongées munies de dents; nageoires
dorsale, anale et pelviennes près de la queue.
Habitat: *plateaux continentaux; eaux côtières; parfois en eau douce.*

Les aiguilles de mer se propulsent dans l'eau en position semi-verticale grâce à des vibrations extrêmement rapides de leur nageoire dorsale. La nuit, elles sautent sur les lumières en surface. Le tylosure-crocodile *(Tylosurus crocodilus)* est reconnu pour ce trait. Comme il peut atteindre 1,20 m (4 pi), il constitue un danger pour les pêcheurs en bateau ou à pied sur les côtes du sud-est des Etats-Unis. Les aiguilles de mer se déplacent par bancs et mangent de petits poissons.
Bien que comestibles, elles sont peu estimées à cause de leur petite taille et de leur chair granuleuse.

Aiguille de mer
de l'Atlantique
Strongylura marina

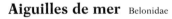

POISSONS

Chauve-souris de mer
Ogcocephalus
radiatus

Sargassier
(pêcheur des Sargasses)
Histrio histrio

Malthées Ogcocephalidae

Longueur : *5-25 cm (2-10 po) ;*
maximum 30 cm (12 po).
Traits : *corps plat couvert de*
tubercules osseux ; nageoires
pectorales en forme de pattes ; épine
à fonction d'appât ; museau long.
Habitat : *lit de mers tropicales ou subtropicales ;*
parfois dans le Nord.

Ces poissons abyssaux de haute mer nagent avec
difficulté ; ils préfèrent « marcher ». Comme les
baudroies et les grenouilles de mer, ils ont un lam-
beau de peau au bout d'une tige recourbée qu'ils
agitent énergiquement. Le moindre contact de ce
fanion avec une proie déclenche l'ouverture de la
bouche qui engloutit la victime.

Grenouilles de mer
Antennariidae

Longueur : *2,5-20 cm (1-8 po) ;*
maximum 38 cm (15 po).
Traits : *3 premières épines dorsales*
séparées, 1 ou 2 servant d'appâts ;
corps ballonné à pans de peau molle ;
nageoires pectorales articulées.
Habitat : *mers tropicales.*

Poisson pélagique de la famille des antennaires,
ou grenouilles de mer, le pêcheur des Sargasses
possède un camouflage exceptionnel qui lui permet de se dissimuler dans les sargasses. Il s'en
éloigne rarement d'ailleurs, préférant se nourrir
des petites créatures qui fréquentent ces algues
brunes et flottantes. En guise de défense, il est capable de se gonfler par ingestion d'air ou d'eau.

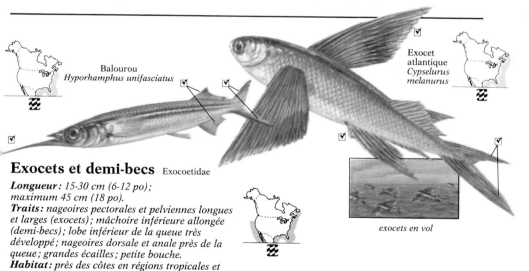

Balourou
Hyporhamphus unifasciatus

Exocet
atlantique
Cypselurus
melanurus

exocets en vol

Exocets et demi-becs Exocoetidae

Longueur : *15-30 cm (6-12 po) ;*
maximum 45 cm (18 po).
Traits : *nageoires pectorales et pelviennes longues*
et larges (exocets) ; mâchoire inférieure allongée
(demi-becs) ; lobe inférieur de la queue très
développé ; nageoires dorsale et anale près de la
queue ; grandes écailles ; petite bouche.
Habitat : *près des côtes en régions tropicales et*
subtropicales ; en surface en haute mer.

Les exocets, ou poissons volants, mangent de petits poissons et sont à leur tour chassés par des
prédateurs de surface comme les thons et les maquereaux. Pour leur échapper, ils nagent rapidement à la surface de l'eau, prennent appui sur leur
queue et planent avec leurs grandes pectorales
jusqu'à ce qu'ils aient perdu leur élan. Ils peuvent

ainsi faire jusqu'à trois bonds consécutifs et franchir 45 m (150 pi), parfois plus. Les exocets et les
demi-becs sont apparentés, comme en font foi les
exocets à petites ailes *(Oxyporhamphus micropterus),* dont les pectorales sont à peine plus grandes
que celles du demi-bec, et les jeunes exocets qui
ont la mâchoire inférieure allongée.

Fondule du Pacifique
Fundulus parvipinnis

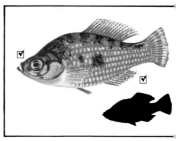

Porte-drapeau de Floride
Jordanella floridae

Fondules   Cyprinodontidae

Longueur : *2,5-12,5 cm (1-5 po) ; maximum 18 cm (7 po).*
Traits : *petite taille ; bouche vers le haut ; nageoire anale non modifiée
(par rapport à celle des mâles des espèces vivipares — poecilies).*
Habitat : *eaux peu profondes, douces ou salées.*

Les fondules se nourrissent de larves de moustiques et d'insectes. (Contrairement aux vrais ménés avec lesquels on les confond souvent, les fondules ont des dents.) Quelques espèces remarquables appartiennent à ce groupe. Le cyprinodon des salines *(Cyprinodon salinus)* et d'autres espèces des déserts supportent des températures aquatiques supérieures à 37°C (100°F). Le rivulus de Cuba *(Rivulus marmoratus)*, du sud de la Floride et des Antilles, qui est à la fois mâle et femelle, fertilise ses œufs à l'intérieur de son corps. On trouve encore le choquemort *(Fundulus heteroclitus)*, poisson populaire comme appât sur la côte de l'Atlantique, et le fondule pygmée *(Leptolucania ommata)*, de la Floride intérieure, joli poisson d'aquarium aux vives couleurs.

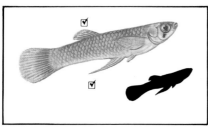

Gambusie mouchetée
Gambusia affinis

Grunion de
Californie
*Leuresthes
tenuis*

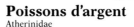

grunion en frai

Poecilies
(vivipares)
Poeciliidae

Longueur : *2-6,5 cm
(¾-2½ po) ; max. 15 cm (6 po).*
Traits : *corps trapu ; nageoire
dorsale sans épines, près de la
queue ; nageoire anale longue
et modifiée chez le mâle.*
Habitat : *eaux mortes ou lentes,
saumâtres, en régions chaudes.*

Dans la grande famille des carpes à dents vivipares, les mâles sont dotés d'une nageoire anale transformée en organe génital appelé gonopode. Le molly *(Poecilia)* et le porte-épée *(Xiphophorus)*, tout comme le guppy *(Poecilia reticulata)* et d'autres poissons vivipares de l'Amérique centrale et de l'Amérique du Sud, sont connus de tous les amateurs d'aquariums. La gambusie a été acclimatée partout dans le monde pour faire échec aux moustiques dont elle mange les larves et les nymphes. Comme d'autres vivipares, elle peut survivre en eau stagnante en absorbant l'oxygène à la surface de l'eau.

Poissons d'argent
Atherinidae

Longueur : *5-38 cm (2-15 po) ;
maximum 45 cm (18 po).*
Traits : *corps long et argenté ;
2 nageoires dorsales ; grandes
écailles ; aucune ligne latérale ; bouche
fendue à l'horizontale, petites dents.*
Habitat : *eaux douces, saumâtres et salées.*

De mars à juin, les grunions fraient toutes les deux semaines sur les plages de Californie. Portés par les grandes marées, d'énormes bancs de femelles se tortillent sur le sable et pondent leurs œufs dans des dépressions de plusieurs centimètres de profondeur ; les mâles accourent pour les fertiliser. Deux semaines plus tard, les alevins sortent du sable et s'en vont à l'eau. Nos 12 espèces de poissons d'argent comprennent le prêtre de Californie *(Atherinopsis californiensis)* et la capucette de l'Atlantique *(Menidia menidia)* qui fraient dans l'eau en petites bandes.

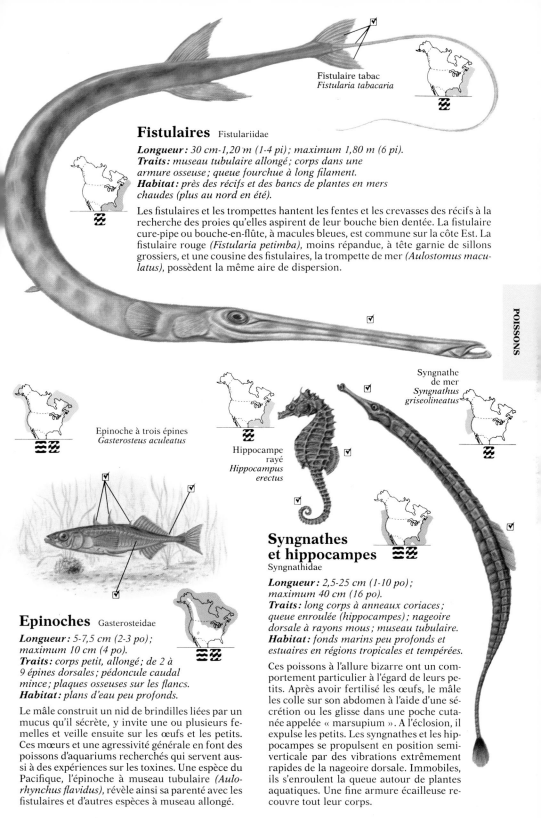

Fistulaire tabac
Fistularia tabacaria

Fistulaires Fistulariidae

Longueur: *30 cm-1,20 m (1-4 pi); maximum 1,80 m (6 pi).*
Traits: *museau tubulaire allongé; corps dans une
armure osseuse; queue fourchue à long filament.*
Habitat: *près des récifs et des bancs de plantes en mers
chaudes (plus au nord en été).*

Les fistulaires et les trompettes hantent les fentes et les crevasses des récifs à la
recherche des proies qu'elles aspirent de leur bouche bien dentée. La fistulaire
cure-pipe ou bouche-en-flûte, à macules bleues, est commune sur la côte Est. La
fistulaire rouge *(Fistularia petimba)*, moins répandue, à tête garnie de sillons
grossiers, et une cousine des fistulaires, la trompette de mer *(Aulostomus maculatus)*, possèdent la même aire de dispersion.

Syngnathe
de mer
*Syngnathus
griseolineatus*

Epinoche à trois épines
Gasterosteus aculeatus

Hippocampe
rayé
*Hippocampus
erectus*

Syngnathes
et hippocampes
Syngnathidae

Longueur: *2,5-25 cm (1-10 po);
maximum 40 cm (16 po).*
Traits: *long corps à anneaux coriaces;
queue enroulée (hippocampes); nageoire
dorsale à rayons mous; museau tubulaire.*
Habitat: *fonds marins peu profonds et
estuaires en régions tropicales et tempérées.*

Ces poissons à l'allure bizarre ont un comportement particulier à l'égard de leurs petits. Après avoir fertilisé les œufs, le mâle
les colle sur son abdomen à l'aide d'une sécrétion ou les glisse dans une poche cutanée appelée « marsupium ». A l'éclosion, il
expulse les petits. Les syngnathes et les hippocampes se propulsent en position semi-
verticale par des vibrations extrêmement
rapides de la nageoire dorsale. Immobiles,
ils s'enroulent la queue autour de plantes
aquatiques. Une fine armure écailleuse recouvre tout leur corps.

Epinoches Gasterosteidae

Longueur: *5-7,5 cm (2-3 po);
maximum 10 cm (4 po).*
Traits: *corps petit, allongé; de 2 à
9 épines dorsales; pédoncule caudal
mince; plaques osseuses sur les flancs.*
Habitat: *plans d'eau peu profonds.*

Le mâle construit un nid de brindilles liées par un
mucus qu'il sécrète, y invite une ou plusieurs femelles et veille ensuite sur les œufs et les petits.
Ces mœurs et une agressivité générale en font des
poissons d'aquariums recherchés qui servent aussi à des expériences sur les toxines. Une espèce du
Pacifique, l'épinoche à museau tubulaire *(Aulo-
rhynchus flavidus)*, révèle ainsi sa parenté avec les
fistulaires et d'autres espèces à museau allongé.

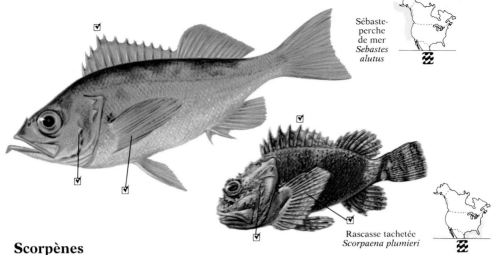

Sébaste-
perche
de mer
*Sebastes
alutus*

Rascasse tachetée
Scorpaena plumieri

Scorpènes
Scorpaenidae

Longueur : *15-60 cm (6-24 po) ; maximum 90 cm (36 po).*
Traits : *corps comprimé latéralement, à écailles ; tête garnie d'épines et de sillons ; nageoire dorsale unique, couverte d'épines ; larges pectorales.*
Habitat : *fonds de mer.*

Ces poissons ont des glandes venimeuses à la base des épines, surtout celles du dos. Peu toxique chez les espèces d'Amérique du Nord, ce venin est redoutable chez le poisson-pierre de l'Indo-Pacifique, le plus venimeux de tous les poissons de mer. Plusieurs rascasses ont une livrée très colorée ; les espèces pélagiques en particulier sont rouges. Toutes présentent un curieux mélange d'épines et de protubérances charnues sur la tête. Ce sont des individus carnivores qui fréquentent les fonds rocheux, certains en eau peu profonde, d'autres dans des fosses de 300 m (1 000 pi). Le sébaste de Norvège *(Sebastes marinus)*, le sébaste de l'Atlantique *(Sebastes mentella)* et le sébaste de Boccace *(Sebastes paucispinis)*, dans le Pacifique, font l'objet d'une importante exploitation commerciale.

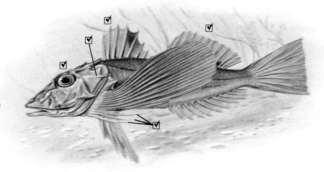

Prionote strié
Prionotus evolans

Grondins
Triglidae

Longueur : *7,5-30 cm (3-12 po) ; maximum 45 cm (18 po).*
Traits : *tête à plaques osseuses ; 2 ou 3 rayons pectoraux agrandis et indépendants, les autres reliés en forme d'aile ; 2 dorsales ; yeux haut placés.*
Habitat : *côtes et bords du plateau continental en mers tempérées ou chaudes.*

Les rayons pectoraux indépendants de ce poisson seraient dotés de propriétés tactiles et gustatives l'aidant à repérer ses proies. Ils lui permettent en outre de marcher lentement dans le fond de l'eau. La plupart des grondins vivent en eau peu profonde, près des côtes, mais les chabots à plaques osseuses ou à épines sont des poissons pélagiques qui recherchent les fosses de 150 m (500 pi) ou plus. On ne consomme pas les grondins en Amérique du Nord, mais dans certaines parties du monde, ils sont considérés bons comestibles.

POISSONS

216

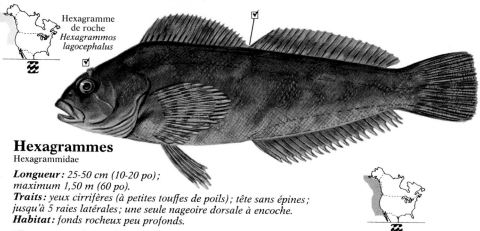

Hexagramme
de roche
*Hexagrammos
lagocephalus*

Hexagrammes
Hexagrammidae

Longueur : *25-50 cm (10-20 po) ;*
maximum 1,50 m (60 po).
Traits : *yeux cirrifères (à petites touffes de poils) ; tête sans épines ;*
jusqu'à 5 raies latérales ; une seule nageoire dorsale à encoche.
Habitat : *fonds rocheux peu profonds.*

L'hexagramme habite les eaux fraîches et riches en algues du Pacifique. Il se nourrit de poissons, de crevettes, de myes et d'autres invertébrés et fixe la masse de ses œufs à des rochers. La plupart des hexagrammes sont généralement trop petits pour faire l'objet d'une pêche commerciale, sauf la lingue ou morue longue *(Ophiodon elongatus)* qui peut atteindre 1,50 m (5 pi) de long et peser 30 kg (70 lb). Sa chair savoureuse est verdâtre comme celle des hexagrammes.

Chaboisseau à quatre cornes
*Myoxocephalus
quadricornis*

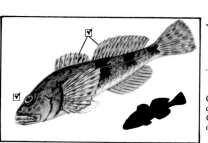

Chabot marbré
du Nord
*Cottus
carolinae*

Chabots Cottidae

Longueur : *5-75 cm (2-30 po) ; maximum 1 m (40 po).*
Traits : *corps trapu ; tête large, un peu aplatie ;*
grands yeux sur le dessus de la tête ; 2 nageoires dorsales.
Habitat : *fonds de mer frais ou froids ; cours supérieur des rivières.*

Si le cabezou du Pacifique *(Scorpaenichthys marmoratus)* atteint 12 kg (25 lb), la plupart des chabots sont petits. Dépourvus d'écailles, ils ont souvent des pans de peau lâche ou des épines qu'ils redressent devant un prédateur. Poissons de fonds, ils marchent sur leurs nageoires articulées. Ils se cachent dans les roches ou la végétation durant le jour. Certains, comme l'hémitriptère atlantique *(Hemitripterus americanus)*, se gonflent d'eau ou d'air en guise de défense.

Agones
Agonidae

Agone verruqueux
Occella verrucosa

Longueur : *5-25 cm (2-10 po) ;*
maximum 30 cm (12 po).
Traits : *corps cuirassé de plaques osseuses à rebord en dents de scie ; 1 ou 2 nageoires dorsales.*
Habitat : *fonds en haute mer ; mares d'eau salée.*

Les agones fréquentent les fonds marins, en particulier ceux du Pacifique Nord ; ils se nourrissent de poissons et d'invertébrés. Les poissons-alligators n'ont qu'une seule nageoire dorsale.

La vignette en noir donne la taille du poisson à l'échelle des espèces illustrées dans ces deux pages. **217**

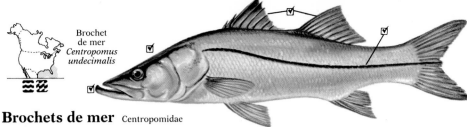

Brochet
de mer
*Centropomus
undecimalis*

Brochets de mer Centropomidae

Longueur: *30 cm-1 m (1-3½ pi); maximum 1,35 m (4½ pi).*
Traits: *corps allongé; mâchoire inférieure en saillie; front fuyant; 2 dorsales
séparées, la première épineuse; ligne latérale complète, traversant la queue.*
Habitat: *près des embouchures de fleuves en régions chaudes.*

Ce brochet de mer, le plus gros et le plus répandu des quatre espèces qui fréquentent l'Amérique du Nord, est un individu inquiet et imprévisible qui se
nourrit la nuit. Il exaspère les pêcheurs par son entêtement à refuser les appâts
qu'on lui promène sous le nez. Accroché, il se débat furieusement et fait des
bonds remarquables. Son accoutumance à l'eau douce est étonnante; il se rencontre jusqu'au lac Okeechobee, en Floride.

Bars des eaux tempérées
Percichthyidae

Longueur: *20 cm-1,50 m (8-60 po);
maximum 2,15 m (7 pi).*
Traits: *2 dorsales, bien séparées; corps argenté,
marqué de lignes horizontales; 2 épines rondes
sur les branchies; ligne latérale complète.*
Habitat: *eaux douces tempérées; eaux côtières.*

Le bar rayé est anadrome, c'est-à-dire qu'il vit en
eau salée mais fraie en eau douce, et ne se rencontre
que dans l'Est. Cependant, en amont des barrages,
des populations se sont acclimatées à l'eau douce et,
transplantées dans l'Ouest, s'y sont perpétuées depuis plus d'un siècle. On connaît aussi le bar blanc
(Morone chrysops) et le mérou géant de Californie
(Stereolepis gigas) qui fait bien 250 kg (¼ t).

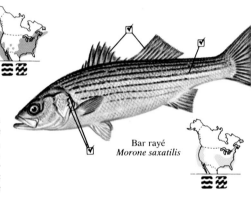

Bar rayé
Morone saxatilis

Bar cabrilla
*Paralabrax
clathratus*

Mérous Serranidae

Longueur: *5 cm-1,80 m (2-72 po);
maximum 2,45 m (8 pi).*
Traits: *dorsale non divisée; bouche
béante; 3 épines sur les branchies;
petites écailles; 3 épines sur la
nageoire anale; aucune écaille
axillaire sur les nageoires pelviennes.*
Habitat: *mers tropicales et tempérées; près
des récifs ou des rochers.*

Les mérous sont hermaphrodites; chaque individu possède les organes des deux sexes.
Chez le mérou neigeux, par exemple, les
œufs sont pondus par les petits individus
qui font office de mâles en vieillissant. Chez le poisson-sable ceinturé
(Serranus subligarius) de l'Atlantique,
l'individu adulte produit à la fois
les œufs et le sperme.

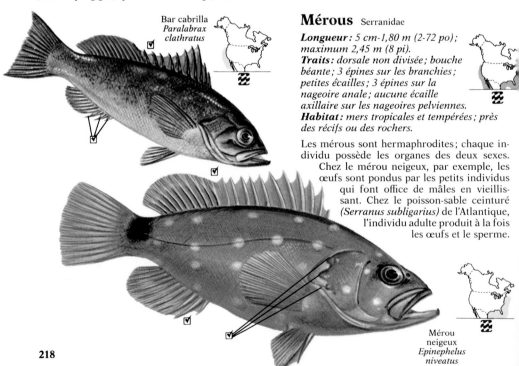

Mérou
neigeux
*Epinephelus
niveatus*

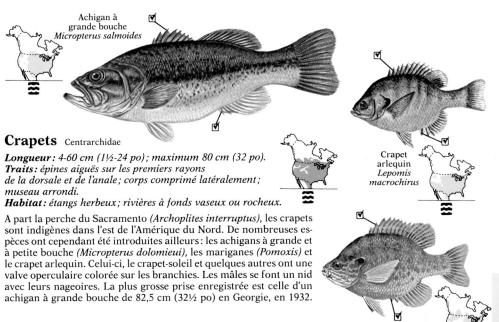

Achigan à
grande bouche
Micropterus salmoides

Crapet
arlequin
*Lepomis
macrochirus*

Crapets Centrarchidae

Longueur: 4-60 cm (1½-24 po); maximum 80 cm (32 po).
Traits: épines aiguës sur les premiers rayons
de la dorsale et de l'anale; corps comprimé latéralement;
museau arrondi.
Habitat: étangs herbeux; rivières à fonds vaseux ou rocheux.

A part la perche du Sacramento *(Archoplites interruptus)*, les crapets
sont indigènes dans l'est de l'Amérique du Nord. De nombreuses espèces ont cependant été introduites ailleurs: les achigans à grande et
à petite bouche *(Micropterus dolomieui)*, les marigones *(Pomoxis)* et
le crapet arlequin. Celui-ci, le crapet-soleil et quelques autres ont une
valve operculaire colorée sur les branchies. Les mâles se font un nid
avec leurs nageoires. La plus grosse prise enregistrée est celle d'un
achigan à grande bouche de 82,5 cm (32½ po) en Georgie, en 1932.

Crapet-soleil
Lepomis gibbosus

Priacanthes Priacanthidae

Longueur: 20-38 cm (8-15 po);
maximum 60 cm (24 po).
Traits: grands yeux; coloris rouge;
nageoire anale à 3 épines;
écailles rudes.
Habitat: près du fond en mers chaudes,
à proximité des récifs.

Les poissons rouges à grands yeux sont généralement des espèces nocturnes et celui-ci, comme le
poisson-écureuil (espèce des récifs qui lui ressemble, mais qui appartient à la famille des holocen-
tridées), et l'apogon (à droite) ne démentent pas
ce principe. Il chasse de nuit les poissons et les
crabes, les crevettes et les autres invertébrés dont
il se nourrit. Bien que trop petite et s'éloignant
trop des côtes pour intéresser la pêche commerciale, cette espèce est néanmoins consommée salée et séchée dans plusieurs régions d'Asie.

Apogons Apogonidae

Longueur: 2,5-10 cm (1-4 po);
maximum 20 cm (8 po).
Traits: petite taille; grands yeux;
2 dorsales séparées, la première garnie
d'épines; nageoire anale à 2 épines et
plusieurs rayons; souvent rougeâtre.
Habitat: près des récifs coralliens
en mers chaudes.

Les petits poissons trouvent refuge là où les gros
poissons ne peuvent pénétrer, dans des crevasses,
des terriers et même dans certains organismes
animaux. L'apogon-éponge *(Phaeoptyx xenus)* vit
dans les éponges; un autre, l'apogon-conque *(As-
trapogon stellatus)*, se loge dans des conques marines. Ces deux dernières espèces sont brunes, alors
que les autres sont rouge vif.

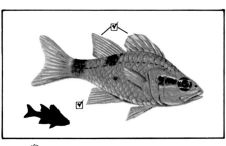

Apogon flamboyant
(apogon maculé)
Apogon maculatus

Pristigène catalufa
Pristigenys serrula

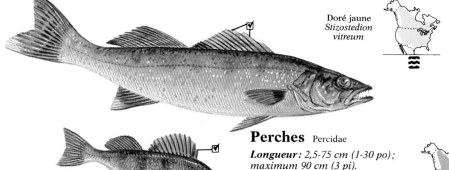

Doré jaune
Stizostedion vitreum

Perchaude
Perca flavescens

Perches Percidae

Longueur: *2,5-75 cm (1-30 po);
maximum 90 cm (3 pi).*
Traits: *corps allongé; plusieurs
épines aiguës au début de la dorsale;
nageoire anale à 1 ou 2 épines
molles; écailles rudes.*
Habitat: *cours d'eau et lacs limpides.*

Les trois grandes perches d'Amérique du Nord
font l'objet d'une pêche commerciale et sportive
importante. Le doré atteint 60 cm (24 po) et 9 kg
(20 lb); la perchaude et le doré noir *(Stizostedion
canadense)* ne dépassent pas 500 g (1 lb). La famille des perches comprend aussi les dards, poissons semblables aux ménés et très abondants dans
l'Est, qui reposent dans le lit des cours d'eau et
« se dardent » d'un endroit à un autre. Certaines
espèces occupent de vastes territoires; d'autres se
limitent à d'étroites régions. Le dard-escargot
(Percina tanasi), dont la rareté a failli arrêter la
construction d'un barrage au Tennessee, n'occupe
que quelques zones de cet Etat; l'habitat du dard
du Maryland *(Etheostoma sellare)* ne couvre que
23 à 30 m de long (75 à 100 pi) d'un ruisseau situé
au nord-est de cet Etat. Les dards ne subsistent
que dans l'eau limpide; aussi leur absence per-
met-elle de mesurer les progrès de la pollution.

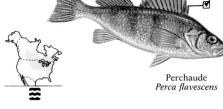

Raseux-de-terre noir
Etheostoma nigrum

Tiles Branchiostegidae

Longueur: *30-60 cm (1-2 pi); maximum 90 cm (3 pi).*
Traits: *corps allongé, comprimé latéralement; dorsale longue
à épines et rayons mous; museau arrondi; bouche horizontale.*
Habitat: *eaux assez profondes; près du fond.*

Après une période de rareté, le tile est maintenant en vente libre. Ce poisson à
saveur de homard est devenu populaire en 1879, date de la découverte de bancs
importants. Trois ans plus tard, des milliards de tiles morts flottaient sur
l'océan, à la suite de conditions climatiques exceptionnelles près des côtes supérieures de l'Atlantique. On a longtemps cru que l'espèce s'était éteinte, mais les
populations se sont multipliées sur le rebord du plateau continental, permettant le retour du tile sur les étals des poissonniers.

Tile
*Lopholatilus
chamaeleonticeps*

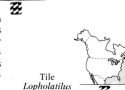

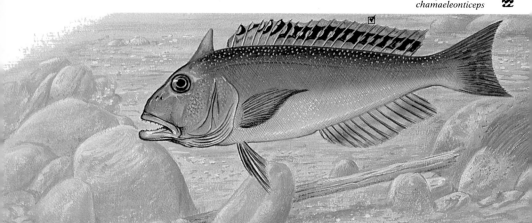

POISSONS

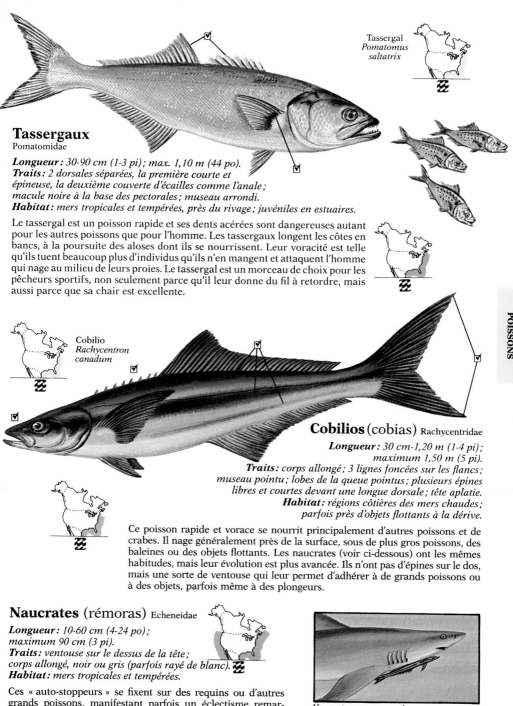

Tassergaux
Pomatomidae

Tassergal
Pomatomus saltatrix

Longueur : 30-90 cm (1-3 pi) ; max. 1,10 m (44 po).
Traits : 2 dorsales séparées, la première courte et épineuse, la deuxième couverte d'écailles comme l'anale ; macule noire à la base des pectorales ; museau arrondi.
Habitat : mers tropicales et tempérées, près du rivage ; juvéniles en estuaires.

Le tassergal est un poisson rapide et ses dents acérées sont dangereuses autant pour les autres poissons que pour l'homme. Les tassergaux longent les côtes en bancs, à la poursuite des aloses dont ils se nourrissent. Leur voracité est telle qu'ils tuent beaucoup plus d'individus qu'ils n'en mangent et attaquent l'homme qui nage au milieu de leurs proies. Le tassergal est un morceau de choix pour les pêcheurs sportifs, non seulement parce qu'il leur donne du fil à retordre, mais aussi parce que sa chair est excellente.

Cobilio
Rachycentron canadum

Cobilios (cobias) Rachycentridae

Longueur : 30 cm-1,20 m (1-4 pi) ; maximum 1,50 m (5 pi).
Traits : corps allongé ; 3 lignes foncées sur les flancs ; museau pointu ; lobes de la queue pointus ; plusieurs épines libres et courtes devant une longue dorsale ; tête aplatie.
Habitat : régions côtières des mers chaudes ; parfois près d'objets flottants à la dérive.

Ce poisson rapide et vorace se nourrit principalement d'autres poissons et de crabes. Il nage généralement près de la surface, sous de plus gros poissons, des baleines ou des objets flottants. Les naucrates (voir ci-dessous) ont les mêmes habitudes, mais leur évolution est plus avancée. Ils n'ont pas d'épines sur le dos, mais une sorte de ventouse qui leur permet d'adhérer à de grands poissons ou à des objets, parfois même à des plongeurs.

Naucrates (rémoras) Echeneidae

Longueur : 10-60 cm (4-24 po) ; maximum 90 cm (3 pi).
Traits : ventouse sur le dessus de la tête ; corps allongé, noir ou gris (parfois rayé de blanc).
Habitat : mers tropicales et tempérées.

Ces « auto-stoppeurs » se fixent sur des requins ou d'autres grands poissons, manifestant parfois un éclectisme remarquable. Tels sont les sucets à baleines *(Remora australis)* et les sucets à marlins *(Remora osteochir)*, dont les préférences ne se démentent pas. Le naucrate se fixe à son hôte au moyen d'un disque suceur ovale ; quand il rencontre un banc de petits poissons, il lâche prise, puis revient digérer à son ancrage, en se laissant transporter vers de nouveaux territoires de chasse. Son mode de reproduction est inconnu.

Naucrate sous un requin

Naucrate (rémora fuselé) *Echeneis naucrates*

La vignette en noir donne la taille du poisson à l'échelle des espèces illustrées dans ces deux pages.

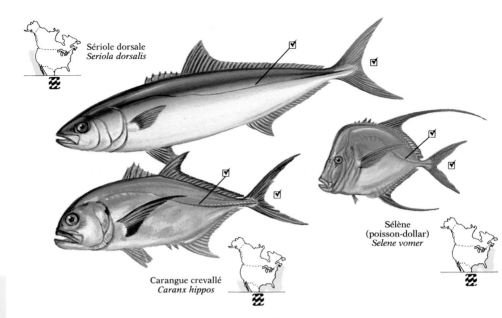

Sériole dorsale
Seriola dorsalis

Sélène
(poisson-dollar)
Selene vomer

Carangue crevallé
Caranx hippos

Carangues et pompanos Carangidae

Longueur : 15-90 cm (6-36 po) ; maximum 1,50 m (5 pi).
***Traits :** corps en forme de cigare ou comprimé latéralement ; écailles sur la ligne latérale s'élargissant vers la queue ; queue fourchue à pédoncule étroit.*
***Habitat :** mers tempérées et tropicales.*

Tous ces poissons sont des nageurs rapides et énergiques qui se nourrissent d'animaux marins dont le genre varie avec les espèces et parfois aussi avec les circonstances. Les carangues et les sérioles ne mangent que des poissons ; les pompanos *(Trachinotus)*, seulement des invertébrés. Les jeunes balistes *(Oligoplites saurus)* se nourrissent des parasites sur la peau des autres poissons, mais deviennent piscivores en vieillissant. Les pilotes *(Naucrates ductor)* s'alimentent à même les restes des requins.

Dorades (coriphènes) Coryphaenidae

Longueur : 30 cm-1,20 m (1-4 pi) ; maximum 1,80 m (6 pi).
***Traits :** longue dorsale de la tête à la queue ; longue anale ; couleurs vives ; queue profondément fourchue.*
***Habitat :** haute mer en régions tropicales et tempérées.*

Les coriphènes font le bonheur des pêcheurs par le courageux combat qu'ils leur livrent et leurs fréquents sauts aériens. Les pêcheurs laissent généralement la première prise à l'eau pour entraîner derrière eux tout le banc. Les coriphènes pèsent jusqu'à 35 kg (75 lb) et leur chair est exquise. En dépit de leur forte taille, ils ne vivent que deux ou trois ans, tandis que l'espérance de vie d'une truite est de 5 à 10 ans. Leur croissance est donc rapide. Les mâles ont la tête massive et arrondie des dauphins ; les femelles, le front fuyant.

Dorade
(grand coriphène)
Coryphaena hippurus

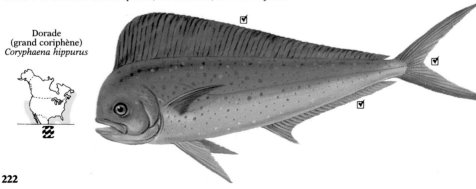

Vivaneau rouge
Lutjanus campechanus

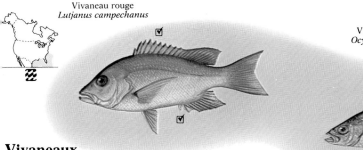

Vivaneau jaune
Ocyurus chrysurus

Vivaneaux
Lutjanidae

Longueur: *25-75 cm (10-30 po); maximum 1 m (3½ pi).*
Traits: *dorsales réunies; parfois une encoche entre les deux; anale à 3 épines; grande bouche bien dentée, souvent à canines très pointues; nageoire pelvienne avec écaille axillaire transparente à la base (parfois peu visible).*
Habitat: *mers chaudes, près de récifs ou d'épaves; quelques espèces en eau douce.*

Ces poissons abyssaux se nourrissent de poissons, de crabes, de crevettes et de mollusques. Contrairement aux grands poissons carnivores, ils sont grégaires. Les espèces fréquentent les eaux peu profondes se font régulièrement prendre par les pêcheurs sportifs; toutes sont comestibles. L'espèce la plus répandue commercialement est le vivaneau rouge, pêché en eau assez profonde. Les pêcheurs utilisent des lignes très plombées pour se rendre rapidement à la profondeur voulue.

Lobotides triple-queue
Lobotidae

Longueur: *30-60 cm (1-2 pi); maximum 90 cm (3 pi).*
Traits: *corps comprimé latéralement; grosses écailles; de jaune à brun, moucheté; dorsale et anale formant queues.*
Habitat: *mers tempérées; près des épaves ou des pilotis.*

Le triple-queue n'a qu'une queue, mais ses nageoires dorsale et anale allongées et fortes lui donnent l'air d'en avoir trois. Tant qu'il n'a pas atteint quelque 8 cm (3 po) de long, il nage sur le flanc et ressemble à une feuille morte (les jeunes se tiennent plus près du rivage que les adultes.) De nombreuses espèces de poissons sont ainsi dotées d'une livrée qui les camoufle en plantes et les protège contre les prédateurs. Le pêcheur des Sargasses et le clinide géant, par exemple, ressemblent à des algues; plusieurs lépisostés, à des bouts de bois qui flottent. Le jeune poisson-bêche ressemblerait aux graines des palétuviers.

Croupia roche
(lobotide triple-queue)
Lobotes surinamensis

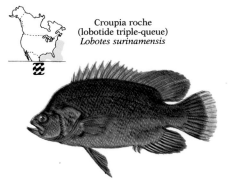

Mojarras
Gerreidae

Longueur: *10-25 cm (4-10 po); maximum 38 cm (15 po).*
Traits: *bouche extensible; grosses écailles argentées sur la tête et le corps; fourreau écailleux à la base de la dorsale et de l'anale; queue très fourchue.*
Habitat: *fonds sableux et peu profonds en mer et estuaires; parfois en eau douce.*

Les mojarras ou moharras se déplacent en bancs et explorent les fonds à la recherche des petits animaux qu'ils aspirent de leur bouche en forme de tube. Ce mot d'origine espagnole signifie « fer de lance ». La plupart des espèces sont trop petites pour être comestibles; tel n'est pas le cas du pompano irlandais *(Diapterus auratus)*. Le mojarra argenté et le mojarra rayé *(Diapterus plumieri)* se retrouvent en eau douce.

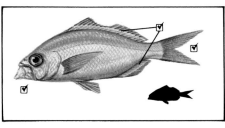

Mojarra argenté
Eucinostomus argenteus

La vignette en noir donne la taille du poisson à l'échelle des espèces illustrées dans ces deux pages. **223**

Grogneur multicolore
Haemulon plumieri

Grogneurs
Pomadasyidae

Longueur : *15-45 cm (6-18 po) ;*
maximum 60 cm (2 pi).
Traits : *dorsale à 10 épines et 8 ou 9*
rayons mous ; anale à 3 épines ; quelques
dents dans la bouche ; corps maculé ou tacheté.
Habitat : *près des récifs et des plantes en mers*
chaudes ; une espèce en eau douce.

Les grogneurs grognent tout le temps, dans l'eau et hors de l'eau. Le nom espagnol de ce groupe, *ronco*, signifie rauque ou enroué et le qualificatif anglais de « pigfish » rappelle que l'espèce grogne comme un porc. Ces poissons sont dotés d'une vessie natatoire en forme de tambour qui amplifie les sons lorsqu'ils font grincer leurs dents pharyngiennes. Le poisson-écureuil émet un cri semblable ; toutes les autres espèces n'utilisent pas leurs dents pharyngiennes à cette fin.

Les grogneurs hantent les fonds marins à la recherche d'invertébrés — mollusques et crabes bien sûr, mais aussi oursins de mer à longues épines. Plusieurs espèces, comme le grogneur à raies jaunes *(Haemulon flavolineatum)*, effectuent des échanges de « baisers ». Deux partenaires s'agrippent mutuellement les lèvres et tirent furieusement sur celles de leur vis-à-vis. Si l'un des deux cherche à s'enfuir, les autres lui infligent une sérieuse correction. Comportement de pariade ou de dominance ? On ne sait.

Grogneur pigfish
Orthopristis chrysoptera

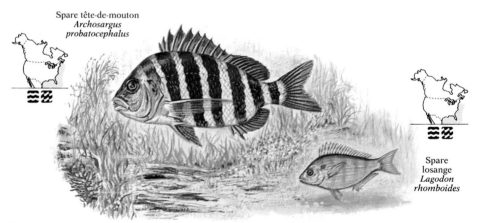

Spare tête-de-mouton
Archosargus probatocephalus

Spare losange
Lagodon rhomboides

Spares
Sparidae

Longueur : *15-45 cm (6-18 po) ; maximum 60 cm (2 pi).*
Traits : *corps élevé, aplati sur les flancs ; incisives acérées ;*
molaires larges et carrées ; nageoire anale à 3 épines.
Habitat : *mers tempérées et tropicales ; près des récifs,*
épaves ou plantes ; 2 espèces en eau douce.

Les spares, petits poissons de moins de 500 g (1 lb) chacun, se déplacent en bancs ; avec ses 15 kg (30 lb), le spare tête-de-mouton est un géant à côté d'eux. Ce sont des poissons d'eau chaude, quoique certaines espèces remontent vers le nord jusqu'aux environs de New York. Le spare doré *(Stenotomus chrysops)* fraie en eau peu profonde au printemps et en été, puis se dirige pour l'hiver vers les eaux tièdes des profondeurs. Les maquereaux et les tambours font ce même périple ; les morues aussi, mais à l'envers car elles préfèrent l'eau froide.

POISSONS

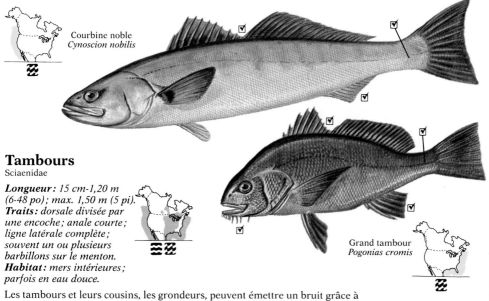

Courbine noble
Cynoscion nobilis

Tambours
Sciaenidae

Longueur: *15 cm-1,20 m (6-48 po); max. 1,50 m (5 pi).*
Traits: *dorsale divisée par une encoche; anale courte; ligne latérale complète; souvent un ou plusieurs barbillons sur le menton.*
Habitat: *mers intérieures; parfois en eau douce.*

Grand tambour
Pogonias cromis

Les tambours et leurs cousins, les grondeurs, peuvent émettre un bruit grâce à leur vessie natatoire qui fait office de caisse de résonance et amplifie les sons produits par les muscles puissants qui y sont fixés. Dans certains cas, le mâle seul possède cette vessie. Serait-ce à des fins d'accouplement? Dans d'autres espèces, les individus des deux sexes en sont dépourvus. Quelques espèces sont comestibles, dont les corbs *(Menticirrhus)* et les acoupas *(Cynoscion).*

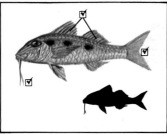

Poisson-chèvre maculé
Pseudupeneus maculatus

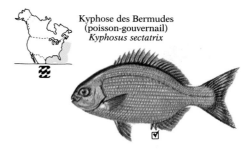

Kyphose des Bermudes
(poisson-gouvernail)
Kyphosus sectatrix

Poissons-chèvres Mullidae

Longueur: *15-30 cm (6-12 po); maximum 33 cm (13 po).*
Traits: *2 longs barbillons sur le menton; queue fourchue; corps long couvert d'écailles; 2 dorsales séparées, la première à 6 ou 8 épines.*
Habitat: *fonds sableux ou vaseux en mers chaudes peu profondes.*

Les poissons sont dotés de papilles gustatives, parfois répandues sur tout le corps comme chez les barbottes, parfois concentrées dans la bouche, sur la gorge, les lèvres et les barbillons. Les rougets ou poissons-chèvres, appelés ainsi à cause de leurs barbillons, se servent de ceux-ci pour repérer dans le fond des mers les invertébrés dont ils se nourrissent. Ce sont des poissons grégaires qui se tiennent ensemble ou avec d'autres espèces.

Poissons-gouvernails
Kyphosidae

Longueur: *30-45 cm (1-1½ pi); maximum 90 cm (3 pi).*
Traits: *corps ovale, comprimé latéralement; anale à 3 épines; petite bouche; dents en incisives.*
Habitat: *près des récifs ou des épaves en mers tempérées ou tropicales peu profondes.*

Ces poissons se nourrissent d'algues, mais des expériences pratiquées sur deux espèces de l'Atlantique, dont celle illustrée ici, ont montré qu'ils mangent aussi les petits animaux vivant sur ces végétaux. La girelle de Californie *(Girella nigricans)*, espèce à yeux bleus, en ferait autant. Les girelles fréquentent les bancs de clinides au large des côtes, mais fraient en eau peu profonde. Si les œufs dérivent vers les profondeurs, les alevins reviennent vers les étangs d'eau salée pour retourner, adultes, en eau profonde.

La vignette en noir donne la taille du poisson à l'échelle des espèces illustrées dans ces deux pages. **225**

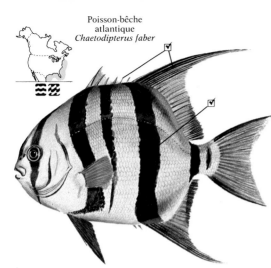

Poisson-bêche
atlantique
Chaetodipterus faber

Poissons-bêches Ephippidae

Longueur : *15-60 cm (6-24 po) ;
maximum 90 cm (36 po).*
Traits : *corps haut, comprimé
latéralement ; barres verticales sur
les flancs ; dorsale à épines et rayons
séparés ; petite bouche horizontale.*
Habitat : *près des pilotis, récifs et
affleurements rocheux en mers chaudes.*

Apparenté au papillon de mer par sa forme, le
poisson-bêche de l'Atlantique et celui du Pacifique
(Chaetodipterus zonatus) ont un coloris foncé et se
tiennent en bancs. A cause de leur petite bouche,
ils ne peuvent manger que des plantes aquatiques
et des invertébrés de taille réduite. Souvent pêchés avec ligne et hameçon, ils se défendent bra-
vement mais sans éclat. Leur chair est délicieuse.

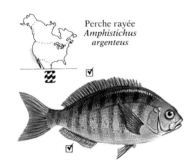

Perche rayée
*Amphistichus
argenteus*

Perches de mer Embiotocidae

Longueur : *10-38 cm (4-15 po) ;
maximum 48 cm (19 po).*
Traits : *corps comprimé latéralement ; une seule
dorsale ; anale à épines et plusieurs rayons mous.*
Habitat : *étangs d'eau salée, lits de varech,
mers côtières ; une espèce en eau douce seulement.*

Vivipares, les perches de mer donnent naissance à six ou
huit petits, trait rare chez les poissons de mer. Autre caractéristique, elles atteignent la maturité sexuelle très jeunes, parfois à l'âge d'un ou de deux jours. Les perches de mer
affectionnent les fortes vagues. Plusieurs espèces cependant
fréquentent les baies et l'une d'elles, *Histerocarpus traski*, ne
se voit que dans les cours d'eau de la baie de San Francisco.

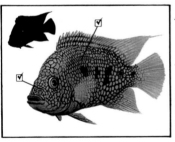

Cichlidé du
Rio Grande
*Cichlasoma
cyanoguttatum*

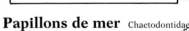

Palhala
(papillon de
mer ocellé)
*Chaetodon
ocellatus*

Cichlidés Cichlidae

Longueur : *10-20 cm (4-8 po) ;
maximum 30 cm (12 po).*
Traits : *corps haut, comprimé ; une
narine de chaque côté du museau ;
ligne latérale brisée au centre ;
anale à 3 épines ou plus.*
Habitat : *fonds vaseux ou sableux des lacs et
cours d'eau lents.*

Les cichlidés sont beaux ; ils demeurent petits
pour la plupart et, trait curieux, si on peut les ame-
ner à s'accoupler en aquarium, ils incubent leurs
œufs dans leur bouche et y gardent ensuite leurs
petits. Le cichlidé illustré ici est le seul qui soit indigène aux Etats-Unis, mais plusieurs espèces ont
été acclimatées dans quelques régions chaudes.

Papillons de mer Chaetodontidae

Longueur : *5-15 cm (2-6 po) ;
maximum 20 cm (8 po).*
Traits : *corps en forme de disque
mince à grandes écailles ; coloration
vive et curieuse ; petite bouche
extensible ; dorsale et anale à écailles.*
Habitat : *près des roches en mers chaudes.*

Les papillons de mer et les poissons-anges sont
adaptés au milieu dans lequel ils vivent. Leur
corps mince leur permet de passer entre les récifs ; leurs lèvres tubulaires explorent les trous et
les crevasses des masses de coraux pour y découvrir polypes et crustacés. Enfin le faux œil qu'ils
ont près de la queue détourne l'attention des prédateurs vers des zones moins vitales que la tête.

POISSONS

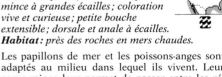

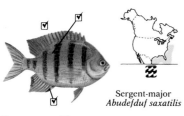

Sergent-major
Abudefduf saxatilis

Garibaldi
*Hypsypops
rubicunda*

Demoiselles
Pomacentridae

Longueur: *5-30 cm (2-12 po); maximum 35 cm (14 po).*
Traits: *corps haut, mince, à grandes écailles; ligne latérale absente près de la queue, brisée au centre du corps; petite bouche; anale à 2 épines; une dorsale.*
Habitat: *près des récifs ou des grèves rocheuses en mers chaudes.*

D'un naturel agressif, ces petites créatures poursuivent et mordent des poissons beaucoup plus gros qu'elles. Les femelles pondent des amas d'œufs dans le fond de l'eau et les mâles chassent du nid tous les intrus. Les demoiselles ont une seule narine devant chaque œil (la plupart des poissons en ont deux). Quand l'individu se déplace ou respire, l'eau entre par les narines, parvient à de petits récepteurs internes et ressort. Chez les individus à double narine, l'eau entre par l'une et sort par l'autre. Les renseignements ainsi transmis au cerveau permettent au poisson de se diriger et de se nourrir.

Mulets Mugilidae

Muge cabot
(mulet gris)
Mugil cephalus

Longueur: *30-60 cm (1-2 pi); maximum 75 cm (2½ pi).*
Traits: *corps arrondi et argenté; tête plate; dorsales très espacées; paupières charnues ne laissant qu'une fente à découvert.*
Habitat: *mers côtières et estuaires; 2 espèces en eau douce.*

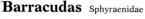

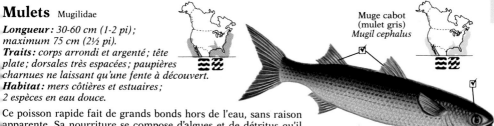

Ce poisson rapide fait de grands bonds hors de l'eau, sans raison apparente. Sa nourriture se compose d'algues et de détritus qu'il broute sur les fonds et broie grâce à ses dents pharyngiennes et à son estomac étonnamment musclé. Il est proche parent du barracuda dont le régime alimentaire est fort différent.

Barracudas Sphyraenidae

Longueur: *30 cm-1,50 m (1-5 pi); maximum 3 m (10 pi).*
Traits: *tête pointue à grande bouche et nombreuses dents acérées; mâchoire inférieure en saillie; corps allongé; ligne latérale complète.*
Habitat: *eaux plus ou moins profondes en mers chaudes.*

Les barracudas sont de grands « tigres » profilés qui frappent tout ce qui brille et poursuivent nageurs, baigneurs et barques. Bien que ce comportement soit inquiétant, le barracuda est beaucoup moins dangereux qu'on ne le dit généralement. Il est une proie recherchée des pêcheurs sportifs, parce qu'il peut réaliser des pointes de 40 km/h (25 mi/h).

Barracuda du Nord
Sphyraena borealis

227

Polynémide de Virginie
Polydactylus virginicus

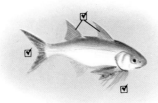

Polynémides Polynemidae

Longueur: *15-38 cm (6-15 po);
maximum 45 cm (18 po).*
Traits: *museau émoussé s'avançant
au-dessus de la bouche; rayons inférieurs
des pectorales transformés en filaments;
une dorsale épineuse, l'autre à rayons mous;
queue très fourchue; corps argenté.*
Habitat: *fonds sableux des mers chaudes et peu profondes.*

Contrairement au polynémide à petites écailles *(Polydactylus oligodon)* qui fréquente les eaux claires près des récifs,
celui de Virginie préfère les eaux troubles. Poisson grégaire,
il repère ses proies, crevettes et autres invertébrés, grâce à
ses filaments tactiles. Chacun de ceux-ci est autonome; leur
nombre varie avec les espèces.

Labres Labridae

Longueur: *7,5-60 cm (3-24 po);
maximum 90 cm (36 po).*
Traits: *corps fréquemment en
forme de cigare; couleurs vives
variant avec les espèces; dents d'en
avant en saillie; dorsale sans
encoche, à premiers rayons épineux.*
Habitat: *près des récifs, roches ou épaves en mer.*

Les labres, appelés aussi vieilles ou coquettes, diffèrent beaucoup entre eux. Le labre à tête bleue
est petit, tandis que certains géants du Pacifique,
sur les côtes asiatiques, atteignent 3 m (10 pi). Si le
labre typique a le corps étroit et la tête pointue, le
tête-de-mouton de Californie est doté, lui, d'un
museau arrondi. Ce sont dans l'ensemble des poissons tropicaux, mais la mince tanche-tautogue
(Tautogolabrus adspersus) monte jusqu'au Labrador. Leurs régimes alimentaires présentent aussi
de grandes différences. Quelques espèces se nourrissent d'invertébrés à carapace comme des oursins ou des crabes qu'elles broient avec leurs dents
pharyngiennes. D'autres fréquentent les récifs et
mangent du plancton. D'autres enfin, les poissons
nettoyeurs, débarrassent les grands poissons de
leurs parasites.

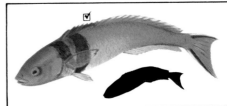

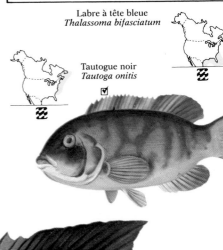

Labre à tête bleue
Thalassoma bifasciatum

Tautogue noir
Tautoga onitis

Tête-de-mouton
de Californie
*Pimelometopon
pulchrum*

POISSONS

228

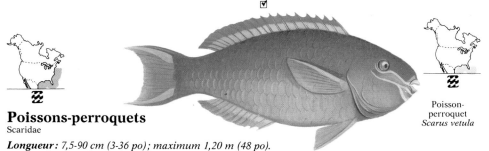

Poissons-perroquets
Scaridae

Longueur: 7,5-90 cm (3-36 po); maximum 1,20 m (48 po).
Traits: dents soudées en bec de perroquet; grandes écailles très colorées; dorsale à épines et rayons mous.
Habitat: mers chaudes peu profondes; près des récifs et des lits de plantes.

Poisson-
perroquet
Scarus vetula

Si la grande beauté du poisson-perroquet ne séduit pas le plongeur, la noblesse de ses mouvements le fascinera. Il se déplace avec aisance parmi les récifs râpant de-ci de-là des morceaux d'algues et des parcelles de corail. La nuit, il dort sur le fond dans un cocon de mucus qu'il sécrète, phénomène unique dans le monde des poissons. C'est l'un des plus gros poissons de récifs; le spécimen illustré ici peut atteindre 50 cm (20 po) de longueur.

Opistognathes Opistognathidae

Longueur: 4-12,5 cm (1½-5 po); maximum 17 cm (6½ po).
Traits: grande bouche; tête sans écaille; grands yeux; corps allongé; longue dorsale; ligne latérale haute s'arrêtant au centre.
Habitat: fonds sableux ou vaseux des mers chaudes.

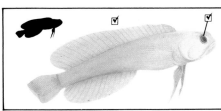

Opistognathe à
tête jaune
*Opistognathus
aurifrons*

L'opistognathe est un poisson fouisseur qui passe de longs moments la tête seule hors du terrier. S'il en sort, c'est pour attaquer un intrus ou attraper un peu de nourriture. (L'espèce illustrée ici, plus aventureuse, nage sur place au-dessus de son terrier.) La plupart des opisthognathes, surtout les mâles, ont l'intérieur de la bouche vivement coloré en signe de ralliement sexuel ou tribal. Certaines espèces incubent leurs œufs dans la bouche.

opistognathe
dans son terrier

Uranoscopes Uranoscopidae

Longueur: 12,5-38 cm (5-15 po); maximum 43 cm (17 po).
Traits: bouche, narines et yeux sur le dessus de la tête; bouche verticale à lèvres frangées; pelviennes rapprochées sous la gorge.
Habitat: fonds sableux ou vaseux des mers tempérées et subtropicales.

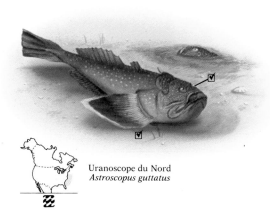

Connu sous les noms de rat, rascasse blanche ou tapecon, l'uranoscope laisse dépasser de sa bouche un filament rouge ressemblant à un vermisseau et électrocute la victime attirée par le piège. Il a en effet sur la tête des cellules électriques développées à partir des nerfs optiques et capables d'émettre des décharges de 50 volts; certaines espèces ont des glandes venimeuses près des pectorales. Quand il s'enfouit dans le sable, il respire par ses narines reliées aux branchies.

Uranoscope du Nord
Astroscopus guttatus

La vignette en noir donne la taille du poisson à l'échelle des espèces illustrées dans ces deux pages. **229**

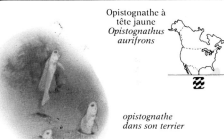

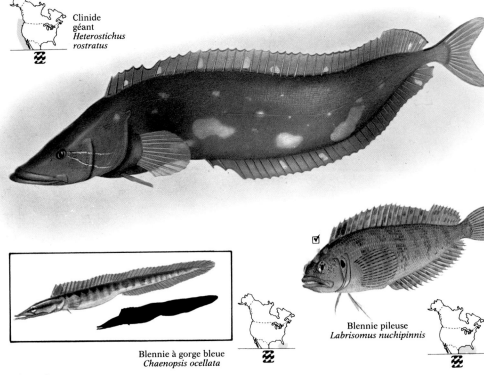

Clinide
géant
Heterostichus
rostratus

Blennie à gorge bleue
Chaenopsis ocellata

Blennie pileuse
Labrisomus nuchipinnis

Clinides
Clinidae

Longueur: *10-50 cm (4-20 po); maximum 60 cm (24 po).*
Traits: *corps allongé à écailles; tête généralement pointue à petites*
protubérances charnues entre l'œil et la dorsale; plaques de dents coniques.
Habitat: *zones peu profondes en mers tropicales et tempérées;*
étangs de marée.

La plupart des clinides sont de petits poissons qui restent près des côtes. Seule
exception, le clinide géant de 60 cm (2 pi) a déjà été observé à plus de 30 m
(100 pi) de profondeur. Sa coloration emprunte celle de son environnement
d'algues: verte ou brune. La blennie pileuse, dont la tête est garnie de poils très
visibles, atteint 23 cm (9 po); une espèce du Pacifique de même taille, le clinide
frangé *(Neoclinus blanchardi)*, aurait proportionnellement la plus grande bouche de tous les poissons. Enfin la blennie à gorge bleue, dont la silhouette rappelle celle du brochet, atteint 12,5 cm (5 po).

Blennies Blenniidae

Longueur: *2,5-10 cm (1-4 po);*
maximum 15 cm (6 po).
Traits: *corps allongé, comprimé latéralement,*
sans écailles; tête arrondie; cils; dents pectinées.
Habitat: *bas-fonds; étangs de marée.*

Les blennies véritables, aussi appelées baveuses,
raclent les récifs et les coraux avec leurs dents qui
font penser à des peignes et marchent avec leurs
nageoires sur les fonds marins. Certaines viennent prendre le soleil sur des rochers éclaboussés
par les vagues. Mâles et femelles déploient franges
et crêtes à l'époque des amours; la femelle fixe ses
œufs sous les rochers et les coraux et le mâle
les surveille jusqu'à l'éclosion.

Blennie tachetée
Hypsoblennius
gentilis

POISSONS

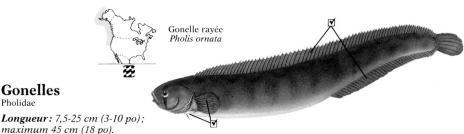

Gonelle rayée
Pholis ornata

Gonelles
Pholidae

Longueur: *7,5-25 cm (3-10 po);*
maximum 45 cm (18 po).
Traits: *corps anguilliforme; nageoire dorsale deux fois plus*
longue que l'anale; pectorales et pelviennes petites ou absentes.
Habitat: *près des roches en étangs de marée;*
mers froides et peu profondes.

Semblables aux blennies, les gonelles se cachent dans les crevasses et sous les roches des eaux froides du Pacifique. La gonelle des roches *(Pholis gunnellus)*, espèce atlantique plus brune que celle-ci et à dos plus marqué, vit dans les lits de varech et les bas-fonds des zones intercotidales. Ces deux espèces ont de minuscules nageoires pelviennes, tandis que le poisson-loup, de la famille des anarhichatidées, n'en a aucune. Beaucoup plus gros que les gonelles puisqu'il peut atteindre 1,5 m (5 pi), le poisson-loup ou loup marin a de solides mâchoires et des dents coniques qui lui permettent de broyer les coquillages les plus durs. Les pêcheurs le capturent pour sa chair excellente et sa peau épaisse utilisée en maroquinerie, mais doivent se méfier de ses dents.

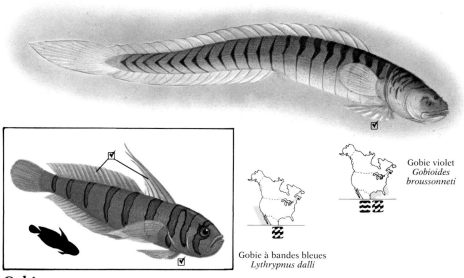

Gobie violet
Gobioides
broussonneti

Gobie à bandes bleues
Lythrypnus dalli

Gobies Gobiidae

Longueur: *2,5-7,5 cm (1-3 po); maximum 50 cm (20 po).*
Traits: *petite taille, pelviennes réunies formant parfois un*
disque adhésif; 2 dorsales séparées; peau à écailles.
Habitat: *mers tropicales et tempérées, dans des creux à*
couvert; parfois en eau douce.

C'est le plus grand groupe majoritairement marin avec 800 espèces connues au moins et beaucoup d'autres non encore identifiées. Ces poissons vivent dans des terriers et sous des roches, rampent avec leur disque adhésif sur les grèves balayées par les vagues, s'installent dans des éponges ou occupent les habitats des crevettes et des crabes. Les mâles ont un comportement rituel particulier à l'époque de la pariade et défendent leur nid contre les intrus. Dans ce groupe se trouve le plus petit de tous les poissons, un gobie des Philippines qui, adulte, mesure moins de 6 mm (¼ po) de longueur.

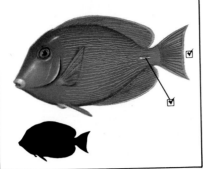

Poisson-chirurgien bleu
Acanthurus coeruleus

Poissons-chirurgiens Acanthuridae

Longueur: *10-20 cm (4-8 po);*
maximum 30 cm (12 po).
Traits: *corps ovale, comprimé latéralement;*
épine tranchante et mobile de chaque côté du
pédoncule caudal; queue concave.
Habitat: *mers tropicales peu profondes;*
près des récifs et épaves.

Avec leurs épines-scalpels, les poissons-chirurgiens infligent de cruelles coupures à ceux qui les manipulent sans soins, mais ce trait leur vaut l'estime des amateurs d'aquarium. Ce sont des consommateurs d'algues qui raclent les récifs et les coraux. Les tout jeunes sujets ont des épines vides qui, agissant comme bouées, leur permettent de dériver sur de longues distances au gré des courants marins.

Germon atlantique
(albacore)
Thunnus alalunga

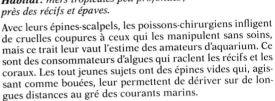

Maquereau bleu
Scomber scombrus

Maquereaux et thons Scombridae

Longueur: *30 cm-1,80 m (1-6 pi); maximum 4,25 m (14 pi).*
Traits: *corps fusiforme; 2 dorsales insérées dans un sillon;*
nombreuses pinnules derrière la nageoire anale et la deuxième dorsale;
queue fourchue; pédoncule caudal étroit à 1 ou 2 sillons carénés.
Habitat: *haute mer en zones tropicales et tempérées.*

Poissons en forme de torpille se déplaçant en bancs, ces grands prédateurs à dos bleu foncé ou vert et dessous blanc argenté font l'objet d'une pêche commerciale et sportive importante. Leur chair, qui va du blanc au rouge selon les espèces, est excellente et leur foie est une importante source de vitamine A. Voici quelques-unes des espèces qu'on trouve en Amérique du Nord:
• le thon rouge *(Thunnus thynnus)*, un sujet géant qui peut dépasser la barre des 800 kg (1 800 lb);
• le maquereau-roi *(Scomberomorus cavalla)*, de l'Atlantique, 4,50 kg (10 lb) en moyenne, avec ligne latérale formant un angle aigu au milieu;
• les bonites *(Sarda)* à chair plus huileuse que celle du thon.

Stromatées Stromateidae

Longueur: *15-25 cm (6-10 po);*
maximum 30 cm (12 po).
Traits: *peau douce et argentée, sans*
écailles; corps ovale, comprimé
latéralement; longues nageoires
dorsale et anale; queue très fourchue.
Habitat: *diverses profondeurs en zones*
tempérées ou tropicales.

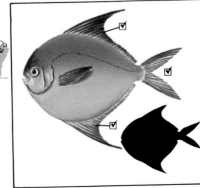

Stromaté
Peprilus
alepidotu

Réfugiées entre les tentacules des méduses et des physaliers, la stromatée à méduses dans l'Ouest *(Icichthys lockingtoni)* et la stromatée à physaliers dans l'Est *(Nomeus gronovii)* y trouvent protection sans être complètement à l'abri des cellules urticantes. Quelques petites stromatées à fossettes *(Peprilus triacanthus)* s'y réfugient elles aussi.

POISSONS

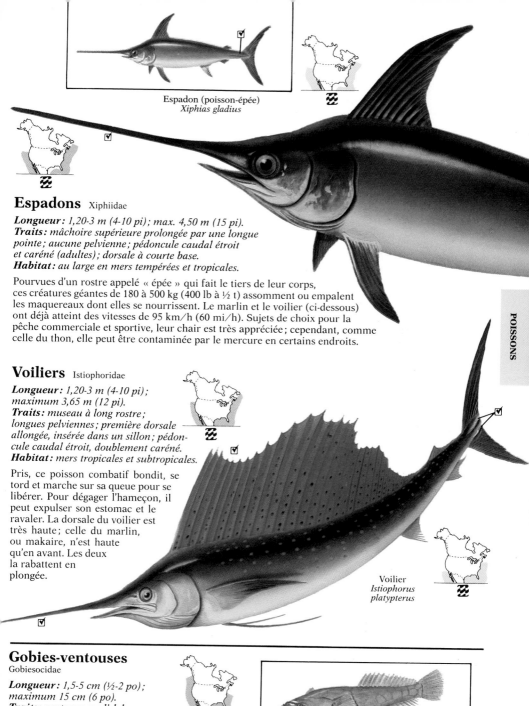

Espadon (poisson-épée)
Xiphias gladius

Espadons Xiphiidae

Longueur : *1,20-3 m (4-10 pi) ; max. 4,50 m (15 pi).*
Traits : *mâchoire supérieure prolongée par une longue pointe ; aucune pelvienne ; pédoncule caudal étroit et caréné (adultes) ; dorsale à courte base.*
Habitat : *au large en mers tempérées et tropicales.*

Pourvues d'un rostre appelé « épée » qui fait le tiers de leur corps, ces créatures géantes de 180 à 500 kg (400 lb à ½ t) assomment ou empalent les maquereaux dont elles se nourrissent. Le marlin et le voilier (ci-dessous) ont déjà atteint des vitesses de 95 km/h (60 mi/h). Sujets de choix pour la pêche commerciale et sportive, leur chair est très appréciée ; cependant, comme celle du thon, elle peut être contaminée par le mercure en certains endroits.

Voiliers Istiophoridae

Longueur : *1,20-3 m (4-10 pi) ; maximum 3,65 m (12 pi).*
Traits : *museau à long rostre ; longues pelviennes ; première dorsale allongée, insérée dans un sillon ; pédoncule caudal étroit, doublement caréné.*
Habitat : *mers tropicales et subtropicales.*

Pris, ce poisson combatif bondit, se tord et marche sur sa queue pour se libérer. Pour dégager l'hameçon, il peut expulser son estomac et le ravaler. La dorsale du voilier est très haute ; celle du marlin, ou makaire, n'est haute qu'en avant. Les deux la rabattent en plongée.

Voilier
Istiophorus platypterus

Gobies-ventouses
Gobiesocidae

Longueur : *1,5-5 cm (½-2 po) ; maximum 15 cm (6 po).*
Traits : *ventouse sur l'abdomen ; corps sans écailles en forme de têtard.*
Habitat : *sur les fonds marins.*

Le gobie-ventouse a les pelviennes modifiées en disque suceur, ce qui lui permet de se fixer à divers objets et de résister aux brisants. Ces poissons sont seuls de leur type. Le plus commun dans l'Atlantique est le porte-écuelle *(Gobiesox strumosus)* qui peut atteindre 10 cm (4 po).

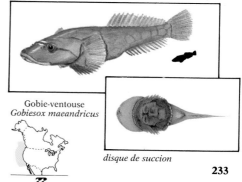

Gobie-ventouse
Gobiesox maeandricus

disque de succion

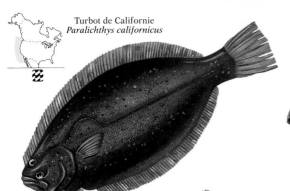

Turbot de Californie
Paralichthys californicus

Flétan de Californie
Platichthys stellatus

Turbots et barbues
Bothidae

Longueur : *10-90 cm (4-36 po) ;*
maximum 1,50 m (60 po).
Traits : *corps très plat ; deux yeux du*
côté gauche ; mâchoire inférieure en saillie.
Habitat : *fonds de toutes les mers ;*
2 espèces en eau douce.

Les poissons plats — soles, turbots, limandes, carrelets, flets, flétans et plies —, comprimés latéralement, sont les mieux adaptés à une vie abyssale. Les jeunes nagent à la verticale comme les autres poissons. Mais avec l'âge, ils prennent l'habitude de se coucher sur un des deux flancs et l'œil qui serait normalement au-dessous fait le tour de la tête pour rejoindre l'autre sur le côté pigmenté. La bouche aussi se déforme. Chez les turbots d'été *(Paralichthys dentatus)*, du golfe *(P. albigutta)* et méridional *(P. lethostigma)*, c'est le côté gauche qui est sur le dessus et l'œil droit s'y rend.

Poissons-coffres Ostraciidae

Longueur : *15-30 cm (6-12 po) ;*
maximum 48 cm (19 po).
Traits : *carapace osseuse ; pas de*
pelviennes, dorsale sans épines.
Habitat : *mers côtières chaudes.*

De leur carapace osseuse sortent la queue, les nageoires dorsale et anale et la bouche ; effrayés, ils recourbent la queue le long du corps. Ces poissons nagent en agitant les nageoires et la queue. Ils mangent des petits animaux qu'ils trouvent dans le sable ou la boue et qu'ils nettoient d'un jet d'eau. On vend leur carapace comme souvenir.

Balistes et limes Balistidae

Longueur : *10-60 cm (4-24 po) ;*
maximum 1 m (39 po).
Traits : *première dorsale à épines ;*
corps plat ; épine sur l'abdomen ;
petite bouche ; 2 rangs de dents
en saillie sur la mâchoire supérieure.
Habitat : *mers chaudes.*

Chez les balistes, la première des trois fortes épines de la dorsale est enclenchée par la deuxième lorsque celle-ci se relève et ne se relâche que si l'on presse sur la seconde. C'est un formidable appareil de défense qui écarte les prédateurs et rend de toute façon le poisson difficile à avaler.

Plies, soles, limandes et flétans Pleuronectidae

Longueur : *30 cm-1,50 m (1-5 pi) ;*
maximum 1,80 m (6 pi).
Traits : *corps très plat ; deux yeux du*
côté droit ; mâchoire inférieure en saillie.
Habitat : *fond des mers tempérées ;*
1 espèce en eau douce.

Pour savoir si un poisson plat a les yeux du côté droit ou gauche, il faut tenir vers soi le flanc pigmenté ; s'il regarde vers la droite, ce n'est pas un turbot. Parmi les poissons ayant les yeux du côté droit, citons la plie *(Pleuronichthys)*, le flétan de l'Atlantique *(Hippoglossus hippoglossus)*, la sole de Douvres *(Microstomus pacificus)* et la plie rouge *(Pseudo-pleuronectes americanus)*. Curieusement, les yeux de certains individus, normalement du côté gauche du corps, comme ceux du turbot de Californie et de certaines espèces de plies, peuvent évoluer vers le côté droit ; l'inverse aussi se produit.

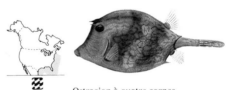

Ostracion à quatre cornes
Lactophrys quadricornis

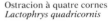

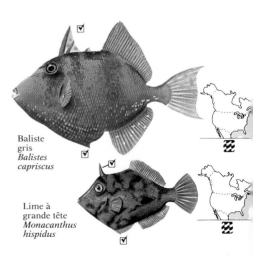

Baliste
gris
*Balistes
capriscus*

Lime à
grande tête
*Monacanthus
hispidus*

Poissons porcs-épics
Diodontidae

Longueur : 15-30 cm (6-12 po);
maximum 90 cm (36 po).
Traits : peau à fortes épines; aucune
pelvienne; deux dents sur chaque mâchoire,
en bec; se gonfle en cas de danger.
Habitat : mers côtières chaudes.

La plupart des espèces nord-américaines sont des hérissons à épines dressées; chez le porc-épic cependant, les épines, normalement couchées contre le corps, ne se redressent que lorsque l'animal se gonfle. Ce sont des poissons solitaires, actifs le jour et la nuit. Leurs dents soudées en croc sur chaque mâchoire servent à broyer les coquilles de mollusques et de crustacés.

Porc-épic
Diodon hystrix

porc-épic
gonflé

Poissons-globes
Tetraodontidae

tétrodon gonflé

Tétrodon du Nord
Sphoeroides maculatus

Longueur : 5-45 cm (2-18 po);
maximum 60 cm (24 po).
Traits : corps sans écailles mais à plaques
osseuses; petites dorsale et anale sans épine
près de la queue; bec à quatre dents soudées;
aucune pelvienne; se gonfle sous la menace.
Habitat : mers tempérées ou tropicales.

L'intestin de ces poissons comporte de nombreux sacs qu'ils remplissent d'air ou d'eau; gonflés comme des ballons au double de leur taille, ils flottent sens dessus dessous et, le danger passé, se dégonflent rapidement. Certains sont très venimeux et il est dangereux de manger leur chair, encore qu'en certains endroits on la tienne pour un mets de choix.

Môles
Molidae

Longueur :
1,20-2,40 m (4-8 pi);
maximum
3,35 m (11 pi).

non à l'échelle

Traits : forte taille; aucune pelvienne;
grandes dorsale et anale dressées; allure tronquée.
Habitat : en haute mer près de la surface;
dans les eaux chaudes.

La môle commune ou poisson-lune est un poisson de haute mer peu abondant qui peut peser 275 kg (600 lb). Couchée sur le côté près de la surface de l'eau, comme pour prendre du soleil, elle se laisse porter par les vagues et se déplace lentement en agitant alternativement ses nageoires dorsale et anale. Son menu habituel comprend poissons, calmars et méduses. Les alevins sont dotés de puissantes épines qui les protègent des prédateurs, mais disparaissent à l'âge adulte. Ils dérivent au gré des courants.

Môle
commun
(poisson-lune)
Mola mola

235

Invertébrés

Papillons irisés, tendres palourdes, crabes blindés,
étranges anémones de mer : tous ces invertébrés constituent
un monde différent du nôtre qui nous charme l'œil... et le palais.

On chercherait en vain un terme moins savant qu'invertébrés pour désigner ces animaux : il n'y en a pas. Un seul trait leur est commun à tous ; ils n'ont pas de colonne vertébrale. Ce sont en général de petites créatures, mais il y a des exceptions : le calmar géant atteint 12 m (40 pi). Elles ne sont pas toutes primitives ; certaines ont un cerveau, d'au-tres présentent une structure sociale complexe. Les zoologistes ont divisé le règne animal en deux groupes : les vertébrés et les invertébrés, c'est-à-dire ceux qui ont une colonne vertébrale et ceux qui n'en ont pas. Mammifères, oiseaux, reptiles, batraciens et poissons sont des vertébrés : ils ont une colonne et des vertèbres. Les crustacés, les mollusques, les coléoptères

Mollusques

Fascinés par la lisse rondeur des natices et le chatoiement nacré des ormeaux, les vacanciers ramassent au bord de la mer des coquillages pour emporter avec eux toute la beauté de l'océan.

Les mollusques les plus connus sont des coquillages (même si peu de gens les identifient correctement). Le terme *mollusque* vient d'un mot latin qui veut dire « mou », par allusion aux parties internes de l'animal (la chair de l'huître, par exemple). Si la plupart des espèces vivent dans la mer et présentent une coquille à une ou deux valves, certaines fréquentent l'eau douce, d'autres passent leur vie sur terre et plusieurs, comme les pieuvres et les limaces, ont le corps à nu.

Les univalves
Les escargots forment de loin le groupe de mollusques le plus important dès lors qu'on classe parmi eux, si l'on veut la science, les buccins, les bigorneaux et les patelles. A quoi reconnaît-on un escargot (ou univalve) ? Il a une seule coquille, gé-néralement spiralée, parfois en forme de chapeau chinois (comme chez les patel-les) ; il a aussi une tête avec deux tentacu-les, deux yeux et une langue râpeuse (radula) avec laquelle il racle les algues et déchire ou perfore ses proies. (La limace est un escargot sans coquille.)

Souvent plus actifs la nuit que le jour, les escargots rampent sur leur pied mus-culeux auquel se rattache à l'arrière, chez certaines espèces, une plaque cornée ap-pelée opercule. Quand le gastropode ren-tre dans sa coquille, l'opercule vient en boucher hermétiquement l'entrée. En cherchant des coquillages sur la plage, n'oubliez pas de regarder s'il n'y a pas quelque opercule mal refermé. Ces peti-tes plaques dures, rondes ou ovales, sont dans les tons de brun ou de blanc. Les opercules varient avec les espèces ; aussi les avons-nous souvent illustrés.

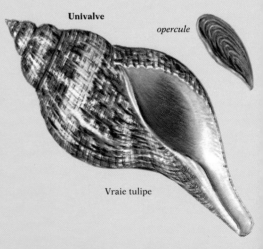

Univalve

opercule

Vraie tulipe

n'en ont pas mais, dans la plupart des cas, ces invertébrés sont dotés d'une structure externe qui leur sert de support. C'est le seul trait qui leur soit commun à tous.

Environ 95 p. 100 de toutes les espèces animales connues sont des invertébrés ; on les trouve partout — même s'il faut se mettre à quatre pattes pour les voir — et ils jouent un rôle essentiel sur terre. Comment feraient les plantes pour se multiplier, par exemple, s'il n'y avait pas d'insectes pour les polliniser ?

Les mollusques et les insectes se classent parmi les invertébrés les plus importants par leur nombre et par leur nature : nous leur avons donné la préséance. La section consacrée aux mollusques, qui commence ci-dessous, traite des coquillages de mer, des pieuvres et des calmars, mais aussi de diverses espèces qui vivent en eau douce et sur terre. Une introduction amorce, page 263, le chapitre des insectes : des papillons ou lépidoptères aux libellules et éphémères en passant par les coléoptères et les abeilles. Après les insectes viennent leurs cousins, les arachnides — araignées, scorpions et mille-pattes — et les invertébrés aquatiques — insectes, crabes et autres crustacés —, sans oublier d'étranges créatures comme les méduses, les étoiles de mer et les coraux.

Etant donné l'importance numérique des invertébrés, nous n'avons pu leur accorder dans ces pages tout l'espace qu'ils mériteraient. Il y a donc des espèces qui ne sont pas représentées dans ce livre, mais vous y rencontrerez certainement leurs proches parents.

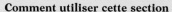

Les bivalves

Palourdes, moules et huîtres n'ont pas d'opercule puisque les deux moitiés de leur coquille se referment étroitement. Elles ingèrent de l'eau de mer au moyen d'un organe appelé siphon et en filtrent les petits organismes dont elles se nourrissent. Lorsqu'une palourde détecte des vibrations insolites, elle rentre son siphon et referme ses deux valves ; souvent, elle s'enfonce prestement dans le sable à l'aide de son large pied musculeux.

Il est plus difficile d'observer un bivalve vivant qu'un escargot. En effet, les palourdes se cachent dans le sable ou la vase ; les huîtres s'accrochent aux rochers immergés ou à des substrats durs. Les mollusques que l'on connaît le mieux sont généralement ceux que l'on mange ; pourtant ils sont aussi fascinants à observer que délicieux à déguster. Certains pondent des « colliers » d'œufs ; d'autres, de mâles deviennent femelles en vieillissant ; d'autres encore percent la coquille de leur proie et en aspirent la chair. Renseignez-vous ici sur leur façon de vivre, de se nourrir, de se reproduire ; sur leurs moyens d'attaque et de défense.

Comment utiliser cette section

Les escargots et les univalves à coquille spiralée sont illustrés de la page 238 à la page 250 et à la page 262 (les espèces terrestres sont page 262, les espèces d'eau douce, page 250). Les bivalves occupent les pages 251 à 260. A la page 261 se trouvent trois groupes plus restreints : les chitons, dont la coquille comporte huit plaques qui se chevauchent, les dentales, que décrit bien leur nom, et les céphalopodes, soit les pieuvres et les calmars.

Les habitats qui sont décrits dans les fiches d'identification de cette section sont ceux de l'animal vivant. Les coquillages morts peuvent échouer très loin de leur point de départ, surtout après un orage.

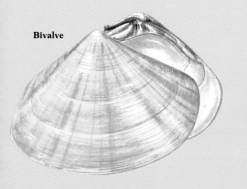

Bivalve

Palourde pismo

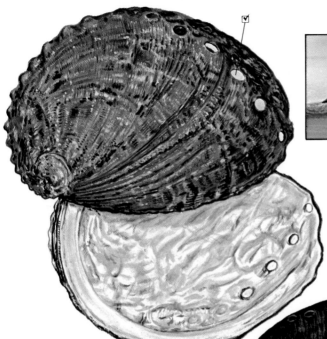

Ormeau nordique
Haliotis kamtschatkana

Longueur: *12,5-15 cm
(5-6 po).* **Traits** *: coquille
ovale à 4 ou 5 trous sur le bord ;
extérieur rugueux, moucheté (rouge,
blanc et vert ou bleu) ; intérieur
nacré.* **Habitat** *: rochers en mer
à marée basse.*

Ormeaux (abalones)
Haliotidae

Ces grands mollusques, appelés aussi
oreilles-de-mer, que l'on récolte, en
Amérique du Nord, seulement sur les
côtes du Pacifique, ne sont d'abord
que de minuscules larves véligères libres. Après une semaine ou deux, les
larves se fixent à des rochers et commencent leur vie adulte. Sédentaire,
l'ormeau se nourrit d'algues et d'organismes microscopiques. Sa coquille,
nacrée à l'intérieur, a le long du bord
quatre à huit trous par lesquels l'animal évacue eau et excréments. Cette
coquille a longtemps été utilisée en
joaillerie et en marqueterie. Le gros
pied musculeux avec lequel l'ormeau
rouge *(Haliotis rufescens)* se fixe aux
rochers est d'un goût très fin. Les
plongeurs cueillent ce coquillage qui
se vend dans les poissonneries.

Ormeau noir
Haliotis cracherodii

Longueur: *15-18 cm (6-7 po).*
Traits *: coquille arrondie à 8 trous sur le bord;
extérieur lisse, noir ou vert-noir ; intérieur nacré.*
Habitat *: rochers en mer à marée basse.*

Fissurelles Fissurellidae

Les fissurelles ont au sommet de leur coquille un trou par lequel l'animal rejette l'eau
qu'il a aspirée à la marge et fait circuler sur
ses branchies. Les fissurelles et les patelles
s'aménagent une légère dépression dans le
rocher qu'elles habitent : de la forme du mollusque, elle le protège de la déshydratation à
marée basse. Les deux se nourrissent d'algues qu'elles raclent sur les roches avec leur
radula, sorte de ruban denté qu'on retrouve
dans la bouche de la plupart des escargots.

Fissurelle rugueuse
Diodora aspera

Longueur: *4-5 cm
(1½-2 po).*
Traits: *trou ovale entouré d'un
cal et de crêtes rayonnantes ;
blanchâtre ou nervuré.*
Habitat: *rochers
en mer à marée basse.*

intérieur de la coquille

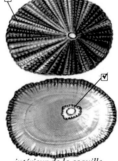

Troches Trochidae

Quand les escargots se retirent dans leur coquille, ils en ferment l'entrée au moyen d'un opercule, sorte de plaque rigide attachée à l'arrière du pied de l'animal. (On en trouve souvent sur les grèves.) Cet opercule distingue les troches des turbos; chez les premiers, il est rond, mince, turbiné et corné, tandis qu'il est épais, ovale et calcaire chez les seconds.

Coquille de Norris
Norrisia norrisi

Longueur: 5-6 cm (2-2¼ po).
Traits: coquille épaisse, luisante, brun marron; dernier tour très large; fente labiale turquoise.
Habitat: lits de varech.

opercule

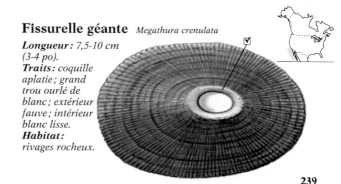

Troche côtelée de l'Ouest
Calliostoma ligatum

Longueur: 2,5 cm (1 po).
Traits: coquille conique, brun foncé; côtes spiralées saillantes; bouche nacrée.
Habitat: rivages rocheux.

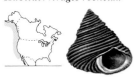

Tégula noire
Tegula funebralis

Longueur: 2,5-4 cm (1-1½ po).
Traits: coquille épaisse, lisse; ouverture circulaire; extérieur noirâtre; base pâle; intérieur nacré.
Habitat: rivages rocheux.

Patelles (berniques) Acmaeidae

Les patelles ont la coquille non spiralée, souvent côtelée; son apex pointu rappelle un chapeau chinois. On les trouve sur la côte pacifique. L'espèce la plus répandue est l'acmée digitale *(Acmaea digitalis)* dont l'apex ressemble à un doigt.

Acmée-tortue de l'Atlantique
Acmaea testudinalis testudinalis

Longueur: 2,5-4 cm (1-1½ po).
Traits: apex presque central; extérieur tacheté brun et crème; intérieur de bleu à blanc à centre brun.
Habitat: rivages rocheux.

eaux agitées   eaux calmes   intérieur

Turbo ondulé
Astraea undosa

Longueur: 10-12,5 cm (4-5 po).
Traits: coquille triangulaire, plus large que haute; extérieur rugueux brun, à cordons bordés de blanc; opercule épais à crêtes.
Habitat: rochers et algues du littoral.

opercule

Turbos Turbinidae

Leurs coquilles ont des cordons ondulés; vues du dessus, elles paraissent étoilées. Répandus dans les mers tropicales, ces mollusques n'habitent que les côtes de Floride, dans l'Atlantique. Sur le littoral du Pacifique, le turbo rouge *(Astraea gibberosa)* monte jusqu'en Colombie-Britannique.

intérieur

Fissurelle volcan
Fissurella volcano

Longueur: 2,5 cm (1 po).
Traits: coquille en forme de volcan, grise ou brune, à rayons foncés.
Habitat: rochers couverts d'algues.

Fissurelle géante Megathura crenulata

Longueur: 7,5-10 cm (3-4 po).
Traits: coquille aplatie; grand trou ourlé de blanc; extérieur fauve; intérieur blanc lisse.
Habitat: rivages rocheux.

Nérites Neritidae

Disséminées surtout dans les régions tropicales et subtropicales, les nérites n'occupent en Amérique du Nord que les côtes de Floride et du golfe du Mexique. Certaines espèces s'agrippent aux rochers; d'autres préfèrent les eaux calmes et saumâtres; d'autres encore vivent en eau douce. Les nérites ont une bouche à saillies internes dentiformes et une coquille à tours peu nombreux.

Nérite dent saignante
Nerita peloronta

Longueur: *2,5-4 cm (1-1½ po).*
Traits: *bouche à tache orangée et dents blanches; forme ovale.*
Habitat: *rochers lavés par les vagues.*

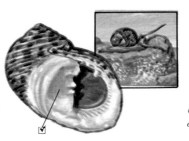

Nérite olive
Neritina reclivata

Longueur: *1,5 cm (½ po).*
Traits: *coquille lisse, ovale, verte ou olive, à réseau de fines stries foncées.*
Habitat: *lits de vase en eau saumâtre; parfois en rivière.*

opercule

Littorines (bigorneaux)
Littorinidae

Ces petits escargots marins s'installent sur les rochers, les pilotis de quai et les racines de palétuviers. La littorine rugueuse du Nord monte haut sur les grèves, respire par des branchies semblables à des poumons et donne naissance à des petits dotés d'une coquille. La plupart des autres bigorneaux pondent dans l'eau ou sur des algues. Une espèce circumpolaire, le bigorneau commun, pond des capsules d'œufs flottantes qui l'ont fait essaimer jusqu'au Maryland.

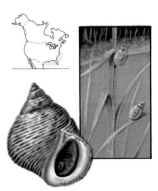

Littorine anguleuse
Littorina angulifera

Longueur: *2,5-3 cm (1-1¼ po).*
Traits: *coquille haute, élancée, mince, à fines stries spiralées; couleur variable.*
Habitat: *eau saumâtre; racines de palétuviers et pilotis de quai, bien au-dessus de la ligne des eaux.*

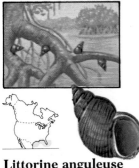

Littorine des marais
Littorina irrorata

Longueur: *2,5 cm (1 po).*
Traits: *coquille pointue à stries spiralées bien marquées mais interrompues.*
Habitat: *marais d'herbes et de joncs en estuaire.*

Bigorneau commun
Littorina littorea

Longueur: *2,5-3 cm (1-1¼ po).*
Traits: *coquille ovale, épaisse, lisse, à fines stries spiralées; brun terne ou gris.*
Habitat: *roches et algues du littoral.*

Littorine quadrillée
Littorina scutulata

Longueur: *1,5 cm (½ po).* **Traits:** *apex pointu; lèvre mince; extérieur lisse, rouge-brun, à points bleuâtres.* **Habitat:** *sur le haut des rochers du rivage.*

Littorine rugueuse du Nord
Littorina saxatilis

Longueur: *1,5 cm (½ po).*
Traits: *coquille ovale, lèvre élargie; cordons spiralés; couleur variable.*
Habitat: *haut sur rochers, dans l'embrun des vagues.*

Littorine obtuse
Littorina obtusata

Longueur: *1,5 cm (½ po).*
Traits: *tour bas et lisse; coquille globuleuse, jaune ou orange vif; bandes chez les jeunes.*
Habitat: *végétation sur rochers.*

Vermet de Knorr
Vermicularia knorri

Longueur: 5-7,5 cm (2-3 po). **Traits:** coquille déroulée, fissurée, vermiforme; premiers tours blancs. **Habitat:** en masse dans les éponges près du rivage.

Cérithe de Floride
Cerithium floridanum

Longueur: 3-4 cm (1¼-1½ po). **Traits:** cornet long, élancé, rugueux, fauve, à bouche excentrique; opercule ovale. **Habitat:** eaux peu profondes, grèves non rocheuses.

opercule

Turritelles et vermets Turritellidae

Au début de leur vie, ces mollusques ont une coquille haute à tours serrés. Certaines espèces conservent cette coquille enroulée serré. Chez d'autres, elle se déroule et adopte la forme d'un tube terminé par des tours à une extrémité seulement. Les turritelles vivent sur des roches, dans le sable et la vase, ou dans des éponges et du corail.

Cérithes Cerithiidae

Le mot vient d'un terme grec qui veut dire « petite corne » et, en effet, les cérithes ressemblent aux cornes des bergers. La plupart vivent en eaux peu profondes et chaudes, sur des lits de plantes. On ne trouve pas de véritables cérithes sur la côte du Pacifique, encore que de petites espèces apparentées échouent parfois sur la grève.

Faux cérithe
Batillaria minima

Longueur: 2 cm (¾ po). **Traits:** petit cornet pointu, rugueux, de couleur variable (blanc, gris, noir), parfois à bandes; opercule spiralé. **Habitat:** lits de vase.

opercule

Cornet de Californie
Cerithidea californica

Longueur: 2,5-4 cm (1-1½ po). **Traits:** cornet très élancé, pointu, noirâtre, à fortes côtes sur chaque tour. **Habitat:** lits de vase près du littoral et dans les estuaires.

Pseudo-cérithes et potamides Potamidae

Semblables aux cérithes véritables par leur taille et leur forme, les faux cérithes et les cornets vivent en eaux saumâtres, surtout sur les lits de vase dans les estuaires et les marais de palétuviers. Les coquilles sont le plus souvent ternes; quelques-unes sont marquées de bandes contrastantes. Les faux cérithes se distinguent des vrais par leur opercule circulaire à multiples tours et à noyau central, tandis que l'opercule du cérithe véritable est ovale, à noyau décentré et à peu de tours.

Scalaires Epitoniidae

Ce sont des escargots carnivores qui se nourrissent des sucs d'anémones de mer vivantes. Dérangés, ils émettent une encre violette ou rose. Cette sécrétion leur sert également d'anesthésique lorsqu'ils se nourrissent sur les anémones de mer. Leur coquille spiralée fait penser à un escalier en colimaçon. Le scalaire à bandes brunes est l'un des rares individus de sa famille à ne pas avoir une coquille blanche. L'espèce pond des chapelets solides de capsules ovoïdes.

chapelet de capsules

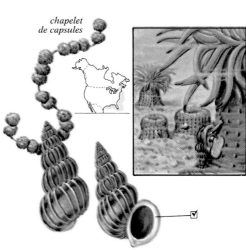

Scalaire à bandes brunes
Epitonium rupicola

Longueur: 2-2,5 cm (¾-1 po). **Traits:** coquille fragile, à fines côtes saillantes sur les tours; bandes spiralées brunes sur fond fauve; lèvre arrondie et blanche. **Habitat:** eaux peu profondes, grèves sableuses.

Crépidules Calyptraeidae

Ces mollusques ont dans leur coquille une plaque calcaire qui sert à supporter leur glande digestive molle. Ils s'attachent à d'autres coquillages (vivants ou morts), à des rochers ou à des plantes aquatiques. Chez la crépidule commune de l'Atlantique, une douzaine ou plus d'individus s'installent les uns sur les autres. Les femelles, plus grosses, sont en dessous; les mâles, plus petits, qui sont au-dessus, deviennent femelles en grossissant.

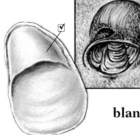

Crépidule blanche de l'Est
Crepidula plana

Longueur: 2,5-4 cm (1-1½ po).
Traits: plaque interne soulevée à un bout;
intérieur et extérieur blancs; forme variable.
Habitat: eaux peu profondes;
dans d'autres coquillages.

Crépidule commune de l'Atlantique
Crepidula fornicata

Longueur: 3-5 cm
(1¼-2 po).
Traits: plaque blanche;
intérieur brun;
forme variable.
Habitat: sur substrats
durs, eaux peu profondes.

Calyptrée à épines
Crucibulum spinosum

Longueur: 2,5-4 cm (1-1½ po). **Traits:** cupule interne blanche; intérieur brun luisant; extérieur rugueux à épines irrégulières; forme circulaire. **Habitat:** sur roches et coquillages dans les baies.

Porcelaines Cypraeidae

Objets de collection, ces superbes coquillages luisants, lisses, à bouche dentée, se rencontrent surtout en mers tropicales. Seulement 5 des quelque 200 espèces de porcelaines fréquentent les eaux nord-américaines. Les porcelaines se cachent le jour dans les cailloux ou les coraux et sortent de nuit se nourrir. Elles se recouvrent alors en totalité ou en partie d'une membrane charnue appelée manteau.

juvénile « zébré »

Porcelaine zèbre
Cypraea zebra

Longueur: 7,5-11 cm
(3-4½ po). **Traits:**
coquille très luisante;
dos brun moucheté
(jeunes zébrés);
longue bouche étroite
à crêtes dentées.
Habitat: criques.

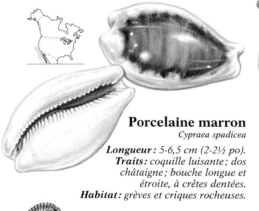

Porcelaine marron
Cypraea spadicea

Longueur: 5-6,5 cm (2-2½ po).
Traits: coquille luisante; dos
châtaigne; bouche longue et
étroite, à crêtes dentées.
Habitat: grèves et criques rocheuses.

Trivia grain-de-café
Trivia pediculus

Longueur: 1,5 cm (½ po).
Traits: en forme de grain de café;
minuscules côtes semblables à des rides;
rose ou brun rosé à macules brunes.
Habitat: grèves à marées.

Trivias Eratoidae

Les trivias ressemblent en plus petit à des porcelaines ridées; ils sont blancs, roses ou bruns et présentent parfois des macules foncées. Ces petits mollusques vivent en étroite association avec les tuniciers et se nourrissent de leur chair.

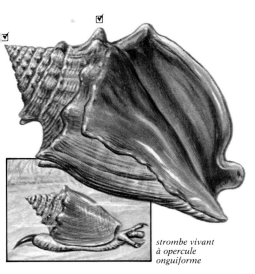

Strombe combattant de Floride   *Strombus alatus*

Longueur: 7,5-10 cm (3-4 po).
Traits: coquille conique à spire très pointue garnie de nodules régulièrement espacés; échancrure très luisante; couleur variable.
Habitat: eaux peu profondes, lits de sable.

Strombes   Strombidae

Loin d'être agressifs, ces mollusques sont de pacifiques végétariens. Le qualificatif de combattant qui les coiffe vient plutôt de leur énergie et des sauts qu'ils exécutent pour fuir devant le danger, car avec leur pied à opercule onguiforme ils se déplacent rapidement. Le strombe géant *(Strombus gigas)* se rencontre au large du sud de la Floride, mais la plupart des spécimens vendus en magasin proviennent des Antilles.

strombe vivant à opercule onguiforme

Natices   Naticidae

A marée basse, on peut voir les traces larges et sinueuses laissées dans le sable par les natices. Quand elles trouvent un bivalve, les natices percent un trou circulaire près de la charnière et aspirent l'animal. Les femelles pondent des masses d'œufs dans un nid entouré d'une ceinture de sable et de mucus. Résistante lorsqu'elle est humide, cette ceinture devient fragile en séchant et s'effrite à l'éclosion des œufs. On peut identifier les différentes espèces de natices à leur opercule: il est crayeux chez les natices, cornu chez les polinices, absent chez les natices auriformes.

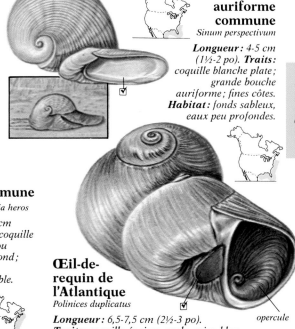

Natice auriforme commune   *Sinum perspectivum*

Longueur: 4-5 cm (1½-2 po). **Traits:** coquille blanche plate; grande bouche auriforme; fines côtes. **Habitat:** fonds sableux, eaux peu profondes.

opercule

Lunatice commune du Nord   *Lunatia heros*

Longueur: 7,5-11 cm (3-4½ po). **Traits:** coquille globuleuse, brune ou grise; ombilic profond; grande bouche. **Habitat:** lits de sable.

ceinture de sable

Œil-de-requin de l'Atlantique   *Polinices duplicatus*

Longueur: 6,5-7,5 cm (2½-3 po). **Traits:** coquille épaisse, ovale, grise, bleu-gris ou fauve; callosité brune; opercule pliant, brun. **Habitat:** fonds sableux.

Natice colorée de l'Atlantique   *Natica canrena*

Longueur: 4-5 cm (1½-2 po). **Traits:** coquille globuleuse brun clair à grande bouche; marques foncées; opercule crayeux à crêtes. **Habitat:** fonds sableux.

opercule

243

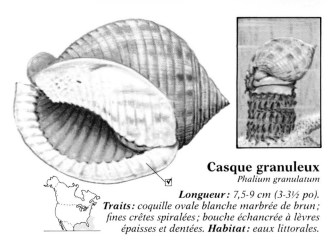

Casque granuleux
Phalium granulatum

Longueur: *7,5-9 cm (3-3½ po).*
Traits: *coquille ovale blanche marbrée de brun; fines crêtes spiralées; bouche échancrée à lèvres épaisses et dentées.* **Habitat:** *eaux littorales.*

Casques
Cassidae

Ces mollusques se caractérisent par un écran pariétal (lèvre interne) épais et luisant. Le plus gros représentant de l'espèce en Amérique du Nord, le casque empereur *(Cassis madagascariensis)*, dépasse 30 cm (12 po), tandis que le cloporte de l'Atlantique fait à peine 2,5 cm (1 po). Aucune espèce n'habite le Pacifique. Les casques vivent sur le sable ou les coraux, et se nourrissent d'oursins et de dollars des sables. Les femelles pondent leurs capsules d'œufs sous forme de tours circulaires.

Murex Muricidae

Les murex sont des mollusques carnivores qui se nourrissent de bernacles, de moules et d'autres bivalves. Ils utilisent la succion de leur pied et leur labre très fort pour ouvrir huîtres et palourdes; avec une sécrétion spéciale, ils percent des trous dans les coquilles. C'est ainsi que le perceur de l'Atlantique ravage les lits commerciaux d'huîtres. Plusieurs murex sécrètent en outre un liquide jaune qui, à la lumière, devient bleu puis rouge; les Phéniciens et les premiers Romains s'en servaient pour teindre en pourpre leurs vêtements de cérémonie. L'apparence des espèces varie en fonction des habitats; les murex vivant en eau calme ont plus de varices et d'épines que ceux exposés à une mer agitée.

Perceur de l'Atlantique
Urosalpinx cinerea

Longueur: *2,5-4 cm (1-1½ po).*
Traits: *coquille épaisse, fuselée, à côtes arrondies et minces et lèvre large; grise ou blanc sale; bouche brune.*
Habitat: *lits d'huîtres.*

Murex pomme
Murex pomum

Longueur: *7,5-12,5 cm (3-5 po).*
Traits: *coquille rugueuse, lourde; lèvre supérieure enroulée sur la coquille; tache brun foncé au sommet; coquille brune, rose ou jaune.*
Habitat: *fonds de sable peu profonds.*

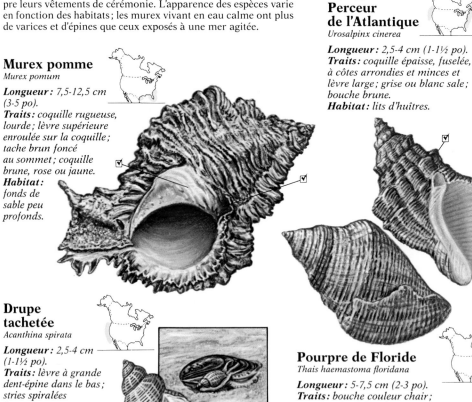

Drupe tachetée
Acanthina spirata

Longueur: *2,5-4 cm (1-1½ po).*
Traits: *lèvre à grande dent-épine dans le bas; stries spiralées interrompues.*
Habitat: *rochers, brisants.*

Pourpre de Floride
Thais haemastoma floridana

Longueur: *5-7,5 cm (2-3 po).*
Traits: *bouche couleur chair; grande spire à épaulement et rangée de nodules, grise et tachetée.*
Habitat: *près des lits d'huîtres.*

Pirules
Ficidae

Il n'existe qu'une douzaine d'espèces de pirules, la plupart dans le sud du Pacifique et dans l'océan Indien. Ce sont des mollusques de sable qui vivent constamment dans l'eau. On peut trouver des coquilles vides de pirule commune sur les plages du sud-est des Etats-Unis. Les pirules se nourrissent d'oursins de mer et d'autres animaux aquatiques. Avec leur large pied, elles marchent sur le sable des fonds marins en se dissimulant presque complètement sous leur vaste manteau charnu.

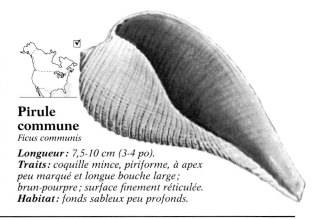

Pirule commune
Ficus communis

Longueur: *7,5-10 cm (3-4 po).*
Traits: *coquille mince, piriforme, à apex peu marqué et longue bouche large; brun-pourpre; surface finement réticulée.*
Habitat: *fonds sableux peu profonds.*

Pourpre émargé
Nucella emarginata

Longueur: *2,5-4 cm (1-1½ po).*
Traits: *apex peu marqué; grande bouche (la demi-longueur de la coquille); brun pourpré foncé; alternance de cordons petits et gros.*
Habitat: *rivages rocheux; près des lits de moules.*

Pourpre de l'Atlantique
Nucella lapillus

Longueur: *2,5-5 cm (1-2 po).*
Traits: *coquille ovale; bouche épaissie; couleur variable, souvent blanc pur ou cassé.*
Habitat: *rochers du littoral.*

Triton nain de Poulson
Ocenebra poulsoni

Longueur: *2,5-5 cm (1-2 po).*
Traits: *coquille grise fuselée; côtes régulières; fines stries brunes; bouche blanche.* **Habitat:** *rochers, pilotis.*

Pourpre à collerette
Nucella lamellosa

Longueur: *4-12,5 cm (1½-5 po).*
Traits: *coquille fuselée; forme, couleur et relief variables.*
Habitat: *rivages rocheux (coquilles lisses); baies, criques.*

Perceur à lèvre épaisse
Eupleura caudata

Longueur: *1,5-2,5 cm (½-1 po).* **Traits:** *coquille fuselée; lèvre dentée; blanchâtre; bouche plus foncée.* **Habitat:** *lits d'huîtres, rivages rocheux.*

Columbelles Columbellidae

Cette famille groupe des centaines d'espèces et on en trouve quelques douzaines en Amérique du Nord. Ce sont des mollusques d'à peine 1,5 cm (½ po), côtelés ou lisses, unis ou marbrés. On les reconnaît à leur lèvre peu dentée et tachetée. Les columbelles vivent sous la marée basse, agrippées aux rochers et aux algues.

Columbelle vorace
Anachis avara

Longueur: *1,5-2,5 cm (½-1 po).* **Traits:** *coquille fuselée de jaune à fauve, côtes saillantes; longue bouche étroite; lèvre interne à petites dents.*
Habitat: *lits d'algues, pilotis, brisants.*

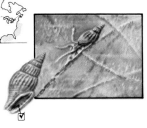

Buccins Buccinidae

Le buccin se nourrit de chair vivante ou morte. Avec son pied musculeux, il ouvre suffisamment les bivalves pour y insérer la lèvre externe de sa coquille. Il peut aussi percer dans le coquillage un trou assez grand pour aller chercher l'animal qui l'habite. Les espèces d'Amérique du Nord ont une aire de distribution qui monte loin au nord. Cependant, le buccin lugubre *(Searlesia dira)*, qui mesure 2,5 cm (1 po), fréquente le centre et le sud de la Californie ; d'autres espèces n'habitent que la Floride et les Antilles. Le pied musculeux des buccins les plus gros est comestible.

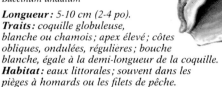

Buccin commun du Nord
Buccinum undatum

masse d'œufs

Longueur : 5-10 cm (2-4 po).
Traits : coquille globuleuse, blanche ou chamois ; apex élevé ; côtes obliques, ondulées, régulieres ; bouche blanche, égale à la demi-longueur de la coquille.
Habitat : eaux littorales ; souvent dans les pièges à homards ou les filets de pêche.

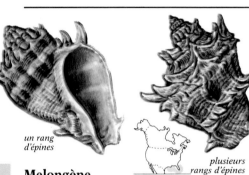

un rang d'épines

plusieurs rangs d'épines

Melongène (couronne de Floride)
Melongena corona

Longueur : 5-10 cm (2-4 po).
Traits : forte coquille ovale, de blanche à brun foncé à bandes blanches ; un ou plusieurs rangs d'épines ; grande bouche.
Habitat : lits de vase peu profonds ; eaux saumâtres.

aucune épine

Busycon à nodules
Busycon carica

Longueur : 15-20 cm (6-8 po).
Traits : bouche dextre, de blanche à rouge brique ; coquille lisse à nodules émoussés sur l'épaulement ; juvéniles souvent rayés de brun-pourpre.
Habitat : baies, eaux littorales.

capsule d'œu

juvénile

capsule d'œufs

busycon frais éclos

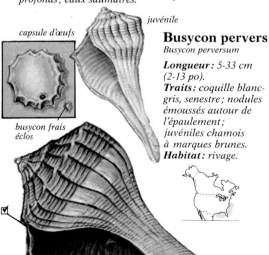

Busycon pervers
Busycon perversum

Longueur : 5-33 cm (2-13 po).
Traits : coquille blanc-gris, senestre ; nodules émoussés autour de l'épaulement ; juvéniles chamois à marques brunes.
Habitat : rivage.

Melongènes et busycons Melongenidae

Avec ses 60 cm (2 pi) de long, la trompette d'Australie *(Syrinx aruanus)* est le plus grand des escargots de mer du monde. Ses cousins d'Amérique du Nord, plus petits mais non moins remarquables, habitent les côtes de l'Atlantique et du golfe du Mexique. Ils ont une bouche large, un long siphon et un épaulement bien défini. Le busycon pervers est senestre : si vous le tenez l'apex en haut, la bouche face à vous, cette bouche ouvre vers la gauche. (La plupart des escargots sont dextres.) Ces espèces affectionnent les palourdes. On trouve souvent sur les grèves de longs chapelets de capsules cornées d'œufs contenant de petits escargots ; ils appartiennent à l'une de ces espèces.

Neptune de la Nouvelle-Angleterre

Neptunea decemcostata

Longueur : 5-11 cm (2-4½ po).
Traits : forte coquille, gris pâle, fuselée vers l'apex ; 7 à 10 cordons saillants ; bouche blanche.
Habitat : eaux littorales, souvent dans les pièges à homards.

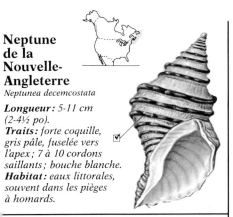

capsule d'œufs

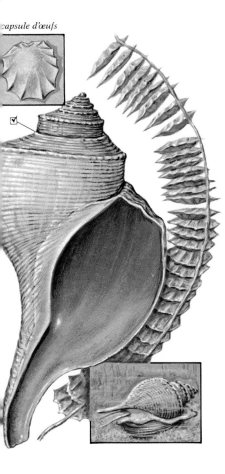

Busycon canaliculé

Busycon canaliculata

Longueur : 5-20 cm (2-8 po).
Traits : coquille piriforme grise ; suture profonde à la base de l'apex ; bouche dextre, brun-pourpre ; manteau fauve et pileux.
Habitat : lits de vase des eaux peu profondes, baies.

opercule

Nasse commune de l'Est *Nassarius vibex*

Longueur : 1,5-1,7 cm (½-⅔ po).
Traits : petite coquille trapue, gris-brun, à apex très pointu ; surface noduleuse ; lèvre interne épaisse, luisante ; lèvre externe dentée.
Habitat : lits de sable ou de vase peu profonds.

Nasse géante de l'Ouest

Nassarius fossatus

Longueur : 4-5 cm (1½-2 po).
Traits : coquille plate, très pointue, chamois ou rougeâtre ; cordons spiralés visibles à l'intérieur ; perles en surface ; lèvre externe évasée.
Habitat : près du rivage ; baies et lagunes.

opercule

Nasse de la Nouvelle-Angleterre

Nassarius trivittatus

Longueur : 2 cm (¾ po).
Traits : petite coquille très pointue, chamois clair ; surface perlée ; tours à épaulement carré ; lèvre interne blanche.
Habitat : sur le sable, eaux littorales.

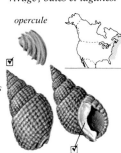

Nasse de l'Est
Ilynassa obsoleta

Longueur : 2-2,5 cm (¾-1 po).
Traits : forte coquille noire ou brun-pourpre, endommagée ou usée ; spire émoussée ; lèvre interne luisante, repliée vers l'arrière.
Habitat : lits de vase, surtout en baie.

Nasses Nassariidae

Ces petits escargots coniques se cachent dans la vase, ne laissant dépasser que le bout de leur siphon. Lorsqu'ils repèrent (à l'émanation de produits chimiques dans l'eau) un poisson mort ou quelque autre proie, ils sortent en grand nombre se nourrir. Vue de près, la nasse a un air bizarre avec son long mufle et son pied à opercule très petit ; elle a deux tentacules devant et deux cirres charnus derrière. Certaines nasses pondent des capsules d'œufs en forme d'urne ; d'autres gardent leurs œufs dans leur corps jusqu'à l'éclosion.

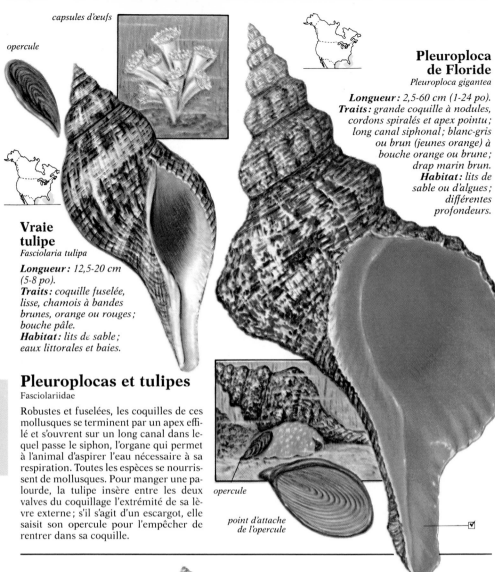

opercule

capsules d'œufs

Pleuroploca de Floride
Pleuroploca gigantea

Longueur : 2,5-60 cm (1-24 po).
Traits : grande coquille à nodules, cordons spiralés et apex pointu ; long canal siphonal ; blanc-gris ou brun (jeunes orange) à bouche orange ou brune ; drap marin brun. **Habitat :** lits de sable ou d'algues ; différentes profondeurs.

Vraie tulipe
Fasciolaria tulipa

Longueur : 12,5-20 cm (5-8 po).
Traits : coquille fuselée, lisse, chamois à bandes brunes, orange ou rouges ; bouche pâle.
Habitat : lits de sable ; eaux littorales et baies.

Pleuroplocas et tulipes
Fasciolariidae

Robustes et fuselées, les coquilles de ces mollusques se terminent par un apex effilé et s'ouvrent sur un long canal dans lequel passe le siphon, l'organe qui permet à l'animal d'aspirer l'eau nécessaire à sa respiration. Toutes les espèces se nourrissent de mollusques. Pour manger une palourde, la tulipe insère entre les deux valves du coquillage l'extrémité de sa lèvre externe ; s'il s'agit d'un escargot, elle saisit son opercule pour l'empêcher de rentrer dans sa coquille.

opercule

point d'attache de l'opercule

MOLLUSQUES

Olive imprimée
Oliva sayana

Longueur : 6,5-7,5 cm (2½-3 po).
Traits : coquille lisse, épaisse, luisante et cylindrique, beige à marques brunes ; longue bouche étroite.
Habitat : lits de sable peu profonds.

Olives et olivellas   Olividae

Tous ces mollusques sont carnivores, vivent en terrier et ne sortent que pour chasser. (On croit qu'ils écrasent leur victime avec leur pied.) Les petites espèces font parfois les délices des plus grosses. Lorsqu'on les surprend, les olives étendent leur grand manteau et nagent, mais leurs mouvements sont erratiques et peu efficaces.

Olive naine pourpre
Olivella biplicata

Longueur : 2,5-3 cm (1-1¼ po).
Traits : coquille robuste, luisante, bleu-gris ; base et apex pourpres.
Habitat : lits de sable peu profonds.

Térèbre de l'Atlantique
Terebra dislocata

Longueur: 4-5 cm (1½-2 po).
Traits: coquille mince, fuselée, grise ou chamois; tours côtelés; cordons spiralés à nodules; axe tordu à la base.
Habitat: fonds sableux.

Térèbres   Terebridae

Elles se distinguent des vermets et des cornets par leur longue bouche et leur axe central un peu tordu à la base. Quelques espèces seulement vivent en Amérique du Nord. Certaines térèbres ont une dent radulaire en forme de harpon et une glande venimeuse qui leur servent respectivement à saisir et à paralyser leurs proies.

Bulle de Californie
Bulla gouldiana

Longueur: 4-6,5 cm (1½-2½ po).
Traits: coquille mince, globuleuse, lisse, brun-gris ou brun pourpré; bouche évasée à lèvre interne blanche.
Habitat: baies et lagunes à marée basse.

Bulles
Bullidae

Enfouies dans les herbes le jour, les bulles sortent la nuit par milliers. Ce sont de curieux animaux; beaucoup trop gros pour leur coquille, ce sont eux qui l'enveloppent, et non l'inverse. La coquille se termine bizarrement par un apex en dépression qui dissimule les derniers tours. La bulle avale sa proie vivante et la broie ensuite avec les fortes plaques calcaires de son gosier.

Lièvres de mer   Aplysiidae

Les Grecs et les Romains croyaient que ces créatures à corps mou provoquaient des accouchement prématurés et étaient mortelles au toucher. A dire vrai, elles font encore peur aujourd'hui, surtout lorsque, dérangées, elles éjectent une encre rouge-bleu. Les lièvres de mer se nourrissent d'algues dans les estrans; ils se déplacent lentement, mais avec grâce. Certaines espèces ont une coquille interne rudimentaire.

Escargot commun de marais
Melampus bidentatus

Longueur: 1,5 cm (½ po).
Traits: petite coquille lisse, souvent usée, fauve ou brune à bandes foncées.
Habitat: marais salés.

Escargots de marais   Melampidae

Proches des escargots terrestres, ces gastropodes pulmonés respirent sur terre mais ne peuvent se reproduire hors de l'eau. De leurs œufs sortent des larves qui nagent. Certains œufs n'éclosent qu'au moment des grandes marées de printemps. Cette famille se retrouve dans l'Atlantique, le Pacifique et le golfe du Mexique.

Fausse patelle rayée
Siphonaria pectinata

extérieur

Longueur: 2,5 cm (1 po).
Traits: coquille circulaire, renflée à la marge, pointue au centre, grise ou brune à fines stries; intérieur luisant.
Habitat: rochers découverts à marée basse.

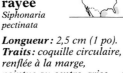

intérieur

Fausses patelles
Siphonariidae

Ces mollusques qui peuvent respirer sur terre ressemblent aux vraies patelles, sauf qu'ils ont une marge renflée d'un côté et creuse de l'autre. Ils vivent sur des rochers balayés par les vagues et de leurs œufs sortent des larves qui nagent. Ils ne vont pas au nord du Mexique dans le Pacifique, ni au nord de la Georgie dans l'Atlantique.

Lièvre de mer de Willcox
Aplysia willcoxi

Longueur: 12,5-23 cm (5-9 po).
Traits: corps charnu sans coquille visible; lobe mou de chaque côté du corps; 2 tentacules; couleur brun foncé, noirâtre ou marbrée brun et vert.
Habitat: lits de zostères en estran.

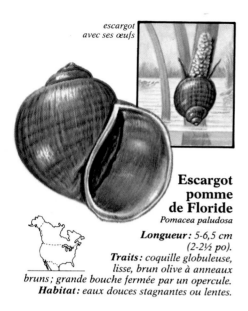

escargot
avec ses œufs

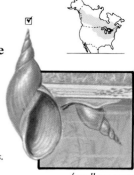

Limnée d'eau stagnante
Lymnaea stagnalis

Longueur: *4,5-5 cm
(1¾-2 po).*
Traits: *coquille en
colimaçon, mince,
fauve ou rose; apex
pointu; grande
bouche évasée.*
Habitat: *lacs, étangs.*

femelle en ponte

Escargot pomme de Floride
Pomacea paludosa

Longueur: *5-6,5 cm
(2-2½ po).*
Traits: *coquille globuleuse,
lisse, brun olive à anneaux
bruns; grande bouche fermée par un opercule.*
Habitat: *eaux douces stagnantes ou lentes.*

Limnées d'étangs
Lymnaeidae

Bien que faits pour vivre en milieu aquatique, ces escargots à coquille mince respirent l'oxygène de l'air, montrant par là qu'ils sont issus d'ancêtres terrestres. La fréquence de leurs respirations dépend de la température et du degré d'oxygénation de l'eau. L'intervalle entre chaque inspiration va de 15 secondes à plusieurs heures; on a cependant vu des limnées rester des mois sans faire surface.

Escargots pommes Ampullariidae

Si on les trouve parfois en eau stagnante, les escargots pommes préfèrent les lacs et les cours d'eau clairs et bien oxygénés. Ces gros gastropodes herbivores respirent avec leurs branchies, mais aussi avec un organe du manteau qui leur permet de retirer l'oxygène de l'air. Après l'accouplement, la femelle pond des masses d'œufs de 6 mm (¼ po) sur des tiges ou des rameaux près de l'eau. A l'éclosion, les petits escargots tombent dans l'eau.

Hélisome à trois volves
Helisoma trivolvis

Longueur:
1,5-3 cm (½-1¼ po).
Traits: *coquille
aplatie, chamois,
brune ou marron;
spire hélicoïdale;
bouche évasée, lèvre mince.*
Habitat: *lacs, étangs,
eaux lentes.*

Escargots cornes-de-bélier Planorbidae

Ces gastropodes, parfois appelés escargots hélices, prennent leur oxygène dans l'air. Ils fréquentent les plans d'eau douce riches en herbes aquatiques. Hermaphrodite, chaque individu possède les deux sexes. Au printemps, on peut les voir faire la chaîne, chaque escargot agissant simultanément comme mâle et femelle.

Escargot mystère de l'Est
Viviparus georgianus

Longueur: *4-4,5 cm
(1½-1¾ po).*
Traits: *coquille luisante,
vert olive, cerclée
de brun; bouche ronde
et apex haut;
tours arrondis.*
Habitat: *étangs,
lacs, rivières.*

Escargot têtard commun
Physa heterostropha

Longueur: *1,5-2,5 cm (½-1 po).*
Traits: *coquille variant du jaune
au brun; grande bouche évasée,
senestre; apex pointu.*
Habitat: *étangs, lacs, cours d'eau.*

Escargots mystères Viviparidae

Ces gros gastropodes donnent naissance à des escargots vivants dotés d'une coquille. (Les espèces d'eau douce sont ovipares.) Le plus gros membre de cette famille en Amérique du Nord, l'escargot mystère chinois *(Viviparus malleatus)*, a été introduit au XIXᵉ siècle comme vidangeur d'aquariums (il mange des algues) et s'est répandu dans l'Est.

Escargots têtards Physidae

Différents des autres par leur coquille senestre, ces escargots fréquentent les mares d'eau stagnante à plantes aquatiques. Ils respirent l'oxygène de l'air au moyen de poumons modifiés situés dans le manteau et viennent souvent respirer en surface, laissant derrière eux, sur l'eau, une trace du mucus sécrété par leur pied.

L'identification des bivalves. Les bivalves viennent souvent échouer sur la grève avec les deux valves de leur coquille solidement réunies par un ligament à la charnière. Une mince pellicule, le périoste ou « drap marin », recouvre normalement la surface extérieure ; elle manque souvent. On peut observer les stries d'accroissement. Ces stries sont plus étroites et plus épaisses durant les périodes où le bivalve a eu peu à manger.

A l'intérieur de la coquille, près de la charnière, se trouvent une ou plusieurs dents qui s'insèrent dans des cavités correspondantes dans l'autre valve. Sous la charnière, certaines espèces portent une dépression triangulaire qui retenait un cartilage lorsque le mollusque était vivant. On voit un ou deux sillons ovales et plats ; un muscle adducteur y était normalement attaché : il servait à refermer les valves de la coquille. Une ligne palléale montre où prenait le manteau. Lorsque cette ligne est profondément incurvée, l'animal possédait un siphon qui rentrait complètement dans la coquille. Par contre, si les deux valves ne s'ajustent pas étroitement, le siphon ou le pied sortait de la coquille chez le mollusque vivant.

Palourde asiatique
Corbicula manilensis

Longueur :
2,5-6,5 cm (1-2½ po).
Traits : *coquille triangulaire, pointue à la charnière ; stries concentriques ; extérieur brun à drap marin noirâtre ; intérieur pourpre ou bleu.*
Habitat : *rivières.*

Palourdes de marais et d'eau douce   Corbiculidae

Introduite par accident dans l'ouest des Etats-Unis vers 1940, la palourde asiatique s'est multipliée au point d'envahir les rigoles et les tuyaux d'irrigation. Au lieu de pondre ses œufs dans l'eau, elle les incube à l'intérieur de son corps, dans ses branchies. La palourde des marais de Caroline *(Polymesoda caroliniana)* et celle des marais de Floride *(Polymesoda maritima)* sont des espèces indigènes qui vivent en eaux saumâtres.

Moule perlière
Margaritifera margaritifera

Longueur : *7,5-15 cm (3-6 po).*
Traits : *coquille allongée, elliptique, plate ; extérieur lisse à drap marin noir ; intérieur blanc de nacre, rose ou pourpré.*
Habitat : *cours d'eau vive.*

Moules perlières
Margaritiferidae

Au lieu de nager librement, les larves des moules perlières et des moules de rivière se fixent sur les branchies, les nageoires ou la peau des poissons et se nourrissent pendant plusieurs semaines de leurs tissus. (Ce parasitisme ne blesse pas le poisson, mais peut entraîner pour lui des infections.) La petite moule tombe ensuite au fond de l'eau où elle parvient à maturité. Quelques espèces choisissent d'autres hôtes que les poissons.

Moule filtre
Elliptio complanata

Longueur :
7,5-10 cm (3-4 po).
Traits : *coquille elliptique ; extérieur rugueux, parfois strié ; drap marin brun, chamois ou noir ; sillon du sommet à la marge ; intérieur nacré.*
Habitat : *étangs, lacs, cours d'eau.*

Moules de rivière   Unionidae

La taille des moules de rivière varie en fonction de l'environnement, c'est-à-dire selon qu'elles vivent sur fond de sable ou de roche, en eau calme ou turbulente. Mets favori des rats musqués, elles sont parfois considérées comestibles. On les cueille aussi, comme les moules perlières, pour leurs coquilles nacrées dont on fait des boutons ou des noyaux pour la culture des perles.

jeunes moules se détachant de la nageoire d'un poisson

Arches Arcidae

Forte et rectangulaire, la coquille de l'arche est dotée d'une charnière longue et droite à plusieurs petites dents qui servent à verrouiller les valves en position fermée. Certaines espèces d'arches se fixent sur les rochers à la manière des moules; d'autres se creusent un terrier dans le sable. Plusieurs ont le sang rouge et non incolore ou bleuâtre des autres mollusques. Ces bivalves abondent dans les mers chaudes et peu profondes; en Amérique du Nord, on les trouve principalement sur les côtes de l'Atlantique et du golfe du Mexique.

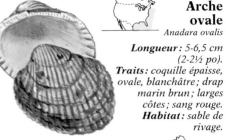

Arche ovale
Anadara ovalis

Longueur: *5-6,5 cm (2-2½ po).*
Traits: *coquille épaisse, ovale, blanchâtre; drap marin brun; larges côtes; sang rouge.*
Habitat: *sable de rivage.*

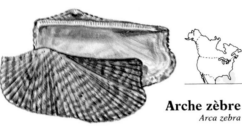

Arche zèbre
Arca zebra

Longueur: *7,5-9 cm (3-3½ po).*
Traits: *coquille rectangulaire, en forme d'aile; fines côtes; blanche ou chamois, à raies irrégulières rouge-brun.*
Habitat: *rochers près du rivage.*

Arche massive
Noetia ponderosa

Longueur: *5-7,5 cm (2-3 po).*
Traits: *coquille très concave, très épaisse, blanchâtre; drap marin noir; côtes larges; fines stries incisées.*
Habitat: *fonds non rocheux près du rivage.*

Pinnes (jambonneaux) Pinnidae

Les jambonneaux produisent des faisceaux de filaments minces appelés byssus avec lesquels ils se fixent sur des roches ou des morceaux de coquillages enfouis. La partie large de la coquille sort légèrement du sable et peut blesser ceux qui vont pieds nus dans l'eau, sur la côte du sud-est des Etats-Unis. Pendant des siècles, le byssus du jambonneau de Méditerranée *(Pinna nobilis)* a servi à fabriquer bas, gants, chapeaux et cols de vêtements.

Jambonneau à dents de scie
Atrina serrata

Longueur: *15-30 cm (6-12 po).*
Traits: *grande coquille mince et cassante, vert olive ou fauve; extrémité pointue; côtes écailleuses.*
Habitat: *fonds non rocheux près du rivage.*

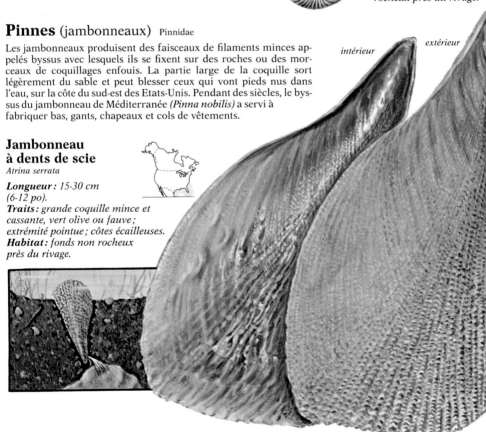

intérieur   extérieur

Moules Mytilidae

Ces mollusques à coquille fragile sont des animaux sédentaires qui s'accrochent à des rochers ou à des objets durs par de solides filaments. L'écheveau de ces fils, appelé byssus, est tissé par le pied de l'animal et fixé au substrat par pression. A la base du pied, une glande sécrète une substance résineuse qui durcit sur les fils au contact de l'eau de mer.

Les moules filtrent l'eau de mer pour se nourrir, mais sont dévorées à leur tour par les étoiles de mer et certains escargots. L'homme en fait une grande consommation. Mais les moules sont aussi l'hôte d'un certain nombre de parasites attirés par les algues qui prolifèrent sur leurs coquilles. Les patelles les fréquentent assidûment, mais aussi certains petits crabes qui poussent l'impertinence jusqu'à se loger dans leur corps.

Moriole
Modiolus modiolus
Longueur:
7,5-15 cm (3-6 po).
Traits: *coquille épaisse, très concave; extérieur blanc ou mauve, drap marin noirâtre effiloché; crêtes concentriques peu marquées; intérieur bleuâtre.*
Habitat: *fonds rocheux en eaux profondes.*

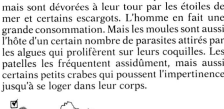

Moule bleue
Mytilus edulis

Longueur: *5-7,5 cm (2-3 po).*
Traits: *longue coquille piriforme; extérieur bleu-noir à drap marin luisant et crêtes concentriques irrégulières; intérieur bleuâtre à bord foncé; 4 petites dents sur le sommet étroit.*
Habitat: *en colonies sur roches, pilotis, jetées; en eaux peu profondes.*

étoile de mer mangeant une moule

Moule côtelée de l'Atlantique
Geukensia demissa

Longueur:
7,5-10 cm (3-4 po).
Traits: *coquille longue, piriforme; extérieur brun, rugueux; fines côtes sur la longueur; intérieur nacré.*
Habitat: *fonds vaseux des baies et marais salés.*

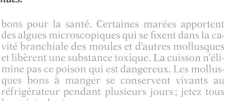

Moule incurvée
Ischadium recurvum

Longueur: *2,5-6,5 cm (1-2½ po).*
Traits: *coquille aplatie, large, à crochet très recourbé; extérieur gris, côtelé, noir entre les côtes; intérieur pourpre ou rouge-brun et luisant.*
Habitat: *sur roches, pilotis et brisants en eaux peu profondes.*

MOLLUSQUES

Les moules ne sont pas toutes bonnes à manger. Avant de pêcher des palourdes, des moules ou d'autres mollusques pour les manger, vérifiez s'ils sont comestibles. Parfois, il faut un permis pour ramasser certaines espèces et les dates et les lieux de la cueillette sont sévèrement réglementés, tout comme le nombre des prises. Il va de soi que des mollusques pêchés en eau polluée ne sont pas bons pour la santé. Certaines marées apportent des algues microscopiques qui se fixent dans la cavité branchiale des moules et d'autres mollusques et libèrent une substance toxique. La cuisson n'élimine pas ce poison qui est dangereux. Les mollusques bons à manger se conservent vivants au réfrigérateur pendant plusieurs jours; jetez tous les sujets douteux.

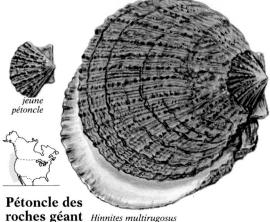

jeune
pétoncle

Pétoncle des roches géant *Hinnites multirugosus*

Longueur: 7,5-15 cm (3-6 po).
Traits: coquille large, massive, de forme variable;
extérieur rugueux, rouge-brun ou brun;
intérieur blanc, souvent à macule pourpre.
Habitat: sur roches et pilotis sous la limite de
marée basse; les jeunes nagent librement.

Pétoncle bigarré du Pacifique
Argopecten circularis

Longueur: 6,5-7,5 cm (2½-3 po).
Traits: coquille circulaire, très concave,
portant 19 à 22 côtes; blanche ou jaune
orange avec macules brunes.
Habitat: fonds vaseux, baies et lagunes.

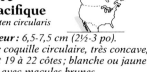

Pétoncle de varech
Leptopecten latiauratus

Longueur: 2-2,5 cm (¾-1 po).
Traits: coquille mince,
aplatie, portant 12 à 16 côtes;
brun orange à zigzags blancs.
Habitat: sur varech près du rivage.

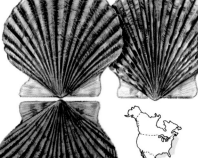

Pétoncle de baie de l'Atlantique
Argopecten irradians

Longueur: 5-7,5 cm (2-3 po).
Traits: coquille circulaire, aplatie,
à 18 côtes saillantes environ;
grise (valve inférieure plus pâle).
Habitat: fonds vaseux des baies;
sur varech.

Pétoncles (peignes)

Pectinidae

Si certains pétoncles sont sédentaires, d'autres arrivent à nager en ouvrant et en fermant soudainement leurs valves avec leur unique muscle adducteur. (C'est ce muscle qui est comestible.) En variant la direction des jets d'eau qu'ils lancent ainsi, ils parviennent à se mouvoir dans n'importe quelle direction. A la périphérie de leur manteau se trouvent de petits tentacules tactiles, sensibles aux odeurs et aux variations de pression. Des douzaines de petits yeux luisent sur le bord de leur manteau charnu. Alertés par leurs yeux et leurs tentacules, les pétoncles arrivent à échapper à leurs prédateurs.

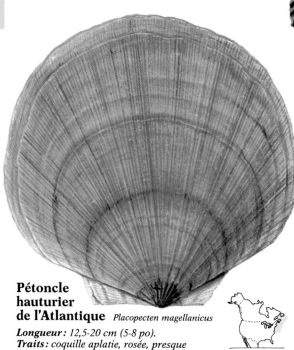

Pétoncle hauturier de l'Atlantique *Placopecten magellanicus*

Longueur: 12,5-20 cm (5-8 po).
Traits: coquille aplatie, rosée, presque
circulaire; côtes filiformes. *Habitat:* eaux profondes.

Anomies Anomiidae

Ces petits mollusques qu'on confond souvent avec de jeunes huîtres mènent une existence sédentaire. Ils se fixent aux roches, coquillages ou morceaux de bois au moyen d'un byssus très fort qui sort de la valve inférieure par un grand trou; ce byssus est si solide que la valve s'aplatit et prend la forme de son ancrage. La valve supérieure, plus résistante, sert à fabriquer des bijoux et des carillons qui tintent au vent.

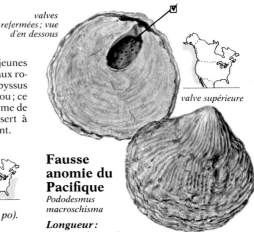

valves refermées; vue d'en dessous

valve supérieure

Anomie de l'Atlantique
Anomia simplex

Longueur: 2,5-5 cm (1-2 po).
Traits: coquille mince, translucide; valve inférieure plate, blanc crème, à grand trou; valve supérieure convexe, orange ou jaune (parfois grise ou noire).
Habitat: baies.

Fausse anomie du Pacifique
Pododesmus macroschisma

Longueur: 5-10 cm (2-4 po).
Traits: coquille semblable à celle de l'anomie de l'Atlantique, mais plus grande et plus épaisse; extérieur rugueux blanc; intérieur vert nacré.
Habitat: sur roches et pilotis près du rivage.

Huîtres comestibles Ostreidae

Avec l'ostréiculture, ces délicieux mollusques sont transportés loin de leurs habitats naturels sous forme de naissains, c'est-à-dire de toutes petites larves ciliées qui nagent librement. L'huître de l'Est est donc élevée aussi sur la côte Ouest et l'huître creuse du Pacifique nous vient du Japon. Parmi les huîtres indigènes de l'Amérique du Nord, il y a l'huître indigène du Pacifique *(Ostrea lurida)*, petit mollusque à l'intérieur vert, et l'huître fronde *(Lopha frons)*, souvent fixée aux racines des palétuviers. Aucune des huîtres comestibles ne donne de perles précieuses.

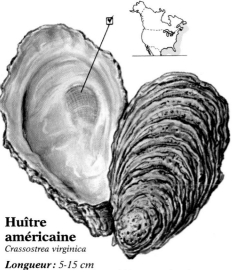

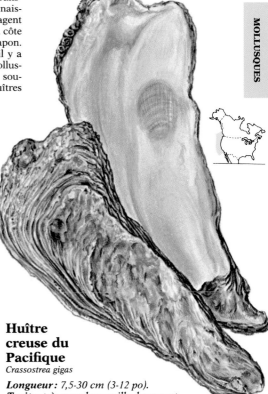

Huître américaine
Crassostrea virginica

Longueur: 5-15 cm (2-6 po). **Traits:** valve inférieure profonde, supérieure plate; extérieur blanchâtre ou gris; intérieur blanc; impression musculaire pourpre.
Habitat: baies, estuaires, eaux littorales; sur substrat dur.

Huître creuse du Pacifique
Crassostrea gigas

Longueur: 7,5-30 cm (3-12 po).
Traits: très grande coquille, longue et élancée, blanchâtre; sillons en surface; valve supérieure plus plate et plus petite que l'autre.
Habitat: roches et pilotis dans les baies.

Couteaux et rasoirs
Solenidae

Ces mollusques à coquille longue vivent entre les limites des marées. Ils sont très agiles. Devant un éventuel prédateur, ils sortent leur pied par une échancrure entre les valves; le pied se gonfle alors de sang et se contracte, faisant enfoncer le mollusque davantage dans le sable. La répétition de ce mouvement donne des résultats étonnants. On trouve plusieurs espèces de couteaux et de rasoirs dans le commerce; ils sont considérés par certains comme plus fins que les palourdes.

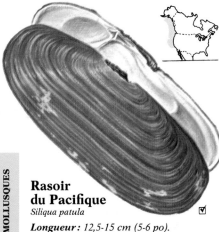

Rasoir du Pacifique
Siliqua patula ☑

Longueur: *12,5-15 cm (5-6 po).*
Traits: *coquille mince, longue, ovale, à bouts arrondis; blanche avec drap marin brun luisant; intérieur à renfort.*
Habitat: *entre les limites des marées.*

Couteau
Ensis directus

Longueur: *15-25 cm (6-10 po).*
Traits: *coquille longue, étroite, recourbée, tubuleuse, ouverte aux deux bouts; blanche à drap marin brun-vert.*
Habitat: *sable ou vase en baies peu profondes.*

couteau s'enfouissant dans le sable

Lucines   Lucinidae

Ce mollusque dodu et rond tire son nom de Junon Lucina, déesse romaine qui présidait aux accouchements. Sa coquille lisse présente parfois des crêtes concentriques. La lucine de Nuttall *(Lucina nuttalli)* a de petites côtes irradiant de la charnière.

Lucine contre-hachurée
Divaricella quadrisulcata

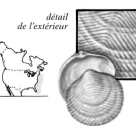

détail de l'extérieur

Longueur: *2-2,5 cm (¾-1 po).*
Traits: *coquille ronde, blanche, enflée, à chevrons.*
Habitat: *eaux profondes.*

Chames   Chamidae

Les chames vivent en colonies sur les rochers des mers chaudes. On les retrouve souvent sur les grèves après un orage. La chame épineuse de Floride *(Arcinella cornuta)* présente une coquille blanche piquée d'épines minces.

Chame limpide
Chama pellucida

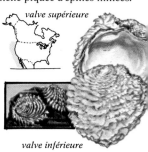

valve supérieure

Longueur: *4-7,5 cm (1½-3 po).*
Traits: *valve inférieure creuse, circulaire; valve supérieure plate et écailleuse; blanche ou rosée.* **Habitat:** *baies, eaux littorales.*

valve inférieure

Macomas et tellines (papillons)
Tellinidae

Le long siphon de ces mollusques leur sert à aspirer les débris organiques de l'eau. Les tellines, qui sont parfois appelées « lever de soleil », sont d'une grande beauté.

Macoma baltique
Macoma baltica

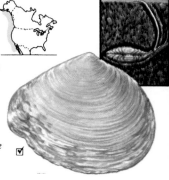

Longueur: *2-2,5 cm (¾-1 po).*
Traits: *coquille ovale, plate, crayeuse, souvent usée; blanc crème ou rose; restes du drap marin fauve.*
Habitat: *baies, criques.*

Macoma à nez croche
Macoma nasuta

Longueur: *6,5-9 cm (2½-3½ po).*
Traits: *coquille ronde, mince, lisse, encochée d'un côté; blanc crème; fin drap marin fauve.*
Habitat: *lits de vase en baies calmes.* ☑

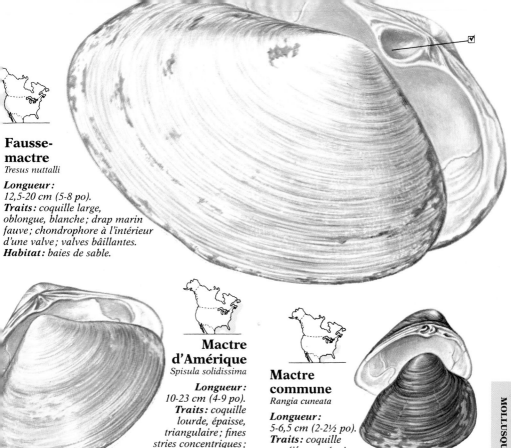

Fausse-mactre
Tresus nuttalli

Longueur:
12,5-20 cm (5-8 po).
Traits: coquille large,
oblongue, blanche; drap marin
fauve; chondrophore à l'intérieur
d'une valve; valves bâillantes.
Habitat: baies de sable.

Mactre d'Amérique
Spisula solidissima

Longueur:
10-23 cm (4-9 po).
Traits: coquille
lourde, épaisse,
triangulaire; fines
stries concentriques;
crème ou blanc-jaune.
Habitat: sable près du rivage.

Mactre commune
Rangia cuneata

Longueur:
5-6,5 cm (2-2½ po).
Traits: coquille
cunéiforme, épaisse,
lourde, lisse, à stries concentriques;
blanchâtre; drap marin vert ou brun.
Habitat: marais salés.

Mactres   Mactridae

Ces gros mollusques ne s'enfoncent souvent que partiellement dans le sable; aussi sont-ils facilement délogés par les vagues et rejetés sur la grève. Leur coquille triangulaire est arrondie à un bout. A la charnière se trouve une dépression en forme de cuiller, le chondrophore, qui contient le résilium, épais coussinet corné qui aide à garder les valves bâillantes. La coquille de la mactre commune est si solide qu'on s'en est déjà servi pour construire le lit des routes; celle de la mactre cannelée *(Raeta plicatella)* est si fragile qu'un goéland, d'un coup de bec, peut la percer. Chaque année, on drague des millions de mactres de l'Atlantique qu'on vend en conserve.

Donax (trialles)
Donacidae

Ces petits mollusques, auxquels on donne également le nom de papillon, à cause de leur forme lorsqu'ils sont ouverts, sortent de leur terrier et y rentrent selon les mouvements des vagues qui balaient les plages de sable où ils logent. Eblouissante de couleur, la coquina de Floride contraste joliment avec ses ternes congénères du Pacifique, le donax de Gould *(Donax gouldi)* et le donax de Californie *(Donax californicus)*, à intérieur pourpre.

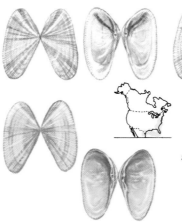

Coquina de Floride
Donax variabilis

Longueur: 1,5-2 cm (½-¾ po).
Traits: petite coquille
cunéiforme, épaisse, facile à
repérer sur les plages; extérieur
lisse, luisant, à rayures vives;
couleurs et motifs variables.
Habitat: grèves de sable.

257

Vénus (clam-quahogs)
Veneridae

Ce joli coquillage qui porte le nom de la déesse de l'Amour présente deux valves lourdes et épaisses dotées d'un bec prononcé. Le plus connu, le quahog nordique, est commercialisé sous le nom de palourde Littleneck ou Cherrystone. Les Indiens se servaient des coquilles de ces mollusques pour confectionner des perles cylindriques, évidées, qui servaient de monnaie d'échange. Les plus précieuses étaient les perles mauves tirées d'une tache à l'intérieur des valves. Le grand clam-quahog du Sud *(Mercenaria campechiensis)*, semblable au précédent, n'a généralement pas de tache mauve.

Vénus réticulée
Chione cancellata

Longueur: *2,5-4,5 cm (1-1¾ po).*
Traits: *coquille petite, lourde, à fortes crêtes concentriques sur côtes radiales; extérieur gris ou brun; intérieur pourpré.*
Habitat: *eaux littorales peu profondes.*

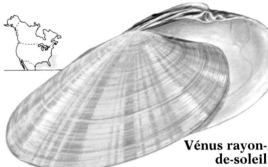

Vénus rayon-de-soleil
Macrocallista nimbosa

Longueur: *7,5-12,5 cm (3-5 po).* **Traits:** *coquille allongée, ovale, lisse; extérieur chamois à stries radiantes brunes et drap marin luisant; intérieur blanc.*
Habitat: *fonds non rocheux; limite de marée basse.*

Protothaca du Pacifique
Protothaca staminea

Longueur: *4-5 cm (1½-2 po).*
Traits: *valves rondes ou ovales; côtes radiales sur fines stries concentriques; extérieur fauve ou blanchâtre, parfois tacheté; intérieur blanc ou pourpré.*
Habitat: *baies de sable.*

Dosinia disque
Dosinia discus

Longueur: *6,5-7,5 cm (2½-3 po).*
Traits: *coquille ronde, plate, à fines crêtes; blanche à drap marin chamois.*
Habitat: *fonds littoraux sablonneux.*

Palourde pismo
Tivela stultorum

Longueur: *7,5-15 cm (3-6 po).* **Traits:** *coquille lourde, épaisse, triangulaire, lisse, chamois; stries radiantes brunes et drap marin luisant.*
Habitat: *sable; limite des marées basses.*

Quahog nordique
Mercenaria mercenaria

Longueur: *7,5-12,5 cm (3-5 po).*
Traits: *coquille ovale, épaisse, à stries fines; forte lunule décentrée; extérieur blanchâtre ou gris; intérieur blanc à tache mauve.*
Habitat: *baies et grèves.*

Palourde calico
Macrocallista maculata

Longueur: *6,5-7,5 cm (2½-3 po).*
Traits: *coquille lisse, presque ronde; extérieur crème à marques brunes en damier.*
Habitat: *grèves sablonneuses.*

Coques (bucardes) Cardiidae

Les coques sont faciles à identifier car, vues de côté, elles ont toutes la coquille en forme de cœur. Elles s'enfoncent peu dans le sable et leur siphon est court, mais leur pied haut et musculeux leur facilite les déplacements. Les coques sont fort appréciées des gourmets en Europe; elles le sont moins ici, ce qui fait l'affaire des canards plongeurs qui en raffolent. La coque commune du Pacifique *(Laevicardium substriatum)* ressemble beaucoup à la coque de Morton.

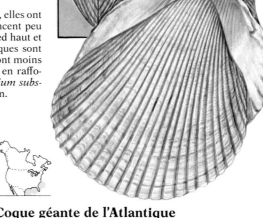

Coque de Morton
Laevicardium mortoni

Longueur: 1,5-2,5 cm (½-1 po).
Traits: petite coquille mince et enflée; extérieur lisse, luisant, crème; intérieur jaune d'œuf, pâlissant à la lumière.
Habitat: fonds vaseux peu profonds et baies.

Coque géante de l'Atlantique
Dinocardium robustum

Longueur: 10-12,5 cm (4-5 po).
Traits: coquille lourde, renflée, à environ 35 larges côtes; extérieur chamois clair; intérieur rouge clair; fermée, la coquille est cordiforme de profil.
Habitat: fonds littoraux non rocheux.

Cardites Carditidae

Toutes ont des coquilles fortement côtelées, mais la cardite de Floride est moins ronde que les autres. Certaines espèces incubent leurs œufs. La milnère de Kelsey *(Milneria kelseyi)*, qui mesure à peine 6 mm (¼ po) et que l'on trouve en Californie, a une cavité palléale marsupiale.

Cardite de Floride
Carditamera floridana

Longueur: 2,5-4 cm (1-1½ po).
Traits: coquille épaisse, allongée, à 15 fortes côtes; extérieur blanc ou gris; intérieur blanc.
Habitat: fonds non rocheux peu profonds.

MOLLUSQUES

Sanguine de Nuttall
Sanguinolaria nuttallii

Longueur: 7,5-12,5 cm (3-5 po).
Traits: coquille mince et ovale; une valve aplatie; extérieur lisse, gris ou pourpre, à drap marin brun luisant; intérieur rosé ou pourpre.
Habitat: baies de vase.

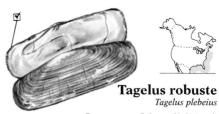

Tagelus robuste
Tagelus plebeius

Longueur: 5-9 cm (2-3½ po).
Traits: coquille forte, oblongue, arrondie aux extrémités; extérieur blanchâtre à drap marin chamois; jointes, les valves forment un tube ouvert aux deux bouts.
Habitat: fonds sableux peu profonds.

Sanguines Psammobiidae

La sanguine de l'Atlantique *(Sanguinolaria sanguinolenta)*, espèce rare, présente une tache rouge sang près du bec. La sanguine de Nuttall n'a pas cette tache caractéristique mais, à l'intérieur, elle est rosée ou pourprée. Les sanguines fréquentent de préférence les eaux tropicales; les espèces de l'Est ne montent généralement pas vers le nord au-delà de la Floride.

Tagelus Solecurtidae

Ce coquillage qui ressemble beaucoup aux rasoirs et aux couteaux présente des sujets de tailles fort variées. La tagelus de Californie *(Tagelus californianus)*, jaune, mesure 9 cm (3½ po), tandis que la tagelus pourpre *(Tagelus divisus)* fait à peine 2,5 cm (1 po) et fréquente les fonds de sable vaseux dans les eaux peu profondes de l'Atlantique.

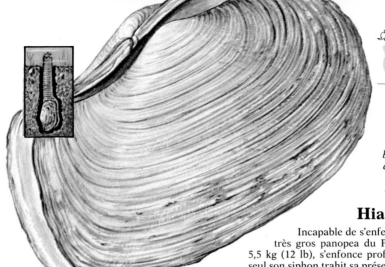

Panopea du Pacifique
Panopea generosa

Longueur: *18-23 cm (7-9 po).*
Traits: *grande coquille blanchâtre; valves bâillantes; robuste siphon de 60 cm (2 pi), rappelant la trompe d'un éléphant.*
Habitat: *baies sableuses.*

Hiatellidées   Hiatellidae

Incapable de s'enfermer dans sa coquille, le très gros panopea du Pacifique, qui peut peser 5,5 kg (12 lb), s'enfonce profondément dans la vase; seul son siphon trahit sa présence. Celui de l'Atlantique *(Panopea bitruncata)*, plus petit, vit en eaux profondes.

Myes   Myidae

Enfouies dans le sable ou la vase, les myes laissent affleurer leur long siphon pour se nourrir. En cas de menace, le mollusque expulse un petit jet d'eau et rétracte son siphon, laissant un trou qui révèle sa présence.

Mye   *Mya arenaria*

Longueur: *10-14 cm (4-5½ po).*
Traits: *coquille grande, ovale, ridée, blanc terne; mince drap marin brun; une valve aplatie à apophyse en cuiller; valves bâillantes.*
Habitat: *baies de sable ou de vase.*

Pholades   Pholadidae

La pholade se creuse lentement un trou dans le roc, le bois ou quelque autre matière, selon l'espèce, avec le bout antérieur rugueux de sa coquille. De l'autre extrémité, plus lisse, sort le siphon. L'aile d'ange, pholade des fonds vaseux, se contracte si violemment lorsqu'on la dérange qu'elle peut faire éclater sa coquille. La petite pétricola pholadiforme *(Petricola pholadiformis)*, qui a la même aire de dispersion, vit dans l'argile, la mousse ou le bois des baies et marais salés.

Pholade écailleuse
Parapholas californica

Longueur: *5-10 cm (2-4 po).*
Traits: *coquille arquée, cunéiforme, blanchâtre; ligne radiale séparant chaque valve; extrémité bulbeuse à fines écailles dressées; autre bout allongé à fort drap marin brun.*
Habitat: *roches friables; limite de marée basse.*

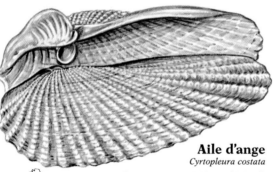

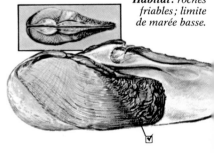

Aile d'ange
Cyrtopleura costata

Longueur: *12,5-20 cm (5-8 po).*
Traits: *coquille longue, mince, arquée, en forme d'aile, blanche; côtes perlées, régulières; drap marin gris.*
Habitat: *baies, criques; sable et argile.*

MOLLUSQUES

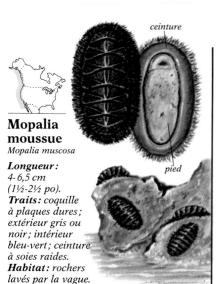

ceinture

pied

Mopalia moussue
Mopalia muscosa

Longueur:
*4-6,5 cm
(1½-2½ po).*
Traits: *coquille
à plaques dures;
extérieur gris ou
noir; intérieur
bleu-vert; ceinture
à soies raides.*
Habitat: *rochers
lavés par la vague.*

Chitons Polyplacophora

Ces mollusques qui ont peu évolué depuis
400 millions d'années ont une coquille à
huit valves ou plaques dures maintenues
par une ceinture coriace. On les trouve
dans le Pacifique, l'Atlantique et le golfe
du Mexique, mais il y en a plus d'espèces
dans le Pacifique. Le jour, ils s'accrochent aux rochers; la nuit, ils rampent
sur leur pied musculeux et se nourrissent
d'algues et d'organismes microscopiques.

Dentales Scaphopoda

Le bout fin du dentale émerge du sable
ou de la vase lorsque le mollusque est
enfoui. De l'autre extrémité sortent des filaments préhensiles qui capturent des
parcelles d'aliments et les portent à la
bouche du mollusque. On trouve les dentales presque partout en Amérique du
Nord, bien qu'ils fréquentent les eaux
profondes. Dans l'Ouest, ils servaient de
monnaie aux Indiens.

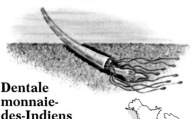

Dentale monnaie-des-Indiens
Dentalium pretiosum

Longueur: *4-5 cm
(1½-2 po).* **Traits:** *tube fin
et courbe, ouvert aux deux bouts, aminci
à l'un des deux; fait penser à une défense
d'éléphant par sa forme et sa couleur.*
Habitat: *près du rivage.*

Pieuvres et calmars Cephalopoda

On trouve plusieurs sortes de pieuvres en Amérique du
Nord. L'espèce du Pacifique se rencontre du Mexique à
l'Alaska; la pieuvre commune de l'Atlantique *(Octopus
vulgaris)* couvre la côte, tandis que plusieurs espèces
habitent les rivages méridionaux. Les calmars occupent eux aussi une aire étendue. Comme les argonautes
et les spirules, ce sont des céphalopodes dépourvus de
coquille, mais dotés de bras. La pieuvre en a huit et le
calmar 10, dont deux longs tentacules, avec des ventouses pour agripper leurs proies. Pieuvres et calmars peuvent nager; les premiers préfèrent cependant ramper
dans le fond en s'aidant de leurs ventouses.

Calmar totam *Loligo pealeii*

Longueur: *30-60 cm (1-2 pi).*
Traits: *corps long et mince;
tête à 2 yeux et 10 bras;
nageoire triangulaire
à l'autre bout;
couleur variable.*
Habitat: *eaux
littorales; parfois en
grands bancs.*

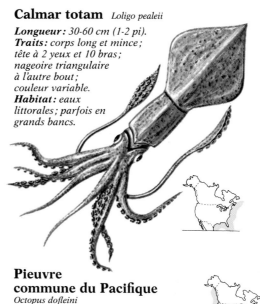

Pieuvre commune du Pacifique
Octopus dofleini

Longueur: *30-90 cm (1-3 pi);
dépasse 3 m (10 pi) en Alaska.*
Traits: *8 tentacules à ventouses; corps ovale;
couleur variable (souvent rouge ou brun pourpré).*
Habitat: *fissures rocheuses à diverses profondeurs.*

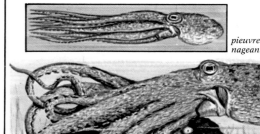

*pieuvre
nageant*

Escargot forestier à bandes
Monadenia fidelis

Longueur: *2,5-4,5 cm (1-1¾ po).*
Traits: *coquille à tours plats ou élevés; haut bistre, ocre ou jaune; bande brun foncé au centre, visible de l'intérieur; base brune; lèvre et intérieur blancs.* **Habitat:** *forêts et bosquets.*

Escargots arboricoles
Helminthoglyptidae

Les escargots aiment l'humidité. Il y a pourtant des espèces déserticoles qui peuvent fermer leur coquille au moyen de couches de mucus durcies, l'épiphragme, pour résister à la déshydratation. Les escargots terrestres, contrairement aux escargots de mer, n'ont pas d'opercule.

Polygyra à sept tours
Polygyra septemvolva

Longueur: *6 mm-1,5 cm (¼-½ po).*
Traits: *coquille plate, minuscule; de 6 à 10 tours; petite bouche ronde; brun chamois (blanc à l'usure).* **Habitat:** *forêts; régions dégagées.*

Polygyras Polygyridae

Cet escargot à coquille aplatie, presque discoïde, et à tours nombreux et serrés dévore quantité de feuilles et de matières végétales avec sa bouche à mâchoires cornées et sa langue râpeuse. Les escargots terrestres vivent un ou deux ans, mais certaines espèces déserticoles atteignent 15 ans.

Hélice mouchetée
Helix aspersa

Longueur: *4-4,5 cm (1½-1¾ po).*
Traits: *coquille globuleuse, mince, à bouche ronde; lèvre mince; crème à bandes brunes.* **Habitat:** *terres agricoles, zones urbaines.*

Hélices Helicidae

Aucune hélice n'est indigène en Amérique du Nord, mais certaines espèces importées d'Europe s'y sont acclimatées. Si l'escargot est hermaphrodite, il ne peut s'autoféconder; l'accouplement précède donc la ponte et le partenaire est stimulé par l'injection d'un « dard d'amour ».

Escargot forestier rayé
Anguispira alternata

Longueur: *2-3 cm (¾-1¼ po).*
Traits: *coquille aplatie; dépression à la base; lèvre mince et évasée; fauve clair maculé de taches noyer régulièrement espacées.* **Habitat:** *forêts, bosquets, parcs.*

Endodontidés Endodontidae

En dépit de sa lenteur proverbiale, l'escargot peut se déplacer à la vitesse de 112 m/h (365 pi/h). Il rampe sur son pied ventral grâce à un mucus adhésif luisant appelé bave, qui est orange chez l'escargot forestier rayé. Les endodontidés sont les plus anciens pulmonés terrestres.

Triodopsis à lèvre blanche
Triodopsis albolabris

Longueur: *2-4,5 cm (¾-1¾ po).*
Traits: *coquille en colimaçon, aplatie latéralement; bouche à lèvre blanche enroulée vers l'extérieur, couvrant le centre des tours à la base; fauve clair ou paille.* **Habitat:** *zones urbaines et boisées.*

Grande limace
Limax maximus

Longueur: *7,5-12,5 cm (3-5 po).*
Traits: *corps charnu, long, nu; gris maculé de noir.* **Habitat:** *villes et campagne.*

Limaces Limacidae

Les limaces ont une petite coquille dégénérée à l'extrémité postérieure du corps. Aimant l'humidité, elles sortent se nourrir la nuit, comme les escargots terrestres. La grande limace n'a pas les vertus magiques et médicinales qu'on lui prêtait autrefois; c'est plutôt un fléau des jardins.

Insectes

Grillons, papillons et bêtes à bon Dieu, les uns par leur cri sonore, les autres par leurs coloris merveilleux ou étonnants, n'ont pas besoin d'être présentés. Mais les autres insectes — il y en a plus de 100 000 espèces en Amérique du Nord — sont un sujet d'étonnement. Déjà leur taille, souvent minuscule, les rend difficiles à voir. Ils comptent en outre sur un camouflage presque parfait pour échapper à leurs prédateurs : comment apercevoir le phasme, la sauterelle ou la larve de la phrygane lorsqu'ils ne trahissent pas leur présence en bougeant ? Les uns piquent ou mordent ; d'autres sont couverts de poils urticants. Ce ne sont pas des créatures simples. L'œil de la libellule comporte des milliers de minuscules facettes ; les abeilles et les fourmis ont une organisation sociale éminemment complexe. Enfin les insectes, en pollinisant les fleurs, assurent la multiplication de celles-ci.

Les insectes ont un mode de croissance étonnant. En effet, ils ne se contentent pas de grandir ; ils subissent des transformations bien plus stupéfiantes que celle qui fait se métamorphoser un têtard en grenouille. Les scarabées et les papillons connaissent une métamorphose complète en quatre étapes : œuf, larve (chenille, asticot), chrysalide (étape de « repos » où l'animal s'enferme dans un cocon) et adulte. Les insectes à métamorphose incomplète (sauterelles et libellules) sautent l'étape de la chrysalide ; leurs jeunes sont des nymphes semblables aux adultes, mais plus petites et sans ailes. Normalement, l'insecte adulte ne croît plus ; certains, comme le paon-de-nuit, cessent de manger lorsqu'ils sont devenus adultes.

Il y a tant de sortes d'insectes que l'identification se résume souvent à déterminer le groupe dont ils font partie, et non pas l'espèce précise à laquelle ils appartiennent. Les fiches d'identification en italique décrivent généralement des familles, mais chacune est représentée par une ou plusieurs espèces, illustrées à peu près à leur grandeur réelle. Les plus petits insectes sont montrés en gros plan.

L'identification sur le terrain

Le terme insecte vient du mot latin insectum, *voulant dire « coupé », qui décrit la claire division du corps de ces animaux en trois parties : la tête, le thorax et l'abdomen. Les insectes se caractérisent également par trois paires de pattes articulées. (Les araignées, incluses dans cette section, en ont quatre.) Enfin, la plupart ont à l'âge adulte deux paires d'ailes et une paire d'antennes.*

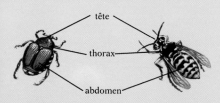

Scarabée japonais   **Frelon à livrée jaune**

Tête. Les parties les plus importantes sont les antennes et l'appareil buccal. Les antennes peuvent être longues comme chez la sauterelle ou courtes comme chez le criquet, plumeuses d'un côté comme chez l'orgye ou terminées en massue comme chez le lucane. L'appareil buccal varie selon le régime alimentaire. Les charançons ont un museau térébrant ; les papillons pompent le nectar des fleurs avec une longue trompe, enroulée quand elle ne sert pas. Le moustique femelle a un appareil buccal de type perforant dont il se sert pour percer la peau et sucer le sang.

Thorax. La partie du milieu, le thorax, porte les pattes et les ailes. Les sauterelles ont les pattes arrière très longues ; les pattes avant de la mante sont armées d'épines. Si l'insecte typique a deux paires d'ailes, les mouches n'en ont qu'une ; les phasmes, aucune. Observez la texture, les marques et les nervures des ailes : ce sont de bons indices, surtout chez les papillons et les teignes dont les ailes sont couvertes d'écailles.

Abdomen. C'est là que se trouvent les organes de reproduction s'il y a lieu. L'ichneumon et la tenthrède femelles ont un long ovipositeur au bas de l'abdomen ; la guêpe et l'abeille femelles aussi, mais il leur sert en même temps de dard.

Monarque
*Danaus
plexippus*

Monarques et danaïdes
Danaus

Envergure: 7,5-10 cm (3-4 po).
Traits: ailes brunes ou orange brûlé; bords externes noirs à points blancs; nervures foncées (plus pâles chez les danaïdes); mâle: tache odoriférante à la 5e nervure de l'aile postérieure.
Habitat: champs, herbages, jardins; bosquets (en hiver).

Danaïdes Danaidae

Les danaïdes se nourrissent d'asclépiades, plantes à suc laiteux appelées dompte-venin. La chenille y absorbe des substances toxiques qui écartent les oiseaux et autres prédateurs. Toujours protégés par le poison, les adultes pompent le nectar des fleurs qu'ils pollinisent. Les monarques hivernent au Mexique, en Californie et dans les Antilles; la danaïde du Sud-Est *(Danaus gilippus)*, qui est plus petite et plus foncée, n'émigre pas. Les prédateurs évitent le vice-roi, de la famille des vanesses, qui ressemble aux monarques.

chenille

chrysalide

INSECTES

Papillons ocellés
Junonia

Envergure: 5-6,5 cm (2-2½ po).
Traits: ailes brunes à 6 ocelles: 2 sur les ailes antérieures, 4 sur les postérieures.
Habitat: champs dégagés, langues de sable, brousse peu dense; plages (en migration).

Argynnes
Speyeria

Envergure: 5-9,5 cm (2-3¾ po).
Traits: papillon orangé ou fauve; taches argentées sous les ailes postérieures.
Habitat: bois peu denses; parfois herbages, brousse ou forêts denses.

Papillon ocellé
Junonia coenia

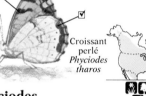

Croissant perlé
Phyciodes tharos

Phyciodes
Phyciodes

Envergure: 3-4,5 cm (1¼-1¾ po).
Traits: petit papillon brun orangé; marques noires sur le dessus des ailes; dessous d'orange à crème, avec des macules noires sur les ailes antérieures et brunes sur les postérieures.
Habitat: prés, herbages, bois peu denses.

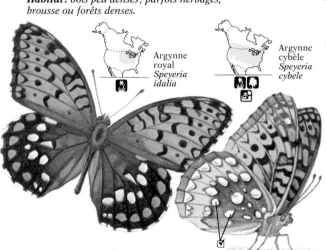

Argynne royal
Speyeria idalia

Argynne cybèle
Speyeria cybele

Damier de Chalcédoine
Euphydryas chalcedona

Damiers
Euphydryas

Envergure: 4-7,5 cm (1½-3 po). **Traits:** papillon noir ou rouge-brun foncé; motif en damier, noir ou rouge et jaune clair dessus, rouge et blanc ourlé de noir dessous.
Habitat: prés humides, herbages, maquis; bois secs à sous-bois broussailleux.

Polygone à queue violacée
Polygonia interrogationis

Polygones
Polygonia

Envergure: *4-7 cm (1½-2¾ po).*
Traits: *ailes dentelées; papillon rouge orangé maculé de noir dessus, de brun, gris et noir dessous (motif d'écorce); tache argentée en forme de C sur le dessous des ailes postérieures.*
Habitat: *bois; parfois champs.*

Vanesses Nymphalidae

Comme plusieurs autres insectes, les papillons ont trois paires de pattes, la première de taille très réduite. Chez les vanesses (les espèces au bas de la page gauche en font partie comme celles de cette page), les pattes antérieures, trop courtes pour servir à la marche, sont repliées sur le thorax et recouvertes d'une fine pilosité.

Avant de voler, les papillons doivent porter leur température interne à 27°C (81°F). Ils adoptent alors des positions caractéristiques. Chez les vanesses, les ailes forment un angle de 45° avec le corps durant la période de réchauffement et se replient lorsque l'insecte mange. Les danaïdes font de même, mais les porte-queue les déploient davantage. D'autres espèces se chauffent au soleil les ailes fermées, le dessous exposé perpendiculairement aux rayons (les soufrés font ainsi), ou les ailes légèrement étendues de manière que le soleil leur frappe le corps (c'est le cas des lycénidés).

Belles-dames et vulcains
Vanessa

Envergure: *4,5-6 cm (1¾-2¼ po).*
Traits: *coloris vif; bout des ailes antérieures noir maculé de blanc; bord non dentelé.*
Habitat: *bois peu denses, prés, déserts.*

Morio
Nymphalis antiopa

Vanesses et morios *Nymphalis*

Envergure: *4,5-8 cm (1¾-3¼ po).*
Traits: *dessous des ailes fauve ou gris foncé (motif d'écorce), sans macule argentée; bord inférieur de l'aile antérieure droit; motifs variables sur le dessus.*
Habitat: *forêts, bois; parfois champs.*

Vice-rois et amirals *Basilarchia*

Envergure: *6,5-9 cm (2½-3½ po).*
Traits: *grand papillon de bleu à brun-noir; la plupart à larges bandes blanches, parfois à macules rouges; le vice-roi diffère du monarque par une forte ligne noire, en travers des nervures, sur les ailes postérieures.*
Habitat: *forêts, brousse, prés, langues de sable; près des saules.*

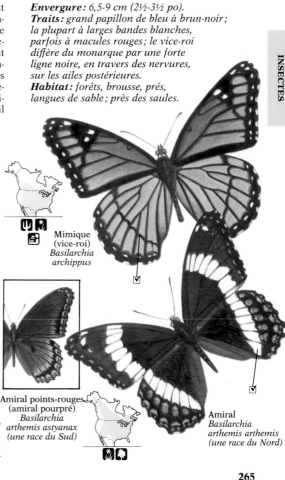

Mimique
(vice-roi)
Basilarchia archippus

Vulcain
Vanessa atalanta

Amiral points-rouges
(amiral pourpré)
Basilarchia arthemis astyanax
(une race du Sud)

Belle-dame
Vanessa cardui

Amiral
Basilarchia arthemis arthemis
(une race du Nord)

265

Satyres *Cercyonis*

Envergure: *4,5-7 cm (1¾-2¾ po).*
Traits: *papillon brun; ocelles noirs à iris blanc sur les ailes antérieures (et parfois postérieures) dans une macule jaune-brun.*
Habitat: *herbages humides ou secs; bois peu denses.*

Satyres Satyridae

Ces jolis papillons bruns ou roux se caractérisent par des ocelles colorés sur les quatre ailes et par des nervures renflées à la racine des paires antérieures. On sait que les papillons se nourrissent du nectar des fleurs. Certains satyres mangent également la sève des arbres, les restes d'animaux, des moisissures et le miellat produit par certains insectes. Leurs chenilles vertes, rayées et à queue fourchue, consomment des herbes et des graminées.

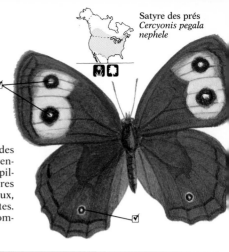

Satyre des prés
Cercyonis pegala nephele

Azur printanier
Celastrina ladon

Chrysophanes
Polyommatinae

Envergure:
1,5-3 cm (½-1¼ po).
Traits: *papillon bleu; dessous à rangs de mouchetures foncées (parfois noir à taches blanches).*
Habitat: *marais salés, champs, tourbières, bois, déserts.*

Lycènes, chrysophanes et thècles Lycaenidae

Faciles à distinguer de tous les autres papillons, les lycénidés sont de véritables petites miniatures chatoyantes. Deux espèces, le bréphos de l'Ouest et le petit bréphos de l'Est *(Brephidium exilis* et *B. isophthalma pseudofea),* ne font pas plus que 1,5 cm (½ po) d'envergure et se classent parmi les plus petits papillons d'Amérique du Nord.

Les chrysophanes se rencontrent partout en Amérique du Nord, mais ils abondent dans les montagnes et dans le Grand Nord. On a remarqué que dans les régions froides les papillons complètent moins fréquemment leur évolution que dans le Sud. Par exemple, le bleu arctique *(Plebejus aquilo)* ne devient papillon que tous les deux à quatre ans; le reste du temps, il demeure chenille, mange des bruyères et hiberne. D'autres espèces donnent un papillon par été ou même plusieurs papillons dans la partie méridionale de leur aire de dispersion. Il s'agit évidemment de générations et non d'individus.

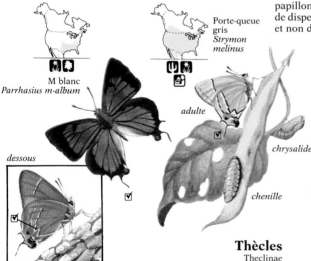

Porte-queue
gris
*Strymon
melinus*

M blanc
Parrhasius m-album

adulte

dessous

chrysalide

chenille

Thècles
Theclinae

Envergure: *2-4 cm (¾-1½ po).*
Traits: *motifs de lignes ou de taches dessous; ailes postérieures généralement caudées.*
Habitat: *forêts, bois, champs, jardins.*

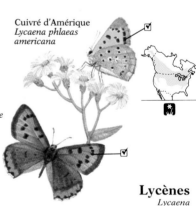

Cuivré d'Amérique
*Lycaena phlaeas
americana*

Lycènes
Lycaena

Envergure: *2,5-4 cm (1-1½ po).*
Traits: *ailes orange vif
à mouchetures foncées sur le dessus;
plus ternes et mouchetées dessous.*
Habitat: *prés humides et secs;
parfois forêts et tourbières.*

INSECTES

Libythées *Libytheana*

Envergure: *4,5 cm (1¾ po).*
Traits: *ailes brun foncé; palpes labiaux allongés.*
Habitat: *herbages, langues de sable, bois près des cours d'eau; grèves (en migration).*

Papillon longs-palpes (libythée à museau) *Libytheana bachmanii*

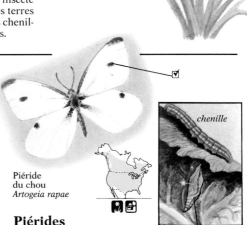

Libythées Libytheidae

Ce papillon de taille moyenne est remarquable par ses ailes sinuées et dentées et par la longueur de ses palpes qui sont des prolongements de la mâchoire inférieure. Entre eux se trouve la langue qui demeure enroulée sauf quand l'insecte aspire des liquides. Les libythées s'abreuvent dans les terres humides qui entourent les lacs et les cours d'eau. Les chenilles se nourrissent surtout de feuilles de micocouliers.

Piérides Pieridae

Ces papillons se distinguent par leur couleur (blanc ou jaune soufre), même si celle-ci varie chez les membres d'une même espèce, les mâles étant moins marqués que les femelles. Les papillons qui émergent de leur cocon l'été sont plus pâles et plus gros que ceux qui sortent en saison plus froide. Leurs chenilles vertes et rayées dévastent les récoltes. La piéride du chou, venue d'Europe, s'attaque aux choux et légumes apparentés; la coliade de la luzerne est un dangereux ravageur et, dans l'Ouest, la piéride du pin *(Neophasia menapia),* au devant noir, est redoutable. Quand la chenille devient chrysalide, elle file une ceinture de soie autour de sa taille et un bouton de soie à son extrémité anale qu'elle relie à des feuilles.

Piéride du chou
Artogeia rapae

chenille

Piérides
Pierinae

Envergure: *3-6,5 cm (1¼-2½ po).*
Traits: *papillon blanc; macules carrées noires sur les ailes antérieures.*
Habitat: *bois, herbages, déserts, jardins.*

chrysalide

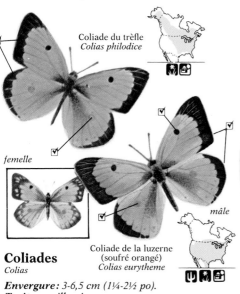

Coliade du trèfle
Colias philodice

femelle

mâle

Coliades
Colias

Coliade de la luzerne (soufré orangé)
Colias eurytheme

Envergure: *3-6,5 cm (1¼-2½ po).*
Traits: *papillon jaune ou orange; bord extérieur des ailes noir; ronds noirs sur les ailes antérieures, orange ou jaunes plus foncés sur les ailes postérieures.*
Habitat: *bois, prés, toundra, contreforts.*

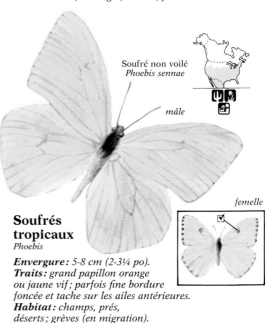

Soufré non voilé
Phoebis sennae

mâle

femelle

Soufrés tropicaux
Phoebis

Envergure: *5-8 cm (2-3¼ po).*
Traits: *grand papillon orange ou jaune vif; parfois fine bordure foncée et tache sur les ailes antérieures.*
Habitat: *champs, prés, déserts; grèves (en migration).*

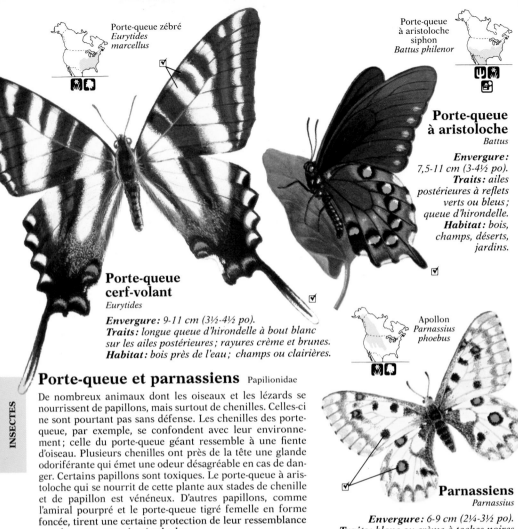

Porte-queue zébré
Eurytides marcellus

Porte-queue à aristoloche siphon
Battus philenor

Porte-queue à aristoloche
Battus

Envergure: 7,5-11 cm (3-4½ po).
Traits: ailes postérieures à reflets verts ou bleus; queue d'hirondelle.
Habitat: bois, champs, déserts, jardins.

Porte-queue cerf-volant
Eurytides

Envergure: 9-11 cm (3½-4½ po).
Traits: longue queue d'hirondelle à bout blanc sur les ailes postérieures; rayures crème et brunes.
Habitat: bois près de l'eau; champs ou clairières.

Apollon
Parnassius phoebus

Porte-queue et parnassiens *Papilionidae*

De nombreux animaux dont les oiseaux et les lézards se nourrissent de papillons, mais surtout de chenilles. Celles-ci ne sont pourtant pas sans défense. Les chenilles des porte-queue, par exemple, se confondent avec leur environnement; celle du porte-queue géant ressemble à une fiente d'oiseau. Plusieurs chenilles ont près de la tête une glande odoriférante qui émet une odeur désagréable en cas de danger. Certains papillons sont toxiques. Le porte-queue à aristoloche qui se nourrit de cette plante aux stades de chenille et de papillon est vénéneux. D'autres papillons, comme l'amiral pourpré et le porte-queue tigré femelle en forme foncée, tirent une certaine protection de leur ressemblance avec le porte-queue à aristoloche.

Les parnassiens, contrairement aux autres papilionacés, n'ont pas de queue. Autre trait: après l'accouplement, la femelle présente une poche dure appelée sphrage qui empêche d'autres mâles de lui communiquer leur sperme.

Parnassiens
Parnassius

Envergure: 6-9 cm (2¼-3½ po).
Traits: blanc ou crème à taches noires et macules rouges, surtout sur les ailes postérieures; pas de queue.
Habitat: prés alpins, toundra, montagnes boisées.

Hespéries *Hesperiidae*

Ces petits papillons trapus à ailes courtes voltigent allégrement de fleur en fleur et disparaissent comme l'éclair. Il en existe près de 300 espèces en Amérique du Nord et même les spécialistes ont du mal à les identifier. Le corps de l'hespérie est gros par rapport à ses ailes, et ses antennes se terminent par un crochet. Ce sont des organes sensoriels qui captent les sensations olfactives et tactiles. Les papillons sont également dotés d'organes gustatifs, situés près de la bouche et sur les pattes, et de grands yeux à milliers de facettes. Ils n'ont pas les appareils auditifs complexes de plusieurs lépidoptères, mais ils perçoivent néanmoins certains sons.

Hespérie à taches argentées
Epargyreus clarus

Hespéries à taches argentées
Epargyreus

Envergure: 4,5-6 cm (1¾-2¼ po).
Traits: grande tache argentée sous les ailes postérieures; macules dorées sur les deux faces des ailes antérieures; antennes à crochet.
Habitat: bois, champs, jardins.

Papillon tigré
du Canada
*Papilio
glaucus
canadensis*

Grand
porte-queue
*Papilio
cresphontes*

phase
foncée du
porte-queue
tigré

Porte-queue
Papilio

Envergure: *7-17 cm
(2¾-6½ po).*
Traits: *grand papillon foncé à taches jaune clair
ou jaune vif sur le bord des ailes; queue d'hirondelle.*
Habitat: *déserts, herbages, forêts, jardins.*

Papillon
du céleri
*Papilio
polyxenes*

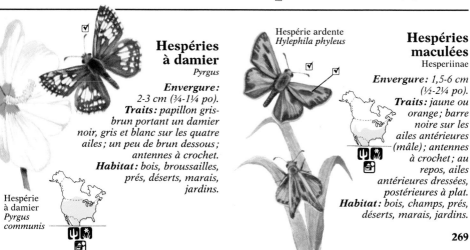

Hespéries
à damier
Pyrgus

Envergure:
2-3 cm (¾-1¼ po).
Traits: *papillon gris-
brun portant un damier
noir, gris et blanc sur les quatre
ailes; un peu de brun dessous;
antennes à crochet.*
Habitat: *bois, broussailles,
prés, déserts, marais,
jardins.*

Hespérie
à damier
*Pyrgus
communis*

Hespérie ardente
Hylephila phyleus

Hespéries
maculées
Hesperiinae

Envergure: *1,5-6 cm
(½-2¼ po).*
Traits: *jaune ou
orange; barre
noire sur les
ailes antérieures
(mâle); antennes
à crochet; au
repos, ailes
antérieures dressées,
postérieures à plat.*
Habitat: *bois, champs, prés,
déserts, marais, jardins.*

Sphingidés
Sphingidae

chenille

Sphinx du tabac
Manduca sexta

Envergure: *4-15 cm (1½-6 po).*
Traits: *corps trapu; longues ailes brunâtres souvent à teintes vives; certaines espèces diurnes; chenille terminée par une épine.*
Habitat: *bois, prés, jardins.*

---

cocon à œufs

Spongieuse
Lymantria d...

Orgyies
Lymantriidae

chenille

Envergure: *1,5-4,5 cm (½-1¾ po).*
Traits: *larges ailes, en toit sur l'abdomen au repos; antennes plumeuses d'un côté; chenille à touffes de poils.*
Habitat: *bois, prés broussailleux, jardins.*

Cithéronies
Citheroniidae

Envergure: *4-18 cm (1½-7 po).*
Traits: *papillon à longues ailes; motifs de rouge, jaune et brun; antennes plumeuses à la racine.*
Habitat: *bois; parfois régions dégagées; près des lumières.*

Anisote rosé de l'érable
Dryocampa rubicunda

Macrolépidoptères Macroheterocera

Les antennes plumeuses ou filiformes des hétérocères ne se terminent jamais par un bouton arrondi comme chez les papillons de jour. La plupart d'entre eux sont nocturnes; ils volent en battant rapidement des ailes et passent leur vie adulte sans se nourrir.

Leurs chenilles ressemblent à celles des papillons. Elles sont souvent velues, armées d'épines et n'ont pas toujours huit paires de pattes, ce qui les force à marcher en boucle (en mesurant le terrain). Les hétérocères se chrysalident dans des cocons en soie, sauf les cithéronies qui se métamorphosent dans le sol, sans cocon.

Isia isabelle
Isabella pyrrharctia

Arcties
Arctiidae

Envergure: *2,5-6,5 cm (1-2½ po).*
Traits: *papillon terne; taches ou lignes sur les ailes antérieures; ailes inférieures blanchâtres, jaune clair ou rosées à taches foncées; abdomen rouge, orange ou jaune à macules foncées; chenille à longs poils épais.*
Habitat: *champs, marais, bois; parfois déserts.*

Arpenteuse du printemps
Paleacrita vernata

Arpenteuses, géomètres et analogues Geometridae

Envergure: *1,5-5 cm (½-2 po); certaines femelles sans ailes.* **Traits:** *grandes ailes à zigzags noirs, bruns, jaunes ou blancs; ailes à plat ou dressées (et non en toit); chenille à pattes aux deux bouts seulement; marche en arpentant le sol.*
Habitat: *terrestre; presque partout.*

Microlépidoptères
Microlepidoptera

Il y a de petites différences de structure entre les « micro » et les « macro », mais c'est généralement à leur taille qu'on les distingue, les premiers ayant généralement moins de 2 cm (¾ po). C'est dans ce groupe que l'on retrouve les ravageurs les plus indésirables. Les larves creusent des galeries dans les plantes dont elles se nourrissent, enroulent les feuilles autour d'elles ou se font des abris dans le tissu végétal.

Psychés Psychidae

Envergure: *1,5-2,5 cm (½-1 po).*
Traits: *mâle foncé, poilu, à ailes pâles; femelle sans ailes; chenille, chrysalide et femelle adulte enfermées dans un « sac ».*
Habitat: *bois, broussailles, jardins.*

Chenille burcicole
Thyridopteryx ephemeraeformis

chenille dans son sac

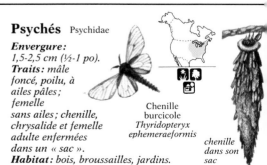

INSECTES

270

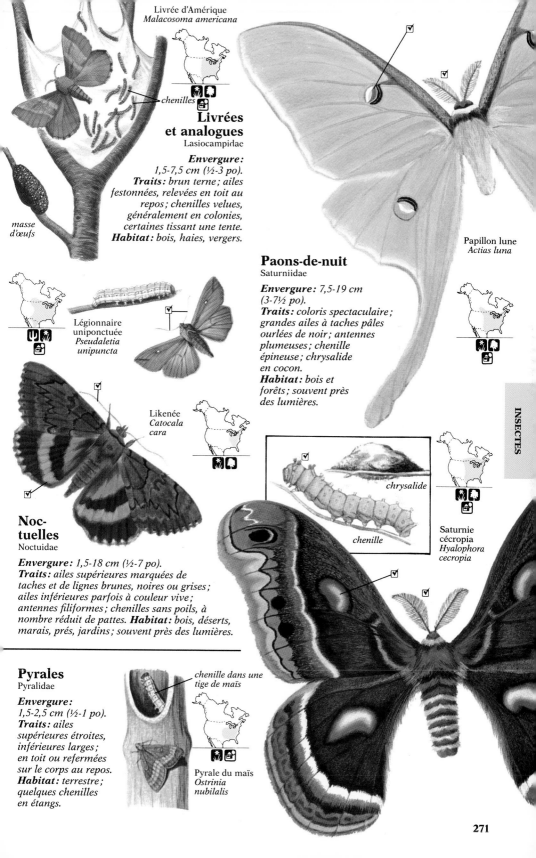

Livrée d'Amérique
Malacosoma americana

chenilles

Livrées et analogues
Lasiocampidae

Envergure: *1,5-7,5 cm (½-3 po).* ***Traits:*** *brun terne; ailes festonnées, relevées en toit au repos; chenilles velues, généralement en colonies, certaines tissant une tente.* ***Habitat:*** *bois, haies, vergers.*

masse d'œufs

Légionnaire uniponctuée
Pseudaletia unipuncta

Likenée
Catocala cara

Noc-tuelles
Noctuidae

Envergure: *1,5-18 cm (½-7 po).* ***Traits:*** *ailes supérieures marquées de taches et de lignes brunes, noires ou grises; ailes inférieures parfois à couleur vive; antennes filiformes; chenilles sans poils, à nombre réduit de pattes.* ***Habitat:*** *bois, déserts, marais, prés, jardins; souvent près des lumières.*

Pyrales
Pyralidae

Envergure: *1,5-2,5 cm (½-1 po).* ***Traits:*** *ailes supérieures étroites, inférieures larges; en toit ou refermées sur le corps au repos.* ***Habitat:*** *terrestre; quelques chenilles en étangs.*

chenille dans une tige de maïs

Pyrale du maïs
Ostrinia nubilalis

Papillon lune
Actias luna

Paons-de-nuit
Saturniidae

Envergure: *7,5-19 cm (3-7½ po).* ***Traits:*** *coloris spectaculaire; grandes ailes à taches pâles ourlées de noir; antennes plumeuses; chenille épineuse; chrysalide en cocon.* ***Habitat:*** *bois et forêts; souvent près des lumières.*

chrysalide

chenille

Saturnie cécropia
Hyalophora cecropia

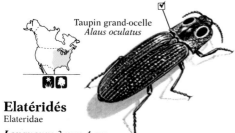

Taupin grand-ocelle
Alaus oculatus

Elatéridés
Elateridae

*Longueur: 3 mm-4 cm
(⅛-1½ po). Traits: corps long et étroit ; tête
légèrement dégagée du thorax ; projections
triangulaires dans les coins arrière de la tête
(faisant partie du « ressort ») ; cliquette et saute
en même temps ; larve (ver fil de fer) fine, luisante.
Habitat: terrestre.*

Perce-bois
Buprestidae

*Longueur:
3 mm-10 cm
(⅛-4 po).
Traits: semblable aux
élatéridés mais plus robuste ;
dos et dessous métalliques ; ne cliquette pas.
Habitat: bois, broussailles, déserts ;
parfois champs.*

Bupreste du hêtre
Dicerca divaricata

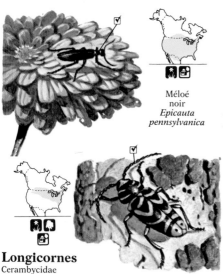

Méloé
noir
*Epicauta
pennsylvanica*

Longicornes
Cerambycidae

*Longueur: 3 mm-15 cm
(⅛-6 po).
Traits: corps long et
étroit ; antennes au moins égales à la moitié
du corps, parfois plus longues.
Habitat: bois, broussailles, déserts,
prairies, grèves ; sur les plantes.*

Perceur
de l'érable
Glycobius speciosus

Nécrophore
de Say
*Nicrophorus
sayi*

Nécrophores
Silphidae

*Longueur: 3 mm-4 cm (⅛-1½ po).
Traits: insecte plat, noir, souvent marqué de
rouge ou de jaune ; antennes à extrémité perlée.
Habitat: forêts, prés, parfois près des maisons ;
près des cadavres de petites bêtes.*

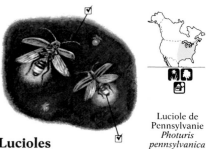

Luciole de
Pennsylvanie
*Photuris
pennsylvanica*

Lucioles
Lampyridae

*Longueur: 6 mm-2,2 cm (¼-⅞ po).
Traits: organe caudal producteur de lumière
par intermittence la nuit ; corps mou à antennes
perlées ; femelles sans ailes.
Habitat: bois, broussailles, prés, pelouses.*

Méloés
Meloidae

*Longueur: 3 mm-3 cm (⅛-1¼ po).
Traits: corps mou ; thorax plus étroit que la tête et
l'abdomen ; cou un peu cassé ; longues pattes.
Habitat: déserts, prairies, broussailles ;
sur les fleurs ou les feuilles.*

Coccinelle à deux points
Adalia bipunctata

Coccinelles
(bêtes à bon Dieu)
Coccinellidae

*Longueur: moins de 9 mm (⅜ po).
Traits: corps rouge ou noir à marques
contrastantes ; abdomen et tête souvent
dissimulés par les ailes supérieures et le
prothorax, faisant paraître la bête ronde.
Habitat: forêts, broussailles, prés ; parfois déserts.*

INSECTES

Polyphages · Polyphaga

Si chaque espèce de plantes et d'animaux se faisait représenter à un congrès, un délégué sur cinq serait un coléoptère. Ces insectes ont un appareil buccal broyeur. Leurs ailes supérieures, appelées élytres, épaisses et durcies, protègent l'abdomen et les ailes inférieures qui se replient sous les premières quand la bête est au repos. Les coléoptères subissent une métamorphose complète : œuf, larve, nymphe, adulte.

Le groupe des coléoptères polyphages, le plus considérable et le plus évolué, comprend environ 17 000 espèces seulement en Amérique du Nord. Leur régime alimentaire varie d'une espèce à l'autre ; la plupart se nourrissent de matières végétales. Peu d'espèces sont entièrement bénéfiques ou maléfiques. Le scarabée japonais fait exception : la larve se nourrit de racines ; l'adulte, de fleurs, de fruits et de feuilles. Par contre la coccinelle friande d'insectes nous rend toute sa vie de grands services.

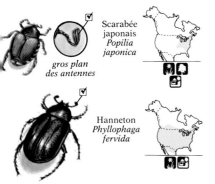

Scarabée
japonais
Popilia
japonica

gros plan
des antennes

Hanneton
Phyllophaga
fervida

Scarabées
Scarabaeidae

Longueur : 2 mm-12,5 cm (¹⁄₁₀ -5 po).
Traits : corps large, souvent de couleur vive ;
extrémité des antennes étalée en éventail.
Habitat : terrestre ; partout
sauf en régions froides.

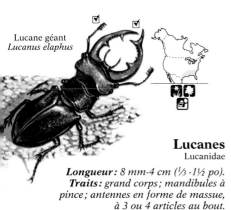

Lucane géant
Lucanus elaphus

Lucanes
Lucanidae

Longueur : 8 mm-4 cm (¹⁄₃ -1½ po).
Traits : grand corps ; mandibules à
pince ; antennes en forme de massue,
à 3 ou 4 articles au bout.
Habitat : forêts, broussailles, prairies,
grèves ; souvent près des lumières.

Carabes
Carabidae

Longueur : 3 mm-9 cm
(⅛-3½ po).
Traits : tête plus étroite que
le thorax, lui-même plus étroit
que l'abdomen ; longues
pattes ; appareil buccal en saillie.
Habitat : lieux humides ;
souvent près des lumières.

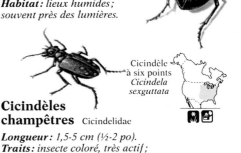

Calosome
importé
Calosoma
sycophanta

Cicindèle
à six points
Cicindela
sexguttata

Cicindèles champêtres · Cicindelidae

Longueur : 1,5-5 cm (½-2 po).
Traits : insecte coloré, très actif ;
grands yeux ; longues pattes velues.
Habitat : grèves, lits de rivières, routes, déserts.

Coléoptères prédateurs · Adephaga

Bien que le gyrin (illustré page 282) et certaines autres espèces soient aquatiques, la majorité des quelque 3 000 espèces adéphages vivant en Amérique du Nord sont terrestres ; elles se nourrissent d'insectes et sont parmi les coléoptères les plus rapides. Certains d'entre eux, les carabes par exemple, sont frénétiquement actifs et n'arrêtent pas de courir ici et là en quête de nourriture.

Charançons · Rhynchophora

Nos quelque 600 espèces vivent sur les plantes et comptent parmi les coléoptères les plus destructeurs. Le scolyte de l'orme *(Scolytus multistriatus)* transporte la maladie fatale à ce bel arbre ; le charançon du coton *(Anthonomus grandis)* est redoutable. Les charançons ont un long museau fin terminé par un appareil broyeur.

Charançons
Curculionidae

Longueur : 2 mm-4 cm (¹⁄₁₀ -1½ po).
Traits : carapace dure ; museau long terminé par
un appareil buccal ; antennes en massue,
sur les côtés du museau.
Habitat : terrestre ; sur les plantes ou dedans.

Charançon bicolore du rosier
Rynchites bicolor

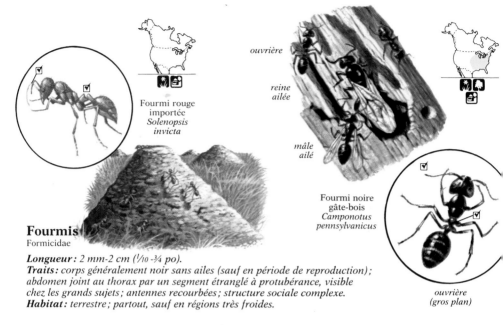

ouvrière

reine
ailée

mâle
ailé

Fourmi rouge
importée
*Solenopsis
invicta*

Fourmi noire
gâte-bois
*Camponotus
pennsylvanicus*

Fourmis
Formicidae

Longueur : *2 mm-2 cm (¹/₁₀ -¾ po).*
Traits : *corps généralement noir sans ailes (sauf en période de reproduction) ;
abdomen joint au thorax par un segment étranglé à protubérance, visible
chez les grands sujets ; antennes recourbées ; structure sociale complexe.*
Habitat : *terrestre ; partout, sauf en régions très froides.*

ouvrière
(gros plan)

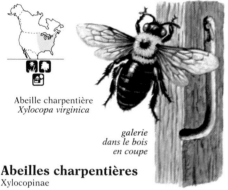

Abeille charpentière
Xylocopa virginica

galerie
dans le bois
en coupe

Abeilles charpentières
Xylocopinae

Longueur : *3 mm-2,5 cm (⅛-1 po).*
Traits : *corps robuste, peu velu, noir métallique
ou bleu-vert foncé ; taille peu marquée.*
Habitat : *bois, champs ; près des maisons et
bâtiments de ferme ; niche dans le bois.*

Fourmis, abeilles
et guêpes Apocrita

L'organisation sociale des fourmis, des abeilles et
des guêpes est la plus remarquable de tout le
monde animal. Des centaines, des milliers d'individus vivent dans le même nid où chacun exécute
la tâche qu'il a à remplir. Les reines pondent ; les
mâles, de courte vie, les fécondent. Les ouvrières
cueillent, fabriquent et emmagasinent les aliments (du miel dans le cas des abeilles) pour
nourrir les adultes et les larves vermiformes.

On ne peut pas confondre les fourmis avec d'autres insectes. Les abeilles et les guêpes se distinguent des mouches à leurs deux paires d'ailes et
des tenthrèdes par le segment qui réunit thorax et
abdomen (la fameuse « taille de guêpe »). On ne
voit pas l'aiguillon. Seules quelques femelles sont
pourvues de cet organe acéré, creux, parfois bar-
belé, relié à une glande venimeuse dans l'abdomen. Menacé, l'insecte dresse son aiguillon, pique
et injecte le poison dans la blessure. Le poison très
fort des fourmis rouges s'appelle l'acide formique.

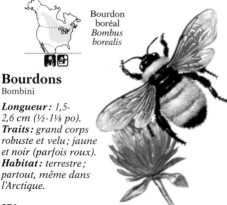

Bourdon
boréal
*Bombus
borealis*

Bourdons
Bombini

Longueur : *1,5-
2,6 cm (½-1⅛ po).*
Traits : *grand corps
robuste et velu ; jaune
et noir (parfois roux).*
Habitat : *terrestre ;
partout, même dans
l'Arctique.*

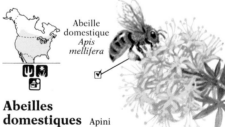

Abeille
domestique
*Apis
mellifera*

Abeilles
domestiques Apini

Longueur : *1,5-3 cm (½-1¼ po).*
Traits : *corps effilé et velu ;
généralement fauve marqué de noir ;
corbeilles à pollen sur les pattes postérieures.*
Habitat : *arbres creux, ruches ; sur les fleurs.*

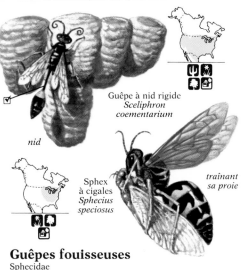

Guêpe à nid rigide
Sceliphron coementarium

nid

Sphex à cigales
Sphecius speciosus

trainant sa proie

Guêpes fouisseuses
Sphecidae

Longueur : 6 mm-3 cm (¼-1¼ po).
Traits : corps luisant, sans poils ou peu velu ;
motifs et coloris vifs ; abdomen réuni au thorax
par une sorte de fil ; ailes repliées
parallèlement au corps au repos.
Habitat : terrestre ; presque partout.

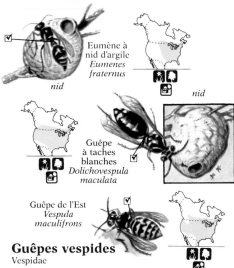

Eumène à nid d'argile
Eumenes fraternus

nid

nid

Guêpe à taches blanches
Dolichovespula maculata

Guêpe de l'Est
Vespula maculifrons

Guêpes vespides
Vespidae

Longueur : 9 mm-2,5 cm (⅜-1 po).
Traits : corps robuste, apparemment glabre ;
taille fine ; noir à bandes jaunes ; ailes
repliées parallèlement au corps au repos.
Habitat : terrestre ; partout.

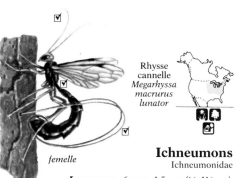

Rhysse cannelle
Megarhyssa macrurus lunator

femelle

Ichneumons
Ichneumonidae

Longueur : 6 mm-4,5 cm (¼-1¾ po).
Traits : corps élancé, taille de guêpe,
antennes et pattes longues ;
femelle à oviposteur abdominal incurvé.
Habitat : terrestre ; presque partout.

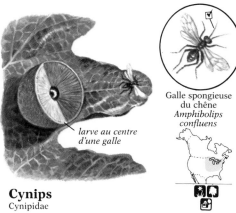

larve au centre d'une galle

Galle spongieuse du chêne
Amphibolips confluens

Cynips
Cynipidae

Longueur : jusqu'à 6 mm (¼ po).
Traits : petit insecte foncé ressemblant à une
guêpe ; longues antennes ; larve vivant dans des
galles difformes sur feuilles ou tiges.
Habitat : terrestre, sur végétaux.

Tenthrèdes et sirex Symphyta

Les adultes font penser à des mouches qui auraient deux paires d'ailes. La femelle de la tenthrède ou
mouche à scie pond dans les plantes qu'elle a découpées ; celle du si-
rex entaille les végétaux avec un
appendice coupant du côté de la
queue. Leurs larves ressemblent à
des chenilles amputées de leur
dernière paire de pattes. Menacées, elles dressent la partie postérieure prêtes à arroser l'ennemi.

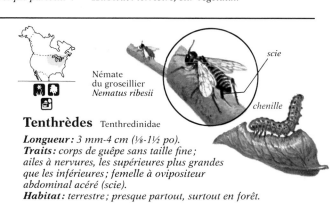

Némate du groseillier
Nematus ribesii

scie

chenille

Tenthrèdes Tenthredinidae

Longueur : 3 mm-4 cm (⅛-1½ po).
Traits : corps de guêpe sans taille fine ;
ailes à nervures, les supérieures plus grandes
que les inférieures ; femelle à oviposteur
abdominal acéré (scie).
Habitat : terrestre ; presque partout, surtout en forêt.

Tipules Tipulidae

Tipule
Holorusia
rubiginosa

Longueur : *3 mm-5 cm (⅛-2 po).*
Traits : *corps long et effilé, brun clair ou foncé ;*
longues pattes ; paire unique de longues ailes,
brun terne, parfois à motif. **Habitat :** *bois humides,*
champs, cours ; souvent près des lumières.

Stégomyie
de la fièvre
jaune
Aedes
aegypti

Insectes à longues antennes Nematocera

Sauf le podure, les insectes de cette page sont des mouches, à une
paire d'ailes. Les nématocères constituent un sous-groupe de
moustiques nuisibles : maringouins, cousins, taons, brûlots, mouches noires, etc. Ils ont de longues pattes fragiles, un corps élancé
et des antennes à nombreux articles. Quelques adultes ne mangent pas ; d'autres se nourrissent de nectar ; certaines femelles su-
cent le sang. La plupart des larves sont aquatiques.

Moustiques
Culicidae

Longueur : *jusqu'à 1,5 cm (½ po).*
Traits : *petit corps mou ;*
longues pattes ; une paire d'ailes ;
femelle à bouche en stylet,
pointant vers le bas au repos.
Habitat : *terrestre ; partout,*
surtout près de l'eau.

Asiles Asilidae

Longueur : *1,5-5 cm (½-2 po).*
Traits : *corps long et grêle ;*
grande tête ; courtes pattes épineuses ;
espèces imitant les bourdons.
Habitat : *champs, marais, déserts.*

Asile gris
commun
Erax
apicalis

Taon noir
du cheval
Tabanus
atratus

Insectes à courtes antennes Brachycera

La plupart des brachycères sont de gros
insectes agressifs. Les asiles se perchent
au bout d'une ramille, prêts à attaquer
d'autres insectes. Les femelles du taon se
nourrissent de sang à partir d'incisions
plus grandes que celles du maringouin.

Taons
(mouches à cheval
et à orignal) Tabanidae

Longueur : *6 mm-2,5 cm (¼-1 po).*
Traits : *insecte robuste à grosse tête ; yeux irisés ;*
ailes unies sombres (parfois à motif pâle et foncé).
Habitat : *forêts, champs ; près des lacs et cours d'eau ;*
autour des êtres humains et du bétail.

Insectes à suture circulaire
Cyclorrhapha

La mouche domestique *(Musca domestica)* fait
partie de ce groupe qui passe par quatre formes :
œuf, larve, pupe et adulte. La pupe rompt son cocon en y découpant une ouverture circulaire. La
rapide métamorphose des moucherons intéresse
tout spécialement les généticiens.

Collemboles Collembola

Sur le quatrième article de leur abdomen, les col-
lemboles arborent un appendice fourchu, replié
au repos, qui leur sert à faire des sauts de 8 à
10 cm (3-4 po). Ces insectes se tiennent dans les
feuilles en décomposition et le sol humide.

Moucherons
Drosophilidae

Drosophile
(mouche
à fruits)
Drosophila
melanogaster

Longueur : *jusqu'à*
6 mm (¼ po).
Traits : *corps frêle,*
de noir à jaune-
fauve rayé de noir ;
ailes courtes,
transparentes,
peu nervurées ;
yeux saillants,
rouges ou bruns.
Habitat : *près des*
fruits et légumes
avancés.

Podure
hivernal
Achorutes
nivicolus

Podures
Poduridae

Longueur : *jusqu'à*
5 mm (⅕ po).
Traits : *insecte*
sans ailes ; queue
fourchue servant
de catapulte.
Habitat : *débris*
végétaux ; sur la
neige ; près de l'eau.

Sauterelles, grillons et analogues
Orthoptera

On les entend plus qu'on ne les voit. Ces insectes émettent une stridulation en frottant soit leurs cuisses contre leurs élytres, soit les deux élytres l'un sur l'autre. Les mâles en pariade sont plus sonores. Chez certaines espèces, les pattes avant ou arrière sont modifiées, permettant à l'insecte de sauter, creuser ou saisir une proie. Ces insectes végétariens subissent une métamorphose incomplète, sans larve ni pupe. L'adulte diffère du jeune, appelé nymphe, seulement par la taille. Les blattes sont de ce groupe.

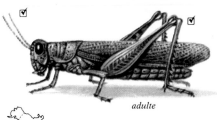

adulte

Criquet de Caroline
Dissoteira carolina

nymphe

Criquets
Acrididae

Longueur: *1,5-5 cm (½-2 po).*
Traits: *corps gros et terne;*
courtes antennes; longues pattes arrière;
ailes supérieures droites, couchées
au repos; ailes inférieures très colorées,
visibles en vol.
Habitat: *prairies, champs, déserts.*

Grillons
Gryllidae

Grillon
domestique
Acheta
domesticus

Longueur: *1,5-2,5 cm (½-1 po).*
Traits: *brun foncé ou noir; longues antennes;*
pattes arrière très longues; ailes supérieures coriaces
(femelle) ou minces et transparentes (mâle).
Habitat: *déserts, champs, broussailles, jardins.*

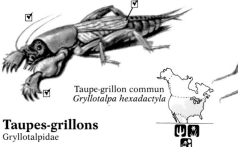

Taupe-grillon commun
Gryllotalpa hexadactyla

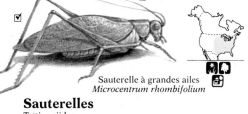

Sauterelle à grandes ailes
Microcentrum rhombifolium

Taupes-grillons
Gryllotalpidae

Longueur: *1,5-6 cm (½-2¼ po).*
Traits: *corps long, brun, velu; pattes avant*
fouisseuses; courtes antennes; ailes très courtes.
Habitat: *pelouses, champs, déserts; dans le sol.*

Sauterelles
Tettigoniidae

Longueur: *1,5-7,5 cm (½-3 po).*
Traits: *gros corps vert ou brun pâle;*
pattes arrière très longues; longues antennes;
larges ailes, en toit sur le corps au repos.
Habitat: *bois, champs, broussailles, pelouses.*

Phasmes (bâtonnets ou spectres)
Phasmidae

Longueur: *1,5-15 cm (½-6 po).*
Traits: *insecte lent, ressemblant à un rameau*
ou à une feuille; pattes et corps minces et très
longs; aucune aile; longues antennes.
Habitat: *bois; sur arbres et arbustes.*

Mantes Mantidae

Longueur: *2,5-10 cm*
(1-4 po).
Traits: *corps long, étroit,*
vert ou brun; longues pattes
avant, repliées;
courtes antennes.
Habitat: *bois, champs,*
déserts, jardins;
sur le feuillage.

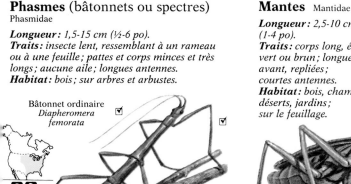

Bâtonnet ordinaire
Diapheromera
femorata

Mante
religieuse
Mantis
religiosa

masse
d'œufs

Punaises des bois Pentatomidae

Punaise à ventre taché
Podisus maculiventris

Longueur: 6 mm-2,5 cm (¼-1 po).
Traits: thorax et racine des ailes supérieures à écusson triangulaire, parfois coloré; glandes dissuasives à odeur désagréable.
Habitat: terrestre; presque partout.

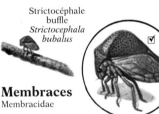

Punaises réticulées Tingidae

Punaise réticulée de l'aubépine
Corythucha cydoniae

Longueur: 3-6 mm (⅛-¼ po).
Traits: corps large et plat; ailes supérieures et écusson réticulés.
Habitat: bois, broussailles, déserts, jardins.

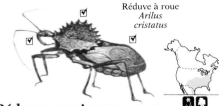

Réduve à roue
Arilus cristatus

Réduves carnivores Reduviidae

Longueur: 1,5-4 cm (½-1½ po).
Traits: abdomen ovale, plus large que les ailes; rostre court, fort, courbe; parfois motif de roue dentée sur le thorax.
Habitat: terrestre, surtout en régions chaudes; souvent près des lumières.

Hémiptères Hemiptera

Toutes les punaises sont des insectes mais l'insecte type est doté d'un appareil buccal capable de mordre et de broyer, tandis que la punaise possède un rostre qui perce les plantes pour en extraire les sucs et pique les animaux. Autre trait distinctif: les ailes supérieures; celles des punaises sont épaissies à la racine, translucides ou transparentes au sommet. On trouvera les punaises d'eau page 282.

INSECTES

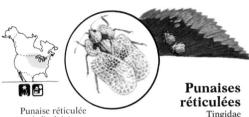

Strictocéphale buffle
Strictocephala bubalus

Membraces
Membracidae

Longueur:
3 mm-1,5 cm (⅛-½ po).
Traits: corps large près de la tête; corselet du thorax prolongé sur l'abdomen, souvent avec protubérance; parfois semblable à une épine.
Habitat: bois, champs, jardins; sur le feuillage.

Aphides, cicadelles, pucerons et analogues Homoptera

Leur rostre, plus court que celui des punaises, est situé près du cou, sous la tête. Au repos, les ailes supérieures, transparentes ou translucides, sont dressées en toit au-dessus du corps. Cochenilles (souvent dépourvues d'ailes), aleurodes et cercopes font partie de ce groupe. Les jeunes cercopes se cachent dans des masses glaireuses accrochées aux plantes et appelées « crachats de coucou ». L'adulte ressemble vaguement à une grenouille par sa teinte et sa façon de bondir.

Aphides Aphididae

Longueur: 1,5-3 mm (¹⁄₁₆ -⅛ po).
Traits: corps mou ovale; ailes au-dessus du corps au repos; longues antennes droites.
Habitat: terrestre; sur les plantes.

Cicadelle de la vigne
Erythroneura vitis

Cicadelles
Cicadellidae

Longueur: 3 mm-1,5 cm (⅛-½ po).
Traits: corps marqué de couleurs vives; tête triangulaire (vue d'en haut); ailes profilées vers l'arrière; pattes maigres.
Habitat: terrestre, en régions tempérées.

Cigales Cicadidae

Longueur: 1,5-5 cm (½-2 po).
Traits: corps robuste; tête large; ailes transparentes ou translucides.
Habitat: bois, broussailles, déserts, jardins.

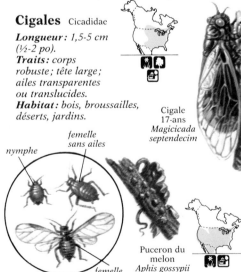

Cigale 17-ans
Magicicada septendecim

femelle sans ailes

nymphe

femelle

Puceron du melon
Aphis gossypii

adulte

larve

Phryganes nordiques
Limnophilidae

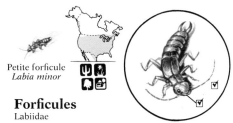

Phrygane porte-case
Limnophilus combinatus

Longueur : *adulte 6 mm-2,5 cm (¼-1 po) ; larve 8 mm-4,5 cm (⅓ -1¾ po).*
Traits : *similipapillon à longues antennes et ailes velues mouchetées de brun ; larve vermiforme.*
Habitat : *adulte : bois, champs ; larve : étangs, cours d'eau lents.*

Petite forficule
Labia minor

Forficules
Labiidae

Longueur : *4 mm-2,5 cm (⅛ -1 po).*
Traits : *corps brun ; pinces à l'extrémité de l'abdomen ; ailes antérieures petites et épaisses ; longues antennes.* **Habitat :** *bois, broussailles, déserts, maisons ; sous les feuilles.*

Phryganes Trichoptera

Les larves vivent au fond des étangs ou des cours d'eau lents, dans un fourreau de grains de sable, de débris végétaux ou de coquilles. C'est dans ce cocon ancré dans l'eau qu'elles se métamorphosent en adultes.

Perce-oreilles Dermaptera

Contrairement à la légende, le perce-oreille ne perce pas les oreilles des dormeurs ; il ne pince que la main de celui qui le prend intempestivement. Les perce-oreilles sont des végétariens ou des charognards inoffensifs.

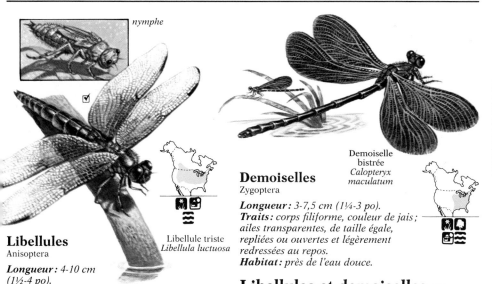

nymphe

Demoiselle bistrée
Calopteryx maculatum

Demoiselles
Zygoptera

Longueur : *3-7,5 cm (1¼-3 po).*
Traits : *corps filiforme, couleur de jais ; ailes transparentes, de taille égale, repliées ou ouvertes et légèrement redressées au repos.*
Habitat : *près de l'eau douce.*

Libellules
Anisoptera

Libellule triste
Libellula luctuosa

Longueur : *4-10 cm (1½-4 po).*
Traits : *corps long et effilé, brun ou noir, à marques colorées ; ailes transparentes, perpendiculaires au corps au repos, postérieures plus larges à la base que les antérieures.*
Habitat : *marais, champs près des lacs, cours d'eau, étangs ; nymphes aquatiques.*

Libellules et demoiselles Odonata

Ces insectes chasseurs capturent d'autres insectes en plein vol, avec leurs pattes en corbeille. Ils volent souvent deux par deux, le mâle devant la femelle qu'il agrippe au moyen d'un appendice abdominal. Leurs œufs se métamorphosent en nymphes aquatiques.

Ephémères
Ephemeroptera

Les éphémères adultes portent bien leur nom : ils ne vivent qu'un jour ou deux, sans manger. Leurs nymphes vivent dans l'eau, se nourrissant de plantes. Elles émergent en grand nombre à la fois sous forme d'insectes parfaits.

Ephémères fouisseurs
Ephemeridae

Longueur : *1,5-3 cm (½-1¼ po).*
Traits : *corps fin ; trois longs filaments au bout de l'abdomen ; ailes triangulaires, transparentes, dressées au repos, les postérieures plus petites.*
Habitat : *forêts, champs, jardins ; nymphes aquatiques.*

nymphe

Ephémère varié
Ephemera varia

279

Arachnides Arachnida

Les arachnides, dont le nom rappelle Arachné, la jeune Lydienne légendaire qui osa défier Athéna dans l'art de la tapisserie et fut métamorphosée par elle en araignée, ont huit pattes, contre six pour les insectes; leur tête est soudée à leur thorax et ils présentent deux appendices buccaux appelés pédipalpes. Chez les scorpions, les pédipalpes sont garnis de pinces; chez les araignées mâles, ils servent à l'accouplement.

Des organes abdominaux appelés filières sécrètent la soie avec laquelle les araignées tissent cette fameuse toile qui prend tant d'insectes nuisibles au piège. L'araignée brune *(Tegenaria domestica)*, dont on peut retrouver la toile en tube dans les coins des pièces, détruit de nombreux insectes dans la maison. Pour sa part, la cténize creuse une galerie dans la terre, la tapisse de soie et ferme l'entrée par un couvercle à charnière. Certaines araignées maîtrisent leurs proies avec un venin qui, dans le cas de la veuve noire, de l'araignée fileuse brune et des tarentules, peut être très dangereux pour l'homme. Chez le scorpion, l'abdomen (la prétendue queue) se termine par un dard recourbé et venimeux dont la piqûre, chez le scorpion de l'Arizona, peut être fatale à l'homme. Les scorpions-fouets sont inoffensifs et leur longue queue filiforme n'a pas d'usage connu. Le faucheur n'a pas le corps divisé, comme chez les araignées, en céphalothorax et abdomen. Les mites et les tiques sont aussi des arachnides.

espèce semblable dans l'Ouest

Veuve noire
Latrodectus mactans

Araignées à pattes pectinées (malmignates) Theridiidae

Longueur: corps 1,5 mm-1,5 cm (¹/₁₆ -½ po).
Traits: gros abdomen; petit céphalothorax; pattes fines; tête en bas sur une toile irrégulière.
Habitat: terrestre et dans les maisons.

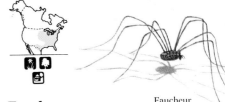

Faucheurs
Opiliones

Faucheur
Liobium vittatum

Longueur: corps 3-6 mm (¹/₈-¼ po).
Traits: petit corps compact et arrondi; longues pattes disproportionnées; tête jointe au thorax.
Habitat: terrestre; dans la végétation.

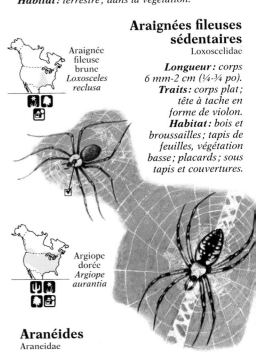

Araignée fileuse brune
Loxosceles reclusa

Araignées fileuses sédentaires
Loxoscelidae

Longueur: corps 6 mm-2 cm (¼-¾ po).
Traits: corps plat; tête à tache en forme de violon.
Habitat: bois et broussailles; tapis de feuilles, végétation basse; placards; sous tapis et couvertures.

Argiope dorée
Argiope aurantia

Aranéides
Araneidae

Longueur: 1,5 mm-4,5 cm (¹/₁₆ -1¾ po).
Traits: corps généralement glabre, souvent à motif; pattes velues; toile en rosace, à la verticale; araignée nichée au centre, tête en bas, ou cachée près de là.
Habitat: terrestre, partout.

Mille-pattes carnassiers et végétariens Chilopoda et Diplopoda

Même s'ils dévorent quantité d'insectes, les mille-pattes carnassiers ne sont guère appréciés, ne serait-ce qu'à cause de la morsure douloureuse, mais sans danger réel, qu'ils infligent avec les crochets venimeux de leur première paire de pattes. Les mille-pattes ont, en dépit de leur nom, de 15 à 173 paires de pattes selon les espèces. Le mille-pattes végétarien en a rarement plus d'une cinquantaine; dépourvu de crochets venimeux, il se défend en émettant à l'aide de glandes spéciales une odeur déplaisante, fortement iodée, qui suffit à décourager la plupart des prédateurs.

Mille-pattes à bandes
Narceus americanus

Mille-pattes végétariens
Diplopoda

Longueur: 2,5-12,5 cm (1-5 po).
Traits: corps vermiforme; segments à 2 paires de pattes; antennes courtes; démarche lente.
Habitat: lieux humides; sous roches, bois, feuilles.

INSECTES

Scorpions
Scorpiones

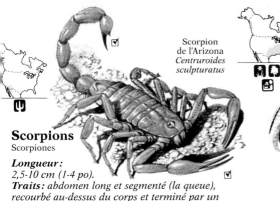

Scorpion
de l'Arizona
*Centruroides
sculpturatus*

Longueur:
2,5-10 cm (1-4 po).
Traits: *abdomen long et segmenté (la queue),
recourbé au-dessus du corps et terminé par un
dard; deux grandes pinces sur la tête; 8 pattes.*
Habitat: *déserts; sous roches, souches, feuilles.*

Scorpion-fouet
*Mastigoproctus
giganteus*

Scorpions-fouets
Pedipalpida

Longueur: corps
2,5-7,5 cm (1-3 po).
Traits: *corps aplati; queue en fouet; deux pinces
sur la tête; première paire de pattes filiformes,
plus longues que les autres.*
Habitat: *endroits chauds et
humides; souches et fissures.*

Araignées-loups
Lycosidae

Longueur: *2 mm-4 cm ($^1/_{10}$-1½ po).*
Traits: *corps allongé, brun foncé, à motif; pas de toile;
femelle à sac d'œufs blanc sous l'abdomen; petits
transportés sur le dos.* **Habitat:** *terrestre; presque
partout, surtout en lieux chauds.*

Araignée-loup
Lycosa punctulata

femelle
avec petits
sur le dos

Cténize de
Californie
*Bothriocyrtum
californicum*

Cténizes Ctenizidae

Longueur: *1,6-3 cm
(⅝-1¼ po).*
Traits: *corps robuste, pileux,
brun, marron, gris ou noir;
galerie à opercule dans le sol.*
Habitat: *des bois humides aux déserts;
sur le sol ou dessous.*

Tarentule américaine
Dugesiella hentzi

Tarentules
Theraphosidae

Longueur: *4-4,5 cm (1½-1¾ po).*
Traits: *gros corps velu, brun ou noir; pattes très
velues; appareil buccal inquiétant; se dresse sur
les pattes arrière au danger.* **Habitat:** *régions
arides ou semi-arides; dans le sol; sous l'écorce.*

Scutigère (mille-pattes commun)
Scutigera coleoptrata

Mille-pattes carnivores Chilopoda

Longueur: *2,5-12,5 cm (1-5 po).* **Traits:** *animal
rapide; 1 paire de pattes par segment (segments
parfois peu différenciés); longues antennes.*
Habitat: *terrestre; presque partout; dans les
maisons; sous feuilles, écorce, roches.*

Lombric terrestre
Lumbricus terrestris

Vers de terre
et d'eau douce
Oligochaeta

De l'avis de Darwin, les vers
de terre ont contribué plus
que tout autre animal à la
formation de la terre végé-
tale. Présents partout, ils
aèrent le sol avec leurs terriers et le fertilisent avec
leurs chiasses, c'est-à-dire
leurs excréments.

Vers
de terre
Lumbricidae

Longueur: *2-
20 cm (¾-8 po).*
Traits: *corps
long, mou,
segmenté,
sans pattes.*
Habitat: *sol
humide.*

Gyrin noir
Dineutus
nigrior

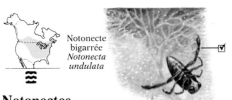

Hydromètre
Gerris
conformis

Gyrins
Gyrinidae

Longueur: *3 mm-2 cm (⅛-¾ po).*
Traits: *corps ovale, noir ou vert métallique foncé ou les deux; pattes antérieures longues (les autres cachées); nage en cercle à la surface de l'eau.*
Habitat: *étangs d'eau douce, cours d'eau lents.*

Patineurs
Gerridae

Longueur: *1,5-2 cm (½-¾ po).*
Traits: *corps long et fin; pattes antérieures plus courtes que les autres; antennes courbes; patine à la surface de l'eau.*
Habitat: *étangs, lacs, cours d'eau lents.*

Criquet d'eau
Arcotocorixa
alternata

Notonecte
bigarrée
Notonecta
undulata

Corixides   Corixidae

Longueur: *6 mm-1,5 cm (¼-½ po).*
Traits: *punaise brune à lignes foncées; paires de pattes de longueurs différentes, les postérieures étant plus longues; nage sur le ventre à la surface ou s'accroche aux plantes submergées.*
Habitat: *étangs, lacs, cours d'eau lents; parfois en eaux saumâtres.*

Notonectes
Notonectidae

Longueur: *6 mm-1,5 cm (¼-½ po).*
Traits: *dessus jaune-blanc à marques noires; dessous noir terne; pattes postérieures plus longues que les 4 autres; nage ou repose sur le dos à la surface de l'eau ou juste en dessous.*
Habitat: *cours d'eau lents.*

AUTRESS
INVERTÉBRÉS

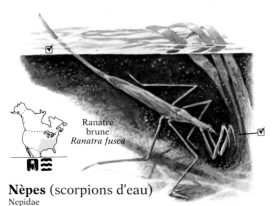

Lethocère
Lethocerus
americanus

Ranatre
brune
Ranatra fusca

Nèpes (scorpions d'eau)
Nepidae

Longueur: *2,5-5 cm (1-2 po).*
Traits: *punaise en forme de bâtonnet, verte ou brune; tubes respiratoires filiformes à l'arrière; pattes antérieures en forme de pinces; autres pattes longues et fines.*
Habitat: *étangs, lacs, cours d'eau lents.*

Insectes d'eau douce   Hemiptera et Adephaga

Beaucoup d'insectes sont aquatiques au début de leur vie. Ceux-ci, qui sont tous des punaises à l'exception du gyrin, vivent dans l'eau adultes. Si les larves respirent avec des branchies, les adultes, qui en sont dépourvus, s'en tirent autrement. Certaines punaises ont des tubes qui affleurent à la surface pendant qu'elles se nourrissent dans le fond des mares. Le criquet d'eau emmagasine sous les ailes des bulles d'air qui lui permettent de respirer sous l'eau.

Punaises d'eau géantes
Belostomatidae

Longueur: *2-6,5 cm (¾-2½ po).*
Traits: *corps ovale; pattes antérieures en pince; les autres, aplaties; certains mâles portent les œufs sur leur dos.*
Habitat: *étangs, lacs; près des lumières.*

Crevettes pistolets
Alpheidae

Langoustine pistolet
Alpheus dentipes

Longueur: *2,5-5 cm (1-2 po).*
Traits: *petit crustacé; une pince (gauche ou droite) plus grosse que l'autre; long « pouce » faisant un cliquettement sonore.*
Habitat: *près du rivage; flaques d'eau salée; sous les roches.*

Crustacés Crustacea

Universellement connu des gastronomes par ses crevettes, langoustes et homards, ce groupe comprend quelque 26 000 espèces. Le crustacé typique a des pattes articulées, deux paires d'antennes et un squelette externe ou carapace qui, chez certaines espèces, contient une grande quantité de calcaire et de ce fait est très dur. L'animal subit des mues périodiques au cours desquelles il change de carapace. Le mâle est doté d'un appendice spécial grâce auquel il étreint la femelle. Les œufs éclosent dans l'eau; les larves nagent.

Crabe quadrangulaire
Ocypode quadrata

Bernard-l'ermite
Paguridae

Bernard-l'ermite à pinces bleues
Pagurus samuelis

Longueur: *2,5-4 cm (1-1½ po).*
Traits: *crabe dans la coquille vide d'un escargot; pinces inégales; abdomen mou enroulé; 2 paires de pattes locomotrices.*
Habitat: *près du rivage; flaques d'eau salée; sur la vase ou le sable.*

Balanes Balanidae

Gland de mer ivoire
Balanus eburneus

Longueur: *jusqu'à 2,5 cm (1 po).*
Traits: *forme conique obtenue par 6 plaques abdominales soudées; panache de filaments plumeux sortant de l'orifice supérieur.*
Habitat: *des estuaires aux océans; sur rochers, pilotis, barques.*

Ecrevisse de l'Est
Cambarus bartonii

Ecrevisses
Astacidae

Longueur: *5-12,5 cm (2-5 po).*
Traits: *petit homard d'eau douce.*
Habitat: *cours d'eau, étangs, lacs; sous les roches ou dans la vase.*

Crabe bleu
Callinectes sapidus

Crabe violoniste
Uca pugnax

Crabes aux pieds agiles
Ocypodidae

Longueur: *2-10 cm (¾-4 po).*
Traits: *crabe agile à carapace carrée; yeux espacés au bout de longs pédoncules; 4 paires de pattes locomotrices; dans certains cas, pinces inégales.*
Habitat: *grèves, marais salés; terriers.*

Crabes portunides
Portunidae

Longueur: *7,5-23 cm (3-9 po).*
Traits: *espèce aquatique à carapace ovale, pointue sur les côtés; pattes postérieures en palette; yeux pédonculés.*
Habitat: *baies, estuaires, eaux littorales.*

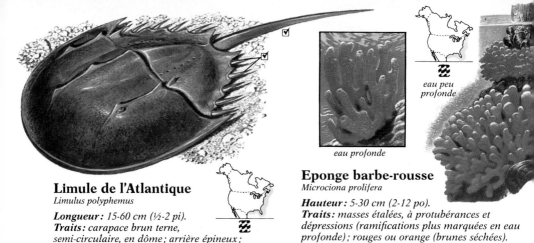

Limule de l'Atlantique
Limulus polyphemus

Longueur : 15-60 cm (½-2 pi).
Traits : carapace brun terne,
semi-circulaire, en dôme ; arrière épineux ;
queue-épée libre. **Habitat :** près du rivage en
baies et estuaires ; en eau profonde.

Limules Xiphosura

Ces animaux inoffensifs viennent s'accoupler en
eau peu profonde, le mâle grimpé sur la femelle
plus grande que lui. Proches parents des araignées
plutôt que des crabes, ces « fossiles vivants »
n'ont pas évolué depuis plusieurs centaines de
millions d'années.

eau peu
profonde

eau profonde

Eponge barbe-rousse
Microciona prolifera

Hauteur : 5-30 cm (2-12 po).
Traits : masses étalées, à protubérances et
dépressions (ramifications plus marquées en eau
profonde) ; rouges ou orange (brunes séchées).
Habitat : sur rochers et pilotis, près du rivage.

Eponges Porifera

C'est au XIXᵉ siècle que les éponges, qui étaient
classées jusque-là parmi les plantes, ont été admises
dans le règne animal. Incapables de synthétiser
leur nourriture, elles filtrent dans l'eau les
animalcules dont elles se nourrissent. On trouve
des éponges dans l'océan et parfois en eau douce.

Anémones de mer, coraux Anthozoa

Ces créatures charnues et colorées sont armées de tentacules
à cellules urticantes qui « piquent » les proies qui les touchent et les portent à la bouche de l'animal. Avec son pied
musculeux, l'anémone de mer s'agrippe aux rochers ou se
déplace lentement. Le corail étoile vit en colonies, chaque
petit polype habitant une cupule cornée. Les fouets de mer
sont des masses charnues couvrant un squelette.

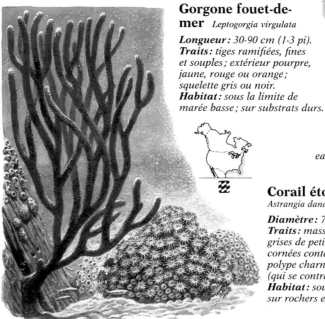

Gorgone fouet-de-mer *Leptogorgia virgulata*

Longueur : 30-90 cm (1-3 pi).
Traits : tiges ramifiées, fines
et souples ; extérieur pourpre,
jaune, rouge ou orange ;
squelette gris ou noir.
Habitat : sous la limite de
marée basse ; sur substrats durs.

Anémone de mer blanche
Metridium senile

Hauteur :
5-10 cm (2-4 po).
Traits : corps mou,
massif, d'orange à blanc, fixé à
la base ; nombreux tentacules
plumeux et blancs au sommet.
Habitat : près du rivage ou en
eau profonde ; sur rochers et piliers.

Corail étoile
Astrangia danae

Diamètre : 7,5-20 cm (3-8 po).
Traits : masses blanches ou
grises de petites cupules
cornées contenant un minuscule
polype charnu à tentacules
(qui se contracte le jour).
Habitat : sous la limite de marée basse ;
sur rochers et pilotis.

AUTRES
INVERTÉBRÉS

Aurélie-lune
Aurelia aurita

Diamètre:
20-25 cm (8-10 po).
Traits: disque gélatineux
en forme d'ombrelle; 4 organes sexuels
formant un trèfle au centre; frange de petits tentacules.
Habitat: baies, eaux littorales; flottant à la surface.

Méduses et analogues Hydrozoa et Scyphozoa

C'est sans plaisir qu'on voit apparaître en bancs sur nos côtes ces fragiles créatures aux couleurs merveilleuses dont les tentacules urticants infligent à l'homme des blessures douloureuses. La physalie tropicale *(Physalia physalia)*, qui dérive parfois vers le nord, a des tentacules qui peuvent atteindre 15 m (50 pi); ceux de l'aurélie-lune et de la velelle voilée sont moins longs.

Velelle voilée
Velella velella

Longueur: 5-10 cm (2-4 po).
Traits: cloche gélatineuse
ovale, grise ou pourpre;
« voile » triangulaire
translucide; petits tentacules
en dessous du corps.
Habitat: eaux littorales;
mers chaudes.

Etoiles de mer Asteroidea

L'étoile de mer a normalement 5 bras, parfois jusqu'à 30. Coupez-en un; un autre repousse. Sous son corps se voient des rangées de petits appendices digitiformes. Ce sont les ambulacres, organes de locomotion terminés par un disque-ventouse qui sert à maintenir et à réduire les proies: bivalves, oursins de mer et charogne.

Etoile de mer ocre *Pisaster ochraceus*

Diamètre: 15-30 cm (6-12 po).
Traits: corps coriace à 5 bras rayonnants;
pourpre, ocre, brun ou orange;
motif réticulé de nodules calcaires
de teinte pâle encastrés dans le dos.
Habitat: grèves à marée; sur rochers; en mares d'eau salée.

test

Oursin vert
*Strongylocentrotus
droebachiensis*

Diamètre: 6,5-7,5 cm (2½-3 po).
Traits: coquille ronde à piquants acérés
verts ou pourpres; test vide vert à nodules.
Habitat: mares d'eau salée; eaux littorales.

test

Dollar de sable
Echinarachnius parma

Diamètre: 6,5-7,5 cm (2½-3 po).
Traits: oursin aplati à petits
piquants bruns; dessin à 5 pétales sur
le dessus; test vide blanc.
Habitat: eau profonde; fonds de sable.

Oursins et dollars de sable Echinoidea

Acérés mais rarement venimeux, les piquants de l'oursin sont une défense naturelle contre les prédateurs. Végétarien, il se nourrit d'algues. Le dollar de sable est un oursin aplati, proche parent des étoiles de mer comme le prouve son motif à cinq pointes; à demi enfoui dans le sable, il se nourrit de débris organiques.

Arbres et arbustes

La forêt occupe une place dominante dans nos paysages, puisqu'elle couvre, à l'état naturel, plus de la moitié de l'Amérique du Nord.

L'Amérique du Nord possède les arbres les plus grands du monde, les plus gros et les plus vieux. On y dénombre 60 variétés de chênes, 35 de pins et une bonne douzaine d'érables ; quelque 750 espèces y poussent à l'état sauvage.

Définissons ce que l'on entend par le terme « arbre ». On admet généralement qu'un arbre est une plante ligneuse dont la tige érigée (le tronc) atteint au moins 4 m (12 pi) de hauteur. L'arbuste se distingue de l'arbre par sa taille moins élevée et par ses troncs multiples.

S'il est facile de faire la différence entre un arbre et un arbuste, il l'est tout autant de distinguer un arbre à feuilles d'un arbre à aiguilles. Sait-on cependant que ces aiguilles ne sont rien d'autre que des feuilles très étroites contenant elles aussi de la chlorophylle, pigment vert essentiel à la photosynthèse ? Les arbres à aiguilles appartiennent au groupe des conifères, arbres dont les graines viennent dans des cônes, tout comme les cèdres, les genévriers et toutes les espèces à feuilles en forme d'écaille. Enfin, la plupart des conifères ont des feuilles persistantes, qui ne tombent pas en hiver.

Les arbres feuillus — érables et chênes — perdent au contraire leurs feuilles à l'automne en zone tempérée ; ce sont des arbres décidus ou à feuilles caduques. Leur reproduction diffère aussi de celle des conifères. Les feuillus se multiplient au moyen de fleurs et de fruits à graines. Les fleurs mâles et femelles sont souvent distinctes et produites par le même sujet ou par des sujets différents.

Où sont nos forêts

Il existe en Amérique du Nord sept grandes régions forestières caractérisées par des essences spécifiques. Les voici.

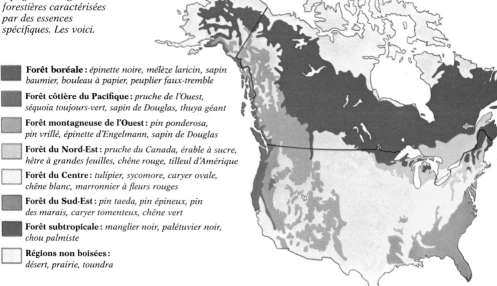

Forêt boréale : *épinette noire, mélèze laricin, sapin baumier, bouleau à papier, peuplier faux-tremble*

Forêt côtière du Pacifique : *pruche de l'Ouest, séquoia toujours-vert, sapin de Douglas, thuya géant*

Forêt montagneuse de l'Ouest : *pin ponderosa, pin vrillé, épinette d'Engelmann, sapin de Douglas*

Forêt du Nord-Est : *pruche du Canada, érable à sucre, hêtre à grandes feuilles, chêne rouge, tilleul d'Amérique*

Forêt du Centre : *tulipier, sycomore, caryer ovale, chêne blanc, marronnier à fleurs rouges*

Forêt du Sud-Est : *pin taeda, pin épineux, pin des marais, caryer tomenteux, chêne vert*

Forêt subtropicale : *manglier noir, palétuvier noir, chou palmiste*

Régions non boisées : *désert, prairie, toundra*

Chaque région a ses essences

Conifères et feuillus occupent des habitats différents. Les premiers peuplent surtout les régions du Nord et de l'Ouest, du Sud et du Sud-Ouest, tandis que les seconds préfèrent les climats tempérés, les sols riches et, jusqu'à un certain degré, les pluies abondantes. Les forêts mixtes, c'est-à-dire peuplées en quantités à peu près égales d'essences à feuilles persistantes et d'essences à feuilles caduques, occupent les zones intermédiaires.

A l'intérieur d'un groupe, les exigences varient. Chez les conifères, par exemple, les épinettes préfèrent les régions froides et humides, les sapins tolèrent des températures plus élevées et les pins affectionnent les sols durs et secs exposés au soleil.

Si certaines essences comme le pin viennent en peuplements purs, la plupart se regroupent en fonction de leurs exigences culturales. Par exemple, dans les Etats américains du Sud et du Centre, les chênes s'associent aux caryers, tandis que genévriers et pins pignons cohabitent dans les zones arides de l'Ouest. Les essences de sous-bois ont elles aussi leurs préférences. L'érable circiné croît à l'ombre des conifères dans le Nord-Ouest, tandis que la viorne à feuille d'aulne préfère les forêts mixtes du Nord-Est.

Ces sympathies naturelles s'étendent même aux animaux. Certains petits pics creusent des trous dans les bouleaux, tandis que les becs-croisés rouges raffolent des graines de quelques conifères. Il y a donc un plaisir supplémentaire à savoir identifier les arbres : celui de connaître les autres formes de vie autour d'eux.

Comment utiliser cette section

Les conifères et les feuillus se trouvent aux pages 288-322. Les pages 323-329 sont consacrées aux arbustes. (Quelques arbustes de très petite taille sont dans la section des fleurs sauvages.) A moins d'indication contraire, l'aire de distribution correspond à la zone où l'espèce se reproduit sans culture.

Les dimensions sont celles d'un sujet adulte de taille moyenne. Comme l'environnement modifie les facteurs de croissance, il faut s'attendre à des écarts. Dans les illustrations, les feuilles et les ramilles ont le quart de leurs dimensions normales ; les feuilles composées sont reproduites au huitième de leur taille.

Identification sur le terrain

Certaines essences — séquoia géant, saule pleureur — se reconnaissent au premier coup d'œil. D'autres demandent plus d'attention.

Feuilles. Déterminez-en d'abord le type : aiguille, écaille, feuille plate et large. Examinez ensuite sa taille, sa forme, sa texture, sa couleur et sa composition. Chez les feuillus, les feuilles alternent sur la tige. (Les érables, avec leurs feuilles opposées, font exception.) Certaines espèces, comme le caryer et l'érable négondo, ont des feuilles à folioles. Voir page 288 la clé des feuilles de conifères.

Erable négondo

Pin rigide

Fleurs. Lorsqu'un feuillu porte de belles grandes inflorescences, comme le magnolia, il est facile de l'identifier. Il en va de même lorsque les fleurs empruntent des formes insolites, comme les chatons des bouleaux.

Fruits. Les arbres apparentés ont des fruits semblables. Mais si tous les chênes donnent des glands, ceux-ci diffèrent de forme, de taille et de texture selon les espèces. Les cônes des conifères sont également très variés. Mesurez ceux qui se trouvent sur le sol et examinez-les de près ; remarquez dans quel sens ils poussent sur l'arbre. Les cônes des sapins sont dressés ; ceux des épinettes, pendants.

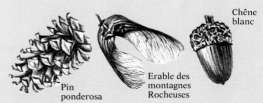

Chêne blanc

Pin ponderosa

Erable des montagnes Rocheuses

Ecorce. Pour identifier un arbre, surtout en hiver, il faut examiner la couleur de son écorce, son apparence, sa texture, plus particulièrement dans la partie adulte du tronc. L'écorce permet souvent de déterminer l'espèce du sujet : pin rouge, caryer ovale, bouleau à papier.

Port. Le port d'un arbre se définit surtout par sa taille, par le diamètre de sa cime et par la disposition de ses branches. On dit que l'orme américain est en forme d'urne ; il a un fût robuste, plusieurs branches maîtresses, une cime vaste et des rameaux extérieurs arqués. Mais l'environnement modifie le port d'un arbre ; il aura en forêt une taille plus élancée, une cime plus ramassée que s'il poussait en milieu dégagé.

If de l'Ouest
Taxus brevifolia
Taille: 6-12 m (20-40 pi);
aiguille 2,5 cm (1 po).
Traits: aiguilles vert foncé dessus,
vert-jaune dessous, comme en 2 rangs
bien qu'en spirale; fruits charnus,
écarlates; écorce mince, écailleuse, brun pourpré.
Habitat: sol humide, près de l'eau.

Ifs *Taxus*

L'if est un conifère à fruits rouges en forme de baie qui tolère bien l'ombre; aussi est-il souvent le seul de sa taille dans le sous-bois des forêts denses. L'écorce de l'if arbustier du Canada *(Taxus canadensis)* fait le régal des orignaux et des chevreuils en hiver; ses fruits attirent les perdrix. Avec le bois de l'if, on fabriquait autrefois des arcs de qualité; aujourd'hui, c'est un arbre ornemental à planter du côté nord des édifices.

Identification des arbres à aiguilles. Le tableau ci-dessous facilitera l'identification des conifères à aiguilles. On trouvera les conifères à écailles aux pages 295-297.

Disposition des aig.	Long.	En coupe	Nom
faisceaux de 5 (moins chez le pignon)	2,5-12,5 cm (1-5 po)	triangulaire	pins tendres pp. 288-289
faisceaux de 2 à 4	2,5-45 cm (1-18 po)	semi-circulaire à triangulaire	pins durs pp. 289-291
faisceaux de 20 et plus en balai	jusqu'à 5 cm (2 po)	plate à triangulaire	mélèzes p. 292
solitaires, comme en 2 rangs	1,5-2,5 cm (½-1 po)	plate	ifs p. 288
solitaires, en spirale	jusqu'à 5 cm (2 po)	carrée ou aplatie	épinettes pp. 292-293
solitaires, en 2 rangs ou en spirale	jusqu'à 2,5 cm (1 po)	plate	pruches p. 293
solitaires, tout autour	jusqu'à 7,5 cm (3 po)	aplatie	sapins p. 294
	jusqu'à 4 cm (1½ po)	aplatie	fausses pruches p. 295
solitaires, sur les côtés	jusqu'à 2,5 cm (1 po)	plate	séquoias, cyprès p. 295

Pin argenté — **Pin blanc**

Pin blanc
Pinus strobus
Taille: 25-30 m
(80-100 pi);
aiguille 7,5-12,5 cm
(3-5 po).
Traits: aiguilles
quinées; cônes
résineux; écorce
lisse, vert foncé
(jeunes), crevassée et
brun foncé (adultes).
Habitat: humus
sablonneux, crêtes
rocheuses, tourbières.

je...

adulte

Pin à sucre
Pinus lambertiana

Taille: 48-60 m (160-200 pi); aiguille 5-10 cm (2-4 po). **Traits:** aiguilles quinées, tordues; très longs cônes (25-65 cm ou 10-26 po). **Habitat:** pentes humides et fraîches en montagne.

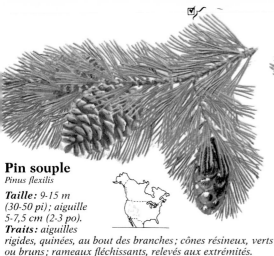

Pin souple
Pinus flexilis

Taille: 9-15 m
(30-50 pi); aiguille
5-7,5 cm (2-3 po).
Traits: aiguilles
rigides, quinées, au bout des branches; cônes résineux, verts
ou bruns; rameaux fléchissants, relevés aux extrémités.
Habitat: sol sec et rocheux, en montagne.

Pin aristé
Pinus aristata

Taille: 9-12 m (30-40 pi);
aiguille 2,5-4 cm (1-1½ po).
Traits: aiguilles quinées, bleu-
vert, à gouttelettes de résine
blanche; cônes à écailles épineuses.
Habitat: sol sec et rocheux
en montagne.

Pins *Pinus*

Les pins descendent plus au sud que les épinettes et les sapins; mais on les trouve partout en Amérique du Nord, sauf dans le Grand Nord et en quelques régions du Midwest. Trente-six espèces sont indigènes. Le pin blanc et le pin argenté *(Pinus monticola)*, à aiguilles plus cour-tes que celles du premier, viennent aussi bien en sol humide qu'en sol sec. Même le pin de Monterey *(Pinus radiata)*, naturellement res-treint, se cultive en plantations avec succès dans plusieurs régions.

On divise les pins en deux groupes selon le bois du cœur: les pins tendres ou pins à cinq feuilles et les pins durs, appelés aussi pins jau-nes ou résineux. D'autres traits plus apparents permettent de distin-guer les premiers des seconds. Les aiguilles des pins tendres sont quinées (en faisceaux de cinq); celles des pins durs, gémellées ou ter-nées (en faisceaux de deux ou trois). Les cônes des pins durs portent souvent des épines, alors que ceux des pins mous en sont la plupart du temps dépourvus, sauf les pins aristés, arbres célèbres pour leur longévité et parmi lesquels se trouvent les plus vieux arbres d'Améri-que du Nord. A l'exception du pin gris, les arbres illustrés dans ces deux pages sont des pins tendres; le pin gris et ceux décrits dans les deux pages qui suivent sont des pins durs.

*vieux pin
aristé*

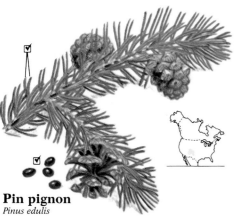

Pin gris
Pinus banksiana (Pinus divaricata)

Taille: 9-20 m
(30-70 pi);
aiguille 2-4 cm
(¾-1½ po).
Traits: aiguilles
gémellées, incurvées,
étalées en V; cônes fermés,
pointant vers le bout des
branches; écorce écailleuse,
rouge-brun; arbre souvent
penché, à branches déformées.
Habitat: plaines sèches et sol humide.

Pin pignon
Pinus edulis

Taille: 6-12 m (20-40 pi); aiguille 2-4 cm (¾-1½ po).
Traits: aiguilles gémellées, vert foncé (solitaires
chez le pin pignon à une feuille, Pinus monophylla);
cônes ovoïdes; graines sans ailes, 1,5 cm (½ po).
Habitat: contreforts secs, plateaux.

Pin rouge
(pin résineux) *Pinus resinosa*

jeune

adulte

Taille : *15-25 m (50-80 pi) ;
aiguille 10-15 cm (4-6 po).*
Traits : *aiguilles gémellées, souples,
au bout des branches ; cônes à écailles
sans épines ; écorce écailleuse, rose ou
rouge-brun (jeunes) ou à grandes plaques (adultes).*
Habitat : *sol sableux, pentes rocheuses.*

Pin lodgepole
(pin vrillé)
Pinus contorta

Taille : *20-25 m
(70-80 pi), moins haut
près de la mer ; aiguille
2,5-7,5 cm (1-3 po).*
Traits : *aiguilles
gémellées,
tordues ; cônes
fermés, épineux,
s'écartant du bout
des branches ;
écorce à petites
plaques (plus
grandes près de la mer).*
Habitat : *flancs de
montagne, grèves,
tourbières près de la mer.*

adulte

Pin ponderosa
(pin à bois
lourd)
Pinus ponderosa

Taille : *45-55 m
(150-180 pi) ; aiguille
10-18 cm (4-7 po).*
Traits : *aiguilles gémellées ou ternées,
vert-jaune foncé ; cônes épineux ; écorce
plaquée de minces écailles, brun-noir ou
jaune-brun (arbres plus que centenaires).*
Habitat : *sol sec en montagne.*

Pin
épineux
Pinus echinata

Taille : *25-30 m
(80-100 pi) ; aiguille
6,5-12,5 cm (2½-5 po).*
Traits : *aiguilles ternées ou gémellées,
vert foncé ; cônes épineux ;
écorce presque noire, écailleuse
(jeunes) ou rouge-brun à grandes
plaques (adultes) ; jeunes ramilles
vertes à reflets pourpres.*
Habitat : *plateaux
sableux ou
rocheux.*

Pin taeda (pin à encens) *Pinus taeda*

Taille : *27-34 m (90-110 pi) ; aiguille
15-23 cm (6-9 po).* **Traits :** *aiguilles
ternées, rigides, vert-jaune ; cônes
rouge-brun à épines acérées ; écorce
écailleuse, presque noire (jeunes) ou
rouge-brun (adultes) ; large cime ouverte.*
Habitat : *basses vallées sableuses,
marécages, plateaux argileux.*

adulte

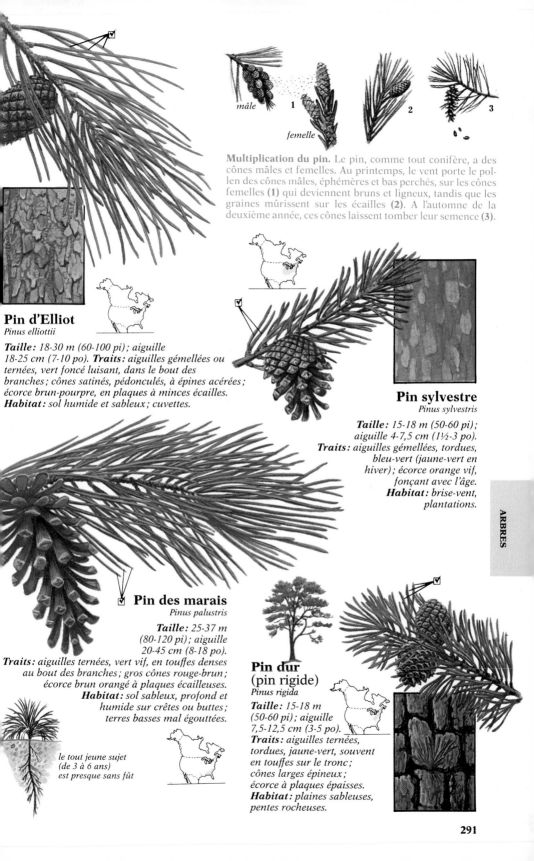

mâle **1**
femelle

2

3

Multiplication du pin. Le pin, comme tout conifère, a des cônes mâles et femelles. Au printemps, le vent porte le pollen des cônes mâles, éphémères et bas perchés, sur les cônes femelles **(1)** qui deviennent bruns et ligneux, tandis que les graines mûrissent sur les écailles **(2)**. À l'automne de la deuxième année, ces cônes laissent tomber leur semence **(3)**.

Pin d'Elliot
Pinus elliottii

Taille: *18-30 m (60-100 pi); aiguille 18-25 cm (7-10 po).* **Traits:** *aiguilles gémellées ou ternées, vert foncé luisant, dans le bout des branches; cônes satinés, pédonculés, à épines acérées; écorce brun-pourpre, en plaques à minces écailles.* **Habitat:** *sol humide et sableux; cuvettes.*

Pin sylvestre
Pinus sylvestris

Taille: *15-18 m (50-60 pi); aiguille 4-7,5 cm (1½-3 po).* **Traits:** *aiguilles gémellées, tordues, bleu-vert (jaune-vert en hiver); écorce orange vif, fonçant avec l'âge.* **Habitat:** *brise-vent, plantations.*

Pin des marais
Pinus palustris

Taille: *25-37 m (80-120 pi); aiguille 20-45 cm (8-18 po).* **Traits:** *aiguilles ternées, vert vif, en touffes denses au bout des branches; gros cônes rouge-brun; écorce brun orangé à plaques écailleuses.* **Habitat:** *sol sableux, profond et humide sur crêtes ou buttes; terres basses mal égouttées.*

le tout jeune sujet (de 3 à 6 ans) est presque sans fût

Pin dur
(pin rigide)
Pinus rigida

Taille: *15-18 m (50-60 pi); aiguille 7,5-12,5 cm (3-5 po).* **Traits:** *aiguilles ternées, tordues, jaune-vert, souvent en touffes sur le tronc; cônes larges épineux; écorce à plaques épaisses.* **Habitat:** *plaines sableuses, pentes rocheuses.*

Epinettes (épicéas) *Picea*

Les 30 espèces d'épinettes (appelées épicéas ailleurs dans le monde) ont des aiguilles acérées à section quadrangulaire, odoriférantes lorsqu'on les froisse. Elles poussent sur une protubérance ligneuse de l'écorce (l'apophyse) qui reste en place lorsqu'elles tombent. A maturité, les cônes pendent aux rameaux, alors qu'ils sont dressés chez les sapins. Chacune des fines écailles papyracées qui composent les cônes comporte deux graines dont raffolent écureuils, becs-croisés et autres petits mammifères et oiseaux.

L'épinette est un grand arbre conique, mais le sol et le climat en altèrent souvent le port. Dans la toundra, à cause du gel, du vent et de la brièveté de la période de croissance, les épinettes noires y sont très rabougries ; des sujets plus que centenaires n'ont souvent que 3 m (10 pi) de hauteur.

Si l'épinette suggère des paysages nordiques, elle s'étend pourtant loin au sud en montagne. Dans l'Ouest, deux des sept espèces indigènes d'Amérique du Nord, l'épinette d'Engelmann et l'épinette bleue du Colorado *(Picea pungens)*, qui est cultivée comme arbre d'ornement, atteignent presque la frontière du Mexique, tandis que dans l'Est, l'épinette rouge *(Picea rubens)* se retrouve jusqu'au sud des Carolines.

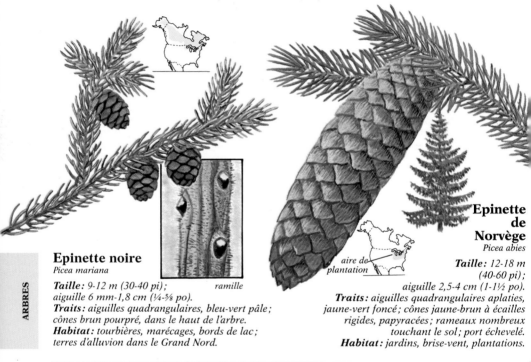

Epinette noire
Picea mariana

ramille

Taille : *9-12 m (30-40 pi) ; aiguille 6 mm-1,8 cm (¼-⅝ po).*
Traits : *aiguilles quadrangulaires, bleu-vert pâle ; cônes brun pourpré, dans le haut de l'arbre.*
Habitat : *tourbières, marécages, bords de lac ; terres d'alluvion dans le Grand Nord.*

aire de plantation

Epinette de Norvège
Picea abies

Taille : *12-18 m (40-60 pi) ; aiguille 2,5-4 cm (1-1½ po).*
Traits : *aiguilles quadrangulaires aplaties, jaune-vert foncé ; cônes jaune-brun à écailles rigides, papyracées ; rameaux nombreux touchant le sol ; port échevelé.*
Habitat : *jardins, brise-vent, plantations.*

Mélèzes *Larix*

Les aiguilles du mélèze jaunissent et tombent en automne, mais pas les cônes. Des trois espèces indigènes dans le nord du continent, seul le mélèze occidental *(Larix occidentalis)* a une valeur commerciale. Le mélèze subalpin ou de Lyall *(Larix lyallii)* a une valeur écologique.

Mélèze occidental

Mélèze laricin
Larix laricina

Taille : *12-25 m (40-80 pi) ; aiguille 2-4 cm (¾-1½ po).*
Traits : *aiguilles bleu-vert vif, en touffes denses (sauf sur nouvelles pousses) ; cônes jaune-brun, papyracés.*
Habitat : *marécages ; tourbières ; forêts montagneuses du Nord.*

coupe d'une
aiguille

Epinette de Sitka
Picea sitchensis

Taille: 55-60 m (180-200 pi);
aiguille 1,5-2,5 cm (½-1 po).
Traits: aiguilles aplaties, jaune-vert vif, acérées;
cônes souples, à écailles ondulées; écorce brun-rouge,
écailleuse, lâche; rameaux fléchissants.
Habitat: forêts humides du Pacifique, sol riche.

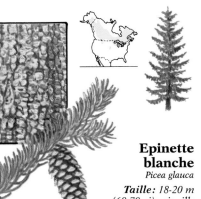

Epinette blanche
Picea glauca

Taille: 18-20 m
(60-70 pi); aiguille
8 mm-2 cm (⅓ -¾ po).
Traits: aiguilles quadrangulaires,
bleu-vert, cireuses; cônes brun clair;
ramilles glabres; écorce à fines écailles.
Habitat: rives des cours d'eau et des lacs.

Epinette d'Engelmann
Picea engelmannii

Taille: 30-37 m (100-120 pi);
aiguille 2,5 cm (1 po).
Traits: aiguilles quadrangulaires,
bleu-vert; cônes brun clair à écailles
ondulées; écorce à larges plaques
lâches; rameaux inférieurs
fléchissants. **Habitat:** sol humide;
flancs de montagne ou prés.

ARBRES

Pruches *Tsuga*

La pruche vit longtemps, mais pousse
lentement dans l'ombre de la forêt.
Lorsqu'elle est adulte, son feuillage
est si dense que peu d'essences peuvent vivre dessous. Au XIXᵉ siècle, la
cueillette systématique du tanin que
contient son écorce a détruit d'immenses peuplements, mais l'espèce
est en expansion. Les cônes de la pruche de l'Ouest *(Tsuga heterophylla)*,
amie des pentes fraîches et humides,
sont longs, mais ceux des pruches de
la Caroline et de Mertens *(Tsuga caroliniana* et *T. mertensiana)*, des montagnes de l'Est et de l'Ouest, le sont
encore plus.

Pruche
de l'Ouest

Pruche
du Canada

Pruche
du Canada
(pruche de l'Est)
Tsuga canadensis

Taille: 18-20 m (60-70 pi);
aiguille 8 mm-1,7 cm (⅓ -⅔ po).
Traits: aiguilles plates, vert foncé
dessus, blanchâtres dessous, à court
pétiole; petits cônes au bout des
branches; flèche déjetée dans le sens des
vents. **Habitat:** sol humide et frais;
ravins ombragés, versants nord.

ramille et aiguille

293

Un bon indice: les ramilles.

• L'aiguille de l'épinette sort d'un renflement ligneux: la ramille est rugueuse.
• Le pétiole de l'aiguille laisse une petite cicatrice sur la ramille de la fausse pruche.
• L'aiguille sans pétiole du sapin laisse une cicatrice lisse, en creux, sur la ramille.

Sapins *Abies*

Ces arbres majestueux à tronc droit et à cime pyramidale sont liés pour nous aux fêtes de Noël, selon une vieille coutume germanique. On croit que les lumières qui le décorent rappellent les rachis ou supports de cônes couverts de neige, qui passent l'hiver sur les rameaux de l'arbre après que les écailles en sont tombées. Les 40 espèces de sapins qu'on trouve sur le continent, dont neuf indigènes, ont des cônes dressés et non retombants comme chez la plupart des conifères. Le sapin aime les sols frais et humides des basses forêts du Nord et ne s'installe en altitude que dans le Sud. Le sapin de Fraser *(Abies fraseri)* remplace le sapin baumier dans le sud des Appalaches; dans l'Ouest, le sapin subalpin à cônes pourpres *(Abies lasiocarpa)* atteint le Nouveau-Mexique et l'Arizona.

rachis de cône

Sapin baumier
Abies balsamea

Taille: *12-18 m (40-60 pi);* aiguille 2-4 cm (¾-1½ po).
Traits: aiguilles aplaties, vert foncé, luisantes, en spirale, mais paraissant en 2 rangs; cônes dressés, pourpre-vert, résineux; écorce vert terne, lisse, à vésicules de résine.
Habitat: marécages, sols bien égouttés.

Sapin de Vancouver (sapin grandissime)
Abies grandis

Taille: *43-48 m (140-160 pi);* aiguille 2,5-5 cm (1-2 po).
Traits: aiguilles aplaties, vert foncé luisant dessus, argentées dessous, en 2 rangs; rameaux fléchissants, relevés aux extrémités.
Habitat: vallées, pentes douces.

Sapin concolore (sapin du Colorado) *Abies concolor*

Taille: *40-45 m (130-150 pi);* aiguille 5-7,5 cm (2-3 po). **Traits:** aiguilles aplaties, bleu argenté, redressées en brosse; cônes dressés, dans la cime; rameaux inférieurs fléchissants.
Habitat: pentes élevées, flancs nord, sol bien égoutté.

la longueur des aiguilles varie dans les branches basses

Sapin magnifique (sapin shasta)
Abies magnifica

Taille: *45-55 m (150-180 pi); aiguille 2-4 cm (¾-1½ po).*
Traits: aiguilles aplaties, bleu argenté ou vert sombre, redressées; cônes dressés, brun-pourpre; écorce lisse, blanchâtre (jeunes) ou sillonnée et rouge-brun (adultes).
Habitat: ravins, flancs de hautes montagnes.

adulte

jeune

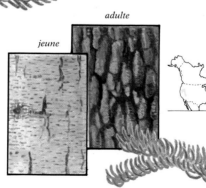

Séquoia géant
Sequoiadendron giganteum

Taille: *75-85 m (250-280 pi); feuille 3 mm-1,5 cm (⅛-½ po).*
Traits: *arbre énorme à fût massif; feuilles bleu-vert, écailleuses, imbriquées (en aiguilles au bout des rameaux); cônes ovales, brun-rouge, à écailles épaisses.*
Habitat: *versants ouest de la sierra Nevada.*

Taxodiacées
Sequoiadendron

Si certains séquoias ont plus de 3 000 ans, les pins aricés vivent encore plus longtemps. Le séquoia toujours-vert dépasse le séquoia géant en hauteur, mais aucun arbre n'est plus massif que ce dernier: il peut mesurer plus de 30 m (100 pi) de circonférence à la base.

Sapin de Douglas
Pseudotsuga menziesii

Taille: *55-75 m (180-250 pi); aiguille 2-4 cm (¾-1½ po).*
Traits: *aiguilles plates, vert-jaune ou bleu-vert, en spirale; cônes pendants, brun clair, à 3 bractées pointues sous les écailles.*
Habitat: *du niveau de la mer aux versants de montagne; sol profond, humide, bien égoutté.*

Fausses pruches   *Pseudotsuga*

Rivales des séquoias pour la hauteur, les fausses pruches sont grandes et droites dans les zones humides de la côte, mais fort différentes ailleurs. Dans les Rocheuses, ces mêmes arbres n'ont que le tiers de leur hauteur et leurs aiguilles ont des reflets bleus et non jaunes.

Séquoia toujours-vert
Sequoia sempervirens

Taille: *60-90 m (200-300 pi); aiguille 1,5-2,5 cm (½-1 po).*
Traits: *aiguilles vert-jaune foncé, en 2 rangs (écailleuses sur ramilles à cônes et nouvelles pousses).*
Habitat: *berges humides, montagnes embrumées de la côte du Pacifique.*

Séquoias toujours-verts
Sequoia

Si l'on peut confondre le séquoia géant et le séquoia toujours-vert à cause de leur taille, ils n'ont ni les mêmes traits, ni le même habitat. Le second habite les zones côtières humides du Pacifique; le premier, des lieux plus secs en montagne.

Taxodes (cyprès chauves)   *Taxodium*

Curieusement couvert de mousse espagnole, le cyprès chauve est entouré de protubérances ligneuses à fonction mal définie qui émergent de ses racines. Ce n'est pas sa seule originalité: ce conifère perd ses feuilles à l'automne. Un proche parent, le taxode de Montézuma *(Taxodium mucronatum)*, a les feuilles persistantes.

Taxode chauve
Taxodium distichum

Taille: *30-37 m (100-120 pi); aiguille 1,5-2 cm (½-¾ po).*
Traits: *aiguilles en 2 rangs, plates, vert-jaune en été, rouge-brun en automne; fût large à la base, entouré de protubérances ligneuses.*
Habitat: *marécages; terres inondées régulièrement.*

Thuyas *Thuja*

Ces arbres qu'on appelle couramment cèdres vivent plusieurs centaines d'années et leur feuillage si délicatement dentelé fournit abri et nourriture aux grands mammifères. Comme leurs cousines d'Orient, toutes les espèces nord-américaines sont recherchées comme arbres d'ornement. Le thuya occidental sert à construire clôtures, meubles rustiques et petits bateaux ; le cèdre de l'Ouest, bardeaux et lambris.

Cèdre de l'Ouest
(thuya géant)
Thuja plicata

Taille : 45-60 m (150-200 pi) ; feuille 2,5 cm (1 po). **Traits :** feuilles imbriquées, écailleuses, luisantes, vert-jaune foncé, en faisceaux retombants ; cônes brun pâle à écailles coriaces et opposées. **Habitat :** sols humides, berges, tourbières, marécages.

Thuya occidental
(cèdre blanc)
Thuja occidentalis

Taille : 12-15 m (40-50 pi) ; feuille 3-6 mm (⅛-¼ po). **Traits :** feuilles écailleuses, imbriquées, vert terne, en faisceaux plats, à vésicules de résine dessous ; cônes fauves à écailles ligneuses et opposées. **Habitat :** sols calcaires ; champs, tourbières, marécages.

Genévriers *Juniperus*

Les genévriers forment un genre diversifié ; les 13 espèces nord-américaines vont du genévrier rampant *(Juniperus horizontalis)* à l'imposant genévrier de Virginie. Heureux partout sauf en sol humide, les genévriers s'accommodent d'habitats qui ne conviennent pas à d'autres arbres ou auxquels ils ne se sont pas encore acclimatés. Le genévrier à une graine *(Juniperus monosperma)* et le genévrier de l'Utah égaient les montagnes arides de l'Ouest, tandis que le genévrier de Virginie et le genévrier commun envahissent les champs en friche, créant un environnement favorable à la croissance des feuillus. Le bois odoriférant du genévrier de Virginie est recherché en ébénisterie et les baies (en réalité des cônes) du genévrier commun servent à parfumer le genièvre (gin).

Genévrier commun
Juniperus communis

Taille : 30-90 cm (1-3 pi) ; feuille 8 mm (⅓ po). **Traits :** feuilles ternées, acuminées, blanchâtres dessus ; fruits en forme de baie, bleu foncé, pruinés de blanc ; port parfois arborescent, plus souvent prostré. **Habitat :** champs en friche ; sols sableux ou rocheux.

feuillage jeune

feuillage adulte

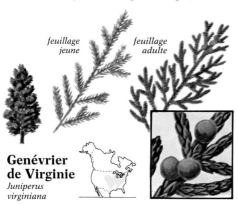

Genévrier de Virginie
Juniperus virginiana

Taille : 12-15 m (40-50 pi) ; feuille 1,5-6 mm (¹⁄₁₆-¼ po). **Traits :** feuilles imbriquées, vert foncé, écailleuses (adultes), en forme d'aiguille (jeunes) ; cônes en forme de baie, bleu foncé à pruine cireuse ; cime pyramidale étroite ou large. **Habitat :** champs en friche ; sols pauvres, secs.

Genévrier de l'Utah
Juniperus osteosperma

Taille : 3-9 m (10-30 pi) ; feuille 1,5 mm (¹⁄₁₆ po). **Traits :** feuilles imbriquées, écailleuses, vert-jaune, sur ramilles robustes ; cônes en forme de baie, bruns à pruine cireuse ; tronc court, souvent à plusieurs branches. **Habitat :** sols pauvres, secs, plats ou en pente.

Chamaecyparis *Chamaecyparis*

Ces arbres qu'on appelle communément cyprès s'apparentent aux cèdres. (Les vrais cèdres, apparentés aux pins, ne sont pas indigènes en Amérique du Nord.) On les appelle aussi faux cyprès. Voilà un bel exemple de la confusion qui règne dans les appellations au sein de cette famille qui rassemble toutes les espèces illustrées dans ces deux pages, à l'exception du ginkgo.

Cyprès faux-thuya
Chamaecyparis thyoides

Taille : 24-26 m (80-85 pi) ; feuille 3 mm (⅛ po).
Traits : feuilles écailleuses, imbriquées, bleu-vert foncé, à vésicules de résine ; cônes ronds, bleu pourpré à pruine cireuse ; écorce grise à crêtes étroites.
Habitat : tourbières.

Cyprès de Lawson
Chamaecyparis lawsoniana

Taille : 43-55 m (140-180 pi) ; feuille 1,5 mm (¹⁄₁₆ po).
Traits : feuilles imbriquées, écailleuses, de vert-jaune à bleu-vert ; rameaux fléchissants ; cônes rouge-brun à pruine cireuse.
Habitat : vallées et pentes humides ; crêtes sèches.

Cupressacées *Cupressus*

Les sept espèces de cyprès du sud de la Californie et de l'Ouest aride résistent aux incendies, à la sécheresse et, dans certains cas, aux embruns salés de la mer. Leurs feuilles minuscules et cireuses sont renforcées de cellules stomatiques (pores respiratoires), preuve de leur acclimatation à un milieu sec.

Cyprès de l'Arizona
Cupressus arizonica

Taille : 15-18 m (50-60 pi) ; feuille 1,5 mm (¹⁄₁₆ po).
Traits : feuilles imbriquées, écailleuses, bleu-vert pâle ; cônes ronds, brun-rouge, à 6 ou 8 écailles pointues.
Habitat : canyons et flancs de montagne ; sols secs ou humides.

Cyprès de Monterey
Cupressus macrocarpa

Taille : 18-20 m (60-70 pi) ; feuille 1,5 mm (¹⁄₁₆ po).
Traits : feuilles imbriquées, écailleuses, vert foncé ; cônes ronds, brun foncé ; jeunes sujets droits ; vieux arbres rabougris, à branches aussi longues que le tronc.
Habitat : rivages sableux ou rocheux balayés par les vents, en Californie.

ARBRES

Ginkgos *Ginkgo*

C'est le seul survivant d'un groupe d'arbres très répandu dans les temps préhistoriques, comme le montrent les fossiles retrouvés. Serait-il venu jusqu'à nous s'il n'avait servi à décorer les jardins des temples en Chine et au Japon ? Natif de l'Orient, le ginkgo est un arbre ornemental populaire parce qu'il résiste aux ravageurs, aux maladies et à la pollution.

Ginkgo bilobé
(arbre aux 40 écus)
Ginkgo biloba

Taille : 9-15 m (30-50 pi) ; feuille 5-7,5 cm (2-3 po).
Traits : feuilles en éventail, coriaces, de jaunes à vert foncé, à nervures rayonnantes ; fruits jaunes et charnus.
Habitat : villes ; rues et parcs.

297

Asiminiers *Asimina*

De gros fruits charnus, des fleurs voyantes, des feuilles et ramilles piquantes : voilà les principaux traits des asiminiers, membres de la famille tropicale des pommes de cannelle dont le fruit est comestible. Les sept autres espèces indigènes sont des arbustes qui poussent sous un couvert de verdure dans le Sud-Est.

Asiminier trilobé (corossol) *Asimina triloba*

Taille : 3-9 m (10-30 pi) ;
feuille 12,5-25 cm (5-10 po).
Traits : feuilles étroites à la base, s'élargissant au milieu ; fleurs à 6 pétales pourpres ; fruits charnus, jaune-vert ; port arbustif parfois.
Habitat : sol fertile et humide ; terres d'alluvion.

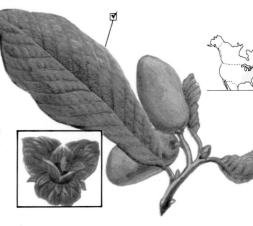

Tulipiers *Liriodendron*

Le tulipier est l'un des feuillus les plus grands et les plus droits de l'Est et son tronc est aussi l'un des plus gros. Ses inflorescences en forme de tulipe portées haut se dissimulent sous les sépales verts qui les entourent ; c'est quand elles tombent prématurément qu'on peut apercevoir les pétales colorés de l'intérieur. Notre tulipier a un seul proche parent, le tulipier chinois *(Liriodendron chinense)*.

Tulipier de Virginie
(bois jaune) *Liriodendron tulipifera*

Taille : 30-37 m (100-120 pi) ;
feuille 10-15 cm (4-6 po).
Traits : feuilles à 4 lobes, fortement échancrées, vert vif, luisantes ; fleurs en tulipe, vert et orange ; fruits coniques, fauves, demeurant sur l'arbre l'hiver.
Habitat : sol sableux, humide mais égoutté.

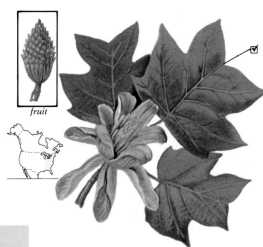

fruit

Magnolias
Magnolia

Des fossiles de magnolias remontant à plus de 70 millions d'années nous font découvrir le passé de cet arbre magnifique. On croit d'ailleurs que le magnolia est l'ancêtre de toutes les plantes florifères parce qu'il aurait été le premier à cacher ses graines dans un ovaire ou fruit, celles des conifères étant « nues ». Le magnolia à fleurs printanières roses est né du croisement de deux espèces chinoises.

Magnolia à grandes fleurs
Magnolia grandiflora

Taille : 18-25 m (60-80 pi) ;
feuille 12,5-20 cm (5-8 po).
Traits : feuilles ovales, coriaces, persistantes, à duvet roux dessous ; grandes fleurs parfumées à 6 ou 12 pétales.
Habitat : terres d'alluvion riches et bien égouttées.

dessous de la feuille

Laurier-sassafras
Sassafras albidum

Taille: 9-12 m (30-40 pi); feuille 7,5-12,5 cm (3-5 po).
Traits: feuilles ovales à 3 lobes; ramilles vert vif, aromatiques quand on les froisse; fruits bleus en forme de baie; racines et souches tigent bien.
Habitat: anciens champs bien égouttés; bois; haies.

Sassafras *Sassafras*

Le seul sassafras d'Amérique du Nord (arbustif dans le Nord) a des feuilles et des ramilles odoriférantes. L'écorce des racines donne une infusion aromatique. Les abeilles raffolent du nectar des fleurs et les oiseaux, des fruits.

Lauriers *Umbellularia*

Arborescente en Oregon, la seule espèce de ce groupe est arbustive dans le sud de la Californie où le vent et les embruns salés entravent sa croissance. Comme le sassafras et quelques membres de la famille des lauriers, elle donne des huiles très volatiles dont l'odeur est agréable.

Laurier de Californie
Umbellularia californica

Taille: 12-25 m (40-80 pi); feuille 5-12,5 cm (2-5 po).
Traits: feuilles elliptiques, persistantes, à odeur de camphre quand on les froisse; fruits vert-jaune.
Habitat: terres d'alluvion, pentes rocheuses.

Platane d'Occident
(sycomore)
Platanus occidentalis

Taille: 25-30 m (80-100 pi); feuille 10-18 cm (4-7 po).
Traits: feuilles larges, dentées, à 3 ou 5 lobes peu marqués; fruits ronds, velus; écorce maculée à plaques floconneuses.
Habitat: terres d'alluvion humides.

Platanes *Platanus*

Les platanes se reconnaissent assez aisément à leurs fruits en boules et à leur écorce tachetée. Dans la nature, on les rencontre près des cours d'eau; c'est le cas du platane de Californie *(Platanus racemosa)*. Mais les villes ont le platane de Londres, croisement entre le platane d'Occident et celui d'Orient *(Platanus orientalis)*. Chez le sycomore, le fruit est solitaire; chez le platane de Londres, il est groupé par deux ou par trois, et jusqu'à sept chez le platane de Californie.

Magnolia à feuilles acuminées *Magnolia acuminata*

Taille: 25-27 m (80-90 pi); feuille 15-25 cm (6-10 po).
Traits: feuilles largement elliptiques, acuminées, vert-jaune dessus, vert pâle dessous; fleurs jaune-vert pâle; graines rouges reliées au fruit par un fin pédoncule.
Habitat: pentes douces, vallées; sol riche et humide.

fruit

Magnolia de Virginie
Magnolia virginiana

Taille: 12-18 m (40-60 pi); feuille 7,5-12,5 cm (3-5 po).
Traits: feuilles elliptiques, luisantes, vert vif dessus, blanchâtres dessous, persistantes dans le Sud; fleurs blanc crème.
Habitat: bords de marécage; terres basses en plaines côtières.

ramille

Micocoulier occidental
(orme bâtard)
Celtis occidentalis

Taille: 9-12 m (30-40 pi);
feuille 6,5-10 cm (2½-4 po).
Traits: feuilles dentées, à
pointe courbe et base arrondie
en oblique; écorce grise à crêtes
verruqueuses;
fruits pourpres;
balais de sorcière.
Habitat: terres
d'alluvion.

balais
de sorcière

☑

Liquidambar styracifère
(copalme d'Amérique)
Liquidambar styraciflua

Taille: 25-37 m (80-120 pi); feuille 15-18 cm
(6-7 po). **Traits:** feuilles en étoile, à 5 ou 7
pointes; fruits ronds, ligneux, à fortes épines,
restant sur l'arbre en hiver; ramilles à crêtes
subéreuses. **Habitat:** terres d'alluvion, marécages.

Liquidambars *Liquidambar*

Leur résine aromatique et amère servait autrefois
à soigner les affections cutanées et la dysenterie.
Les feuilles de la seule espèce présente en Amérique du Nord émettent une odeur agréable au
froissement; à l'automne, elles sont d'un rouge
éblouissant. On pourrait les confondre avec les
feuilles de l'érable si elles n'étaient solitaires.

Micocouliers *Celtis*

Le micocoulier se reconnaît à ses « balais de sorcière », touffes de ramilles au bout des branches,
déformées par un ravageur qui injecte dans les
bourgeons une substance freinant la croissance.
Le micocoulier lisse *(Celtis laevigata)*, dans la vallée du Mississippi et le sud-est des Etats-Unis, ressemble beaucoup au micocoulier occidental, mais
ses fruits sont rouge orangé ou jaunes.

Ormes *Ulmus*

En 1920, un champignon qu'on croyait originaire d'Asie
(les ormes asiatiques y résistaient) a détruit des millions
d'ormes dans le nord de l'Europe. Transporté par un insecte, la maladie hollandaise de l'orme frappait l'est de
l'Amérique du Nord en 1930 puis s'étendait vers l'ouest,
décimant les six espèces indigènes. Le gracieux orme
d'Amérique en forme d'urne est le plus répandu. L'orme
rouge *(Ulmus rubra)* lui ressemble par la forme, mais ses
ramilles et ses fruits sont différents.

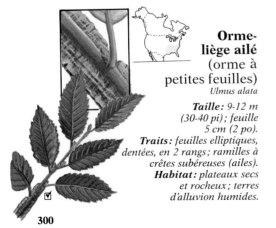

Orme-liège ailé
(orme à petites feuilles)
Ulmus alata

Taille: 9-12 m
(30-40 pi); feuille
5 cm (2 po).
Traits: feuilles elliptiques,
dentées, en 2 rangs; ramilles à
crêtes subéreuses (ailes).
Habitat: plateaux secs
et rocheux; terres
d'alluvion humides.

☑

Orme d'Amérique
(orme blanc)
Ulmus americana

Taille: 15-18 m
(50-60 pi); feuille
10-15 cm (4-6 po).
Traits: feuilles
larges, elliptiques, à
nervures parallèles et
bords dentés; graine
à aile mince et velue,
échancrée; ramilles
grises à bourgeons
d'hiver marron;
cime étalée.
Habitat: terres
d'alluvion.

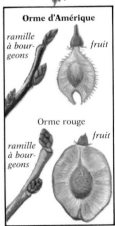

Orme d'Amérique

ramille
à bour-
geons

fruit

Orme rouge

ramille
à bour-
geons

fruit

ARBRES

Oranger des osages
(bois d'arc) *Maclura pomifera*

Taille: 9-12 m (30-40 pi); feuille 7,5-12,5 cm (3-5 po). *Traits:* feuilles larges, lancéolées, vert foncé luisant dessus; rameaux épineux; fruits noueux, jaune-vert; écorce velue et écailleuse. *Habitat:* terres d'alluvion; haies, brise-vent.

Orangers des osages *Maclura*

Cette essence s'utilisait dans les années 30 comme brise-vent et haies; elle pousse à l'état sauvage dans l'est et le centre du continent. On ne l'aime guère, cependant, à cause de ses ramilles épineuses et de ses fruits qui, bien que décoratifs, laissent échapper un latex blanc lorsqu'on les meurtrit.

Mûrier rouge
Morus rubra

Taille: 6-9 m (20-30 pi); feuille 7,5-12,5 cm (3-5 po). *Traits:* feuilles ovales, à 2 ou 3 lobes, dentées, velues dessous; fruits rouge foncé ou pourpres. *Habitat:* terres d'alluvion, pentes douces, sol riche et humide.

Mûriers *Morus*

Renommé pour l'élevage du ver à soie et pour ses fruits, cet arbre qui résiste au vent et croît vite s'est répandu partout dans le monde. Les Croisés ont rapporté le mûrier noir *(Morus nigra)* de l'est de la Méditerranée dans les Iles britanniques, les pèlerins l'ont introduit en Amérique où il s'est acclimaté. Le mûrier blanc *(Morus alba)* est importé lui aussi; seul le mûrier rouge est indigène. Tous sont nommés d'après la couleur de leurs fruits.

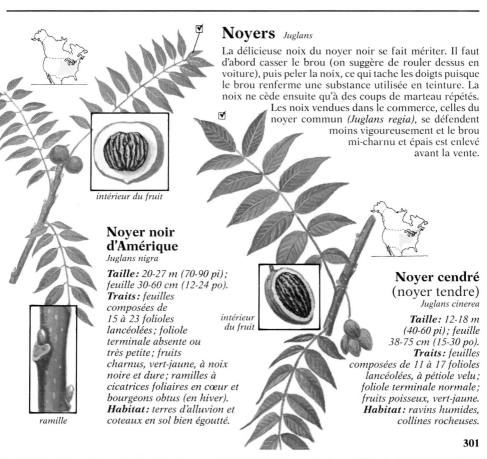

Noyers *Juglans*

La délicieuse noix du noyer noir se fait mériter. Il faut d'abord casser le brou (on suggère de rouler dessus en voiture), puis peler la noix, ce qui tache les doigts puisque le brou renferme une substance utilisée en teinture. La noix ne cède ensuite qu'à des coups de marteau répétés.

Les noix vendues dans le commerce, celles du noyer commun *(Juglans regia)*, se défendent moins vigoureusement et le brou mi-charnu et épais est enlevé avant la vente.

intérieur du fruit

Noyer noir d'Amérique
Juglans nigra

Taille: 20-27 m (70-90 pi); feuille 30-60 cm (12-24 po). *Traits:* feuilles composées de 15 à 23 folioles lancéolées; foliole terminale absente ou très petite; fruits charnus, vert-jaune, à noix noire et dure; ramilles à cicatrices foliaires en cœur et bourgeons obtus (en hiver). *Habitat:* terres d'alluvion et coteaux en sol bien égoutté.

ramille

intérieur du fruit

Noyer cendré
(noyer tendre)
Juglans cinerea

Taille: 12-18 m (40-60 pi); feuille 38-75 cm (15-30 po). *Traits:* feuilles composées de 11 à 17 folioles lancéolées, à pétiole velu; foliole terminale normale; fruits poisseux, vert-jaune. *Habitat:* ravins humides, collines rocheuses.

Caryers *Carya*

Le caryer a moins de folioles par feuille que son cousin le noyer, des ramilles plus fines, des chatons grêles en touffes de trois et des brous qui s'ouvrent en quatre lorsque la noix est mûre. (Les chatons des noyers sont solitaires ou gémellés; le brou ne s'ouvre pas à maturité.) Les noix du caryer, lisses et à quatre ou six côtes, sont comestibles; certaines sont amères et d'autres, trop petites pour valoir l'effort de les extraire. Dans la nature, les caryers s'hybrident librement; il en résulte une grande variété de formes qui posent des défis au spécialiste. Le bois du caryer est dur; il sert à fabriquer des outils et se vend comme bois de foyer.

ramille avec bourgeons

chatons mâles à la base d'une feuille en voie d'éclosion

intérieur du fruit

fruit

Caryer ovale
(caryer à noix douces) *Carya ovata*

Taille: *20-25 m (70-80 pi); feuille 25-35 cm (10-14 po).*
Traits: *feuilles à 5 folioles elliptiques, denticulées (les 3 du haut plus grandes que les 2 du bas); écorce s'effilochant en lamelles; fruits arrondis, verts, à brou épais et ligneux et à coque mince.*
Habitat: *terres d'alluvion, régions montagneuses.*

Caryer cordiforme
(caryer à noix amères)
Carya cordiformis

Taille: *15-18 m (50-60 pi); feuille 18-33 cm (7-13 po).*
Traits: *feuilles composées de 7 à 11 folioles opposées, de taille décroissante; bourgeons jaunes et velus; fruits à brou mince et écailleux s'ouvrant en quatre; amandes amères, brunes.*
Habitat: *berges, marais, régions montagneuses sèches.*

Caryer tomenteux
Carya tomentosa

Taille: *12-18 m (40-60 pi); feuille 23-35 cm (9-14 po).*
Traits: *feuilles composées de 7 à 9 folioles denticulées, velues dessous; fruits arrondis, à brou épais brun et petites amandes.*
Habitat: *plateaux humides; pentes et crêtes sèches et sableuses.*

Caryer pacanier
Carya illinoensis

Taille: *34-43 m (110-140 pi); feuille 30-50 cm (12-20 po).*
Traits: *feuilles composées de 9 à 17 folioles lancéolées, larges et denticulées; grappes de 3 à 12 noix brun foncé, à brou mince s'ouvrant en quatre.*
Habitat: *terres d'alluvion.*

fruit

intérieur du fruit

Hêtres *Fagus*

Le hêtre à grandes feuilles est la seule espèce nord-américaine de ce groupe eurasien dont on ne saurait confondre l'écorce grise et mince et les feuilles papyracées avec celles d'une autre essence. Le hêtre, ce patriarche des forêts de bois franc, garde souvent tout l'hiver ses feuilles mortes et bruissantes.

Chinquapins *Castanopsis*

Le chinquapin occidental est occasionnellement géant, mais un arbuste dans l'État de Washington. Le chinquapin de la sierra *(Castanopsis sempervirens)* pousse lentement à l'orée des forêts. Il ne faut pas les confondre avec le châtaignier nain.

fruit

Hêtre américain (hêtre à grandes feuilles)
Fagus grandifolia

Taille: 20-25 m (70-80 pi);
feuille 6,5-12,5 cm (2½-5 po).
Traits: feuilles elliptiques à grosses dents espacées; écorce lisse, gris clair; fruits à cupule hérissée et à 2 ou 3 faines trigones; bourgeons longs et fins.
Habitat: terres d'alluvion, pentes.

bourgeon

Chênes à tan *Lithocarpus*

Ces arbres ressemblent aux chênes par leurs feuilles et leurs fruits, aux chinquapins et aux châtaigniers par leurs inflorescences dressées et non pendantes. On en utilisait autrefois le tanin.

Chinquapin occidental
Castanopsis chrysophylla

Taille: 18-25 m (60-80 pi); feuille 5-15 cm (2-6 po).
Traits: feuilles lancéolées, persistantes, coriaces, jaunes dessous; bogues épineuses à 1 ou 2 noix.
Habitat: vallées humides, pentes.

gland

Chêne à tan
Lithocarpus densiflorus

Taille: 20-27 m (70-90 pi); feuille 7,5-12,5 cm (3-5 po).
Traits: feuilles persistantes, coriaces, fauves dessous (blanchissant à l'automne), parfois dentées; glands à cupule velue.
Habitat: terres d'alluvion, pentes douces, sol humide.

Châtaigniers *Castanea*

Les châtaignes qu'on grille sur un feu de camp viennent du châtaignier commun *(Castanea sativa)*. Le châtaignier d'Amérique, autrefois si répandu, a été décimé par une maladie cryptogamique (à champignons) qu'on croit venue d'Asie au tournant du siècle. Le tronc porte des repousses qui meurent généralement avant de porter fruit.

pousses sur tronc

Châtaignier d'Amérique
Castanea dentata

Taille: 3 m (10 pi); autrefois 21-27 m (70-90 pi); feuille 14-20 cm (5½-8 po).
Traits: feuilles lancéolées à dents incurvées; 1 à 5 pousses sur vieille souche.
Habitat: terres vallonnées à fond sableux; collines.

bogue ouverte

Châtaignier nain (chinquapin des Alleghanys)
Castanea pumila

Taille: 1,5-4,5 m (5-15 pi); feuille 7,5-12,5 cm (3-5 po).
Traits: feuilles elliptiques, blanchâtres et velues dessous, à dents espacées, terminées par un poil; bogues épineuses à 1 noix.
Habitat: bois secs.

303

Chêne rouge
Quercus rubra

Taille : *18-25 m (60-80 pi) ;
feuille 12,5-20 cm (5-8 po).*
Traits : *feuilles vert lustré, avec 7 à 11
lobes dentés ; glands ovales à cupule velue
et peu profonde ; écorce de gris à rouge-
brun, crevassée sur le long.*
Habitat : *terres d'alluvion, pentes,
plateaux fertiles et bien égouttés.*

Chênes *Quercus*

De tous les feuillus d'Amérique du Nord, les chênes sont les plus répandus.
Ils occupent toutes sortes d'habitats et comprennent le plus grand nombre
d'espèces, soit 58 arbres et 10 arbustes. Les feuilles diffèrent de forme sur un
même sujet et les espèces s'hybrident librement, ce qui rend l'identification
très complexe. Il existe deux groupes de chênes : les chênes rouges (pages
304-305) et les chênes blancs (page 306). Les premiers ont des feuilles découpées en lobes à pointe aiguë, garnis de dents sétifères. Leur gland à amande
amère mûrit la seconde année et ne tombe pas le premier hiver ; l'intérieur
de la cupule est velu. Chez les seconds, les lobes et les dents sont arrondis,
jamais sétifères ; leur gland à amande douce mûrit en six mois et tombe en
hiver ; sa cupule est glabre à l'intérieur.

*feuille
d'automne*

gland

On identifie les espèces à leurs feuilles (forme et couleur), à leurs fruits et
à leurs glands (illustrés grandeur nature). En hiver, ceux-ci servent à nourrir oiseaux et mammifères : canards, tétras, colins, dindons, geais, mésanges, pics, ours, ratons laveurs, écureuils et chevreuils ;
en cachant les glands sans toujours les consommer, ces
animaux assurent en retour la multiplication des chênes. Rapidement doté de feuilles adultes et de longues
racines, le gland est très apte à survivre.

vieux tronc

*gland
de 2 ans*

*gland
de 1 an*

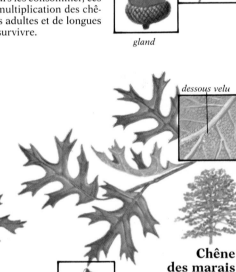

dessous velu

Chêne
des marais
(chêne palustre)
Quercus palustris

Taille : *20-25 m
(70-80 pi) ; feuille
7,5-12,5 cm (3-5 po).*
Traits : *feuilles à 5 (7 ou 9)
lobes dentés à sinus profonds,
touffes de poils dessous ;
glands ronds à cupule peu
profonde ; rameaux courts,
fléchissants en bas.*
Habitat : *terres d'alluvion.*

gland

Chêne écarlate
Quercus coccinea

Taille : *20-25 m
(70-80 pi) ; feuille
7,5-15 cm (3-6 po).*
Traits : *feuilles vert vif (écarlates en automne)
avec 7 ou 9 lobes dentés et aigus séparés par des
sinus profonds ; glands ovales à lignes circulaires
et cupule profonde ; écorce gris-brun pâle et
lisse (jeunes), brun-noir striée et crevassée (adultes).*
Habitat : *sols secs, sableux ou rocheux.*

ARBRES

gland

Chêne-saule
Quercus phellos

Taille: *25-30 m
(80-100 pi); feuille
5-12,5 cm (2-5 po).*
Traits: *feuilles
étroites, lancéolées, vert
pâle lustré dessus, gris-
vert dessous; glands
presque ronds à cupule mince.*
Habitat: *terres d'alluvion;
plaines mal égouttées;
plateaux humides.*

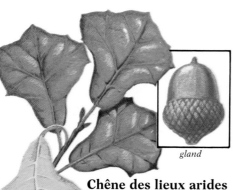

gland

Chêne des lieux arides
Quercus marilandica

Taille: *6-9 m (20-30 pi);
feuille 7,5-18 cm (3-7 po).*
Traits: *feuilles coriaces,
cunéiformes, à 3 lobes; poils bruns
ou roux dessous; cupule couvrant
à moitié le gland.*
Habitat: *plaines sèches
et sableuses; pentes
rocheuses dégarnies.*

Chêne vert
de Californie
Quercus agrifolia

Taille: *18-27 m
(60-90 pi); feuille
2-7,5 cm (¾-3 po).*
Traits: *feuilles coriaces,
persistantes, elliptiques, à
marge dentée et épineuse
enroulée par-dessous; glands
élancés à cupule écailleuse.*
Habitat: *vallées, canyons,
pentes à sol sec.*

gland

Chêne de Kellogg
(chêne noir de Californie)
Quercus kelloggii

Taille: *15-18 m (50-60 pi);
feuille 10-25 cm (4-10 po).*
Traits: *feuilles jaune-vert à 7 ou 9
lobes dentés; glands allongés à
cupule profonde.*
Habitat: *prairies, bas de
montagne secs.*

gland

Chêne vert
Quercus virginiana

Taille: *12-15 m
(40-50 pi); feuille
5-12,5 cm (2-5 po).*
Traits: *feuilles elliptiques, sans lobes,
semi-persistantes, coriaces, vert foncé
lustré dessus, vert pâle et velues dessous;
glands luisants, brun foncé; arbre
plus large que haut (arbustif sur la côte).*
Habitat: *sol sec ou humide, dunes,
plaines côtières et de l'intérieur.*

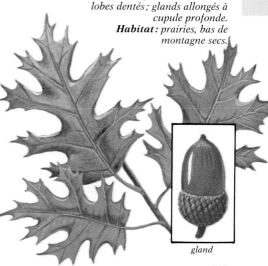

gland

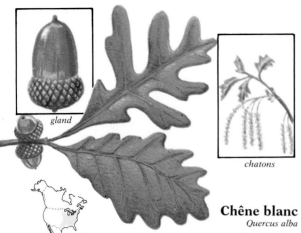

gland

chatons

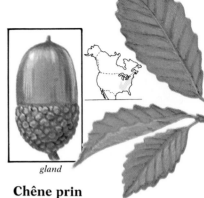

gland

Chêne prin
(chêne châtaignier) *Quercus prinus*

Taille: 15-18 m (50-60 pi);
feuille 10-20 cm (4-8 po).
Traits: feuilles elliptiques avec 17 à 21
lobes peu marqués, vert-jaune lustré
dessus, vert pâle et velues dessous; glands
luisants à cupule mince et long pédoncule.
Habitat: plateaux secs et sableux, crêtes
rocheuses; vallées bien égouttées.

Chêne blanc
Quercus alba

Taille: 25-30 m
(80-100 pi); feuille 12,5-23 cm (5-9 po).
Traits: feuilles à 7 ou 9 grands lobes ronds à sinus plus
ou moins profonds, vert vif dessus, vert pâle dessous;
glands à cupule peu profonde et écailleuse.
Habitat: berges; vallées humides,
plaines sableuses, collines sèches.

Chêne blanc
de Californie
Quercus lobata

Taille: 20-30 m
(70-100 pi); feuille
6,5-10 cm (2½-4 po).
Traits: feuilles avec 7 à 11 lobes
arrondis et sinus profonds, vert
foncé dessus, gris-vert et velues
dessous; glands longs, coniques;
cupule profonde bombée; port
massif. **Habitat:** vallées fertiles,
pentes sèches et rocheuses.

gland

Chêne à gros glands
Quercus macrocarpa

Taille: 20-25 m (70-80 pi); feuille 15-30 cm
(6-12 po). **Traits:** feuilles larges, cunéiformes,
à sinus profonds; glands à cupule profonde,
frangée de poils. **Habitat:** terres d'alluvion
humides (Est), prairies sèches (Midwest).

Chêne à lobes obtus
Quercus stellata

Taille: 12-15 m
(40-50 pi); feuille
10-15 cm (4-6 po).
Traits: feuilles
cruciformes,
coriaces, vert foncé,
à poils gris ou
jaunes dessous.
Habitat: plaines
et plateaux secs,
sableux ou rocheux;
crêtes et collines
rocheuses; berges
à sol riche.

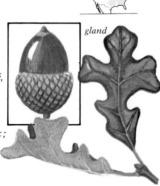

gland

Chêne à
gros glands

Chêne à feuille
lyrée (*Quercus
lyrata*)

Bouleaux *Betula*

Les 12 bouleaux d'Amérique du Nord (7 arbres et 5 arbustes) ont une écorce mince à feuillets et des feuilles ovales finement denticulées. Ils sont particulièrement décoratifs en hiver avec leur écorce blanchâtre et échevelée et leurs jolies grappes pendantes de chatons qui s'ouvrent et lâchent leur pollen au printemps. Après la fécondation, les fleurs femelles donnent des fruits coniques portant de minuscules noix ailées. Dispersées par le vent, les graines prennent bien dans les sols nus ou dévastés par des incendies. Les bouleaux sont des arbres pionniers, c'est-à-dire qu'ils poussent très rapidement sur un sol nu, protègent de leur feuillage la deuxième vague de peuplement (souvent des conifères) et meurent jeunes. Le bouleau jaune ou merisier *(Betula alleghaniensis)* fait exception ; il tolère l'ombre et pousse parmi les hêtres et les érables dans les forêts de l'Est.

dessous d'une feuille

Bouleau flexible (bouleau acajou)
Betula lenta

Taille : *15-18 m (50-60 pi) ; feuille 6,5-12,5 cm (2½-5 po).* **Traits :** *écorce noir-brun à lenticelles horizontales (jeunes) ou crevasses verticales (adultes) ; feuilles ovales, denticulées, à touffes de poils blancs dessous ; ramilles à odeur de gaulthérie.* **Habitat :** *pentes et vallées, sol riche et bien égoutté.*

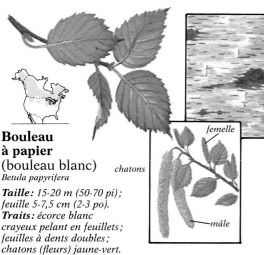

Bouleau à papier (bouleau blanc)
Betula papyrifera

chatons

femelle

mâle

Taille : *15-20 m (50-70 pi) ; feuille 5-7,5 cm (2-3 po).* **Traits :** *écorce blanc crayeux pelant en feuillets ; feuilles à dents doubles ; chatons (fleurs) jaune-vert.* **Habitat :** *berges, bords de lac, collines en sol humide et sableux ; souvent en aires brûlées.*

Bouleau noir
Betula nigra

Taille : *20-25 m (70-80 pi) ; feuille 4-7,5 cm (1½-3 po).* **Traits :** *feuilles ovales à doubles dents et base aplatie ; écorce rouge-brun clair à écailles papyracées et lenticelles horizontales (jeunes), rouge-brun foncé ou grise à écailles épaisses (adultes).* **Habitat :** *berges de cours d'eau, bois humides.*

ARBRES

Aulnes *Alnus*

L'aulne fertilise le sol ; ses racines portent des nodosités à micro-organismes qui transforment l'azote de l'air en substances assimilables par les plantes. L'aulne rouge est le plus grand du groupe ; les autres sont petits ou arbustifs. Ils poussent le plus souvent en fourrés denses près de l'eau. On les reconnaît même en hiver à leurs bourgeons charnus et à leurs petits cônes ligneux.

Aulne rouge (aulne de l'Oregon)
Alnus rubra

Taille : *25-40 m (80-130 pi) ; feuille 7,5-15 cm (3-6 po).* **Traits :** *feuilles ovales à nervures déprimées sur le dessus, gris-vert à poils roux dessous ; fruits coniques, verts (été) ou rouge-brun (automne) ; écorce grise.* **Habitat :** *terres d'alluvion.*

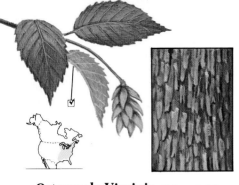

Ostryer de Virginie *Ostrya virginiana*

Taille: 9-12 m (30-40 pi);
feuille 6,5-11 cm (2½-4½ po).
Traits: feuilles ovales à doubles dents;
touffes de poils jaunes au bas de la
nervure médiane; grappes de fruits
brun pâle en forme de vessie;
écorce à écailles épaisses et frisées.
Habitat: collines et crêtes rocheuses.

Ostryers *Ostrya*

Leurs petits fruits ont la forme de sacs
membraneux. L'ostryer de Virginie, seule
espèce abondante en Amérique du Nord,
est aussi appelé « bois de fer », comme le
charme de Caroline, parce que son bois est
l'un des plus durs de nos espèces indigènes.

bractée et fruits

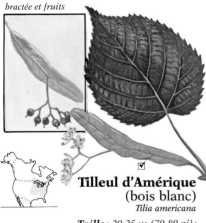

Tilleul d'Amérique
(bois blanc)
Tilia americana

Taille: 20-25 m (70-80 pi);
feuille 12,5-15 cm (5-6 po).
Traits: bractées foliacées à fruits puis
à fruits pendants; feuilles cordiformes,
dentées, lisses des deux côtés.
Habitat: terres d'alluvion riches.

Tilleuls *Tilia*

Le bois tendre et pâle des tilleuls fait la joie
des sculpteurs, tandis que les abeilles raffolent de leurs fleurs parfumées dont elles tirent un miel délicieux. Les trois espèces
d'Amérique du Nord ont des bractées rubanées et des feuilles cordiformes.

ARBRES

Charme de Caroline *Carpinus caroliniana*

Taille: 3-9 m (10-30 pi); feuille 5-10 cm (2-4 po).
Traits: feuilles ovales, à doubles dents; fruits triangulaires, papyracés, à graine unique; écorce lisse, bleu-gris,
à crêtes ondulées. **Habitat:** berges, terres d'alluvion.

Charmes *Carpinus*

Dans le sous-bois à lumière tamisée des grandes forêts de
feuillus, on rencontre souvent ce petit arbre friand d'ombre. Le charme de Caroline avoue sa parenté avec les
bouleaux par ses chatons qui naissent en même temps
que les feuilles au printemps. Et comme son cousin, l'ostryer de Virginie, on l'a surnommé « bois de fer ».

Gordonie à feuilles glabres (alcée de Floride)
Gordonia lasianthus

Taille: 12-15 m (40-50 pi);
feuille 10-12,5 cm (4-5 po).
Traits: feuilles luisantes, persistantes,
denticulées; fleurs blanches à 5 pétales; fruits
ligneux s'ouvrant en cinq. **Habitat:** zones humides.

Gordonies *Gordonia*

Les fleurs de l'alcée de Floride parfument le vent d'été.
Cet arbre à croissance rapide, le seul du genre en Amérique du Nord, appartient à la famille des théiers et doit
son nom à l'horticulteur britannique James Gordon.

Cierge géant (saguaro) *Cereus giganteus*

Taille: 15-18 m (50-60 pi);
épines 4 cm (1½ po).
Traits: épines en faisceaux; tronc et
rameaux côtelés, vert vif; fleurs
blanches au sommet du tronc
et des branches; fruits
rouges. **Habitat:** vallées
désertiques,
collines rocheuses.

fruit

Cactus *Cereus*

Les 200 espèces de ce groupe ont
une « peau » épaisse et caoutchouteuse qui conserve
l'eau et des épines au lieu
de feuilles. Le seul cactus
arborescent en Amérique
du Nord est le cierge géant.

Saules *Salix*

Les saules ont des feuilles lancéolées, des bourgeons couverts d'une seule écaille, des chatons mâles et femelles distincts et de petits organes voyants, les stipules, à la base des feuilles. On ne cesse d'en découvrir de nouvelles espèces, surtout à port arbustif dans l'Arctique; leur nombre fixé à 300 ou 400 dans le monde est donc hypothétique. En Amérique du Nord, quatre espèces importées, dont le saule pleureur venu d'Asie, se reproduisent maintenant à l'état sauvage et s'hybrident avec nos espèces indigènes. Les saules aiment les sols humides. Ils s'implantent facilement dans les bancs de sable où leurs racines, en fixant le sol, combattent l'érosion. Les saules arbustifs servaient autrefois à confectionner des objets de vannerie; ils sont encore utilisés à cette fin dans certaines parties du monde.

aire de plantation

Saule pleureur
Salix babylonica

Taille: *9-12 m (30-40 pi); feuille 7,5-12,5 cm (3-5 po).*
Traits: *feuilles lancéolées pendantes, vertes dessus, gris-vert dessous; ramilles pendantes jaune vif.*
Habitat: *près de l'eau; pelouses humides.*

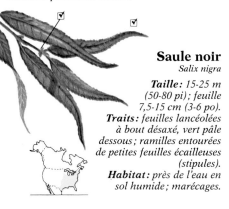

Saule noir
Salix nigra

Taille: *15-25 m (50-80 pi); feuille 7,5-15 cm (3-6 po).*
Traits: *feuilles lancéolées à bout désaxé, vert pâle dessous; ramilles entourées de petites feuilles écailleuses (stipules).*
Habitat: *près de l'eau en sol humide; marécages.*

chaton mâle

Saule à feuilles de pêcher
Salix amygdaloides

Taille: *9-12 m (30-40 pi); feuille 6,5-12,5 cm (2½-5 po).*
Traits: *feuilles lancéolées, vert lustré dessus, vert blanchâtre dessous, à nervure médiane jaune ou orange; ramilles orange ou rouge-brun.*
Habitat: *près de l'eau; marécages, pentes mal égouttées.*

Saule discolore
Salix discolor

Taille: *3-6 m (10-20 pi); feuille 5-12,5 cm (2-5 po).*
Traits: *feuilles étroites, à dents rondes espacées, vert foncé dessus, à pruine blanchâtre dessous; chatons blancs velus.*
Habitat: *berges, marécages, prés humides.*

Saule de l'intérieur
Salix exigua

Taille: *3-8 m (10-25 pi); feuille 5-18 cm (2-7 po).*
Traits: *feuilles lancéolées, à dents espacées; tiges gris-vert, dressées; capsules de graines velues, en grappe.*
Habitat: *près de l'eau; nouvelles dunes, grèves.*

chaton mâle   chaton femelle   fruit

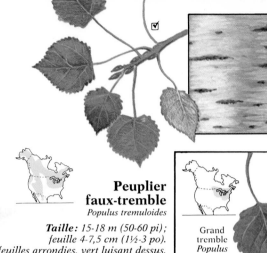

Peupliers *Populus*

Comme les saules, les peupliers sont des arbres de premier peuplement. Ils s'établissent en forêt, dans le Nord, ou en montagne, dans les aires brûlées ou coupées à blanc. Ils prennent de belles teintes dorées à l'automne. Sur les rives des cours d'eau, le peuplier deltoïde combat l'érosion. Chez le peuplier faux-tremble, le long pétiole aplati tremble à la moindre brise. Quant au peuplier baumier, il porte des glandes résineuses dont l'odeur rappelle celle du sapin baumier.

Peuplier faux-tremble
Populus tremuloides

Taille: 15-18 m (50-60 pi);
feuille 4-7,5 cm (1½-3 po).
Traits: feuilles arrondies, vert luisant dessus,
terne dessous, à petites dents rondes; pétioles longs,
aplatis; écorce vert-gris pâle à cicatrices foncées.
Habitat: aires brûlées ou coupées.

Grand
tremble
*Populus
grandidentata*

Peuplier deltoïde *Populus deltoides*

Taille: 24-30 m (80-100 pi); feuille
7,5-15 cm (3-6 po). *Traits:* feuilles triangulaires
à grosses dents rondes; pétioles aplatis;
bourgeons terminaux poisseux
(sans odeur); capsules de fruits
vertes à graines cotonneuses.
Habitat: terres d'alluvion.

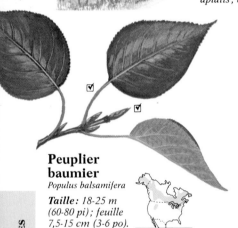

Peuplier baumier
Populus balsamifera

Taille: 18-25 m
(60-80 pi); feuille
7,5-15 cm (3-6 po).
Traits: feuilles ovales à pointe aiguë,
denticulées, vert foncé dessus, rousses,
brun doré ou blanchâtres dessous;
pétioles arrondis; bourgeons longs,
pointus, poisseux, aromatiques.
Habitat: terres d'alluvion, berges.

Symploques *Symplocos*

La plupart des 350 espèces de cette famille sont originaires d'Asie et d'Australie, comme c'est le cas pour les bouleaux et les sassafras, représentés ici par une ou deux espèces. Les botanistes croient que ces arbres ont eu un ancêtre commun à l'époque où les continents étaient réunis.

Symploque commun
(feuille douce commun)
Symplocos tinctoria

Taille: 4,5-6 m (15-20 pi);
feuille 12,5-15 cm (5-6 po).
Traits: feuilles semi-persistantes, elliptiques,
vert foncé dessus, vert clair et velues dessous;
fleurs jaunes, sur ramilles; fruits rouge-brun;
écorce grise à verrues et crevasses.
Habitat: forêts de feuillus; sol riche et humide.

fruits

ARBRES

Arbres à oseille
Oxydendrum

Les feuilles de cet arbre ont la saveur acide qui lui a valu son nom, tandis que ses petites fleurs campanulées font penser à celles du muguet. C'est un membre de la famille des bruyères, comme les arbousiers.

Arbre à oseille
Oxydendrum arboreum

Taille: 9-15 m (30-50 pi); feuille 12,5-18 cm (5-7 po).
Traits: feuilles elliptiques à dents incurvées; fleurs blanches campanulées; capsules sèches, fauves.
Habitat: pentes et crêtes sèches.

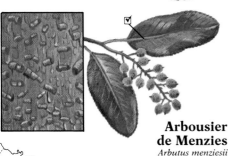

Plaqueminier de Virginie
Diospyros virginiana

Taille: 9-15 m (30-50 pi); feuille 6,5-15 cm (2½-6 po).
Traits: feuilles ovales, vert foncé luisant dessus, pâles et velues dessous; fleurs jaune-vert; fruits charnus.
Habitat: terres d'alluvion, champs en friche.

Arbousier de Menzies
Arbutus menziesii

Taille: 20-30 m (70-100 pi); feuille 7,5-12,5 cm (3-5 po).
Traits: feuilles ovales, coriaces, semi-persistantes, à nervure médiane en saillie; écorce rouge-brun, frisée; fruits en forme de baie rouge orangé.
Habitat: sol égoutté; plaines ou pentes.

Arbousiers (madronos) *Arbutus*

Des fruits rougeâtres et une écorce rouge foncé et frisée identifient cet arbre de l'Ouest. Acclimaté aux étés secs et chauds, il est généralement petit et tordu; cependant l'arbousier de Menzies, qui vit en milieu protégé près de la mer, est haut et droit.

Plaqueminiers *Diospyros*

Cet arbre se multiplie grâce aux ratons laveurs et aux opossums qui répandent les graines de ses fruits. Avant que le gel le colore d'orange pourpré, ce fruit est de teinte pâle. Une espèce du Texas *(Diospyros texana)* donne un fruit noir, également délectable. Les deux ont le cœur noir à fil fin.

Pommier du Pacifique
Malus fusca

Taille: 7,5-10 m (25-35 pi); feuille 2,5-10 cm (1-4 po).
Traits: feuilles elliptiques à dents aiguës, vert foncé dessus, vert pâle dessous; fruits ovales jaunes à reflets rouges.
Habitat: terres d'alluvion.

Pommier odorant
Malus coronaria

Taille: 7,5-9 m (25-30 pi); feuille 5-7,5 cm (2-3 po).
Traits: feuilles ovales et dentées, vert foncé dessus, vert clair dessous; ramilles épineuses; fleurs roses ou blanches, parfumées; fruits vert-jaune.
Habitat: orée des forêts, champs en friche.

Pommiers *Malus*

Le pommier de nos vergers *(Malus sylvestris)*, qui est originaire d'Europe et de l'ouest de l'Asie, s'est répandu rapidement dans toute l'Amérique du Nord, s'hybridant avec nos quatre espèces indigènes. Arbres d'ornement aujourd'hui, ils étaient autrefois cultivés pour leurs pommettes, petits fruits acides qui donnent des gelées et un cidre très appréciés.

fruits   *fruits*

Sorbie
oiselo

Sorbiers *Sorbus*

Le sujet le plus connu est une espèce européenne, le sorbier des oiseleurs *(Sorbus aucuparia)*. Très répandu en Amérique du Nord, il se reproduit dans le nord du continent sans l'aide de l'homme. Les fruits rouge orangé du sorbier des oiseleurs et du sorbier d'Amérique font le bonheur des oiseaux et tout particulièrement des grives, des jaseurs et des gros-becs.

fruits

Sorbier d'Amérique
(cormier ou maskouabina)
Sorbus americana

Taille: *6-9 m (20-30 pi); feuille 15-20 cm (6-8 po).* **Traits:** *feuilles avec 13 à 17 folioles lancéolées et dentées; fleurs blanches en cymes; fruits rouge orangé charnus.* **Habitat:** *marais, pentes montagneuses.*

Cerisier de Virginie
(cerisier sauvage ou à grappe)
Prunus virginiana

Taille: *6-7,5 m (20-25 pi), plutôt arbustif; feuille 5-10 cm (2-4 po).* **Traits:** *feuilles elliptiques, denticulées, glabres dessous; fruits rouge-pourpre foncé.* **Habitat:** *bois riches, haies, berges, bords de route.*

dessous

Cerisiers et pruniers
Prunus

Ces membres de la famille des rosiers, tout comme les pommiers, produisent des fleurs ravissantes au printemps, des fruits estimés des animaux et des hommes, et un bois recherché en ébénisterie. Le cerisier de Virginie, le plus répandu des 18 espèces indigènes, forme d'épais fourrés qui stabilisent le sol. Le cerisier tardif a mauvaise réputation auprès des producteurs de lait. Quand son feuillage tombe en automne, il se décompose en glucose et en acide cyanique, élément très toxique pour les troupeaux qui consomment les feuilles.

Cerisier tardif
(cerisier noir)
Prunus serotina

Taille: *15-18 m (50-60 pi); feuille 5-15 cm (2-6 po).* **Traits:** *feuilles elliptiques et aiguës, dentées, à poils roux sous la nervure médiane; fleurs en grappe; fruits noirs à maturité; écorce adulte à crevasses verticales.* **Habitat:** *champs en friche; coins humides en forêt.*

Cerisier de Pennsylvanie
(petit merisier)
Prunus pensylvanica

Taille: *3-9 m (10-30 pi), souvent arbustif; feuille 7,5-11 cm (3-4½ po).* **Traits:** *feuilles lancéolées, recourbées, denticulées; écorce mince et craquelée; fleurs en corymbes de 5 à 7; fruits rouge vif.* **Habitat:** *souvent en aires brûlées.*

Prunier d'Amérique
Prunus americana

Taille: *6-9 m (20-30 pi); feuille 7,5-10 cm (3-4 po).* **Traits:** *feuilles ovales, épaisses, coriaces, à doubles dents; fleurs malodorantes; fruits à peau rouge vif et chair jaune; tronc tordu à plusieurs branches.* **Habitat:** *berges, marécages et champs dans l'Est; plateaux secs, pentes montagneuses dans l'Ouest.*

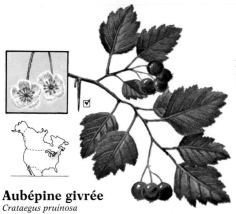

Aubépine givrée
Crataegus pruinosa

Taille: *4,5-6 m (15-20 pi); feuille 2,5-5 cm (1-2 po).* **Traits:** *feuilles à 6 ou 8 lobes pointus, vert-bleu foncé; grosses épines; fleurs blanches; fruits verts, pourpres à pruine cireuse à maturité.* **Habitat:** *champs en friche, bois rocheux.*

Aubépines *Crataegus*

Portées par les oiseaux et les chevreuils, les graines d'aubépine colonisent rapidement les champs laissés en friche. Cet arbre à rameaux épineux et tordus forme bientôt un écran qui protège les jeunes plants appelés à le remplacer. Les 35 espèces d'aubépines nord-américaines s'hybrident facilement et sont, de ce fait, difficiles à identifier.

Amélanchier arborescent
(amélanchier du Canada)
Amelanchier arborea

Taille: *9-12 m (30-40 pi); feuille 5-10 cm (2-4 po).* **Traits:** *feuilles elliptiques, dentées, velues (jeunes); fleurs blanches en grappes pendantes; fruits en forme de baie, rouges ou pourpre foncé.* **Habitat:** *collines, ravins, berges de cours d'eau, bois humides.*

Amélanchiers *Amelanchier*

Répandu dans les régions tempérées, mais peu voyant la plupart du temps, l'amélanchier annonce l'arrivée du printemps avec ses fleurs délicates. Ses fruits, semblables à de petites poires à pépins minuscules et chair douce, disparaissent à la mi-été, car les ratons laveurs, les tamias, les écureuils et les oiseaux chanteurs s'en régalent.

Cercocarpes
(acajous de montagne)
Cercocarpus

De la famille des rosiers, ces arbres et arbustes de l'Ouest n'ont rien à voir avec les véritables acajous. La feuille du cercocarpe à feuilles ondulées *(Cercocarpus ledifolius),* qui frise à la marge, a un duvet blanc ou roux dessous.

Cercocarpe à feuilles de bouleau
Cercocarpus betuloides

Taille: *3-7,5 m (10-25 pi); feuille 2,5-3 cm (1-1¼ po).* **Traits:** *feuilles persistantes, aux deux tiers dentées, vert foncé dessus, vert clair et velues dessous, à nervures déprimées; fleurs jaunes à 5 sépales; fruit à « plume ».* **Habitat:** *pentes sèches; collines.*

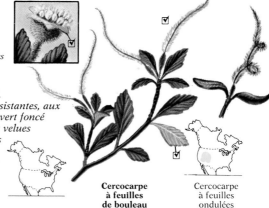

Cercocarpe à feuilles de bouleau

Cercocarpe à feuilles ondulées

Eucalyptus *Eucalyptus*

Les eucalyptus sont originaires de l'Australie; plusieurs espèces ont cependant été introduites avec succès dans le sud de la Floride et sur la côte de Californie où au moins une espèce, le gommier bleu, pousse à l'état sauvage.

Gommier bleu *Eucalyptus globulus*

Taille: *25-37 m (80-120 pi); feuille 10-18 cm (4-7 po).* **Traits:** *feuilles persistantes, lancéolées, coriaces, gris-vert, aromatiques au froissement; écorce pelant en lanières; fruits coniques et ligneux.* **Habitat:** *rues, parcs, pépinières.*

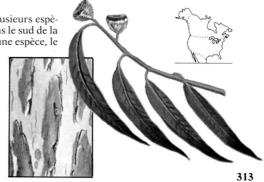

Gainier du Canada
Cercis canadensis

Taille: 3-6 m (10-20 pi);
feuille 7,5-11 cm (3-4½ po).
Traits: feuilles cordiformes,
épaisses, coriaces; fleurs roses en
grappe de 4 à 8, avant la
feuillaison; gousses brun foncé;
graines brunes.
Habitat: berges, pentes.

Gainiers *Cercis*

La légende veut que Judas, après
avoir trahi Jésus, se soit pendu aux
branches d'un gainier. Voilà pourquoi on lui donne parfois le nom
« d'arbre de Judas ». Le gainier
du Pacifique *(Cercis occidentalis)*,
seule autre espèce indigène avec le
gainier du Canada, se garnit de
fleurs rose-pourpre sur l'écorce.

Daléas *Dalea*

Le feuillage du daléa épineux naît
avec les chaudes pluies du printemps et ne reste sur l'arbre que
quelques semaines. Les feuilles
tombées, l'arbre a l'air brûlé à
cause de son écorce gris velours.
Le daléa épineux, seule forme arborescente de cette famille, se caractérise par ses feuilles simples et
non pas composées.

Daléa épineux
Dalea spinosa

Taille: 4,5-6 m
(15-20 pi); feuille
2-2,5 cm (¾-1 po).
Traits: feuilles rares
ou absentes; épines
acérées; écorce
gris pâle, veloutée
(jeunes); fleurs
bleues; gousses à
une graine brune.
Habitat: désert.

fruits

Chicot févier *Gymnocladus dioicus*

Taille: 12-18 m (40-60 pi);
feuille 30-90 cm (1-3 pi).
Traits: feuilles bipennées; paire de folioles
à la base; gousses épaisses, coriaces, à graines rondes.
Habitat: terres d'alluvion, ravins, sols riches.

Chicots *Gymnocladus*

Membre de la famille des légumineuses, comme les sujets de cette
double page, le chicot présente des fruits en forme de gousse, des
feuilles composées et des bactéries aptes à fixer l'azote sur ses racines. Ses fruits ont un goût de café. On en connaît une espèce en
Amérique du Nord.

Robinier faux-acacia
Robinia pseudoacacia

Taille: 12-18 m (40-60 pi);
feuille 20-35 cm (8-14 po).
Traits: feuilles à folioles ovales,
encochées au bout; deux épines à la
base; gousses brunes, plates, à graines
rouge orangé. **Habitat:** sols riches,
humides ou calcaires.

Robiniers *Robinia*

Le robinier faux-acacia, indigène en Amérique
du Nord, a été introduit en Europe vers 1600.
Son bois résistant à la pourriture est excellent
pour les poteaux de clôture, les traverses de chemin de fer et les tuteurs de vigne. Ses grappes de
fleurs parfument l'air au printemps.

fruits

Prosopis *Prosopis*

Le prosopis, autrefois en bosquets isolés, pousse maintenant
en fourrés denses grâce aux animaux qui se nourrissent de ses
fruits et les disséminent.

Prosopis glanduleux
Prosopis glandulosa

Taille: 1,5-9 m (5-30 pi);
feuille 20-25 cm (8-10 po).
Traits: feuilles composées, à folioles
opposées; gousses remplies de
graines; tronc se ramifiant à la base.
Habitat: plaines et contreforts semi-arides.

Acacia *Acacia*

L'acacia, dont le nom dérive peut-être du mot grec pour « épine », compte environ 800 espèces originaires pour la plupart d'Afrique ou d'Asie où on l'utilise comme source de combustible. Les espèces indigènes ici viennent du Sud-Ouest où elles forment souvent d'impénétrables taillis.

Acacia ongle-de-chat
Acacia greggii

Taille: 3-9 m (10-30 pi); feuille 2,5-7,5 cm (1-3 po).
Traits: feuilles bipennées, à folioles velues; grosses épines incurvées; tronc tordu à basses branches; fleurs jaunes parfumées; gousses étroites et vrillées.
Habitat: canyons, plateaux, pentes montagneuses.

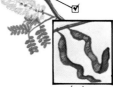

fruits

épines sur l'écorce

fruits

Erythrine de l'Est
Erythrina herbacea

Taille: 4,5-6 m (15-20 pi); feuille 15-20 cm (6-8 po).
Traits: feuilles composées, semi-persistantes, à 3 folioles en losange; courtes épines incurvées; épis floraux écarlates; gousses à graines rouges.
Habitat: grèves marines sableuses.

Erythrines
Erythrina

Ce groupe est essentiellement tropical; au nord de la Floride, l'érythrine de l'Est donne des arbustes ou des herbacées. Une autre espèce, l'érythrine de l'Ouest *(Erythrina flabelliformis)*, habite le sud de l'Arizona et du Nouveau-Mexique. Leurs graines rouges, utilisées en joaillerie, sont vénéneuses.

Févier épineux
Gleditsia triacanthos

Taille: 20-25 m (70-80 pi); feuille 12,5-23 cm (5-9 po).
Traits: feuilles pennées ou bipennées à folioles elliptiques; brindilles à 3 épines ramifiées; écorce gris-brun foncé, souvent épineuse; gousses plates, tordues, à nombreuses graines.
Habitat: terres d'alluvion humides.

Féviers *Gleditsia*

Les deux féviers d'Amérique du Nord se reconnaissent facilement à leurs épines ramifiées sur le tronc. (Certaines espèces cultivées sont sans épines.) Le févier aquatique *(Gleditsia aquatica)* des marécages du Sud des Etats-Unis a de plus petites feuilles que le févier épineux, et des gousses courtes et ovales à deux ou trois graines brunes.

Paloverdi jaune *Cercidium microphyllum*

Taille: 3-4,5 m (10-15 pi); feuille 5-10 cm (2-4 po).
Traits: feuilles composées, sortant après la pluie; ramilles terminées en épine; écorce lisse, vert-jaune; nombreuses fleurs jaune vif; gousses dodues, pleines de graines.
Habitat: contreforts et plateaux désertiques.

Paloverdis *Cercidium*

L'écorce verte de ces arbres souvent arbustifs est capable d'effectuer la photosynthèse, ce qui compense la chute hâtive des feuilles. Le paloverdi bleu *(Cercidium floridum)*, qui s'hybride avec le paloverdi jaune, présente des folioles plates bleu-vert et des gousses peu remplies.

ARBRES

315

Palétuvier rouge
(manglier noir)
Rhizophora mangle

Taille: *4,5-6 m (15-20 pi); feuille 9-12,5 cm (3½-5 po).* ***Traits:*** *tronc à racines aériennes; feuilles persistantes, elliptiques, à marge épaisse; fleurs jaune pâle en grappe de 2 ou 3; baies à tube apical.* ***Habitat:*** *marécages côtiers, estuaires.*

Manglier blanc
Laguncularia racemosa

Taille: *6-12 m (20-40 pi); feuille 4-6,5 cm (1½-2½ po).* ***Traits:*** *feuilles persistantes, ovales, coriaces, vert foncé luisant à pétiole rouge-brun; fleurs blanc-vert; fruits ovoïdes, rouge-brun; pas de racines aériennes.* ***Habitat:*** *rives vaseuses de lagunes maritimes, baies, décharges d'eau douce.*

Palétuviers rouges *Rhizophora*

Les fruits du palétuvier rouge tombent dans l'eau à maturité et s'enracinent dans la vase. Emprisonnés dans les racines aériennes, les débris apportés par les marées stabilisent peu à peu le sol.

Mangliers *Laguncularia*

Les mangliers occupent des terres plus hautes que les palétuviers: au-dessus de la limite de marée haute et sur les berges des cours d'eau douce. A maturité, le fruit tombe de l'arbre et s'en va en flottant s'enraciner ailleurs.

Tupélos *Nyssa*

Les noms de cet arbre rappellent son habitat marécageux: *tupélo* veut dire « arbre de marécage » en langue indienne et Nyssa désigne une nymphe des eaux chez les Grecs. Le nyssa aquatique *(Nyssa aquatica)* a des fruits pourpres.

Nyssa sylvestre (tupélo)
Nyssa sylvatica

Taille: *18-25 m (60-80 pi); feuille 5-12,5 cm (2-5 po).* ***Traits:*** *feuilles ovales, vert foncé, souvent velues dessous; écorce grise à plaques; fruits bleu foncé, ovoïdes.* ***Habitat:*** *terres d'alluvion, pentes.*

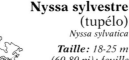

Houx *Ilex*

Tous les houx, à feuilles persistantes ou caduques, à port arborescent ou arbustif, sont remarquables à l'automne: les plants femelles portent des baies rouge vif dont raffolent les oiseaux. Dans les forêts de l'est de l'Amérique du Nord, on en trouve 14 espèces en terrains humides dont, entre autres, le houx d'Ahon *(Ilex cassine)*, le houx vomitif *(Ilex vomitoria)* et le houx verticillé *(Ilex verticillata)*.

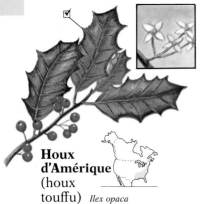

Houx d'Amérique (houx touffu) *Ilex opaca*

Taille: *12-15 m (40-50 pi); feuille 5-10 cm (2-4 po).* ***Traits:*** *feuilles persistantes, rigides, à dents aiguës; baies rouge vif; fleurs blanc-vert.* ***Habitat:*** *terres d'alluvion riches et humides.*

Houx décidu
Ilex decidua

Taille: *6-7,5 m (20-25 pi), souvent arbustif; feuille 5-7,5 cm (2-3 po).* ***Traits:*** *feuilles caduques, arrondies, à marge ondulée, sur rameaux courts; baies rouge orangé.* ***Habitat:*** *berges de cours d'eau et de marais; terres d'alluvion.*

ARBRES

Cornouiller fleuri
(bois-bouton)
Cornus florida

Taille: *6-9 m (20-30 pi); feuille 7,5-12,5 cm (3-5 po).*
Traits: *feuilles ovales à nervures convergeant vers la pointe; fleurs à 4 bractées blanches; fruits rouges, ovoïdes, en grappe.*
Habitat: *forêts de feuillus en sol égoutté.*

Cornouillers *Cornus*

Les 15 espèces de cornouillers d'Amérique du Nord vont de l'arbre de taille moyenne à la petite fleur sauvage. Les pétales des fleurs de deux arbres, le cornouiller fleuri et le cornouiller de Nuttall *(Cornus nuttallii)*, sont en réalité des feuilles modifiées renfermant des fleurs jaune-vert.

Nerprun de Caroline
Rhamnus caroliniana

Taille: *6-9 m (20-30 pi); feuille 5-15 cm (2-6 po).*
Traits: *feuilles elliptiques, un peu dentées, vert foncé luisant dessus, vert pâle et souvent velues dessous; fruits ovoïdes noirs; port parfois arbustif.*
Habitat: *berges, riches terres d'alluvion.*

Jujubiers *Rhamnus*

Les quelque 100 espèces de cette famille comportent des arbres et des arbustes à valeur ornementale ou médicinale. L'écorce du nerprun de Pursh ou cascara *(Rhamnus purshiana)* donne une substance laxative douce. Des épines remplacent les bourgeons terminaux chez le nerprun purgatif *(Rhamnus cathartica)*, espèce importée devenue sauvage en Amérique du Nord.

Marronniers
Aesculus

L'espèce la plus connue en Amérique du Nord est le marronnier d'Inde. Ses six cousins indigènes ont des feuilles composées digitées, les folioles irradiant au bout du pétiole, des fleurs en panicules dressées et de gros fruits à brou vert. Les fruits du marronnier jaune *(Aesculus octandra)*, des Appalaches, sont lisses.

Marronnier d'Inde
Aesculus hippocastanum

Taille: *12-18 m (40-60 pi); feuille 20-25 cm (8-10 po).*
Traits: *feuilles digitées à 7 ou 9 folioles cunéiformes; panicules de fleurs blanches; fruits épineux et 2 ou 3 amandes brunes et luisantes.*
Habitat: *parcs.*

Marronnier à fleurs rouges
Aesculus glabra

Taille: *12-18 m (40-60 pi); feuille 18-23 cm (7-9 po).* **Traits:** *feuilles digitées à 5 folioles elliptiques; panicules de fleurs jaunes malodorantes; fruits à brou épineux et amande ronde et luisante.* **Habitat:** *terres d'alluvion.*

Savonnier de Drummond
Sapindus drummondii

Taille: *9-12 m (30-40 pi); feuille 15-18 cm (6-7 po).* **Traits:** *feuilles avec 8 à 18 folioles lancéolées, velues dessous; fruits jaunes, noirs à maturité; écorce écailleuse, rouge-brun.* **Habitat:** *berges calcaires.*

Savonniers *Sapindus*

Les 12 espèces de savonniers sont surtout tropicales. Le fruit de ces arbres mousse dans l'eau chaude; la graine est vénéneuse. Le savonnier à feuilles ailées ou arbre à savon *(Sapindus saponaria)*, l'une des deux espèces d'Amérique du Nord, indigène en Floride, est cultivé ailleurs.

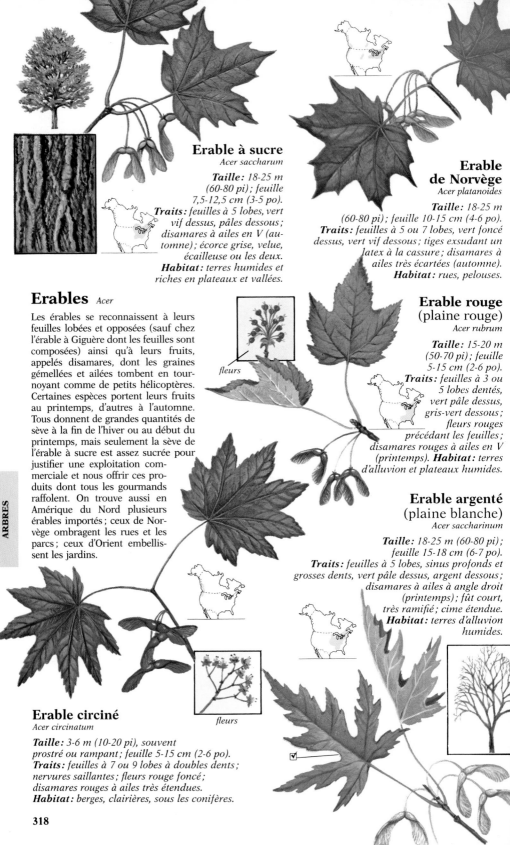

Erable à sucre
Acer saccharum

Taille : *18-25 m (60-80 pi) ; feuille 7,5-12,5 cm (3-5 po).*
Traits : *feuilles à 5 lobes, vert vif dessus, pâles dessous ; disamares à ailes en V (automne) ; écorce grise, velue, écailleuse ou les deux.*
Habitat : *terres humides et riches en plateaux et vallées.*

Erable de Norvège
Acer platanoides

Taille : *18-25 m (60-80 pi) ; feuille 10-15 cm (4-6 po).*
Traits : *feuilles à 5 ou 7 lobes, vert foncé dessus, vert vif dessous ; tiges exsudant un latex à la cassure ; disamares à ailes très écartées (automne).*
Habitat : *rues, pelouses.*

Erables *Acer*

Les érables se reconnaissent à leurs feuilles lobées et opposées (sauf chez l'érable à Giguère dont les feuilles sont composées) ainsi qu'à leurs fruits, appelés disamares, dont les graines gémellées et ailées tombent en tournoyant comme de petits hélicoptères. Certaines espèces portent leurs fruits au printemps, d'autres à l'automne. Tous donnent de grandes quantités de sève à la fin de l'hiver ou au début du printemps, mais seulement la sève de l'érable à sucre est assez sucrée pour justifier une exploitation commerciale et nous offrir ces produits dont tous les gourmands raffolent. On trouve aussi en Amérique du Nord plusieurs érables importés ; ceux de Norvège ombragent les rues et les parcs ; ceux d'Orient embellissent les jardins.

fleurs

Erable rouge
(plaine rouge)
Acer rubrum

Taille : *15-20 m (50-70 pi) ; feuille 5-15 cm (2-6 po).*
Traits : *feuilles à 3 ou 5 lobes dentés, vert pâle dessus, gris-vert dessous ; fleurs rouges précédant les feuilles ; disamares rouges à ailes en V (printemps).* **Habitat :** *terres d'alluvion et plateaux humides.*

Erable argenté
(plaine blanche)
Acer saccharinum

Taille : *18-25 m (60-80 pi) ; feuille 15-18 cm (6-7 po).*
Traits : *feuilles à 5 lobes, sinus profonds et grosses dents, vert pâle dessus, argent dessous ; disamares à ailes à angle droit (printemps) ; fût court, très ramifié ; cime étendue.*
Habitat : *terres d'alluvion humides.*

fleurs

Erable circiné
Acer circinatum

Taille : *3-6 m (10-20 pi), souvent prostré ou rampant ; feuille 5-15 cm (2-6 po).*
Traits : *feuilles à 7 ou 9 lobes à doubles dents ; nervures saillantes ; fleurs rouge foncé ; disamares rouges à ailes très étendues.*
Habitat : *berges, clairières, sous les conifères.*

Les feuilles d'automne.
La chlorophylle, qui permet aux feuilles de s'alimenter, les fait paraître vertes en masquant les pigments rouges, orange et jaunes qu'elles contiennent. Lorsque les jours raccourcissent à l'automne, la chlorophylle cesse peu à peu d'être active et les autres pigments apparaissent. Dans certains cas, le feuillage se colore uniformément ; il est jaune chez les peupliers et les bouleaux, écarlate chez l'érable rouge ; dans d'autres espèces, il devient multicolore.

Erable à Giguère (érable négondo)
Acer negundo

Taille : 9-12 m (30-40 pi) ; feuille 15-38 cm (6-15 po).
Traits : feuilles composées de 3 à 7 folioles irrégulièrement lobées, dentées ; fleurs jaune-vert ; disamares à ailes en V (automne).
Habitat : à proximité des cours d'eau et des marécages.

fleurs

Erable de Pennsylvanie (bois barré)
Acer pensylvanicum

Taille : 6-9 m (20-30 pi) ; feuille 12,5-15 cm (5-6 po).
Traits : feuilles à 3 lobes denticulés, pâles dessous ; jeune écorce lisse, vert vif à raies blanches ; fleurs jaune vif sur longs pédoncules pendants.
Habitat : vallées et pentes boisées, sol humide.

Erable à grandes feuilles
Acer macrophyllum

Taille : 12-15 m (40-50 pi) ; feuille 20-30 cm (8-12 po).
Traits : feuilles à 5 lobes arrondis et sinus profonds ; fleurs jaunes ; disamares velues à ailes en V (automne).
Habitat : terres d'alluvion, pentes rocheuses en sol humide.

fleurs

Erable des montagnes Rocheuses
Acer glabrum

Taille : 6-9 m (20-30 pi) ; feuille 12,5-18 cm (5-7 po).
Traits : feuilles à 3 ou 5 lobes dentés ; sinus parfois profonds ; pétioles rouge vif ; disamares de vertes à rouge rosé.
Habitat : près des cours d'eau de montagne ; sur falaises et rebords rocheux.

319

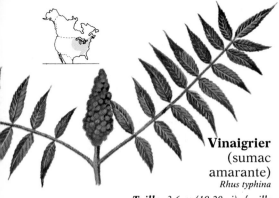

Vinaigrier
(sumac amarante)
Rhus typhina

Taille: 3-6 m (10-20 pi); feuille 40-60 cm (16-24 po). *Traits:* feuilles composées à folioles étroites, lancéolées et à dents aiguës; pétioles et ramilles velus; masses denses de drupes sèches couvertes de poils rouge foncé. *Habitat:* champs en friche, lisières de forêt.

Sumacs *Rhus*

Ces arbustes et petits arbres sont de la même famille que le sumac vénéneux; pourtant, les fruits du sumac vinaigrier et du sumac limonade *(Rhus integrifolia)*, arbuste de Californie, donnent une infusion citronnée, totalement inoffensive.

Ailante glanduleux
(frêne puant)
Ailanthus altissima

Taille: 12-18 m (40-60 pi); feuille 30-90 cm (1-3 pi). *Traits:* feuilles composées à folioles lancéolées, avec une large dent à la base; grappes de samares demeurant sur l'arbre en hiver. *Habitat:* villes et banlieues, sol pauvre et sec.

Ailantes
Ailanthus

Cet arbre est le plus vivace des sept espèces qui nous viennent d'Orient et d'Australie. De croissance rapide, même en milieu urbain, il se retrouve dans les grandes villes du monde et pousse à l'état sauvage en plusieurs endroits.

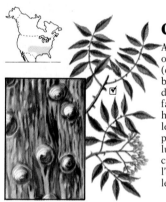

Clavaliers *Zanthoxylum*

Apparentés aux citronniers et aux orangers, le clavalier et le ptéléa (ci-dessous) sont de rares membres subtropicaux de la famille des citrus. Tous les arbres de cette famille présentent des glandes à huile aromatiques dans l'écorce, les fruits et les feuilles (où elles prennent la forme de points translucides). Ces plantes ont des vertus curatives. On mastiquait autrefois l'écorce du clavalier pour soulager les maux de dents.

Clavalier d'Amérique
(frêne épineux commun)
Zanthoxylum americanum

Taille: 1,20-6 m (4-20 pi), souvent arbustif; feuille 7,5-12,5 cm (3-5 po). *Traits:* feuilles composées à folioles ovales et pétiole épineux; ramilles grises à deux épines acérées aux nœuds; folioles et ramilles ont une odeur citronnée au froissement. *Habitat:* bois rocailleux, berges.

Clavalier (massue d'Hercule)
Zanthoxylum clava-herculis

Taille: 7,5-9 m (25-30 pi); feuille 12,5-20 cm (5-8 po). *Traits:* feuilles composées à pétiole épineux et folioles dentées; ramilles et écorce armées d'épines de 1,5 cm (½ po); fleurs vertes en cymes. *Habitat:* berges de cours d'eau, à-pics, plaines côtières; sol sableux.

Ptéléas *Ptelea*

Les brasseurs utilisent parfois le fruit du ptéléa trifolié comme succédané du houblon. Les ramilles et les feuilles de ces arbres dégagent une odeur rance quand on les froisse et leurs fruits ressemblent à des gaufrettes. Le ptéléa de Californie *(Ptelea crenulata)* croît dans les canyons et les contreforts de cet Etat.

Ptéléa trifolié
(orme de Samarie)
Ptelea trifoliata

Taille: 3-4,5 m (10-15 pi); feuille 10-15 cm (4-6 po). *Traits:* feuilles composées à 3 folioles ovales; petites fleurs blanc-vert; samares vert pâle à graine unique et foncée. *Habitat:* bois rocailleux, orée de forêt.

ARBRES

Aralie épineuse
Aralia spinosa

Taille: *4,5-7,5 m (15-25 pi), souvent arbustive ; feuille 90 cm-1,20 m (3-4 pi).*
Traits: *grandes feuilles bipennées, à pétiole épineux ; folioles opposées ; foliole solitaire au sommet et à la base ; fût et branches à épines acérées.*
Habitat: *bois, berges.*

Aralies *Aralia*

Les aralies épineuses sont arborescentes et grandissent rapidement en formant des fourrés impénétrables. Parmi les aralies d'Amérique du Nord, on connaît la salsepareille épineuse *(Aralia hispida)* et deux herbacées qu'on trouvera dans la section des fleurs sauvages.

fruit

Frêne blanc (frêne d'Amérique)
Fraxinus americana

Taille: *20-25 m (70-80 pi) ; feuille 20-30 cm (8-12 po).*
Traits: *feuilles à 7 folioles ovales, dentées ; graine près du pédoncule de la samare ; fissures de l'écorce en losange.*
Habitat: *plateaux ; sol riche.*

Frêne noir (frêne gras)
Fraxinus nigra

Taille: *12-15 m (40-50 pi) ; feuille 30-40 cm (12-16 po).*
Traits: *feuilles composées de 7 à 11 folioles lancéolées, denticulées et sessiles ; graine de la samare aplatie ; écorce écailleuse, fissurée.*
Habitat: *berges de cours d'eau, plaines d'inondation.*

Frênes *Fraxinus*

Le frêne se caractérise par une feuille composée et un fruit à une graine et une aile allongée appelé samare. Une exception : le frêne à une feuille *(Fraxinus anomala)* a des feuilles simples. Le frêne blanc est le plus abondant en Amérique du Nord et le frêne rouge *(Fraxinus pennsylvanica)* le plus répandu. Ce dernier affectionne les cours d'eau et les sols humides.

ARBRES

Palétuviers noirs *Avicennia*

Le terme palétuvier s'applique à des sujets de plusieurs familles. Le palétuvier noir partage souvent le même habitat que le palétuvier rouge ou va plus près des rivages. Il aide lui aussi à fixer les sols.

Palétuvier noir
Avicennia germinans

Taille: *3-9 m (10-30 pi) ; feuille 5-7,5 cm (2-3 po).*
Traits: *feuilles persistantes, coriaces, à duvet gris dessous ; fruits vert pâle en capsule ; nombreuses racines aériennes à la base du fût.*
Habitat: *rivages océaniques, marais.*

Chionanthes
Chionanthus

Commun en Europe, ce bel arbre à croissance rapide mériterait plus d'attention dans sa terre d'origine. Il appartient à la famille des oliviers, comme le frêne.

Chionanthe de Virginie (arbre de neige)
Chionanthus virginicus

Taille: *4,5-7,5 m (15-25 pi), parfois arbustif ; feuille 10-20 cm (4-8 po).*
Traits: *feuilles elliptiques à nervures saillantes ; fleurs blanches, parfumées, en groupe de 3 ; fruits en forme d'olive, bleu foncé, parfois à pruine cireuse.*
Habitat: *berges, bords de marécage.*

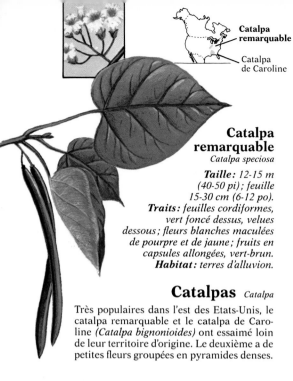

Catalpa
remarquable

Catalpa
de Caroline

Catalpa remarquable
Catalpa speciosa

Taille: *12-15 m (40-50 pi); feuille 15-30 cm (6-12 po).*
Traits: *feuilles cordiformes, vert foncé dessus, velues dessous; fleurs blanches maculées de pourpre et de jaune; fruits en capsules allongées, vert-brun.*
Habitat: *terres d'alluvion.*

Catalpas   Catalpa

Très populaires dans l'est des Etats-Unis, le catalpa remarquable et le catalpa de Caroline *(Catalpa bignonioides)* ont essaimé loin de leur territoire d'origine. Le deuxième a de petites fleurs groupées en pyramides denses.

Chou palmiste   Sabal palmetto

Taille: *9-15 m (30-50 pi); feuille 2,10-2,45 m (7-8 pi).*
Traits: *feuilles en éventail, naissant à la cime, découpées en segments longs, épineux et pendants; pédoncule sec à la base, sur la deuxième moitié du tronc.*
Habitat: *près de l'océan.*

Palmiers   Palmae

Leurs feuilles sont plumeuses comme chez le palmier royal de Floride, ou en éventail comme chez le chou palmiste arborescent ou nain (section des arbustes). Elles naissent d'une cime en forme de chou au sommet d'un tronc marqué de cicatrices et sans cercle annuel de croissance. L'écorce est fibreuse. Contrairement aux autres arbres, le yucca excepté, les palmiers sont des monocotylédones: leur plantule a un lobe (les dicotylédones en ont deux). Les feuilles aussi sont différentes: les nervures des premiers sont parallèles; celles des seconds, réticulées.

Chilopsis à feuilles linéaires
Chilopsis linearis

Taille: *3-4,5 m (10-15 pi), souvent arbustif; feuille 15-30 cm (6-12 po).*
Traits: *feuilles étroites, poisseuses jeunes; fleurs blanches maculées de pourpre; fruits capsulaires, brun foncé.*
Habitat: *cuvettes en désert, berges.*

Chilopsis   Chilopsis

Par ses fleurs parfumées et ses fruits en forme de cigare, la seule espèce de ce groupe montre sa parenté avec le catalpa. Ses feuilles longues et étroites résistent bien à la sécheresse du désert.

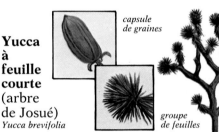

capsule
de graines

Yucca à feuille courte (arbre de Josué)
Yucca brevifolia

groupe
de feuilles

Taille: *4,5-12 m (15-40 pi); feuille 15-25 cm (6-10 po).*
Traits: *feuilles persistantes, dentées, en baïonnette, groupées au bout des branches; capsules fauves, en 6 sections.*
Habitat: *plateaux désertiques.*

Yuccas   Yucca

On associe les yuccas au désert; pourtant, ces plantes de la famille du lis viennent ailleurs en sol sec. A cause de leurs feuilles rigides, rubanées et pointues, on les appelle baïonnettes d'Espagne.

Palmier royal de Floride
Roystonea elata

Taille: *9-15 m (30-50 pi); feuille 3,50-4,50 m (12-15 pi).*
Traits: *feuilles persistantes, composées, vert foncé; écorce grise; moitié supérieure du tronc vert vif.*
Habitat: *grèves sableuses; bords de rue.*

ARBRES

Arbres, arbustes et fleurs sauvages. Voici une sous-section sur les arbustes, plantes ligneuses prostrées et sans tronc. Quelques espèces ont des formes arborescentes et la plupart sont apparentées à des arbres. Certains arbustes ont une taille si réduite que nous les avons placés dans la section des fleurs sauvages, ce qui est également le cas pour les grimpants.

Hamamélis *Hamamelis*

L'hamamélis produit ses étranges fleurs jaunes à l'automne, quand la plupart des feuillus sont dénudés. Son fruit ligneux s'ouvre à maturité en éjectant ses graines à des distances de 5 m (15 pi) et plus. On fabrique une lotion avec son écorce.

Hamamélis de Virginie
Hamamelis virginiana

Taille: 1,5-4,5 m (5-15 pi); feuille 10-15 cm (4-6 po).
Traits: feuilles à base déjetée, à marge dentelée; fleurs jaunes en grappe, à pétales tordus (fin automne); capsules dures et brunes.
Habitat: terres d'alluvion, forêts, berges.

fleur et fruit

Comptonies *Comptonia*

Si ses feuilles ressemblent aux frondes d'une fougère, cette plante est pourtant un arbuste florifère. Comme chez le cirier, ses fleurs sont des chatons sans pétales et son fruit, une noix à écaille velue.

Comptonie voyageuse (comptonie pérégrine)
Comptonia peregrina

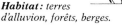

Taille: 30 cm-1,20 m (1-4 pi); feuille 7,5-12,5 cm (3-5 po).
Traits: feuilles étroites, rubanées, velues dessous, aromatiques au froissement; ramilles brunes et velues. **Habitat:** forêts déboisées, champs.

gros plan d'une feuille

fruit

Calycanthes *Calycanthus*

Avec leurs fleurs voyantes et leurs feuilles aromatiques, les quatre espèces de ce groupe sont ornementales. La feuille de la calycanthe lisse *(Calycanthus fertilis)* est glabre dessous.

Arbre aux anémones
Calycanthus floridus

Taille: 90 cm-2,75 m (3-9 pi); feuille 5-12,5 cm (2-5 po).
Traits: feuilles ovales, gris-vert, très velues dessous, à odeur de camphre quand on les froisse; fleurs rouge-brun sentant la framboise; capsules coriaces et brunes.
Habitat: berges, collines boisées, sol humide.

Benjoin *Lindera*

A la fin de l'hiver, les benjoins sont souvent les premiers à fleurir. La seule autre espèce nord-américaine est le benjoin pileux *(Lindera melissaefolium)* qui pousse dans les marais du sud des Etats-Unis.

Benjoin odoriférant
Lindera benzoin

Taille: 1,80-3 m (6-10 pi); feuille 7,5-10 cm (3-4 po).
Traits: feuilles ovales, aromatiques quand on les froisse; petites fleurs sur la ramille, précédant la feuillaison; baies rouge vif ou jaunes.
Habitat: marécages, bois humides.

fleurs

Ciriers *Myrica*

Quand on plonge les fruits du cirier dans l'eau bouillante, la pellicule cireuse qui les recouvre monte à la surface. On peut en faire des bougies. Mais il en faut des quantités énormes. Le myrica à cire a un proche parent, le myrica de Pennsylvanie *(Myrica pensylvanica)*.

Myrica à cire (cirier)
Myrica cerifera

Taille: 3-9 m (10-30 pi); feuille 4-7,5 cm (1½-3 po).
Traits: feuilles persistantes, lancéolées, ponctuées de résine; fruits gris, enduits d'une cire blanchâtre.
Habitat: marécages, pinèdes et chênaies.

fruits

Noisetier à long bec
(noisetier ou coudrier)
Corylus cornuta

Taille : *90 cm-2,75 m (3-9 pi), arborescent en Californie ; feuille 5-12,5 cm (2-5 po).*
Traits : *feuilles ovales, très dentées, velues dessous ; ramilles glabres ; fruits à brou tubuleux.*
Habitat : *champs en friche, clairières.*

Noisetiers
(coudriers) *Corylus*

Heureux celui qui peut cueillir des noisettes avant les écureuils ! Les noisettes vendues dans le commerce sont les fruits d'un noisetier eurasien ; elles ne proviennent pas de nos deux espèces indigènes.

Noisetier d'Amérique *(Corylus americana)*

Pourpier de mer
Atriplex canescens

Taille :
60 cm-1,20 m (2-4 pi) ; feuille 2,5-5 cm (1-2 po).
Traits : *feuilles étroites, épaisses, écailleuses, gris-vert ; pétioles blanchâtres ; fruits chamois à brou à 4 ailes.*
Habitat : *bords de mer, semi-déserts, contreforts arides.*

Atriplex *Atriplex*

Dans les régions sèches, semi-désertiques de l'Ouest, les animaux sauvages et le bétail broutent le pourpier de mer et une espèce épineuse, *Atriplex confertifolia*, qui supportent bien les embruns salés.

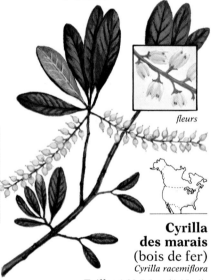

fleurs

Cyrilla des marais
(bois de fer)
Cyrilla racemiflora

Taille : *1,80-7,5 m (6-25 pi) ; feuille 5-10 cm (2-4 po).*
Traits : *feuilles semi-persistantes, elliptiques, luisantes dessus, à nervures réticulées dessous ; fleurs blanches ou roses ; fruits coniques jaunes ; port parfois arborescent.* **Habitat :** *marécages, berges en plaines côtières.*

Cyrillas *Cyrilla*

En Virginie, les feuilles du cyrilla des marais deviennent orange et pourpres en automne, mais plus au sud, elles sont semi-persistantes et restent vertes. Cet arbuste qui peut prendre un port arborescent pousse également dans les Antilles et en Amérique centrale.

Ocotillo
Fouquieria splendens

Taille : *1,80-6 m (6-20 pi) ; feuille 1,5-2,5 cm (½-1 po).*
Traits : *rameaux très épineux ; feuilles charnues après la pluie ; fleurs rouge vif après les pluies d'hiver.*
Habitat : *désert.*

Ocotillos
Fouquieria

La plus grande partie du temps, les ocotillos ont l'air morts ; mais sitôt qu'il pleut, les feuilles sortent. Quand elles tombent, leurs pétioles demeurent en place et se transforment en épines.

Lédon du Groenland
(thé du Labrador)
Ledum groenlandicum

Taille : *30-90 cm (1-3 pi) ; feuille 2,5-5 cm (1-2 po).*
Traits : *feuilles persistantes, étroites, à marge enroulée, blanches ou rousses et velues dessous ; fleurs blanches à 5 pétales.*
Habitat : *tourbières.*

Lédons
Ledum

Ces arbustes prostrés sont membres de la famille des bruyères qui fréquentent les sols acides. Leurs feuilles épaisses et coriaces gardent l'humidité et leurs racines filtrent en partie les eaux acides.

ARBUSTES

324

Andromède glauque
Andromeda glaucophylla

Taille: 15-45 cm
(½-1½ pi); feuille
2,5-4 cm (1-1½ po).
Traits: feuilles
persistantes, étroites, à
marge enroulée, blanches
dessous; fleurs urcéolées,
blanches ou roses;
capsules brunes.
Habitat: tourbières,
sols acides ou sableux.

Andromèdes *Andromeda*

Ces plantes poussent avec d'autres bruyères dans des tourbières du Nord ou en montagne. Elles se cultivent dans des rocailles ensoleillées, en sol acide. Certains arbustes vendus sous ce nom appartiennent à d'autres familles.

Petit-daphné
(cassandre) caliculé
Chamaedaphne (Cassandra) calyculata

Taille: 30 cm-1 m (1-3½ pi);
feuille 1,5-5 cm (½-2 po).
Traits: feuilles semi-persistantes, elliptiques,
coriaces, à écailles jaunes dessous;
fleurs urcéolées, blanches,
opposées à une petite
feuille; capsules fauves.
Habitat: tourbières,
toundra.

Chamaedaphnés *Chamaedaphne*

En Amérique du Nord, comme en Europe et en Asie, cette plante forme des coussins denses qui rendent le sol des tourbières spongieux sous le pied. Le chamaedaphné fleurit tôt au printemps.

Busserole
Arctostaphylos glauca

Taille: 1,80-3,5 m
(6-12 pi); feuille
2,5-5 cm (1-2 po).
Traits: feuilles persistantes,
ovales, vert terne à pruine
cireuse; drupes rondes et
juteuses; écorce
rouge-pourpre foncé.
Habitat: flancs secs
de montagne.

Arctostaphylos *Arctostaphylos*

Ce groupe d'une cinquantaine d'espèces se voit principalement dans les régions sèches et chaudes de l'Ouest américain et de l'Amérique centrale. Certaines espèces sont parfois arborescentes. Le raisin-d'ours qui monte au nord jusqu'au cercle arctique apparaît parmi les fleurs sauvages.

Rhododendron géant
(laurier des marais)
Rhododendron maximum

Taille: 3-6 m (10-20 pi);
feuille 10-30 cm (4-12 po).
Traits: feuilles persistantes, ovales, épaisses,
coriaces, vert foncé; fleurs blanches ou roses en
groupes compacts. **Habitat:** pentes humides.

Rhododendrons *Rhododendron*

C'est en Asie que se trouve la plus grande partie des quelque 800 espèces de rhododendrons dont 20 arbustes et 3 arbuscules sont indigènes en Amérique du Nord. Certains ont des feuilles persistantes; ils se protègent du froid en enroulant leurs feuilles en hiver. Plus la température est basse, plus la feuille est enroulée serré. Le rhododendron flamme *(Rhododendron calendulaceum)*, aux fleurs orange en mai, est un arbre décidu.

Kalmie
à larges
feuilles
(laurier
des montagnes)
Kalmia latifolia

Taille: 3-6 m (10-20 pi);
feuille 7,5-10 cm (3-4 po).
Traits: feuilles persistantes,
elliptiques, épaisses, en touffes
au bout des rameaux; fleurs roses,
délicates, en masses denses.
Habitat: tous sols sauf calcaires.

Kalmies *Kalmia*

La fleur porte 10 étamines piquées dans un petit sac. Lorsque vient un insecte, les étamines s'inclinent et déposent leur pollen dessus. Six kalmies sont indigènes, dont le kalmia à feuilles étroites *(Kalmia angustifolia)* et celui à feuilles d'Andromède *(Kalmia poliifolia)*, tous deux toxiques pour le bétail.

Airelles *Vaccinium*

De l'Alaska aux Andes, de la Norvège au Transvaal, quelque 300 espèces d'airelles (« bleuets » et canneberges ou atocas) font montre de leur remarquable talent d'adaptation. Des 30 espèces présentes ici, seule l'airelle arborescente *(Vaccinium arboreum)* des hautes forêts du Sud dépasse la taille d'un arbuste. On trouvera l'airelle d'Amérique avec les fleurs sauvages.

gros plan des dents

Airelle en corymbes

Vaccinium corymbosum

Taille : *1,5-3 m (5-10 pi) ; feuille 4-7,5 cm (1½-3 po).* **Traits :** *feuilles elliptiques, lisses, vertes ; fleurs blanches ou roses, urcéolées ; baies bleu foncé à pruine cireuse.* **Habitat :** *marécages, bois humides, plateaux secs.*

Airelle à feuilles étroites (bleuet)

Vaccinium angustifolium

Taille : *7,5-38 cm (3-15 po) ; feuille 6 mm-2 cm (¼-¾ po).* **Traits :** *feuilles lancéolées, luisantes, vert vif, à dents terminées par un poil ; fleurs blanches ou rosées, urcéolées ; baies bleu-noir à pruine cireuse.* **Habitat :** *tourbières, toundra, langues de sable, pentes rocheuses.*

Halésier de Caroline

Halesia carolina

Taille : *3-9 m (10-30 pi) ; feuille 7,5-10 cm (3-4 po).* **Traits :** *feuilles elliptiques, dentées, un peu velues dessous ; fleurs blanches campanulées ; fruits ligneux à 4 ailes ; port arbustif ou arborescent.* **Habitat :** *berges de cours d'eau, pentes.*

Styrax à grandes feuilles

Styrax grandifolius

Taille : *90 cm-3,5 m (3-12 pi) ; feuille 6,5-12,5 cm (2½-5 po).* **Traits :** *feuilles elliptiques ou ovales, à poils blancs dessous ; fleurs blanches campanulées ; fruits pointus.* **Habitat :** *marais, bois humides.*

Halésiers *Halesia*

Ils ont au printemps des fleurs en forme de clochette qui dansent au bout d'un pédoncule. Le halésier de Caroline croît en montagne ; les deux autres espèces indigènes, dans les plaines côtières.

Styrax *Styrax*

Leurs fleurs sont moins campanulées que celles des halésiers et leurs fruits, plus ronds. L'écorce de certaines espèces d'Asie donne du benjoin, résine utilisée en pharmacie et en parfumerie.

Groseilliers à fleurs *Ribes*

Les groseilliers à grappe et cassis n'ont pas d'épines ; fleurs et fruits viennent en longues grappes. Les groseilliers à maquereau sont épineux ; les fleurs et les fruits peuvent être solitaires. Leurs feuilles alternes et non opposées ressemblent à celles de l'érable.

Gadellier américain (cassis d'Amérique)

Ribes americanum

Taille : *60 cm-1,20 m (2-4 pi) ; feuille 2,5-7,5 cm (1-3 po).* **Traits :** *feuilles à 3 gros et 2 petits lobes, dentées, à vésicules de résine ; pétioles velus ; fleurs jaune clair ; fruits luisants, rouge-noir ; ramilles rigides.* **Habitat :** *pentes, clairières.*

ramille

Ronce des Alleghanys
Rubus allegheniensis

Taille: *90 cm-2,10 m (3-7 pi);*
feuille 7,5-12,5 cm (3-5 po).
Traits: *feuilles composées de 3 à 5 folioles à*
doubles dents, velues dessous; pétioles épineux;
fruits noirs à maturité; tiges vert-rouge à épines
droites. **Habitat:** *champs en friche, fossés.*

Ronces d'ornement   Rubus

Mûres et framboises poussent sur des espèces arbustives proches parentes de la famille du rosier. Les feuilles sont habituellement composées et les tiges épineuses se courbent vers le sol. Les tiges portent des feuilles la première année; la deuxième année, elles produisent des fleurs et des fruits et meurent. Les ronces d'ornement nourrissent un grand nombre d'animaux et abritent les plantules d'arbres et d'arbustes.

Hétéromèle à feuille d'arbousier
Heteromeles arbutifolia

Taille: *1,80-3,5 m*
(6-12 pi); feuille
5-10 cm (2-4 po).
Traits: *feuilles*
persistantes, elliptiques,
coriaces, très pointues; fleurs
blanches à 5
pétales en grappes
terminales;
fruits rouges.
Habitat: *contreforts,*
canyons, maquis.

touffe de feuilles

Adénostome fasciculé
Adenostoma fasciculatum

Taille: *60 cm-2,40 m*
(2-8 pi); feuille
6 mm-1,5 cm (¼-½ po).
Traits: *feuilles persistantes,*
linéaires, coriaces, en
faisceaux; fleurs blanches à
5 pétales, en grosses
grappes
terminales.
Habitat: *flancs*
de montagne,
maquis.

Hétéromèles   Heteromeles

Comme d'autres espèces du maquis et des montagnes avoisinantes, cet arbuste reprend rapidement après un incendie ou une coupe. Souvent utilisé comme plante d'ornement, il frappe par ses coloris rouge et vert et rappelle le houx. Les oiseaux se régalent de ses fruits.

Adénostomes
Adenostoma

Plantes résineuses du maquis de Californie, les adénostomes s'enflamment facilement. En espagnol, leur nom, *chamise*, désigne du bois à demi brûlé. *Adenostoma sparsifolium* se distingue par son écorce rouge qui pèle.

Rosier multiflora
Rosa multiflora

Taille: *90 cm-1,80 m*
(3-6 pi); feuille
7,5-12,5 cm (3-5 po).
Traits: *feuilles à 7 folioles*
ovales, dentées; stipules
frangées à la base des
pétioles; ramilles vert vif à
fortes épines; fleurs blanches
à 5 pétales; fruits rouges;
branches arquées.
Habitat: *champs en friche.*

Rosiers   Rosa

La rose nous est si familière qu'on ne peut que répéter avec Gertrude Stein : « Une rose est une rose est une rose est une rose. » Devant les si belles créations des botanistes, on oublie la petite rose sauvage à cinq pétales simples, qui sont le plus souvent roses. Autres traits distinctifs : des rameaux retombants ou sarmenteux, des stipules à la base des pétioles, des épines et des fruits de belle teinte, les cynnorhodons, appelés gratte-culs.

Rosier sétigère
Rosa setigera

Taille: *1,20-1,80 m*
(4-6 pi); feuille
5-10 cm (2-4 po).
Traits: *feuilles à 3*
(rarement 5) folioles ovales,
dentées; ramilles à petites
épines; fleurs rose pâle ou
foncé à 5 pétales; fruits
rouges; branches arquées
ou grimpantes.
Habitat: *prairies, fourrés.*

327

Cornouiller stolonifère
(hart rouge)
Cornus stolonifera

Taille : *90 cm-2,10 m (3-7 pi) ; feuille 5-12,5 cm (2-5 po).*
Traits : *feuilles ovales, vert foncé dessus, blanchâtres dessous ; fleurs blanches en corymbes ; fruits ronds et blancs ; tiges écarlates en hiver, blanches à l'intérieur.* **Habitat :** *tourbières, sol humide en forêt.*

fruits

Cornouillers *Cornus*

Arbres, arbustes ou fleurs sauvages, les cornouillers figurent dans trois sections de ce livre. Leurs feuilles sont opposées ; une exception : le cornouiller alternifolié. Trait particulier de tous les cornouillers, les nervures latérales des feuilles s'écartent de la nervure médiane et s'incurvent vers la marge. Les petites fleurs des cornouillers arbustifs n'ont pas les superbes bractées pétaloïdes du cornouiller fleuri arborescent ou du cornouiller du Canada, qui est une fleur sauvage.

Cornouiller à feuilles alternes
Cornus alternifolia

Taille : *1,5-3 m (5-10 pi) ; feuille 7,5-12,5 cm (3-5 po).*
Traits : *feuilles ovales, alternes, vert-jaune vif dessus ; fleurs blanches en larges corymbes ; fruits ronds bleu foncé à pédoncule rouge ; tiges et ramilles brun-rouge foncé.* **Habitat :** *bois mixtes ; sol riche et humide.*

fruits

Céanothes *Ceanothus*

Les quelque 60 espèces de ce groupe ne se trouvent qu'en Californie, mais ont été transplantées partout dans le monde à cause de leurs magnifiques fleurs. Les feuilles du céanothe d'Amérique *(Ceanothus americanus)*, une des rares espèces dans l'Est, peuvent remplacer le thé. Ses racines et celles d'autres espèces donnent une teinture rouge et des substances utilisées autrefois pour coaguler le sang.

fruits

Céanothe cunéiforme
Ceanothus cuneatus

Taille : *90 cm-2,40 m (3-8 pi) ; feuille 1,5-2,5 cm (½-1 po).*
Traits : *feuilles persistantes, étroites à la base, gris-vert terne dessus ; renflement verruqueux à la base des ramilles ; fleurs blanches, lavande ou bleues ; fruits à 3 lobes.* **Habitat :** *pentes sèches de montagne.*

Céanothe thyrsiflore
(lilas bleu de Californie)
Ceanothus thyrsiflorus

Taille : *1,5-4,5 m (5-15 pi) ; feuille 2-5 cm (¾-2 po).*
Traits : *feuilles persistantes, larges, ovales, à 3 nervures ; fleurs bleues en corymbes axillaires ; fruits à 3 lobes ; port arborescent ou rampant.* **Habitat :** *sol sec ; contreforts et montagnes.*

fruits

Larreas
Larrea

Ces arbustes sont adaptés à la vie en désert. Là où ils constituent le peuplement dominant, ils poussent en rangs pour épargner l'eau. Les feuilles sont enduites d'une résine à odeur forte de créosote qui retarde l'évaporation.

Larrea tridenté
Larrea tridentata

Taille : *90 cm-2,70 m (3-9 pi) ; feuille 9 mm (⅜ po).*
Traits : *feuilles persistantes à 2 folioles vert olive semi-circulaires ; fleurs jaunes ; fruits blancs et velus ; rameaux articulés, à anneau foncé aux jointures.* **Habitat :** *déserts.*

fruit

Fusains *Euonymus*

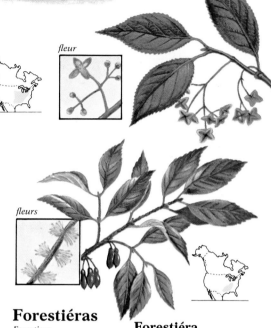

Les fusains sont représentés en Amérique du Nord par quatre espèces dont une croît dans l'Ouest. Les fruits de teinte vive renferment des graines également de teinte vive (comme celles de la douce-amère). A l'automne, les feuilles des fusains deviennent écarlates.

Fusain de l'Est
Euonymus atropurpureus

fleur

Taille: *3-4,5 m (10-15 pi);*
feuille 5-12,5 cm (2-5 po).
Traits: *feuilles elliptiques, denticulées, acuminées; fleurs pourpres; fruits en forme de capsule à 4 lobes contenant des graines écarlates.*
Habitat: *orée de forêt en sol humide.*

Staphyliers (baguenaudiers)
Staphylea

Les deux espèces d'Amérique du Nord se reconnaissent facilement à leurs fruits en forme de lanterne contenant de grosses graines dures. Le baguenaudier de la sierra *(Staphylea bolanderi)* croît dans les montagnes de Californie.

fleurs

Staphylier à trois folioles
Staphylea trifolia

Taille: *1,80-3,60 m (6-12 pi); feuille 15-20 cm (6-8 po).*
Traits: *feuilles à 3 folioles denticulées; fleurs campanulées en grappes pendantes; fruits papyracés en forme de lanterne, à graines libres et brunes dedans.*
Habitat: *orée de forêt.*

Forestiéras
Forestiera

De la famille de l'olivier, ils portent de petits fruits semblables à des olives. On appelle même « olivier sauvage » le forestiéra de Floride *(Forestiera segregata)* qui croît dans cet Etat. Les troènes à haies appartiennent à un autre groupe de la famille des oliviers.

Forestiéra acuminé (troène des marais)
Forestiera acuminata

Taille: *90 cm-2,70 m (3-9 pi); arbre 9 m (30 pi); feuille 5-11 cm (2-4½ po).*
Traits: *feuilles pointues aux bouts; fleurs en grappes avant feuillaison; fruits charnus, pourpres.*
Habitat: *bords de marais.*

ARBUSTES

Sumacs vénéneux *Toxicodendron*

Tous les sumacs ne sont pas vénéneux; celui-ci l'est (son nom en latin veut dire arbre toxique). Les deux principaux sumacs vénéneux se trouvent avec les fleurs sauvages; les sumacs proprement dits, avec les arbres.

Sumac à vernis (sumac vénéneux)
Rhus (Toxicodendron) vernix

Taille: *1,80-3 m (6-10 pi); feuille 18-35 cm (7-14 po).*
Traits: *feuilles composées de 7 à 13 folioles ovales non dentées; pétioles rouges; fruits blancs en grappe, persistant souvent en hiver; ramilles gris-brun à cicatrices; formes arbustive et arborescente.*
Habitat: *tourbières, marécages.*

ramille dénudée

Céphalante occidental
(bois noir)
Cephalanthus occidentalis

Taille : *1,5-4,5 m (5-15 pi) ; feuille 5-18 cm (2-7 po).* **Traits :** *feuilles ovales, luisantes ; fleurs blanchâtres, parfumées, en têtes globuleuses ; fruits ronds, verruqueux, rouge-brun.* **Habitat :** *marécages, berges.*

fruits

Céphalanthes *Cephalanthus*

Vues à la loupe, les fleurs du bois-bouton révèlent toute leur délicatesse. Chaque petite inflorescence porte des pétales nichés chacun dans un tube étroit, un long pistil terminé par une touffe de poils et des glandes à nectar.

Sureau du Canada
(sureau blanc) *Sambucus canadensis*

Taille : *90 cm-3 m (3-10 pi) ; feuille 10-23 cm (4-9 po).* **Traits :** *feuilles composées, à 7 folioles elliptiques et dentées ; fleurs blanc crème en larges têtes ; fruits ronds noir pourpré ; ramilles à moelle blanche.* **Habitat :** *marais ; près des clôtures et routes.*

Sureaux *Sambucus*

Vidées de leur moelle, les ramilles du sureau servent à faire des sifflets et des pailles. Si on fait du vin avec les fruits de quelques espèces, d'autres, comme le sureau rouge du Pacifique *(Sambucus callicarpa)*, ont des fruits vénéneux.

Viornes *Viburnum*

Chez plusieurs espèces de viornes, les feuilles coriaces et opposées se colorent magnifiquement à l'automne. Les fleurs voyantes sont très parfumées et les baies aux couleurs vives restent longtemps sur l'arbre. La viorne trilobée *(Viburnum trilobum)*, aussi appelée pimbina, garde ses fruits bien après que ses feuilles, qui rappellent celles de l'érable, sont tombées.

Viorne lentago
(bourdaine ou alisier)
Viburnum lentago

Taille : *3-9 m (10-30 pi) ; feuille 5-10 cm (2-4 po).* **Traits :** *feuilles ovales, dentées, à pointe déjetée ; fleurs en corymbes ; fruits ronds, bleu foncé à maturité, à pointes et pédoncules longs ; parfois arborescent.* **Habitat :** *marais, orée de forêt.*

ramille et bourgeons

Viorne à feuilles d'aulne
(bois d'orignal)
Viburnum alnifolium

Taille : *90 cm-2,70 m (3-9 pi) ; feuille 10-15 cm (4-6 po).* **Traits :** *feuilles ovales ou cordiformes, irrégulièrement dentées, à poils roux dessous ; fleurs en corymbes ; fruits ronds, noir pourpré à maturité ; rameaux horizontaux, s'enracinant souvent au bout.* **Habitat :** *forêts humides.*

Chèvrefeuilles
Lonicera

Certains chèvrefeuilles sont arbustifs, d'autres sarmenteux (on en trouvera deux espèces parmi les fleurs sauvages). Le chèvrefeuille des Tatars *(Lonicera tatarica)* n'est pas indigène. Echappé des jardins, il croît en forêt, ombrageant des plantes indigènes.

fruits

Chèvrefeuille du Canada
Lonicera canadensis

Taille : *60 cm-1,20 m (2-4 pi) ; feuille 4-7,5 cm (1½-3 po).* **Traits :** *feuilles ovales, à poils fins sur marge et pétioles ; fleurs tubulaires, jaunes (maculées de rouge), groupées par deux ; baies rouges jumelles.* **Habitat :** *sol riche, en forêt.*

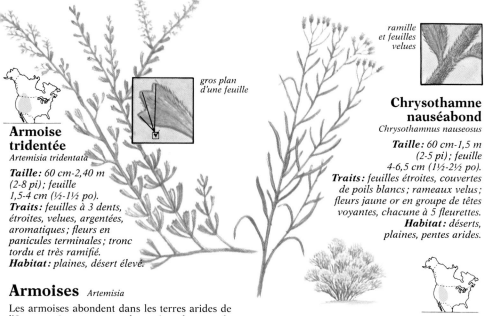

gros plan
d'une feuille

ramille
et feuilles
velues

Armoise tridentée
Artemisia tridentata

Taille: 60 cm-2,40 m (2-8 pi); feuille 1,5-4 cm (½-1½ po).
Traits: feuilles à 3 dents, étroites, velues, argentées, aromatiques; fleurs en panicules terminales; tronc tordu et très ramifié.
Habitat: plaines, désert élevé.

Armoises *Artemisia*

Les armoises abondent dans les terres arides de l'Ouest, mais on en trouve des espèces dans tout le continent: l'armoise étoilée *(Artemisia stelleriana)*, herbacée vivace venue d'Asie, à tiges et feuilles velues, a colonisé les grèves de l'Est.

Bacchantes *Baccharis*

C'est en automne qu'on remarque cet arbuste qui se couvre de fleurs et de fruits en forme de pissenlit. Dans l'Ouest, plusieurs espèces à fleurs et fruits semblables, mais à feuilles plus petites, poussent dans les vallées et les terres inondées.

Bacchante de Virginie
Baccharis halimifolia

Taille: 90 cm-3,60 m (3-12 pi); feuille 2,5-7,5 cm (1-3 po).
Traits: feuilles en losange, dentées ou un peu lobées, gris-vert, à vésicules de résine; petites fleurs en automne; capsules couvertes de poils blancs.
Habitat: bords de mer, marais salés, berges d'estuaire.

fleurs

fruits

Chrysothamne nauséabond
Chrysothamnus nauseosus

Taille: 60 cm-1,5 m (2-5 pi); feuille 4-6,5 cm (1½-2½ po).
Traits: feuilles étroites, couvertes de poils blancs; rameaux velus; fleurs jaune or en groupe de têtes voyantes, chacune à 5 fleurettes.
Habitat: déserts, plaines, pentes arides.

Chrysothamnes *Chrysothamnus*

Lapins, chevreuils et grands mammifères broutent cette plante qui abonde dans les déserts et les hautes plaines. L'espèce illustrée ici doit son nom à l'odeur désagréable de ses feuilles.

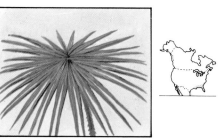

Chou palmiste nain
Serenoa repens

Taille: 90 cm-1,80 m (3-6 pi); feuille 30-90 cm (1-3 pi).
Traits: feuilles en éventail, à moitié pennées et palmées; tiges à fortes épines recourbées; rameaux souvent rampants.
Habitat: pinèdes désertiques, dunes de sable.

Choux palmistes nains *Serenoa*

Ces palmiers arbustifs croissent en fourrés denses sous les pins, leurs racines rampant à fleur de sol. Des fleurs blanc crème s'épanouissent parmi les palmes et les fruits noirs rappellent les olives.

Fleurs sauvages

De l'humble pissenlit à l'altière orchidée, chaque fleur sauvage est non seulement une « dame de beauté », mais un épisode complexe du grand livre de la Nature.

Qu'est-ce qu'une fleur sauvage ? Une plante florifère indigène ? On élimine alors des immigrantes comme le pissenlit officinal. Une plante herbacée qui meurt en automne et repousse au printemps ? On écarte des grimpants ligneux comme le chèvrefeuille de Virginie. Dans ce livre, on entend par fleurs sauvages les plantes florifères non cultivées qui ne sont ni des arbres, ni des arbustes. Il y en a plus de 15 000 espèces au nord de la frontière du Mexique.

Pour assurer la continuité de l'espèce, chaque fleur possède soit des organes femelles producteurs d'ovules, les pistils, soit des organes mâles producteurs de pollen, les étamines, soit les deux à la fois. Pour que naisse une graine, il faut que l'ovule à la base du pistil soit fertilisé par un grain de pollen. Toute règle a ses exceptions : pissenlits et épervières se multiplient sans pollinisation.

L'autofécondation étant rare, les fleurs ont besoin d'un entremetteur pour que le pollen des unes féconde les ovules des autres. Le vent rend ce service aux plantes comme l'herbe à poux dont les fleurs sont peu attirantes. La plupart, cependant, comptent sur les colibris ou les papillons qui, attirés par leurs couleurs ou leur parfum, viennent en butinant frôler étamines et pistils. Les organes de la fleur sont d'ailleurs disposés pour faciliter la pollinisation ; en remerciement, elles offrent leur nectar à leurs alliés.

Comment utiliser cette section

Les fleurs sont groupées par familles en fonction de leurs fleurs et de leurs fruits. Cette structure peut présenter certaines difficultés, mais vous vous familiariserez vite avec elle si vous commencez par consulter les tableaux qui suivent.

Les cartes donnent les aires normales de distribution de chaque espèce. Il est évident que la plante ne se trouvera pas partout à l'intérieur de ces aires. Par ailleurs, la période de floraison peut varier d'un sujet à l'autre selon l'endroit où pousse la plante.

Depuis toujours, les fleurs sauvages ont fourni des aliments et des médicaments à l'homme. **A titre documentaire, nous indiquons ces usages, mais il serait dangereux de les mettre en pratique et nous le déconseillons fortement.**

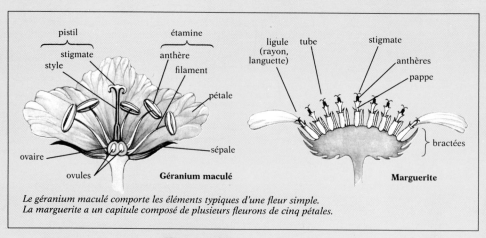

pistil
étamine
stigmate
style
anthère
filament
pétale
sépale
ovaire
ovules
Géranium maculé

ligule (rayon, languette)
tube
stigmate
anthères
pappe
bractées
Marguerite

Le géranium maculé comporte les éléments typiques d'une fleur simple.
La marguerite a un capitule composé de plusieurs fleurons de cinq pétales.

Symboles des habitats pour cette section :   🏜 *désert*   🌾 *herbage/prairie/brousse*   🌲 *forêt*   🛣 *bords de route*   🏘 *ville/campagne*   〰 *eau douce*   〰 *eau salée*

Tableau d'identification des fleurs sauvages

La plupart des espèces illustrées dans cette section sont regroupées ci-dessous selon leur couleur (jaune ou orange, blanc, rouge, rose ou lavande, bleu ou pourpre, vert ou brun) et leur type d'inflorescence (fleurons réunis en bouquets ; nombre de pétales ou de pièces pétaloïdes). Les symboles à droite illustrent la forme générale de la fleur.

bouquet : arrondi allongé aplati

pétales : 3 4 5 7 ou plus

campanulée ou urcéolée évasée (type lis)

tubulaire type orchidée

cupuliforme type arum

étoile à 5 branches type pissenlit

étoile à 6 branches type marguerite

forme inusitée

BOUQUETS	
Erigone touffu p. 363	
Moutarde noire p. 374	
Vélar âpre p. 375	
Lysimaque thyrsiflore p. 381	
Orpin âcre p. 383	
Ivésie de Gordon p. 385	
Lespédézie à capitules ronds p. 393	
Polygala jaune p. 403	
Asclépiade tubéreuse p. 412	
Asclépiade du désert p. 413	
Navarrétia de Brewer p. 420	
Monarde ponctuée p. 429	
Cordylanthe de Wright p. 434	
Verge d'or multiradiée p. 449	
Stanleya pennée p. 375	
Lysimaque terrestre p. 381	
Dudléya des vallées p. 383	
Cassie du Maryland p. 387	
Astragale du Canada p. 389	
Lupin jaune p. 391	
Baptisie teintée p. 392	
Grémil laineux p. 422	
Collinsonie du Canada p. 429	
Castillégie duveteuse p. 431	

BOUQUETS (fin)	
Molène vulgaire p. 436	
Verges d'or p. 449	
Oronce aquatique p. 480	
Narthécie de Californie p. 490	
Euphorbe cyprès p. 399	
Zizia doré p. 406	
Tanaisie vulgaire p. 460	

3 OU 6 PÉTALES	
Dispore jaune p. 486	
Erythrones p. 487	
Uvulaire à grandes fleurs p. 487	
Fritillaire pudique p. 491	
Clintonie boréale p. 492	
Calochortus p. 486	
Xyris tordu p. 470	
Trille dressé p. 488	
Populage des marais p. 341	
Faux-ail jaune p. 481	
Brodiéa jaune p. 483	
Bloomérie safran p. 490	
Hypoxide hirsute p. 490	
Anthérique de Torrey p. 496	
Hémérocalle fauve p. 484	
Lis p. 484	

4 PÉTALES	
Pavot de Californie p. 351	
Onagres p. 396	
Chélidoine majeure p. 351	
Millepertuis érigé p. 365	
Radis sauvage p. 374	

5 PÉTALES	
Ancolie jaune p. 345	
Sarracénie jaune p. 368	
Monotrope des pins p. 379	
Coqueret de Virginie p. 415	
Jasmin de la Caroline p. 404	
Campsis radicant p. 439	
Nénuphar jaune p. 340	
Trolle d'Amérique p. 343	
Renoncules p. 347	
Ketmie vésiculeuse p. 366	
Mouron des champs p. 382	
Millepertuis commun p. 365	
Hudsonie tomenteuse p. 372	
Mentzélie à tige lisse p. 372	
Citrouille sauvage p. 373	
Lysimaque à quatre feuilles p. 381	
Morelle à rostre p. 414	
Pourpier à grandes fleurs p. 360	

5 PÉTALES (fin)	
Abutilon de Théophraste p. 367	
Violettes p. 370	
Hélianthème du Canada p. 372	
Lysimaque nummulaire p. 381	
Potentille ansérine p. 386	
Cassie fasciculée p. 387	
Oxalide dressée p. 402	
Fausse digitale jaune p. 435	
Mohavéa à fleurs groupées p. 435	
Molène blattaire p. 436	

7 PÉTALES OU PLUS	
Nymphée mexicaine p. 340	
Lotus jaune d'Amérique p. 341	
Populage des marais p. 341	
Hydraste du Canada p. 343	
Opuntia à plusieurs aig. p. 355	
Férocactus de Wislizen p. 355	
Cotule corne-de-cerf p. 460	
Epervières p. 464	
Pissenlit officinal p. 464	
Pissenlit orangé de montagne p. 465	
Pissenlit des prairies p. 466	
Grand salsifis p. 467	
Chrysopside villeux p. 447	

	5 PÉTALES (fin)
	Verveine odorante des sables p. 354
	Acléisanthe à longues fleurs p. 354
	Patate du diable p. 410
	Datura stamoine p. 415
	Ipomée patate-sauvage p. 416
	Liserons p. 417
	Fleur de lune p. 417
	Renoncule capillaire p. 347
	Anémones p. 348
	Ketmie des marais p. 366
	Némophile maculé p. 421
	Sabline dressée p. 356
	Stellaire moyenne p. 357
	Silène étoilé p. 358
	Sicos anguleux p. 373
	Monésès uniflore p. 378
	Parnassie à feuilles glauques p. 384
	Ményanthe à trois feuilles p. 409
	Morelle d'Amérique p. 414
	Morelle de Caroline p. 414
	Silène cucubale p. 358
	Saponaire officinale p. 359
	Lychnide blanc p. 359
	Herbe d'amour p. 364
	Droséra à feuilles rondes p. 369
	Gobe-mouches p. 369
	Violettes p. 370
	Chimaphiles p. 378
	Fraisier de Virginie p. 385
	Potentille âcre p. 386
	Héliotrope des oiseaux p. 423

	7 PÉTALES OU PLUS
	Yerba mansa p. 338
	Numphée odorante p. 340
	Populage à sépales minces p. 341
	Anémonelle pigamon p. 343
	Coptide du Groenland p. 344
	Anémone de Caroline p. 348
	Jeffersonie à deux feuilles p. 350
	Sanguinaire du Canada p. 351
	Ficoïde glaciale p. 362
	Trientale boréale p. 382
	Rafinesquia du N.-Mexique p. 466
	Glyptopleure p. 467
	Vergerette de Philadelphie p. 450
	Townsendie à fleurs sessiles p. 450
	Aster éricoïde p. 451
	Marguerite blanche p. 460

	FORMES INSITÉES
	Penstémon digitale p. 433
	Chèvrefeuille toujours-vert p. 445
	Cypripèdes p. 500
	Orchis brillant p. 503
	Habénaire blanchâtre p. 503
	Polyrrhize de Linden p. 507
	Calla des marais p. 479
	Dicentre à capuchon p. 352
	Dicentre du Canada p. 352
	Baptisie leucanthe p. 392
	Sarriette de Douglas p. 424
	Salazarie du Mexique p. 429
	Galane glabre p. 434
	Carmantine d'Amérique p. 439

	BOUQUETS
	Belle-de-nuit p. 354
	Trèfle incarnat p. 392
	Chèvrefeuille toujours-vert p. 445
	Brodiéa rouge p. 483
	Sarcode sanguine p. 379
	Dudléya des vallées p. 383
	Erythrine cardinal p. 390
	Spigélie du Maryland p. 404
	Castilléjies p. 431
	Spiranthe à f. lancéolées p. 505

	3 OU 6 PÉTALES
	Argémone sanguine p. 350
	Calochortus p. 486
	Lis de Philadelphie p. 485

	4 PÉTALES
	Clématite du Texas p. 342
	Zauschnérie de Californie p. 395
	Bouvardie à trois feuilles p. 443

	5 PÉTALES
	Ancolie du Canada p. 345
	Benoîte à trois fleurs p. 386
	Spigélie du Maryland p. 404
	Ipomée pennée p. 417
	Gilia rouge p. 419
	Bignone à vrilles p. 439
	Campsis radicant p. 439
	Callirhoë à involucre p. 366
	Sphéralcéa écarlate p. 367
	Mouron des champs p. 382
	Silène de Virginie p. 358
	Silène à feuilles rondes p. 358

	5 PÉTALES (fin)
	Kramère à feuilles lancéolées p. 405
	Pourpier à grandes fleurs p. 360
	Nama p. 421

	7 PÉTALES OU PLUS
	Echinocéréus d'Engel. p. 356
	Echinocéréus à fl. rouges p. 356
	Gaillarde jolie p. 459

	FORMES INSITÉES
	Sauge écarlate p. 430
	Penstémon d'Eaton p. 433
	Lobélie du cardinal p. 442
	Monarde écarlate p. 429
	Mimule écarlate p. 432
	Pédiculaire du Canada p. 437
	Iris rouge p. 497

	BOUQUETS
	Adlumie fongueuse p. 352
	Belle-de-nuit p. 354
	Calyptridium en ombelle p. 361
	Renouée amphibie p. 362
	Armérie maritime p. 364
	Bruyère des montagnes p. 377
	Primevères p. 380
	Orpin pourpre p. 383
	Filipendule rouge p. 385
	Schrankie de Nuttall p. 387
	Gesse japonais p. 388
	Coronille bigarrée p. 390
	Trèfle des prés p. 392
	Trèfle des champs p. 392
	Polygala sanguin p. 403

	BOUQUETS (fin)		4 PÉTALES		5 PÉTALES (fin)		FORMES INUSITÉES
	Asclépiades *p. 413*		Clarkie gracieuse *p. 395*		Droséra à feuilles filiformes *p. 369*		Cléiste divariqué *p. 501*
	Verveine du Canada *p. 424*		Onagre blanc *p. 396*		Violettes *p. 370*		Cypripèdes *p. 500*
	Menthe des champs *p. 425*		Julienne des dames *p. 375*		Chimaphile à ombelles *p. 378*		Triphora à trois fleurs *p. 501*
	Monardelle des montagnes *p. 427*		Gros atocas *p. 377*		Douglasie des montagnes *p. 380*		Calypso bulbeux *p. 501*
	Cunile à feuilles d'origan *p. 428*		Epilobe à feuilles étroites *p. 395*		Glaux maritime *p. 382*		Aréthuse bulbeuse *p. 501*
	Monarde fistuleuse *p. 429*		Clarkie jolie *p. 395*		Géraniums *p. 401*		Pogonie langue-de-serpent *p. 501*
	Houstonie à f. lancéolées *p. 443*		Quadrettes *p. 397*		Oxalide de montagne *p. 402*		Liparis à feuilles de lis *p. 502*
	Hélonie des marais *p. 481*		**5 PÉTALES**		Phlox *p. 418*		Orchis brillant *p. 503*
	Aulx, oignons *p. 489*		Arctostaphyle raisin d'ours *p. 377*		Linanthe à fleurs d'œillet *p. 420*		Calopogon tubéreux *p. 505*
	Dauphinelle verdâtre *p. 346*		Gentiane du froid *p. 408*		Gérardie pourpre *p. 430*		Epipactis géant *p. 507*
	Renouée de Pennsylvanie *p. 362*		Apocyn à feuilles d'Androsème *p. 411*		Mimule naine *p. 432*		Dicentre majestueux *p. 352*
	Limonie de Caroline *p. 364*		Campanule à f. rondes *p. 441*		**7 PÉTALES OU PLUS**		Corydale toujours-vert *p. 353*
	Spirée tomenteuse *p. 385*		Linnée boréale *p. 445*		Lotus d'Egypte *p. 341*		Astragale de Pursh *p. 389*
	Oxytropis brillant *p. 388*		Verveine odorante des sables *p. 354*		Hépatique d'Amérique *p. 344*		Coronille bigarrée *p. 390*
	Desmodie du Canada *p. 393*		Ipomées *p. 416*		Anémone de Caroline *p. 348*		Clitorie du Maryland *p. 391*
	Kudzu *p. 394*		Orobanche uniflore *p. 438*		Peyote *p. 355*		Polygala paucifolié *p. 403*
	Menthe à épis *p. 425*		Mauve musquée *p. 366*		Coryphante vivipare *p. 357*		Physostégie de Virginie *p. 427*
	Germandrée du Canada *p. 426*		Guimauve officinale *p. 367*		Mammillaire à petits fruits *p. 357*		Penstémons *p. 433*
	Castilléjie pourpre *p. 431*		Langloisie ponctuée *p. 419*		Lewisia amère *p. 361*		Pédiculaire à bractées *p. 437*
	Véronique aquatique *p. 436*		Œillet arméria *p. 359*		Ficoïde glaciale *p. 362*		Pédiculaire du Groenland *p. 437*
	Liatrides *p. 448*		Epigée rampante *p. 377*		Passiflore de mai *p. 372*		Proboscidéa de la Louisiane *p. 440*
	Eupatoire pourpre *p. 446*		Gyroselle de Virginie *p. 380*		Sabatie des grands marais *p. 410*		**BOUQUETS**
	3 OU 6 PÉTALES		Sabatie anguleuse *p. 410*		Lygodesmie à grandes fl. *p. 465*		Orpin rose *p. 383*
	Streptope rose *p. 492*		Centaurie à calice *p. 410*		Fausse achillée de Douglas *p. 459*		Astragale à fruits charnus *p. 389*
	Anémone pulsatile *p. 348*		Silène de Caroline *p. 358*		Centaurée maculée *p. 462*		Apios d'Amérique *p. 391*
	Calochortus *p. 486*		Saponaire officinale *p. 359*		Chardon penché *p. 462*		Trèfle pourpre des prairies *p. 393*
	Trillé ové *p. 488*		Agrostemme githago *p. 359*		Cirses *p. 463*		Gentiane d'Andrews *p. 408*
	Hépatique d'Amérique *p. 344*		Claytonie de Virginie *p. 360*		Vergerette de Philadelphie *p. 450*		Amsonia *p. 411*
	Brodiéa volubile *p. 483*		Pourpier à gran-des fleurs *p. 360*		Townsendie à fleurs sessiles *p. 450*		Phacélie de Pursh *p. 420*
	Aulx, oignons *p. 489*		Calandrinie ciliée *p. 361*		Asters *p. 451*		Vipérine vulgaire *p. 422*
	Crinole d'Amérique *p. 491*		Talin à calice *p. 361*		Rudbeckie pourpre pâle *p. 455*		Verveine du Canada *p. 424*

	BOUQUETS *(fin)*
	Prunelle vulgaire p. 425
	Lierre terrestre p. 427
	Sauge des colombes p. 430
	Collinsie printanière p. 431
	Orthocarpe pourpré p. 434
	Grande vernonie P. 447
	Lupins p. 391
	Glycine arbustive p. 394
	Salicaire pourpre p. 397
	Phacélie soyeuse p. 420
	Verveine laineuse P. 424
	Epiaire des marais p. 426
	Bugle rampante p. 426
	Synthyris des montagnes p. 435
	Orobanche de Louisiane p. 438
	Triodanis perfolié p. 441
	Lobélie bleue p. 442
	Liatrides p. 448
	Pontédérie à f. cordées p. 480
	Camassies p. 494
	Eupatoire bleu azur p. 446

3 OU 6 PÉTALES

	Trille à fleur sessile p. 488
	Calochortus p. 486
	Ephémère de l'Ohio p. 470
	Trille dressé p. 488
	Brasénie de Schreber p. 340
	Caulophylle faux-pigamon p. 349
	Jacinthe d'eau p. 480
	Brodiéa violet p. 483
	Bermudienne p. 496

	3 OU 6 PÉTALES *(fin)*
	Iris des prairies p. 496
	Brodiéas p. 482
	Lis rougeâtre p. 484

4 PÉTALES

	Clématite viorne p. 342
	Gentiane frangée p. 408
	Caulanthus enflé p. 374
	Clarkie pourpre p. 395
	Véronique de Perse p. 436
	Houstonie bleue p. 443

5 PÉTALES

	Sarracénie pourpre p. 368
	Benoîte à trois fleurs p. 386
	Gentiane à calice p. 408
	Polémonie rampante p. 419
	Mertensie de Virginie p. 422
	Campanule divariquée p. 441
	Belle-de-nuit multiflore p. 354
	Ipomées p. 416
	Gilia à longues fleurs p. 419
	Ruellie glabre p. 439
	Ancolie bleue p. 345
	Eustoma à grandes fleurs p. 409
	Némophile bleu P. 421
	Potentille palustre p. 386
	Gentiane pubérulente p. 408
	Amsonia p. 411
	Morelle douce-amère p. 414
	Campanule d'Amérique p. 441
	Dauphinelles p. 346
	Pourpier à grandes fleurs p. 360

	5 PÉTALES *(fin)*
	Violettes p. 370
	Oxalide dressée p. 402
	Lin cultivé p. 403
	Pervenche mineure p. 411
	Phlox p. 418
	Nama p. 421
	Myosotis des marais p. 422

7 PÉTALES OU PLUS

	Echinocéréus d'Engel. p. 356
	Passiflore de mai p. 372
	Cirses p. 463
	Chicorée sauvage p. 466
	Aster p. 451

FORMES INUSITÉES

	Corallorhize maculée p. 502
	Orchis brillant p. 503
	Habénaire papillon p. 503
	Tipulaire discolore p. 504
	Epipactis géant p. 507
	Arisème rouge foncé p. 479
	Aconits p. 344
	Scutellaire grise p. 427
	Trichostème fourchu p. 428
	Salazarie du Mexique p. 429
	Sauge bleue p. 430
	Mimule à fleurs entrouvertes p. 432
	Pédiculaire à bractées p. 437
	Grassette vulgaire p. 440
	Downingias p. 442
	Comméline commune p. 470
	Iris p. 497

	BOUQUETS
	Euphorbe marginée p. 399
	Aralie à tige nue p. 404
	Asclépiade verte p. 413
	Chénopode blanc p. 359
	Pyrole unilatérale p. 378
	Fraséra joli p. 409
	Plantain majeur p. 424
	Petite herbe à poux p. 453
	Quenouilles p. 477
	Vératre vert p. 493
	Mélianthe de Virginie p. 495

3 OU 6 PÉTALES

	Asaret du Canada p. 338
	Médéole de Virginie p. 487
	Trille à fleur sessile p. 488
	Sceau-de-Salomon biflore p. 492

5 PÉTALES

	Darlingtonie de Californie p. 368

7 PÉTALES OU PLUS

	Opuntia de Bigelow p. 355
	Echinocéréus à fleurs vertes p. 356

FORMES INUSITÉES

	Listère cordée p. 502
	Aplectrum d'hiver p. 504
	Epidendrum de Tampa p. 506
	Vanillier p. 507
	Symplocarpe fétide p. 478
	Arisème dragon p. 479
	Peltandre de Virginie p. 480
	Aristoloche dur p. 339
	Aristoloche de Watson p. 339

Lézardelle penchée
(saurure penché)
Saururus cernuus

Taille : 30-90 cm (1-3 pi ; fleur
7,5-15 cm (3-6 po) de long.
Traits : petits fleurons crème
en épi plumeux ; feuilles
cordiformes, rigides.
Habitat : bords d'étang,
bois marécageux.
Floraison : juin-septembre.

Lézardelles   *Saururus*

La lézardelle présente des épis plumeux à fleurons
parfumés, gracieusement inclinés. Elle pousse
bien auprès des piscines et dans les jardins aquatiques. Comme elle se reproduit au moyen de dra-
geons, tiges qui se forment juste au-dessus des
racines, elle s'évade des terrains cultivés ; aussi la
retrouve-t-on à l'état sauvage dans les terres humides, hors de sa zone normale de distribution.

Yerba mansa   *Anemopsis*

Les sols alcalins du Nouveau-Mexique, dans la
vallée du Rio Grande, sont parcourus en tous sens
par les racines rampantes de la yerba mansa.
Cette terre est si compacte qu'on y découpe des
blocs plus résistants à la pluie que les briques
crues appelées adobes ; c'était le matériau de construction préféré des Indiens et après eux des Espagnols qui ont donné à cette plante son nom : *yerba
del manso* ou herbe de la ferme.

Yerba mansa
Anemopsis californica

Taille : 5-15 cm (2-6 po) ;
fleur 2,5-5 cm
(1-2 po) de diamètre.
Traits : inflorescence
blanche ou rosâtre à
nombreux fleurons réunis sur
des bractées pétaloïdes ; feuilles
ovales, à longs pétioles.
Habitat : prés humides, berges.
Floraison : mars-août.

Gingembres sauvages   *Asarum*

La saveur âcre de cette plante rappelle un peu
celle de l'épice dont elle porte le nom. Si les animaux la boudent, les êtres humains en font bouillir les rhizomes avec du sucre ; cette décoction
remplace alors le vrai gingembre. Collées au sol,
les fleurs ont une odeur fétide qui attire les mouches pollinisatrices. Viennent ensuite les fourmis
qui disséminent les graines après en avoir mangé
l'enveloppe ; c'est ainsi que la plante se répand.

Asaret
du Canada
(gingembre sauvage)
Asarum canadense

Taille : 10-18 cm (4-7 po) ; fleur 1,5-4 cm
(½-1½ po) de diamètre. **Traits** : grandes feuilles
velues, réniformes ; fleurs urcéolées, rouge-brun
ou pourpres, sur court pédoncule entre 2 feuilles.
Habitat : bois fertiles. **Floraison** : mars-juin.

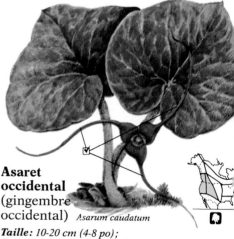

Asaret
occidental
(gingembre
occidental)   *Asarum caudatum*

Taille : 10-20 cm (4-8 po) ;
fleur 5-12,5 cm (2-5 po) de diamètre.
Traits : feuilles un peu velues, cordiformes ;
fleurs brun-pourpre, urcéolées, à 3 éperons.
Habitat : bois fertiles. **Floraison** : avril-juillet.

Aristoloches *Aristolochia*

La « doctrine des signatures », fort répandue au XVIIᵉ siècle, associait à un trait particulier d'une plante ses vertus médicinales. On croyait par exemple que la fleur de l'aristoloche, dont la base est en forme de sac renflé, facilitait les accouchements; on faisait donc mastiquer des racines de cette plante aux femmes en couches. La fleur de l'aristoloche, vrai piège à insectes, est un bon exemple de pollinisation croisée. Ses organes femelles, les pistils, qui arrivent à maturité avant les étamines, organes mâles, se trouvent au bout d'un étroit passage tapissé de poils incurvés vers le fond. Attiré par un nectar à odeur fétide, l'insecte entre dans la fleur et n'en peut plus sortir. Nourri de nectar dans sa prison, il dépose le pollen dont il était chargé sur les pistils. Lorsque les étamines sont mûres, la fleur s'ouvre. A sa sortie, l'insecte se charge de pollen frais qu'il ira déposer de la même façon dans une autre fleur.

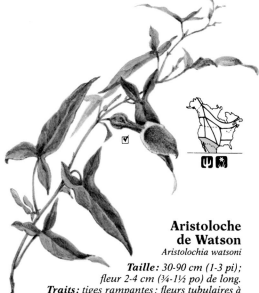

Aristoloche de Watson
Aristolochia watsoni

Taille: *30-90 cm (1-3 pi);* fleur *2-4 cm (¾-1½ po) de long.*
Traits: *tiges rampantes; fleurs tubulaires à ouverture étroite, brunes ou vert-pourpre; feuilles velues, triangulaires, lobées à la base.*
Habitat: *déserts chauds, brousse de montagne.*
Floraison: *avril-août.*

Aristoloche dure (arbre aux pipes)
Aristolochia durior

Taille: *grimpant jusqu'à 18 m (60 pi); fleur 2,5-4 cm (1-1½ po) de long.* **Traits:** *fleurs en forme de pipe, pourpres ou jaune-vert; feuilles cordiformes, de 30 cm (1 pi) de large.*
Habitat: *bois fertiles, forêts marécageuses.*
Floraison: *mai-juillet.*

Couleuvrine (sanicle) de Virginie
Aristolochia serpentaria

Taille: *15-75 cm (6-30 po); fleur 1,5-2 cm (½-¾ po) de long.*
Traits: *fleurs en S, brun-pourpre, sur pédoncules près du sol; feuilles sagittées ou cordiformes.*
Habitat: *bois secs ou humides; terreau de feuilles.*
Floraison: *mai-juillet.*

Nymphée odorante
(lis d'eau blanc) *Nymphaea odorata*

Diamètre: *fleur 5-15 cm (2-6 po);*
feuille 7,5-50 cm (3-20 po).
Traits: *fleurs blanches,*
flottantes; feuilles vert luisant,
ovales, entaillées, flottantes.
Habitat: *eau douce dormante*
d'au plus 2,45 m (8 pi) de profondeur.
Floraison: *mars-octobre.*

Nymphée mexicaine
(lis d'eau jaune)
Nymphaea mexicana

Diamètre: *fleur 7,5-10 cm*
(3-4 po); feuille 10-20 cm (4-8 po).
Traits: *fleurs jaunes, flottantes*
ou légèrement dressées; feuilles
vertes maculées de brun, entaillées,
flottantes. **Habitat:** *eau douce*
dormante d'au plus 1,20 m
(4 pi) de profondeur.
Floraison: *mars-septembre.*

Lis d'eau *Nymphaea*

De toutes les plantes qui décorent étangs, lacs et cours d'eau lents,
celles-ci, avec leurs fleurs colorées et leurs grandes feuilles entaillées, sont les plus estimées. Après la floraison, les pédoncules se
rétractent et le fruit à graines comestibles descend sous l'eau. A
maturité, l'enveloppe éclate et les graines flottent jusqu'à ce que,
gorgées d'eau, elles coulent s'enraciner dans le fond.

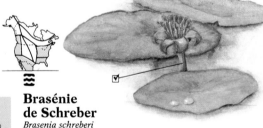

Nénuphar jaune
Nuphar lutea

Diamètre: *fleur 1,5-6,5 cm*
(½-2½ po); feuille 5-45 cm (2-18 po).
Traits: *fleurs cupuliformes, dressées;*
feuilles cordiformes, sous l'eau,
flottantes ou dressées.
Habitat: *eau douce dormante d'au*
plus 4,5 m (15 pi) de profondeur.
Floraison: *mai-octobre.*

Brasénie
de Schreber
Brasenia schreberi

Diamètre: *fleur 1,5 cm (½ po);*
feuille 5-10 cm (2-4 po).
Traits: *fleurs pourpre terne, légèrement dressées*
sur de gros pédoncules; feuilles vert moyen,
elliptiques, flottantes. **Habitat:** *eau douce*
dormante d'au plus 3 m (10 pi) de profondeur.
Floraison: *juin-septembre.*

Brasénies *Brasenia*

La seule espèce de brasénie croît à l'état sauvage
sur tous les continents, sauf dans l'Antarctique.
Ses graines dures et rondes font les délices des canards, tandis que, dans plusieurs coins du monde,
les gens raffolent de ses racines et ses feuilles. Une
pellicule gélatineuse protège tiges, feuilles et autres organes immergés contre les escargots, les
larves d'insectes et autres ravageurs.

Nénuphars *Nuphar*

Ces plantes sont envahissantes. Dans la nature, ce
défaut devient une qualité. Leurs graines nourrissent les canards; orignaux et chevreuils broutent
leurs feuilles; rats musqués et castors raffolent de
leurs racines sucrées et s'en font des provisions.
Les Amérindiens et certains colons, qui les consommaient à la façon des pommes de terre ou en
les réduisant en farine, n'hésitaient pas à piller les
réserves des animaux.

Lotus *Nelumbo*

Plus grandes que cette page, la feuille du lotus et ses fleurs se dressent au-dessus de l'eau sur des tiges robustes. Au centre des fleurs se trouve un fruit en forme de pomme d'arrosoir. Après fécondation, les pétales tombent et le fruit reste à nu, plein de graines viables durant plusieurs siècles.

Populage des marais
Caltha palustris

Taille: 15-75 cm (6-30 po); fleur 2,5-5 cm (1-2 po) de diamètre. **Traits:** fleurs jaune clair; feuilles rondes ou cordiformes, dentées, en touffes près du sol et éparpillées le long de la tige. **Habitat:** marais, marécages, fossés. **Floraison:** avril-août.

Lotus d'Egypte
Nelumbo nucifera

Diamètre: fleur 15-23 cm (6-9 po); feuille 30-60 cm (12-24 po). **Traits:** fleurs roses, dressées; feuilles coriaces, en ombrelle. **Habitat:** eau douce dormante d'au plus 2,40 m (8 pi) de profondeur. **Floraison:** juin-août.

Populage à sépales minces
Caltha leptosepala

Taille: 15-30 cm (6-12 po); fleur 2-5 cm (¾-2 po) de diamètre. **Traits:** fleurs blanches à centre jaune; feuilles oblongues ou cordiformes, en touffes près du sol. **Habitat:** ruisseaux de montagne, marais. **Floraison:** mai-août.

Lotus jaune d'Amérique
Nelumbo lutea

Diamètre: fleur 15-20 cm (6-8 po); feuille 30-60 cm (12-24 po). **Traits:** fleurs jaunes, dressées jusqu'à 3 m (10 pi) au-dessus de la surface de l'eau; feuilles en ombrelle. **Habitat:** eau douce dormante jusqu'à 2,45 m (8 pi) de profondeur. **Floraison:** juin-septembre.

Populages *Caltha*

Ces plantes, de la famille des renoncules, s'appellent aussi soucis d'eau. Leurs joyeuses fleurettes et leurs feuilles luisantes égaient les terres humides de tout l'hémisphère Nord. Cuites, les feuilles sont comestibles, mais elles sont vénéneuses crues pour les êtres humains et la plupart des animaux, sauf les orignaux et les wapitis.

Clématite viorne
Clematis viorna

Taille: *90 cm-1,80 m (3-6 pi); fleur 2 cm (¾ po) de diamètre.*
Traits: *fleurs en lanterne, inclinées; pétales pourprés à bout crème; feuilles à nombreuses folioles ovoïdes.*
Habitat: *bois fertiles; fourrés fertiles.*
Floraison: *mai-août.*

Clématite de Virginie
Clematis virginiana

Taille: *90 cm-4,5 m (3-15 pi); fleur 1,5-2 cm (½-¾ po) de diamètre.*
Traits: *fleurs blanches, serrées; tiges sarmenteuses enchevêtrées; feuilles à 3 foliole. fruits blancs et plumeux.*
Habitat: *fourrés, haies, bords de route.*
Floraison: *juillet-septembre.*

fruit

Clématite du Texas
Clematis texensis

Taille: *30 cm-1,80 m (1-6 pi); fleur 1,5-2 cm (½-¾ po) de diamètre.*
Traits: *fleurs en lanterne, rouges, solitaires ou en bouquets; feuilles composées de 3 à 5 paires de folioles rondes; tiges rampantes ou grimpantes.*
Habitat: *falaises, talus boisés.*
Floraison: *mai-juin.*

Clématites *Clematis*

Dans la famille des renoncules, ces plantes sont uniques par leur port grimpant. Leurs pédicelles volubiles s'accrochent à toutes sortes de supports et recouvrent les souches, les pergolas et les murs. Chaque pédicelle est en réalité le pétiole d'une feuille unique, composée de petites folioles qui poussent deux par deux le long du rachis. C'est Charles Darwin qui, en faisant l'observation de la clématite de Virginie, constata que chaque nouveau pédicelle décrivait un cercle complet en cinq ou six heures jusqu'à ce qu'il ait trouvé un objet solide auquel s'accrocher. En botanique, ce phénomène a reçu le nom de thigmotropisme.

Clématite crispée
Clematis crispa

Taille: *30 cm-3 m (1-10 pi); fleur 2,5-5 cm (1-2 po) de diamètre.*
Traits: *fleurs bleu-pourpre, campanulées, à 4 lèvres retroussées; feuilles composées de 5 à 9 folioles lancéolées.* **Habitat:** *bois humides, marais, clairières.*
Floraison: *avril-août.*

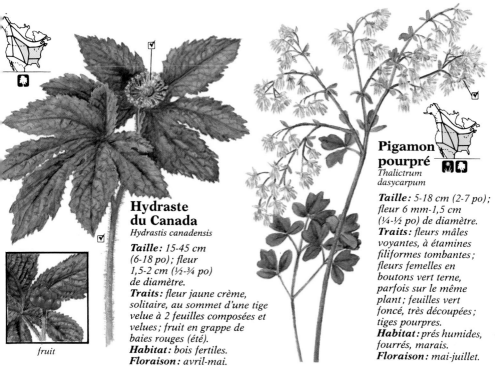

Hydraste du Canada
Hydrastis canadensis

Taille: 15-45 cm (6-18 po); fleur 1,5-2 cm (½-¾ po) de diamètre.
Traits: fleur jaune crème, solitaire, au sommet d'une tige velue à 2 feuilles composées et velues; fruit en grappe de baies rouges (été).
Habitat: bois fertiles.
Floraison: avril-mai.

fruit

Pigamon pourpré
Thalictrum dasycarpum

Taille: 5-18 cm (2-7 po); fleur 6 mm-1,5 cm (¼-½ po) de diamètre.
Traits: fleurs mâles voyantes, à étamines filiformes tombantes; fleurs femelles en boutons vert terne, parfois sur le même plant; feuilles vert foncé, très découpées; tiges pourpres.
Habitat: prés humides, fourrés, marais.
Floraison: mai-juillet.

Hydrastes *Hydrastis*

Autrefois abondante, cette plante est maintenant rare. Exploitées commercialement, ses épaisses racines jaunes servaient à soigner les éruptions cutanées et les hémorragies; en outre on en tirait une teinture jaune et un insecticide. Lewis et Clark l'ont décrite à Thomas Jefferson comme un « remède souverain contre les maux d'yeux ».

Pigamons *Thalictrum*

Chez plusieurs espèces de cette belle plante vivace, les fleurs mâles (à pollen) viennent sur un sujet et les fleurs femelles (à graines) sur un autre; la fécondation s'effectue par le vent, mais aussi par les insectes. D'autres espèces portent des fleurs à pistils et à étamines sur le même plant et certains types de montagne produisent des fleurs « parfaites », présentant les deux organes.

Anémonelle pigamon
Anemonella thalictroides

Taille: 5-20 cm (2-8 po); fleur 1,5-2 cm (½-¾ po) de diamètre.
Traits: fleurs blanches, en groupe de 2 ou 3, entourées d'un verticille de folioles sur tige filiforme noire; feuilles de la base très découpées.
Habitat: bois riches.
Floraison: avril-mai.

Trolle d'Amérique
Trollius laxus

Taille: 10-50 cm (4-20 po); fleur 2-4 cm (¾-1½ po) de diamètre.
Traits: fleurs jaune-vert, cupuliformes, éparpillées sur le plant; feuilles dentées très segmentées.
Habitat: marais, bois marécageux, berges.
Floraison: avril-juin.

Anémonelles pigamons *Anemonella*

Ni pigamon, ni anémone, cette espèce doit son nom à ses feuilles de pigamon et à ses fleurs d'anémone. L'isopyre faux-pigamon *(Isopyrum biternatum)*, à fleurs plus petites, occupe la même aire.

Trolles *Trollius*

Plus fréquents sous leurs formes cultivées, les trolles se rencontrent rarement dans la nature. En Amérique du Nord, on ne trouve que l'espèce illustrée et une variété à fleurs blanches des Rocheuses, abondante après la fonte des neiges.

FLEURS SAUVAGES

343

Coptides *Coptis*

Quel joli spectacle que ces petites fleurs d'un blanc brillant dressées au-dessus d'un lit de feuilles vernissées dans l'ombre d'un sous-bois montagneux! On dirait des diamants piqués dans un tapis d'émeraudes. Feuilles et fleurs naissent d'un réseau souterrain de tiges filiformes jaunes, les rhizomes.

Coptide du Groenland (coptide savoyane)
Coptis groenlandica

Taille: *6,5-12,5 cm (2½-5 po); fleur 6 mm-1,5 cm (¼-½ po) de diamètre.*
Traits: *fleurs solitaires sur pédoncules nus; feuilles persistantes à 3 folioles dentées, groupées près du sol.*
Habitat: *bois moussus, lieux tourbeux.*
Floraison: *mai-juillet.*

Hépatiques *Hepatica*

Deux sortes d'hépatiques occupent la même aire mais poussent dans des terrains différents; sauf pour la forme de leurs feuilles, elles se ressemblent beaucoup. L'hépatique d'Amérique affectionne les sols acides, l'hépatique acutilobée *(Hepatica acutiloba)*, les sols calcaires. Leurs fleurs s'épanouissent au printemps, avant la feuillaison, sur le tapis formé par les feuilles de l'année précédente.

Hépatique acutilobée

Hépatique d'Amérique
Hepatica americana

Taille: *5-12,5 cm (2-5 po); fleur 1,5-2 cm (½-¾ po) de diamètre.*
Traits: *fleurs bleues, pourpres, rosées ou blanches sur tiges velues; feuilles épaisses, trilobées.*
Habitat: *bois fertiles.*
Floraison: *mars-avril.*

Aconit bleu
Aconitum columbianum

Taille: *30 cm-2,10 m (1-7 pi); fleur 2-2,5 cm (¾-1 po) de diamètre.*
Traits: *fleurs bleues ou pourpres (parfois blanches), à capuchon, sur haute tige; feuilles lobées, dentées.*
Habitat: *berges, bois humides, prés.*
Floraison: *juin-août.*

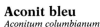

Aconit d'Amérique (aconit sauvage)
Aconitum uncinatum

Taille: *60 cm-1,20 m (2-4 pi); fleur 2-2,5 cm (¾-1 po) de diamètre.*
Traits: *fleurs bleu-pourpre, à capuchon en forme de casque sur tige frêle (souvent penchée); feuilles lobées.*
Habitat: *bois fertiles, berges.*
Floraison: *juillet-octobre.*

Aconits *Aconitum*

Le capuchon de l'aconit est en réalité un sépale. Chez certaines espèces, il ressemble si bien à un casque que la plante a été surnommée casque de Jupiter ou capuchon-de-moine. Les bourdons, assez forts pour soulever le capuchon, assurent presque à eux seuls la fécondation. Toxiques pour les animaux et les hommes, ces plantes renferment une substance vénéneuse, l'aconite, qui entrait dans la fabrication des flèches empoisonnées.

Ancolie bleue
Aquilegia caerulea

Taille: *30-60 cm (1-2 pi);
fleur 2,5-5 cm (1-2 po)
de diamètre.*
Traits: *fleurs bleues, blanches,
ou bleu et blanc, à éperons
de 2,5-5 cm (1-2 po); feuilles
à plusieurs folioles.*
Habitat: *bois et clairières
en montagne.*
Floraison: *juin-août.*

Ancolie à longs éperons
Aquilegia longissima

Taille: *60 cm-
1,20 m (2-4 pi);
fleur 4-7,5 cm
(1½-3 po) de diam.*
Traits: *fleurs jaunes, dressées,
à éperons de 10-20 cm (4-8 po).*
Habitat: *berges, canyons rocheux.*
Floraison: *juin-novembre.*

Ancolie jaune
Aquilegia flavescens

Taille: *30-75 cm
(1-2½ pi); fleur 2-4 cm
(¾-1½ po) de diamètre.*
Traits: *fleurs jaunes,
inclinées, à éperons
de 1,5-2 cm (½-¾ po);
feuilles très découpées.*
Habitat: *bois clairs, prés.*
Floraison: *juin-août.*

Ancolie du Canada
Aquilegia canadensis

Taille: *30 cm-1,20 m
(1-4 pi); fleur 1,5-2,5 cm
(½-1 po) de diamètre.*
Traits: *fleurs rouge et jaune,
inclinées; feuilles composées
et découpées en 3, presque
comme celles d'une fougère.*
Habitat: *bois rocheux, clairières;
falaises ombragées, corniches.*
Floraison: *avril-juin.*

Ancolies *Aquilegia*

Chacun des cinq pétales de l'ancolie se termine par un long éperon; entre ces éperons se trouve un nectar qui attire les insectes pollinisateurs. Dans certains cas, les abeilles atteignent ce nectar; dans d'autres cas, seuls les lépidoptères à longue trompe y parviennent; d'autres ancolies sont fécondées par les colibris. Avec ses éperons élancés, la fleur ressemble à un oiseau; d'où son nom latin *Aquilegia* qui désigne un aigle. Ses pétales sont entourés de cinq larges sépales de teinte identique ou contrastante. L'ancolie bleue est l'emblème floral du Colorado.

Actées *Actaea*

Ces plantes touffues qui forment un berceau de verdure en forêt produisent des fruits vénéneux. Une espèce à baies blanches, l'actée à gros pédicelles (*Actaea pachypoda*), est considérée comme dangereuse pour les enfants: en effet, ses grappes de fruits blancs, dressés sur des pédoncules rouges, sont tout à fait appétissantes.

Actée rouge
Actaea rubra

Taille: *30-90 cm (1-3 pi);
fleur 6 mm (¼ po)
de diamètre.*
Traits: *feuilles à folioles
dentées; fleurs crème en
bouquets ronds; baies rouges.*
Habitat: *bois fertiles, berges.*
Floraison: *mai-juin.*

fruits

Dauphinelles *Delphinium*

Les dauphinelles ont longtemps été appelées pieds-d'alouette dans le langage courant, sans doute à cause de l'éperon caractéristique formé par leur sépale supérieur. Elles possèdent cinq sépales, tous de la même teinte. Au centre se trouvent quatre petits pétales : les deux du haut s'étendent vers l'arrière sous l'éperon. C'est là que le nectar attend les insectes assez habiles pour l'atteindre : les papillons et les lépidoptères à longue trompe, et les gros bourdons qui n'ont peur de rien. Toutes les parties de ces plantes sont toxiques, aussi bien pour les animaux que pour les êtres humains ; aussi sont-elles très connues en pays agricoles. Les Indiens hopis en extrayaient une teinture bleue ; les colons mélangèrent un fixatif à cette teinture : l'encre bleue était née.

Dauphinelle tricorne (pied-d'alouette printanier)
Delphinium tricorne

Taille: *15-90 cm (6-36 po) ; fleur 2,5-4 cm (1-1½ po) de diam.* ***Traits:*** *fleurs pourpres ou bleues (rarement blanches), réunies en épi lâche au sommet d'une tige dressée ; feuilles découpées, éparpillées sur la tige.* ***Habitat:*** *bois fertiles, clairières.* ***Floraison:*** *avril-mai.*

Dauphinelle (pied-d'alouette) verdâtre
Delphinium virescens

Taille: *45 cm-1,20 m (18-48 po) ; fleur 2-2,5 cm (¾-1 po) de diam.* ***Traits:*** *fleurs blanches ou lavande pâle (à reflets verdâtres), groupées sur une longue tige dressée ; feuilles basales, très découpées.* ***Habitat:*** *prairies sèches.* ***Floraison:*** *juin-juillet.*

Dauphinelle (pied-d'alouette) de Nuttall
Delphinium nuttalianum

Taille: *15-75 cm (6-30 po) ; fleur 2,5-4 cm (1-1½ po) de diamètre.* ***Traits:*** *fleurs bleu vif ou pourprées à pétales supérieurs blancs, en épi lâche sur une tige dressée ; feuilles basales, découpées en folioles très pointues.* ***Habitat:*** *champs d'armoise, prairies herbeuses, bois clairs en montagne.* ***Floraison:*** *mai-août.*

346

Renoncules *Ranunculus*

On les appelle familièrement boutons d'or; il en existe plus de 300 espèces. La grande majorité d'entre elles préfère les terrains marécageux et humides. Elles ont des feuilles très découpées qui ont valu à la plante le surnom de patte-de-loup. Leurs fleurs sont cupuliformes. Le jus du bouton d'or, assez irritant pour provoquer des vésicules sur la peau, ferait disparaître les verrues; il peut intoxiquer les animaux. Les Amérindiens respiraient la fleur, en poudre ou fraîche, pour chasser le mal de tête; les enfants mettaient autrefois un bouton d'or sous le menton de leurs compagnons pour deviner si ceux-ci aimaient ou non le beurre à la présence ou à l'absence de reflets jaunes sur la peau. La fleur est composée de pétales et de sépales similaires qui s'ouvrent pour révéler un grand nombre d'étamines et de pistils. Le vent et les insectes participent à la pollinisation.

Renoncule septentrionale
Ranunculus septentrionalis

Taille: 30-90 cm (1-3 pi); fleur 2-2,5 cm (¾-1 po) de diamètre.
Traits: fleurs jaune vif à 5 pétales beaucoup plus longs que les sépales; tiges rampantes; feuilles à 3 folioles pétiolées.
Habitat: marais, fossés; bois humides, prés.
Floraison: avril-juin.

Renoncule des prairies
Ranunculus rhomboideus

Taille: 5-18 cm (2-7 po); fleur 1,5-2 cm (½-¾ po) de diamètre.
Traits: fleurs jaune pâle à 5 pétales étroits et 5 sépales courts, lavande, entourant un centre rond; tiges velues; feuilles lobées près de la fleur, spatulées près du sol.
Habitat: herbages, prairies sèches.
Floraison: avril-mai.

Renoncule âcre
(bouton d'or)
Ranunculus acris

Taille: 30-90 cm (1-3 pi); fleur 2-2,5 cm (¾-1 po) de diamètre.
Traits: fleurs cireuses, jaune vif ou blanches; tiges ramifiées et graciles; feuilles à 5 ou 7 folioles dentées.
Habitat: prés, bords de route. **Floraison:** mai-sept.

Renoncule de Pennsylvanie
Ranunculus pensylvanicus

Taille: 30-60 cm (1-2 pi); fleur 6 mm-1,5 cm (¼-½ po) de diamètre.
Traits: fleurs jaune pâle à pétales plus courts que les sépales; tiges poilues; feuilles velues à 3 lobes très pointus.
Habitat: marais, fossés, prés humides.
Floraison: juillet-août.

Renoncule capillaire
Ranunculus trichophyllus

Taille: 30-90 cm (1-3 pi); fleur 1,5 cm (½ po) de diamètre.
Traits: fleurs blanches à centre jaune, à peine sorties de l'eau; feuilles rondes et lobées sur l'eau, filiformes sous l'eau.
Habitat: étangs, marais.
Floraison: mai-juillet.

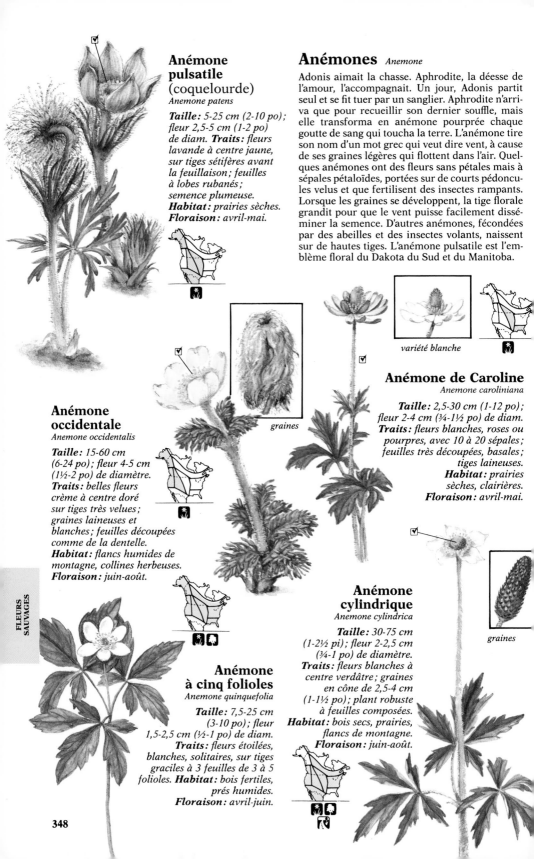

Anémone pulsatile
(coquelourde)
Anemone patens

Taille: *5-25 cm (2-10 po);
fleur 2,5-5 cm (1-2 po)
de diam.* **Traits:** *fleurs
lavande à centre jaune,
sur tiges sétifères avant
la feuillaison; feuilles
à lobes rubanés;
semence plumeuse.*
Habitat: *prairies sèches.*
Floraison: *avril-mai.*

Anémones *Anemone*

Adonis aimait la chasse. Aphrodite, la déesse de
l'amour, l'accompagnait. Un jour, Adonis partit
seul et se fit tuer par un sanglier. Aphrodite n'arriva que pour recueillir son dernier souffle, mais
elle transforma en anémone pourprée chaque
goutte de sang qui toucha la terre. L'anémone tire
son nom d'un mot grec qui veut dire vent, à cause
de ses graines légères qui flottent dans l'air. Quelques anémones ont des fleurs sans pétales mais à
sépales pétaloïdes, portées sur de courts pédoncules velus et que fertilisent des insectes rampants.
Lorsque les graines se développent, la tige florale
grandit pour que le vent puisse facilement disséminer la semence. D'autres anémones, fécondées
par des abeilles et des insectes volants, naissent
sur de hautes tiges. L'anémone pulsatile est l'emblème floral du Dakota du Sud et du Manitoba.

variété blanche

Anémone de Caroline
Anemone caroliniana

Taille: *2,5-30 cm (1-12 po);
fleur 2-4 cm (¾-1½ po) de diam.*
Traits: *fleurs blanches, roses ou
pourpres, avec 10 à 20 sépales;
feuilles très découpées, basales;
tiges laineuses.*
Habitat: *prairies
sèches, clairières.*
Floraison: *avril-mai.*

graines

Anémone occidentale
Anemone occidentalis

Taille: *15-60 cm
(6-24 po); fleur 4-5 cm
(1½-2 po) de diamètre.*
Traits: *belles fleurs
crème à centre doré
sur tiges très velues;
graines laineuses et
blanches; feuilles découpées
comme de la dentelle.*
Habitat: *flancs humides de
montagne, collines herbeuses.*
Floraison: *juin-août.*

Anémone cylindrique
Anemone cylindrica

Taille: *30-75 cm
(1-2½ pi); fleur 2-2,5 cm
(¾-1 po) de diamètre.*
Traits: *fleurs blanches à
centre verdâtre; graines
en cône de 2,5-4 cm
(1-1½ po); plant robuste
à feuilles composées.*
Habitat: *bois secs, prairies,
flancs de montagne.*
Floraison: *juin-août.*

graines

Anémone à cinq folioles
Anemone quinquefolia

Taille: *7,5-25 cm
(3-10 po); fleur
1,5-2,5 cm (½-1 po) de diam.*
Traits: *fleurs étoilées,
blanches, solitaires, sur tiges
graciles à 3 feuilles de 3 à 5
folioles.* **Habitat:** *bois fertiles,
prés humides.*
Floraison: *avril-juin.*

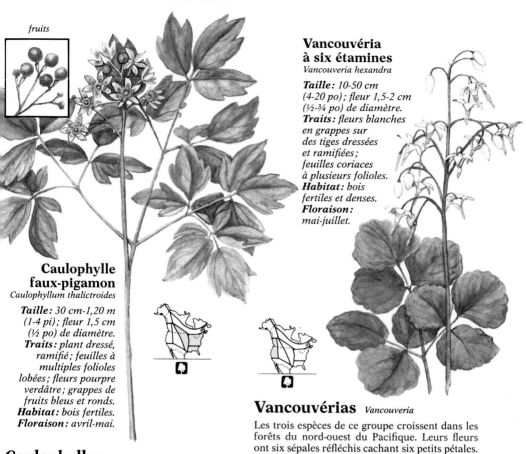

fruits

Caulophylle faux-pigamon
Caulophyllum thalictroides

Taille: 30 cm-1,20 m
(1-4 pi); fleur 1,5 cm
(½ po) de diamètre.
Traits: plant dressé,
ramifié; feuilles à
multiples folioles
lobées; fleurs pourpre
verdâtre; grappes de
fruits bleus et ronds.
Habitat: bois fertiles.
Floraison: avril-mai.

Caulophylles *Caulophyllum*

Cette plante vivace dont la tige semble former la queue de la feuille a des vertus médicinales et des fruits vénéneux. Les Amérindiens croyaient que le rhizome séché de la plante facilitait les accouchements. On l'emploie aussi contre les rhumatismes et divers spasmes comme le hoquet.

Achlys *Achlys*

Il existe deux sortes d'achlys en Amérique du Nord. L'achlys de Californie *(Achlys californica)*, espèce restreinte à la côte du Pacifique, a les feuilles plus segmentées que celle-ci mais leur feuillage à toutes deux sent la vanille lorsqu'il est sec. Les deux espèces poussent en grandes colonies sur les sols humides et ombragés des forêts.

Achlys à trois feuilles
Achlys triphylla

Taille: 30-60 cm (1-2 pi);
fleur 6 mm (¼ po) de diam.
Traits: feuilles à 3 folioles en
éventail sur tiges graciles;
épis denses de fleurs blanches
sans pétales au sommet
de tiges sans feuilles.
Habitat: bois clairs ou épais.
Floraison: avril-juin.

Vancouvéria à six étamines
Vancouveria hexandra

Taille: 10-50 cm
(4-20 po); fleur 1,5-2 cm
(½-¾ po) de diamètre.
Traits: fleurs blanches
en grappes sur
des tiges dressées
et ramifiées;
feuilles coriaces
à plusieurs folioles.
Habitat: bois
fertiles et denses.
Floraison:
mai-juillet.

Vancouvérias *Vancouveria*

Les trois espèces de ce groupe croissent dans les forêts du nord-ouest du Pacifique. Leurs fleurs ont six sépales réfléchis cachant six petits pétales. La vancouvéria à pétales plats *(Vancouveria planipetala)* et la vancouvéria dorée *(Vancouveria chrysantha)* sont persistantes; celle à six étamines perd ses organes aériens à l'automne.

fruit

Podophylle pelté
(pomme de mai) *Podophyllum peltatum*

Taille: *15-50 cm (6-20 po);*
fleur 2,5-5 cm (1-2 po) de diam.
Traits: *fleurs cupuliformes,*
solitaires entre 2 grandes feuilles;
fruits jaune citron à maturité.
Habitat: *bois fertiles, clairières.*
Floraison: *avril-juin.*

Podophylles *Podophyllum*

On a dit du fruit du podophylle qu'il était « un peu fade, mais aimé des cochons, des ratons laveurs et des petits garçons. » Le fruit encore vert, les graines et les autres parties de la plante sont toxiques. En infusion faible, celle-ci est purgative.

Jeffersonie à deux feuilles
Jeffersonia diphylla

Taille: *10-45 cm*
(4-18 po); fleur
2-2,5 cm (¾-1 po)
de diamètre.
Traits: *feuilles*
luisantes, en papillon;
fleurs blanches d'un jour.
Habitat: *bois fertiles.*
Floraison: *avril-mai.*

Jeffersonies *Jeffersonia*

Ces fleurs des bois ressemblent, en plus petit, aux podophylles; on les mettait d'ailleurs autrefois ensemble. Le botaniste qui décida de les classer à part était un ami de Thomas Jefferson, lui-même amateur de botanique, et c'est ainsi qu'il donna à ce nouveau groupe le nom de *Jeffersonia*.

Argémone sanguine
Argemone sanguinea

Taille: *30 cm-1,20 m (1-4 pi);*
fleur 5-7,5 cm
(2-3 po) de diamètre.
Traits: *fleurs pourpres*
ou rosées; feuilles lobées,
acérées; tiges épineuses.
Habitat: *maquis,*
déserts, bords de
route, terrains
bouleversés.
Floraison:
février-avril.

Argémones
(pavots épineux) *Argemone*

Les plantes de désert sont souvent armées d'épines redoutables. Dans un milieu hostile où la croissance est lente, la plante la moins appétissante a plus de chances de survivre que les autres. En climat plus clément, ses épines s'espacent.

Pavot de Coulter
(pavot arbustif)
Romneya coulteri

Taille: *60 cm-2,45 m (2-8 pi);*
fleur 10-20 cm (4-8 po)
de diam. **Traits:** *fleurs*
à 6 pétales blancs très froncés
et centre jaune; feuilles
découpées. **Habitat:** *brousse,*
défilés désertiques.
Floraison: *mai-juillet.*

Pavots arbustifs *Romneya*

Les randonneurs des gorges, défilés et déserts des montagnes du sud de la Californie et du Grand Canyon de l'Arizona rencontreront peut-être ces spécimens superbes et odoriférants de la famille des pavots. Ils atteignent 2,40 m (8 pi) de hauteur et se couvrent d'immenses fleurs blanches.

Pavot de Californie
Eschscholzia californica

Taille: *12,5-60 cm (5-24 po); fleur 2,5-5 cm (1-2 po) de diamètre.*
Traits: *fleurs jaunes ou orange, en coupelle; feuilles finement découpées.*
Habitat: *herbages, prés, dunes.*
Floraison: *fév.-sept.*

Chélidoine majeure
(herbe aux verrues ou grande éclaire)
Chelidonium majus

Taille: *20-75 cm (8-30 po); fleur 1,5-2 cm (½-¾ po) de diamètre.*
Traits: *fleurs jaunes à 4 pétales; feuilles très lobées; tiges ramifiées.*
Habitat: *champs humides.*
Floraison: *avril-sept.*

Eschscholtzies *Eschscholzia*

Emblème de la Californie, cette fleur se ferme par temps sombre et froid mais, au premier rayon de soleil, elle ouvre sa corolle éblouissante. Sur la côte sud de la Californie et dans les dunes, ces pavots sont des annuelles prostrées. Plus au nord, ils deviennent vivaces et poussent plus haut.

Chélidoines *Chelidonium*

Les colons européens ont importé chez nous ce robuste pavot aux fleurs délicates à cause de ses propriétés médicinales. Il produit un latex orangé caustique dont on tire des gouttes pour les yeux et un médicament contre les verrues. Les chélidoines sont souvent cultivées dans les jardins.

Platystémon de Californie
Platystemon californicus

Taille: *7,5-30 cm (3-12 po); fleur 1,5-2,5 cm (½-1 po) de diamètre.*
Traits: *fleurs crème, blanches ou jaunes, à 6 pétales; feuilles velues et lancéolées; tiges velues, souvent ramifiées.*
Habitat: *dunes, maquis, herbages, chênaies.*
Floraison: *mars-mai.*

Platystémons *Platystemon*

Les botanistes ne s'entendent pas. Y a-t-il 60 espèces de platystémons ou une seule? Plusieurs prétendent que les petits plants prostrés qui poussent sur les falaises calcaires, les grandes plantes velues des dunes sableuses et les sujets rampants des bois ombreux ne sont pas du même groupe.

Sanguinaire du Canada
(sang-dragon)
Sanguinaria canadensis

Taille: *5-20 cm (2-8 po); fleur 2,5-5 cm (1-2 po) de diam.*
Traits: *fleur blanche à centre doré, sur tige gainée d'une feuille bleu-vert; latex rouge.*
Habitat: *bois fertiles.*
Floraison: *mars-mai.*

racine

Sanguinaires *Sanguinaria*

Les Amérindiens donnaient à cette plante le nom de *puccoon* comme à toutes celles qui fournissent une teinture. Ils utilisaient le latex rouge de la sanguinaire pour colorer vêtements et objets de vannerie et se maquiller le corps et le visage. Ce latex a en outre l'avantage d'être insectifuge.

FLEURS SAUVAGES

Dicentre remarquable

Dicentre du Canada
Dicentra canadensis

Taille: 10-30 cm (4-12 po); fleur 1,5-2 cm (½-¾ po) de long.
Traits: fleurs pendantes, blanches, en forme de cœur; feuilles basales, très découpées.
Habitat: bois fertiles.
Floraison: avril-mai.

Dicentre à capuchon
Dicentra cucullaria

Taille: 10-30 cm (4-12 po); fleur 1,5-2 cm (½-¾ po) de long.
Traits: fleurs blanches, cireuses, à 2 pétales en forme de coiffe; feuilles très découpées, basales.
Habitat: bois fertiles, corniches humides et ombragées.
Floraison: avril-mai.

Dicentre majestueux
Dicentra formosa

Taille: 20-38 cm (8-15 po); fleur 1,5-2 cm (½-¾ po) de long.
Traits: fleurs rose-pourpre, en forme de cœur, à lobes inférieurs écartés; feuilles découpées, basales.
Habitat: bois denses, forêts de séquoias.
Floraison: mars-juillet.

Dicentres *Dicentra*

Les fleurs des dicentres ont une forme qui leur a valu bien des noms poétiques ou cocasses: cœur saignant, culotte de Hollandais, diclytrie en cornet. Une espèce présente des cormus jaunes de la taille d'un épi, sorte d'enflure de la tige qui se produit dans le sol. Les dicentres renferment tous des alcaloïdes toxiques qui peuvent être mortels pour le bétail. Une espèce de l'Est, le dicentre remarquable *(Dicentra eximia)*, qui ressemble au dicentre majestueux, a des fleurs rose tendre.

Adlumie fongueuse
Adlumia fungosa

Taille: jusqu'à 3,65 m (12 pi); fleur 1,5-2 cm (½-¾ po) de long.
Traits: fleurs rose pâle, tubulaires, en grappes pendantes; tiges grimpantes à feuilles composées.
Habitat: bois en montagne, collines dégagées.
Floraison: juin-octobre.

Adlumies *Adlumia*

Même si c'est dans les Alleghanys qu'on a découvert la seule espèce de ce groupe en Amérique du Nord, la plante pousse à l'état sauvage dans bien d'autres régions. Elle s'est d'autant plus répandue qu'on la cultive comme plante grimpante ornementale dans les jardins où ses feuilles composées lui servent de crochets.

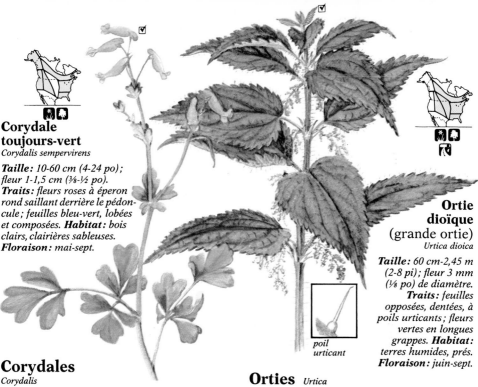

Corydale toujours-vert
Corydalis sempervirens

Taille: *10-60 cm (4-24 po);
fleur 1-1,5 cm (⅜-½ po).*
Traits: *fleurs roses à éperon
rond saillant derrière le pédoncule; feuilles bleu-vert, lobées
et composées.* **Habitat:** *bois
clairs, clairières sableuses.*
Floraison: *mai-sept.*

Ortie dioïque
(grande ortie)
Urtica dioica

Taille: *60 cm-2,45 m
(2-8 pi); fleur 3 mm
(⅛ po) de diamètre.*
Traits: *feuilles
opposées, dentées, à
poils urticants; fleurs
vertes en longues
grappes.* **Habitat:**
terres humides, prés.
Floraison: *juin-sept.*

poil
urticant

Corydales
Corydalis

Plusieurs espèces de corydales sont indigènes en
Amérique du Nord. Seul le corydale toujours-vert
donne des fleurs roses; les autres, dont les corydales doré *(Corydalis aurea)* et jaune *(Corydalis fla-
vula)*, se couvrent de fleurs jaune vif. Ces plantes
sont apparentées aux dicentres, mais chez elles,
un seul pétale se termine par un éperon.

Orties   *Urtica*

Le nom scientifique de ce groupe dérive du latin
uro (je brûle). Voilà bien ce qu'on ressent à toucher les feuilles et les tiges poilues de cette plante.
Les poils sont en réalité de petits tubes par où
passe un liquide irritant. Les jeunes pousses et les
feuilles tendres du sommet sont comestibles, la
cuisson éliminant la substance urticante.

Phytolaque d'Amérique
Phytolacca americana

Taille: *30 cm-3 m
(1-10 pi); fleur 3-6 mm
(⅛-¼ po) de diamètre.*
Traits: *fleurs blanc-vert
en épis dressés; baies
pourpres, en grappes
pendantes; tiges rouges;
feuilles ovales, pointues.*
Habitat: *friches, orée
de forêt, champs.*
Floraison: *juin-sept.*

grappe de fruits

Phytolaques   *Phytolacca*

« Utile, mais dangereuse », on ne saurait mieux
décrire cette plante envahissante. Autrefois, les
baies pourpres de la seule espèce indigène en
Amérique du Nord donnaient de l'encre. Les jeunes pousses et les sommités feuillues sont comestibles, mais il faut les cuire dans deux eaux. Des
enfants sont morts d'avoir mangé les fruits. Graines et racines sont toxiques, tout comme les tiges
et les feuilles adultes.

353

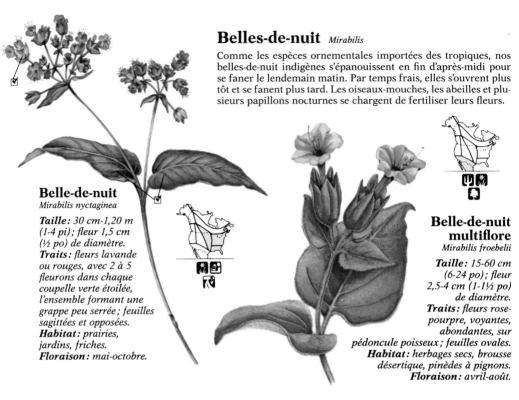

Belles-de-nuit *Mirabilis*

Comme les espèces ornementales importées des tropiques, nos belles-de-nuit indigènes s'épanouissent en fin d'après-midi pour se faner le lendemain matin. Par temps frais, elles s'ouvrent plus tôt et se fanent plus tard. Les oiseaux-mouches, les abeilles et plusieurs papillons nocturnes se chargent de fertiliser leurs fleurs.

Belle-de-nuit
Mirabilis nyctaginea

Taille: 30 cm-1,20 m (1-4 pi); fleur 1,5 cm (½ po) de diamètre.
Traits: fleurs lavande ou rouges, avec 2 à 5 fleurons dans chaque coupelle verte étoilée, l'ensemble formant une grappe peu serrée; feuilles sagittées et opposées.
Habitat: prairies, jardins, friches.
Floraison: mai-octobre.

Belle-de-nuit multiflore
Mirabilis froebelii

Taille: 15-60 cm (6-24 po); fleur 2,5-4 cm (1-1½ po) de diamètre.
Traits: fleurs rose-pourpre, voyantes, abondantes, sur pédoncule poisseux; feuilles ovales.
Habitat: herbages secs, brousse désertique, pinèdes à pignons.
Floraison: avril-août.

Verveines des sables *Abronia*

Les odorantes verveines des sables, comme toutes les belles-de-nuit, n'ont pas de pétales mais des sépales pétaloïdes qui attirent les insectes pollinisateurs et qui conservent mieux l'humidité que des pétales. Les feuilles et les tiges charnues de ces plantes résistent bien à la déshydratation; aussi tapissent-elles avec succès les terrains secs ou sableux où elles prolifèrent.

Verveine odorante des sables
Abronia fragrans

Taille: 10-25 cm (4-10 po); fleur 1,5-2,5 cm (½-1 po) de long.
Traits: fleurs tubulaires à sépales dentelés blancs ou lavande pâle, en grappes rondes; feuilles ovales; tige à poils poisseux.
Habitat: herbages secs.
Floraison: avril-août.

Acléisanthes *Acleisanthes*

Chacune des élégantes « trompettes » de l'acléisanthe ne dure qu'une nuit. Durant le jour, le bouton floral ressemble à un tube vert terne partant de l'aisselle d'une feuille. Les sépales pétaloïdes s'épanouissent au crépuscule, attirant les papillons nocturnes à longue trompe qui viennent aspirer le nectar et fertiliser la fleur. Aux premières lueurs de l'aube, celle-ci rend l'âme.

Acléisanthe à longues fleurs
Acleisanthes longiflora

Taille: jusqu'à 90 cm (3 pi); fleur 10-15 cm (4-6 po) de long.
Traits: fleurs en trompette campanulée blanche sur tube vert terne; feuilles triangulaires ou longues et minces; tiges rampantes.
Habitat: sol sec et rocheux, sable, déserts.
Floraison: avril-août.

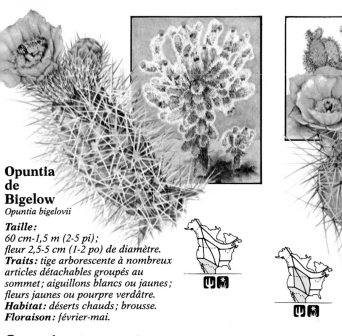

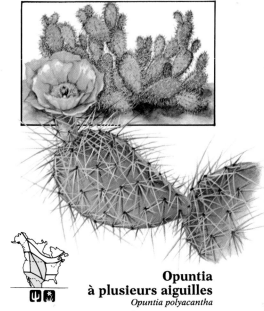

Opuntia de Bigelow
Opuntia bigelovii

Taille:
60 cm-1,5 m (2-5 pi);
fleur 2,5-5 cm (1-2 po) de diamètre.
Traits: *tige arborescente à nombreux articles détachables groupés au sommet; aiguillons blancs ou jaunes; fleurs jaunes ou pourpre verdâtre.*
Habitat: *déserts chauds; brousse.*
Floraison: *février-mai.*

Opuntias (raquettes) *Opuntia*

Ce groupe comprend des cactus à articles cylindriques ou aplatis dont certains donnent des fruits comestibles. Bien qu'ils soient armés d'aiguillons redoutables, des troglodytes y nichent et certains rats protègent leur terrier avec des articles épineux. Les aréoles portent un nombre d'épines qui varie selon les espèces. On fabrique des bonbons et du sirop avec la chair des articles.

Opuntia à plusieurs aiguilles
Opuntia polyacantha

Taille: *10-30 cm (4-12 po);*
fleur 5-7,5 cm (2-3 po) de diamètre.
Traits: *articles discoïdes de 7,5-15 cm (3-6 po) de long; fleurs jaune pâle; aréoles portant 5 à 11 aiguillons.*
Habitat: *déserts, herbages secs, flancs secs de montagne.*
Floraison: *mai-juillet.*

Peyote
Lophophora williamsii

Taille: *2,5-10 cm (1-4 po); fleur 1,5-2,5 cm (½-1 po) de diamètre.*
Traits: *tiges gris-vert ou bleu crayeux, charnues, sans épines, à touffes de poils laineux blancs; fleurs pourpres ou blanc crème, à centre jaune.*
Habitat: *déserts; brousse sèche.*
Floraison: *mars-octobre.*

Peyotes *Lophophora*

Les Indiens du Mexique et du Texas appelaient ce cactus *mezcal* ou champignon. Ils prélevaient les « boutons » charnus qui poussent sur ses racines à pivot et les consommaient secs pour leurs vertus hallucinogènes. Actuellement, l'usage du peyote est interdit, sauf chez la secte religieuse américaine Native.

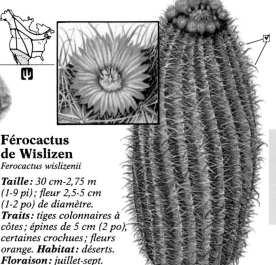

Férocactus de Wislizen
Ferocactus wislizenii

Taille: *30 cm-2,75 m (1-9 pi); fleur 2,5-5 cm (1-2 po) de diamètre.*
Traits: *tiges colonnaires à côtes; épines de 5 cm (2 po), certaines crochues; fleurs orange.* **Habitat:** *déserts.*
Floraison: *juillet-sept.*

Férocactus *Ferocactus*

Ces vieux géants — un sujet de 2,50 m (8 pi) peut avoir 500 ans — ont la réputation de donner de l'eau en cas d'urgence. Encore faut-il décapiter la plante et extraire de la chair un jus dont le goût n'a rien de gastronomique. Comme ces cactus s'inclinent toujours vers le sud, ils permettent de s'orienter dans le désert.

Echinocéréus d'Engelmann
Echinocereus engelmannii

Taille: *2,5-30 cm (1-12 po); fleur 2,5-6,5 cm (1-2½ po) de diam.*
Traits: *tiges dressées, en touffes; fleurs voyantes, rouge vif ou vin; aréoles à 10 ou 12 aiguillons (un peu incurvés et inégaux), blancs, jaunes, fauves ou gris sur le même pied.*
Habitat: *talus rocheux, falaises, déserts, brousse.*
Floraison: *février-juin.*

Echino- céréus à fleurs vertes
Echinocereus viridiflorus

Taille: *2,5-25 cm (1-10 po); fleur 2,5-4 cm (1-1½ po) de diamètre.*
Traits: *tiges à fortes côtes, parfois en spirale; fleurs vertes, longues, à nombreux pétales; 10 à 20 courts aiguillons blancs ou bruns, couchés, par aréole.*
Habitat: *déserts, herbages secs, collines rocheuses.*
Floraison: *avril-juillet.*

Echino- céréus à fleurs rouges
Echinocereus triglochidiatus

Taille: *15-30 cm (6-12 po); fleur 4-4,5 cm (1½-1¾ po) de diamètre.*
Traits: *tiges dressées en monticules; fleurs rouge vif en entonnoir; 3 à 6 aiguillons pâles par aréole, plus ou moins épais.* **Habitat:** *déserts, herbages secs.*
Floraison: *mai-juin.*

Echinocéréus   *Echinocereus*

L'échinocéréus est l'exemple parfait d'adaptation au désert. Les côtes de ses tiges épaisses et pulpeuses se gonflent d'eau lorsque celle-ci est abondante. En période sèche, la plante vit de ses réserves. La photosynthèse s'effectue à la surface des tiges, près des tissus gorgés d'humidité, là où s'implantent les aiguillons qui sont, en réalité, des feuilles modifiées dont le nombre et la disposition varient avec les espèces. Ces aiguillons écartent les prédateurs, mais donnent aussi de l'ombre à la plante et recueillent la rosée matinale.

Sablines   *Arenaria*

Il existe plus de 150 espèces de sablines, petites plantes à fleurs roses amies des terres sableuses. Elles sont généralement courtes, tapissantes et groupées en coussinets denses. Plusieurs, comme la délicate sabline grimpante *(Arenaria humifusa)* et la sabline capillaire *(Arenaria capillaris),* montent haut dans les Rocheuses septentrionales.

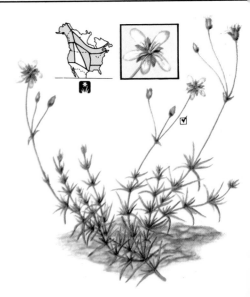

Sabline dressée
Arenaria stricta

Taille: *10-40 cm (4-16 po); fleur 1,5 cm (½ po) de diamètre.*
Traits: *fleurs blanches à 5 pétales sur tiges filiformes; touffes de feuilles en aiguilles groupées sur tiges rampantes; plante tapissante.*
Habitat: *prairies rocheuses ou sableuses, prés, grèves.*
Floraison: *juin-juillet.*

Coryphantes
Coryphantha

Ces cactus miniatures, dont les tiges disparaissent sous une abondance d'aiguillons qui s'irradient comme les rayons d'une roue à partir des aréoles, sont bien connus des collectionneurs de plantes de désert. Comme la plupart des cactées, ils préfèrent un sol neutre ou un peu alcalin. Leurs racines, avides d'eau, restent en surface; aussi vaut-il mieux ne pas remuer la terre autour du pied.

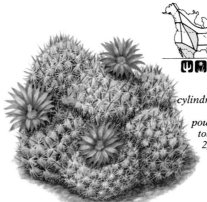

Coryphante vivipare
Coryphantha vivipara

Taille: 2,5-7,5 cm (1-3 po); fleur 2,5-4 cm (1-1½ po) de diamètre.
Traits: tiges sphériques ou cylindriques, densément couvertes d'aiguillons; fleurs roses ou pourprées à nombreux pétales; touffes de 3 à 10 aiguillons de 2,5 cm (1 po), entourés de 12 à 40 poils courts et blancs.
Habitat: prairies sèches, talus rocheux.
Floraison: mai-juillet.

Mammillaire à petits fruits
Mammillaria microcarpa

Taille: 2,5-15 cm (1-6 po); fleur 2,5-4 cm (1-1½ po) de diamètre.
Traits: tige cylindrique et charnue à mamelons, solitaire ou ramifiée; fleurs roses à centre jaune, en couronne au sommet; aréoles à 1 ou 2 épines crochues, entourées de poils courts rayonnants.
Habitat: déserts, brousse.
Floraison: avril-mai.

Mammillaires
Mammillaria

Les botanistes divisent les cactus en différents groupes selon l'ordonnance des aiguillons, le point d'éclosion des fleurs et l'emplacement des étamines. Ici, les aréoles portant les aiguillons se trouvent non sur les côtes, comme chez les échinocéréus, mais sur des tubercules saillants, disposés en rangs le long de la tige.

Stellaires *Stellaria*

Du début du printemps à la fin de l'automne, ces herbacées fragiles d'aspect se couvrent de petites fleurs blanches à cinq pétales si fourchus qu'il paraît y en avoir dix. Les tiges grêles et les tendres feuilles se mangent crues en salade, ou bouillies comme les épinards. Les stellaires restant vertes sous la neige, elles constituent un aliment d'urgence pour les animaux et les hommes.

Stellaire moyenne
(mouron des oiseaux) *Stellaria media*

Taille: jusqu'à 75 cm (2½ pi); fleur 6 mm (¼ po) de diamètre.
Traits: abondance de petites fleurs blanches à 5 pétales fendus en 2; tiges rampantes et enchevêtrées; feuilles ovales.
Habitat: pelouses, prés, pâturages.
Floraison: février-décembre.

Silène étoilé
Silene stellata

Taille: *30-90 cm
(1-3 pi); fleur 2-2,5 cm
(¾-1 po) de diamètre.*
Traits: *fleurs blanches à 5
pétales frangés; feuilles
lancéolées en verticilles de 4.*
Habitat: *bois clairs,
clairières.*
Floraison:
juillet-septembre.

Silène à
feuilles rondes
Silene rotundifolia

Taille: *15-60 cm
(6-24 po); fleur 2-3 cm
(¾-1¼ po) de diamètre.*
Traits: *fleurs écarlates
à 5 pétales très fourchus;
feuilles spatulées; tiges
graciles, tombantes.*
Habitat: *falaises rocheuses,
talus dégagés.*
Floraison: *mai-juillet.*

Silène
de Caroline
Silene caroliniana

Taille: *5-25 cm
(2-10 po); fleur 2-2,5 cm
(¾-1 po) de diamètre.*
Traits: *fleurs roses à 5 pétales
triangulaires; feuilles
spatulées ou oblongues,
en touffes près du sol.*
Habitat: *clairières, bois
clairs, talus rocheux.*
Floraison: *avril-juin.*

Silène
de Virginie
Silene virginica

Taille: *15-75 cm
(6-30 po); fleur
2,5-4 cm (1-1½ po)
de diamètre.*
Traits: *fleurs
rouge vif à 5
pétales fourchus;
tiges et feuilles
velues, poisseuses.*
Habitat: *bois clairs,
clairières,
talus rocheux.*
Floraison:
avril-juin.

Silènes *Silene*

Ces fleurs tirent leur nom d'un dieu ventru, Silène,
qu'on représente couvert d'écume de vin, allusion
au calice gonflé de la fleur ou à ses tiges et feuilles
souvent poisseuses. Le nom de « pétard » vient du
fait que les enfants s'amusent à en faire éclater les
fleurs. Originaire d'Asie, le silène cucubale se
serait acclimaté ici sous le Régime français; on
en fait mention à Québec en 1803. Si ses feuilles
et ses tiges poisseuses sont des pièges à insectes,
il ne s'agit pourtant pas d'une plante carnivore; la
sécrétion visqueuse qui la recouvre écarte les
insectes rampants, mais n'empêche pas les
insectes volants de la fertiliser.

Silène cucubale
(silène enflé, pétard)
Silene cucubalus

Taille: *20-50 cm (8-20 po);
fleur 1,5-2,5 cm (½-1 po)
de diamètre.*
Traits: *fleurs blanches
à 5 pétales très
fourchus émergeant
d'un calice gonflé;
feuilles oblongues, pointues.*
Habitat: *bords de route,
champs.*
Floraison: *avril-août.*

Saponaire officinale
(herbe à savon)
Saponaria officinalis

Taille: 30-60 cm (1-2 pi); fleur 2-2,5 cm (¾-1 po) de diamètre.
Traits: fleurs blanches ou rosées à 5 pétales en grosses grappes; feuilles elliptiques ou lancéolées.
Habitat: rues, bords de route, voies ferrées, pâturages.
Floraison: juillet-septembre.

Saponaires *Saponaria*

Broyée et mélangée à de l'eau, la saponaire mousse. On s'en servait autrefois comme savon de toilette et de lessive. Elle fut introduite par les colons comme plante ornementale, mais ne tarda pas à se répandre dans la nature. Ses propriétés antiseptiques en font un bon remède « maison » contre l'herbe à puce.

Agrostemme githago
(nielle des blés)
Agrostemma githago

Taille: 30-90 cm (1-3 pi); fleur 2,5-4 cm (1-1½ po) de diamètre.
Traits: fleurs roses à centre pâle; tiges et longues feuilles opposées sétifères.
Habitat: champs de blé, friches, bords de route.
Floraison: juillet-septembre.

Agrostemmes *Agrostemma*

Malgré ses jolies fleurs, notre seul agrostemme a des ennemis, car ses graines vénéneuses, qui mûrissent en même temps que le blé, ressemblent à celui-ci: il n'est pas facile de séparer « le bon grain de l'ivraie ».

Œillet arméria
Dianthus armeria

Taille: 15-60 cm (6-24 po); fleur 1,5 cm (½ po) de diamètre.
Traits: fleurs rose vif, étoilées, en grappes lâches; feuilles rubanées.
Habitat: champs, friches.
Floraison: juin-août.

Œillets *Dianthus*

Ces fleurs se caractérisent par des pétales froncés et par un œil de teinte identique à celle de la fleur ou contrastante. Cet œil a d'ailleurs donné son nom à la plante. Autre caractéristique, les feuilles des œillets sont dépourvues de pétioles; elles sont opposées, longues et étroites avec une base élargie.

Lychnide blanc
Lychnis alba

Taille: 30 cm-1,20 m (1-4 pi); fleur 2-3 cm (¾-1¼ po) de diamètre. **Traits:** fleurs blanches à 5 pétales fourchus émergeant d'un calice gonflé; feuilles opposées, duveteuses.
Habitat: friches, champs.
Floraison: mai-septembre.

Lychnides *Lychnis*

Ce genre groupe des fleurs fort populaires dans les jardins ornementaux: la croix de Malta *(Lychnis chalcedonica)* et la rose du ciel *(Lychnis coeli-rosa)*. Le lychnide blanc, qui fleurit la nuit, diffère du silène par ses fleurs mâles et femelles venant sur des plants distincts.

Chénopodes
Chenopodium

Le chénopode s'apparente à la betterave, à l'épinard et à la bette à carde; ses jeunes pousses sont très appréciées des amateurs de randonnée. Blanchies, elles remplacent agréablement les verdures du jardin et constituent une bonne source de vitamines A et C. Les graines, moulues en farine, étaient utilisées par les Amérindiens.

Chénopode blanc
(chou gras)
Chenopodium album

Taille: 15 cm-1,80 m (6-72 po); fleur minuscule.
Traits: feuilles en losange, dentées, à pruine blanche ou rose jeunes; fleurs nombreuses.
Habitat: champs, jardins, friches.
Floraison: juin-octobre.

Claytonies *Claytonia*

Cette petite beauté printanière forme parfois de grands tapis dans les bois. Elle se répand au moyen de renflements charnus au-dessus des racines. Ces renflements, qu'on appelle cormus, ressemblent à de petites pommes de terre nouvelles; cuits, ils ont le goût douceâtre des marrons. C'est une cueillette fastidieuse, cependant, et il en faut beaucoup pour composer un plat satisfaisant.

Montias *Montia*

De toutes les montias comestibles, la plus facilement identifiable est la montia perfoliée, ainsi nommée à cause des feuilles qui la garnissent. Celle à travers laquelle passe la tige, au sommet, est en réalité constituée de deux feuilles soudées l'une à l'autre. Elles sont excellentes en salade. D'ailleurs la plante entière, fleurs comprises, est bon comestible, nature ou blanchie.

Claytonie de Virginie
Claytonia virginica

Taille: *5-25 cm (2-10 po); fleur 1,5 cm (½ po) de diam.*
Traits: *fleurs roses ou blanches, nervurées de rose foncé, en grappes lâches; 2 feuilles étroites, un peu charnues, sur chaque tige gracile.*
Habitat: *prés, berges, bois.*
Floraison: *mars-juin.*

Montia perfoliée
Montia perfoliata

Taille: *7,5-30 cm (3-12 po); fleur 6 mm-1,5 cm (¼-½ po) de diam.*
Traits: *fleurs crème en grappes peu serrées sur une tige passant au centre d'une collerette foliaire; feuilles rubanées, basales.*
Habitat: *forêts, berges, prés, herbages.*
Floraison: *février-mai.*

Pourpiers *Portulacea*

Le pourpier potager, cette herbacée envahissante, est source de fer et de vitamines A et C. Les jeunes pousses tendres, agréables en salade, se renouvellent rapidement. La plante entière garnit bien la soupe si on la blanchit d'abord en eau salée. Les tiges charnues, tronçonnées, se marinent comme des cornichons, et les graines broyées font une farine agréable. Le pourpier à grandes fleurs est une plante de jardin importée, qui est devenue sauvage.

forme jaune

Pourpier potager (pourpier commun) *Portulaca oleracea*

Taille: *2,5-5 cm (1-2 po); fleur 6 mm-1,5 cm (¼-½ po) de diamètre.*
Traits: *tiges rougeâtres, tapissantes, couvertes de feuilles triangulaires charnues; petites fleurs jaunes.*
Habitat: *pelouses, champs, friches.*
Floraison: *avril-octobre.*

Pourpier à grandes fleurs
Portulaca grandiflora

Taille: *7,5-15 cm (3-6 po); fleur 2,5-5 cm (1-2 po) de diamètre*
Traits: *fleurs rouges, roses, blanches, jaunes ou pourpres; feuilles étroites charnues, sur tiges rosées rampantes ou dressées.*
Habitat: *champs, friches*
Floraison: *avril-sept*

Calyptridium en ombelle
Calyptridium umbellatum

Taille: *5-25 cm (2-10 po); inflorescence 4-6,5 cm (1½-2½ po) de diamètre; feuille 2,5-7,5 cm (1-3 po) de long.* **Traits:** *délicates inflorescences blanches ou roses sur tiges rougeâtres; rosette basale de feuilles charnues et spatulées.* **Habitat:** *toundra de montagne, prés, pinèdes.* **Floraison:** *mai-août.*

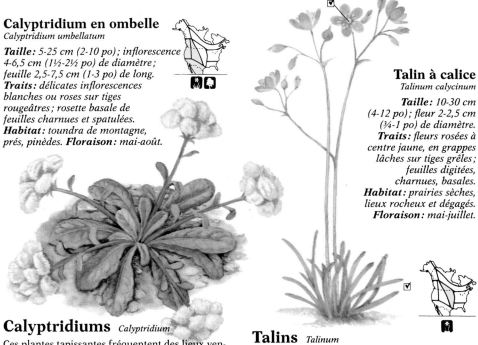

Talin à calice
Talinum calycinum

Taille: *10-30 cm (4-12 po); fleur 2-2,5 cm (¾-1 po) de diamètre.* **Traits:** *fleurs rosées à centre jaune, en grappes lâches sur tiges grêles; feuilles digitées, charnues, basales.* **Habitat:** *prairies sèches, lieux rocheux et dégagés.* **Floraison:** *mai-juillet.*

Calyptridiums *Calyptridium*

Ces plantes tapissantes fréquentent des lieux venteux et égouttés, par exemple les crêtes entre les pics des glaciers dans le nord-ouest de la côte du Pacifique. Au sommet d'une racine pivotante qui peut descendre à 3,50 m (12 pi) de profondeur pour trouver de l'eau s'épanouit une rosette de feuilles charnues. Les tiges florales sont prostrées et les pétales des fleurs, au lieu de tomber, restent en capsule autour des graines.

Talins *Talinum*

Les talins ne sont pas des plantes de désert, mais ils affectionnent les endroits rocheux ou sableux où la sécheresse est fréquente; leurs feuilles charnues, presque carrées en coupe, emmagasinent l'eau. Ephémères, les fleurettes à cinq pétales s'ouvrent le midi pour mourir au crépuscule. Mais leurs vifs coloris attirent les insectes pollinisateurs qui assurent la survie de l'espèce.

Calandrinie ciliée
Calandrinia ciliata

Taille: *10-40 cm (4-16 po); fleur 2-2,5 cm (¾-1 po) de diamètre.* **Traits:** *fleurs rouges ou pourprées à centre étoilé pâle sur tiges foliacées buissonnantes; feuilles étroites, étalées, basales.* **Habitat:** *sols caillouteux, herbages humides.* **Floraison:** *février-mai.*

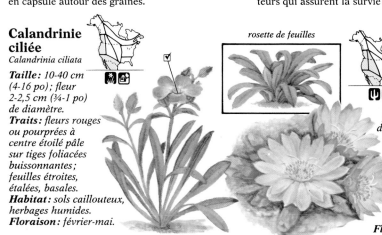

rosette de feuilles

Lewisia amère
Lewisia rediviva

Taille: *2,5-7,5 cm (1-3 po); fleur 2,5-5 cm (1-2 po) de diam.* **Traits:** *fleurs roses ou crème, en grappes voyantes près du sol; feuilles étroites mourant tôt.* **Habitat:** *talus rocheux et secs, endroits dégagés.* **Floraison:** *mars-juillet.*

Calandrinies *Calandrinia*

Les calandrinies à grandes fleurs, comme celle de nos jardins, *Calandrinia grandiflora*, sont originaires d'Australie et d'Amérique du Sud. La calandrinie ciliée est l'une des fleurs sauvages les plus abondantes au printemps en Californie. Ses fleurs éphémères vivent l'espace d'un jour ensoleillé et produisent des masses de graines noires luisantes dont raffolent rongeurs et oiseaux chanteurs.

Lewisias *Lewisia*

La lewisia amère, emblème floral du Montana, a été cueillie pour la première fois en 1806 par le capitaine Lewis. Sa rosette de feuilles charnues, qui meurt à l'apparition des fleurs, couronne une racine farineuse et comestible dont l'amertume disparaît lorsqu'on supprime, après blanchiment, la pellicule qui la recouvre.

361

Mollugo verticillé
Mollugo verticillata

Taille: *jusqu'à 30 cm (1 pi); fleur 3 mm (⅛ po) de diamètre.* **Traits:** *tiges tapissantes; feuilles verticillées; fleurs blanches sur courts pédoncules.* **Habitat:** *terrains cultivés, sol sableux.* **Floraison:** *juin-nov.*

Mollugos *Mollugo*

Si vous avez déjà jardiné, vous avez rencontré à coup sûr cette herbacée tapissante qui couvre rapidement les terres cultivées d'un océan à l'autre. A chaque coude de la tige naît un verticille de feuilles garni au centre de jolies fleurettes.

Ficoïde glaciale
Mesembryanthemum crystallinum

Taille: *6,5-7,5 cm (2½-3 po); tige jusqu'à 90 cm (3 pi) de long; fleur 2,5 cm (1 po) de diamètre.* **Traits:** *tiges rampantes et perlées; fleurs blanches ou roses.* **Habitat:** *grèves, dunes, bords de route.* **Floraison:** *mars-octobre.*

Ficoïdes *Mesembryanthemum*

Quelques espèces de cette plante africaine poussent maintenant à l'état sauvage en Californie et au Mexique. La chaleur du soleil fait s'ouvrir les fleurs vers midi. Les « perles » des ficoïdes sont en réalité de petits organes gonflés d'eau.

Renouée amphibie
Polygonum amphibium

Taille: *jusqu'à 2,45 m (8 pi); fleur 3 mm (⅛ po) de diamètre.* **Traits:** *fleurs roses en épis denses; tiges rampantes dans l'eau ou sur terre.* **Habitat:** *lacs, étangs, marécages.* **Floraison:** *juin-septembre.*

Renouée de Pennsylvanie
Polygonum pensylvanicum

Taille: *30 cm-1,80 m (1-6 pi); fleur 3 mm (⅛ po) de diamètre.* **Traits:** *épis floraux roses; nœud à chaque rameau.* **Habitat:** *champs, bords de route, clairières.* **Floraison:** *juin-août.*

Renouées
Polygonum

Elles tirent leur nom des nœuds renflés et nombreux qui garnissent leurs tiges. Leur habitat varie énormément et va des nappes d'eau aux forêts épaisses. Les renouées nourrissent des oiseaux chanteurs et aquatiques ainsi que des mammifères.

Alternanthe des marais
Alternanthera philoxeroides

Taille: *15-60 cm (6-24 po); fleur 6 mm-1,5 cm (¼-½ po) de diamètre.* **Traits:** *fleurs vert argenté ou rosé en boules à l'aisselle des feuilles.* **Habitat:** *prés humides, fossés, marais, voies d'eau, bords de lac.* **Floraison:** *toute l'année.*

Alternanthes
Alternanthera

Plusieurs espèces de cette plante tropicale servent de tapis végétal l'été dans les jardins; elles meurent à l'automne. L'alternanthe des marais s'est acclimatée dans le sud des Etats-Unis où elle est devenue envahissante car elle se répand tout autant par sa semence que par ses tiges rampantes.

tiges florifères poussant hors de l'eau

Vergerettes *Eriogonum*

Avec leurs feuilles velues et feutrées bien faites pour garder l'humidité, les vergerettes (érigones) recherchent les sols secs et exposés des déserts ou de la toundra de montagne. Leurs graines, qui ne sont pas sans rappeler le sarrasin *(Fagopyrum)*, ne plaisent qu'aux oiseaux et aux rongeurs, mais les abeilles tirent de leurs fleurs un miel délicieux. Il existe environ 200 espèces de vergerettes en Amérique du Nord ; plusieurs sont difficiles à identifier sans loupe.

Vergerette gonflée (érigone gonflé)
Eriogonum inflatum

Taille : 10 cm-1 m (4-40 po) ; fleur 3 mm (⅛ po) de diamètre. **Traits :** fleurs jaune crème en bouquets au bout de tiges à renflements ; rosette de feuilles au sol. **Habitat :** déserts, brousse. **Floraison :** mars-oct.

Vergerette retombante (érigone retombant)
Eriogonum deflexum

Taille : 7,5-63 cm (3-25 po) ; fleur 3 mm (⅛ po) de diamètre. **Traits :** fleurs blanches ou roses en grappes pendantes sur tiges ramifiées nues ; rosette basale de feuilles ovales. **Habitat :** déserts, pentes de montagne. **Floraison :** toute l'année.

Vergerette touffue (érigone touffu)
Eriogonum caespitosum

Taille : 5-18 cm (2-7 po) ; fleur 3 mm (⅛ po) de diamètre. **Traits :** fleurs jaunes (devenant orange) en grosses grappes rondes sur tiges nues ; rosettes feutrées de petites feuilles blanches et laineuses. **Habitat :** déserts ; talus secs et rocheux. **Floraison :** avril-juillet.

Rumex *Rumex*

Le rumex pousse presque partout. Cuites, ses feuilles semblables à celles de la rhubarbe sont appréciées depuis l'Antiquité, tandis que ses grappes de graines brunes étaient broyées en farine entre deux pierres par les Amérindiens et les premiers colons. L'amertume des jeunes pousses n'est pas désagréable, mais les feuilles adultes doivent être blanchies deux fois pour acquérir de la douceur.

Rumex crépu (patience crépue)
Rumex crispus

Taille : 30 cm-1,50 m (1-5 pi) ; fleur minuscule. **Traits :** longues feuilles vert foncé, festonnées et frisées ; fleurs vert et rouge en panicules ; fruits bruns, cordiformes, ailés. **Habitat :** fossés, bords de route, champs, friches. **Floraison :** mai-septembre.

fleur

fruit

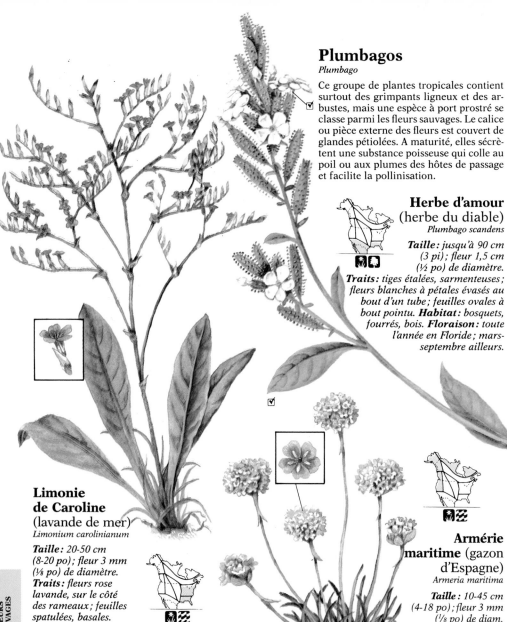

Plumbagos
Plumbago

Ce groupe de plantes tropicales contient surtout des grimpants ligneux et des arbustes, mais une espèce à port prostré se classe parmi les fleurs sauvages. Le calice ou pièce externe des fleurs est couvert de glandes pétiolées. A maturité, elles sécrètent une substance poisseuse qui colle au poil ou aux plumes des hôtes de passage et facilite la pollinisation.

Herbe d'amour
(herbe du diable)
Plumbago scandens

Taille : *jusqu'à 90 cm (3 pi) ; fleur 1,5 cm (½ po) de diamètre.* **Traits :** *tiges étalées, sarmenteuses ; fleurs blanches à pétales évasés au bout d'un tube ; feuilles ovales à bout pointu.* **Habitat :** *bosquets, fourrés, bois.* **Floraison :** *toute l'année en Floride ; mars-septembre ailleurs.*

Limonie de Caroline
(lavande de mer)
Limonium carolinianum

Taille : *20-50 cm (8-20 po) ; fleur 3 mm (⅛ po) de diamètre.* **Traits :** *fleurs rose lavande, sur le côté des rameaux ; feuilles spatulées, basales.* **Habitat :** *marais salés, dunes, prés salés sur la côte.* **Floraison :** *juillet-octobre.*

Limonies
Limonium

Comme un nuage bas et bleu-gris venu de l'Atlantique, ces vivaces arbustives qui vivent en colonies denses couvrent les marais et les prés salés à la fin de l'été de leurs inflorescences rose lavande. L'épais système de racines de la limonie de Caroline donne un astringent que l'on utilisait autrefois comme rince-bouche. D'autres espèces, cultivées celles-là, servaient à soigner la dysenterie, les hémorragies et quelques autres affections.

Armérie maritime (gazon d'Espagne)
Armeria maritima

Taille : *10-45 cm (4-18 po) ; fleur 3 mm (⅛ po) de diam.* **Traits :** *fleurs rose lilas en grosses boules sur tiges sans feuilles ; feuilles étroites, en coussinets.* **Habitat :** *falaises côtières, dunes.* **Floraison :** *avril-août.*

Arméries
Armeria

Ces plantes abondent en Amérique du Nord sur les falaises balayées par l'embrun salé de l'océan Pacifique. Elles poussent également sur les côtes du nord de l'Europe où on les consomme cuites dans du lait. Leurs feuilles longues et étoites comme celles des graminées sont groupées en coussinets, et leurs petites fleurs en inflorescences globuleuses sont portées par des tiges effilées.

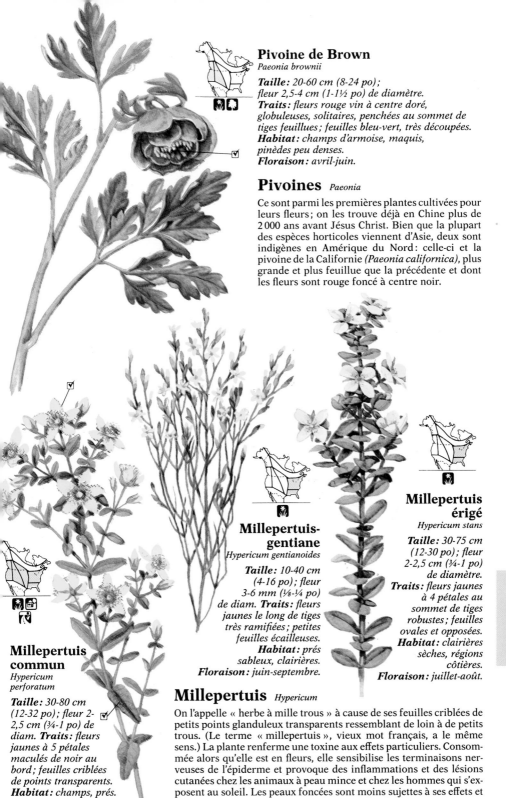

Pivoine de Brown
Paeonia brownii

Taille: *20-60 cm (8-24 po);*
fleur 2,5-4 cm (1-1½ po) de diamètre.
Traits: *fleurs rouge vin à centre doré,*
globuleuses, solitaires, penchées au sommet de
tiges feuillues; feuilles bleu-vert, très découpées.
Habitat: *champs d'armoise, maquis,*
pinèdes peu denses.
Floraison: *avril-juin.*

Pivoines *Paeonia*

Ce sont parmi les premières plantes cultivées pour leurs fleurs; on les trouve déjà en Chine plus de 2 000 ans avant Jésus Christ. Bien que la plupart des espèces horticoles viennent d'Asie, deux sont indigènes en Amérique du Nord: celle-ci et la pivoine de la Californie *(Paeonia californica)*, plus grande et plus feuillue que la précédente et dont les fleurs sont rouge foncé à centre noir.

Millepertuis érigé
Hypericum stans

Taille: *30-75 cm*
(12-30 po); fleur
2-2,5 cm (¾-1 po)
de diamètre.
Traits: *fleurs jaunes*
à 4 pétales au
sommet de tiges
robustes; feuilles
ovales et opposées.
Habitat: *clairières*
sèches, régions
côtières.
Floraison: *juillet-août.*

Millepertuis-gentiane
Hypericum gentianoides

Taille: *10-40 cm*
(4-16 po); fleur
3-6 mm (⅛-¼ po)
de diam. **Traits:** *fleurs*
jaunes le long de tiges
très ramifiées; petites
feuilles écailleuses.
Habitat: *prés*
sableux, clairières.
Floraison: *juin-septembre.*

Millepertuis commun
Hypericum perforatum

Taille: *30-80 cm*
(12-32 po); fleur 2-
2,5 cm (¾-1 po) de
diam. **Traits:** *fleurs*
jaunes à 5 pétales
maculés de noir au
bord; feuilles criblées
de points transparents.
Habitat: *champs, prés.*
Floraison: *juin-sept.*

Millepertuis *Hypericum*

On l'appelle « herbe à mille trous » à cause de ses feuilles criblées de petits points glanduleux transparents ressemblant de loin à de petits trous. (Le terme « millepertuis », vieux mot français, a le même sens.) La plante renferme une toxine aux effets particuliers. Consommée alors qu'elle est en fleurs, elle sensibilise les terminaisons nerveuses de l'épiderme et provoque des inflammations et des lésions cutanées chez les animaux à peau mince et chez les hommes qui s'exposent au soleil. Les peaux foncées sont moins sujettes à ses effets et les peaux blanches s'en tirent indemnes à l'ombre.

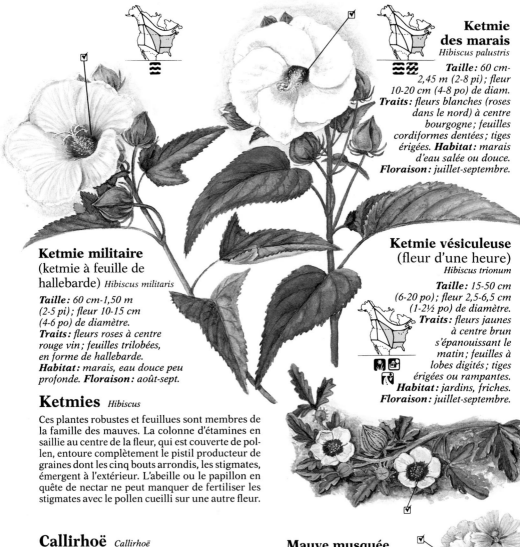

Ketmie des marais
Hibiscus palustris

Taille: *60 cm-2,45 m (2-8 pi); fleur 10-20 cm (4-8 po) de diam.* **Traits:** *fleurs blanches (roses dans le nord) à centre bourgogne; feuilles cordiformes dentées; tiges érigées.* **Habitat:** *marais d'eau salée ou douce.* **Floraison:** *juillet-septembre.*

Ketmie militaire
(ketmie à feuille de hallebarde) *Hibiscus militaris*

Taille: *60 cm-1,50 m (2-5 pi); fleur 10-15 cm (4-6 po) de diamètre.* **Traits:** *fleurs roses à centre rouge vin; feuilles trilobées, en forme de hallebarde.* **Habitat:** *marais, eau douce peu profonde.* **Floraison:** *août-sept.*

Ketmie vésiculeuse
(fleur d'une heure) *Hibiscus trionum*

Taille: *15-50 cm (6-20 po); fleur 2,5-6,5 cm (1-2½ po) de diamètre.* **Traits:** *fleurs jaunes à centre brun s'épanouissant le matin; feuilles à lobes digités; tiges érigées ou rampantes.* **Habitat:** *jardins, friches.* **Floraison:** *juillet-septembre.*

Ketmies *Hibiscus*

Ces plantes robustes et feuillues sont membres de la famille des mauves. La colonne d'étamines en saillie au centre de la fleur, qui est couverte de pollen, entoure complètement le pistil producteur de graines dont les cinq bouts arrondis, les stigmates, émergent à l'extérieur. L'abeille ou le papillon en quête de nectar ne peut manquer de fertiliser les stigmates avec le pollen cueilli sur une autre fleur.

Callirhoë *Callirhoë*

Les fleurs bourgogne de cette plante ont la forme d'une coupelle. Contrairement aux ketmies, la colonne d'étamines au centre de l'inflorescence n'est qu'à demi couverte de pollen, dans le haut. Il faut une loupe pour voir que les stigmates n'émergent pas au bout de la colonne, mais sur les côtés.

Callirhoë à involucre
Callirhoë involucrata

Taille: *30-90 cm (1-3 pi); fleur 2,5-6,5 cm (1-2½ po) de diam.* **Traits:** *fleurs rouge vin en coupelle; tiges rampantes; feuilles à lobes digités.* **Habitat:** *prairies sèches, déserts.* **Floraison:** *juin-août.*

Mauve musquée
Malva moschata

Taille: *30-90 cm (1-3 pi); fleur 4-5 cm (1½-2 po) de diamètre.* **Traits:** *fleurs roses, lavande ou blanches, à pétales fourchus; feuilles à lobes digités.* **Habitat:** *herbages, friches.* **Floraison:** *juin-septembre.*

Mauves *Malva*

Importées d'Europe pour décorer les jardins, ces plantes se sont rapidement échappées dans la nature. Elles diffèrent des ketmies par leurs pétales fourchus et par leur colonne d'étamines ronde. Les étamines entourent complètement le pistil tant qu'elles produisent du pollen. Puis elles se rétractent pour dégager les stigmates prêts à recevoir le pollen d'une autre fleur.

FLEURS SAUVAGES

Sphéralcéa écarlate
Sphaeralcea coccinea

Taille: *30-60 cm (1-2 pi);
fleur 2,5 cm (1 po) de diamètre.*
Traits: *fleurs rouge brique
à centre pâle, en grappes au
sommet de tiges frêles;
feuilles velues à lobes étroits.*
Habitat: *herbages secs,
brousse.*
Floraison: *mai-août.*

Sphéralcéas
Sphaeralcea

En espagnol, on qualifie les sphéralcéas de *plantas muy malas*, « plantes très mauvaises », parce que le duvet qui les recouvre se détache facilement au toucher et irrite les yeux. Du même coup, il protège la plante contre les prédateurs. Les différentes espèces sont difficiles à identifier, car les sphéralcéas s'hybrident facilement.

Sidalcéa du Nouveau-Mexique
Sidalcea neomexicana

Taille: *20-90 cm (8-
36 po); fleur 2-2,5 cm
(¾-1 po) de diamètre.*
Traits: *fleurs roses à pétales
légèrement frangés; feuilles à lobes
digités dans
le haut,
arrondies
dans le bas.*
Habitat:
*berges,
prés humides.*
Floraison: *juin-sept.*

feuille basale

Sidalcéas *Sidalcea*

Les 20 espèces de sidalcéas, indigènes dans l'ouest de l'Amérique du Nord, se reconnaissent au premier coup d'œil à leurs similitudes avec une fleur très populaire dans les jardins ornementaux, la rose trémière *(Alcea rosea)*. La colonne d'étamines au centre de la fleur porte deux groupes distincts d'anthères porte-pollen.

Guimauve officinale
Althaea officinalis

Taille: *60 cm-1,20 m
(2-4 pi); fleur 2,5-4 cm
(1-1½ po)
de diamètre.*
Traits: *fleurs
lavande ou roses
en grappes sur la
tige; feuilles dentées,
un peu lobées, velues.*
Habitat: *marais d'eau douce
ou saumâtre près de la côte.*
Floraison: *juillet-septembre.*

Guimauves *Althaea*

Les racines de ces plantes originaires d'Europe ont été à la source de la friandise du même nom, fabriquée aujourd'hui avec du sucre, de la gélatine et d'autres ingrédients. On utilisait alors le centre de la racine. Après avoir pelé celle-ci, on tronçonnait la partie comestible qu'on mettait à cuire dans un sirop de sucre jusqu'à ce que celui-ci soit très épais. Ce médicament, car c'en était un, servait de laxatif et de gargarisme.

Abutilon de Théophraste
(mauve jaune)
Abutilon theophrasti

Taille: *30 cm-1,50 m
(1-5 pi); fleur 1,5-2,5 cm
(½-1 po) de diamètre.*
Traits: *feuilles
cordiformes, veloutées;
fleurs jaunes; fruits
en couronne.*
Habitat: *champs, friches.*
Floraison: *juillet-août.*

Abutilons *Abutilon*

Cette plante envahissante est un fléau dans les champs de maïs et de soja. Invisible tant que la culture n'a pas démarré, elle grandit, fleurit et porte fruit avec une incroyable rapidité, en s'appropriant une grande partie des éléments nutritifs du sol. Les graines, qui sont libérées de leurs capsules gaufrées pendant l'hiver, peuvent survivre dans le sol pendant une soixantaine d'années.

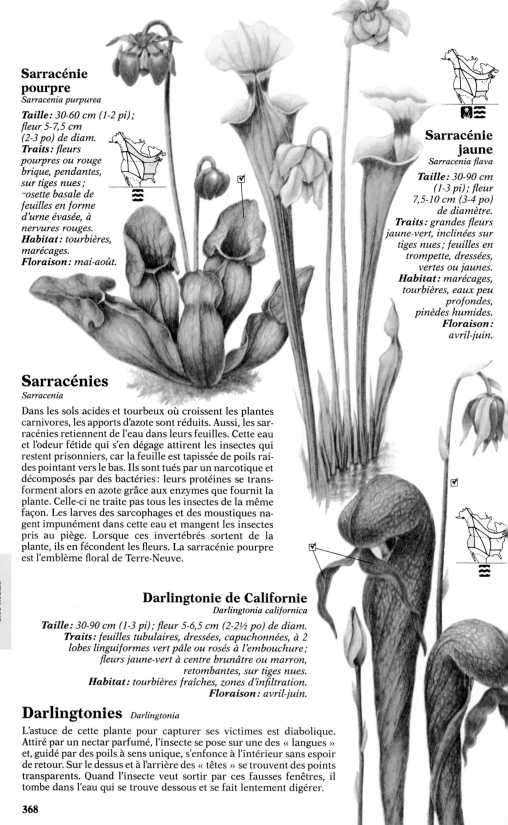

Sarracénie pourpre
Sarracenia purpurea

Taille: *30-60 cm (1-2 pi); fleur 5-7,5 cm (2-3 po) de diam.*
Traits: *fleurs pourpres ou rouge brique, pendantes, sur tiges nues; ~osette basale de feuilles en forme d'urne évasée, à nervures rouges.*
Habitat: *tourbières, marécages.*
Floraison: *mai-août.*

Sarracénie jaune
Sarracenia flava

Taille: *30-90 cm (1-3 pi); fleur 7,5-10 cm (3-4 po) de diamètre.*
Traits: *grandes fleurs jaune-vert, inclinées sur tiges nues; feuilles en trompette, dressées, vertes ou jaunes.*
Habitat: *marécages, tourbières, eaux peu profondes, pinèdes humides.*
Floraison: *avril-juin.*

Sarracénies
Sarracenia

Dans les sols acides et tourbeux où croissent les plantes carnivores, les apports d'azote sont réduits. Aussi, les sarracénies retiennent de l'eau dans leurs feuilles. Cette eau et l'odeur fétide qui s'en dégage attirent les insectes qui restent prisonniers, car la feuille est tapissée de poils raides pointant vers le bas. Ils sont tués par un narcotique et décomposés par des bactéries: leurs protéines se transforment alors en azote grâce aux enzymes que fournit la plante. Celle-ci ne traite pas tous les insectes de la même façon. Les larves des sarcophages et des moustiques nagent impunément dans cette eau et mangent les insectes pris au piège. Lorsque ces invertébrés sortent de la plante, ils en fécondent les fleurs. La sarracénie pourpre est l'emblème floral de Terre-Neuve.

Darlingtonie de Californie
Darlingtonia californica

Taille: *30-90 cm (1-3 pi); fleur 5-6,5 cm (2-2½ po) de diam.*
Traits: *feuilles tubulaires, dressées, capuchonnées, à 2 lobes linguiformes vert pâle ou rosés à l'embouchure; fleurs jaune-vert à centre brunâtre ou marron, retombantes, sur tiges nues.*
Habitat: *tourbières fraîches, zones d'infiltration.*
Floraison: *avril-juin.*

Darlingtonies *Darlingtonia*

L'astuce de cette plante pour capturer ses victimes est diabolique. Attiré par un nectar parfumé, l'insecte se pose sur une des « langues » et, guidé par des poils à sens unique, s'enfonce à l'intérieur sans espoir de retour. Sur le dessus et à l'arrière des « têtes » se trouvent des points transparents. Quand l'insecte veut sortir par ces fausses fenêtres, il tombe dans l'eau qui se trouve dessous et se fait lentement digérer.

Droséra (rossolis) à feuilles rondes
Drosera rotundifolia

Taille: *2,5-30 cm (1-12 po);
fleur 6 mm-1,5 cm (¼-½ po)
de diamètre.*
Traits: *feuilles rougeâtres,
luisantes, en rosette basale;
fleurs blanches ou roses à 5
pétales, s'ouvrant une à une au
sommet d'une tige érigée.*
Habitat: *tourbières,
dunes humides, buttes.*
Floraison:
juin-septembre.

Droséras
Drosera

Les gouttelettes qui miroitent sur les feuilles de ces délicates
plantes n'ont qu'un but: prendre au piège les petits insectes
dont elles se nourrissent. Les poils glandulaires qui recouvrent les feuilles sécrètent un liquide sucré et poisseux. Lorsque l'insecte attiré par l'odeur vient se coller aux poils, les
autres poils s'inclinent par-dessus comme des tentacules et
l'emprisonnent avant de l'étouffer. La plante produit alors
des enzymes qui décomposent les protéines en azote et autres substances nutritives que les feuilles assimilent.

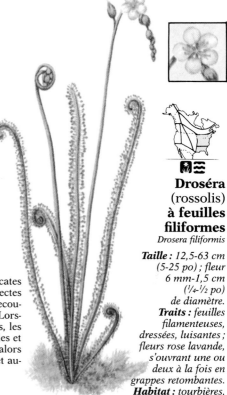

Droséra
(rossolis)
à feuilles
filiformes
Drosera filiformis

Taille: *12,5-63 cm
(5-25 po); fleur
6 mm-1,5 cm
(¼-½ po)
de diamètre.*
Traits: *feuilles
filamenteuses,
dressées, luisantes;
fleurs rose lavande,
s'ouvrant une ou
deux à la fois en
grappes retombantes.*
Habitat: *tourbières,
sable humide.*
Floraison: *juin-septembre.*

feuille piège

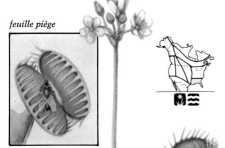

Gobe-mouches
Dionaea muscipula

Taille: *10-30 cm (4-12 po);
fleur 2-2,5 cm (¾-1 po) de diamètre.*
Traits: *feuilles rubanées, à extrémité piège, vertes
en dehors, souvent rouges en dedans; fleurs blanches
à 5 pétales, réunies au bout de tiges dressées.*
Habitat: *tourbières sableuses, pinèdes basses,
savane dans les Carolines.*
Floraison: *mai-juin.*

Gobe-mouches   *Dionaea*

Cette plante carnivore, étonnante et unique au monde,
capture et digère ses proies avec ses feuilles bilobées.
Lorsqu'un insecte effleure les poils sensibles qui tapissent la nervure centrale de la feuille, les deux lobes se
referment hermétiquement sur lui. Les glandes émettent
alors des enzymes qui transforment la victime en composés azotés assimilables. Après une semaine environ, la
feuille s'ouvre de nouveau. Si on stimule la plante avec
un corps étranger, bâton ou matière non organique, la
feuille se ferme et s'ouvre à nouveau après un ou deux
jours. Les gobe-mouches sont menacés d'extinction à
cause de leurs trop nombreux admirateurs.

Violettes *Viola*

Il existe plus de 500 espèces de violettes dans le monde, dont plus de 60 en Amérique du Nord. L'Illinois, le New Jersey, le Rhode Island, le Wisconsin et le Nouveau-Brunswick ont une violette comme emblème floral. Ce sont des fleurs à cinq pétales. Celui du bas agit comme plateforme d'atterrissage et guide l'insecte par des lignes vers l'éperon interne rempli de nectar. Formé par les deux pétales latéraux, cet éperon pointe vers le haut de sorte que l'abeille doit se tourner pour aborder le nectar tête en bas. Ainsi peut-elle déposer sur le pistil le pollen qu'elle transporte et en prendre une autre cargaison à la sortie. Plusieurs espèces ont des fleurs qui ne s'ouvrent jamais, dont certaines sont même souterraines ; elles pratiquent l'autofécondation. Dans ces cas, l'intervention des insectes n'est pas nécessaire.

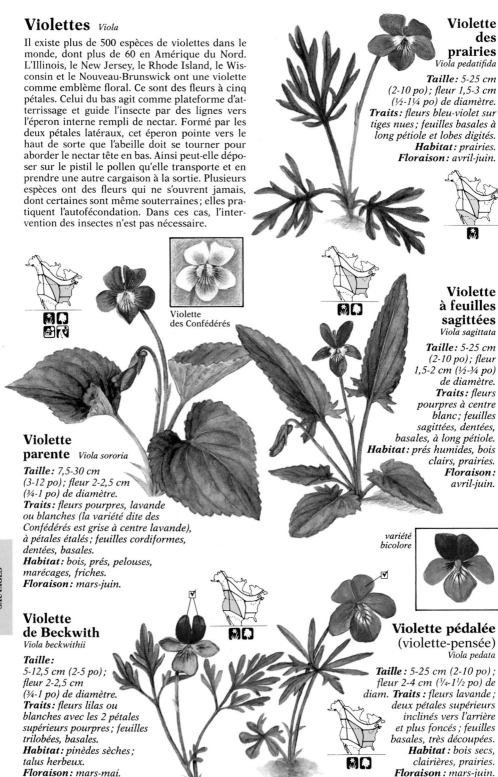

Violette des prairies
Viola pedatifida

Taille : 5-25 cm (2-10 po) ; fleur 1,5-3 cm (½-1¼ po) de diamètre.
Traits : fleurs bleu-violet sur tiges nues ; feuilles basales à long pétiole et lobes digités.
Habitat : prairies.
Floraison : avril-juin.

Violette des Confédérés

Violette à feuilles sagittées
Viola sagittata

Taille : 5-25 cm (2-10 po) ; fleur 1,5-2 cm (½-¾ po) de diamètre.
Traits : fleurs pourpres à centre blanc ; feuilles sagittées, dentées, basales, à long pétiole.
Habitat : prés humides, bois clairs, prairies.
Floraison : avril-juin.

Violette parente *Viola sororia*

Taille : 7,5-30 cm (3-12 po) ; fleur 2-2,5 cm (¾-1 po) de diamètre.
Traits : fleurs pourpres, lavande ou blanches (la variété dite des Confédérés est grise à centre lavande), à pétales étalés ; feuilles cordiformes, dentées, basales.
Habitat : bois, prés, pelouses, marécages, friches.
Floraison : mars-juin.

variété bicolore

Violette de Beckwith
Viola beckwithii

Taille : 5-12,5 cm (2-5 po) ; fleur 2-2,5 cm (¾-1 po) de diamètre.
Traits : fleurs lilas ou blanches avec les 2 pétales supérieurs pourprés ; feuilles trilobées, basales.
Habitat : pinèdes sèches ; talus herbeux.
Floraison : mars-mai.

Violette pédalée
(violette-pensée)
Viola pedata

Taille : 5-25 cm (2-10 po) ; fleur 2-4 cm (¾-1½ po) de diam. **Traits :** fleurs lavande ; deux pétales supérieurs inclinés vers l'arrière et plus foncés ; feuilles basales, très découpées.
Habitat : bois secs, clairières, prairies.
Floraison : mars-juin.

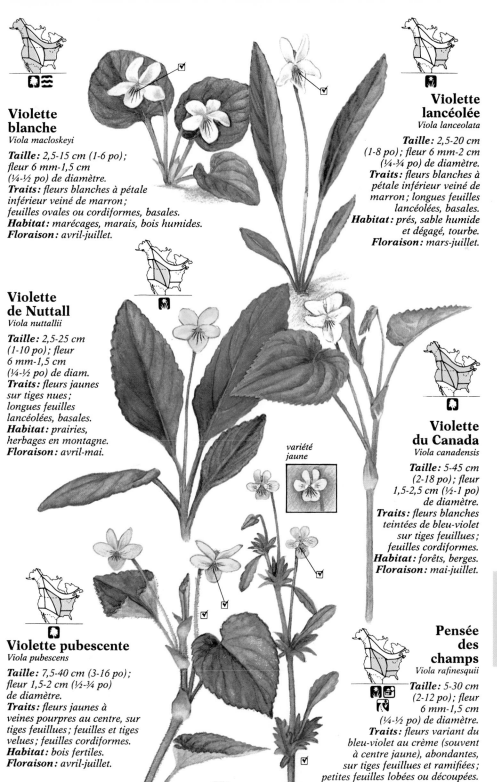

Violette blanche
Viola macloskeyi

Taille: *2,5-15 cm (1-6 po);*
fleur 6 mm-1,5 cm
(¼-½ po) de diamètre.
Traits: *fleurs blanches à pétale*
inférieur veiné de marron;
feuilles ovales ou cordiformes, basales.
Habitat: *marécages, marais, bois humides.*
Floraison: *avril-juillet.*

Violette de Nuttall
Viola nuttallii

Taille: *2,5-25 cm*
(1-10 po); fleur
6 mm-1,5 cm
(¼-½ po) de diam.
Traits: *fleurs jaunes*
sur tiges nues;
longues feuilles
lancéolées, basales.
Habitat: *prairies,*
herbages en montagne.
Floraison: *avril-mai.*

Violette lancéolée
Viola lanceolata

Taille: *2,5-20 cm*
(1-8 po); fleur 6 mm-2 cm
(¼-¾ po) de diamètre.
Traits: *fleurs blanches à*
pétale inférieur veiné de
marron; longues feuilles
lancéolées, basales.
Habitat: *prés, sable humide*
et dégagé, tourbe.
Floraison: *mars-juillet.*

variété
jaune

Violette du Canada
Viola canadensis

Taille: *5-45 cm*
(2-18 po); fleur
1,5-2,5 cm (½-1 po)
de diamètre.
Traits: *fleurs blanches*
teintées de bleu-violet
sur tiges feuillues;
feuilles cordiformes.
Habitat: *forêts, berges.*
Floraison: *mai-juillet.*

Violette pubescente
Viola pubescens

Taille: *7,5-40 cm (3-16 po);*
fleur 1,5-2 cm (½-¾ po)
de diamètre.
Traits: *fleurs jaunes à*
veines pourpres au centre, sur
tiges feuillues; feuilles et tiges
velues; feuilles cordiformes.
Habitat: *bois fertiles.*
Floraison: *avril-juillet.*

Pensée des champs
Viola rafinesquii

Taille: *5-30 cm*
(2-12 po); fleur
6 mm-1,5 cm
(¼-½ po) de diamètre.
Traits: *fleurs variant du*
bleu-violet au crème (souvent
à centre jaune), abondantes,
sur tiges feuillues et ramifiées;
petites feuilles lobées ou découpées.
Habitat: *clairières, bords de route, prés,*
pelouses. **Floraison:** *avril-août.*

371

Hélian-
thème
du Canada
Helianthemum canadense

Taille: *20-40 cm
(8-16 po); fleur 2,5-3 cm
(1-1¼ po) de diam.*
Traits: *fleurs jaunes
au bout des tiges; fleurs
fermées en touffes à
l'aisselle des feuilles;
feuilles étroites, veloutées.*
Habitat: *bois secs,
prés sableux, clairières.*
Floraison: *mai-juillet.*

Passiflore de mai
Passiflora incarnata

Taille: *jusqu'à 6 m
(20 pi); fleur 4-10 cm
(1½-4 po) de diamètre.*
Traits: *fleurs crème et
pourpre frangées de
filaments; tiges rampantes
ou à vrilles et grimpantes;
feuilles trilobées.*
Habitat: *fourrés peu denses,
bords de route.*
Floraison: *juin-septembre.*

Hélianthèmes *Helianthemum*

Les hélianthèmes portent deux sortes de fleurs.
Les plus voyantes, à cinq pétales, s'épanouissent
d'abord; éphémères, elles sont fertilisées par des
insectes volants. Viennent ensuite de petites fleurs
en forme de bouton qui ne s'ouvrent jamais, mais
produisent des graines par autofécondation.

Passiflores *Passiflora*

Les premiers Européens à nommer les plantes du
Nouveau Monde ont été les clercs venus avec les
conquistadors. Dans la fleur de celles-ci, ils ont vu
divers symboles de la passion du Christ, d'où son
nom de « fleur de la Passion ». Les trois stigmates
au centre sont les clous; les cinq étamines, les
plaies du Christ; la frange de filaments, la couronne d'épines et les 10 pièces pétaloïdes derrière
la couronne, les apôtres moins Judas et Pierre.

Hudsonies *Hudsonia*

Cette plante rampante à feuilles persistantes se
distingue de la bruyère commune *(Calluna vulgaris)* par ses fleurs jaunes à cinq pétales, alors que
celles de la bruyère sont roses ou blanches, campanulées et en épis. L'hudsonie tomenteuse se
plaît dans les sols sableux et pauvres. Les tertres
qu'elle forme ralentissent l'érosion des dunes.

Mentzélie
à tige lisse
Mentzelia laevicaulis

Taille: *30 cm-1,20 m
(1-4 pi); fleur 7,5-15 cm
(3-6 po) de diamètre.*
Traits: *fleurs jaunes en
étoile; feuilles dentées;
tiges blanchâtres.*
Habitat: *déserts,
collines rocheuses.*
Floraison: *juillet-sept.*

Hudsonie
tomenteuse
Hudsonia tomentosa

Taille: *5-20 cm
(2-8 po); fleur 6 mm
(¼ po) de diamètre.*
Traits: *fleurs jaune
soufre, abondantes, sur
tapis dense de tiges
rampantes; feuilles
écailleuses.*
Habitat: *grèves,
sables mouvants.*
Floraison: *mai-juillet.*

Mentzélies *Mentzelia*

Les mentzélies sont à proprement parler des plantes de désert quoique certaines espèces fréquentent des sols secs en montagne et en plaine. Leurs
feuilles couvertes de poils acérés collent aux vêtements des hommes et à la fourrure des animaux.
Mais la plante produit des fleurs remarquables.

fruit

Echinocystis lobé
(concombre sauvage)
Echinocystis lobata

Taille : *jusqu'à 6 m
(20 pi) ; fleur
1,5-2 cm (½-¾ po)
de diamètre.*
Traits : *tiges
grimpantes ;
fleurs blanc-
vert en grappes ; feuilles
étoilées ; fruits épineux.*
Habitat : *berges,
bois humides, marais.*
Floraison : *juin-octobre.*

Concombres sauvages *Echinocystis*

Chaque grappe florale de cette plante comprend
plusieurs fleurons mâles et quelques fleurons femelles dont un seul donne un fruit épineux. Bien
que ce grimpant soit cousin du concombre cultivé
(Cucumis sativus), son fruit n'est pas comestible.
A mesure qu'il mûrit, des pressions se créent à l'intérieur des fibres jusqu'à ce que soudain il explose
en lançant ses graines à plus de 6 m (20 pi).

Courges *Cucurbita*

Ce groupe comprend aussi bien les courges comestibles de nos jardins que la citrouille cultivée.
Le fruit de la citrouille sauvage n'est pas comestible, mais il renferme une substance mousseuse
qui peut remplacer le savon.

Citrouille sauvage
Cucurbita foetidissima

Taille : *jusqu'à 6 m (20 pi) ; fleur
7,5-10 cm (3-4 po) de diamètre.*
Traits : *plante rampante ;
fleurs jaunes ; fruits rayés ;
feuilles triangulaires.*
Habitat : *prairies sèches,
herbages.*
Floraison : *mai-août.*

fruit

Sicos anguleux
Sicyos angulatus

Taille : *jusqu'à 7,5 m (25 pi) ;
fleur 6 mm-1,5 cm (¼-½ po)
de diamètre.*
Traits : *plante grimpante ;
fleurs blanches à centre vert ;
feuilles palmées ;
fruits épineux en grappes.*
Habitat : *berges, haies,
clairières, friches.*
Floraison : *juillet-septembre.*

grappe
de fruits

Sicos *Sicyos*

Plusieurs de ces plantes sont d'habiles grimpeuses
capables de recouvrir à peu près n'importe quoi.
Si elles sont appréciées des jardiniers, leur véhé-
mence en fait également des mauvaises herbes redoutables. Les fruits épineux non comestibles
collent à la fourrure des animaux qui, bien malgré
eux, en répandent les graines.

Cléome
des Rocheuses
Cleome serrulata

Taille : *30 cm-1,50 m
(1-5 pi) ; fleur 1,5 cm
(½ po) de diamètre.*
Traits : *grappes de
fleurs roses ou
blanches à longues
étamines ; longues
gousses émergeant
du centre ; feuilles
à 3 folioles.*
Habitat : *berges,
prairies, bords de route.*
Floraison : *mai-août.*

Cléomes *Cleome*

Ces grandes plantes qui poussent de préférence
dans les plaines présentent des grappes de fleurs à
pétales étroits et à longues étamines ; au centre de
chacune jaillit le pistil, puis une longue gousse
contenant les graines. Le riche nectar de ces inflorescences est hautement apprécié des abeilles qui
les fréquentent beaucoup. Mais les feuilles émettent une odeur nauséabonde lorsqu'on les froisse.

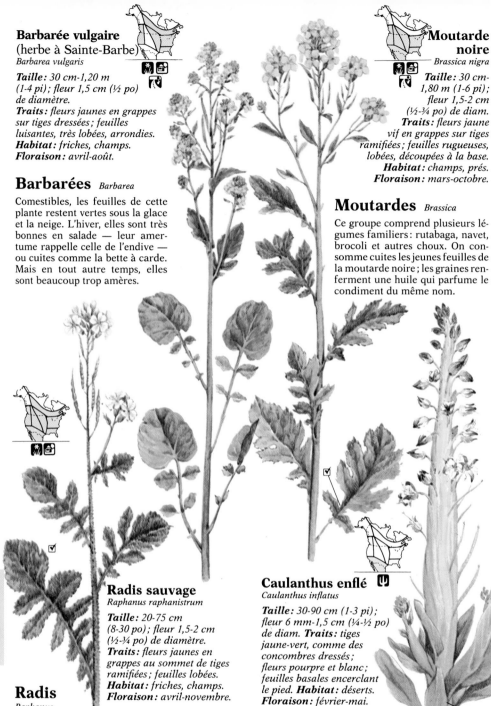

Barbarée vulgaire
(herbe à Sainte-Barbe)
Barbarea vulgaris

Taille: *30 cm-1,20 m (1-4 pi); fleur 1,5 cm (½ po) de diamètre.*
Traits: *fleurs jaunes en grappes sur tiges dressées; feuilles luisantes, très lobées, arrondies.*
Habitat: *friches, champs.*
Floraison: *avril-août.*

Barbarées *Barbarea*

Comestibles, les feuilles de cette plante restent vertes sous la glace et la neige. L'hiver, elles sont très bonnes en salade — leur amertume rappelle celle de l'endive — ou cuites comme la bette à carde. Mais en tout autre temps, elles sont beaucoup trop amères.

Moutarde noire
Brassica nigra

Taille: *30 cm-1,80 m (1-6 pi); fleur 1,5-2 cm (½-¾ po) de diam.*
Traits: *fleurs jaune vif en grappes sur tiges ramifiées; feuilles rugueuses, lobées, découpées à la base.*
Habitat: *champs, prés.*
Floraison: *mars-octobre.*

Moutardes *Brassica*

Ce groupe comprend plusieurs légumes familiers: rutabaga, navet, brocoli et autres choux. On consomme cuites les jeunes feuilles de la moutarde noire; les graines renferment une huile qui parfume le condiment du même nom.

Radis sauvage
Raphanus raphanistrum

Taille: *20-75 cm (8-30 po); fleur 1,5-2 cm (½-¾ po) de diamètre.*
Traits: *fleurs jaunes en grappes au sommet de tiges ramifiées; feuilles lobées.*
Habitat: *friches, champs.*
Floraison: *avril-novembre.*

Radis
Raphanus

Si le radis cultivé *(Raphanus sativus)* est apprécié depuis l'Antiquité, le radis sauvage, avec sa fine racine pivotante non comestible, est tenu pour nuisible. Ses petites graines survivent des décennies dans le sol et germent en venant à la surface. On fait parfois cuire les jeunes feuilles, et les gousses de graines sont détaillées en dés avant leur maturité pour condimenter les salades.

Caulanthus enflé
Caulanthus inflatus

Taille: *30-90 cm (1-3 pi); fleur 6 mm-1,5 cm (¼-½ po) de diam.* **Traits:** *tiges jaune-vert, comme des concombres dressés; fleurs pourpre et blanc; feuilles basales encerclant le pied.* **Habitat:** *déserts.*
Floraison: *février-mai.*

Caulanthus *Caulanthus*

Membre de la famille des moutardes, cette bizarre plante se présente d'abord comme une touffe de feuilles. Puis s'élève en plein milieu une tige robuste, garnie au sommet de fleurs à quatre pétales qui se métamorphosent en gousses à mesure que croît la tige et que se multiplient les fleurs.

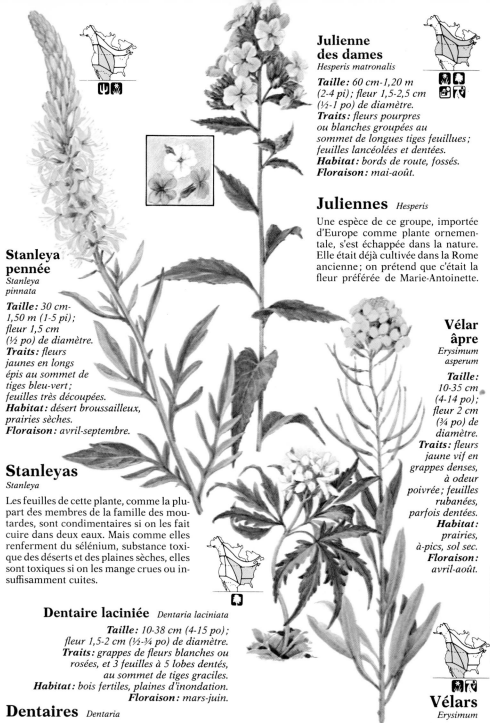

Julienne des dames
Hesperis matronalis

Taille: 60 cm-1,20 m (2-4 pi); fleur 1,5-2,5 cm (½-1 po) de diamètre.
Traits: *fleurs pourpres ou blanches groupées au sommet de longues tiges feuillues; feuilles lancéolées et dentées.*
Habitat: *bords de route, fossés.*
Floraison: *mai-août.*

Juliennes *Hesperis*

Une espèce de ce groupe, importée d'Europe comme plante ornementale, s'est échappée dans la nature. Elle était déjà cultivée dans la Rome ancienne; on prétend que c'était la fleur préférée de Marie-Antoinette.

Stanleya pennée
Stanleya pinnata

Taille: 30 cm-1,50 m (1-5 pi); fleur 1,5 cm (½ po) de diamètre.
Traits: *fleurs jaunes en longs épis au sommet de tiges bleu-vert; feuilles très découpées.*
Habitat: *désert broussailleux, prairies sèches.*
Floraison: *avril-septembre.*

Stanleyas
Stanleya

Les feuilles de cette plante, comme la plupart des membres de la famille des moutardes, sont condimentaires si on les fait cuire dans deux eaux. Mais comme elles renferment du sélénium, substance toxique des déserts et des plaines sèches, elles sont toxiques si on les mange crues ou insuffisamment cuites.

Vélar âpre
Erysimum asperum

Taille: 10-35 cm (4-14 po); fleur 2 cm (¾ po) de diamètre.
Traits: *fleurs jaune vif en grappes denses, à odeur poivrée; feuilles rubanées, parfois dentées.*
Habitat: *prairies, à-pics, sol sec.*
Floraison: *avril-août.*

Dentaire laciniée *Dentaria laciniata*

Taille: 10-38 cm (4-15 po); fleur 1,5-2 cm (½-¾ po) de diamètre.
Traits: *grappes de fleurs blanches ou rosées, et 3 feuilles à 5 lobes dentés, au sommet de tiges graciles.*
Habitat: *bois fertiles, plaines d'inondation.*
Floraison: *mars-juin.*

Dentaires *Dentaria*

Ces petites plantes à floraison hâtive font aussi partie de la famille des moutardes. Elles tirent leur nom des lobes dentés qui caractérisent leur feuillage et de leurs racines rhizomatiques à nodules en forme de petites dents. Ces rhizomes à saveur poivrée font les délices des enfants, des campeurs et des excursionnistes.

Vélars *Erysimum*

Les espèces naines des giroflées sont souvent classées parmi les vélars dans les catalogues de plantes de jardin; ce sont de proches parentes. Toutes deux aiment le soleil, les murets de pierres sèches et elles viennent bien dans les rocailles. On les rencontre partout dans l'hémisphère Nord au pied des falaises rocheuses.

Thysanocarpe à gousse frangée
Thysanocarpus curvipes

Taille: 20-50 cm (8-20 po); fruit 6 mm (¼ po) de diamètre; fleur minuscule.
Traits: fruits brunâtres à motif de roue dentée verte; fleurs verdâtres ou blanches.
Habitat: herbages secs en montagne, champs d'armoise, chênaies claires.
Floraison: mars-juin.

fruit

Thysanocarpes *Thysanocarpus*

Comme bien des membres de la famille des moutardes, celle-ci s'identifie mal à ses fleurs. Mais quand les fruits apparaissent à la base des tiges florifères, il n'y a plus de doute possible. Chez certaines espèces, le motif qui décore les gousses de graines est accentué par de petits trous.

Capselle bourse-à-pasteur
Capsella bursa-pastoris

Taille: 7,5-50 cm (3-20 po); fruit jusqu'à 6 mm (¼ po) de long; fleur minuscule.
Traits: fruits cordiformes; fleurs crème, en grappes au sommet de tiges dressées; feuilles basales très découpées.
Habitat: champs, pelouses, terrains bouleversés.
Floraison: février-décembre.

fruit

Capselles *Capsella*

Les petites fleurs blanches densément groupées au sommet des tiges de ces herbacées fructifient de bas en haut. A chaque gousse, le pédoncule floral s'allonge et la tige continue de grandir. Quand la plante a terminé sa croissance, elle ressemble à une patère à sachets en forme de cœur.

Drave printanière *Draba verna*

Taille: 7,5-30 cm (3-12 po); fleur 6 mm (¼ po) de diamètre.
Traits: fleurs blanches à centre jaune et à 4 pétales très fourchus; rosette de feuilles spatulées.
Habitat: herbages secs.
Floraison: mars-juin.

feuille basale

Draves *Draba*

On croyait autrefois que le jus très acide de cette plante guérissait les panaris; il est permis aujourd'hui d'en douter. Comme plusieurs membres de la famille des moutardes, ces plantes sont hivernales en ce sens qu'elles bourgeonnent en automne, survivent à l'hiver et reprennent leur croissance au tout début du printemps.

Cressons *Nasturtium*

Le cresson croît partout où il y a des cours d'eau douce; c'est l'une des verdures les plus estimées en salade. Il faut le laver minutieusement, car il survit en eau polluée et dans ses feuilles nichent de minuscules escargots et des insectes.

Cresson officinal
(cresson de fontaine)
Nasturtium officinale

Taille: jusqu'à 3 m (10 pi); fleur 6 mm (¼ po) de diam. **Traits:** tiges formant tapis dans l'eau, rampantes sur les berges; feuilles luisantes à multiples folioles; fleurs blanches en grappes. **Habitat:** eau froide; berge des sources et cours d'eau.
Floraison: mars-nov.

Cardamines *Cardamine*

Seules les très vieilles feuilles de la cardamine sont trop amères pour être consommées en salade. Les autres sont si exquisement parfumées qu'elles rivalisent avec celles du cresson de fontaine. Râpée et marinée dans du vinaigre, la souche bulbeuse de la cardamine remplace fort bien le raifort.

Cardamine bulbeuse
Cardamine bulbosa

Taille: 10-50 cm (4-20 po); fleur 1,5 cm (½ po) de diamètre.
Traits: fleurs blanches en grappes lâches au sommet de tiges grêles; feuilles lancéolées sur la tige, arrondies à la base.
Habitat: bois et prés humides, eau douce peu profonde.
Floraison: mars-juin.

Arctosta-phyle raisin d'ours
Arctostaphylos uva-ursi

Taille: *jusqu'à 3 m (10 pi); fleur 6 mm (¼ po) de diamètre.*
Traits: *feuilles luisantes; fleurs urcéolées blanches ou roses; baies rouges ou pourpres tout l'hiver.*
Habitat: *sols secs, sableux.*
Floraison: *avril-juin.*

Gros atocas
(airelle à gros fruits)
Vaccinium macrocarpon

Taille: *20-30 cm (8-12 po); fleur 1,5 cm (½ po) de diamètre.*
Traits: *tiges filiformes, rampantes; feuilles petites, ovales, coriaces; fleurs roses à pétales retroussés; baies rouges de 2 cm (¾ po).*
Habitat: *tourbières; prés sableux.* **Floraison:** *juin-octobre.*

Arctostaphyles *Arctostaphylos*

Le raisin d'ours est la seule espèce prostrée au sein de ce groupe de plantes arbustives à feuilles persistantes. Il pousse dans le nord de l'Europe, de l'Asie et de l'Amérique du Nord et, en hiver, ses baies servent bien plus aux oiseaux et aux chevreuils qu'aux ours.

Bleuets et atocas *Vaccinium*

Les atocas ou canneberges sauvages ont été les premiers petits fruits cultivés pour l'exportation en Amérique du Nord. Ils accompagnent la dinde du Nouvel An. On trouvera dans la section des arbustes l'espèce qui donne des myrtilles ou bleuets.

Gaulthérie couchée
(petit thé des bois)
Gaultheria procumbens

Taille: *5-15 cm (2-6 po); fleur 6 mm (¼ po) de diam.* **Traits:** *fleurs blanches, inclinées; feuilles ovales, coriaces; baies rouges; plante aromatique.* **Habitat:** *bois sableux, clairières.* **Floraison:** *juillet-août.*

Gaulthéries *Gaultheria*

Leurs feuilles persistantes donnent l'huile de gaulthérie. Comme il faut des quantités astronomiques de feuilles pour obtenir un peu d'huile, les fabricants utilisent plutôt des ramilles de bouleau, qui en contiennent, et des composés synthétiques.

Cassiope à fleurs blanches
Cassiope mertensiana

Taille: *5-25 cm (2-10 po); fleur 6 mm (¼ po) de diamètre.*
Traits: *fleurs blanches, retombantes; feuilles écailleuses.* **Habitat:** *sols humides, rocheux; toundra.*
Floraison: *juillet-août.*

Cassiopes *Cassiope*

Ces arbustes nains aiment les hautes montagnes. Sauf chez la cassiope étoilée *(Cassiope stelleriana)* du nord-ouest américain, les petites feuilles de ce groupe se chevauchent pour protéger les tiges contre les vents.

Epigée rampante
(fleur de mai)
Epigaea repens

Taille: *jusqu'à 1,50 m (5 pi); fleur 6 mm-1,5 cm (¼-½ po) de diam.* **Traits:** *feuilles opposées; fleurs rose et blanc en trompette.*
Habitat: *bois sableux ou tourbeux, clairières.*
Floraison: *mars-juillet.*

Bruyère des montagnes
Phyllodoce breweri

Taille: *10-30 cm (4-12 po); fleur 1,5 cm (½ po) de diam.* **Traits:** *fleurs cratériformes roses, au bout des tiges; feuilles linéaires à pointe émoussée.* **Habitat:** *toundra; sol humide, rocheux, dégagé.* **Floraison:** *juillet-août.*

Epigées
Epigaea

La seule espèce d'épigée en Amérique du Nord est aussi l'emblème floral du Massachusetts et de la Nouvelle-Ecosse. (La seule autre espèce dans le monde est originaire du Japon.) Ses fleurs printanières sont si parfumées qu'en plusieurs endroits on en interdit la cueillette.

Bruyères de montagne *Phyllodoce*

Comme la bruyère commune d'Europe *(Calluna vulgaris)*, ces jolies plantes de la toundra et des montagnes du Nord tapissent le sol de leurs tiges rampantes. Leurs bouquets compacts de petites fleurs en clochettes se détachent bien sur ce fond.

Chimaphile à ombelles
Chimaphila umbellata

Taille : 7,5-25 cm (3-10 po) ;
fleur 2 cm (¾ po) de diam.
Traits : *fleurs blanches
ou roses, parfumées,
inclinées, en grappes au bout
des tiges ; feuilles verticillées,
persistantes, dentées, à bout large.*
Habitat : *bois secs,
sols acides.*
Floraison : *juillet-août.*

Chimaphile maculée
Chimaphila maculata

Taille : 10-25 cm (4-10 po) ;
fleur 2 cm (¾ po) de diamètre.
Traits : *fleurs blanches
ou roses, inclinées,
parfumées ; feuilles
verticillées, persistantes,
à nervures blanches
et à dessous rougeâtre.*
Habitat : *bois secs.*
Floraison : *mai-août.*

Chimaphiles
Chimaphila

En langue amérindienne, cette plante s'appelait *pipsisikweu*, mot qui signifie
« qui brise en petits morceaux ». Les Cris croyaient en effet que ses feuilles
pouvaient fracturer les calculs rénaux et biliaires. A l'époque coloniale, on en
faisait des cataplasmes pour soigner les éraflures et les irritations cutanées. Si
l'on croyait encore au début du siècle aux vertus tonifiantes des chimaphiles,
aujourd'hui la plante ne sert plus qu'à aromatiser bonbons et sodas.

Monésès uniflore *Moneses uniflora*

Taille : 2,5-15 cm (1-6 po) ; fleur 2 cm (¾ po) de diamètre.
Traits : *fleur blanche, pendante, parfumée ;
feuilles rondes, coriaces, en rosette basale autour de la tige.*
Habitat : *forêts moussues et fraîches.* **Floraison :** *juin-août.*

Monésès *Moneses*

La seule espèce de ce groupe, qui est souvent classée parmi les pyroles,
produit une fleur solitaire, exquisement parfumée, au bout d'une tige
unique entourée à la base d'une rosette de feuilles persistantes. Elle
pousse partout mais n'a jamais été abondante ; elle se fait rare maintenant, même dans les bois conifériens et les tourbières du Nord.

Pyrole elliptique
Pyrola elliptica

Taille : 10-30 cm (4-12 po) ;
fleur 2 cm (¾ po)
de diamètre.
Traits : *fleurs blanches,
cireuses, inclinées, sur tiges
grêles ; feuilles vertes,
luisantes, ovales, basales.*
Habitat : *bois secs ou humides ;
sols acides.*
Floraison : *juin-août.*

Pyroles *Pyrola*

Dans toutes les forêts conifériennes d'Amérique
du Nord, leurs gracieuses tiges florales s'élèvent
au centre d'une rosette de feuilles persistantes et
satinées. Trait particulier des pyroles, les anthères, partie globuleuse des étamines dans laquelle
se forme le pollen, ne le laissent pas échapper par
une fente verticale, mais par un trou terminal.

Pyrole unilatérale
Pyrola secunda

Taille : 5-20 cm
(2-8 po) ; fleur 6 mm
(¼ po) de diamètre.
Traits : *fleurs jaune-vert,
d'un seul côté d'une tige
souple ; feuilles ovales ou
arrondies, basales.*
Habitat : *bois humides ou
secs, clairières, toundra.*
Floraison : *juin-août.*

FLEURS
SAUVAGES

Monotrope uniflore
Monotropa uniflora

Taille: 5-30 cm (2-12 po); fleur 1,5-2 cm (½-¾ po) de diamètre.
Traits: plante blanche, cireuse, écailleuse, parfois teintée de rose ou de pourpre; fleur blanche, solitaire, inclinée, cupuliforme.
Habitat: forêts, tourbières; sol acide et fertile.
Floraison: mai-septembre.

Monotrope des pins (sucepin)
Monotropa hypopithys

Taille: 10-40 cm (4-16 po); fleur 6 mm-1,5 cm (¼-½ po) de diam.
Traits: plante orangée, charnue, écailleuse; fleurs jaunes, en grappes inclinées.
Habitat: bois clairs.
Floraison: juin-octobre.

Monotropes *Monotropa*

Si les monotropes, malgré une certaine similitude, sont bien des fleurs et non des champignons, ils ont la bizarrerie d'être dépourvus de chlorophylle. Cette carence les empêche de s'alimenter par photosynthèse; aussi doivent-ils compter sur de petits champignons lignicoles pour leur fournir des éléments nutritifs.

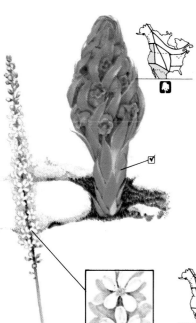

Sarcode sanguine *Sarcodes sanguinea*

Taille: 10-30 cm (4-12 po); fleur 1,5-2 cm (½-¾ po) de diam.
Traits: plante rouge vif et charnue, à écailles foliacées rouges de 10 cm (4 po) de long; fleurs urcéolées.
Habitat: humus profond en forêt. **Floraison:** mai-juin.

Sarcodes *Sarcodes*

La plupart des insectes pollinisateurs ne voient pas le rouge. Cette couleur attire cependant les insectes charognards et ce sont eux, croit-on, qui fertilisent la sarcode sanguine. Cette plante qu'on prendrait pour un morceau de viande dans la neige ne parasite pas les racines des autres végétaux; comme chez le monotrope, ce sont des champignons qui l'alimentent.

Galax à feuilles rondes
Galax rotundifolia

Taille: 7,5-60 cm (3-24 po); fleur 6 mm (¼ po) de diamètre.
Traits: feuilles cordiformes, luisantes, vert foncé (bronze en automne et en hiver), en rosette basale; petites fleurs blanches au sommet de tiges flexibles.
Habitat: bois fertiles, berges en montagne.
Floraison: mai-juillet.

Galax *Galax*

La ville de Galax, dans l'Etat de Virginie, doit son nom à la seule espèce de ce groupe. Les feuilles rondes, satinées et persistantes du galax se voient partout dans le sud des Appalaches où elles forment un tapis en dessous de certaines plantes ligneuses comme le kalmia à grandes feuilles. La plante s'est propagée maintenant dans le nord jusqu'au Massachusetts, en s'échappant des jardins où on la cultivait pour la beauté de ses épis floraux.

FLEURS SAUVAGES

379

Primevères *Primula*

Ces hôtes habituels des pentes montagneuses, des berges, des sols humides et frais, tirent leur nom d'un mot latin signifiant « premier ». Partout, les primevères sont en effet les premières à fleurir. Leurs petites inflorescences colorées naissent en grappes au sommet d'une tige nue au milieu d'une rosette basale de feuilles. Le centre jaune de chaque fleurette, plein de nectar, attire les abeilles. Les humains sont moins séduits : la ravissante primevère des montagnes est malodorante.

Primevère du lac Mistassini
Primula mistassinica

Taille : 2,5-15 cm (1-6 po) ; fleur 6 mm-1,5 cm (¼-½ po) de diam. **Traits :** fleurs roses ou lilas à centre jaune ; feuilles en rosette près du sol. **Habitat :** falaises humides, prés. **Floraison :** avril-août.

Primevère des montagnes
Primula parryi

Taille : 10-40 cm (4-16 po) ; fleur 1,5-2,5 cm (½-1 po) de diamètre. **Traits :** fleurs rose-pourpre à centre jaune ; feuilles charnues en rosette basale. **Habitat :** prés en haute montagne, berges. **Floraison :** juin-août.

Primevère de la sierra
Primula suffrutescens

Taille : 2,5-10 cm (1-4 po) ; fleur 6 mm-1,5 cm (¼-½ po) de diam. **Traits :** fleurs roses ou pourpres ; feuilles en touffes sur le sol ; tiges duveteuses. **Habitat :** falaises, corniches. **Floraison :** juillet-août.

Douglasie des montagnes
Douglasia montana

Taille : 2,5-7,5 cm (1-3 po) ; fleur 6 mm-1,5 cm (¼-½ po) de diamètre. **Traits :** fleurs roses en grappes terminales ; feuilles menues, étroites, formant tapis. **Habitat :** sol sec, rocheux ; cimes de montagne. **Floraison :** mai-juillet.

Douglasies *Douglasia*

Ces petites plantes modestes dont les fleurettes sont si abondantes qu'elles dissimulent presque le feuillage doivent leur nom, comme le majestueux sapin de Douglas du nord-ouest du Pacifique, à David Douglas. Cet explorateur écossais les découvrit lors d'une expédition qui le mena de l'Oregon à la baie d'Hudson. Les douglasies viennent bien dans les jardins de rocaille.

Gyroselle de Virginie
Dodecatheon meadia

Taille : 10-50 cm (4-20 po) ; fleur 2-2,5 cm (¾-1 po) de diamètre. **Traits :** fleurs à pétales réfléchis blancs ou roses ; feuilles spatulées en rosette près du sol. **Habitat :** prairies, prés, bois clairs. **Floraison :** avril-juin.

Gyroselles *Dodecatheon*

Quand tombe sur terre une étoile filante, dit une légende, naît une gyroselle. L'herbe-à-douze-dieux, comme on l'appelle également, pousse autant dans les champs ensoleillés qu'à l'ombre des forêts, et la gyroselle de la sierra *(Dodecatheon jeffreyi)* se plaît autant dans les montagnes de l'Alaska que dans la Sierra Nevada, en Californie. Pratiquant l'autofécondation, elle assure sa multiplication même là où les insectes sont peu nombreux.

Lysimaques *Lysimachia*

« Si vos bœufs sont rétifs », recommandait le botaniste grec et médecin Dioscoride, « donnez-leur des lysimaques. Donnez-en aussi aux amoureux qui se querellent », ajoutait-il. Les effets calmants de la plante ne sont pas scientifiquement prouvés ; pourtant, jusqu'à tout récemment, on en donnait aux personnes et aux bêtes nerveuses. Lysimaque, roi de Thrace, aurait bénéficié de ses bons effets. Poursuivi par un taureau furieux, il lui lança un pied de lysimaque à la tête et l'animal se calma instantanément. La plante porte le nom d'un médecin grec, homonyme de ce roi.

Lysimaque thyrsiflore
Lysimachia thyrsiflora

Taille: *15-75 cm (6-30 po); fleur 3-6 mm (⅛-¼ po) de diamètre.*
Traits: *fleurs jaunes en bouquets globuleux à l'aisselle des feuilles; feuilles opposées.*
Habitat: *marais, bois humides, marécages.*
Floraison: *mai-juillet.*

Lysimaque à quatre feuilles
Lysimachia quadrifolia

Taille: *20-60 cm (8-24 po); fleur 1,5 cm (½ po) de diamètre.*
Traits: *feuilles en verticilles de 4 à 6; fleurs jaunes à centre rouge, séparées sur pédoncule filiforme à l'aisselle des feuilles.*
Habitat: *bois clairs, prés humides.*
Floraison: *mai-août.*

Lysimaque terrestre
Lysimachia terrestris

Taille: *15-75 cm (6-30 po); fleur 1,5-2 cm (½-¾ po) de diamètre.*
Traits: *fleurs jaune vif à centre rouge, en épis denses; feuilles opposées.*
Habitat: *marais, bords de route humides, berges.*
Floraison: *juin-août.*

Lysimaque nummulaire
Lysimachia nummularia
(monnayère, herbe aux écus)

Taille: *1,50 m (5 pi); fleur 2-3 cm (¾-1¼ po) de diam.*
Traits: *tiges rampantes; feuilles rondes opposées; fleurs jaunes à l'aisselle des feuilles.* **Habitat:** *bois humides.* **Floraison:** *juin-août.*

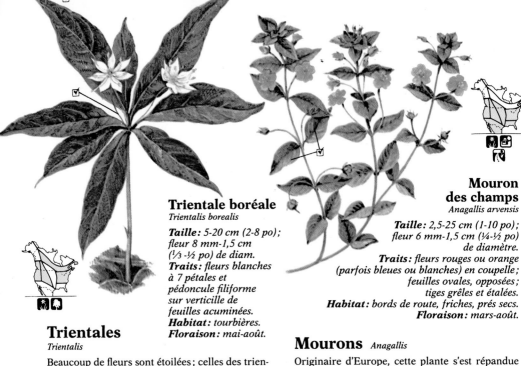

Trientale boréale
Trientalis borealis

Taille: *5-20 cm (2-8 po);
fleur 8 mm-1,5 cm
(⅓ -½ po) de diam.*
Traits: *fleurs blanches
à 7 pétales et
pédoncule filiforme
sur verticille de
feuilles acuminées.*
Habitat: *tourbières.*
Floraison: *mai-août.*

Trientales
Trientalis

Beaucoup de fleurs sont étoilées; celles des trientales le sont à double titre: elles se dressent au-dessus d'un verticille étoilé de feuilles acuminées. Comme plusieurs plantes printanières, les trientales font des réserves de nourriture avant l'hiver dans des tubercules souterrains charnus. La trientale à feuilles larges *(Trientalis latifolia)* qui croît dans l'Ouest a des fleurs roses.

Glaux maritime
Glaux

Bien qu'elle vive là où il y a beaucoup d'eau, cette plante de bord de mer (le seul glaux maritime au monde) ressemble à des plantes de désert par ses feuilles petites et charnues, faites pour supporter l'effet déshydratant du sel. Les téguments qui recouvrent les racines règlent le degré d'absorption de l'eau et permettent à la plante de pousser même en milieu très salé.

Mouron des champs
Anagallis arvensis

Taille: *2,5-25 cm (1-10 po);
fleur 6 mm-1,5 cm (¼-½ po)
de diamètre.*
Traits: *fleurs rouges ou orange
(parfois bleues ou blanches) en coupelle;
feuilles ovales, opposées;
tiges grêles et étalées.*
Habitat: *bords de route, friches, prés secs.*
Floraison: *mars-août.*

Mourons *Anagallis*

Originaire d'Europe, cette plante s'est répandue partout dans le monde. Elle a donné son nom à la célèbre série de romans d'aventures de la baronne Orczy intitulée *Le Mouron rouge* qui se déroulait sous la Révolution française. Sensibles aux changements atmosphériques, les fleurs se ferment au crépuscule, ne s'ouvrent pas par temps pluvieux et se referment si l'orage menace.

Hottonies *Hottonia*

Les graines de cette plante aquatique doivent germer à la fin de l'été et pousser sous l'eau durant l'automne et l'hiver. Au printemps, les fleurs font surface sur des tiges creuses remplies d'air; elles sont entourées sous l'eau d'une couronne de feuilles plumeuses. Les conditions nécessaires étant rarement réunies, la plante peut rester plusieurs années sans fleurir.

Hottonie gonflée
Hottonia inflata

Taille: *7,5-30 cm (3-12 po);
fleur 3-6 mm (⅛-¼ po)
de diamètre.* **Traits:**
*tiges hors de l'eau;
fleurs blanches aux
articulations des tiges;
feuilles plumeuses sous
l'eau.* **Habitat:** *eau
douce dormante.*
Floraison:
avril-juin.

Glaux maritime
Glaux maritima

Taille: *2,5-30 cm
(1-12 po); fleur 3 mm
(⅛ po) de diamètre.*
Traits: *fleurs blanches,
roses ou pourpres, solitaires
à l'aisselle des feuilles;
feuilles oblongues, opposées;
tiges gris-vert rampantes.*
Habitat: *grèves, marais salés.*
Floraison: *mai-juillet.*

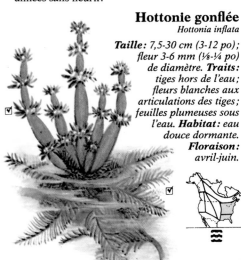

Sédums *Sedum*

Le sédum est capable de survivre en milieu aride — déserts, grèves rocheuses, toundra — parce qu'il emmagasine de l'eau dans ses feuilles succulentes. En outre, l'ouverture et la fermeture de ses pores foliaires obéissent à des règles opposées à la normale : ils laissent entrer la nuit l'oxyde de carbone dont la plante a besoin pour croître et se ferment le jour pour résister à la déshydratation. Ce système est si parfait que certaines espèces sont dites immortelles ; leurs feuilles demeurent fraîches longtemps après avoir été cueillies.

Orpin pourpre (grassette)
Sedum purpureum

Taille : 25-55 cm (10-22 po) ; fleur 6 mm-1,5 cm (¼-½ po) de diam. **Traits :** fleurs jaune-vert ou écarlates en gros bouquets terminaux ; feuilles charnues, dentées, ovales. **Habitat :** champs. **Floraison :** juillet-sept.

Orpin âcre (poivre de muraille)
Sedum acre

Taille : 2,5-7,5 cm (1-3 po) ; fleur 8 mm-1,5 cm (⅓ -½ po) de diam. **Traits :** tiges tapissantes ; feuilles succulentes, persistantes ; fleurs jaunes, étoilées, en petites grappes terminales ; tiges courtes. **Habitat :** rochers, murs, clairières sèches. **Floraison :** juin-juillet.

Orpin rose
Sedum rosea

Taille : 2,5-30 cm (1-12 po) ; fleur 6 mm-1,5 cm (¼-½ po) de diamètre. **Traits :** tiges tapissantes, dressées aux extrémités ; fleurs rouge-pourpre en grappes terminales ; feuilles charnues, ovales. **Habitat :** toundra, montagnes. **Floraison :** juillet-sept.

Penthorums *Penthorum*

Bien qu'il ressemble au sédum et appartienne à la même famille, le penthorum n'est pas une plante à organes succulents. Il vit surtout en sol détrempé et affectionne les fossés et les creux où l'eau s'accumule. Des trois espèces composant ce groupe, une seule, celle illustrée ici, est indigène en Amérique du Nord ; les autres viennent d'Asie.

Penthorum faux-orpin
Penthorum sedioides

Taille : 15-90 cm (6-36 po) ; fleur 6 mm-1,5 cm (¼-½ po) de diam. **Traits :** fleurs verdâtres à bouts crème en groupes denses sur des pédoncules nus ; feuilles lancéolées sur tiges érigées. **Habitat :** marais, fossés. **Floraison :** juin-oct.

Dudléyas *Dudleya*

Apparentées au sédum, ces plantes de l'Ouest peuvent vivre en milieu aride et plusieurs d'entre elles sont dites immortelles. C'est à leurs inflorescences qu'on les distingue. Chez les dudléyas, les fleurs poussent au sommet de tiges émergeant d'une rosette de feuilles près du sol, tandis que celles du sédum couronnent des tiges feuillues.

Dudléya des vallées
Dudleya cymosa

Taille : 10-20 cm (4-8 po) ; fleur 6 mm-1,5 cm (¼-½ po) de diam. **Traits :** fleurs jaunes ou rouge vif, campanulées, en grappes sur pédoncules nus ; feuilles larges, oblongues, en rosette serrée près du sol. **Habitat :** falaises rocheuses, champs d'armoise, bois clairs. **Floraison :** mars-juillet.

383

Saxifrages *Saxifraga*

On en connaît deux types: celles qui, comme la saxifrage de Virginie, poussent dans des endroits rocheux et semi-désertiques et celles qui demandent des terres fertiles et humides, comme la saxifrage de Chine *(Saxifraga stolonifera)*. La fleur reste épanouie tant que ne sont pas arrivées à maturité, l'une après l'autre, ses 10 ou 15 étamines. Chacune s'incline vers le centre pour libérer son pollen et cède ensuite sa place à la suivante.

Saxifrage de Virginie
Saxifraga virginiensis

Taille: 5-40 cm (2-16 po); fleur 6 mm (¼ po) de diamètre. **Traits:** fleurs blanches en grappes terminales sur pédoncules velus; feuilles coriaces, velues, près du sol. **Habitat:** falaises, collines. **Floraison:** avril-juin.

Mitrelles *Mitella*

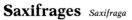
capsule de graines

Cette plante montre qu'en des temps reculés l'Asie et l'Amérique du Nord ne faisaient qu'un continent puisque la mitrelle est indigène chez les deux. La mitrelle nue *(Mitella nuda)*, par exemple, pousse dans l'est de l'Asie et dans l'ouest de l'Amérique. C'est sa capsule de graines en forme de mitre qui lui a donné son nom. Ses fleurs à pétales finement découpés ressemblent à des flocons de neige.

Mitrelle à deux feuilles
Mitella diphylla

Taille: 20-45 cm (8-18 po); fleur 3-6 mm (⅛-¼ po) de diamètre. **Traits:** fleurs crème, frangées, en épis lâches; feuilles lobées, dentées, groupées au sol (1 paire sur la tige); capsules de graines à deux pointes, en mitre. **Habitat:** bois fertiles. **Floraison:** avril-juin.

Parnassies *Parnassia*

Le Parnasse est un massif montagneux de la Grèce où cette plante ne pousse pas. Son nom résulte d'une série de confusions qui se sont produites entre le latin et le grec au cours des siècles sur la traduction du terme « plante verte ». Les diverses espèces se ressemblent, mais la parnassie frangée *(Parnassia fimbriata)* des montagnes de l'Ouest a les pétales ourlés d'une délicate dentelle froncée.

Parnassie frangée

Parnassie à feuilles glauques
Parnassia glauca

Taille: 10-63 cm (4-25 po); fleur 2-3 cm (¾-1¼ po) de diam. **Traits:** fleurs blanches rayées de vert; feuilles coriaces, cordiformes ou rondes, basales, une engainant le pied. **Habitat:** prés humides, tourbières. **Floraison:** juillet-octobre.

Tiarelles *Tiarella*

Comme la mitrelle à laquelle elle ressemble, la tiarelle pousse des deux côtés du Pacifique dans les endroits ombragés. Avec ses feuilles broyées, on préparait autrefois une infusion contre la fièvre. Au Japon, elle porte le nom de *zuda-yakushu*, ce qui signifie « qui soulage l'asthme ».

Tiarelle cordifoliée
Tiarella cordifolia

Taille: 10-30 cm (4-12 po); fleur 6 mm (¼ po) de diamètre. **Traits:** fleurs blanches à longues étamines, en épis plumeux; feuilles lobées, velues, basales. **Habitat:** bois humides, falaises ombragées. **Floraison:** avril-juin.

Ivésie de Gordon
Ivesia gordoni

Taille: *5-25 cm (2-10 po); fleur 3-6 mm (⅛-¼ po) de diamètre.*
Traits: *fleurs jaunes, étoilées, en grappes terminales sur tige filiforme; feuilles en forme de fougère, près du sol.*
Habitat: *pentes de montagne, crêtes, berges.*
Floraison: *juin-août.*

Ivésies *Ivesia*

La plupart des 20 espèces se trouvent dans la Sierra Nevada californienne. L'ivésie de Gordon fait exception; elle va vers le nord jusqu'aux monts Cascade dans l'Etat de Washington et vers l'est jusqu'aux Rocheuses du Colorado et du Montana.

Filipendule rouge
(reine des prés)
Filipendula rubra

Taille: *60 cm-1,80 m (2-6 pi); fleur 6 mm (¼ po) de diam.*
Traits: *fleurs roses en larges bouquets sur une haute tige; grandes feuilles dentées, très découpées.*
Habitat: *prairies humides, prés, marais.*
Floraison: *juin-août.*

Filipendules
Filipendula

Une seule espèce, la spectaculaire filipendule rouge, est indigène en Amérique du Nord. Les autres espèces, dont la courte filipendule des prés *(Filipendula ulmaria)*, ont été importées d'Europe et d'Asie.

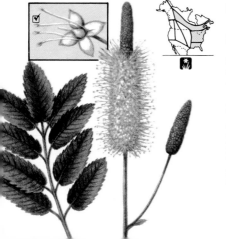

Fraisier de Virginie
(fraise des champs)
Fragaria virginiana

Taille: *5-25 cm (2-10 po); fleur 1,5-2 cm (½-¾ po) de diam.* **Traits:** *feuilles trifoliées velues; fleurs blanches; « baies » rouges.*
Habitat: *prés, clairières.* **Floraison:** *avril-juillet.*

Fraises *Fragaria*

« La fraise est une des plus aimables productions naturelles », écrivait Senancour au XVIIIᵉ siècle. Contrairement à ce qu'on dit, ce n'est pas un fruit, mais le centre pulpeux d'une fleur dont chaque graine est en réalité un fruit complet à une graine.

Spirée tomenteuse
Spiraea tomentosa

Taille: *60 cm-1,20 m (2-4 pi); fleur 3-6 mm (⅛-¼ po) de diamètre.*
Traits: *fleurs roses en bouquets terminaux denses; feuilles oblongues, dentées, laineuses dessous.*
Habitat: *champs humides, prés.*
Floraison: *juillet-sept.*

Spirées *Spiraea*

Ces plantes arbustives s'apparentent aux filipendules avec lesquelles on les confond souvent. Les spirées indigènes, telles que la spirée tomenteuse, qui sont moins remarquables que les plus grandes espèces importées d'Asie, sont néanmoins fort décoratives.

Sanguisorbe du Canada *Sanguisorba canadensis*

Taille: *60 cm-1,80 m (2-6 pi); fleur 3-6 mm (⅛-¼ po) de diamètre.*
Traits: *fleurs blanches à longues étamines, en épis plumeux; feuilles à nombreuses folioles dentées.*
Habitat: *terrains dégagés et humides.*
Floraison: *juin-octobre.*

Sanguisorbes *Sanguisorba*

C'est un truisme en botanique de dire que les fleurs sans pétales sont fertilisées par le vent; la sanguisorbe fait pourtant exception à cette règle. Abeilles, papillons et autres insectes sont attirés par les sépales colorés, les longues étamines et le parfum de ses fleurs. Plusieurs espèces eurasiennes poussent maintenant ici.

385

Potentille palustre (potentille des marais)
Potentilla palustris

Taille: 5-60 cm (4-24 po); fleur 2-2,5 cm (¾-1 po) de diamètre. **Traits:** fleurs cramoisies, étoilées, sur tiges grêles; feuilles à 5 ou 7 folioles dentées. **Habitat:** prés humides, marais, marécages. **Floraison:** juin-août.

Potentille ansérine
Potentilla anserina

Taille: jusqu'à 1,50 m (5 pi); fleur 1,5-2,5 cm (½-1 po) de diam. **Traits:** fleurs jaunes à pétales ovales, solitaires sur pédoncules grêles; tiges rampantes; feuilles avec 7 à 15 folioles dentées, velues, argentées dessous. **Habitat:** sable humide et dégagé, grèves, marais salés. **Floraison:** mai-septembre.

Potentille simple
Potentilla simplex

Taille: jusqu'à 90 cm (3 pi); fleur 6 mm-1,5 cm (¼-½ po) de diam. **Traits:** fleurs jaunes à pétales émoussés, solitaires sur pédoncules grêles; tiges rampantes; feuilles à 5 folioles dentées. **Habitat:** bois secs et clairs, prés. **Floraison:** avril-juin.

Potentille âcre
Potentilla arguta

Taille: 30-90 cm (1-3 pi); fleur 1,5-2 cm (½-¾ po) de diam. **Traits:** fleurs crème à centre jaune en bouquets terminaux peu serrés; tiges ramifiées; feuilles avec 7 à 11 folioles ovales et dentées. **Habitat:** bois secs et clairs, prairies. **Floraison:** juin-août.

Potentilles *Potentilla*

Les potentilles tireraient leur nom des propriétés médicinales puissantes d'une espèce, la potentille ansérine. Des 300 espèces dispersées dans le monde, plus du tiers croissent en Amérique du Nord. Comme plusieurs herbacées qui envahissent les terres nues là où d'autres membres de leur propre famille sont rares, les potentilles ont des fleurs qui produisent des graines viables avec ou sans fertilisation.

Benoîtes *Geum*

Lorsque les fleurs des benoîtes produisent des fruits, chaque petite graine en forme de noix garde le style, c'est-à-dire la petite tige qui prolonge l'ovaire et porte les stigmates. Chez la benoîte du Canada *(Geum canadense)*, les styles ont des crochets qui adhèrent à la fourrure des animaux. Chez la benoîte à trois fleurs, les styles plumeux sont disséminés par le vent.

Benoîte des ruisseaux *Geum rivale*

Taille: 30 cm-1,20 m (1-4 pi); fleur 1,5 cm (½ po) de diamètre. **Traits:** fleurs brun-pourpre, retombantes, terminales; tiges velues; fruits en barbes souples; feuilles velues, dentées, très découpées: à grande foliole terminale près du sol, à 3 lobes digités sur la tige. **Habitat:** prés humides, tourbières. **Floraison:** mai-août.

Benoîte à trois fleurs
Geum triflorum

fruit

Taille: 10-40 cm (4-16 po); fleur 6 mm-1,5 cm (¼-½ po) de diamètre. **Traits:** fleurs rouge-pourpre, urcéolées, retombantes; fruits à longs filaments plumeux; feuilles très découpées, dentées, lobées. **Habitat:** bords de lac, prés; sol calcaire. **Floraison:** avril-août.

Desmanthe de l'Illinois

Desmanthus illinoensis

Taille: 60 cm-1,80 m (2-6 pi); inflorescence 1,5 cm (½ po) de diam. **Traits:** fleurs minuscules, blanches, groupées en houppettes; feuilles bipennées à minuscules folioles; grappes de gousses. **Habitat:** prairies, pâturages, berges. **Floraison:** mai-septembre.

Desmanthes *Desmanthus*

Comme chez le mimosa auquel elles ressemblent, ces plantes arbustives ont un feuillage bipenné: chaque feuille porte de longs pétioles secondaires garnis d'un double rang de folioles minuscules. Les inflorescences en houppettes sont composées de 40 à 50 fleurons à cinq longues étamines.

Schrankie de Nuttall

Schrankia nuttallii

Taille: jusqu'à 1,20 m (4 pi); inflorescence 2-2,5 cm (¾-1 po) de diam. **Traits:** fleurs minuscules, roses, en houppettes; feuilles à nombreuses folioles minuscules; tiges rampantes à épines crochues. **Habitat:** prairies sèches. **Floraison:** mai-sept.

Schrankies *Schrankia*

Chaque foliole de cette plante porte à l'aisselle une petite vessie remplie d'eau. Le moindre froissement entraîne une chute de la pression osmotique; l'eau quitte les vessies et les folioles se replient. Le feuillage est si sensible qu'il réagit à des vibrations transmises d'une branche à l'autre.

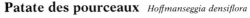

Patate des pourceaux *Hoffmanseggia densiflora*

Taille: 12,5-40 cm (5-16 po); fleur 1,5 cm (½ po) de diam. **Traits:** fleurs jaune et orange en épis dressés; feuilles en forme de fougère, surtout basales; gousses plates de 2,5 cm (1 po). **Habitat:** champs secs, broussailles; déserts à sol alcalin. **Floraison:** avril-septembre.

Patates des pourceaux *Hoffmanseggia*

Les renflements tuberculeux des racines sont comestibles et nourrissants, mais peu savoureux. Une espèce s'appelle en espagnol *camote de raton*, «patate de souris». Les Amérindiens du Sud-Ouest trouvaient cette plante précieuse, car elle pousse là où la nourriture est rare.

Cassies *Cassia*

Depuis toujours, on apprécie les vertus purgatives de la casse, pulpe tirée du fruit de la cassie. Les feuilles séchées de la cassie du Maryland ont le même effet; les apothicaires les utilisaient. Aujourd'hui, on lui préfère la cassie fistuleuse *(Cassia fistula)*, plus efficace et importée de l'Inde.

gousse

Cassie du Maryland

Cassia marilandica

Taille: 90 cm-1,80 m (3-6 pi); fleur 2-2,5 cm (¾-1 po) de diamètre. **Traits:** fleurs jaune vif à centre brun; 4 à 8 paires de folioles ovales sur chaque pétiole; gousses plates et segmentées. **Habitat:** fourrés, prairies. **Floraison:** juil.-août.

Cassie fasciculée

Cassia fasciculata

Taille: 15-75 cm (6-30 po); fleur 2-4 cm (¾-1½ po) de diam. **Traits:** fleurs jaune vif à centre brun; 6 à 18 paires de folioles sur chaque pétiole; petites gousses plates. **Habitat:** prés, champs, prairies. **Floraison:** juil.-sept.

Vesce jargeau
(jargeau)
Vicia cracca

Taille: *jusqu'à 1,80 m
(6 pi); fleur 6 mm-
1,5 cm (¼-½ po) de long.*
Traits: *tiges grimpantes
ou rampantes; fleurs
violettes ou bleues, sur un
côté de l'épi; feuilles
composées, terminées par 2
vrilles.* **Habitat:** *champs,
herbages.* **Floraison:** *mai-août.*

Vesces
Vicia

Vesce de l'Ancien Monde, la fève gourgane ou fève
des marais *(Vicia faba)* serait la plus ancienne
plante cultivée par l'homme; elle demeure une lé-
gumineuse d'hiver appréciée. Le jargeau est cultivé aussi comme fourrage ou pour enrichir la
terre: on l'enfouit alors dans le sol à l'automne.

Gesse japonaise
(gesse maritime)
Lathyrus japonicus

Taille: *60-90 cm
(2-3 pi); fleur 2-2,5 cm
(¾-1 po) de long.* **Traits:**
*plante rampante; fleurs
pourpres (bleu et blanc
à maturité), en bouquets;
feuilles composées, à
vrilles.* **Habitat:** *dunes.*
Floraison: *juin-août.*

Gesse
brilla▸

Gesses *Lathyrus*

Les gesses sont apparentées aux vesces. Les botanistes les distinguent par l'emplacement de petits
poils dans les fleurs. Elles sont souvent cultivées
comme plante de fourrage ou pour enrichir le sol,
ou encore, tel le pois de senteur *(Lathyrus odora-
tus)*, pour la beauté de leurs fleurs. La gesse brillante *(Lathyrus splendens)* croît en Californie.

Faux indigotier nain *Amorpha nana*

Taille: *30-90 cm
(1-3 pi); fleur 3-6 mm
(⅛-¼ po) de long.*
Traits: *fleurs
pourpres à longues
étamines jaunes,
en épis élancés;
feuilles à petites
folioles ovales.*
Habitat: *prairies
sèches.*
Floraison: *juin-juillet.*

Faux indigotiers *Amorpha*

Les plantes ont besoin d'azote, mais ne peuvent
l'absorber tel quel. Pour que les racines l'assimilent, il doit être fixé, c'est-à-dire converti en un
composé soluble dans l'eau. Les légumineuses,
comme le faux indigotier, ont des racines à nodules dans lesquels des nitrobacters transforment
les nitrites en nitrates. C'est pourquoi elles servent
à enrichir le sol quand on les enfouit.

Oxytropis des champs▸

Oxytropis brillant
Oxytropis splendens

Taille: *10-35 cm
(4-14 po); fleur 1,5 cm
(½ po) de long.*
Traits: *fleurs roses
ou bleues en épis
denses; plante
couverte de poils
soyeux blancs;
folioles en verticilles.*
Habitat: *prairies sèches,
prés, flancs de montagne.*
Floraison: *juin-août.*

Oxytropis *Oxytropis*

Ces plantes qui comprennent diverses astragales
renferment toutes une substance toxique, source
d'accoutumance, qui agit lentement. Les animaux
en mangent rarement; mais si la sécheresse ou la
carence d'herbes les y obligent, ils en contractent
l'habitude et continuent à consommer cette plante
alors même qu'ils ont mieux à manger. L'oxytropis des champs *(Oxytropis campestris)* est très répandu au Canada et dans le nord des Etats-Unis.

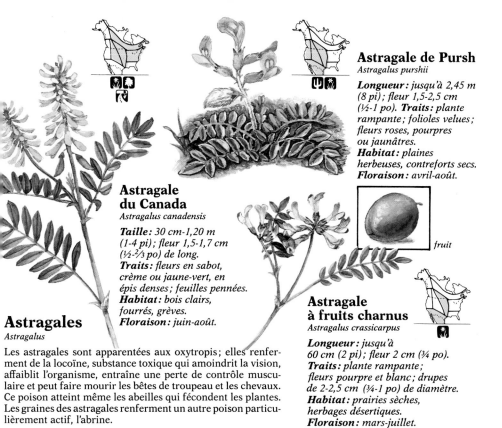

Astragale de Pursh
Astragalus purshii

Longueur : *jusqu'à 2,45 m (8 pi) ; fleur 1,5-2,5 cm (½-1 po).* **Traits :** *plante rampante ; folioles velues ; fleurs roses, pourpres ou jaunâtres.* **Habitat :** *plaines herbeuses, contreforts secs.* **Floraison :** *avril-août.*

fruit

Astragale du Canada
Astragalus canadensis

Taille : *30 cm-1,20 m (1-4 pi) ; fleur 1,5-1,7 cm (½-⅔ po) de long.* **Traits :** *fleurs en sabot, crème ou jaune-vert, en épis denses ; feuilles pennées.* **Habitat :** *bois clairs, fourrés, grèves.* **Floraison :** *juin-août.*

Astragale à fruits charnus
Astragalus crassicarpus

Longueur : *jusqu'à 60 cm (2 pi) ; fleur 2 cm (¾ po).* **Traits :** *plante rampante ; fleurs pourpre et blanc ; drupes de 2-2,5 cm (¾-1 po) de diamètre.* **Habitat :** *prairies sèches, herbages désertiques.* **Floraison :** *mars-juillet.*

Astragales
Astragalus

Les astragales sont apparentées aux oxytropis ; elles renferment de la locoïne, substance toxique qui amoindrit la vision, affaiblit l'organisme, entraîne une perte de contrôle musculaire et peut faire mourir les bêtes de troupeau et les chevaux. Ce poison atteint même les abeilles qui fécondent les plantes. Les graines des astragales renferment un autre poison particulièrement actif, l'abrine.

Théophrasies *Tephrosia*

Ces légumineuses sont toxiques pour les mammifères. Pourtant, de nombreuses espèces d'oiseaux mangent leurs graines. Les dindons sauvages en raffolaient à l'époque où ces volatiles abondaient. Les racines donnent de la roténone, substance insecticide dont se servaient les Amérindiens pour capturer les poissons.

Réglisses *Glycyrrhiza*

Les rhizomes de ces plantes donnent une substance aromatique bien connue en pharmacie et en confiserie. C'est l'espèce d'Europe, la réglisse glabre *(Glycyrrhiza glabra)*, qui est utilisée commercialement, mais les Amérindiens connaissaient déjà la réglisse sauvage et en consommaient les racines comme du bonbon.

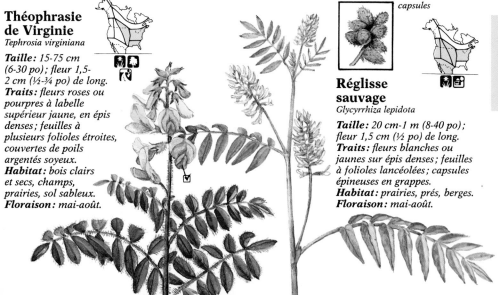

capsules

Théophrasie de Virginie
Tephrosia virginiana

Taille : *15-75 cm (6-30 po) ; fleur 1,5-2 cm (½-¾ po) de long.* **Traits :** *fleurs roses ou pourpres à labelle supérieur jaune, en épis denses ; feuilles à plusieurs folioles étroites, couvertes de poils argentés soyeux.* **Habitat :** *bois clairs et secs, champs, prairies, sol sableux.* **Floraison :** *mai-août.*

Réglisse sauvage
Glycyrrhiza lepidota

Taille : *20 cm-1 m (8-40 po) ; fleur 1,5 cm (½ po) de long.* **Traits :** *fleurs blanches ou jaunes sur épis denses ; feuilles à folioles lancéolées ; capsules épineuses en grappes.* **Habitat :** *prairies, prés, berges.* **Floraison :** *mai-août.*

Coronilles
Coronilla

Coronille bigarrée
Coronilla varia

Taille: 20 cm-1 m (8-40 po); fleur 1,5 cm (½ po) de diam.
Traits: fleurs roses en bouquets denses sur tiges rampantes; feuilles à nombreuses folioles ovales.
Habitat: champs, bords de route, berges.
Floraison: mai-sept.

Importée d'Europe comme couvre-sol, l'espèce s'est échappée dans la nature et ses jolies fleurs roses se voient maintenant fréquemment près des routes dans l'est de l'Amérique du Nord.

Lotier corniculé
Lotus corniculatus

Taille: 15-60 cm (6-24 po); fleur 1,5 cm (½ po) de diam.
Traits: fleurs jaunes ou orange en bouquets; plante dressée ou rampante; feuilles à 5 folioles, 3 au sommet du pétiole, 2 à la base.
Habitat: bords de route, prés, champs.
Floraison: juin-sept.

Lotiers *Lotus*

Les Grecs anciens ont donné à plusieurs plantes le nom de lotus; peut-être à celles-ci aussi. La plupart des lotiers indigènes d'Amérique du Nord ne poussent que dans l'Ouest; le lotier corniculé, très répandu, est venu d'Europe.

Crotalaires *Crotalaria*

Les graines adultes de cette plante, qui font un bruit rappelant celui du crotale quand on agite la capsule, remplacent le café si on les fait bouillir longtemps. Crues, elles sont mortelles.

Crotalaire sagittée
Crotalaria sagittalis

Taille: 15-40 cm (6-16 po); fleur 6 mm (¼ po) de diamètre.
Traits: fleurs jaunes à l'aisselle des feuilles; capsules vertes ou brunes, bruissant quand elles sont sèches. **Habitat:** champs secs, friches.
Floraison: juin-sept.

capsule sèche

Erythrines *Erythrina*

Ces plantes diffèrent des autres légumineuses car leurs fleurs sont dépourvues du pétale qui sert aux insectes de plate-forme. Aussi ce sont les oiseaux qui les fécondent. Les espèces répandues en Amérique du Nord attirent les colibris qui se plaisent à explorer leurs longues corolles tubulaires. En Afrique où il n'y a pas de colibri, la fleur présente ce fameux pétale marche-pied.

Erythrine cardinal
Erythrina herbacea

Taille: 60 cm-1,50 m (2-5 pi); fleur 4-5 cm (1½-2 po) de long.
Traits: fleurs rouge vif, tubulaires, en épis voyants; feuilles à 3 folioles sagittées.
Habitat: pinèdes, sol sableux, fourrés.
Floraison: avril-juin.

Faux lupin de montagne
Thermopsis montana

Taille: 30 cm-1,20 m (1-4 pi); fleur 1,5-2 cm (½-¾ po) de diamètre.
Traits: fleurs jaunes en épis souples; feuilles à 3 folioles arrondies sur pétioles filiformes et stipulés.
Habitat: prés humides, talus, clairières en montagne.
Floraison: mai-juillet.

Faux lupins
Thermopsis

Lupins et faux lupins se ressemblent, si ce n'est que les fleurs des premiers sont rarement jaunes. La meilleure façon de les distinguer, c'est de vérifier le nombre de leurs folioles. Il y en a toujours trois chez les faux lupins; chez les vrais, leur nombre varie mais il est toujours supérieur à trois.

Clitorie du Maryland
Clitoria mariana

Taille: *jusqu'à 1,80 m (6 pi); fleur 4-5 cm (1½-2 po) de diamètre.* **Traits:** *fleurs lavande; feuilles à 3 folioles; tiges rampantes ou grimpantes.* **Habitat:** *bois clairs et secs, clairières sableuses.* **Floraison:** *juin-août.*

Clitories
Clitoria

Une seule espèce de ces légumineuses tropicales s'est répandue en Amérique du Nord. Une autre, la clitorie odorante *(Clitoria fragrans)*, ne pousse qu'en Floride. La fleur se renverse à maturité de sorte que les insectes peuvent s'y poser.

Apios d'Amérique (patates en chapelet)
Apios americana

Taille: *1,20 m (4 pi); fleur 1,5 cm (½ po) de diam.* **Traits:** *fleurs pourpres à pétale supérieur réfléchi, en bouquets; folioles lancéolées; tiges grimpantes ou rampantes.* **Habitat:** *fourrés, lisières boisées.* **Floraison:** *juillet-sept.*

Apios *Apios*

Henry David Thoreau ayant perdu sa récolte de pommes de terre déterra des apios dans les bois et les fit rôtir comme avaient appris à le faire des Amérindiens les premiers arrivants. Il les trouva nourrissants et d'un goût délicat de noisette.

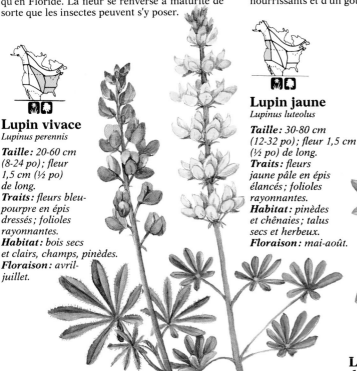

Lupin vivace
Lupinus perennis

Taille: *20-60 cm (8-24 po); fleur 1,5 cm (½ po) de long.* **Traits:** *fleurs bleu-pourpre en épis dressés; folioles rayonnantes.* **Habitat:** *bois secs et clairs, champs, pinèdes.* **Floraison:** *avril-juillet.*

Lupin jaune
Lupinus luteolus

Taille: *30-80 cm (12-32 po); fleur 1,5 cm (½ po) de long.* **Traits:** *fleurs jaune pâle en épis élancés; folioles rayonnantes.* **Habitat:** *pinèdes et chênaies; talus secs et herbeux.* **Floraison:** *mai-août.*

Lupin du Texas
Lupinus subcarnosus

Taille: *15-60 cm (6-24 po); fleur 1,5 cm (½ po) de long.* **Traits:** *fleurs bleues à centre blanc en épis souples; folioles rayonnantes.* **Habitat:** *prairies sèches du Texas.* **Floraison:** *avril-juin.*

Lupins *Lupinus*

La plupart des quelque 200 espèces de lupins se rencontrent dans les Etats du Sud-Ouest et sur la côte du Pacifique où leurs graines rondes et dures font les délices des colins et autre gibier à plume. Quelques-unes poussent dans le Sud et le Midwest, mais seul le lupin vivace est répandu dans le Nord-Est. (Ces limites s'effacent à mesure que les lupins cultivés dans les jardins s'échappent dans la nature.) Plusieurs renferment un alcaloïde nocif pour les ruminants, mais les effets sont graves uniquement si l'animal fait une grande consommation de feuilles ou s'il mange les graines qui, elles, sont très toxiques. Le lupin du Texas est l'emblème floral de cet Etat.

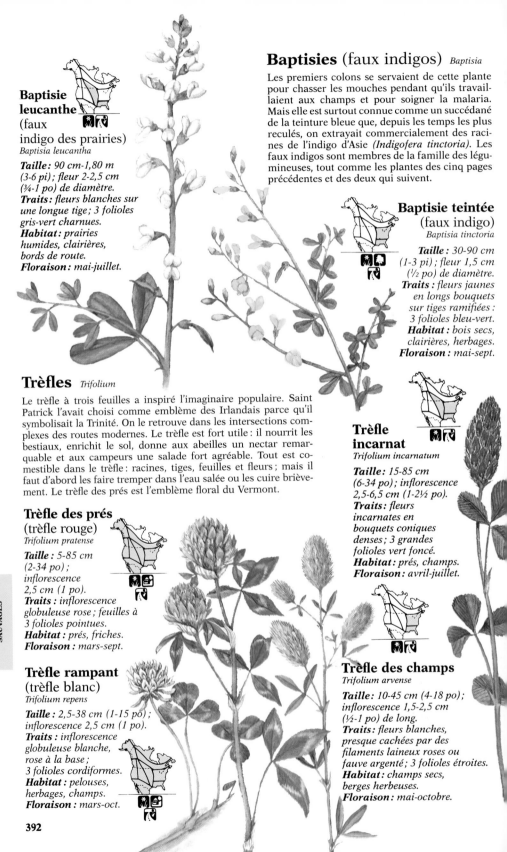

Baptisie leucanthe
(faux indigo des prairies)
Baptisia leucantha

Taille : 90 cm-1,80 m
*(3-6 pi) ; fleur 2-2,5 cm
(¾-1 po) de diamètre.*
Traits : *fleurs blanches sur
une longue tige ; 3 folioles
gris-vert charnues.*
Habitat : *prairies
humides, clairières,
bords de route.*
Floraison : *mai-juillet.*

Baptisies (faux indigos) *Baptisia*

Les premiers colons se servaient de cette plante
pour chasser les mouches pendant qu'ils travail-
laient aux champs et pour soigner la malaria.
Mais elle est surtout connue comme un succédané
de la teinture bleue que, depuis les temps les plus
reculés, on extrayait commercialement des racines de l'indigo d'Asie *(Indigofera tinctoria)*. Les
faux indigos sont membres de la famille des légumineuses, tout comme les plantes des cinq pages
précédentes et des deux qui suivent.

Baptisie teintée
(faux indigo)
Baptisia tinctoria

Taille : *30-90 cm
(1-3 pi) ; fleur 1,5 cm
(½ po) de diamètre.*
Traits : *fleurs jaunes
en longs bouquets
sur tiges ramifiées :
3 folioles bleu-vert.*
Habitat : *bois secs,
clairières, herbages.*
Floraison : *mai-sept.*

Trèfles *Trifolium*

Le trèfle à trois feuilles a inspiré l'imaginaire populaire. Saint
Patrick l'avait choisi comme emblème des Irlandais parce qu'il
symbolisait la Trinité. On le retrouve dans les intersections complexes des routes modernes. Le trèfle est fort utile : il nourrit les
bestiaux, enrichit le sol, donne aux abeilles un nectar remarquable et aux campeurs une salade fort agréable. Tout est comestible dans le trèfle : racines, tiges, feuilles et fleurs ; mais il
faut d'abord les faire tremper dans l'eau salée ou les cuire brièvement. Le trèfle des prés est l'emblème floral du Vermont.

Trèfle incarnat
Trifolium incarnatum

Taille : *15-85 cm
(6-34 po) ; inflorescence
2,5-6,5 cm (1-2½ po).*
Traits : *fleurs
incarnates en
bouquets coniques
denses ; 3 grandes
folioles vert foncé.*
Habitat : *prés, champs.*
Floraison : *avril-juillet.*

Trèfle des prés
(trèfle rouge)
Trifolium pratense

Taille : *5-85 cm
(2-34 po) ;
inflorescence
2,5 cm (1 po).*
Traits : *inflorescence
globuleuse rose ; feuilles à
3 folioles pointues.*
Habitat : *prés, friches.*
Floraison : *mars-sept.*

Trèfle des champs
Trifolium arvense

Taille : *10-45 cm (4-18 po) ;
inflorescence 1,5-2,5 cm
(½-1 po) de long.*
Traits : *fleurs blanches,
presque cachées par des
filaments laineux roses ou
fauve argenté ; 3 folioles étroites.*
Habitat : *champs secs,
berges herbeuses.*
Floraison : *mai-octobre.*

Trèfle rampant
(trèfle blanc)
Trifolium repens

Taille : *2,5-38 cm (1-15 po) ;
inflorescence 2,5 cm (1 po).*
Traits : *inflorescence
globuleuse blanche,
rose à la base ;
3 folioles cordiformes.*
Habitat : *pelouses,
herbages, champs.*
Floraison : *mars-oct.*

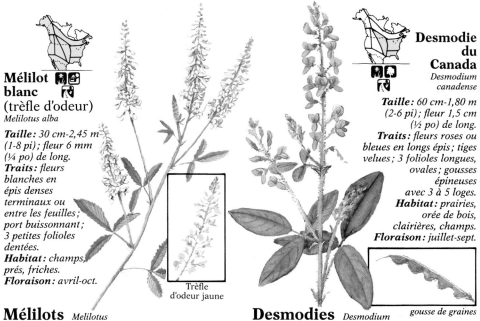

Mélilot blanc
(trèfle d'odeur)
Melilotus alba

Taille: *30 cm-2,45 m (1-8 pi); fleur 6 mm (¼ po) de long.*
Traits: *fleurs blanches en épis denses terminaux ou entre les feuilles; port buissonnant; 3 petites folioles dentées.*
Habitat: *champs, prés, friches.*
Floraison: *avril-oct.*

Trèfle d'odeur jaune

Desmodie du Canada
Desmodium canadense

Taille: *60 cm-1,80 m (2-6 pi); fleur 1,5 cm (½ po) de long.*
Traits: *fleurs roses ou bleues en longs épis; tiges velues; 3 folioles longues, ovales; gousses épineuses avec 3 à 5 loges.*
Habitat: *prairies, orée de bois, clairières, champs.*
Floraison: *juillet-sept.*

gousse de graines

Mélilots *Melilotus*

Comme bien des trèfles de pelouses et de prés *(Trifolium)*, le mélilot est une plante importée d'Europe qui s'est répandue partout en Amérique du Nord. Le mélilot blanc et le mélilot officinal *(Melilotus officinalis)* ou trèfle d'odeur jaune servent à nourrir les bestiaux et à enrichir les sols; les abeilles les fréquentent. Et le parfum du trèfle d'odeur est d'une douceur sans pareille.

Desmodies *Desmodium*

Les gousses de cette plante sont remarquables. Chaque loge, couverte de poils en forme de barbe, renferme une graine; ces poils s'accrochent avec ténacité aux vêtements, aux lacets de chaussures, à la fourrure des animaux, à toute surface qui n'est pas lisse. C'est ainsi que les graines voyagent loin de la plante mère et diminuent la concurrence entre membres de la même espèce.

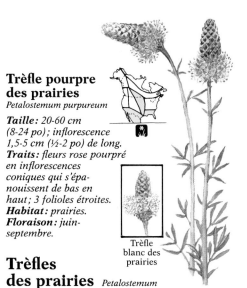

Trèfle pourpre des prairies
Petalostemum purpureum

Taille: *20-60 cm (8-24 po); inflorescence 1,5-5 cm (½-2 po) de long.*
Traits: *fleurs rose pourpré en inflorescences coniques qui s'épanouissent de bas en haut; 3 folioles étroites.*
Habitat: *prairies.*
Floraison: *juin-septembre.*

Trèfle blanc des prairies

Trèfles des prairies *Petalostemum*

La plupart des trèfles des prairies ne poussent que dans les hautes plaines des Etats et provinces de l'Ouest. Le trèfle pourpre des prairies et le trèfle blanc des prairies *(Petalostemum candidum)* sont les plus répandus. Ils résistent à la sécheresse en allant chercher loin dans le sol, avec leurs longues racines, l'eau dont ils ont besoin.

Lespédézie à capitules ronds
Lespedeza capitata

Taille: *30 cm-1,20 m (1-4 pi); fleur 6 mm-1,5 cm (¼-½ po) de long.*
Traits: *plante argentée, velue; 3 folioles très serrées; fleurs crème à macules rouges ou brunes, en bouquets hérissés.*
Habitat: *champs secs, clairières, prairies.*
Floraison: *juillet-septembre.*

Lespédézies
Lespedeza

On trouve une vingtaine de lespédézies en Amérique du Nord dont quatre ou cinq venues d'ailleurs; leur nombre est difficile à déterminer, car elles s'hybrident facilement. La plante est appréciée comme pâture et comme fourrage; c'est l'une des meilleures pour améliorer la teneur des sols secs en azote. Les colins se délectent des graines de certaines espèces.

Glycine arbustive
Wisteria frutescens

Taille: *jusqu'à 15 m (50 pi); fleur 6 mm-2 cm (¼-¾ po) de long.* **Traits:** *fleurs bleu-pourpre en grappes retombantes; feuilles vert foncé (rosées jeunes) à folioles oblongues et pointues.* **Habitat:** *fourrés, terres d'alluvion, bois humides, berges.* **Floraison:** *mars-mai.*

Glycines
Wisteria

Les deux espèces indigènes, la glycine arbustive et la glycine du Kentucky *(Wisteria macrostachya)* qui lui ressemble, ne sont ni aussi spectaculaires, ni aussi rustiques que l'espèce importée d'Orient qui décore des jardins. Mais ce sont toutes de vigoureux grimpants dont les tiges ligneuses atteignent un diamètre important au fil des ans.

Arbre à chapelets
Abrus precatorius

Longueur: *jusqu'à 3 m (10 pi); fleur 1,5-2 cm (½-¾ po).* **Traits:** *fleurs roses en grappes; feuilles très découpées; gousses brunes à graines rouge et noir.* **Habitat:** *bois, bords de route, fourrés.* **Floraison:** *mars-juillet.*

gousse éclatée

Arbres à chapelets
Abrus

Les graines écarlates à bout noir de ces plantes servaient à confectionner chapelets et bijoux. Elles sont très vénéneuses. Il suffit d'une graine avalée pour tuer un adulte. Des enfants sont morts d'en avoir tout simplement sucé. La seule espèce indigène ici pousse en Floride seulement.

Luzerne cultivée
Medicago sativa

Taille: *30-90 cm (1-3 pi); fleur 1,5 cm (½ po) de long.* **Traits:** *plante dressée ou rampante; fleurs pourpres ou jaunâtres en grappes lâches; fruits en tire-bouchon; feuilles trifoliées.* **Habitat:** *champs, friches.* **Floraison:** *mai-octobre.*

Luzernes *Medicago*

Plusieurs espèces de légumineuses importées d'Europe pour l'agriculture se sont échappées dans la nature partout en Amérique du Nord. La luzerne est l'une de celles qui se sont domestiquées le plus rapidement. Heureuse dans une terre bien égouttée et non acide, elle demeure l'une des plantes préférées au monde pour le fourrage et l'enrichissement des sols.

Kudzu
Pueraria lobata

Taille: *23 m (75 pi); fleur 2-2,5 cm (¾-1 po) de long.* **Traits:** *plante grimpante et étalée; feuille à 3 folioles ovales et pointues; fleurs rouge-pourpre, à parfum rasiné, en longs épis.* **Habitat:** *haies, bois; envahissante.* **Floraison:** *août-septembre.*

Kudzus
Pueraria

maison abandonnée, couverte de kudzu

Cette plante à croissance rapide a été importée du Japon en 1911 pour freiner l'érosion des terres et enrichir les sols en azote. Elle avait bien des atouts: des racines comestibles, une écorce fibreuse robuste, des feuilles utiles pour nourrir bestiaux et volaille. Sauf que dans le climat chaud et humide du Sud-Est, le kudzu s'est mis à envahir forêts, champs et lieux habités au rythme de 30 m (100 pi) par an; on ne l'a pas encore maîtrisé.

Epilobes *Epilobium*

Ces membres de la famille des onagres ont des feuilles de saule et aiment les sols humides. Leur nom de « bouquets rouges » vient de leurs inflorescences aux couleurs vives. L'épilobe, emblème floral du Yukon, stabilise le sol et enclenche un nouveau cycle végétal dans les terres dévastées par des incendies.

Epilobe à feuilles étroites
Epilobium angustifolium

Taille: 60 cm-1,80 m (2-6 pi); fleur 2-4 cm (¾-1½ po) de diamètre. **Traits:** fleurs roses, en épis longs; longues gousses fines se couvrant de duvet à maturité; feuilles lancéolées. **Habitat:** terres brûlées, clairières, lieux dégagés. **Floraison:** juillet-septembre.

gousse de graines

Zauschnérie (fuchsia) de Californie
Zauschneria californica

Taille: 10-95 cm (4-38 po); fleur 2,5-4 cm (1-1½ po) de long. **Traits:** fleurs rouge vif ou orangé, en entonnoir, sur épis feuillus; feuilles lancéolées, gris-vert, duveteuses. **Habitat:** champs d'armoise, maquis, falaises, lits rocheux de cours d'eau. **Floraison:** août-octobre.

Zauschnéries *Zauschneria*

Comme la plupart des fleurs tubulaires rouge vif, ces plantes indigènes de la côte Ouest sont fertilisées surtout par les colibris. Le fuchsia de Californie se plaît dans des lieux apparemment inhospitaliers, comme les basses terres désertiques ou les crêtes rocheuses arides. Son aspect varie un peu selon son habitat.

Clarkies *Clarkia*

Les clarkies fascinent les botanistes qui s'intéressent à l'évolution des espèces à cause de la rapidité avec laquelle elles se transforment en vertu d'une implacable sélection naturelle. L'ancêtre des clarkies vivait en sol humide. Or, ses descendants peuplent maintenant les contreforts de la Sierra Nevada où d'intenses sécheresses alternent avec des pluies diluviennes. Durant les périodes sèches, certaines espèces disparaissent complètement. Mais de nouvelles formes mieux adaptées apparaissent et s'installent avec succès dans les mêmes régions arides.

Clarkie pourpre *Clarkia purpurea*

Taille: 10-60 cm (4-24 po); fleur 2,5-5 cm (1-2 po) de diamètre. **Traits:** fleurs pourpres, lavande ou rougeâtres (souvent à macules foncées); feuilles ovales ou lancéolées. **Habitat:** bois secs et clairs, brousse. **Floraison:** avril-juillet.

Clarkie gracieuse
Clarkia amoena

Taille: 30-90 cm (1-3 pi); fleur 4-6,5 cm (1½-2½ po) de diamètre. **Traits:** fleurs voyantes, rose et blanc (souvent maculées de rouge); feuilles rubanées; port dressé ou rampant. **Habitat:** brousse côtière, orée de forêt (chênes, séquoias toujours-verts), maquis. **Floraison:** juin-août.

Clarkie jolie
Clarkia pulchella

Taille: 10-50 cm (4-20 po); fleur 2,5-5 cm (1-2 po) de diamètre. **Traits:** fleurs roses ou pourpres, à 4 pétales curieusement lobés; feuilles rubanées. **Habitat:** plaines sèches. **Floraison:** juin-juillet.

FLEURS SAUVAGES

395

Onagre des prairies
Oenothera albicaulis

Taille: 20-60 cm (8-24 po); fleur 2,5-7,5 cm (1-3 po) de diamètre.
Traits: fleurs blanches virant au rose, à 4 pétales cordiformes; feuilles inférieures spatulées, supérieures très découpées.
Habitat: prairies sèches, plaines. **Floraison:** mai-juillet (le soir).

Onagre du Texas *Oenothera triloba*

Taille: 5-25 cm (2-10 po); fleur 2-4 cm (¾-1½ po) de diamètre.
Traits: fleurs jaunes sur pédoncules nus; feuilles comme celles du pissenlit, en rosette près du sol.
Habitat: prairies humides, clairières.
Floraison: février-juillet (le soir).

Onagre du Missouri
Oenothera missouriensis

Taille: 15-50 cm (6-20 po); fleur 5-10 cm (2-4 po) de diamètre.
Traits: fleurs jaunes, voyantes, solitaires, sur pétiole dépassant les feuilles lancéolées.
Habitat: prairies sèches, talus dégagés et rocheux.
Floraison: mai-sept. (le soir).

fleur le jour

Onagre bisannuel
Oenothera biennis

Taille: 30 cm-1,80 m (1-6 pi); fleur 2,5-5 cm (1-2 po) de diamètre.
Traits: fleurs jaunes en corymbes terminaux sur tiges velues, rougeâtres; feuilles opposées, lancéolées.
Habitat: champs, friches. **Floraison:** juin-octobre (le soir).

Onagre blanc
Oenothera speciosa

Taille: 20-75 cm (8-30 po); fleur 5-9 cm (2-3½ po) de diamètre.
Traits: fleurs roses ou blanches; feuilles lancéolées ou rubanées; port dressé ou rampant.
Habitat: champs, prairies, herbages secs.
Floraison: avril-juillet (le jour).

Onagres *Oenothera*

Cette plante tiendrait son nom français du latin *onagrus* qui veut dire « âne sauvage », sans doute parce que ces animaux avaient un faible pour elle. Son nom latin aurait été donné par Pline à un épilobe; il est composé de deux mots grecs: *oinos*, qui veut dire « vin », et *théro*, qui veut dire « conserver », sans doute parce que ses racines ont une odeur de vin lorsqu'elles sont sèches. Les onagres fleurissent généralement en fin d'après-midi; au matin, leurs inflorescences se fanent et la tige se met en devoir de produire de nouveaux boutons qui, à leur tour, s'épanouiront au coucher du soleil.

FLEURS SAUVAGES

Salicaire pourpre (lythrum salicaire)
Lythrum salicaria

Taille : 60 cm-1,50 m (2-5 pi) ; fleur 1,5-2 cm (½-¾ po) de diam. **Traits :** fleurs roses ou magenta en longs épis souples ; feuilles lancéolées, par 2 ou 3 sur des tiges robustes. **Habitat :** marais, bords d'étang, prés humides, fossés. **Floraison :** juin-sept.

Lythrums
Lythrum

Il y a plusieurs espèces indigènes en Amérique du Nord, mais aucune n'est aussi grosse, aussi spectaculaire et aussi envahissante que la salicaire, qui nous vient d'Europe. Ses souples épis pourprés se rencontrent souvent en colonies denses au Canada et aux Etats-Unis.

Gui d'Amérique
Phoradendron flavescens

Taille : 15-75 cm (6-30 po) ; baies, 3-6 mm (⅛-¼ po) de diam. **Traits :** touffes arrondies sur branches d'arbre ; feuilles coriaces, spatulées ; fleurs verdâtres ; baies blanches. **Habitat :** branches d'arbre. **Floraison :** mai-juillet.

Faux gui *Phoradendron*

Lorsque l'Oklahoma adopta le faux gui comme emblème floral en 1893, il rejoignait une tradition aussi antique que la mythologie. Depuis des millénaires, ces plantes persistantes et parasitaires et leur cousin d'Europe, le vrai gui *(Viscum)*, ont symbolisé les aspirations et les craintes de l'humanité.

Cornouiller quatre-temps (cornouiller du Canada)
Cornus canadensis

Taille : 2,5-30 cm (1-12 po) ; inflorescence 2-4 cm (¾-1½ po) de diam. **Traits :** minuscules bouquets de fleurons verts sur 4 bractées blanches ; verticilles de feuilles dessous ; grappes de fruits rouges. **Habitat :** bois fertiles, tourbières. **Floraison :** mai-juillet.

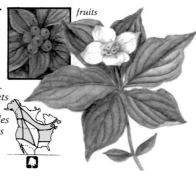

fruits

Cornouillers *Cornus*

Le cornouiller quatre-temps fait partie d'un groupe ligneux et dressé (voir Arbres et arbustes), dont il a les bractées voyantes des bouquets floraux et les verticilles de feuilles lustrées.

Quadrettes *Rhexia*

Ces fleurs bien nommées se composent de quatre grands pétales entourant un groupe voyant de huit longues étamines jaunes. Elles n'ont pas les stigmates en croix qui caractérisent les onagres. Leurs fruits ont la forme d'un pichet.

Quadrette du Maryland
Rhexia mariana

Taille : 20-60 cm (8-25 po) ; fleur 2-4 cm (¾-1½ po) de diam. **Traits :** fleurs lavande ou blanches à étamines falciformes ; plante velue ; fruits urcéolés, épineux. **Habitat :** champs, prés, pinèdes. **Floraison :** juin-septembre.

Quadrette de Virginie
Rhexia virginica

Taille : 10-90 cm (4-36 po) ; fleur 2-3 cm (¾-1¼ po) de diam. **Traits :** fleurs roses ou marron à étamines infléchies ; fruits urcéolés, épineux ; tiges carrées à 4 crêtes. **Habitat :** prés humides, tourbières, pinèdes. **Floraison :** juillet-septembre.

fruit

FLEURS SAUVAGES

397

Célastre grimpant (bourreau des arbres)
Celastrus scandens

Taille: *jusqu'à 15 m (50 pi); fleur 3 mm (⅛ po) de diam.* **Traits:** *tiges grimpantes ou rampantes; fleurs verdâtres en grappes; capsules orange à graines rouges charnues à maturité.* **Habitat:** *bois, champs.* **Floraison:** *mai-juin.*

Célastres
Celastrus

Les fruits rouges et charnus des célastres en font leur attrait principal. Comme on les cueille pour la vente, la plante se fait maintenant rare. Une seule espèce est indigène, mais une espèce ornementale importée, le célastre à feuilles rondes *(Celastrus orbiculatus)*, très envahissante, pousse maintenant à l'état sauvage dans l'Est.

Pachysandre rampant
Pachysandra procumbens

Taille: *15-30 cm (6-12 po); fleur 6 mm (¼ po) de long.* **Traits:** *feuilles maculées, en verticilles; fleurs blanc verdâtre, en épis.* **Habitat:** *bois denses, clairières.* **Floraison:** *mars-mai.*

Pachysandres   *Pachysandra*

Le pachysandre rampant, plante indigène, est persistant dans le Sud-Est, mais dans le Nord ses organes aériens meurent à l'automne. Le pachysandre du Japon *(Pachysandra terminalis)* est un couvre-sol importé pour les jardins. L'absence de latex les distingue des euphorbes.

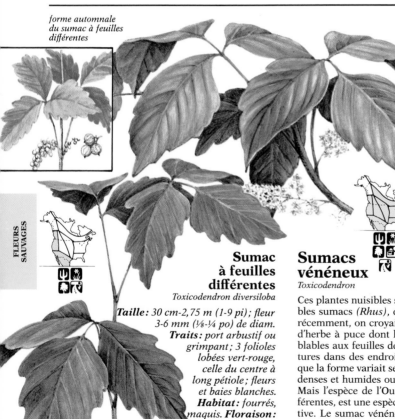

forme automnale du sumac à feuilles différentes

Herbe à puce
Toxicodendron rydbergii (Rhus radicans var. rydbergii)

Taille : *jusqu'à 30 m (100 pi); fleur 3 mm (⅛ po) de diam.* **Traits :** *port grimpant ou arbustif; 3 folioles vert luisant l'été, rouge vif l'automne (dentées, à marge lisse ou très lobées), celle du centre à long pétiole; fleurs verdâtres en grappes lâches; grappes de baies blanches (automne et hiver).* **Habitat :** *bois, champs, haies.* **Floraison :** *mai-juillet.*

Sumac à feuilles différentes
Toxicodendron diversiloba

Taille: *30 cm-2,75 m (1-9 pi); fleur 3-6 mm (⅛-¼ po) de diam.* **Traits:** *port arbustif ou grimpant; 3 folioles lobées vert-rouge, celle du centre à long pétiole; fleurs et baies blanches.* **Habitat:** *fourrés, maquis.* **Floraison:** *avril-juin.*

Sumacs vénéneux
Toxicodendron

Ces plantes nuisibles sont apparentées aux véritables sumacs *(Rhus)*, qui sont inoffensifs. Jusqu'à récemment, on croyait qu'il existait deux espèces d'herbe à puce dont l'une avait des folioles semblables aux feuilles de chêne. On planta des boutures dans des endroits différents et on constata que la forme variait selon l'environnement : forêts denses et humides ou habitats secs et ensoleillés. Mais l'espèce de l'Ouest, le sumac à feuilles différentes, est une espèce distincte, de forme arbustive. Le sumac vénéneux *(Toxicodendron vernix)*, qui pousse dans l'Est, est un arbuste (voir p. 329).

Cnidoscolus à poils urticants
Cnidoscolus stimulosus

Taille : *30 cm-1,20 m (1-4 pi) ;*
fleur 2,5 cm (1 po) de diamètre.
Traits : *fleurs mâles blanc crème, évasées*
en trompette, jointes à des fleurs femelles
petites et verdâtres ; feuilles très découpées,
lobées, tachetées ; plante couverte de
poils urticants. **Habitat :** *dunes, buttes, pinèdes,*
plaines côtières. **Floraison :** *février-novembre.*

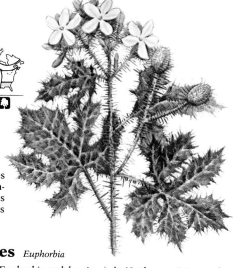

Cnidoscolus *Cnidoscolus*

Les feuilles, les tiges et même les fleurs de ces cousines
des euphorbes sont couvertes de poils urticants semblables à ceux de l'ortie *(Urtica)*, comme des seringues
hypodermiques pleines d'un acide irritant. Les piqûres
provoquent enflure et démangeaisons.

Euphorbes *Euphorbia*

Le poinsettie *(Euphorbia pulcherrima)* de Noël est originaire des
forêts tropicales du Mexique et de l'Amérique centrale ; la couronne
de Jérusalem *(Euphorbia milii)* vient de Madagascar. Plusieurs
plantes épineuses des déserts d'Afrique et d'Asie appartiennent à ce
groupe qui comprend quelque 1 700 espèces. La plupart des euphorbes renferment un latex amer, irritant pour la peau, vénéneux
à l'ingestion. Certaines espèces, comme l'admirable euphorbe mar-
ginée, sont si toxiques que les abeilles qui en butinent les fleurs produisent un miel empoisonné.

inflorescence

Euphorbe cyprès
(rhubarbe des pauvres)
Euphorbia marginata

Taille : *20-75 cm (8-30 po) ;*
inflorescence 6 mm-1,5 cm (¼-½ po)
de diam. **Traits :** *inflorescences*
aplaties, à multiples fleurons entre
2 bractées jaunes; feuilles en aiguilles.
Habitat : *prés.* **Floraison :** *mars-sept.*

Euphorbe prostrée
(pourpier laiteux)
Euphorbia supina

inflorescence

Taille : *jusqu'à*
90 cm (3 pi) ; fleurs
minuscules. **Traits :** *tiges*
tapissantes ; feuilles vertes
maculées de pourpre ;
inflorescences axillaires.
Habitat : *sable, cailloux,*
champs, friches.
Floraison : *mai-sept.*

Euphorbe marginée
(panachée)
Euphorbia marginata

Taille : *15-90 cm (6-36 po) ;*
inflorescences minuscules.
Traits : *inflorescences*
verdâtres sur bractées
blanches ; feuilles vert
pâle à marge blanche.
Habitat : *plaines,*
friches, champs.
Floraison : *juin-oct.*

Euphorbe hétérophylle
(poinsettie sauvage)
Euphorbia heterophylla

Taille : *15-90 cm*
(6-36 po) ; inflorescence
6 mm (¼ po) de diam.
Traits : *fleurs vertes*
entre des bractées
rouges ; feuilles
maculées de rouge.
Habitat : *clairières*
humides. **Floraison :** *juin-sept.*

Vignes *Vitis*

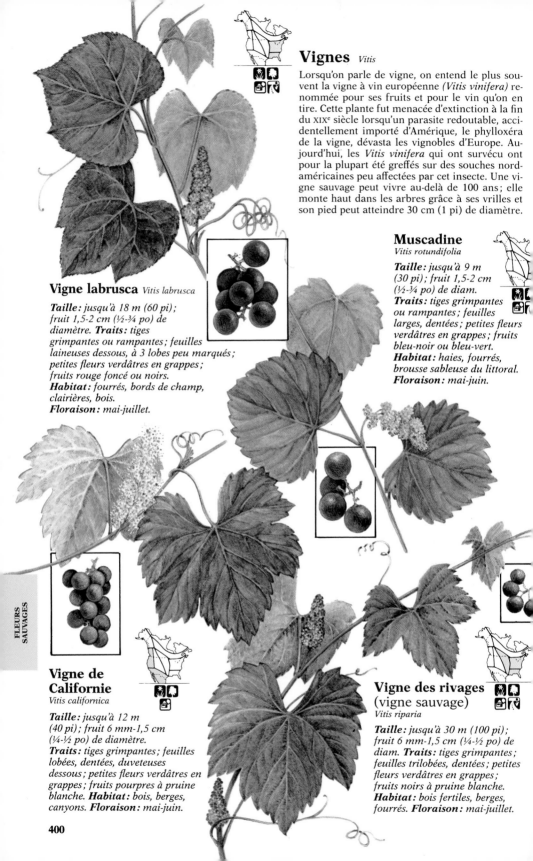

Lorsqu'on parle de vigne, on entend le plus souvent la vigne à vin européenne *(Vitis vinifera)* renommée pour ses fruits et pour le vin qu'on en tire. Cette plante fut menacée d'extinction à la fin du XIXᵉ siècle lorsqu'un parasite redoutable, accidentellement importé d'Amérique, le phylloxéra de la vigne, dévasta les vignobles d'Europe. Aujourd'hui, les *Vitis vinifera* qui ont survécu ont pour la plupart été greffés sur des souches nord-américaines peu affectées par cet insecte. Une vigne sauvage peut vivre au-delà de 100 ans; elle monte haut dans les arbres grâce à ses vrilles et son pied peut atteindre 30 cm (1 pi) de diamètre.

Vigne labrusca *Vitis labrusca*

Taille: *jusqu'à 18 m (60 pi); fruit 1,5-2 cm (½-¾ po) de diamètre.* **Traits:** *tiges grimpantes ou rampantes; feuilles laineuses dessous, à 3 lobes peu marqués; petites fleurs verdâtres en grappes; fruits rouge foncé ou noirs.* **Habitat:** *fourrés, bords de champ, clairières, bois.* **Floraison:** *mai-juillet.*

Muscadine
Vitis rotundifolia

Taille: *jusqu'à 9 m (30 pi); fruit 1,5-2 cm (½-¾ po) de diam.* **Traits:** *tiges grimpantes ou rampantes; feuilles larges, dentées; petites fleurs verdâtres en grappes; fruits bleu-noir ou bleu-vert.* **Habitat:** *haies, fourrés, brousse sableuse du littoral.* **Floraison:** *mai-juin.*

Vigne de Californie
Vitis californica

Taille: *jusqu'à 12 m (40 pi); fruit 6 mm-1,5 cm (¼-½ po) de diamètre.* **Traits:** *tiges grimpantes; feuilles lobées, dentées, duveteuses dessous; petites fleurs verdâtres en grappes; fruits pourpres à pruine blanche.* **Habitat:** *bois, berges, canyons.* **Floraison:** *mai-juin.*

Vigne des rivages (vigne sauvage)
Vitis riparia

Taille: *jusqu'à 30 m (100 pi); fruit 6 mm-1,5 cm (¼-½ po) de diam.* **Traits:** *tiges grimpantes; feuilles trilobées, dentées; petites fleurs verdâtres en grappes; fruits noirs à pruine blanche.* **Habitat:** *bois fertiles, berges, fourrés.* **Floraison:** *mai-juillet.*

Parthénocisses *Parthenocissus*

Ce cousin de la vigne a deux façons de grimper : avec ses vrilles ou avec ses racines modifiées à disques adhésifs. Les fruits de la vigne vierge sont vénéneux pour les humains, mais non pour les oiseaux chanteurs et plusieurs animaux qui s'en délectent à l'automne et en hiver. Le lierre de Boston *(Parthenocissus tricuspidata)*, qui vient d'Asie en dépit de son nom, se place dans ce groupe.

Parthénocisse à cinq folioles (vigne vierge)
Parthenocissus quinquefolia

Taille : jusqu'à 45 m (150 pi) ; fruit 1,5 cm (½ po) de diam. **Traits :** tiges grimpantes ou rampantes ; feuilles à 3 ou 5 folioles pétiolées, vertes l'été, rouges l'automne ; petites fleurs verdâtres en grappes ; fruits bleu foncé. **Habitat :** bois fertiles, berges, fourrés. **Floraison :** juin-août.

Géraniums *Geranium*

Plusieurs géraniums sont appelés « becs-de-grue » à cause de la forme de leurs fruits. Ce sont des gousses qui ont une façon bien à elles de disséminer leurs graines. A maturité, elles sèchent et se contractent, créant une tension croissante à l'intérieur jusqu'à ce que tout explose. Les cinq loges se séparent d'un seul coup et leur base spatulée catapulte les graines jusqu'à 7 m (22 pi). Le géranium cultivé appartient à un groupe apparenté, celui des *Pelargonium*.

Géranium maculé
Geranium maculatum

Taille : 30-90 cm (1-3 pi) ; fleur 2,5-4 cm (1-1½ po) de diam. **Traits :** fleurs à 5 pétales pourpres ou roses, en grappes lâches ; feuilles opposées, dentées, profondément divisées ; fruits en bec-de-grue. **Habitat :** clairières, bois clairs. **Floraison :** avril-juin.

Géranium de Richardson
Geranium richardsonii

Taille : 30-90 cm (1-3 pi) ; fleur 2-2,5 cm (¾-1 po) de diamètre.
Traits : fleurs gémellées à 5 pétales blancs ou roses veinés de pourpre ; feuilles à lobes en losange ; tiges velues ; fruits en bec-de-grue. **Habitat :** prés en montagne, canyons, pinèdes humides. **Floraison :** mai-août.

Géranium de Robert
Geranium robertianum

Taille : 10-60 cm (4-24 po) ; fleur 6 mm-1,5 cm (¼-½ po) de diamètre.
Traits : fleurs roses ou pourpres à 5 pétales, très abondantes ; feuilles à folioles lobées ; tiges velues ; fruits en bec-de-grue. **Habitat :** berges, fossés, bois, clairières. **Floraison :** mai-octobre.

Impatiente du Cap
Impatiens capensis

Taille: *30 cm-2,45 m (1-8 pi);
fleur 2-2,5 cm (¾-1 po) de long.*
Traits: *fleurs jaunes à macules
rouges, orange ou brunes, en
forme de trompe, sur pédoncules grêles; plante buissonnante
à tiges succulentes.*
Habitat: *bois tourbeux;
berges, clairières.*
Floraison: *juin-septembre.*

Impatiente pâle

Impatientes   *Impatiens*

Le fruit de l'impatiente est une capsule à cinq loges; à maturité, le moindre attouchement le fait
s'ouvrir brusquement en cinq valves qui s'enroulent en spirale et lancent la graine au loin. C'est
cette propriété qui a donné son nom au genre, *Impatiens noli tangere* (ne me touchez pas), et non le
fait qu'il serait épineux, urticant ou doté d'huile
toxique. Au contraire: le jus de l'impatiente du
Cap et de l'impatiente pâle *(Impatiens pallida),*
dans l'Est et le Midwest, renferme un fongicide
efficace contre le pied d'athlète et soulage les démangeaisons des sumacs vénéneux.

Oxa-lide dressée
(surette,
pain d'oiseau)
Oxalis stricta

Taille: *2,5-20 cm
(1-8 po); fleur 6 mm-
1,5 cm (¼-½ po) de diam.*
Traits: *plante étalée,
ramifiée; fleurs jaunes;
3 folioles cordiformes
refermées la nuit; fruits en
petites chandelles sur
pédoncules souples.*
Habitat: *bois clairs, champs,
clairières, pelouses, friches.*
Floraison: *mars-novembre.*

Oxalide violacée
Oxalis violacea

Taille:
*2,5-15 cm (1-6 po);
fleur 1,5-2 cm
(½-¾ po) de diam.*
Traits: *fleurs pourpres
sur pédoncules grêles;
3 folioles cordiformes,
pourpres dessous.*
Habitat: *bois clairs,
clairières, fourrés, prairies.*
Floraison: *avril-octobre.*

Oxalide de montagne
Oxalis montana

Taille: *2,5-15 cm
(1-6 po); fleur 2 cm
(¾ po) de diamètre.*
Traits: *fleurs blanches
rayées de pourpre sur
pédoncules grêles;
3 folioles cordiformes,
refermées la nuit.*
Habitat: *bois fertiles;
terres basses marécageuses.*
Floraison: *mai-août.*

Oxalides   *Oxalis*

Plusieurs plantes au feuillage délicieusement aci-
dulé portent le joli nom de « surette ». Très utilisées en salade depuis des siècles, les oxalides
servaient aussi de médicament contre les maux
d'estomac. Comme elles renferment beaucoup de
vitamine C, elles se révélaient efficaces dans le
traitement du scorbut. On sait maintenant qu'il ne
faut pas abuser de cette verdure, car l'acide oxali-
que empêche l'organisme d'assimiler le calcium.

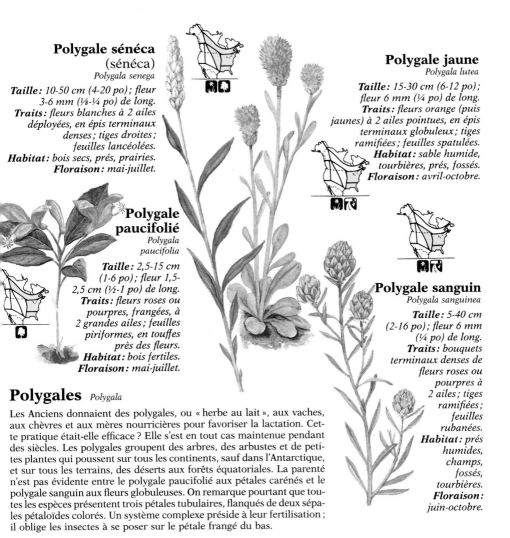

Polygale sénéca
(sénéca)
Polygala senega

Taille: 10-50 cm (4-20 po); fleur 3-6 mm (⅛-¼ po) de long.
Traits: fleurs blanches à 2 ailes déployées, en épis terminaux denses; tiges droites; feuilles lancéolées.
Habitat: bois secs, prés, prairies.
Floraison: mai-juillet.

Polygale jaune
Polygala lutea

Taille: 15-30 cm (6-12 po); fleur 6 mm (¼ po) de long.
Traits: fleurs orange (puis jaunes) à 2 ailes pointues, en épis terminaux globuleux; tiges ramifiées; feuilles spatulées.
Habitat: sable humide, tourbières, prés, fossés.
Floraison: avril-octobre.

Polygale paucifolié
Polygala paucifolia

Taille: 2,5-15 cm (1-6 po); fleur 1,5-2,5 cm (½-1 po) de long.
Traits: fleurs roses ou pourpres, frangées, à 2 grandes ailes; feuilles piriformes, en touffes près des fleurs.
Habitat: bois fertiles.
Floraison: mai-juillet.

Polygale sanguin
Polygala sanguinea

Taille: 5-40 cm (2-16 po); fleur 6 mm (¼ po) de long.
Traits: bouquets terminaux denses de fleurs roses ou pourpres à 2 ailes; tiges ramifiées; feuilles rubanées.
Habitat: prés humides, champs, fossés, tourbières.
Floraison: juin-octobre.

Polygales *Polygala*

Les Anciens donnaient des polygales, ou « herbe au lait », aux vaches, aux chèvres et aux mères nourricières pour favoriser la lactation. Cette pratique était-elle efficace? Elle s'est en tout cas maintenue pendant des siècles. Les polygales groupent des arbres, des arbustes et de petites plantes qui poussent sur tous les continents, sauf dans l'Antarctique, et sur tous les terrains, des déserts aux forêts équatoriales. La parenté n'est pas évidente entre le polygale paucifolié aux pétales carénés et le polygale sanguin aux fleurs globuleuses. On remarque pourtant que toutes les espèces présentent trois pétales tubulaires, flanqués de deux sépales pétaloïdes colorés. Un système complexe préside à leur fertilisation; il oblige les insectes à se poser sur le pétale frangé du bas.

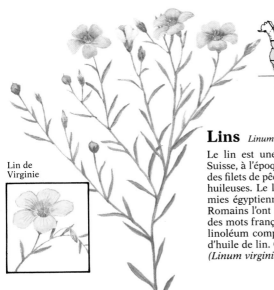

Lin de Virginie

Lin cultivé
Linum usitatissimum

Taille: 30-90 cm (1-3 pi); fleur 2-2,5 cm (¾-1 po) de diam.
Traits: fleurs bleues en bouquets terminaux lâches; tiges grêles, ramifiées; feuilles lancéolées.
Habitat: champs, friches, voies ferrées.
Floraison: février-septembre.

Lins *Linum*

Le lin est une des plantes porteuses de civilisation. En Suisse, à l'époque préhistorique, on fabriquait des cordes et des filets de pêche avec ses fibres et on mangeait ses graines huileuses. Le lin se retrouve dans les bandelettes des momies égyptiennes et les vêtements des riches Chinois. Les Romains l'ont appelé *linum* et de ce terme sont sortis bien des mots français: linceul, mais aussi linge, linon et même linoléum composé au début d'une toile de jute imprégnée d'huile de lin. Chez les Amérindiens, c'est le lin de Virginie *(Linum virginianum)* qui était utilisé.

baies

Aralie à tige nue
(salsepareille)
Aralia nudicaulis

Taille: *12,5-40 cm (5-16 po); fleur 3 mm (⅛ po) de diamètre.*
Traits: *feuille unique divisée en 3 groupes de 5 folioles dentées; fleurs crème en 3 inflorescences globuleuses sur pédoncules ramifiés sans feuilles; baies pourpre foncé.* **Habitat:** *bois.*
Floraison: *mai-juillet.*

Aralies *Aralia*

Comme plusieurs membres de la famille du ginseng, les aralies d'Amérique du Nord ont des racines aromatiques. Les Amérindiens les mangeaient en cas d'urgence; les premiers colons en tiraient un thé médicamenteux et une sorte de bière. Les racines de l'aralie à grappes, qui ont un goût moins prononcé, servaient à soigner les rhumes, les maux de dos et autres affections. L'aralie de Californie *(Aralia californica)*, sur la côte du Pacifique, est plus grande que la précédente et chacune de ses inflorescences renferme au moins trois fois plus de fleurons.

Aralie à grappes
(grande salsepareille)
Aralia racemosa

Taille: *30 cm-3 m (2-10 pi); fleur 3 mm (⅛ po) de diam.*
Taille: *feuilles à nombreuses folioles ovales; fleurs verdâtres en inflorescences globuleuses sur pédoncules ramifiés; baies rouge foncé ou pourpres.* **Habitat:** *bois fertiles, clairières.* **Floraison:** *juin-août.*

Jasmin de Caroline
Gelsemium sempervirens

Taille: *jusqu'à 12 m (40 pi); fleur 2,5 cm (1 po) de diamètre.*
Traits: *plante grimpante; fleurs jaunes en trompette, à 5 lobes évasés; feuilles opposées, lancéolées ou ovales.*
Habitat: *fourrés, buttes, orée de forêt.*
Floraison: *janvier-mai.*

Gelsémies
Gelsemium

Emblème floral de la Caroline du Sud, le jasmin de Caroline se voit fréquemment sur le bord des routes dans le sud-est des États-Unis. Ses gracieuses fleurs jaunes parfumées sont dangereuses; des enfants sont morts d'en avoir sucé le nectar. Tous les organes de la plante renferment en effet un alcaloïde mortel apparenté à la strychnine.

Spigélies *Spigelia*

La différence entre un médicament et un poison est souvent question de dose. La spigéline, alcaloïde toxique contenu dans les racines de la spigélie, en est un bon exemple. Les Amérindiens, puis les premiers colons, l'utilisaient en petite quantité pour lutter contre le ténia et l'ascaride lombricoïde; très rapidement on l'exporta en Europe.

Spigélie du Maryland
Spigelia marilandica

Taille: *30-60 cm (1-2 pi); fleur 2,5-5 cm (1-2 po) de long.*
Traits: *fleurs rouges, tubulaires, à 5 lobes jaunes et pointus, en grappes terminales sur tiges dressées; feuilles ovales, opposées.*
Habitat: *bois, fourrés, clairières.*
Floraison: *avril-juin.*

Ginseng à trois folioles (petit ginseng)
Panax trifolius

Taille : *2,5-20 cm (1-8 po) ;
fleur 3 mm (⅛ po) de diamètre.*
Traits : *3 feuilles à 3 ou 5 folioles
sur pétiole dressé ; fleurs blanches
en bouquets sphériques.*
Habitat : *bois fertiles, fourrés.*
Floraison : *avril-mai.*

racine

baies

Ginseng à cinq folioles (ginseng d'Amérique)
Panax quinquefolius

Taille : *20-60 cm
(8-24 po) ; fleur 3 mm
(⅛ po) de diamètre.*
Traits : *3 feuilles
terminales à 5 folioles
dentées sur pétiole
dressé ; fleurs blanches
en bouquets sphériques ;
baies rouges en grappes.*
Habitat : *bois denses.*
Floraison : *juin-juillet.*

racine

Ginsengs *Panax*

Les Chinois l'appelaient *jen-shen* (semblable à l'homme) à cause de la racine ramifiée du ginseng d'Asie *(Panax ginseng)*. Dans leur langue, les Amérindiens donnaient le même nom au ginseng à cinq folioles : *garantoquen*. On leur a attribué à tous deux des vertus médicinales et aphrodisiaques qui n'ont pas encore été prouvées. Peu importe, la plante est tellement cueillie qu'elle est menacée dans 31 états. Les tubercules nains du ginseng à trois folioles n'ont jamais eu la même réputation ; mais les Amérindiens et les bûcherons leur trouvaient une saveur agréable.

Kramère à feuilles lancéolées
Krameria lanceolata

Taille : *1,80 m (6 pi) ; fleur
1,5-2 cm (½-¾ po) de diam.*
Traits : *tiges rampantes,
velues ; fleurs étoilées,
écarlates ; feuilles rubanées
terminées par des piquants ;
fruits épineux, à duvet blanc.*
Habitat : *prairies, déserts.*
Floraison : *avril-août.*

fruit

Erigénie *Erigenia*

Dans les forêts de feuillus de l'Est où pousse la seule espèce de ce genre, le soleil ne pénètre qu'au printemps et les plantes doivent en tirer rapidement parti. Nourrie par les éléments nutritifs entreposés dans ses cormus charnus, l'érigénie bulbeuse fleurit avant que les arbres se couvrent de feuilles ; souvent, les fruits se développent avant même que la plante ne déroule ses feuilles.

Kramères
Krameria

La racine de kramère, ce puissant astringent que l'on trouvait encore au tournant du siècle dans les boutiques d'apothicaires, provient d'une espèce sud-américaine. Cette substance sert aussi à tanner les peaux et à aromatiser le porto. Les espèces d'Amérique du Nord ont été utilisées à des fins médicinales ; elles sont facilement identifiables à leurs fruits sphériques et épineux.

Erigénie bulbeuse
Erigenia bulbosa

Taille : *5-25 cm
(2-10 po) ; fleur 6 mm
(¼ po) de diam.*
Traits : *fleurs
blanches en
bouquets lâches
sur pédoncule
à 1 feuille
composée ;
feuilles basa-
les à 3 folioles
venant après
les fleurs.*
Habitat :
bois fertiles.
Floraison :
février-mai.

Zizia à feuilles cordées

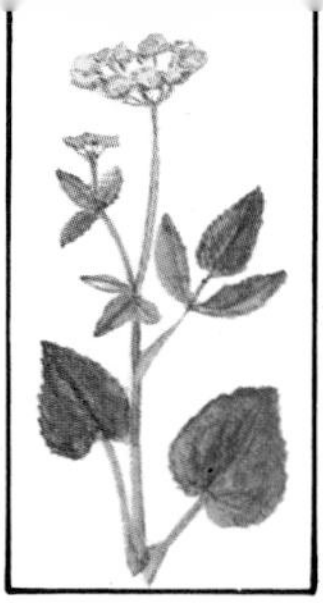

Zizia doré
Zizia aurea

Taille : *30-90 cm (1-3 pi) ; fleur 3-6 mm (⅛-¼ po) de diamètre.*
Traits : *fleurs jaunes en ombelles composées ; 2 ou 3 folioles dentées.*
Habitat : *bois humides et clairs ; prés, fourrés, grèves.*
Floraison : *avril-juin.*

Zizias *Zizia*

Les fleurs du zizia, comme celles des carottes, sont en ombelles : leurs pédicelles rayonnants partent d'un point unique de sorte que toutes les fleurs se trouvent dans une position plus ou moins convexe. Le zizia doré est le plus répandu. Le zizia à feuilles cordées *(Zizia aptera)*, commun dans le Midwest, a des feuilles cordiformes, chacune sur un pétiole partant du pied de la plante.

fleur centrale

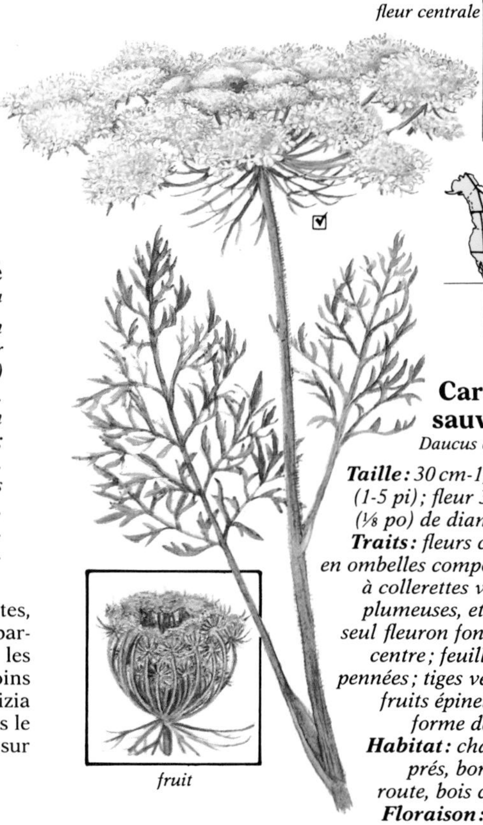

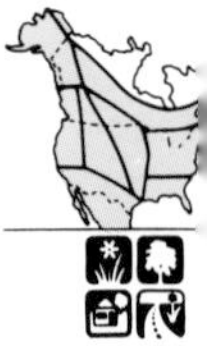

Carotte sauvage
Daucus carota

Taille : *30 cm-1,50 m (1-5 pi) ; fleur 3 mm (⅛ po) de diamètre.*
Traits : *fleurs crème en ombelles composées, à collerettes vertes, plumeuses, et à un seul fleuron foncé au centre ; feuilles bipennées ; tiges velues ; fruits épineux en forme de nid.*
Habitat : *champs, prés, bords de route, bois clairs.*
Floraison : *mai-octobre.*

fruit

Carottes *Daucus*

La carotte cultivée *(sativa)* est une variété à grosse racine de la carotte sauvage. Cette dernière est comestible elle aussi. Encore faut-il ne pas la confondre avec des plantes toxiques comme les ciguës et la carotte à Moreau *(Cicuta maculata)*. Recherchez son trait distinctif : une fleur foncée au centre de l'ombelle blanche.

Berce laineuse
(berce très grande)
Heracleum lanatum

Taille : *60 cm-3 m (2-10 pi) ; fleur 3-6 mm (⅛-¼ po) de diam.*
Traits : *fleurs blanches en ombelles composées ; 3 grandes folioles dentées et très découpées ; gaines axillaires ; plante velue.*
Habitat : *prés, pâturages, marais.*
Floraison : *avril-septembre.*

Berces *Heracleum*

Lorsque les pédicelles rayonnants d'une ombelle donnent naissance à d'autres ombelles, on dit qu'elle est composée. C'est la forme la plus courante dans la famille des carottes ; on la retrouve chez les berces et chez toutes les plantes de ces deux pages sauf deux. Les fleurs s'ouvrent complètement et sont peu profondes ; leur nectar est accessible aux insectes à courte trompe.

gros plan

Panicaut à feuilles de yucca
Eryngium yuccifolium

Taille: *60 cm-1,50 m (2-5 pi); fleur 3 mm (⅛ po) de diamètre.*
Traits: *fleurs blanches en bouquets sphériques poilus; longues feuilles épineuses et rubanées.* **Habitat:** *prairies, fourrés, bois clairs.*
Floraison: *juillet-août.*

Panicauts *Eryngium*

Les panicauts sont des exceptions parmi les carottes: leurs feuilles sont épineuses, leurs fleurs globulaires, à long tube dont le nectar n'est accessible qu'aux insectes à longue trompe comme les abeilles ou les papillons. Les racines du panicaut à feuilles de yucca avaient la réputation de guérir les morsures de serpents.

Ciguë maculée (ciguë d'Europe)
Conium maculatum

Taille: *60 cm-2,75 m (2-9 pi); fleur 3-6 mm (⅛-¼ po) de diamètre.*
Traits: *fleurs blanches en ombelles composées; feuilles découpées comme du persil.* **Habitat:** *champs humides, prés, fossés.*
Floraison: *juin-septembre.*

Ciguës *Conium*

Une espèce de ciguë pousse en Afrique du Sud; l'autre espèce, qui est originaire d'Europe, est maintenant répandue presque partout en Amérique du Nord. Tous les organes de la plante sont mortels. C'est ainsi que fut exécuté Socrate; on le condamna à boire de la ciguë pour s'être opposé à la tyrannie de Critias.

Angélique noir pourpré
Angelica atropurpurea

Taille: *30 cm-2,75 m (1-9 pi); fleur 6 mm (¼ po) de diamètre.*
Traits: *fleurs blanc-vert en ombelles composées; feuilles à folioles dentées; gaines axillaires; tiges pourpres.*
Habitat: *fourrés, terres d'alluvion, marais, prés.*
Floraison: *juin-octobre.*

Angéliques
Angelica

Ce groupe comprend l'angélique cultivée *(Angelica archangelica)* dont les feuilles étaient utilisées contre les maladies contagieuses et dont les tiges se mangent confites. Les pédoncules en forme de céleri des espèces sauvages sont comestibles. Dans cette famille on trouve le céleri, l'aneth, le fenouil et le persil.

Hydrocotyle en ombelle
Hydrocotyle umbellata

Taille: *2,5-35 cm (1-14 po); fleur 3 mm (⅛ po) de diamètre.*
Traits: *plante rampante; feuilles rondes sur pédoncules réunis au centre; fleurs blanches en ombelles sphériques.*
Habitat: *berges humides, grèves, marais, marécages.*
Floraison: *juin-septembre.*

Hydrocotyles *Hydrocotyle*

On les reconnaît à leurs petites feuilles rondes. Il y en a plus de 50 espèces dans le monde dont une dizaine en Amérique du Nord.

FLEURS SAUVAGES

Gentiane frangée
Gentiana crinita

Taille: 30-90 cm
(1-3 pi); fleur 4-6,5 cm
(1½-2½ po) de long.
Traits: fleurs bleues,
tubulaires, à 4 pétales
frangés et évasés;
feuilles opposées, ovales
ou lancéolées.
Habitat: prés humides,
berges, orée de forêt.
Floraison: août-novembre.

Gentiane
du froid
Gentiana algida

Taille: 5-20 cm
(2-8 po); fleur 4 cm (1½ po) de
long. **Traits:** fleurs crème
maculées de pourpre au bout des
pétales; feuilles rubanées,
opposées sur la tige,
en rosette près du sol.
Habitat: prés en haute
montagne; talus
rocheux, toundra.
Floraison: juin-août.

Gentiane à calice
Gentiana calycosa

Taille: 15-30 cm
(6-12 po); fleur 2,5-4 cm
(1-1½ po) de long.
Traits: fleurs bleues ou
pourpres, en entonnoir, à
5 lobes arrondis séparés
par des cils fourchus;
feuilles opposées,
arrondies. **Habitat:** prés
humides en montagne,
forêts de conifères.
Floraison: juillet-sept.

Gentiane
pubérulente
Gentiana puberulenta

Taille: 20-50 cm (8-20 po);
fleur 4-5 cm
(1½-2 po) de long.
Traits: fleurs bleu intense
à 5 pétales pointus, en
grappes terminales
sur tiges velues;
feuilles opposées,
lancéolées, rigides,
à marge
rugueuse.
Habitat:
prairies sèches.
Floraison:
sept.-octobre.

Gentiane jaune

Gentianes *Gentiana*

Les fleurs de gentiane ont un nectar parfumé qui
attire les insectes pollinisateurs; ce nectar est si
appétissant que les abeilles forcent l'entrée de la
gentiane d'Andrews pour y avoir accès. Mais
comme les insectes volants craignent l'obscurité,
ils hésiteraient à s'aventurer dans la corolle profonde de la gentiane si des taches translucides
blanches n'en éclairaient le fond. Les espèces à
fleurs pâles, comme la gentiane jaune *(Gentiana
flavida)* de l'Est et du Midwest, n'ont pas besoin de
tels stratagèmes. Les gentianes fleurissent tard.
Celles de la toundra et des hautes montagnes, souvent en fleur lorsque la neige arrive, achèvent leur
cycle florifère au printemps.

Gentiane d'Andrews
Gentiana andrewsii

Taille: 30-90 cm (1-3 pi); fleur
3-5 cm (1¼-2 po) de long.
Traits: fleurs bleues ou
pourpres, fermées (bouts
des pétales rapprochés), en
groupes à l'aisselle des
feuilles supérieures;
feuilles opposées ou par
4, ovales ou lancéolées.
Habitat: prés humides,
champs, fourrés, fossés.
Floraison: août-oct.

Fraséras *Frasera*

Nom générique du colombo d'Amérique, le fraséra change d'aspect en cours de croissance. Jeune, il produit au sol des touffes de feuilles dont raffolent les ruminants sauvages. L'année suivante, une tige robuste sort du sol ; la plante prend un aspect colonnaire, pyramidal.

Fraséra joli
Frasera speciosa

Taille : 60 cm-2,10 m (2-7 pi) ; fleur 2,5-4 cm (1-1½ po) de diam. Traits : fleurs vert pâle à petits points et 4 pétales, sur longues tiges émergeant d'une base feuillue ; feuilles rubanées, basales et le long de la tige. Habitat : brousse désertique, pinèdes claires. Floraison : juin-août.

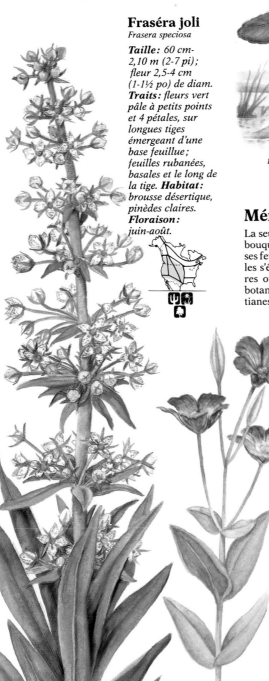

Ményanthe à trois feuilles
(trèfle d'eau commun)
Menyanthes trifoliata

Taille : 10-30 cm (4-12 po) ; fleur 1,5-2,5 cm (½-1 po) de diamètre. Traits : fleurs étoilées, velues, blanches, en bouquets terminaux sur tiges nues ; 3 folioles coriaces, oblongues. Habitat : marais, marécages, tourbières, fossés, eaux peu profondes. Floraison : avril-septembre.

Ményanthe *Menyanthes*

La seule espèce de cette famille se reconnaît à ses bouquets de fleurs blanches densément velues et à ses feuilles coriaces à trois folioles. Fleurs et feuilles s'élèvent au-dessus de l'eau, dans des tourbières ou des étangs peu profonds. De nombreux botanistes placent les ményanthes parmi les gentianes ; d'autres en font une famille distincte.

Eustoma à grandes fleurs
Eustoma grandiflorum

Taille : 20-65 cm (8-26 po) ; fleur 4-7,5 cm (1½-3 po) de diamètre. Traits : fleurs bleues ou pourpres (ou jaunes à reflets pourprés), cupuliformes ; feuilles opposées, ovales, engainant la tige. Habitat : prairies humides, bords d'étang. Floraison : juin-septembre.

Eustomas *Eustoma*

Deux des trois espèces de cette famille poussent dans les régions les plus chaudes de l'Amérique du Nord ; la troisième est originaire d'Amérique centrale et d'Amérique du Sud. L'eustoma à grandes fleurs, répandu surtout dans l'Ouest, se rencontre parfois sur les côtes du golfe du Mexique. L'eustoma élevé *(Eustoma exaltatum)*, aux fleurs roses, pourpres ou blanches, va des montagnes arides du sud de la Californie aux dunes et buttes sableuses de la Floride. Les feuilles de nos deux espèces ont une pruine cireuse qui colle au doigt.

Sabatie des grands marais
Sabatia dodecandra

Taille: 30-60 cm (1-2 pi); fleur 2,5-6,5 cm (1-2½ po) de diamètre. **Traits:** fleurs roses ou blanches à centre jaune et 8 à 13 pétales; feuilles opposées, lancéolées ou oblongues. **Habitat:** marais salés, eaux saumâtres, prés salés. **Floraison:** juillet-septembre.

Sabatie des plaines
Sabatia campestris

Taille: 10-35 cm (4-14 po); fleur 2,5-4 cm (1-1½ po) de diam. **Traits:** fleurs roses à centre jaune et 5 pétales séparés par des sépales pointus verts; feuilles ovales, opposées. **Habitat:** prairies, champs, prés. **Floraison:** juillet-septembre.

Sabatie anguleuse
Sabatia angularis

Taille: 30-90 cm (1-3 pi); fleur 2,5-4 cm (1-1½ po) de diamètre. **Traits:** fleurs roses à centre jaune et 5 pétales; feuilles opposées, ovoïdes, engainant les tiges dans le haut; tiges carrées à crêtes longitudinales. **Habitat:** bois clairs, prés, champs, prairies. **Floraison:** juillet-septembre.

Sabaties
Sabatia

Ce groupe renferme une vingtaine d'espèces dans le sud-est des Etats-Unis. Certaines poussent dans les Antilles; d'autres vont jusqu'à la Nouvelle-Angleterre ou dans l'Ouest jusqu'au Kansas. Les sabaties qui affectionnent les tourbières, les marais et les eaux peu profondes sont dites « des marais »; les autres sont connues sous le nom de sabaties anguleuses. Celles qui se sont adaptées aux sols humides et secs portent indifféremment les deux noms.

Centaurie à calice
Centaurium calycosum

Taille: 10-60 cm (4-24 po); fleur 6 mm-1,5 cm (¼-½ po) de diam. **Traits:** fleurs roses à gorge blanche et 5 pétales en entonnoir; feuilles opposées, lancéolées ou oblongues. **Habitat:** prés humides, berges, marais salés. **Floraison:** avril-juin.

Centauries *Centaurium*

Si l'on en croit la légende, Chiron, le plus sage et le plus bienfaisant des centaures, connaissait l'art des plantes médicinales et l'aurait enseigné à de nombreux héros grecs. Il soignait les blessures avec le jus amer, antiseptique de cette plante qui tiendrait son nom de lui. La plupart des centaurées acclimatées dans les Etats et les provinces de l'Est proviennent d'Europe, mais dans l'Ouest, on trouve plusieurs jolies espèces indigènes.

Echites *Echites*

Ces lianes tropicales, sorte de grimpants ligneux exsudant un latex, sont de la famille des apocyns et, comme la plupart d'entre eux, elles sont vénéneuses. La patate du diable, l'une des trois espèces d'échites qui poussent sur les côtes de la Floride et jusque dans les Keys, tire son nom de son gros tubercule toxique.

Patate du diable
Echites umbellata

Taille: jusqu'à 6 m (20 pi); fleur 5-6,5 cm (2-2½ po) de long. **Traits:** tiges rampantes, enchevêtrées; fleurs blanches ou verdâtres, tubulaires, à 5 pétales tordus et froncés; feuilles opposées, ovoïdes. **Habitat:** buttes côtières, marécages. **Floraison:** à l'année.

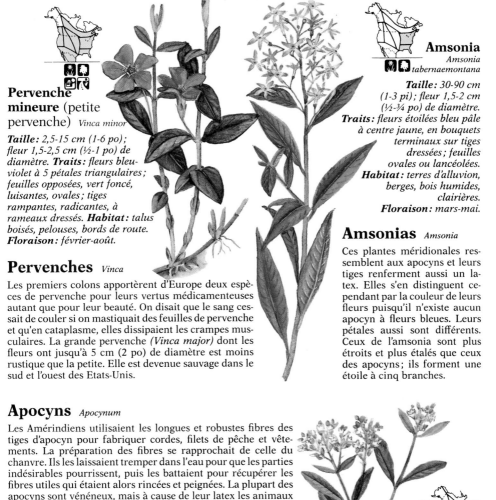

Pervenche mineure (petite pervenche) *Vinca minor*

Taille: *2,5-15 cm (1-6 po);* *fleur 1,5-2,5 cm (½-1 po) de diamètre.* **Traits:** *fleurs bleu-violet à 5 pétales triangulaires; feuilles opposées, vert foncé, luisantes, ovales; tiges rampantes, radicantes, à rameaux dressés.* **Habitat:** *talus boisés, pelouses, bords de route.* **Floraison:** *février-août.*

Pervenches *Vinca*

Les premiers colons apportèrent d'Europe deux espèces de pervenche pour leurs vertus médicamenteuses autant que pour leur beauté. On disait que le sang cessait de couler si on mastiquait des feuilles de pervenche et qu'en cataplasme, elles dissipaient les crampes musculaires. La grande pervenche *(Vinca major)* dont les fleurs ont jusqu'à 5 cm (2 po) de diamètre est moins rustique que la petite. Elle est devenue sauvage dans le sud et l'ouest des Etats-Unis.

Amsonia
Amsonia tabernaemontana

Taille: *30-90 cm (1-3 pi); fleur 1,5-2 cm (½-¾ po) de diamètre.* **Traits:** *fleurs étoilées bleu pâle à centre jaune, en bouquets terminaux sur tiges dressées; feuilles ovales ou lancéolées.* **Habitat:** *terres d'alluvion, berges, bois humides, clairières.* **Floraison:** *mars-mai.*

Amsonias *Amsonia*

Ces plantes méridionales ressemblent aux apocyns et leurs tiges renferment aussi un latex. Elles s'en distinguent cependant par la couleur de leurs fleurs puisqu'il n'existe aucun apocyn à fleurs bleues. Leurs pétales aussi sont différents. Ceux de l'amsonia sont plus étroits et plus étalés que ceux des apocyns; ils forment une étoile à cinq branches.

Apocyns *Apocynum*

Les Amérindiens utilisaient les longues et robustes fibres des tiges d'apocyn pour fabriquer cordes, filets de pêche et vêtements. La préparation des fibres se rapprochait de celle du chanvre. Ils les laissaient tremper dans l'eau pour que les parties indésirables pourrissent, puis les battaient pour récupérer les fibres utiles qui étaient alors rincées et peignées. La plupart des apocyns sont vénéneux, mais à cause de leur latex les animaux sont peu portés à en manger.

Apocyn à feuilles d'androsème
Apocynum androsaemifolium

Taille: *30 cm-1,20 m (1-4 pi); fleur 6 mm (¼ po) de diam.* **Traits:** *fleurs rose pâle, campanulées, en bouquets éparpillés sur tiges prostrées; feuilles opposées, ovoïdes.* **Habitat:** *champs secs, fourrés.* **Floraison:** *juin-sept.*

Apocyn chanvrin
Apocynum cannabinum

Taille: *90 cm-1,50 m (3-5 pi); fleur 3 mm (⅛ po) de diam.* **Traits:** *fleurs blanc-vert, urcéolées, en bouquets lâches sur tiges dressées; feuilles opposées, ovales ou lancéolées.* **Habitat:** *champs, marais, déserts, prés, fourrés, friches.* **Floraison:** *juin-sept.*

Asclépiades *Asclepias*

fleur d'asclépiade

On raconte dans l'Ouest l'histoire d'un hors-la-loi qui tous les matins prenait sa ration de venin de crotale dans l'espoir de tuer son ennemi en lui crachant dans l'œil. Les monarques font de même avec les asclépiades. Bien que leurs feuilles soient vénéneuses, les chenilles de monarques ne mangent rien d'autre. De ce fait chenilles ou papillons, les monarques intoxiquent gravement leurs prédateurs. La couronne florale des asclépiades constitue un piège redoutable pour les insectes pollinisateurs, et seules les orchidées sont plus complexes. Chaque fleuron possède cinq coupelles à nectar garnies d'une corne incurvée. Lorsque l'insecte se pose, il glisse sur une corne et tombe dans une fente entre deux coupelles. S'il n'est pas assez fort pour se dégager, il meurt. S'il l'est, il part lesté de deux sacs de pollen. Le manège se reproduit sur la fleur suivante mais, cette fois, l'insecte en glissant se déleste de son pollen qui sert à fertiliser les ovaires et en reprend d'autre en sortant.

Asclépiade commune (petits cochons)
Asclepias syriaca

Taille : 60 cm-1,80 m (2-6 pi) ; fleur 1,5 cm (½ po) de diamètre.
Traits : fleurs roses ou lavande, étoilées, en boules denses sur une tige dressée à latex ; feuilles opposées, larges, ovales ; fruits verruqueux à graines à aigrettes argentées.
Habitat : champs, prés.
Floraison : juin-août.

fruit

Asclépiade tubéreuse
Asclepias tuberosa

Taille : 30-90 cm (1-3 pi) ; fleur 6 mm-1,5 cm (¼-½ po) de diam.
Traits : fleurs orange vif, étoilées, en larges têtes issues d'une tige érigée ou rampante sans latex ; feuilles alternes.
Habitat : champs, pinèdes.
Floraison : juin-sept.

Asclépiade incarnate
Asclepias incarnata

Taille : 30 cm-1,50 m (1-5 pi) ; fleur 6 mm-1,5 cm (¼-½ po) de diam.
Traits : fleurs rose clair ou foncé, étoilées, en bouquets terminaux denses sur une tige dressée à latex ; feuilles opposées, étroites, lancéolées.
Habitat : marais, prés humides, marécages.
Floraison : mai-septembre.

Asclépiade des sables
Asclepias amplexicaulis

Taille: *60-90 cm (2-3 pi); fleur 1,5 cm (½ po) de diamètre.*
Traits: *fleurs pourpres ou verdâtres, étoilées, en grosses boules terminales sur une tige dressée à latex; feuilles opposées à marge ondulée.*
Habitat: *champs secs, prairies sableuses.*
Floraison: *mai-août.*

Asclépiade du désert
Asclepias erosa

Taille: *60 cm-1,20 m (2-4 pi); fleur 6 mm-1,5 cm (¼-½ po) de diamètre.*
Traits: *fleurs étoilées, jaune-vert, en boules rondes sur une tige érigée à latex; feuilles opposées.*
Habitat: *déserts, brousse sèche.*
Floraison: *avril-octobre.*

Asclépiade verticillée
Asclepias verticillata

Taille: *30-90 cm (1-3 pi); fleur 6 mm (¼ po) de diamètre.*
Traits: *fleurs blanches, étoilées, en têtes sphériques le long d'une tige élancée à latex; feuilles linéaires, verticillées.*
Habitat: *talus secs, champs, bois clairs.*
Floraison: *mai-octobre (Nord); toute l'année (Sud).*

Asclépiade verte
Asclepias cryptoceras

Taille: *jusqu'à 30 cm (1 pi); fleur 1,5-2,5 cm (½-1 po) de diamètre.*
Traits: *fleurs étoilées, sans cornes, jaune-vert à centre rougeâtre en couronne, en bouquets terminaux sur tiges rampantes à latex; feuilles opposées, arrondies, vert-gris.*
Habitat: *talus sableux ou caillouteux, plaines sèches, pinèdes claires, brousse d'armoise, déserts.*
Floraison: *avril-juin.*

Morelles *Solanum*

Ce genre comprend des légumes comme les aubergines et les pommes de terre et des plantes vénéneuses. Cette dichotomie se retrouve même chez les espèces. Certaines parties de la pomme de terre *(Solanum tuberosum)* sont toxiques et si la morelle d'Amérique nous donne, à maturité, des baies excellentes en tartes et en confitures, ces mêmes baies, vertes, et les feuilles sont mortelles. La morelle douce-amère est ainsi nommée car ses racines, si on est assez imprudent pour les mâcher, changent de goût. Sa cousine d'Europe, la morelle furieuse *(Atropa belladonna)*, est plus vénéneuse. La morelle de Caroline et la morelle à rostre sont toxiques aussi, mais leurs épines découragent les prédateurs.

Morelle à rostre
Solanum rostratum

Taille : 20-70 cm (8-28 po) ; fleur 2,5 cm (1 po) de diamètre.
Traits : fleurs jaunes étoilées ; feuilles découpées, épineuses ; fruits à piquants.
Habitat : champs, prairies, pâturages secs, friches.
Floraison : avril-oct.

Morelle de Caroline
Solanum carolinense

Taille : 30-90 cm (1-3 pi) ; fleur 2-2,5 cm (¾-1 po) de diam.
Traits : fleurs blanches ou violettes, étoilées ; tiges et feuilles type chêne, épineuses ; baies jaunes.
Habitat : champs, prés, friches.
Floraison : mai-oct.

Morelle douce-amère
Solanum dulcamara

Taille : 30 cm-2,45 m (1-8 pi) ; fleur 1,5 cm (½ po) de diamètre.
Traits : tiges grimpantes ou rampantes ; fleurs étoilées à 5 pétales pourpres réfléchis derrière un « nez » aquilin jaune ; feuilles sagittées à 2 lobes pointus à la base ; baies vertes, rougissant à maturité.
Habitat : bois clairs, champs, fourrés, marécages.
Floraison : avril-septembre.

Morelle d'Amérique (raisin de loup)
Solanum americanum

Taille : 30-90 cm (1-3 pi) ; fleur 6 mm-1,5 cm (¼-½ po) de diamètre.
Traits : fleurs étoilées à 5 pétales blancs réfléchis et « nez » jaune ; feuilles lancéolées ; baies vertes, noires à maturité.
Habitat : friches, prés.
Floraison : mars-nov.

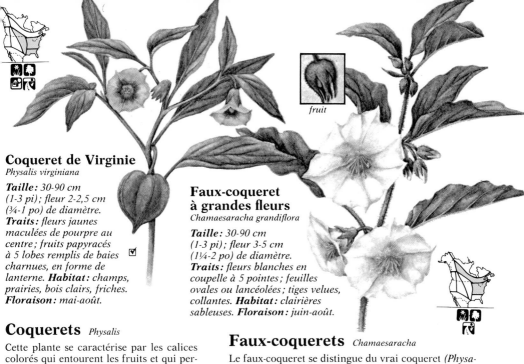

fruit

Coqueret de Virginie
Physalis virginiana

Taille: *30-90 cm (1-3 pi); fleur 2-2,5 cm (¾-1 po) de diamètre.* **Traits:** *fleurs jaunes maculées de pourpre au centre; fruits papyracés à 5 lobes remplis de baies charnues, en forme de lanterne.* **Habitat:** *champs, prairies, bois clairs, friches.* **Floraison:** *mai-août.*

Faux-coqueret à grandes fleurs
Chamaesaracha grandiflora

Taille: *30-90 cm (1-3 pi); fleur 3-5 cm (1¼-2 po) de diamètre.* **Traits:** *fleurs blanches en coupelle à 5 pointes; feuilles ovales ou lancéolées; tiges velues, collantes.* **Habitat:** *clairières sableuses.* **Floraison:** *juin-août.*

Coquerets *Physalis*

Cette plante se caractérise par les calices colorés qui entourent les fruits et qui persistent lorsque ceux-ci sont secs. Vertes, les baies qu'ils contiennent sont vénéneuses; mûres, elles sont comestibles et douces. L'espèce appelée coqueret officinal est cultivée pour ses fruits. L'alkékenge ou lanterne chinoise *(Physalis alkekengi)* est renommé pour ses calices rouge vif.

Faux-coquerets *Chamaesaracha*

Le faux-coqueret se distingue du vrai coqueret *(Physalis)* par ses fruits dépourvus de corolle papyracée. Dans les deux cas, les baies ressemblent à de petites tomates. La tomate cultivée *(Lycopersicon)* est de la famille des morelles, comme toutes les plantes illustrées dans ces deux pages. Les fruits de celles-ci sont toxiques si on les mange crus avant qu'ils soient mûrs.

Daturas *Datura*

En 1676, durant une rébellion, des troupes britanniques furent envoyées à Jamestown pour y rétablir l'ordre. A court de vivres, les soldats se firent cuire des feuilles de daturas. Voici ce que raconte Robert Beverley dans un livre intitulé *History and Present State of Virginia* (« Passé et présent de la Virginie ») publié en 1705. « Ils restèrent fous pendant plusieurs jours. L'un soufflait sur une plume; un autre lançait furieusement des pailles dessus; un troisième, assis flambant nu dans un coin comme un singe, les regardait en grimaçant. » Onze jours plus tard, ils « redevinrent normaux, sans le moindre souvenir de ce qui s'était passé. » Si les feuilles avaient été crues, peu auraient survécu, car elles renferment des hallucinogènes puissants et très toxiques. Le datura sacré *(Datura meteloides)* à fleurs de 25 cm (10 po) de long avait un rôle rituel chez les Amérindiens du Sud-Ouest.

Datura stamoine
(lis d'un jour)
Datura stramonium

Taille: *30 cm-2,10 m (1-7 pi); fleur 7,5-10 cm (3-4 po) de long.* **Traits:** *fleurs blanches ou lavande en trompette; feuilles ovales, pointues, dentées; fruit épineux.* **Habitat:** *champs, clairières, friches.* **Floraison:** *juin-octobre.*

Datura sacré

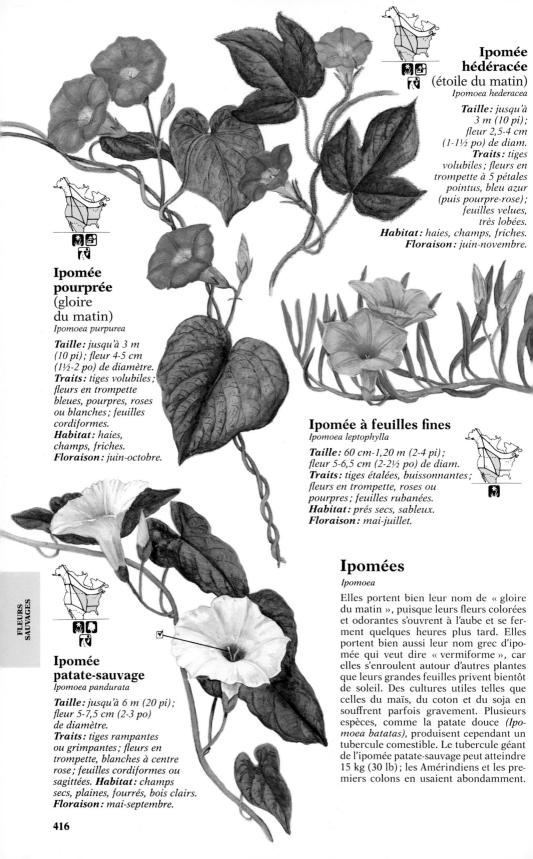

Ipomée hédéracée
(étoile du matin)
Ipomoea hederacea

Taille: *jusqu'à 3 m (10 pi); fleur 2,5-4 cm (1-1½ po) de diam.* **Traits:** *tiges volubiles; fleurs en trompette à 5 pétales pointus, bleu azur (puis pourpre-rose); feuilles velues, très lobées.* **Habitat:** *haies, champs, friches.* **Floraison:** *juin-novembre.*

Ipomée pourprée
(gloire du matin)
Ipomoea purpurea

Taille: *jusqu'à 3 m (10 pi); fleur 4-5 cm (1½-2 po) de diamètre.* **Traits:** *tiges volubiles; fleurs en trompette bleues, pourpres, roses ou blanches; feuilles cordiformes.* **Habitat:** *haies, champs, friches.* **Floraison:** *juin-octobre.*

Ipomée à feuilles fines
Ipomoea leptophylla

Taille: *60 cm-1,20 m (2-4 pi); fleur 5-6,5 cm (2-2½ po) de diam.* **Traits:** *tiges étalées, buissonnantes; fleurs en trompette, roses ou pourpres; feuilles rubanées.* **Habitat:** *prés secs, sableux.* **Floraison:** *mai-juillet.*

Ipomées
Ipomoea

Elles portent bien leur nom de « gloire du matin », puisque leurs fleurs colorées et odorantes s'ouvrent à l'aube et se ferment quelques heures plus tard. Elles portent bien aussi leur nom grec d'ipomée qui veut dire « vermiforme », car elles s'enroulent autour d'autres plantes que leurs grandes feuilles privent bientôt de soleil. Des cultures utiles telles que celles du maïs, du coton et du soja en souffrent parfois gravement. Plusieurs espèces, comme la patate douce *(Ipomoea batatas)*, produisent cependant un tubercule comestible. Le tubercule géant de l'ipomée patate-sauvage peut atteindre 15 kg (30 lb); les Amérindiens et les premiers colons en usaient abondamment.

Ipomée patate-sauvage
Ipomoea pandurata

Taille: *jusqu'à 6 m (20 pi); fleur 5-7,5 cm (2-3 po) de diamètre.* **Traits:** *tiges rampantes ou grimpantes; fleurs en trompette, blanches à centre rose; feuilles cordiformes ou sagittées.* **Habitat:** *champs secs, plaines, fourrés, bois clairs.* **Floraison:** *mai-septembre.*

Liseron des champs
(petit liseron)
Convolvulus arvensis

Taille: *jusqu'à 4,5 m (15 pi); fleur 1,5-2 cm (½-¾ po) de diamètre.*
Traits: *fleurs blanches, à envers rayé pourpre ou lavande, en trompette; feuilles sagittées; tiges enchevêtrées, grimpantes ou rampantes.*
Habitat: *haies, fourrés, champs cultivés.*
Floraison: *mai-octobre.*

Liseron des haies
(grand liseron)
Convolvulus sepium

Taille: *4,5 m (15 pi); fleur 4-5 cm (1½-2 po) de diamètre.*
Traits: *fleurs blanches ou rosées, en trompette; feuilles triangulaires ou sagittées; port grimpant ou rampant.*
Habitat: *haies, fourrés, friches, marais.*
Floraison: *avril-sept.*

Liserons
Convolvulus

Moins remarquable et plus pernicieux que les ipomées, le liseron envahit les cultures utiles. Le liseron des champs est le plus redoutable. On a beau arracher ses racines à la faux ou à la houe, les plus petits fragments ne font que reproduire la plante en plus grand nombre.

Cheveux du diable
(barbe-de-moine)
Cuscuta cephalanthi

Taille: *jusqu'à 3 m (10 pi); fleur 3 mm (⅛ po) de diamètre.*
Traits: *tiges orangées, volubiles; fleurs campanulées, blanches, en touffes.* **Habitat:** *fourrés humides, marais.* **Floraison:** *juillet-octobre.*

Cuscutes *Cuscuta*

Les cuscutes sont de vrais parasites qui se nourrissent de la plante qu'ils envahissent. Sitôt sortie du sol, la plante tourne jusqu'à ce qu'elle ait trouvé un support. Elle envoie alors des organes appelés suçoirs qui prélèvent la sève de son hôte pendant que ses propres racines meurent.

Ipomée pennée
Quamoclit pennata

Taille: *jusqu'à 4,5 m (15 pi); fleur 4 cm (1½ po) de long.*
Traits: *fleurs tubulaires, évasées à l'embouchure, rouge vif; feuilles plumeuses; tiges grêles, volubiles.*
Habitat: *champs, friches.*
Floraison: *juillet-octobre.*

Ipomées quamoclits *Quamoclit*

Ces grimpants tropicaux se vendent sous le nom de « gloire du matin rouge ». Remarquablement rustiques, ils se sont naturalisés. Une espèce à grandes feuilles, l'ipomée rouge *(Quamoclit coccinea)*, se trouve en Nouvelle-Angleterre.

Fleurs de lune *Calonyction*

La fleur de lune, membre de la famille des ipomées, est aussi dénommée « ipomée bonne-nuit », nom qui lui va bien puisque ses grandes fleurs au parfum envoûtant ne s'ouvrent que la nuit. Ce sont des papillons nocturnes qui les fertilisent, attirés par leur blancheur et leur odeur.

Fleur de lune *Calonyction aculeatum*

Taille: *jusqu'à 9 m (30 pi); fleur 10-12,5 cm (4-5 po) de diamètre.*
Traits: *fleurs en coupelle sur tube effilé, blanches et parfumées; feuilles ovales ou cordiformes; tiges grimpantes ou rampantes.*
Habitat: *buttes, champs brûlés, friches, fourrés.*
Floraison: *toute l'année.*

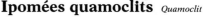

Phlox diffus
Phlox diffusa

Taille: 10-30 cm (4-12 po); fleur 1,5-2 cm (½-¾ po) de diamètre.
Traits: fleurs lilas pâle ou blanches, à 5 pétales larges au bout d'un tube fin; feuilles étroites sur tiges étalées; plante formant coussinets.
Habitat: prés alpins, talus rocheux, bois clairs. **Floraison:** mai-août.

Phlox *Phlox*

Le phlox occupe une place de choix dans les catalogues d'horticulture. C'est qu'il donne de belles fleurs durables sans efforts. On dit ces fleurs « à plateau » parce qu'elles présentent une plate-forme de cinq pétales au bout d'un tube effilé. Les quelque 60 espèces de ce genre sont indigènes en Amérique du Nord; par ailleurs, des sujets cultivés se sont répandus dans la nature et s'y sont acclimatés; quant au phlox de Sibérie *(Phlox sibirica)*, il se retrouve aussi en Alaska. Il y a donc du phlox partout sur le continent nord-américain.

Phlox stolonifère (phlox rampant)
Phlox stolonifera

Taille: 10-40 cm (4-16 po); fleur 2,5 cm (1 po) de diamètre.
Traits: fleurs violettes ou pourpres à 5 pétales ovales au bout d'un tube; tiges rampantes; fleurs en bouquets terminaux sur rameaux érigés, velus; feuilles opposées, spatulées.
Habitat: bois humides.
Floraison: avril-mai.

Phlox bifide
Phlox bifida

Taille: 10-30 cm (4-12 po); fleur 2 cm (¾ po) de diam.
Traits: fleurs pourpres à 5 pétales fourchus au bout d'un tube; 2 macules à la base des pétales; feuilles opposées, rigides.
Habitat: prairies sèches.
Floraison: avril-mai.

Phlox nain
Phlox nana

Taille: 10-30 cm (4-12 po); fleur 2,5 cm (1 po) de diamètre.
Traits: fleurs pourpres, roses ou blanches à 5 larges pétales au bout d'un tube court; feuilles opposées, rubanées, velues, collantes.
Habitat: talus rocheux, maquis, déserts.
Floraison: mai-juin.

Phlox divariqué
Phlox divaricata

Taille: 15-50 cm (6-20 po); fleur 2-3 cm (¾-1¼ po) de diam.
Traits: fleurs bleu pâle à 5 pétales souvent fourchus au bout d'un tube effilé, en grappes terminales sur tiges collantes; feuilles opposées, lancéolées.
Habitat: bois fertiles, clairières, à-pics.
Floraison: avr.-juin.

Phlox pileux
Phlox pilosa

Taille: 30-60 cm (1-2 pi); fleur 2 cm (¾ po) de diam.
Traits: fleurs roses ou violettes à 5 pétales, en grappes terminales sur tiges duveteuses; feuilles opposées, velues, lancéolées.
Habitat: prairies sableuses, bois clairs.
Floraison: mai-juil.

Polémonie rampante
(valériane grecque)
Polemonium reptans

Taille : *15-45 cm (6-18 po) ; fleur 1,5-2 cm (½-¾ po) de diam.*
Traits : *fleurs bleues, campanulées, en bouquets lâches ; feuilles avec 5 à 15 folioles.*
Habitat : *bois fertiles.*
Floraison : *avril-juin.*

Polémonies
Polemonium

On comprend que cette plante s'appelle « échelle de Jacob » quand on regarde les feuilles à folioles opposées d'une espèce dressée comme la valériane grecque. Celles de l'espèce à fleurs bleues, *Polemonium viscosum*, sont si serrées qu'elles forment des tubes duveteux et non des échelles. Il en va autant des espèces tapissantes de la toundra et des crêtes montagneuses de l'Ouest.

Langloisie ponctuée
Langloisia punctata

Taille : *2,5-15 cm (1-6 po) ; fleur 2-2,5 cm (¾-1 po) de diam.*
Traits : *fleurs cupuliformes, lilas clair maculé de pourpre ; feuilles triangulaires à lobes épineux ; plante tapissante.*
Habitat : *talus rocheux, pinèdes claires, rabougries (désert Mojave).*
Floraison : *avril-juin.*

Langloisies *Langloisia*

Lorsque arrive la brève saison des pluies dans les déserts de Californie, ces petites plantes poussent sans tarder, portant des fleurs sans commune mesure avec leur taille. Quand la pluie cesse, elles disparaissent tout aussi vite. La plupart des espèces de langloisies ont une aire de distribution aussi limitée que la durée de leur existence.

Gilia à longues fleurs
Gilia longiflora

Taille : *30-60 cm (1-2 pi) ; fleur 1,5-2 cm (½-¾ po) de diamètre.*
Traits : *fleurs bleu clair ou blanches, en trompette, à 5 pétales pointus et évasés ; feuilles filiformes ; port buissonnant.*
Habitat : *plaines sèches, talus sableux.*
Floraison : *juin-août.*

Gilias *Gilia*

Gilia rouge
Gilia rubra

Taille : *60 cm-1,80 m (2-6 pi) ; fleur 1,5 cm (½ po) de diamètre.*
Traits : *fleurs rouges, en trompette, à 5 pétales pointus, en bouquets plumeux au sommet d'une tige feuillue ; feuilles filiformes.*
Habitat : *champs sableux, pâturages, berges, friches.*
Floraison : *mai-août.*

Les gilias sont un groupe de plantes qui permettent aux botanistes d'étudier l'évolution en action. Les nombreuses espèces et sous-espèces, toutes indigènes dans le Nouveau Monde, produisent de nouvelles variétés et des hybrides avec une fréquence rare. Les résultats sont totalement empiriques et le groupe dans son ensemble survit en s'adaptant constamment aux changements et en envahissant de nouveaux habitats.

Navarrétia de Brewer
Navarretia breweri

Taille: 1,5-10 cm (½-4 po); fleur 3 mm (⅛ po) de diamètre. **Traits:** tiges brunâtres, velues, très ramifiées; feuilles filiformes à pointes aiguës; fleurs jaunes, étoilées, abondantes. **Habitat:** déserts, vallées humides, pentes montagneuses, plateaux, forêts de pignons. **Floraison:** juin-août.

Linanthe à fleurs d'œillet
Linanthus dianthiflorus

Taille: 2,5-20 cm (1-8 po); fleur 2-2,5 cm (¾-1 po) de diam. **Traits:** fleurs roses à centre foncé, cratériformes, à 5 pétales très dentés; feuilles opposées, filiformes. **Habitat:** herbages sableux, maquis, champs d'armoise. **Floraison:** février-avril.

Navarrétias *Navarretia*

Les premiers colons de l'Ouest n'ont pas jugé bon de parler des plantes qui n'étaient ni comestibles, ni remarquables, ni nuisibles. Les botanistes de l'époque n'ont pas mis de temps, eux, à nommer cette nouvelle flore. Voilà pourquoi certaines petites plantes tout humbles comme les navarrétias ne portent qu'un nom latin. Le navarrétia squarreux *(Navarretia squarrosa)* ne fait pas exception à la règle en dépit de son odeur fétide.

Linanthes *Linanthus*

Ces plantes ont été séparées du groupe des gilias en raison de la forme de leurs feuilles. Chacune est si profondément échancrée que deux feuilles opposées ont souvent l'air d'une touffe herbeuse germant sur la tige. La plupart des 40 espèces sont originaires de Californie; les unes descendent jusqu'au Mexique, d'autres atteignent la chaîne des Cascades. Quelques-unes se trouvent dans le Colorado et les plaines du nord américain.

Phacélie à feuilles de mauve
Phacelia malvifolia

Taille: 20 cm-1 m (8-40 po); fleur 6 mm (¼ po) de diamètre. **Traits:** fleurs blanches, en grappes d'un côté d'une tige ondulée; feuilles palmées; poils urticants. **Habitat:** brousse côtière. **Floraison:** avril-juillet.

Phacélie soyeuse
Phacelia sericea

Taille: 10-40 cm (4-16 po); fleur 3 mm (⅛ po) de diamètre. **Traits:** fleurs pourpres à longues étamines, en serpentins formant épi cylindrique; feuilles poilues, soyeuses. **Habitat:** bois rabougris, talus. **Floraison:** juin-juil.

Phacélie de Pursh
Phacelia purshii

Taille: 15-40 cm (6-16 po); fleur 1,5 cm (½ po) de diamètre. **Traits:** fleurs bleu pâle à 5 pétales frangés, en bouquets terminaux lâches; feuilles à folioles rubanées. **Habitat:** bois humides, clairières, champs. **Floraison:** avril-juin.

Phacélies *Phacelia*

C'est dans le sud de la Californie qu'on trouve la plupart des quelque 200 espèces de ce groupe, mais il y a au moins une espèce indigène partout ailleurs, du Yukon à la Floride. Elles ont en commun une touffe de petites fleurs enroulées comme la queue d'un scorpion au bout d'un pédoncule; l'inflorescence n'en occupe qu'un côté. Chez la plupart des espèces, le serpentin se déroule un peu avec le temps; chez d'autres, chaque pédoncule floral devient si long que le bouquet prend un aspect hirsute. Toutes les phacélies tapissent des sols où peu d'autres plantes poussent; elles attirent les abeilles qui en tirent un miel délicieux.

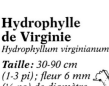

Hydrophylle de Virginie
Hydrophyllum virginianum

Taille: *30-90 cm (1-3 pi); fleur 6 mm (¼ po) de diamètre.*
Traits: *fleurs blanches ou pourpres, campanulées, à longues étamines filiformes, en grappes denses; feuilles maculées, à folioles dentées.*
Habitat: *bois humides, clairières, fourrés.*
Floraison: *mai-août.*

Hydrophylles
Hydrophyllum

Un motif de petites taches vert clair donne au feuillage des hydrophylles l'allure d'un fin papier filigrané. Plusieurs espèces, dont l'hydrophylle de Virginie, ont des feuilles qui laissent échapper un jus très liquide lorsqu'on les froisse. Ces feuilles sont d'ailleurs comestibles, crues ou cuites.

Nama
Nama aretioides

Taille: *1,5-10 cm (½-4 po); fleur 6 mm-2 cm (¼-¾ po) de long.* **Traits:** *fleurs en entonnoir, à 5 pétales ronds, rouges ou pourpres et à centre étoilé pâle; feuilles étroites, spatulées.* **Habitat:** *affleurements sableux, champs d'armoise, pinèdes claires.* **Floraison:** *mai-juin.*

Namas *Nama*

Cette plante peut être si petite qu'il faut vraiment se mettre à quatre pattes pour l'examiner. En période de sécheresse, ces habituées des déserts de l'Ouest et des défilés montagneux ne portent qu'une fleur. Mais vienne la pluie et elles multiplient leurs tiges pour former de luxuriants tapis de verdure qui se couvrent d'une profusion de petites fleurs aux vivants coloris.

Némophile bleu
Nemophila phacelioides

Taille: *5-45 cm (2-18 po); fleur 2-3 cm (¾-1¼ po) de diamètre.*
Traits: *fleurs bleues ou pourpres, cratériformes, solitaires sur pédoncules grêles ou groupées au bout des tiges; feuilles velues à 9 ou 11 folioles lobées.*
Habitat: *prairies, bois clairs.*
Floraison: *mars-mai.*

Némophiles *Nemophila*

Les némophiles sont de jolies plantes remarquables par le nombre et la beauté de leurs fleurs. Le némophile de Men *(Nemophila menziesii)* pousse à l'état sauvage dans les vallées humides et sur les flancs montagneux de la Californie et du sud de l'Oregon. Ce sont pour la plupart des plantes prostrées et rampantes qui supportent le soleil ou la mi-ombre; en plein soleil, les fleurs sont plus foncées.

Némophile maculé
Nemophila maculata

Taille: *12,5-63 cm (5-25 po); fleur 2-4,5 cm (¾-1¾ po) de diamètre.* **Traits:** *tiges rampantes; fleurs cratériformes blanches à pétales ponctués de pourpre; feuilles très découpées.* **Habitat:** *prés, bois.* **Floraison:** *avril-juil.*

Ammobrome *Ammobroma*

La seule espèce d'ammobrome au monde ressemble à une balle de tennis à demi enfouie dans le sable et couverte de minuscules fleurs pourpres. Sous cet air de rien se dissimule une longue tige souterraine qui est reliée à la racine profonde d'une plante ligneuse de désert. Dépourvu de chlorophylle, l'ammobrome ne peut pas fabriquer sa nourriture; aussi a-t-il besoin d'une plante hôte pour en parasiter les racines. Ses tiges ont une agréable saveur d'igname; elles faisaient partie de l'ordinaire des Amérindiens qui vivaient dans le désert du Colorado en Californie.

Ammobrome de sonora
Ammobroma sonorae

Taille: *2,5-5 cm (1-2 po) de haut, 5-12,5 cm (2-5 po) de diam.; fleur 3 mm (⅛ po).* **Traits:** *fleurs pourpres en cercles sur un monticule gris et velu; tige grise, écailleuse, souterraine, de 60 cm-1,50 m (2-5 pi).* **Habitat:** *désert du Colorado.* **Floraison:** *mars-avril.*

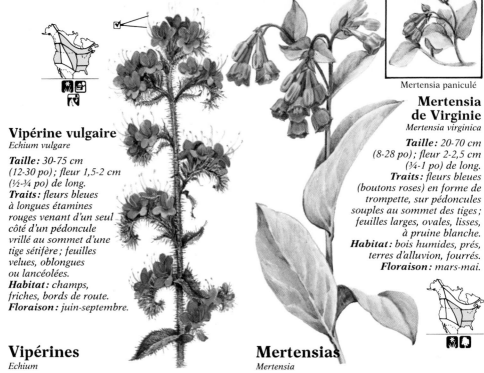

Vipérine vulgaire
Echium vulgare

Taille: 30-75 cm (12-30 po); fleur 1,5-2 cm (½-¾ po) de long.
Traits: fleurs bleues à longues étamines rouges venant d'un seul côté d'un pédoncule vrillé au sommet d'une tige sétifère; feuilles velues, oblongues ou lancéolées.
Habitat: champs, friches, bords de route.
Floraison: juin-septembre.

Vipérines
Echium

On attribuait autrefois à ces jolies plantes herbacées et buissonnantes, originaires d'Europe, le pouvoir de guérir les morsures de serpent, voire même de les prévenir. Sans doute est-ce parce que leurs fruits ressemblent à de minuscules têtes de vipères. L'antidote n'a plus cours, mais le nom n'en a pas moins persisté.

Mertensia paniculé

Mertensia de Virginie
Mertensia virginica

Taille: 20-70 cm (8-28 po); fleur 2-2,5 cm (¾-1 po) de long.
Traits: fleurs bleues (boutons roses) en forme de trompette, sur pédoncules souples au sommet des tiges; feuilles larges, ovales, lisses, à pruine blanche.
Habitat: bois humides, prés, terres d'alluvion, fourrés.
Floraison: mars-mai.

Mertensias
Mertensia

Le mertensia de Virginie, qui pousse dans tout l'est du continent, reçut son nom des Anglais quand la Virginie du Nord s'étendait jusqu'au Massachusetts. A l'ouest, on trouve le mertensia paniculé *(Mertensia paniculata)*, dans la plaine et sur la côte, et le mertensia alpin *(Mertensia alpina)*, dans les hautes Rocheuses.

Myosotis des marais
Myosotis scorpioides

Taille: 10-60 cm (4-24 po); fleur 6 mm (¼ po) de diamètre.
Traits: fleurs bleu ciel à centre jaune, en épis plats à sommités vrillées; tiges dressées ou rampantes; feuilles oblongues et velues.
Habitat: berges, fossés, marais.
Floraison: mai-septembre.

Myosotis *Myosotis*

Le terme « myosotis » vient de deux mots grecs: *myos* (souris) et *ous* (oreille), allusion à la forme des feuilles de certaines espèces. D'après une légende, le Créateur se promenait un jour au paradis terrestre. Une petite plante lui demanda quel nom Il lui avait donné. Pris au dépourvu, Il répondit : « Ne m'oubliez pas. » Elle est devenue le symbole du souvenir et de l'amour fidèle.

Grémil laineux
Lithospermum canescens

Taille: 10-50 cm (4-20 po); fleur 1,5 cm (½ po) de diamètre.
Traits: fleurs orange ou jaunes, en épis plats à sommités vrillées; feuilles lancéolées; plante couverte d'une toison de poils gris.
Habitat: prairies et champs sableux; bois clairs.
Floraison: avril-juin.

Grémils
Lithospermum

Les racines du grémil laineux donnent une teinture jaune; d'autres espèces, une matière colorante rouge ou pourpre. On a surnommé cette plante « herbe aux perles » à cause de ses petits fruits blancs et durs qu'on avait l'habitude d'utiliser dans le traitement des calculs rénaux.

fruit

Cynoglosse officinal
(langue-de-chien)
Cynoglossum officinale

Taille : *30-90 cm (1-3 pi) ;
fleur 6 mm-1,5 cm
(¼-½ po) de diamètre.*
Traits : *fleurs rouges ou
marron sur pédoncules
souples ; feuilles oblongues
ou lancéolées, alternes sur les
tiges, en touffes près du sol ;
plante ramifiée, velue ; fruits
épineux à 4 loges et 1 graine.*
Habitat : *champs,
friches, pâturages.*
Floraison : *mai-août.*

Cynoglosses
Cynoglossum

Cette plante, nommée lan-
gue-de-chien pour la forme
de ses larges feuilles, pousse dans tous les pays de
climat tempéré. Ses fruits,
hérissés de piquants, adhèrent aux vêtements des
êtres humains et à la fourrure des animaux ; c'est
ainsi que les graines se disséminent un peu partout.

Héliotrope des
oiseaux (cocolode)
Heliotropium curassavicum

Taille: *10-50 cm
(4-20 po) ; fleur 6 mm
(¼ po) de diamètre.*
Traits: *tiges étalées ; fleurs blanches à gorge jaune
souvent maculée de pourpre, en entonnoir, sur
épis ondulés ; feuilles spatulées, succulentes.*
Habitat: *déserts salés, plaines alcalines ; rivages.*
Floraison: *mars-octobre.*

Héliotropes *Heliotropium*

La plupart des 250 espèces qui composent ce
groupe sont tropicales ; l'héliotrope arborescent
(Heliotropium arborescens), dont les fleurs mauves ont un parfum vanillé, est originaire du Pérou.
L'espèce illustrée ici vient aussi d'Amérique du
Sud, mais elle s'est répandue partout dans le
monde en terrains salins. Ses graines sont fort pri-
sées des oiseaux et particulièrement des colins.

Amsinckie
panachée
Amsinckia tessellata

Taille: *20-63 cm (8-25 po) ;
fleur 1,5 cm (½ po) de long.*
Traits: *fleurs orange, tubulaires,
en épis vrillés ou tordus ; feuilles
étroites et lancéolées ; plante
couverte de poils raides.*
Habitat: *plaines sableuses,
brousse désertique,
bois clairs.*
Floraison: *mars-juin.*

Amsinckies
Amsinckia

Cette plante herbacée à petites fleurs jaunes, dont
le calice est profondément divisé, est typique de
la famille des borraginacées à laquelle se rattachent toutes les plantes illustrées dans ces deux
pages. Les boutons naissent d'un seul côté de la
tige qui se déroule à mesure que les fleurs s'épanouissent. Les amsinckies affectionnent les déserts de l'ouest des Etats-Unis et les plaines arides
où elles donnent du fourrage. Certaines espèces
se sont récemment répandues dans l'Est.

Cryptanthe
à œil jaune
Cryptantha flavoculata

Taille: *10-35 cm (4-14 po) ;
fleur 3 mm (⅛ po) de diam.*
Traits: *fleurs blanches à
gorge jaune en épis denses et
ondulés ; feuilles étroites,
spatulées, couvertes
de poils soyeux.*
Habitat: *déserts, bois clairs
et secs, champs d'armoise.*
Floraison: *mai-juillet.*

Cryptanthes
Cryptantha

Les cryptanthes ressemblent
au myosotis mais leurs fleurs
sont blanches. On trouve toutefois le crypthante jaune *(Cryptantha flava)* dans l'Ouest.
D'une façon générale les quelque 100 espèces qui composent
ce genre se ressemblent tellement que les botanistes ont du
mal à les différencier.

Plantains *Plantago*

Ces herbacées communes sont depuis longtemps appréciées pour la saveur et les qualités nutritives de leur feuillage, plus riche encore que les épinards en vitamines A et C. La prolifération et la résistance de cette mauvaise herbe font le désespoir des jardiniers, mais le bonheur de ceux qui raffolent de ses jeunes pousses. Une nouvelle rosette sort de terre un ou deux jours après qu'on a rasé le plant.

Plantain majeur *Plantago major*

Taille: 5-50 cm (2-20 po);
fleur 3 mm (⅛ po) de diamètre.
Traits: fleurs blanc-rose en épis denses au centre d'une rosette de larges feuilles ovales très nervurées à longs pétioles.
Habitat: champs, prés, pelouses, bords de trottoir et de route, friches.
Floraison: avril-octobre.

Verveine laineuse
Verbena stricta

Taille: 30 cm-1,20 m (1-4 pi); fleur 6 mm (¼ po) de diamètre.
Traits: fleurs lavande ou bleu intense, en spirale sur des épis; feuilles opposées, dentées; plants couverts de poils blancs.
Habitat: prairies, champs, friches.
Floraison: juin-septembre.

Verveines *Verbena*

Même si la médecine moderne n'a pas encore reconnu de vertus thérapeutiques à la verveine, cette plante était fort révérée chez plusieurs peuples: les Grecs, les Perses, les Romains, les Celtes et les Amérindiens. Elle constituait une protection contre la sorcellerie et les malédictions et, en pharmacopée, on la prescrivait dans le traitement de la jaunisse, de l'hydropisie et de diverses maladies de l'estomac, des reins et de la vessie.

Verveine du Canada
Verbena canadensis

Taille: 30-60 cm (1-2 pi); fleur 1,5 cm (½ po) de diamètre.
Traits: tiges buissonnantes, souvent étalées; fleurs bleues ou lavande (devenant roses), en bouquets terminaux denses; feuilles opposées, lobées, dentées.
Habitat: prairies sèches, champs, bois clairs, fourrés, coteaux.
Floraison: février-octobre.

Sarriettes
Satureja

Cette plante aux huiles aromatiques fait partie de la famille des menthes dont on rencontrera d'autres membres au cours des six pages suivantes. De saveur piquante, la sarriette s'utilise couramment comme condiment. Son odeur rappelle celle du thym. On lui attribuait autrefois des vertus aphrodisiaques. Elle sert de nos jours, en infusion, à calmer les maux d'estomac et à favoriser la digestion.

Sarriette de Douglas
Satureja douglasii

Taille: jusqu'à 60 cm (2 pi); fleur 1,5 cm (½ po) de long.
Traits: fleurs blanches ou pourpres, solitaires à l'aisselle des feuilles; feuilles ovales ou cordiformes, opposées, sur tiges étalées et carrées.
Habitat: bois épais.
Floraison: avril-sept.

Menthe
à épis
Mentha spicata

Taille: 10-90 cm
(4-36 po); fleur 3 mm
(⅛ po) de diamètre.
Traits: fleurs roses
ou violet clair en
touffes denses sur
épis élancés;
feuilles dentées,
lancéolées, opposées,
sur tiges carrées.
Habitat: champs humides,
prés, marécages,
fossés, berges.
Floraison: juin-
octobre.

Menthe
poivrée
Mentha piperita

Taille: 30-90 cm
(1-3 pi); fleur 3 mm
(⅛ po) de diamètre.
Traits: fleurs
pourpres ou
lavande en
bouquets
terminaux denses
et souples; feuilles
oblongues ou
lancéolées, dentées,
opposées, sur tiges
carrées ramifiées.
Habitat: prés humides,
bois, fossés, berges.
Floraison: juin-octobre.

Menthe
des champs
Mentha arvensis

Taille: 15-90 cm
(6-36 po); fleur 3 mm
(⅛ po) de diamètre.
Traits: fleurs blanches
ou mauves en bouquets
denses, à l'aisselle de
feuilles lancéolées,
dentées, opposées, sur
tiges carrées.
Habitat: champs
détrempés, berges.
Floraison: juillet-sept.

Menthes *Mentha*

Seule espèce indigène de ce groupe, la menthe des champs se reconnaît à ses fleurs réunies en bouquets près de la tige. Les autres espèces, souvent importées d'Europe par les premiers colons, sont difficiles à identifier surtout parce qu'elles s'hybrident. La menthe poivrée, par exemple, serait un croisement entre la menthe à épis et la menthe aquatique *(Mentha aquatica)*. Les huiles aromatiques qui imprègnent les feuilles de menthe ont la réputation d'éloigner chenilles, coléoptères, fourmis et moustiques.

Pycnanthème de Virginie
(menthe des montagnes de Virginie)
Pycnanthemum virginianum

Taille: 20-75 cm (8-30 po);
fleur 3 mm (⅛ po) de
diamètre. **Traits:** fleurs
blanches maculées de
pourpre en corymbes;
feuilles rubanées ou
lancéolées, opposées,
sur tiges carrées.
Habitat: prairies
humides, prés, fourrés,
bois clairs, berges.
Floraison: juillet-sept.

Pycnanthèmes
Pycnanthemum

La plupart des espèces de ce groupe affectionnent les bois et les prés. C'est le cas par exemple du pycnanthème de Virginie, bien qu'il soit couramment appelé menthe des montagnes.

Prunelle
vulgaire
Prunella vulgaris

Taille: 5-70 cm
(2-28 po); fleur
1,5 cm (½ po) de long.
Traits: port érigé
ou rampant; fleurs
violettes, roses ou
blanches en touffes;
feuilles lancéolées,
opposées, sur
tiges carrées.
Habitat: friches,
berges.
Floraison: avril-nov.

Prunelles *Prunella*

La prunelle a toujours servi à nettoyer les plaies. A partir du XVIIᵉ siècle, on a longtemps cru que ses fleurs bâillantes, en forme de gosier, avaient des vertus curatives pour les maux de gorge et les maladies de la bouche.

Germandrée du Canada
Teucrium canadense

Taille: *30 cm-1,20 m (1-4 pi); fleur 1,5-2 cm (½-¾ po) de long.* **Traits:** *fleurs roses ou lavande à grosse lèvre inférieure, en épis terminaux sur tiges carrées; feuilles opposées, lancéolées, dentées.* **Habitat:** *bois humides, fourrés, berges, rivages, friches.* **Floraison:** *juin-sept.*

Germandrées *Teucrium*

Sauf pour la menthe proprement dite *Mentha*, à quatre pétales, les fleurs de cette famille ressemblent à une bouche entrouverte. Chez les germandrées, la lèvre inférieure proéminente sert d'appui aux insectes. Le pétale supérieur, petit et lobé, fait penser à deux incisives.

Epiaire des marais
Stachys palustris

Taille: *30-90 cm (1-3 pi); fleur 1,5-2 cm (½-¾ po) de long.* **Traits:** *fleurs magenta maculées de pourpre, tubulaires, à lèvre inférieure lobée, en touffes feuillues au haut de tiges carrées; feuilles opposées, lancéolées, dentées.* **Habitat:** *prés humides, marais herbeux, rivages, fossés.* **Floraison:** *juin-sept.*

Epiaires *Stachys*

Les feuilles velues des épiaires rappellent celles des orties, mais elles sont dépourvues des poils urticants qui caractérisent ces dernières. Bien au contraire, pendant des siècles, on a posé des cataplasmes de feuilles d'épiaires sur les plaies pour coaguler le sang et calmer la douleur.

Népéta cataire
(herbe-à-chats, chataire)
Nepeta cataria

Taille: *15-90 cm (6-36 po); fleur 1,5 cm (½ po) de long.* **Traits:** *fleurs violet pâle ou blanches maculées de pourpre en groupes terminaux denses; feuilles opposées, festonnées, cordiformes; organes veloutés, à odeur de moisi.* **Habitat:** *friches, champs.* **Floraison:** *juin-octobre.*

Chataires
Nepeta

Les chataires doivent leur nom au fait qu'elles attirent les chats. Elles renferment une huile toxique qui écarte les insectes et peut même leur être mortelle. Les colons tiraient une infusion fortifiante de cette plante importée d'Europe.

Bugle rampante
Ajuga reptans

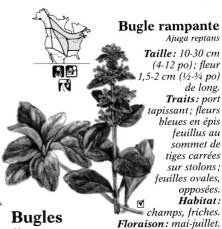

Taille: *10-30 cm (4-12 po); fleur 1,5-2 cm (½-¾ po) de long.* **Traits:** *port tapissant; fleurs bleues en épis feuillus au sommet de tiges carrées sur stolons; feuilles ovales, opposées.* **Habitat:** *champs, friches.* **Floraison:** *mai-juillet.*

Bugles
Ajuga

Voici l'avis du botaniste Nicholas Culpeper en 1653 : « Souvent, ceux qui ont trop bu ont d'étranges visions durant la nuit; certains entendent des voix... Je sais qu'on les guérit en leur donnant deux cuillerées à thé d'un sirop de cette herbe, deux heures après souper. »

Lamier embrassant
Lamium amplexicaule

Taille: *10-30 cm (4-12 po); fleur 1,5-2 cm (½-¾ po) de long.* **Traits:** *fleurs rose-violet en verticilles; tiges carrées, ramifiées, dressées ou rampantes; feuilles opposées, festonnées, engainant la tige en haut.* **Habitat:** *prés, friches.* **Floraison:** *mars-nov.*

Lamiers *Lamium*

Les feuilles velues des lamiers ressemblent à celles de l'ortie, mais leurs poils ne sont pas urticants. Ce sont des herbacées de climat froid; elles meurent en plein cœur de l'été pour renaître et refleurir quand le temps se rafraîchit. La nouvelle pousse survit à l'hiver pour refleurir et donner des graines au printemps suivant. Bien des oiseaux raffolent de ces graines, ainsi que les poules.

Monardelle des montagnes
Monardella odoratissima

Taille: *15-35 cm (6-14 po); fleur 1,5 cm (½ po) de diam.* **Traits:** *fleurs rose pâle ou pourpres, étoilées, en bouquets denses; tige carrée, ramifiée, souvent ligneuse; feuilles opposées, lancéolées.* **Habitat:** *talus secs.* **Floraison:** *mai-septembre.*

Monardelles
Monardella

Presque toutes les espèces de ce groupe se retrouvent en Californie. Certaines se limitent même à une seule chaîne de montagnes, tandis que d'autres croissent uniquement dans une petite section du désert Mohave. Leurs appellations fantaisistes n'ont donc jamais suivi la rigueur scientifique.

Lierre terrestre
Glechoma hederacea

Taille: *jusqu'à 90 cm (3 pi); fleur 1,5-2 cm (½-¾ po) de long.* **Traits:** *fleurs bleues en petits bouquets, à l'aisselle de feuilles festonnées, cordiformes, opposées; tiges carrées, rampantes.* **Habitat:** *bois humides, friches.* **Floraison:** *avril-juin.*

Glécomes *Glechoma*

Seule espèce ici de ce groupe originaire d'Eurasie, le lierre terrestre servait en France à fabriquer une sorte de bière. En Angleterre, les peintres en bâtiment buvaient du thé de lierre terrestre pour ne pas avoir la fameuse « colique du peintre », en réaction au plomb contenu dans la peinture. Ses feuilles renferment beaucoup de vitamine C, antidote connu des intoxications au plomb.

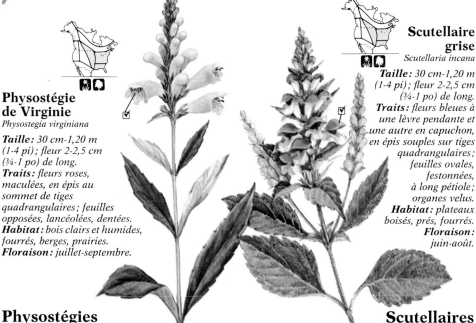

Physostégie de Virginie
Physostegia virginiana

Taille: *30 cm-1,20 m (1-4 pi); fleur 2-2,5 cm (¾-1 po) de long.* **Traits:** *fleurs roses, maculées, en épis au sommet de tiges quadrangulaires; feuilles opposées, lancéolées, dentées.* **Habitat:** *bois clairs et humides, fourrés, berges, prairies.* **Floraison:** *juillet-septembre.*

Scutellaire grise
Scutellaria incana

Taille: *30 cm-1,20 m (1-4 pi); fleur 2-2,5 cm (¾-1 po) de long.* **Traits:** *fleurs bleues à une lèvre pendante et une autre en capuchon, en épis souples sur tiges quadrangulaires; feuilles ovales, festonnées, à long pétiole; organes velus.* **Habitat:** *plateaux boisés, prés, fourrés.* **Floraison:** *juin-août.*

Physostégies
Physostegia

Les horticulteurs ont produit plusieurs variétés de physostégies pour l'embellissement des jardins; ce sont des plantes remarquables dont les fleurs blanches, roses, rouges ou pourprées rappellent celles du muflier. Les physostégies ont une particularité amusante: si l'on modifie l'axe des fleurs, elles poussent ainsi sans chercher à reprendre leur position initiale.

Scutellaires
Scutellaria

Partout dans le monde et depuis toujours, on a utilisé cette plante pour soigner l'hystérie et les troubles nerveux. On ne s'étonnera donc pas que les chimistes aient découvert une substance antispasmodique efficace, la scutellaine, dans un extrait de la fleur. Mais en dépit d'une longue réputation, la scutellaire latériflore *(Scutellaria laterifolia)* ne guérit pas la rage.

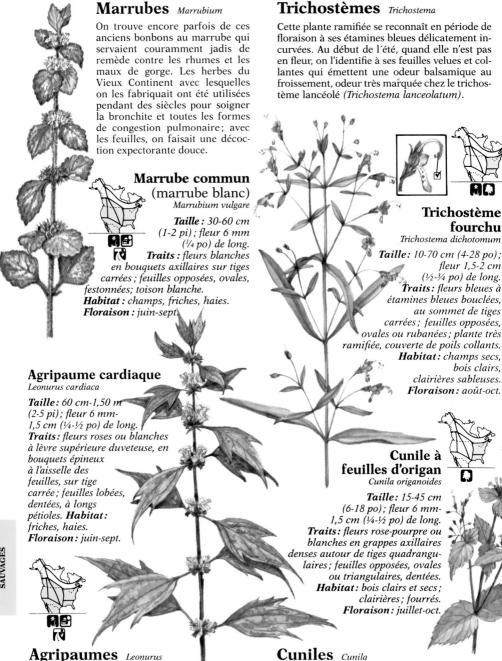

Marrubes *Marrubium*

On trouve encore parfois de ces anciens bonbons au marrube qui servaient couramment jadis de remède contre les rhumes et les maux de gorge. Les herbes du Vieux Continent avec lesquelles on les fabriquait ont été utilisées pendant des siècles pour soigner la bronchite et toutes les formes de congestion pulmonaire ; avec les feuilles, on faisait une décoction expectorante douce.

Marrube commun (marrube blanc)
Marrubium vulgare

Taille : *30-60 cm*
(1-2 pi) ; fleur 6 mm
(¼ po) de long.
Traits : *fleurs blanches*
en bouquets axillaires sur tiges
carrées ; feuilles opposées, ovales,
festonnées; toison blanche.
Habitat : *champs, friches, haies.*
Floraison : *juin-sept.*

Agripaume cardiaque
Leonurus cardiaca

Taille : *60 cm-1,50 m*
(2-5 pi) ; fleur 6 mm-
1,5 cm (¼-½ po) de long.
Traits : *fleurs roses ou blanches*
à lèvre supérieure duveteuse, en
bouquets épineux
à l'aisselle des
feuilles, sur tige
carrée ; feuilles lobées,
dentées, à longs
pétioles. **Habitat :**
friches, haies.
Floraison : *juin-sept.*

Agripaumes *Leonurus*

Cette plante très appréciée des premiers colons qui l'ont importée en Amérique du Nord porte toute une série de noms populaires : cardiaire, cardiaque, léonure, queue-de-lion. Les deux derniers sont descriptifs ; les deux premiers rappellent les usages thérapeutiques de cette plante qui était cultivée aussi bien parmi les fines herbes de cuisine que dans le jardin des herbes médicinales.

Trichostèmes *Trichostema*

Cette plante ramifiée se reconnaît en période de floraison à ses étamines bleues délicatement incurvées. Au début de l'été, quand elle n'est pas en fleur, on l'identifie à ses feuilles velues et collantes qui émettent une odeur balsamique au froissement, odeur très marquée chez le trichostème lancéolé *(Trichostema lanceolatum)*.

Trichostème fourchu
Trichostema dichotomum

Taille : *10-70 cm (4-28 po) ;*
fleur 1,5-2 cm
(½-¾ po) de long.
Traits : *fleurs bleues à*
étamines bleues bouclées,
au sommet de tiges
carrées ; feuilles opposées,
ovales ou rubanées ; plante très
ramifiée, couverte de poils collants.
Habitat : *champs secs,*
bois clairs,
clairières sableuses.
Floraison : *août-oct.*

Cunile à feuilles d'origan
Cunila origanoides

Taille : *15-45 cm*
(6-18 po) ; fleur 6 mm-
1,5 cm (¼-½ po) de long.
Traits : *fleurs rose-pourpre ou*
blanches en grappes axillaires
denses autour de tiges quadrangu-
laires ; feuilles opposées, ovales
ou triangulaires, dentées.
Habitat : *bois clairs et secs ;*
clairières ; fourrés.
Floraison : *juillet-oct.*

Cuniles *Cunila*

Les cuniles d'Amérique ont une vague ressemblance avec la fraxinelle commune d'Europe *(Dictamnus albus)*, de la famille des rues. La plupart des 16 espèces de ce groupe poussent au Mexique et en Amérique du Sud. Les Amérindiens et les premiers colons faisaient un thé avec les feuilles de notre cunile ; ses effets stimulants étaient utilisés contre la fièvre et les morsures de serpent.

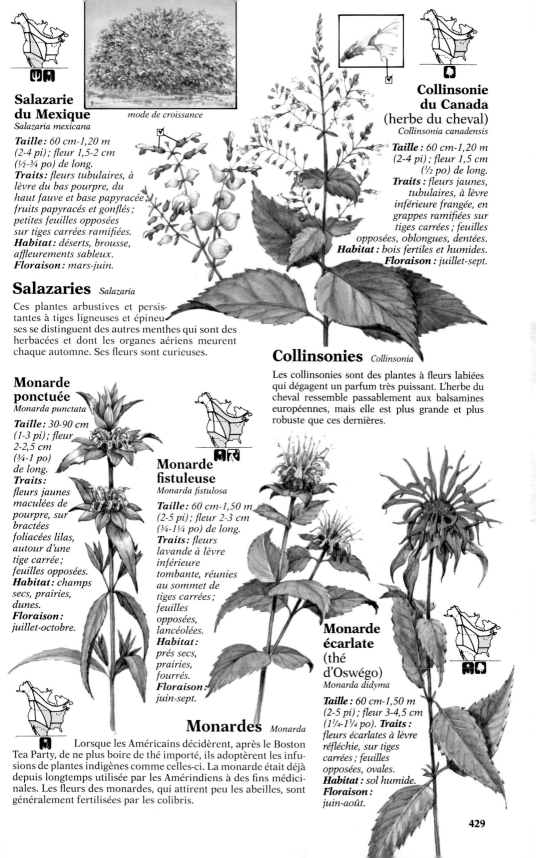

Salazarie du Mexique
Salazaria mexicana

Taille: 60 cm-1,20 m (2-4 pi); fleur 1,5-2 cm (½-¾ po) de long.
Traits: fleurs tubulaires, à lèvre du bas pourpre, du haut fauve et base papyracée; fruits papyracés et gonflés; petites feuilles opposées sur tiges carrées ramifiées.
Habitat: déserts, brousse, affleurements sableux.
Floraison: mars-juin.

mode de croissance

Salazaries *Salazaria*

Ces plantes arbustives et persistantes à tiges ligneuses et épineuses se distinguent des autres menthes qui sont des herbacées et dont les organes aériens meurent chaque automne. Ses fleurs sont curieuses.

Collinsonie du Canada
(herbe du cheval)
Collinsonia canadensis

Taille: 60 cm-1,20 m (2-4 pi); fleur 1,5 cm (½ po) de long.
Traits: fleurs jaunes, tubulaires, à lèvre inférieure frangée, en grappes ramifiées sur tiges carrées; feuilles opposées, oblongues, dentées.
Habitat: bois fertiles et humides.
Floraison: juillet-sept.

Collinsonies *Collinsonia*

Les collinsonies sont des plantes à fleurs labiées qui dégagent un parfum très puissant. L'herbe du cheval ressemble passablement aux balsamines européennes, mais elle est plus grande et plus robuste que ces dernières.

Monarde ponctuée
Monarda punctata

Taille: 30-90 cm (1-3 pi); fleur 2-2,5 cm (¾-1 po) de long.
Traits: fleurs jaunes maculées de pourpre, sur bractées foliacées lilas, autour d'une tige carrée; feuilles opposées.
Habitat: champs secs, prairies, dunes.
Floraison: juillet-octobre.

Monarde fistuleuse
Monarda fistulosa

Taille: 60 cm-1,50 m (2-5 pi); fleur 2-3 cm (¾-1¼ po) de long.
Traits: fleurs lavande à lèvre inférieure tombante, réunies au sommet de tiges carrées; feuilles opposées, lancéolées.
Habitat: prés secs, prairies, fourrés.
Floraison: juin-sept.

Monarde écarlate
(thé d'Oswégo)
Monarda didyma

Taille: 60 cm-1,50 m (2-5 pi); fleur 3-4,5 cm (1¼-1¾ po). **Traits:** fleurs écarlates à lèvre réfléchie, sur tiges carrées; feuilles opposées, ovales.
Habitat: sol humide.
Floraison: juin-août.

Monardes *Monarda*

Lorsque les Américains décidèrent, après le Boston Tea Party, de ne plus boire de thé importé, ils adoptèrent les infusions de plantes indigènes comme celles-ci. La monarde était déjà depuis longtemps utilisée par les Amérindiens à des fins médicinales. Les fleurs des monardes, qui attirent peu les abeilles, sont généralement fertilisées par les colibris.

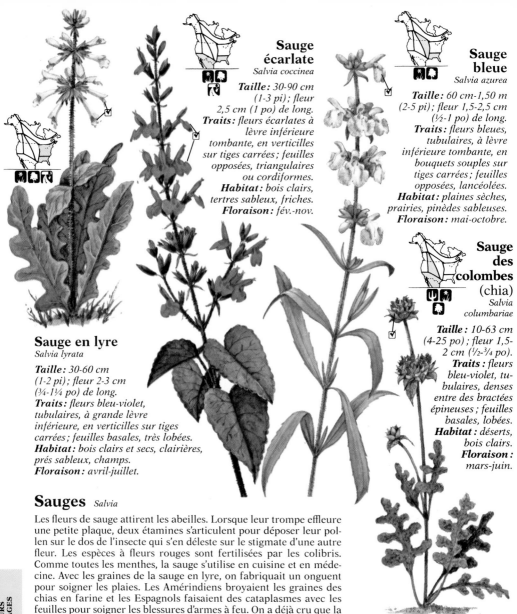

Sauge écarlate
Salvia coccinea

Taille: *30-90 cm (1-3 pi); fleur 2,5 cm (1 po) de long.*
Traits: *fleurs écarlates à lèvre inférieure tombante, en verticilles sur tiges carrées; feuilles opposées, triangulaires ou cordiformes.*
Habitat: *bois clairs, tertres sableux, friches.*
Floraison: *fév.-nov.*

Sauge bleue
Salvia azurea

Taille: *60 cm-1,50 m (2-5 pi); fleur 1,5-2,5 cm (½-1 po) de long.*
Traits: *fleurs bleues, tubulaires, à lèvre inférieure tombante, en bouquets souples sur tiges carrées; feuilles opposées, lancéolées.*
Habitat: *plaines sèches, prairies, pinèdes sableuses.*
Floraison: *mai-octobre.*

Sauge des colombes
(chia)
Salvia columbariae

Taille: *10-63 cm (4-25 po); fleur 1,5-2 cm (½-¾ po).*
Traits: *fleurs bleu-violet, tubulaires, denses entre des bractées épineuses; feuilles basales, lobées.*
Habitat: *déserts, bois clairs.*
Floraison: *mars-juin.*

Sauge en lyre
Salvia lyrata

Taille: *30-60 cm (1-2 pi); fleur 2-3 cm (¾-1¼ po) de long.*
Traits: *fleurs bleu-violet, tubulaires, à grande lèvre inférieure, en verticilles sur tiges carrées; feuilles basales, très lobées.*
Habitat: *bois clairs et secs, clairières, prés sableux, champs.*
Floraison: *avril-juillet.*

Sauges *Salvia*

Les fleurs de sauge attirent les abeilles. Lorsque leur trompe effleure une petite plaque, deux étamines s'articulent pour déposer leur pollen sur le dos de l'insecte qui s'en déleste sur le stigmate d'une autre fleur. Les espèces à fleurs rouges sont fertilisées par les colibris. Comme toutes les menthes, la sauge s'utilise en cuisine et en médecine. Avec les graines de la sauge en lyre, on fabriquait un onguent pour soigner les plaies. Les Amérindiens broyaient les graines des chias en farine et les Espagnols faisaient des cataplasmes avec les feuilles pour soigner les blessures d'armes à feu. On a déjà cru que la sauge de nos jardins, *Salvia officinalis*, redonnait la jeunesse.

Gérardie pourpre
Gerardia (Agalinis) purpurea

Taille: *30 cm-1,20 m (1-4 pi); fleur 1,5-4 cm (½-1½ po) de diamètre.*
Traits: *fleurs roses à 5 pétales évasés en entonnoir, à l'aisselle des feuilles supérieures, sur tiges graciles; feuilles opposées, rubanées.*
Habitat: *fourrés, prés, champs humides, rivages.*
Floraison: *août-octobre.*

Gérardies *Gerardia*

Comme les castilléjies, les rhinanthes et quelques autres membres de la famille des mufliers, les gérardies sont des plantes plus ou moins parasitaires. Capables de se nourrir par elles-mêmes, elles s'alimentent aux racines d'autres plantes si l'occasion se présente. Leurs fleurs roses ou écarlates s'ouvrent le matin et meurent l'après-midi; elles s'effeuillent si l'aile d'un papillon les frôle de trop près.

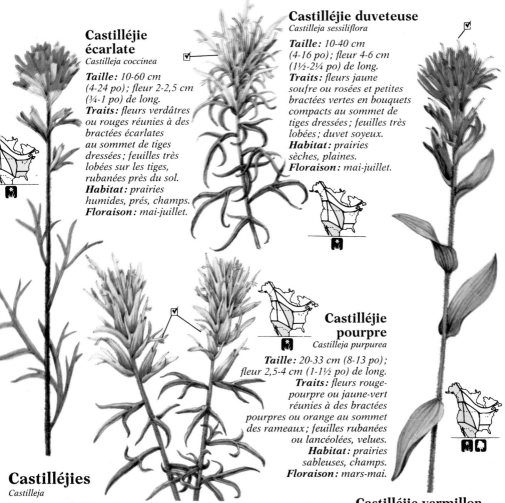

Castilléjie écarlate
Castilleja coccinea

Taille: 10-60 cm (4-24 po); fleur 2-2,5 cm (¾-1 po) de long. **Traits:** fleurs verdâtres ou rouges réunies à des bractées écarlates au sommet de tiges dressées; feuilles très lobées sur les tiges, rubanées près du sol. **Habitat:** prairies humides, prés, champs. **Floraison:** mai-juillet.

Castilléjie duveteuse
Castilleja sessiliflora

Taille: 10-40 cm (4-16 po); fleur 4-6 cm (1½-2¼ po) de long. **Traits:** fleurs jaune soufre ou rosées et petites bractées vertes en bouquets compacts au sommet de tiges dressées; feuilles très lobées; duvet soyeux. **Habitat:** prairies sèches, plaines. **Floraison:** mai-juillet.

Castilléjie pourpre
Castilleja purpurea

Taille: 20-33 cm (8-13 po); fleur 2,5-4 cm (1-1½ po) de long. **Traits:** fleurs rouge-pourpre ou jaune-vert réunies à des bractées pourpres ou orange au sommet des rameaux; feuilles rubanées ou lancéolées, velues. **Habitat:** prairies sableuses, champs. **Floraison:** mars-mai.

Castilléjies
Castilleja

Les fleurs tubulaires des castilléjies, réunies entre des bractées voyantes qui sont des feuilles modifiées, n'offrent pas de marche-pied aux abeilles et autres insectes; la plante compte donc sur des pollinisateurs capables de planer, comme les colibris. Les pistils et les étamines porteuses de pollen s'inclinent depuis l'extrémité de la lèvre supérieure, le casque, pour effleurer la tête du visiteur au moment où il introduit sa trompe ou son bec dans la fleur. Toutes les castilléjies se ressemblent; les botanistes les identifient à la forme du casque. La castilléjie du Wyoming *(Castilleja linariaefolia)* à fleurs rouges est l'emblème floral de cet Etat.

Castilléjie vermillon
Castilleja miniata

Taille: 30-90 cm (1-3 pi); fleur 2-3 cm (¾-1¼ po) de long. **Traits:** fleurs verdâtres à bouts rouges réunies à des bractées rouges au sommet de tiges dressées; feuilles rubanées. **Habitat:** prés en montagne, forêts de conifères, berges, corniches. **Floraison:** mai-septembre.

Collinsie printanière (collinsie bicolore)
Collinsia verna

Taille: 15-50 cm (6-20 po); fleur 1,5-2 cm (½-¾ po) de diam. **Traits:** fleurs blanc et bleu en verticilles terminaux; feuilles opposées; tiges dressées ou rampantes. **Habitat:** bois humides. **Floraison:** avril-juin.

Collinsies
Collinsia

La plupart des 20 espèces de ce groupe ne poussent que dans l'Ouest. Disposées en verticilles le long de la tige, les inflorescences font penser à des toits de pagodes chinoises. La fleur semble n'avoir que quatre pétales. En réalité, elle en a un cinquième qui apparaît dans la fourche de la lèvre inférieure; il est replié sur la longueur par-dessus les étamines qui portent le pollen.

Mimule jaune
Mimulus guttatus

Taille: 5 cm-1 m (2-40 po); fleur 1,5-2 cm (½-¾ po) de diam. **Traits:** *fleurs jaunes tachées de rouge, campanulées, semblables à celles du muflier, en bouquets lâches; feuilles opposées, ovales, dentées.* **Habitat:** *prés humides, fossés, berges, marais, marécages.* **Floraison:** *mars-septembre.*

Mimule écarlate
Mimulus cardinalis

Taille: 30-90 cm (1-3 pi); fleur 4-5 cm (1½-2 po) de long. **Traits:** *fleurs rouges, veloutées, tubulaires, à lèvres supérieure et inférieure réfléchies; feuilles opposées, oblongues, dentées, collantes, velues.* **Habitat:** *berges, débouchés de canyon, prés humides.* **Floraison:** *avril-octobre.*

Mimule à fleurs entrouvertes
Mimulus ringens

Taille: 30 cm-1,20 m (1-4 pi); fleur 1,5-2 cm (½-¾ po) de diam. **Traits:** *fleurs bleues ou lavande à lèvre inférieure gonflée, sur pédoncules filiformes; feuilles opposées, oblongues ou lancéolées; tiges quadrangulaires.* **Habitat:** *bois humides, prés, marais, berges.* **Floraison:** *juin-septembre.*

Mimule naine
Mimulus nanus

Taille: 2,5-10 cm (1-4 po); fleur 6 mm-1,5 cm (¼-½ po) de diam. **Traits:** *fleurs magenta tachées de jaune à la gorge; feuilles opposées, lancéolées; plante ramifiée, duveteuse.* **Habitat:** *pinèdes, prairies sableuses.* **Floraison:** *mai-août.*

Mimules   *Mimulus*

Les enfants s'amusent à pincer les « gueules » des mimules pour les faire « rire ». Mais il se passe un phénomène plus curieux encore: le stigmate au bout du pistil porte deux lobes qui se referment quand on les effleure avec un objet pointu. S'il s'agit de la trompe d'une abeille chargée de pollen, les lobes restent scellés et le pistil produit des graines. S'il n'y a pas de pollen, les lobes s'ouvrent à nouveau.

Rhinanthes
Rhinanthus

La capsule sèche de cette plante, remplie de graines, se développe rapidement à partir du renflement vert à la base de chaque fleur. Il est fréquent de trouver un seul plant portant un bourgeon vert aplati au sommet, plusieurs fleurs en cours de croissance sur la tige et une ou deux capsules brunes et gonflées près du sol. Les rhinanthes sont des plantes du Nord, présentes dans toutes les terres touchant au cercle arctique: on dit qu'ils sont circumboréaux.

Rhinanthe crête-de-coq (cocrête)
Rhinanthus crista-galli

Taille: 20-60 cm (8-24 po); fleur 1,5-2 cm (½-¾ po) de long. **Traits:** *fleurs jaunes, tubulaires, à lèvre supérieure en capuchon, émergeant d'une capsule verte gonflée, d'un seul côté de tiges dressées; feuilles opposées, oblongues, dentées.* **Habitat:** *champs, fourrés, toundra, prés alpins.* **Floraison:** *mai-septembre.*

Penstémons *Penstemon*

Cette plante doit son nom à une cinquième étamine saillante, dépourvue du sac à pollen qui couronne les quatre autres. Chez la plupart des espèces de penstémons, cette étamine stérile est couverte d'une toison dense qui ferme presque complètement la gorge de la fleur. Comme la forme de l'ouverture et la couleur des fleurs varient d'une espèce à l'autre, chacune attire différents insectes et peut donc pousser près des autres sans s'hybrider.

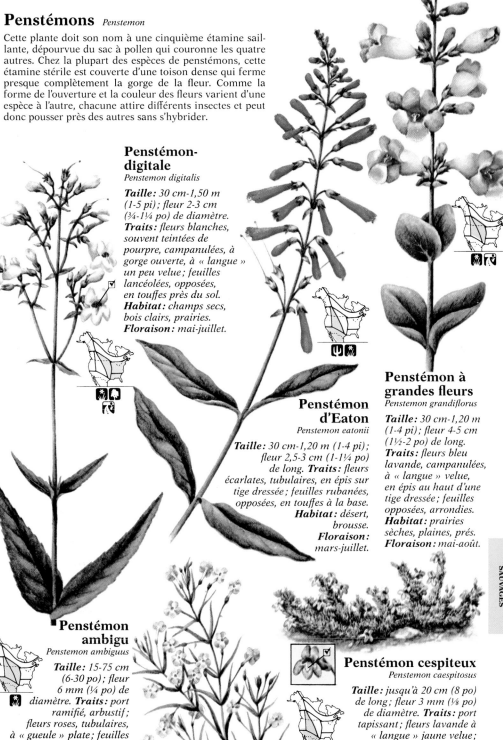

Penstémon-digitale
Penstemon digitalis

Taille: *30 cm-1,50 m (1-5 pi); fleur 2-3 cm (¾-1¼ po) de diamètre.* **Traits:** *fleurs blanches, souvent teintées de pourpre, campanulées, à gorge ouverte, à « langue » un peu velue; feuilles lancéolées, opposées, en touffes près du sol.* **Habitat:** *champs secs, bois clairs, prairies.* **Floraison:** *mai-juillet.*

Penstémon d'Eaton
Penstemon eatonii

Taille: *30 cm-1,20 m (1-4 pi); fleur 2,5-3 cm (1-1¼ po) de long.* **Traits:** *fleurs écarlates, tubulaires, en épis sur tige dressée; feuilles rubanées, opposées, en touffes à la base.* **Habitat:** *désert, brousse.* **Floraison:** *mars-juillet.*

Penstémon à grandes fleurs
Penstemon grandiflorus

Taille: *30 cm-1,20 m (1-4 pi); fleur 4-5 cm (1½-2 po) de long.* **Traits:** *fleurs bleu lavande, campanulées, à « langue » velue, en épis au haut d'une tige dressée; feuilles opposées, arrondies.* **Habitat:** *prairies sèches, plaines, prés.* **Floraison:** *mai-août.*

Penstémon ambigu
Penstemon ambiguus

Taille: *15-75 cm (6-30 po); fleur 6 mm (¼ po) de diamètre.* **Traits:** *port ramifié, arbustif; fleurs roses, tubulaires, à « gueule » plate; feuilles opposées, rubanées.* **Habitat:** *plaines sèches.* **Floraison:** *mai-août.*

Penstémon cespiteux
Penstemon caespitosus

Taille: *jusqu'à 20 cm (8 po) de long; fleur 3 mm (⅛ po) de diamètre.* **Traits:** *port tapissant; fleurs lavande à « langue » jaune velue; petites feuilles grises velues.* **Habitat:** *déserts, collines sèches, brousse.* **Floraison:** *juin-août.*

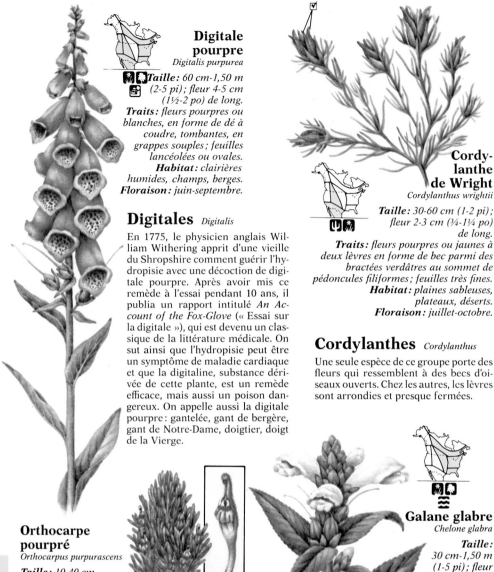

Digitale pourpre
Digitalis purpurea

Taille: 60 cm-1,50 m (2-5 pi); fleur 4-5 cm (1½-2 po) de long.
Traits: *fleurs pourpres ou blanches, en forme de dé à coudre, tombantes, en grappes souples; feuilles lancéolées ou ovales.*
Habitat: *clairières humides, champs, berges.*
Floraison: *juin-septembre.*

Digitales *Digitalis*

En 1775, le physicien anglais William Withering apprit d'une vieille du Shropshire comment guérir l'hydropisie avec une décoction de digitale pourpre. Après avoir mis ce remède à l'essai pendant 10 ans, il publia un rapport intitulé *An Account of the Fox-Glove* (« Essai sur la digitale »), qui est devenu un classique de la littérature médicale. On sut ainsi que l'hydropisie peut être un symptôme de maladie cardiaque et que la digitaline, substance dérivée de cette plante, est un remède efficace, mais aussi un poison dangereux. On appelle aussi la digitale pourpre: gantelée, gant de bergère, gant de Notre-Dame, doigtier, doigt de la Vierge.

Cordy-lanthe de Wright
Cordylanthus wrightii

Taille: 30-60 cm (1-2 pi); fleur 2-3 cm (¾-1¼ po) de long.
Traits: *fleurs pourpres ou jaunes à deux lèvres en forme de bec parmi des bractées verdâtres au sommet de pédoncules filiformes; feuilles très fines.*
Habitat: *plaines sableuses, plateaux, déserts.*
Floraison: *juillet-octobre.*

Cordylanthes *Cordylanthus*

Une seule espèce de ce groupe porte des fleurs qui ressemblent à des becs d'oiseaux ouverts. Chez les autres, les lèvres sont arrondies et presque fermées.

Orthocarpe pourpré
Orthocarpus purpurascens

Taille: 10-40 cm (4-16 po); fleur 1,5-2,5 cm (½-1 po) de long.
Traits: *fleurs pourpres ou jaunes en bouquets compacts parmi des bractées velues à bout pourpre; feuilles filiformes.* **Habitat:** *déserts, plaines sèches, pâturages, bois clairs.*
Floraison: *mars-mai.*

Orthocarpes *Orthocarpus*

Comme pour les castilléjies, les fleurs des orthocarpes logent dans des bractées voyantes, mais qui sont plus apparentes. Celles de l'orthocarpe pourpré se confondent souvent avec les bractées pourprées, mais sont parfois jaune vif.

Galane glabre
Chelone glabra

Taille: 30 cm-1,50 m (1-5 pi); fleur 2,5-4 cm (1-1½ po) de long.
Traits: *fleurs blanches, souvent teintées de lavande, en forme de tête de tortue, en bouquets compacts au sommet de tiges élancées; feuilles opposées, ovales ou rubanées, dentées.*
Habitat: *prés humides, berges.*
Floraison: *juillet-octobre.*

Galanes *Chelone*

Les fleurs à deux lèvres des mufliers ou « gueules-de-loup » évoquent divers animaux: éléphants, serpents, loups, singes, oiseaux. Mais la plus frappante est celle de la galane glabre, avec sa tête de tortue, qu'on retrouve dans nos plates-bandes.

Synthyris
des montagnes
Synthyris missurica

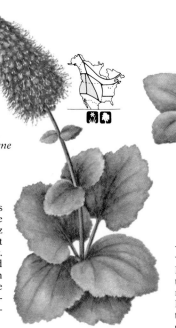

Taille: *10-60 cm (4-24 po); fleur 1,5 cm (½ po) de long.*
Traits: *fleurs bleu-pourpre en épis très duveteux; feuilles cordiformes ou réniformes, en rosette près du sol, opposées sur la tige.*
Habitat: *flancs de montagne non boisés, pinèdes.*
Floraison: *mai-juin.*

Synthyris *Synthyris*

Les fleurs des synthyris sont dépourvues de cette lèvre inférieure qui, chez les autres mufliers, permet aux insectes de se poser. L'abeille parvient quand même à les fertiliser en s'agrippant à la surface duveteuse de l'épi, qui consiste en deux étamines saillantes par fleuron.

Besséya
alpin
Besseya alpina

Taille: *5-15 cm (2-6 po); fleur 6 mm (¼ po) de long.*
Traits: *fleurs pourpre pâle en épis très duveteux; feuilles ovales ou cordiformes, en rosette près du sol, éparpillées le long de la tige.*
Habitat: *prés rocheux en altitude.*
Floraison: *août-septembre.*

Besséyas *Besseya*

L'amateur aura quelque difficulté à distinguer le besséya (nommé en l'honneur du botaniste américain Charles Bessey) du synthyris. Certains botanistes les réunissent d'ailleurs sous le nom général de *Synthyris*.

Fausse
digitale jaune
Aureolaria flava

Taille: *60 cm-2,45 m (2-8 pi); fleur 4-6 cm (1½-2¼ po) de long.*
Traits: *fleurs jaunes à 5 pétales arrondis en entonnoir, réunies en bouquets souples; feuilles opposées à sinus profonds; tige souvent pourpre.*
Habitat: *bois, fourrés.*
Floraison: *juillet-septembre.*

Fausses digitales
Aureolaria

Les premiers colons ont trouvé en Amérique beaucoup de plantes semblables à celles de leurs pays. Cette fausse digitale, à fleurs jaunes, en est un exemple. C'est une plante semiparasitaire qui tire une partie de sa subsistance des racines de chêne. Les Amérindiens en utilisaient certaines espèces à des fins médicinales, un peu comme le faisaient les Européens avec les vraies digitales.

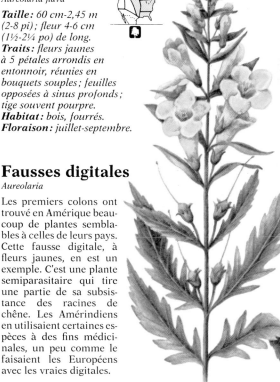

Mohavéa
à fleurs
groupées
Mohavea confertiflora

Taille: *10-40 cm (4-16 po); fleur 2,5-4 cm (1-1½ po) de long.*
Traits: *fleurs jaune pâle tachées de pourpre, translucides; feuilles étroites, lancéolées, velues.*
Habitat: *brousse désertique, talus secs.*
Floraison: *mars-avril.*

Mohavéas *Mohavea*

Les deux seules espèces poussent dans le désert Mohave. Le mohavéa à fleurs groupées est plus grand et plus répandu. Le mohavéa à petites fleurs *(Mohavea breviflora),* jaune vif, ne pousse que près de la vallée de la Mort.

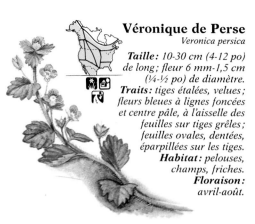

Véronique de Perse
Veronica persica

Taille: *10-30 cm (4-12 po) de long; fleur 6 mm-1,5 cm (¼-½ po) de diamètre.*
Traits: *tiges étalées, velues; fleurs bleues à lignes foncées et centre pâle, à l'aisselle des feuilles sur tiges grêles; feuilles ovales, dentées, éparpillées sur les tiges.*
Habitat: *pelouses, champs, friches.*
Floraison: *avril-août.*

Véronique aquatique
Veronica anagallis-aquatica

Taille: *30 cm-1,20 m (1-4 pi) de long; fleur 6 mm (¼ po) de diamètre.*
Traits: *tiges rampantes à sommités dressées; fleurs bleu lilas, en épis terminaux souples à l'aisselle des feuilles; feuilles opposées, rubanées.*
Habitat: *berges, rivages, marais, fossés, bords d'étang.*
Floraison: *mai-sept.*

Véroniques *Veronica*

On appelle parfois certaines espèces « thé d'Europe »; il est vrai qu'autrefois en Europe, on faisait avec leurs feuilles une infusion médicamenteuse utilisée comme expectorant pour soigner les rhumes et la congestion pulmonaire. Ce membre de la grande famille des mufliers se caractérise par des fleurs en forme de soucoupe composées d'un tube court et de quatre pétales de taille irrégulière, parfois veinés d'une couleur plus foncée, qui apparaissent solitaires ou groupées en racèmes latéraux ou terminaux.

Molène vulgaire (tabac du diable)
Verbascum thapsus

Taille: *30 cm-2,45 m (1-8 pi); fleur 6 mm-2,5 cm (¼-1 po) de diamètre.*
Traits: *fleurs jaunes en épis compacts au sommet d'une tige robuste; feuilles oblongues, veloutées, gris-vert.*
Habitat: *champs, anciens pâturages, bords de route.*
Floraison: *juin-septembre.*

Molènes *Verbascum*

La plupart de ces herbacées eurasiennes sont bisannuelles: leur cycle s'étale sur deux ans. Le premier été, la plante forme près du sol une large rosette foliaire qui persiste en hiver; ces feuilles, au toucher, font penser à du velours ou à de la flanelle. Le printemps suivant, une tige florale s'élève au centre de la rosette et donne des fleurs qui s'épanouissent l'une à la suite de l'autre tout l'été. La molène blattaire doit son nom à l'aspect de ses fleurs: en effet, elles ressemblent à des blattes avec leurs pétales étalés et leurs étamines en forme d'antenne.

fleur blanche

Molène blattaire
Verbascum blattaria

Taille: *30-90 cm (1-3 pi); fleur 2,5 cm (1 po) de diam.*
Traits: *fleurs jaunes ou blanches à pétales étalés et centre pourpre et duveteux, lâchement groupées au sommet de tiges élancées; feuilles lancéolées ou ovales, dentées, en touffes près du sol, éparpillées sur la tige.*
Habitat: *champs, friches, bords de route.*
Floraison: *juin-septembre.*

Pédiculaire à bractées
Pedicularis bracteosa

Taille: *30 cm-1,20 m (1-4 pi); fleur 1,5-2,5 cm (½-1 po) de long.* **Traits:** *fleurs jaunes, roses ou pourpres à bec d'oiseau, en épis denses; feuilles découpées.* **Habitat:** *prés en montagne, talus, bois clairs.* **Floraison:** *juin-août.*

Pédiculaire du Canada
Pedicularis canadensis

Taille: *15-40 cm (6-16 po); fleur 1,5-2,5 cm (½-1 po) de long.* **Traits:** *fleurs rouge-brun ou jaunes à bec d'oiseau, en épis denses; feuilles profondément lobées.* **Habitat:** *bois clairs, fourrés, prairies.* **Floraison:** *avril-juin.*

Pédiculaire du Groenland
Pedicularis groenlandica

Taille: *20-60 cm (8-24 po); fleur 2-2,5 cm (¾-1 po) de long.* **Traits:** *fleurs roses ou pourpres, en forme de tête d'éléphant à trompe dressée, réunies en bouquets fournis; feuilles découpées ou profondément lobées, en touffes près du sol, éparpillées sur la tige.* **Habitat:** *prés humides en montagne, bois clairs.* **Floraison:** *juin-août.*

Pédiculaires *Pedicularis*

Pour atteindre le nectar de la pédiculaire du Canada, l'abeille soulève le côté droit de la lèvre supérieure (l'autre est soudé); le stigmate effleure alors le corps de l'insecte et prend le pollen qui s'y trouve. A sa sortie, l'abeille fait provision de pollen frais que recueillera le stigmate d'une autre fleur. La pédiculaire du Groenland n'a pas de nectar; c'est son pollen que recherche le bourdon. Il se pose sur la « trompe » et fait vibrer ses ailes; le stigmate cueille sur l'abdomen de l'insecte le pollen de la fleur précédente.

Fausses véroniques
Veronicastrum

Il n'existe que deux espèces de cette plante, l'une en Amérique du Nord, l'autre en Sibérie. On la reconnaît à ses fleurs apparaissant en racèmes terminaux ramifiés. Ses racines séchées étaient jadis utilisées comme laxatif et cathartique.

Fausse véronique (véronicastre) de Virginie
Veronicastrum virginicum

Taille: *60 cm-2,10 m (2-7 pi); fleur 3-6 mm (⅛-¼ po) de diamètre.* **Traits:** *fleurs blanches ou pourprées en racèmes denses sur tige droite; feuilles lancéolées, verticillées.* **Habitat:** *bois clairs, fourrés, prairies.* **Floraison:** *juin-sept.*

Linaire vulgaire
Linaria vulgaris

Taille: *15-90 cm (6-36 po); fleur 2,5 cm (1 po) de long.* **Traits:** *fleurs jaunes à éperon, tachées d'orange à la gorge, en épis terminaux; tiges à feuilles linéaires.* **Habitat:** *champs, friches, bords de route.* **Floraison:** *mai-sept.*

Linaires *Linaria*

La tache de couleur qui guide l'insecte vers le nectar nous permet de croire que les linaires sont fertilisées de jour: elle serait inutile de nuit. Comme ce nectar se trouve dans l'éperon, on peut en déduire que la plante est fertilisée par des colibris et des insectes à longue trompe.

Orobanche de Louisiane
Orobanche ludoviciana

Taille: *10-30 cm (4-12 po);
fleur 2-3 cm (¾-1¼ po)
de long.*
Traits: *fleurs pourpres
à gorge jaune, en épis
fournis entre des
bractées brunes à
écailles; tiges souvent
en touffes.*
Habitat: *déserts, prairies
sableuses, brousse.*
Floraison: *mars-août.*

Orobanche uniflore
Orobanche uniflora

Taille: *2,5-15 cm
(1-6 po); fleur
1,5-2,5 cm (½-1 po)
de long.*
Traits: *fleurs crème
ou bleu lavande
à gorge jaune,
solitaires au sommet de
tiges pâles; feuilles en écailles
près du sol.*
Habitat: *bois humides, fourrés.*
Floraison: *avril-juin.*

Orobanches *Orobanche*

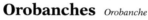

Les orobanches sont des plantes sans chlorophylle, incapables de se nourrir
seules. Aussi leurs racines parasitent-elles les racines d'autres plantes pour
obtenir leur nourriture. L'orobanche de Louisiane (nommée d'après le territoire et non d'après l'Etat) parasite les plants de tomate et plusieurs membres occidentaux de la grande famille des composées, en particulier les
franséries *(Franseria)* et les armoises *(Artemisia)*. L'orobanche uniflore s'accommode de plusieurs plantes, mais manifeste une préférence marquée pour
l'orpin *(Sedum)* et croît même sur des sujets de jardin.

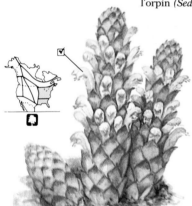

Conopholis d'Amérique
Conopholis americana

Taille: *5-25 cm (2-10 po);
fleur 1,5 cm (½ po) de long.*
Traits: *tiges couvertes d'écailles
chevauchantes fauves (puis brunes); fleurs
jaunes à capuchon, dans le haut des écailles.*
Habitat: *bois fertiles (souvent de chênes).*
Floraison: *avril-juillet.*

Conopholis *Conopholis*

Les tiges écailleuses de cette famille d'orobanches ressemblent à des cônes de pin dressés.
Mais on ne peut les confondre, car les conopholis parasitent les racines d'arbres feuillus,
surtout de chênes. Les écailles fauves et souples, qui sont des feuilles modifiées, deviennent dures et brunes après la chute des fleurs.

Epifage de Virginie
Epifagus virginiana

Taille: *12,5-40 cm
(5-16 po); fleur 6 mm-
1,5 cm (¼-½ po) de long.*
Traits: *tiges brun pâle
ramifiées; fleurs blanches
rayées de brun-pourpre,
tubulaires au sommet
des tiges, en boutons à la base.*
Habitat: *bois de hêtres, fourrés.*
Floraison: *août-octobre.*

Epifages
Epifagus

Les épifages parasitent les racines des hêtres sans nuire à leurs
hôtes. Leurs racines n'entrent
pas dans celles de l'arbre, à l'inverse des racines des autres orobanches, mais se nourrissent
par l'intermédiaire d'un champignon terricole. Les fleurs supérieures de l'épifage, qui sont
visitées par les abeilles, sont
stériles; par contre, celles du
bas, qui ne s'ouvrent pas, produisent une abondance de graines par autofécondation.

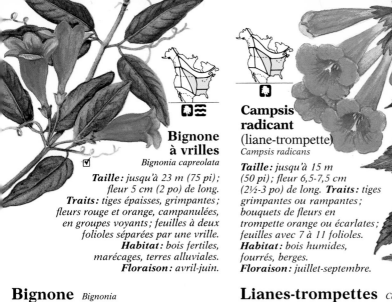

Bignone à vrilles
☑

Bignonia capreolata

Taille: *jusqu'à 23 m (75 pi); fleur 5 cm (2 po) de long.* **Traits:** *tiges épaisses, grimpantes; fleurs rouge et orange, campanulées, en groupes voyants; feuilles à deux folioles séparées par une vrille.* **Habitat:** *bois fertiles, marécages, terres alluviales.* **Floraison:** *avril-juin.*

Campsis radicant (liane-trompette)
Campsis radicans

Taille: *jusqu'à 15 m (50 pi); fleur 6,5-7,5 cm (2½-3 po) de long.* **Traits:** *tiges grimpantes ou rampantes; bouquets de fleurs en trompette orange ou écarlates; feuilles avec 7 à 11 folioles.* **Habitat:** *bois humides, fourrés, berges.* **Floraison:** *juillet-septembre.*

Bignone *Bignonia*

En coupe transversale, la tige du bignone à vrilles est marquée d'une croix, détail qui fut considéré comme un présage heureux par les prêtres et les missionnaires accompagnant les premiers explorateurs du Sud-Est. Le groupe comporte une seule espèce.

Lianes-trompettes *Campsis*

L'une des deux espèces de ce groupe est originaire d'Amérique du Nord; l'autre, le campsis à grandes fleurs *(Campsis grandiflora)*, vient d'Asie. Elles sont cultivées pour leurs fleurs ornementales, mais le port rampant de la nôtre la rend souvent encombrante.

Ruellie glabre
Ruellia strepens

Taille: *30 cm-1,20 m (1-4 pi); fleur 2,5 cm (1 po) de diam.* **Traits:** *fleurs bleu-violet, tubulaires, sur courts pédoncules feuillus; feuilles opposées, oblongues.* **Habitat:** *bois clairs.* **Floraison:** *mai-juillet.*

Ruellies *Ruellia*

De ce groupe qui comprend en tout quelque 250 espèces, une vingtaine croissent dans les zones tempérées et subtropicales de l'Amérique du Nord; les autres ne supportent qu'un climat tropical. Ce sont des plantes très décoratives. Les inflorescences de quelques espèces prostrées rappellent celles des pétunias.

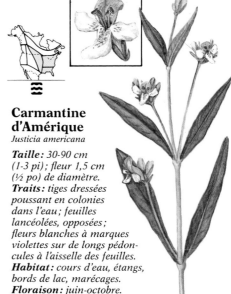

Carmantine d'Amérique
Justicia americana

Taille: *30-90 cm (1-3 pi); fleur 1,5 cm (½ po) de diamètre.* **Traits:** *tiges dressées poussant en colonies dans l'eau; feuilles lancéolées, opposées; fleurs blanches à marques violettes sur de longs pédoncules à l'aisselle des feuilles.* **Habitat:** *cours d'eau, étangs, bords de lac, marécages.* **Floraison:** *juin-octobre.*

Carmantines *Justicia*

Lorsqu'on les voit en colonies, leurs tiges souples et délicates s'élevant au-dessus des cours d'eau et des étangs, on prendrait les carmantines pour des saules prostrés. Leurs feuilles ont la forme de celles du saule, mais il n'existe aucune parenté.

439

Grassette vulgaire
Pinguicula vulgaris

Taille: *5-15 cm (2-6 po); fleur 6 mm-1,5 cm (¼-½ po) de diam.* **Traits:** *fleurs violettes à éperon; feuilles jaune-vert, grasses, collantes, en rosette près du sol.* **Habitat:** *roches mouillées, prés, tourbières.* **Floraison:** *juin-août.*

Grassettes *Pinguicula*

Les petits insectes qui sont attirés par la grassette restent collés sur la feuille. Bientôt, celle-ci s'enroule et la plante sécrète des enzymes qui libèrent l'azote et les éléments nourriciers contenus dans ses victimes. Une fois sa digestion terminée, la feuille se déroule.

Utriculaire gonflée
Utricularia inflata

Taille: *rosette jusqu'à 3 m (10 pi) de diam.; tige 12,5-30 cm (5-12 po) de haut; fleur 1,5-2 cm (½-¾ po) de diamètre.* **Traits:** *fleurs jaunes en bouclier au sommet d'une tige nue; rosette de rameaux gonflés, immergés; feuilles plumeuses à plusieurs petites vésicules.* **Habitat:** *étangs, fossés.* **Floraison:** *mai-août.*

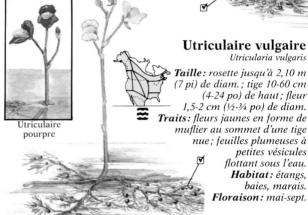

Utriculaire pourpre

Utriculaire vulgaire
Utricularia vulgaris

Taille: *rosette jusqu'à 2,10 m (7 pi) de diam.; tige 10-60 cm (4-24 po) de haut; fleur 1,5-2 cm (½-¾ po) de diam.* **Traits:** *fleurs jaunes en forme de muflier au sommet d'une tige nue; feuilles plumeuses à petites vésicules flottant sous l'eau.* **Habitat:** *étangs, baies, marais.* **Floraison:** *mai-sept.*

Utriculaires *Utricularia*

Chaque petite vésicule des feuilles aquatiques de cette plante carnivore est garnie d'un piège actionné par des poils. Qu'un petit animal touche à ces poils et le piège se referme sur lui; il sera ensuite digéré par la plante. L'utriculaire pourpre *(Utricularia purpurea)* à feuilles verticillées est l'une des rares espèces indigènes dont les fleurs ne soient pas jaunes.

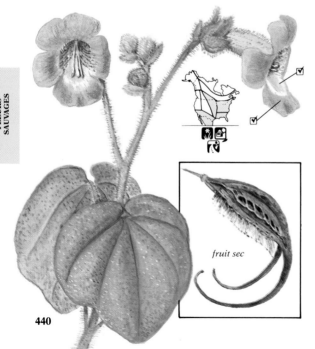

fruit sec

Proboscidéa de Louisiane
Proboscidea louisianica

Taille: *30-90 cm (1-3 pi); fleur 4 cm (1½ po) de diamètre.* **Traits:** *fleurs roses à gorge jaune, campanulées, à grande lèvre inférieure; feuilles cordiformes, collantes, duveteuses; tige duveteuse; fruits charnus, verts, terminés par une corne (plus tard durs, bruns, à deux pinces).* **Habitat:** *champs, berges, friches, bords de route.* **Floraison:** *juin-septembre.*

Proboscidéas *Proboscidea*

Ce groupe de neuf espèces se reconnaît aux deux stades distincts par lesquels passent ses fruits. Au début, ils sont verts et charnus et se terminent par une seule corne. On peut alors les faire mariner comme des cornichons. En séchant, ils deviennent durs et bruns et finissent par s'ouvrir. La corne forme alors deux crochets qui s'agrippent aux animaux pour assurer la dissémination des graines.

Triodanis perfolié
(miroir-de-Vénus)
Triodanis perfoliata

Taille: 10-75 cm (4-30 po); fleur 1,5-2 cm (½-¾ po) de diamètre.

Traits: *fleurs bleues ou violettes, cupuliformes, axillaires (en boutons au sommet du plant); feuilles en coquille, engainant la tige.* **Habitat:** *bois clairs, champs, friches.* **Floraison:** *mai-juin.*

Miroirs-de-Vénus
Triodanis

Le nom de ce groupe de plantes lui vient d'une espèce européenne apparentée dont les graines sont rondes, plates et luisantes comme un miroir. La ressemblance est toutefois moins évidente pour l'espèce nord-américaine. Cette plante produit des fleurs à autofécondation qui restent fermées et aussi des fleurs qui s'épanouissent plus bas sur la tige.

Campanule divariquée
Campanula divaricata

Taille: 30-90 cm (1-3 pi); fleur 6 mm (¼ po) de diam. **Traits:** *fleurs campanulées bleues à 5 pétales réfléchis et un long pistil saillant, pendantes sur pédoncules souples; feuilles lancéolées ou ovales, dentées; tiges graciles, ramifiées.* **Habitat:** *bois secs, coteaux rocheux.* **Floraison:** *juillet-sept.*

Campanule d'Amérique
Campanula americana

Taille: 60 cm-2,10 m (2-7 pi); fleur 2,5 cm (1 po) de diamètre. **Traits:** *fleurs bleues, en étoile, à l'aisselle des feuilles supérieures, groupées au sommet de tiges velues et souples; feuilles lancéolées ou ovales, dentées.* **Habitat:** *bois humides, fourrés, bords de route ombragés.* **Floraison:** *juin-septembre.*

Campanule à feuilles rondes
Campanula rotundifolia

Taille: 10-50 cm (4-20 po); fleur 2 cm (¾ po) de diamètre. **Traits:** *fleurs bleues ou lavande, campanulées, sur pédoncules filiformes au sommet des tiges; feuilles étroites, éparpillées sur les tiges (les feuilles rondes et longuement pétiolées près du sol meurent avant la floraison).* **Habitat:** *champs, falaises, bois clairs et secs.* **Floraison:** *juin-octobre.*

Campanules *Campanula*

Pour la pollinisation croisée, trois cas peuvent se présenter: les fleurs mâles et femelles se trouvent sur des plants différents, ou sur le même plant, ou encore deux types d'organes habitent la même fleur. Chez les campanules, toutefois, chaque fleur traverse deux stades de développement. Premier stade: les stigmates du pistil sont fermés et les étamines produisent du pollen. Celui-ci tombe au fond de l'inflorescence; des abeilles le recueillent et vont le porter sur des fleurs dont les stigmates sont ouverts (second stade). Dans le cas où le pistil n'aurait pas été pollinisé, il s'enroule légèrement sur lui-même et va ramasser un peu de pollen au fond de sa propre fleur.

Downingia à deux cornes
Downingia bicornuta

Taille: 7,5-25 cm (3-10 po); fleur 6 mm-1,5 cm (¼-½ po) de diam. **Traits:** fleurs bleues à centre pâle et 2 cornes jaunes sur la lèvre du bas; feuilles petites et rubanées. **Habitat:** sols boueux. **Floraison:** avril-juillet.

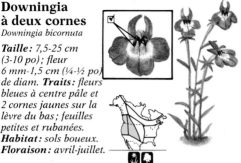

Downingia élégant
Downingia elegans

Hauteur: 10-40 cm (4-16 po); fleur 6 mm-1,5 cm (¼-½ po). **Traits:** fleurs bleues à tache blanche et 2 crêtes jaunes sur la lèvre du bas, étamines soudées; feuilles rubanées. **Habitat:** bois; sols boueux. **Floraison:** juin-sept.

Downingias *Downingia*

On pourrait d'abord confondre avec les violettes ces plantes prostrées des États de l'Ouest qui tapissent les sols détrempés de leurs fleurs bleu et pourpre. A l'examen, on voit bien qu'elles sont de la famille des lobélies: leurs fleurs ont deux lèvres lobées — celles des violettes, cinq pétales distincts — et leurs étamines sont soudées en une seule colonne centrale.

Lobélie du cardinal
Lobelia cardinalis

Taille: 30 cm-1,50 m (1-5 pi); fleur 4-4,5 cm (1½-1¾ po) de long. **Traits:** fleurs rouge vif, tubulaires, réunies en épis sur tiges dressées; étamines rouges en tube, dans les lobes de la lèvre supérieure; feuilles lancéolées, dentées. **Habitat:** marais, prés, rives, bois prostrés. **Floraison:** juillet-septembre.

Lobélie bleue
Lobelia siphilitica

Taille: 30 cm-1,20 m (1-4 pi); fleur 2-3 cm (¾-1¼ po) de long. **Traits:** fleurs bleues, tubulaires, à étamines dans un tube en saillie sur la lèvre du haut; feuilles lancéolées ou ovales, dentées. **Habitat:** marais, prés, bords de lac, berges, bois clairs. **Floraison:** août-sept.

Lobélie gonflée
Lobelia inflata

Taille: 10-90 cm (4-36 po); fleur 6 mm (¼ po). **Traits:** fleurs bleues ou blanches, campanulées, en racèmes lâches; calice vert gonflé; feuilles oblongues. **Habitat:** champs, bois clairs, friches. **Floraison:** juin-oct.

Lobélies *Lobelia*

Ce genre compte quelque 375 espèces, de tailles très variées. Toutes les lobélies ont des fleurs tubulaires à deux lèvres divisées en deux lobes dans le haut et trois dans le bas, et cinq étamines réunies dans un tube. Les lobélies du cardinal, rouges et inodores, sont fertilisées par les colibris; les deux autres espèces illustrées ici le sont par les abeilles et les papillons.

Houstonie à feuilles lancéolées
Houstonia lanceolata

Taille: 15-50 cm (6-20 po); fleur 6 mm-1,5 cm (¼-½ po) de diam. *Traits:* fleurs blanches ou pourpres à 4 pétales, en bouquets terminaux; feuilles opposées, lancéolées ou ovales; port ramifié. *Habitat:* bois secs et clairs, landes de pins, prairies. *Floraison:* mai-juillet.

Houstonie bleue
Houstonia caerulea

Taille: 5-20 cm (2-8 po); fleur 6 mm-1,5 cm (¼-½ po) de diam. *Traits:* fleurs bleu pâle à centre jaune et 4 pétales, au sommet des tiges; feuilles spatulées, en rosette près du sol, opposées sur les tiges. *Habitat:* prés humides, bois clairs. *Floraison:* avril-juin.

Houstonies *Houstonia*

Les houstonies tapissent les sols humides des prés et des sous-bois de leurs innombrables fleurettes à quatre pétales. Il en existe plus de 20 espèces en Amérique du Nord, mais il faut l'œil d'un botaniste pour les différencier. Certaines ont des bouquets floraux au sommet de pédoncules ramifiés; d'autres, comme l'houstonie bleue, ont une ou deux fleurs étoilées dans le haut de chaque tige.

Mitchellas *Mitchella*

Il existe deux espèces de mitchellas; l'une ici, l'autre au Japon. Les fleurs gémellées qui s'épanouissent au haut des tiges sont d'abord soudées à la base; à maturité, les ovaires se réunissent, formant un fruit comestible à deux loges.

Mitchella rampant
Mitchella repens

Taille: jusqu'à 90 cm (3 pi) de long; fleur 6 mm (¼ po) de diamètre. *Traits:* tiges rampantes; fleurs blanches ou pourprées, poilues, gémellées, à 4 pétales; feuilles opposées, rondes, persistantes, à taches blanches; baies rouges doubles. *Habitat:* bois. *Floraison:* mai-juillet.

Bouvardie à trois feuilles *Bouvardia ternifolia*

Taille: 30-90 cm (1-3 pi); fleur 2-3 cm (¾-1¼ po) de long. *Traits:* bouquets terminaux de fleurs écarlates, duveteuses, à 4 pétales en trompette; plant arbustif; feuilles ovales, en verticilles de 3 ou 4. *Habitat:* désert, rocaille, plaine. *Floraison:* mai-nov.

Bouvardies *Bouvardia*

Ce groupe qui porte le nom de Bouvard, médecin de Louis XIII et surintendant des jardins royaux, compte une trentaine d'espèces dont la plupart poussent au Mexique et en Amérique centrale; on les cultive ici en serre, car leurs fleurs sont admirables. Les blanches et les jaunes ont une odeur de jasmin. Par contre, la bouvardie à trois feuilles est inodore.

443

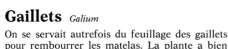

Gaillets *Galium*

On se servait autrefois du feuillage des gaillets pour rembourrer les matelas. La plante a bien d'autres qualités. Les pousses et les jeunes plants sont savoureux et nourrissants; il suffit de les blanchir pendant cinq minutes. Acides, les feuilles servent encore aujourd'hui à faire cailler le lait destiné au fromage; on peut aussi en tirer une infusion hautement tonifiante, utile dans les cas d'affections cutanées, ainsi qu'une teinture. Les fruits, torréfiés, remplacent agréablement le café. Le plus connu est le gaillet gratteron, ainsi nommé parce qu'il s'attache à tout, mais d'autres espèces sont également très utiles.

Gaillet piquant
Galium asprellum

Taille: *60 cm-1,80 m (2-6 pi);*
fleur 3 mm (⅛ po) de diamètre.
Traits: *fleurs blanches en*
groupes terminaux lâches; tiges
quadrangulaires, dressées ou
rampantes, ramifiées, poilues;
feuilles lancéolées,
poilues, en verticilles.
Habitat: *bois humides, fourrés.*
Floraison: *mai-août.*

Gaillet gratteron
Galium aparine

Taille: *30 cm-1,50 m*
(1-5 pi) de long; fleur
3 mm (⅛ po) de diamètre.
Traits: *fleurs blanches en*
bouquets lâches sur pédoncules
graciles; tiges carrées, rampantes,
poilues; feuilles lancéolées, velues,
en verticilles; fruits poilus. **Habitat:** *bois*
humides, champs, friches. **Floraison:** *mai-juin.*

Cardère sylvestre *Dipsacus sylvestris*

Taille: *60 cm-1,80 m (2-6 pi);*
fleur 6 mm (¼ po) de diamètre.
Traits: *fleurs pourpres, tubulaires,*
en 1 ou 2 rangs denses autour d'une
tête ovoïde épineuse; tiges ramifiées,
épineuses; feuilles opposées,
lancéolées, à nervure médiane
épineuse, engainant la tige.
Habitat: *champs, fossés, friches.*
Floraison: *juillet-octobre.*

Cardères *Dipsacus*

Au début du siècle, les cardères ou chardons à foulon étaient encore cultivées en Europe pour leurs inflorescences épineuses. On les montait sur une tige et les fabricants de lainages s'en servaient pour foulonner ou écraser les pièces de drap, ou en redresser le poil. La cardère présentait moins de risque que le métal, puisque devant un obstacle imprévu, les épines se brisaient sans déchirer le tissu. C'est sans doute mélangée à du fourrage importé que la plante s'est introduite ici, car pendant longtemps les terres arables ont été trop rares pour que les colons puissent se permettre de cultiver des plantes fourragères.

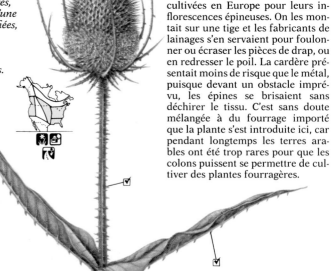

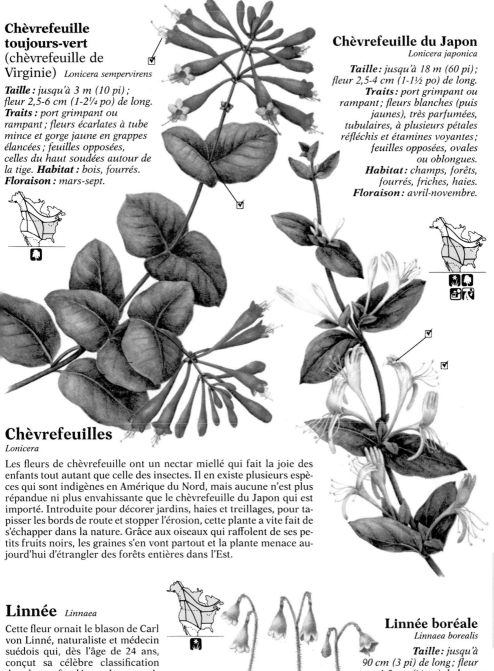

Chèvrefeuille toujours-vert
(chèvrefeuille de Virginie) *Lonicera sempervirens*

Taille : *jusqu'à 3 m (10 pi) ; fleur 2,5-6 cm (1-2¼ po) de long.*
Traits : *port grimpant ou rampant ; fleurs écarlates à tube mince et gorge jaune en grappes élancées ; feuilles opposées, celles du haut soudées autour de la tige.* ***Habitat :*** *bois, fourrés.*
Floraison : *mars-sept.*

Chèvrefeuille du Japon
Lonicera japonica

Taille : *jusqu'à 18 m (60 pi) ; fleur 2,5-4 cm (1-1½ po) de long.*
Traits : *port grimpant ou rampant ; fleurs blanches (puis jaunes), très parfumées, tubulaires, à plusieurs pétales réfléchis et étamines voyantes ; feuilles opposées, ovales ou oblongues.*
Habitat : *champs, forêts, fourrés, friches, haies.*
Floraison : *avril-novembre.*

Chèvrefeuilles
Lonicera

Les fleurs de chèvrefeuille ont un nectar miellé qui fait la joie des enfants tout autant que celle des insectes. Il en existe plusieurs espèces qui sont indigènes en Amérique du Nord, mais aucune n'est plus répandue ni plus envahissante que le chèvrefeuille du Japon qui est importé. Introduite pour décorer jardins, haies et treillages, pour tapisser les bords de route et stopper l'érosion, cette plante a vite fait de s'échapper dans la nature. Grâce aux oiseaux qui raffolent de ses petits fruits noirs, les graines s'en vont partout et la plante menace aujourd'hui d'étrangler des forêts entières dans l'Est.

Linnée *Linnaea*

Cette fleur ornait le blason de Carl von Linné, naturaliste et médecin suédois qui, dès l'âge de 24 ans, conçut sa célèbre classification des plantes fondée sur les caractères des étamines et des pistils ; cette classification purement conventionnelle connut un franc succès. Dans le portrait le plus célèbre qui ait été fait de lui, il est représenté avec une brindille de linnée entre les doigts. Il n'existe qu'une seule espèce de linnée et elle est commune au nord de l'Eurasie et de l'Amérique.

Linnée boréale
Linnaea borealis

Taille : *jusqu'à 90 cm (3 pi) de long ; fleur 1,5 cm (½ po) de long.*
Traits : *plante grimpante ou rampante ; fleurs roses, campanulées, gémellées et pendantes au sommet de tiges grêles et velues ; feuilles opposées, rondes ou ovales, épaisses.*
Habitat : *bois frais et humides, tourbières.*
Floraison : *juin-août.*

445

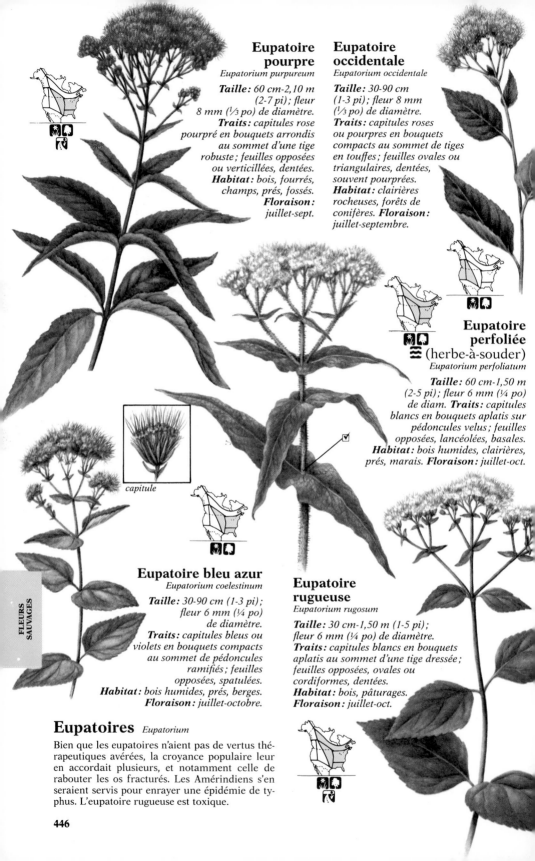

Eupatoire pourpre
Eupatorium purpureum

Taille: 60 cm-2,10 m (2-7 pi); fleur 8 mm (⅓ po) de diamètre. **Traits:** capitules rose pourpré en bouquets arrondis au sommet d'une tige robuste; feuilles opposées ou verticillées, dentées. **Habitat:** bois, fourrés, champs, prés, fossés. **Floraison:** juillet-sept.

Eupatoire occidentale
Eupatorium occidentale

Taille: 30-90 cm (1-3 pi); fleur 8 mm (⅓ po) de diamètre. **Traits:** capitules roses ou pourpres en bouquets compacts au sommet de tiges en touffes; feuilles ovales ou triangulaires, dentées, souvent pourprées. **Habitat:** clairières rocheuses, forêts de conifères. **Floraison:** juillet-septembre.

Eupatoire perfoliée
(herbe-à-souder)
Eupatorium perfoliatum

Taille: 60 cm-1,50 m (2-5 pi); fleur 6 mm (¼ po) de diam. **Traits:** capitules blancs en bouquets aplatis sur pédoncules velus; feuilles opposées, lancéolées, basales. **Habitat:** bois humides, clairières, prés, marais. **Floraison:** juillet-oct.

capitule

Eupatoire bleu azur
Eupatorium coelestinum

Taille: 30-90 cm (1-3 pi); fleur 6 mm (¼ po) de diamètre. **Traits:** capitules bleus ou violets en bouquets compacts au sommet de pédoncules ramifiés; feuilles opposées, spatulées. **Habitat:** bois humides, prés, berges. **Floraison:** juillet-octobre.

Eupatoire rugueuse
Eupatorium rugosum

Taille: 30 cm-1,50 m (1-5 pi); fleur 6 mm (¼ po) de diamètre. **Traits:** capitules blancs en bouquets aplatis au sommet d'une tige dressée; feuilles opposées, ovales ou cordiformes, dentées. **Habitat:** bois, pâturages. **Floraison:** juillet-oct.

Eupatoires *Eupatorium*

Bien que les eupatoires n'aient pas de vertus thérapeutiques avérées, la croyance populaire leur en accordait plusieurs, et notamment celle de rabouter les os fracturés. Les Amérindiens s'en seraient servis pour enrayer une épidémie de typhus. L'eupatoire rugueuse est toxique.

Vernonies *Vernonia*

La grande famille des composées, qui inclut toutes les plantes illustrées dans ces deux pages et dans les 10 qui suivent, se caractérise par des inflorescences si denses qu'on n'en distingue pas les fleurons. Ceux de la vernonie ou de l'eupatoire sont tubulaires et contiennent un riche nectar. Les apiculteurs apprécient tout particulièrement les vernonies pour le miel des abeilles. Leurs tiges rigides résistent à l'hiver.

Grande vernonie
Vernonia altissima

Taille: 60 cm-3 m (2-10 pi); fleur 8 mm (⅓ po) de diamètre.
Traits: fleurs violettes, velues, en bouquets lâches au sommet d'une tige rigide; feuilles lancéolées, dentées, velues dessous.
Habitat: bois fertiles, terres d'alluvion, prés humides, clairières.
Floraison: août-octobre.

Chrysopside villeux *Chrysopsis villosa*

Taille: 10-50 cm (4-20 po); fleur 2,5-4 cm (1-1½ po) de diamètre.
Traits: capitules jaunes à fleurons tubulaires entourés de ligules oblongues, en bouquets lâches au sommet de pédoncules velus et ramifiés; feuilles spatulées ou lancéolées, velues.
Habitat: prairies sèches, collines, maquis, brousse désertique.
Floraison: juin-octobre.

Chrysopsides *Chrysopsis*

Les inflorescences de ces plantes, comme celles des asters, des tournesols et de plusieurs composées, groupent deux sortes de fleurons. Ceux du centre sont des fleurons tubulaires, généralement réunis en disque dans les capitules des composées. Ils sont entourés des ligules; celles-ci ressemblent davantage à des pétales qu'à des fleurs, mais sont en fait d'authentiques fleurons à cinq pétales chacun, soudés en une languette plate.

Mikanies *Mikania*

Les membres de ce grand groupe tropical se classent parmi les quelques grimpants que comprend la famille des composées. Trois espèces sont indigènes ici, mais seule la mikanie grimpante est répandue; les autres se trouvent surtout en Floride. Elles portent toutes des fleurons tubulaires à cinq pétales.

Mikanie grimpante
(liane langue-à-chat) *Mikania scandens*

Taille: jusqu'à 6 m (20 pi); fleur 6 mm (¼ po) de diamètre.
Traits: fleurs blanches ou rosées en bouquets compacts sur pédoncules courts; tiges grimpantes; feuilles opposées, cordiformes, longuement pétiolées.
Habitat: marécages, fourrés humides, tertres.
Floraison: juin-octobre.

Liatride rugueuse
Liatris aspera

Taille: *30 cm-1,20 m (1-4 pi); fleur 2-3 cm (¾-1¼ po) de diamètre.*
Traits: *capitules pourpres à fleurons tubulaires et pappes velus émergeant d'un calice cupuliforme de bractées rosâtres, réunis en épis feuillus au sommet d'une tige souple; feuilles étroites, rubanées, rugueuses.*
Habitat: *champs secs, prairies, bords de route.*
Floraison: *août-octobre.*

Liatride à épis
Liatris spicata

Taille: *30 cm-1,50 m (1-5 pi); fleur 6 mm (¼ po) de diamètre.*
Traits: *capitules rose-pourpre à fleurons tubulaires et pappes plumeux émergeant d'un calice cupuliforme de bractées cunéiformes pourprées, réunis en épis fournis au sommet d'une tige souple; feuilles étroites, rubanées.*
Habitat: *prés, prairies humides, bords de marais.*
Floraison: *juillet-sept.*

Liatrides *Liatris*

Quand les pionniers traversaient les prairies du Midwest à la fin de l'été ou en automne, ils croisaient d'immenses champs de liatrides violettes et de verges d'or en fleurs: spectacle merveilleux, disparu à tout jamais. Comme les verges d'or, les liatrides s'hybrident en toute liberté, de sorte qu'il est difficile de les identifier. L'inflorescence de la liatride est, comme celle du chardon, composée de nombreux fleurons tubulaires émergeant d'un calice de bractées. (La forme de ces bractées constitue parfois un indice utile.) Trait distinctif: la floraison se fait de haut en bas; à mesure que les fleurons se métamorphosent en fruits, ils font jaillir un organe appelé pappe, fait de longs poils plumeux à l'extrémité de fruits à une seule graine.

Grindélies *Grindelia*

Les Amérindiens faisaient bouillir les racines et les inflorescences de ces plantes pour en extraire une gomme résineuse avec laquelle ils soignaient la bronchite, l'asthme et la coqueluche. De nos jours, beaucoup d'espèces de grindélies sont cultivées commercialement pour leur gomme résineuse qui entre dans la composition de pastilles et de sirops pour la toux. La grindélie commune est originaire de l'Ouest, mais ses graines ont suivi partout sur le continent les animaux qui se nourrissaient de la plante. Ses inflorescences renferment habituellement des fleurons à tube et des fleurons ligulés; ce capitule émerge d'un calice formé de bractées vertes dont les extrémités sont réfléchies. Chez certaines espèces, les ligules font défaut.

Grindélie squarreuse
(grindélie commune)
Grindelia squarrosa

Taille: *15-75 cm (6-30 po); fleur 2,5-4 cm (1-1½ po) de diamètre.*
Traits: *capitules jaunes à fleurons tubulaires et à ligules émergeant d'un calice à bractées vertes et pointues; feuilles oblongues, dentées, couvertes de vésicules transparentes.*
Habitat: *champs secs, prés en montagne, prairies, friches, bords de voie ferrée.*
Floraison: *juillet-septembre.*

Verges d'or
Solidago

Comme la verge d'or est en fleur au moment où la fièvre des foins sévit, on l'a souvent rendue responsable des allergies au pollen. Les coupables sont les herbes à poux et autres plantes à pollen que le vent fertilise. Le pollen de la verge d'or est trop lourd pour cela. Ce sont les insectes qui en fertilisent les fleurons tubulaires remplis de nectar, groupés en disque et entourés de ligules. La verge d'or est l'emblème floral du Kentucky et du Nebraska.

capitule

Verge d'or multiradiée
(verge d'or alpine)
Solidago multiradiata

Taille : *12,5-45 cm (5-18 po) ; fleur 8 mm (⅓ po) de diamètre.* ***Traits :*** *capitules jaune doré en bouquets arrondis ; feuilles basales spatulées.* ***Habitat :*** *plaines rocheuses, clairières en montagne, toundra.* ***Floraison :*** *juin-sept.*

Verge d'or bicolore
Solidago bicolor

Taille : *30-90 cm (1-3 pi) ; fleur 6 mm (¼ po) de diam.* ***Traits :*** *fleurons jaunes entourés de ligules blanches en bouquets au sommet d'une tige souple et duveteuse ; feuilles spatulées.* ***Habitat :*** *champs secs, bois clairs.* ***Floraison :*** *juillet-oct.*

Verge d'or des bois
Solidago nemoralis

Taille : *15-75 cm (6-30 po) ; fleur 3 mm (⅛ po) de diam.* ***Traits :*** *capitules jaunes en grappes denses et souples au sommet d'une tige gris-vert velue ; feuilles spatulées, couvertes de poils gris ; 2 ligules axillaires.* ***Habitat :*** *champs secs, prairies, bois clairs.* ***Floraison :*** *juin-décembre.*

Verge d'or élevée
(grande verge d'or) *Solidago altissima*

Taille : *60 cm-2,45 m (2-8 pi) ; fleur 6 mm (¼ po) de diamètre.* ***Traits :*** *capitules jaune doré en épis pyramidaux souples au sommet d'une tige duveteuse ; feuilles lancéolées, rugueuses.* ***Habitat :*** *champs, prairies, clairières.* ***Floraison :*** *août-nov.*

Verge d'or toujours-verte
Solidago sempervirens

Taille : *60 cm-2,45 m (2-8 pi) ; fleur 6 mm (¼ po) de diamètre.* ***Traits :*** *capitules jaunes en bouquets compacts au sommet d'une tige robuste ; feuilles lancéolées, charnues.* ***Habitat :*** *marais salés, bords de mer.* ***Floraison :*** *juin-décembre.*

449

Vergerette linéaire
(érigéron jaune)
Erigeron linearis

Taille : 5-30 cm (2-12 po) ; fleur 1,5-2,5 cm (½-1 po) de diam. **Traits :** capitules jaunes, solitaires au sommet de tiges dressées souvent ramifiées ; feuilles linéaires, en touffes près du sol, éparpillées le long des tiges. **Habitat :** pentes sèches, brousse, bois clairs. **Floraison :** mai-août.

Vergerettes *Erigeron*

On confond assez souvent certaines vergerettes, que l'on appelle aussi érigérons, avec les asters ; mais en réalité, les vergerettes sont plus petites et plus herbues et elles fleurissent plus tôt. Les rayons qui frangent leurs capitules sont plus étroits et plus nombreux que ceux des asters et il n'y a qu'un seul cercle de bractées vertes à la base du capitule, alors que, chez la plupart des asters, il y en a plusieurs qui se chevauchent.

Vergerette (érigéron) de Philadelphie
Erigeron philadelphicus

Taille : 20-70 cm (8-28 po) ; fleur 1,5-2,5 cm (½-1 po) de diam. **Traits :** capitules à nombreuses ligules blanches ou roses entourant un disque jaune, en bouquets lâches ; feuilles spatulées, en touffes près du sol, éparses sur des tiges velues. **Habitat :** prés humides, bois, berges. **Floraison :** avril-août.

Pluchées *Pluchea*

Ces plantes de marais à l'odeur nauséabonde paraissent fort éloignées des vergerettes bien qu'elles fassent toutes deux partie de la famille des composées. L'inflorescence des pluchées ne comprend que des fleurs tubulaires ; elle est dépourvue des ligules colorées des vergerettes. Les feuilles de la plupart des espèces émettent une odeur fétide quand on les froisse ; cette odeur est particulièrement marquée chez la pluchée dite fétide.

Pluchée fétide
Pluchea foetida

Taille : 50-90 cm (20-36 po) ; fleur 8 mm (⅓ po) de diamètre. **Traits :** fleurs crème en bouquets ronds au sommet des rameaux ; feuilles ovales, dentées, engainant une tige velue. **Habitat :** marécages, marais, fossés, savanes littorales. **Floraison :** juillet-octobre.

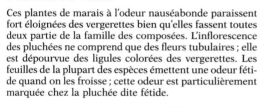

Townsendie à fleurs sessiles
Townsendia exscapa

Taille : 2,5-10 cm (1-4 po) ; fleur 2,5-6 cm (1-2¼ po) de diamètre. **Traits :** rayons blancs ou pourprés, disque jaune souvent velu ; tiges brèves ; feuilles linéaires ou spatulées, en touffes près du sol. **Habitat :** collines sèches, plaines herbeuses. **Floraison :** mars-juin.

Townsendies *Townsendia*

Sans être vraiment sessiles, ces plantes prostrées des montagnes de l'Ouest portent à profusion des fleurs si grandes, en forme de marguerite, que les tiges disparaissent sous un coussin floral.

450

Aster éricoïde
(aster-bruyère)
Aster ericoides

Taille: *30-90 cm (1-3 pi); fleur 1,5 cm (½ po) de diamètre.* ***Traits:*** *port buissonnant; capitules abondants à ligules blanches entourant un petit disque jaune; feuilles étroites, rubanées.* ***Habitat:*** *prairies sèches, champs, bords de route.* ***Floraison:*** *juillet-déc.*

Aster à feuilles cordées
Aster cordifolius

Taille: *30 cm-1,20 m (1-4 pi); fleur 1,5-2,5 cm (½-1 po) de diam.* ***Traits:*** *capitules à courtes ligules bleues ou violettes entourant un disque jaune, en bouquets denses sur tige ramifiée; feuilles cordiformes, dentées, velues.* ***Habitat:*** *bois clairs, fourrés, clairières.* ***Floraison:*** *août-octobre.*

Aster à feuilles de linaire
Aster linariifolius

Taille: *10-60 cm (4-24 po); fleur 2-3 cm (¾-1¼ po) de diam.* ***Traits:*** *capitules à ligules bleues et disque jaune, sur pédoncules filiformes; feuilles linéaires.* ***Habitat:*** *prés secs, bois clairs.* ***Floraison:*** *juil.-oct.*

Aster feuillu
Aster foliaceus

Taille: *10-90 cm (4-36 po); fleur 2,5-5 cm (1-2 po) de diamètre.* ***Traits:*** *capitules à ligules étroites bleues ou rose pourpré entourant un disque jaune au sommet d'une tige feuillue; feuilles ovales ou lancéolées, engainant la tige dans le haut.* ***Habitat:*** *crêtes de montagne, prés, talus déboisés; bois humides.* ***Floraison:*** *juillet-septembre.*

Aster de Nouvelle-Angleterre
Aster novae-angliae

Taille: *60 cm-2,10 m (2-7 pi); fleur 2,5-5 cm (1-2 po) de diamètre.* ***Traits:*** *capitules à ligules roses ou pourpres entourant un disque jaune, en bouquets sur pédoncules velus et collants; feuilles lancéolées, engainant la tige.* ***Habitat:*** *prés humides, bords de route.* ***Floraison:*** *juillet-oct.*

Asters
Aster

Les capitules étoilés des asters sont l'une des grandes joies des fins d'été et des débuts d'automne. Le mot « aster » vient d'ailleurs du mot grec pour *étoile*. Quelques espèces de ce groupe, qui en compte près de 600, sont très populaires dans les jardins. D'autres, comme l'aster-bruyère, sont presque des mauvaises herbes.

451

Inule aulnée
Inula helenium

Taille : *60 cm-1,80 m
(2-6 pi) ; fleur 5-10 cm
(2-4 po) de diamètre.*
Traits : *capitules jaunes
à longs rayons étroits
entourant un disque plus
foncé ; feuilles
engainant la tige,
grandes, dentées,
rugueuses dessus,
laineuses dessous.*
Habitat : *champs,
friches, bords de route.*
Floraison : *mai-septembre.*

Inules *Inula*

Il y a environ 2 400 ans, Hippocrate recommandait les racines de l'inule aulnée contre les maladies des poumons. Elle continua toujours d'être considérée comme médicinale. Cette inule, aussi appelée aunée, est la seule espèce qui pousse à l'état sauvage en Amérique du Nord. Elle a été importée d'Eurasie, sans doute par des colons.

Lampourde glouteron
Xanthium strumarium

Taille : *30 cm-1,80 m (1-6 pi) ; fleur minuscule.*
Traits : *port buissonnant ; feuilles ovales
ou cunéiformes, dentées ; inflorescences
verdâtres en épis éphémères de fleurs
mâles ou en bouquets axillaires de fleurs
femelles ; fruits ovoïdes, épineux.*
Habitat : *champs, friches.*
Floraison : *août-octobre.*

Lampourdes *Xanthium*

Les deux graines du fruit des lampourdes sont couvertes d'une gaine hermétique. Comme elles ont besoin d'oxygène pour germer, il faut que la gaine s'use. Invariablement, une des graines requiert plus d'oxygène que l'autre ; elle met donc un an de plus à germer. Ainsi, chaque fruit produit deux générations. Voilà pourquoi la plante est si difficile à exterminer.

Anaphale marguerite
(immortelle blanche)
Anaphalis margaritacea

Taille : *30-90 cm (1-3 pi) ;
fleur 6 mm-1,5 cm
($^1/_4$-$^1/_2$ po) de diamètre.*
Traits : *fleurons tubulaires
jaunes, bractées blanc
perle, en bouquets
aplatis sur une tige
laineuse ; feuilles
rubanées ou lancéolées,
laineuses dessous.*
Habitat : *plaines sèches,
champs, pentes de montagne,
bords de route.*
Floraison : *juillet-septembre.*

Anaphales (immortelles) *Anaphalis*

Plusieurs membres de la famille des composées portent le nom d'immortelles pour leurs inflorescences durables qui font des bouquets séchés. Des 36 espèces d'anaphales, seule l'anaphale marguerite est originaire d'Amérique du Nord. La fleur comporte seulement des fleurons tubulaires ; la couronne blanc perle qui les entoure n'est pas composée de ligules, mais de bractées.

Grande
herbe
à poux
*(Ambrosia
trifida)*

**Petite herbe
à poux**

Petite herbe à poux *Ambrosia artemisiifolia*

*Taille: 30 cm-1,50 m (1-5 pi);
fleur 3 mm (⅛ po) de diamètre.
Traits: fleurs verdâtres en épis élancés (mâles)
ou bouquets axillaires (femelles); feuilles très
lobées, effilochées; tiges velues, ramifiées.
Habitat: champs, prés, bords de route, friches.
Floraison: juillet-octobre.*

Herbes à poux *Ambrosia*

La grande et la petite herbe à poux sont les princi-
pales responsables de la fièvre des foins en Amérique du Nord. Les inflorescences mâles, jaune-
brun, libèrent des masses de pollen dans l'air.
Chaque petit grain comporte des crochets et des
barbes minuscules (au microscope électronique,
on dirait un engin militaire du Moyen Age) grâce
à quoi il s'accroche à tout ce qu'il touche, aussi
bien le stigmate d'une fleur que les tissus bron-
chiaux d'un être humain.

Gnaphale à feuilles obtuses
Gnaphalium obtusifolium

*Taille: 10-75 cm
(4-30 po); fleur 3-6 mm
(⅛-¼ po) de diamètre.
Traits: inflorescences
blanches à centre jaune,
odorantes, au sommet d'une
tige cotonneuse; feuilles
étroites, rubanées,
laineuses dessous.
Habitat: prairies sèches, champs.
Floraison: juillet-novembre.*

Antennaire négligée
Antennaria neglecta

*Taille: 5-25 cm
(2-10 po); fleur
6 mm-1,5 cm (¼-½ po) de diam.
Traits: inflorescences duveteuses
groupées sur pédoncules laineux;
feuilles spatulées, laineuses, en
rosette près du sol. Habitat: prés
secs, champs d'avoine.
Floraison: avril-juillet.*

Gnaphales *Gnaphalium*

Lorsqu'une vache vomissait son bol alimentaire,
l'éleveur savait aussitôt qu'il s'agissait d'une in-
flammation de l'estomac. Il lui faisait alors souvent ruminer des gnaphales, des immortelles et
des antennaires, sans savoir que ces plantes apparentées renferment un antibiotique efficace.

Antennaires *Antennaria*

Les fleurs tubulaires de l'antennaire produisent
des graines avec ou sans pollinisation (on parle
alors d'apomixie). Aussi, les variantes venues de la
pollinisation croisée se transmettent aux rejetons
qui deviennent des clones, d'où une incroyable
confusion d'espèces et de variétés.

**FLEURS
SAUVAGES**

453

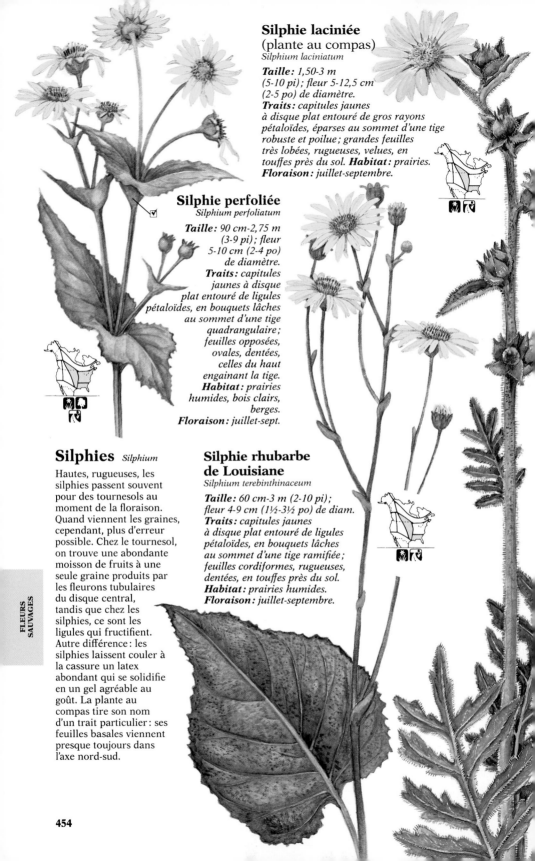

Silphie laciniée
(plante au compas)
Silphium laciniatum

Taille: 1,50-3 m
(5-10 pi); fleur 5-12,5 cm
(2-5 po) de diamètre.
Traits: capitules jaunes
à disque plat entouré de gros rayons
pétaloïdes, éparses au sommet d'une tige
robuste et poilue; grandes feuilles
très lobées, rugueuses, velues, en
touffes près du sol. **Habitat:** prairies.
Floraison: juillet-septembre.

Silphie perfoliée
Silphium perfoliatum

Taille: 90 cm-2,75 m
(3-9 pi); fleur
5-10 cm (2-4 po)
de diamètre.
Traits: capitules
jaunes à disque
plat entouré de ligules
pétaloïdes, en bouquets lâches
au sommet d'une tige
quadrangulaire;
feuilles opposées,
ovales, dentées,
celles du haut
engainant la tige.
Habitat: prairies
humides, bois clairs,
berges.
Floraison: juillet-sept.

Silphies *Silphium*

Hautes, rugueuses, les
silphies passent souvent
pour des tournesols au
moment de la floraison.
Quand viennent les graines,
cependant, plus d'erreur
possible. Chez le tournesol,
on trouve une abondante
moisson de fruits à une
seule graine produits par
les fleurons tubulaires
du disque central,
tandis que chez les
silphies, ce sont les
ligules qui fructifient.
Autre différence: les
silphies laissent couler à
la cassure un latex
abondant qui se solidifie
en un gel agréable au
goût. La plante au
compas tire son nom
d'un trait particulier: ses
feuilles basales viennent
presque toujours dans
l'axe nord-sud.

Silphie rhubarbe
de Louisiane
Silphium terebinthinaceum

Taille: 60 cm-3 m (2-10 pi);
fleur 4-9 cm (1½-3½ po) de diam.
Traits: capitules jaunes
à disque plat entouré de ligules
pétaloïdes, en bouquets lâches
au sommet d'une tige ramifiée;
feuilles cordiformes, rugueuses,
dentées, en touffes près du sol.
Habitat: prairies humides.
Floraison: juillet-septembre.

FLEURS
SAUVAGES

454

Rudbeckie hérissée (marguerite jaune)
Rudbeckia hirta

Taille: 30-90 cm (1-3 pi);
fleur 5-7,5 cm (2-3 po) de diamètre.
Traits: *capitules à cône central de fleurons tubulaires brun-pourpre entouré de ligules jaune intense; feuilles ovales ou rubanées, velues, éparses sur tiges robustes et velues.*
Habitat: *champs, bois clairs, friches.*
Floraison: *juin-octobre.*

Rudbeckies *Rudbeckia*

Cette plante devenue ornementale est indigène dans l'est du continent. L'espèce cultivée présente de grands capitules multicolores; dans certains cas, on a doublé et quadruplé le nombre des ligules par manipulations génétiques. Les sujets qui retournent à l'état sauvage, et cela se produit fréquemment, retrouvent peu à peu leur forme originelle.

Rudbeckie pourpre pâle
Echinacea pallida

Taille: 10 cm-1 m (4-40 po); *fleur 2,5-10 cm (1-4 po) de diamètre.*
Traits: *capitules à cône central velu de fleurons tubulaires brun pourpre entouré de ligules incurvées, magenta ou pourpre pâle; feuilles lancéolées, en touffes près du sol, éparpillées sur la tige velue et rougeâtre.*
Habitat: *prairies sèches, champs.*
Floraison: *mai-août.*

Rudbeckies pourpres *Echinacea*

Autrefois les rudbeckies formaient un seul groupe. Les rudbeckies pourpres en ont été retirées, à cause non pas de leur couleur, mais de différences structurelles comme la présence de poils épineux dans les fleurons du cône central.

Zinnia des montagnes Rocheuses
Zinnia grandiflora

Taille: 10-20 cm (4-8 po); *fleur 2,5-4,5 cm (1-1¾ po) de diamètre.*
Traits: *port prostré, buissonnant; capitules à 4-5 ligules jaunes entourant un cône central rouge brique; feuilles petites, velues, rubanées.*
Habitat: *talus secs, prairies, déserts.*
Floraison: *mai-octobre.*

Zinnias *Zinnia*

Les superbes zinnias de nos jardins ne ressemblent guère à leur ancêtre. C'est le botaniste allemand Johann Zinn qui recueillit le premier des graines de zinnia *(Zinnia elegans)* au Mexique, au XVIIIe siècle. Et c'est dans les beaux jardins d'Europe, surtout ceux d'Angleterre, qu'on commença à transformer ces plantes. Il en sortit peu à peu les myriades de couleurs et de formes qu'on trouve maintenant partout.

Rudbeckie des prairies
Ratibida pinnata

Taille: 60 cm-1,50 m (2-5 pi); *fleur 4-7,5 cm (1½-3 po) de diam.*
Traits: *capitules à cône central de fleurons tubulaires brun foncé et ligules jaunes incurvées; feuilles profondément découpées, en touffes près du sol, éparpillées sur la tige velue.*
Habitat: *prairies, champs, bois clairs et secs.*
Floraison: *juin-septembre.*

Rudbeckies des prairies *Ratibida*

De subtiles différences structurales dans les fruits ont incité les botanistes à isoler cinq espèces de rudbeckies des prairies. Elles ont en commun un trait très perceptible: l'odeur anisée du cône central lorsqu'on le froisse. Les Amérindiens en tiraient une teinture orange et faisaient du thé avec leurs capitules et leurs feuilles.

Hélianthe annuel
(tournesol, soleil)
Helianthus annuus

Taille : 60 cm-3,65 m
*(2-12 pi) ; fleur 7,5-25 cm
(3-10 po) de diamètre.*
Traits : *capitules à ligules
pétaloïdes jaunes
entourant un disque plat
et brunâtre, inclinés vers
le soleil, au bout d'une
tige robuste et velue ;
feuilles ovales ou cordiformes,
dentées, rugueuses.*
Habitat : *champs,
prairies, friches.*
Floraison : *juin-octobre.*

Hélianthe tubéreux
(topinambour) *Helianthus tuberosus*

Taille : *90 cm-3 m (3-10 pi) ;
fleur 5-10 cm (2-4 po) de diamètre.*
Traits : *capitules jaunes à longues ligules
entourant un disque plat, en
bouquets lâches au bout
de tiges ramifiées et velues ;
feuilles opposées, ovales ou
lancéolées, dentées.*
Habitat : *champs humides,
bois clairs, fourrés,
friches, terres d'alluvion.*
Floraison : *août-octobre.*

Hélianthes *Helianthus*

Pourquoi les hélianthes font-ils face au soleil ? Comme la lumière
retarde la croissance de la tige, celle-ci pousse plus vite du côté de
l'ombre et la fleur s'incline vers le soleil. Cultivé pour ses graines
huileuses, le tournesol est l'emblème du Kansas et de l'Union sovié-
tique. Le topinambour, dont le nom vient d'une peuplade du Brésil,
fut importé du Canada en France au XVIIᵉ siècle ; il donne un tubercule comestible dont le goût rappelle celui de l'artichaut.

Bident penché
(fourchette)
Bidens cernua

Taille : *15-90 cm
(6-36 po) ; fleur
2-5 cm (¾-2 po) de diam.*
Traits : *nombreux
capitules jaunes et
inclinés, à larges ligules
entourant un bouton un
peu plus foncé de
fleurons tubulaires ;
feuilles opposées, lancéolées
ou oblongues, dentées.*
Habitat : *prés humides,
marais, bords
de lac, berges.*
Floraison : *août-octobre.*

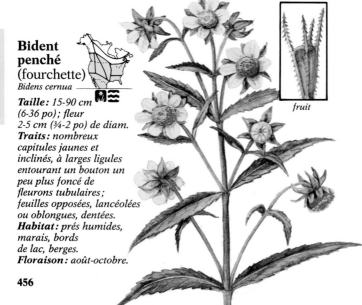

fruit

Bidents
Bidens

Les bidents, aussi appelés
chanvre d'eau, sont des
plantes dont les fruits n'ont
qu'une seule graine. Armés
de fourches barbelées, ils
collent à la fourrure des
animaux, aux plumes des
oiseaux et aux vêtements
des êtres humains. La
plupart des espèces n'ont
que des fleurons tubulaires.
Lorsqu'ils ont des ligules,
il s'agit alors de bidents
penchés, qu'on appelle
aussi fourchettes.

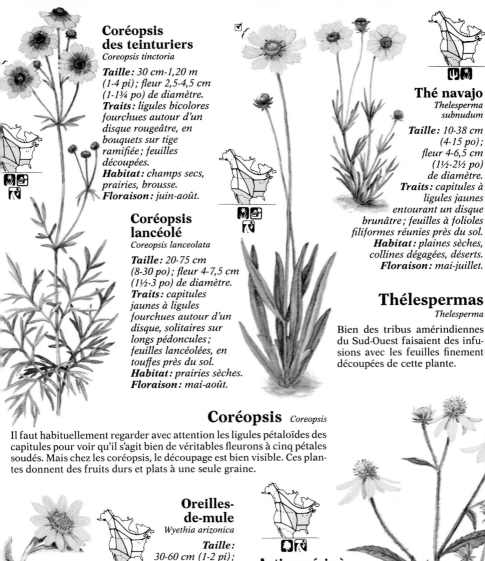

Coréopsis des teinturiers
Coreopsis tinctoria

Taille: 30 cm-1,20 m (1-4 pi); fleur 2,5-4,5 cm (1-1¾ po) de diamètre.
Traits: ligules bicolores fourchues autour d'un disque rougeâtre, en bouquets sur tige ramifiée; feuilles découpées.
Habitat: champs secs, prairies, brousse.
Floraison: juin-août.

Coréopsis lancéolé
Coreopsis lanceolata

Taille: 20-75 cm (8-30 po); fleur 4-7,5 cm (1½-3 po) de diamètre.
Traits: capitules jaunes à ligules fourchues autour d'un disque, solitaires sur longs pédoncules; feuilles lancéolées, en touffes près du sol.
Habitat: prairies sèches.
Floraison: mai-août.

Thé navajo
Thelesperma subnudum

Taille: 10-38 cm (4-15 po); fleur 4-6,5 cm (1½-2½ po) de diamètre.
Traits: capitules à ligules jaunes entourant un disque brunâtre; feuilles à folioles filiformes réunies près du sol.
Habitat: plaines sèches, collines dégagées, déserts.
Floraison: mai-juillet.

Thélespermas
Thelesperma

Bien des tribus amérindiennes du Sud-Ouest faisaient des infusions avec les feuilles finement découpées de cette plante.

Coréopsis *Coreopsis*

Il faut habituellement regarder avec attention les ligules pétaloïdes des capitules pour voir qu'il s'agit bien de véritables fleurons à cinq pétales soudés. Mais chez les coréopsis, le découpage est bien visible. Ces plantes donnent des fruits durs et plats à une seule graine.

Oreilles-de-mule
Wyethia arizonica

Taille: 30-60 cm (1-2 pi); fleur 4-6,5 cm (1½-2½ po) de diam.
Traits: capitules jaunes à longues ligules autour d'un disque plat; grandes feuilles velues et basales.
Habitat: pinèdes en montagne, clairières, berges, fourrés.
Floraison: mai-août.

Actinoméris à feuilles alternes
Actinomeris alternifolia

Taille: 60 cm-1,80 m (2-6 pi); fleur 2,5-5 cm (1-2 po) de diamètre.
Traits: capitules jaunes à disque bombé entouré de quelques ligules incurvées; feuilles lancéolées dont la base rejoint les crêtes de la tige.
Habitat: bois humides, fourrés, clairières.
Floraison: août-oct.

Oreilles-de-mule *Wyethia*

Ces plantes résistantes qui décorent les versants de montagne et les hauts plateaux ont des racines pivotantes d'où naissent des feuilles aromatiques. C'est de leurs longues feuilles que vient leur nom.

Actinoméris *Actinomeris*

La seule espèce de ce groupe se distingue par une tige très robuste. La base de chaque feuille se prolonge par une crête sur la tige.

457

Layia chrysanthème
Layia chrysanthemoides

Taille: 10-50 cm (4-20 po); fleur 2,5-4,5 cm (1-1¾ po) de diamètre.
Traits: capitules à ligules fourchues jaunes, frangées de blanc, entourant un disque jaune moucheté de brun; feuilles très découpées.
Habitat: chênaies, prés (chaînes côtières de Californie).
Floraison: mars-juin.

Layias *Layia*

La plupart des 15 espèces de ce groupe ont des ligules frangées de blanc. Chez d'autres, les capitules sont entièrement jaunes, tandis que la layia glanduleuse *(Layia glandulosa)*, du littoral du Pacifique, a des ligules blanches.

Hulséa alpin
Hulsea algida

Taille: 12,5-45 cm (5-18 po); fleur 4-5 cm (1½-2 po) de diamètre.
Traits: capitules jaunes à disque velu et nombreuses ligules étroites; feuilles oblongues ou spatulées, très poilues, en touffes près du sol.
Habitat: hautes montagnes.
Floraison: juillet-août.

Hulséas
Hulsea

Comme chez beaucoup d'autres plantes des montagnes de l'Ouest, les feuilles succulentes et aromatiques des hulséas sont groupées au pied du plant. Ce port, allié à la toison grisonnante qui recouvre souvent le feuillage, leur permet de survivre aux vents desséchants qui sévissent en altitude.

Hyménoxys acaule
Hymenoxys acaulis

Taille: 10-30 cm (4-12 po); fleur 2,5-5 cm (1-2 po) de diamètre.
Traits: capitules jaunes à dôme central entouré de ligules fourchues; feuilles rubanées, soyeuses, basales.
Habitat: collines sèches, plaines, pinèdes claires.
Floraison: avril-juillet.

Hyménoxys *Hymenoxys*

Aux yeux des éleveurs de l'Ouest, l'apparition des hyménoxys est un indice sûr d'un pâturage excessif. Les bergers aussi les redoutent, mais pour une tout autre raison: deux espèces sont particulièrement toxiques pour les moutons.

Baileya à rayons plats
Baileya pleniradiata

Taille: 15-63 cm (6-25 po); fleur 2,5-4 cm (1-1½ po) de diamètre.
Traits: capitules dorés ou jaune pâle à ligules multiples qui sèchent et tombent avec le temps; feuilles étroites, très découpées, couvertes de poils laineux.
Habitat: déserts, brousse aride.
Floraison: mars-juin; septembre-novembre.

Baileyas *Baileya*

En période de pluie, les tiges et les feuilles de ces plantes de désert deviennent charnues et fermes; mais quand la sécheresse s'installe, la plante se décharne. La toison laineuse qui couvre le feuillage retarde la déshydratation et chaque poil recueille une goutte de rosée. Avec le temps, les ligules se dessèchent et réduisent davantage encore les pertes d'humidité.

FLEURS SAUVAGES

Lasthénie dorée
Lasthenia chrysostoma

Taille: *2,5-40 cm (1-16 po);
fleur 2-4 cm (¾-1½ po) de diam.*
Traits: *capitules jaunes à
dôme central entouré de
ligules; feuilles étroites,
opposées, sur tiges velues.*
Habitat: *prés, bois clairs,
plaines, déserts.*
Floraison: *mars-mai.*

Lasthénies
Lasthenia

Au cœur de leur floraison, les lasthé-
nies étendent un tapis doré sur des
milliers d'hectares, depuis les montagnes boisées de l'Oregon jusqu'aux
îles arides de la Basse-Californie.

Fausse achillée de Douglas
Chaenactis douglasii

Taille: *10-45 cm (4-18 po); fleur
2-2,5 cm (¾-1 po) de diamètre.*
Traits: *capitules blancs, rosés ou
lavande, à fleurons tubulaires en dôme,
groupés au sommet d'une tige ramifiée;
feuilles dentelées.*
Habitat: *pentes sèches de montagne,
déserts, bois clairs, chaparral.*
Floraison: *juin-août.*

Fausses achillées
Chaenactis

Ces fausses achillées ne portent que des
fleurons tubulaires formant coussin au
centre de l'inflorescence; leurs grands
fleurons extérieurs ressemblent toutefois à des ligules.

mode de croissance

Hélénie amère
Helenium amarum

Taille: *15-75 cm
(6-30 po); fleur 2,5 cm
(1 po) de diamètre.*
Traits: *tige ramifiée,
buissonnante, couverte de feuilles
étroites; capitules jaunes à dôme
central et ligules déchiquetées.*
Habitat: *champs secs, prairies.*
Floraison: *juillet-octobre.*

Hélénies *Helenium*

Les Amérindiens en prisaient les
capitules pulvérisés pour évacuer
les mauvais esprits en éternuant.
Des espèces sont toxiques pour les
moutons; l'hélénie amère donne
de l'amertume au lait des vaches.

Gaillarde jolie
Gaillardia pulchella

Taille: *10-63 cm (4-25 po);
fleur 2,5-7,5 cm (1-3 po)
de diamètre.*
Traits: *capitules
voyants à disque
rougeâtre entouré de
ligules rouges, orange et
jaunes; feuilles dentées
ou lobées, velues.*
Habitat: *plaines sèches,
champs sableux, prairies.*
Floraison: *mai-août.*

Gaillardes *Gaillardia*

Si les gaillardes sont si populaires
dans les jardins, c'est que leurs inflorescences, comme chez beaucoup de composées, ne se fanent
pas rapidement. Les fleurons tubulaires du disque s'ouvrent l'un
après l'autre en spirale, de la périphérie vers le centre, et les rayons
durent pendant tout ce temps.

FLEURS
SAUVAGES

459

Marguerite blanche
Chrysanthemum leucanthemum

Taille: *20-75 cm (8-30 po); fleur 3-6,5 cm (1¼-2½ po) de diamètre.* **Traits:** *capitules à disque jaune bosselé et ligules pétaloïdes blanches; feuilles lobées, dentées.* **Habitat:** *prairies, champs.* **Floraison:** *mai-octobre.*

Chrysanthèmes *Chrysanthemum*

Les chrysanthèmes cultivés sont des hybrides de plusieurs espèces orientales. La marguerite, en réalité un chrysanthème, a donné son nom à bien des fleurs semblables. « Une belle dame en robe blanche à longs plis, avec un petit canotier doré sur la tête », ainsi la décrivait Jules Renard.

Cotule corne-de-cerf
Cotula coronopifolia

Taille: *15-40 cm (6-16 po) de long; fleur 6 mm-1,5 cm (¼-½ po) de diam.* **Traits:** *tiges rampantes; capitules jaunes en boutons, solitaires sur tiges dressées; feuilles rubanées ou lancéolées, lobées.* **Habitat:** *limites des marées, prés humides, fossés.* **Floraison:** *mars-décembre.*

Cotules *Cotula*

Ces petites fleurs jaunes semblent uniquement faites d'un disque de fleurons tubulaires; en y regardant de près, on distingue tout autour une frange de minuscules ligules.

Tanaisie vulgaire
Tanacetum vulgare

Taille: *30 cm-1,50 m (1-5 pi); fleur 6 mm-1,5 cm (¼-½ po) de diam.* **Traits:** *capitules jaunes en boutons réunis en bouquets plats au sommet d'une tige dressée; feuilles découpées, dentées.* **Habitat:** *champs, friches, bords de route.* **Floraison:** *juillet-octobre.*

Matricaire odorante
Matricaria matricarioides

Taille: *10-40 cm (4-16 po); fleur 6 mm (¼ po) de diamètre.* **Traits:** *capitules jaunes, sphériques, au sommet de rameaux feuillus; feuillage très découpé, à odeur d'ananas.* **Habitat:** *champs, friches, bords de route et de voie ferrée.* **Floraison:** *mai-septembre.*

Tanaisies *Tanacetum*

Fleurs et feuilles de tanaisies ont été longtemps utilisées en médecine, mais toujours avec prudence, car une surdose pouvait être fatale. Leur feuillage comportant un insectifuge, on en frottait jadis les viandes crues pour éloigner les mouches et on s'en servait pour les rites funéraires.

Matricaires *Matricaria*

Les feuilles en frondes de fougère de ce groupe dégagent une fraîche odeur d'ananas lorsqu'on les froisse. Chez plusieurs espèces, les fleurs à disque jaune entouré de ligules blanches ressemblent aux marguerites. Celles de la matricaire odorante n'ont cependant que des fleurons tubulaires.

FLEURS SAUVAGES

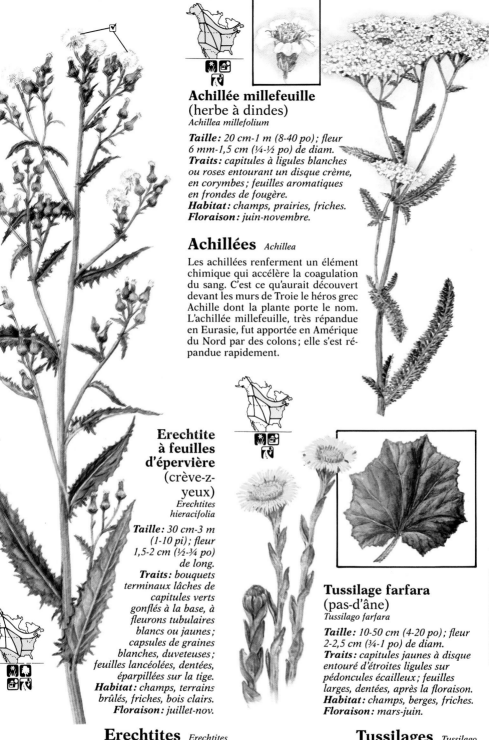

Achillée millefeuille
(herbe à dindes)
Achillea millefolium

Taille: *20 cm-1 m (8-40 po); fleur 6 mm-1,5 cm (¼-½ po) de diam.*
Traits: *capitules à ligules blanches ou roses entourant un disque crème, en corymbes; feuilles aromatiques en frondes de fougère.*
Habitat: *champs, prairies, friches.*
Floraison: *juin-novembre.*

Achillées *Achillea*

Les achillées renferment un élément chimique qui accélère la coagulation du sang. C'est ce qu'aurait découvert devant les murs de Troie le héros grec Achille dont la plante porte le nom. L'achillée millefeuille, très répandue en Eurasie, fut apportée en Amérique du Nord par des colons; elle s'est répandue rapidement.

Erechtite à feuilles d'épervière
(crève-z-yeux)
Erechtites hieracifolia

Taille: *30 cm-3 m (1-10 pi); fleur 1,5-2 cm (½-¾ po) de long.*
Traits: *bouquets terminaux lâches de capitules verts gonflés à la base, à fleurons tubulaires blancs ou jaunes; capsules de graines blanches, duveteuses; feuilles lancéolées, dentées, éparpillées sur la tige.*
Habitat: *champs, terrains brûlés, friches, bois clairs.*
Floraison: *juillet-nov.*

Erechtites *Erechtites*

Ces grandes herbacées, dont les graines sont portées par le vent dans des fruits en forme de parachute, s'établissent vite dans les terrains dévastés par un incendie, tout comme les carmantines, les plantains, les séneçons et les daturas.

Tussilage farfara
(pas-d'âne)
Tussilago farfara

Taille: *10-50 cm (4-20 po); fleur 2-2,5 cm (¾-1 po) de diam.*
Traits: *capitules jaunes à disque entouré d'étroites ligules sur pédoncules écailleux; feuilles larges, dentées, après la floraison.*
Habitat: *champs, berges, friches.*
Floraison: *mars-juin.*

Tussilages *Tussilago*

Les feuilles typiques de cette plante sortent en été, après que les fleurs ont flétri. La réputation de la tussilage comme curatif était telle que sa feuille servait autrefois d'emblème aux boutiques d'apothicaires en Europe.

FLEURS
SAUVAGES

461

Centaurée maculée
Centaurea maculosa

Taille: *30 cm-1,20 m (1-4 pi);*
fleur 2-2,5 cm (¾-1 po) de diam.
Traits: *capitules roses à longs fleurons*
tubulaires naissant d'un calice urcéolé;
feuilles très finement découpées
sur tiges filiformes et ramifiées.
Habitat: *champs, prés secs, bords de route.*
Floraison: *juin-octobre.*

Centaurées *Centaurea*

La centaurée ou plante du centaure, être fabuleux moitié homme, moitié cheval qui vivait en Thessalie, se reconnaît à ses fleurons tubulaires émergeant d'un calice noduleux de bractées. La centaurée-bleuet *(Centaurea cyanus)*, fleur nationale de l'Allemagne, est très répandue dans les jardins.

Chardon penché
Carduus nutans

Taille: *60 cm-2,10 m*
(2-7 pi); fleur
4-6,5 cm
(1½-2½ po)
de diamètre.
Traits: *inflorescences*
rose pourpré à fleurons
tubulaires et poils
soyeux émergeant
d'une base pourprée
de bractées épineuses,
inclinées au sommet
des rameaux;
feuilles à lobes terminés
par une épine; tiges
épineuses et ramifiées.
Habitat: *champs,*
pâturages, friches.
Floraison: *juin-octobre.*

Séneçon doré *Senecio aureus*

Taille: *30-90 cm (1-3 pi);*
fleur 1,5-2 cm (½-¾ po) de diamètre.
Traits: *capitules jaune doré en bouquets lâches*
au sommet d'une tige dressée; feuilles lancéolées
et lobées sur la tige, cordiformes et longuement
pétiolées près du sol, rougeâtres dessous.
Habitat: *bois humides, prés, marécages.*
Floraison: *avril-juillet.*

Séneçons *Senecio*

Les séneçons sont depuis toujours populaires en médecine douce. Le séneçon doré était censé atténuer les douleurs de l'accouchement. Parmi les quelque 3 000 espèces du groupe se trouve la cinéraire des fleuristes *(Senecio hybridus)*.

Chardons *Carduus*

Les pappes du chardon ont des poils simples et non ramifiés, tandis que les pappes du cirse ont des poils très divisés. « Aimable comme un chardon », dit-on parfois avec ironie, en faisant allusion à toutes les épines de cette plante.

Bardanes *Arctium*

Plante comestible, la grande bardane *(Arctium lappa)* est cultivée en Europe et en Asie pour sa racine pivotante. Celle de la bardane mineure est plus petite, mais tout aussi délicieuse une fois cuite et pelée. Les jeunes feuilles parfument le pot-au-feu et les tiges florales médulleuses, tout comme les grands pétioles basaux, se mangent crues ou cuites comme des asperges, une fois supprimée l'écorce amère.

Bardane mineure
(petite bardane)
Arctium minus

Taille: *30 cm-1,50 m (1-5 pi); fleur 1,5-2,5 cm (½-1 po) de diamètre.*
Traits: *bouquets terminaux de capitules pourpres ou blanchâtres à fleurons tubulaires émergeant d'une boule épineuse de bractées; grandes feuilles cordiformes près du sol.*
Habitat: *champs, pâturages, friches.*
Floraison: *juillet-octobre.*

mode de croissance

Chardon vulgaire
Cirsium vulgare

Taille: *60 cm-1,80 m (2-6 pi); fleur 4-7,5 cm (1½-3 po) de diamètre.*
Traits: *capitules rose pourpré à fleurons tubulaires élancés et pappes plumeux émergeant d'un calice cupuliforme de bractées vertes et épineuses; feuilles épineuses à lobes terminés par une épine; tige robuste et épineuse.*
Habitat: *champs, pâturages, friches, prés.* **Floraison:** *juin-oct.*

Chardon des champs
Cirsium arvense

Taille: *30 cm-1,20 m (1-4 pi); fleur 1,5-2,5 cm (½-1 po) de diamètre.*
Traits: *capitules roses ou pourpres à fleurons tubulaires élancés et pappes plumeux émergeant d'un calice cupuliforme de bractées vertes et piquantes; feuilles épineuses à lobes; tige élancée et ramifiée.*
Habitat: *champs, pâturages, friches.*
Floraison: *juin-août.*

Cirses
(chardons des champs) *Cirsium*

Dans 37 états américains, il est interdit de laisser le chardon des champs pousser sur ses terres. Loin des interdictions, la fleur fugitive se répand partout grâce à ses fruits huppés que le vent dissémine et à ses racines rampantes. Le cirse figurait dans le blason des Stuarts et quand ceux-ci accédèrent au trône d'Écosse, cette fleur devint l'emblème du pays.

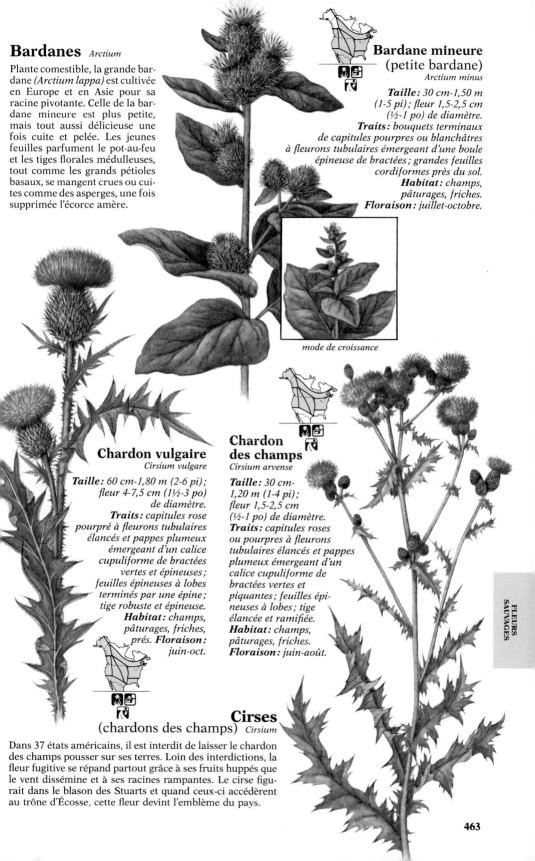

FLEURS
SAUVAGES

463

Epervière orangée
Hieracium aurantiacum

Taille: 10-60 cm (4-24 po); fleur 2 cm (¾ po) de diamètre.
Traits: capitules orange en bouquets lâches au sommet d'une tige velue non feuillue; feuilles velues, spatulées ou oblongues, en rosette près du sol.
Habitat: champs, pelouses, pâturages, clairières.
Floraison: juin-sept.

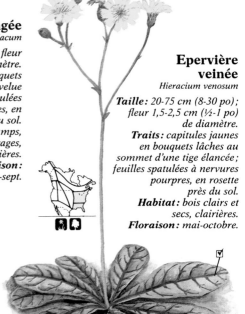

Epervière veinée
Hieracium venosum

Taille: 20-75 cm (8-30 po); fleur 1,5-2,5 cm (½-1 po) de diamètre.
Traits: capitules jaunes en bouquets lâches au sommet d'une tige élancée; feuilles spatulées à nervures pourpres, en rosette près du sol.
Habitat: bois clairs et secs, clairières.
Floraison: mai-octobre.

Epervières
Hieracium

Les épervières, comme les composées illustrées ici et dans les trois pages qui suivent, n'ont pas de fleurons tubulaires, mais seulement des fleurons ligulés. Bien que les insectes se nourrissent de leur nectar, l'épervière et le pissenlit produisent des graines sans pollinisation. Il n'y a donc pas de mélange de gènes et chaque rejeton est la copie exacte de la plante qui a produit la graine.

graines

Pissenlit officinal
Taraxacum officinale

Taille: 2,5-50 cm (1-20 po); fleur 2-5 cm (¾-2 po) de diamètre.
Traits: capitules jaunes sur tiges creuses; graines blanches, plumeuses; feuilles très dentées, en rosette près du sol.
Habitat: champs, pelouses, bois, marécages.
Floraison: indéfinie.

Pissenlits *Taraxacum*

Un minuscule fragment de la racine pivotante du pissenlit suffit à engendrer un nouveau plant. Ses fruits à parachute peuvent voler indéfiniment tant que l'humidité n'atteint pas 70 p. 100; au-delà, la graine tombe, il pleut et elle s'enracine.

Laitue du Canada
Lactuca canadensis

Taille: 30 cm-3 m (1-10 pi); fleur 1,5-2 cm (½-¾ po) de diamètre.
Traits: capitules à ligules jaunes émergeant d'un calice cupuliforme de bractées; feuilles lancéolées, dentées, souvent très découpées.
Habitat: bois clairs, prés, champs, friches.
Floraison: juillet-sept.

Laitues
Lactuca

Les vieilles feuilles des laitues sauvages sont remplies d'une sève qui n'est pas narcotique comme celle du pavot, mais contient une toxine amère qui dénature le lait des vaches. Leurs jeunes feuilles sont toutefois comestibles.

Pissenlit glauque de montagne
Agoseris glauca

Taille: *10-60 cm (4-24 po); fleur 2,5-4 cm (1-1½ po) de diamètre.*
Traits: *capitules jaunes, aplatis, à ligules; feuilles élancées, dentées, en rosette près du sol.*
Habitat: *prés en montagne, talus boisés, brousse.*
Floraison: *juillet-août.*

Pissenlit orangé de montagne
Agoseris aurantiaca

Taille: *10-50 cm (4-20 po); fleur 2,5-5 cm (1-2 po) de diamètre.*
Traits: *capitules roux et plats, à ligules; feuilles élancées, souvent dentées, en rosette près du sol.*
Habitat: *forêts de conifères.* **Floraison:** *juillet-août.*

Pissenlits de montagne
Agoseris

Les tiges des pissenlits de montagne ne sont pas creuses comme celles du pissenlit officinal et leur sève renferme un latex qui peut se mâcher. Les jeunes feuilles sont nourrissantes et délicieuses, crues ou cuites, et les capitules donnent un thé délicatement parfumé, une bière et le fameux vin de pissenlit.

Lygodesmies   *Lygodesmia*

Dans l'Ouest, ces plantes, qui affectionnent les plaines arides et les affleurements rocheux, ont des feuilles étroites et des tiges anguleuses. Certaines espèces se sont acclimatées dans le Sud-Est; elles sont tout aussi décharnées.

Lygodesmie à grandes fleurs
Lygodesmia grandiflora

Taille: *10-30 cm (4-12 po); fleur 4-5 cm (1½-2 po) de diamètre.*
Traits: *capitules roses à rang simple de ligules pétaloïdes et fourchues; feuilles linéaires, basales; tige élancée et ramifiée.*
Habitat: *plaines sableuses, talus caillouteux.*
Floraison: *mai-juillet.*

Prénanthe à grappe
Prenanthes racemosa

Taille: *30 cm-1,50 m (1-5 pi); fleur 1,5 cm (½ po) de diamètre.*
Traits: *capitules à ligules roses ou blanc pourpré, en bouquets axillaires sur une tige robuste; feuilles spatulées et dentées à la base, ovales et engainant la tige plus haut.*
Habitat: *plaines humides, prés, berges.*
Floraison: *août-septembre.*

Prénanthes   *Prenanthes*

On traitait jadis les morsures de serpent avec le latex amer des prénanthes en cataplasmes; il aurait, dit-on, le goût du venin de crotale.

Pissenlit des prairies
Microseris cuspidata

Taille: *5-33 cm (2-13 po); fleur 2-3 cm (¾-1¼ po) de diamètre.*
Traits: *capitules à ligules jaunes, sur tiges nues; feuilles rubanées, ondulées, en touffes basales.*
Habitat: *prairies sèches.*
Floraison: *avril-juin.*

Pissenlits des prairies
Microseris

Les pissenlits fleurissent vite et souvent. Contrairement aux fleurs de marguerite dont les fleurons tubulaires s'épanouissent un par un, les ligules des pissenlits s'ouvrent toutes en même temps et se transforment rapidement en une boule ouatée de fruits à une graine, en forme de parachute.

Chicorées *Cichorium*

La chicorée sauvage, originaire des pays méditerranéens, s'est depuis longtemps répandue dans le monde entier grâce à la réputation de ses racines. Torréfiées et moulues, elles parfument ou remplacent le café. La plante est aussi appréciée pour ses jeunes feuilles, tout comme sa cousine, la chicorée endive *(Cichorium endivia).*

Chicorée sauvage
Cichorium intybus

Taille: *30 cm-1,50 m (1-5 pi); fleur 2-4 cm (¾-1½ po) de diam.*
Traits: *capitules à ligules bleues étalées et abondantes, épars sur la tige; feuilles lancéolées ou oblongues, dentées.*
Habitat: *champs, friches, bords de route.*
Floraison: *juillet-nov.*

Krigies (pissenlits nains)
Krigia

Ces fleurs printanières sont dites naines parce que leurs capitules sont plus petits que ceux des autres pissenlits et leurs feuilles et tiges plus élancées, mais le plant n'est pas plus prostré. Contrairement aux vrais pissenlits, certaines espèces ont plusieurs capitules par tige et d'autres se ramifient vers la fin de l'été.

Krigie (pissenlit nain) de Virginie
Krigia virginica

Taille: *2,5-40 cm (1-16 po); fleur 1,5-2 cm (½-¾ po) de diamètre.*
Traits: *capitules à ligules jaunes, solitaires au sommet de tiges grêles; feuilles spatulées, dentées, basales.*
Habitat: *champs secs, prés, bois clairs.*
Floraison: *mars-août.*

Rafinesquia du Nouveau-Mexique
Rafinesquia neomexicana

Taille: *20-53 cm (8-21 po); fleur 2,5-3 cm (1-1¼ po) de diamètre.*
Traits: *capitules à ligules fourchues blanches, veinées de rose; feuilles dentées ou lobées, basales; tige ramifiée.* **Habitat:** *déserts, plateaux.*
Floraison: *fév.-mai.*

Rafinesquias *Rafinesquia*

Après les averses printanières qui inondent les sols arides du sud-ouest des Etats-Unis, des terres apparemment stériles se couvrent soudain de végétation. Le rafinesquia du Nouveau-Mexique vient alors égayer le désert en poussant sous des arbustes qui, eux-mêmes, reprennent vie. L'autre espèce, à fleurs plus petites, appelée rafinesquia de Californie *(Rafinesquia californica),* pousse sur la côte du Pacifique.

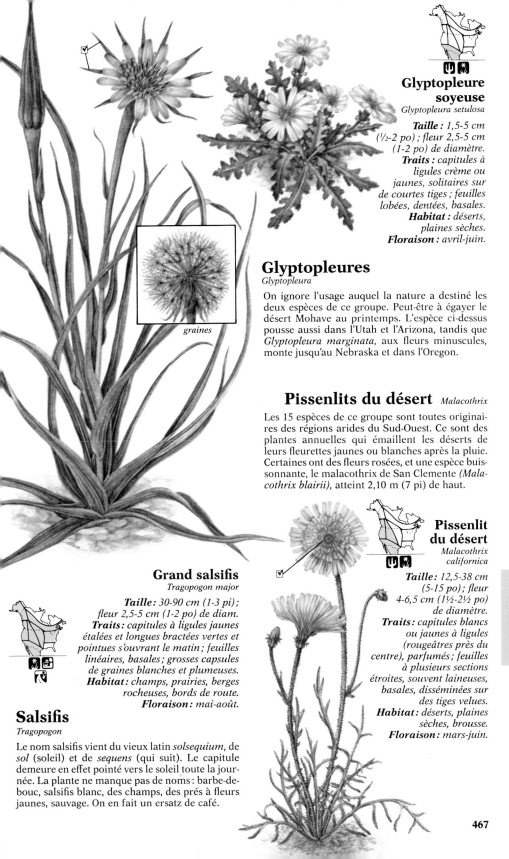

Glyptopleure soyeuse
Glyptopleura setulosa

Taille : *1,5-5 cm (¹/₂-2 po) ; fleur 2,5-5 cm (1-2 po) de diamètre.* **Traits :** *capitules à ligules crème ou jaunes, solitaires sur de courtes tiges ; feuilles lobées, dentées, basales.* **Habitat :** *déserts, plaines sèches.* **Floraison :** *avril-juin.*

Glyptopleures
Glyptopleura

On ignore l'usage auquel la nature a destiné les deux espèces de ce groupe. Peut-être à égayer le désert Mohave au printemps. L'espèce ci-dessus pousse aussi dans l'Utah et l'Arizona, tandis que *Glyptopleura marginata*, aux fleurs minuscules, monte jusqu'au Nebraska et dans l'Oregon.

Pissenlits du désert *Malacothrix*

Les 15 espèces de ce groupe sont toutes originaires des régions arides du Sud-Ouest. Ce sont des plantes annuelles qui émaillent les déserts de leurs fleurettes jaunes ou blanches après la pluie. Certaines ont des fleurs rosées, et une espèce buissonnante, le malacothrix de San Clemente *(Malacothrix blairii)*, atteint 2,10 m (7 pi) de haut.

Pissenlit du désert
Malacothrix californica

Taille : *12,5-38 cm (5-15 po) ; fleur 4-6,5 cm (1½-2½ po) de diamètre.* **Traits :** *capitules blancs ou jaunes à ligules (rougeâtres près du centre), parfumés ; feuilles à plusieurs sections étroites, souvent laineuses, basales, disséminées sur des tiges velues.* **Habitat :** *déserts, plaines sèches, brousse.* **Floraison :** *mars-juin.*

graines

Grand salsifis
Tragopogon major

Taille : *30-90 cm (1-3 pi) ; fleur 2,5-5 cm (1-2 po) de diam.* **Traits :** *capitules à ligules jaunes étalées et longues bractées vertes et pointues s'ouvrant le matin ; feuilles linéaires, basales ; grosses capsules de graines blanches et plumeuses.* **Habitat :** *champs, prairies, berges rocheuses, bords de route.* **Floraison :** *mai-août.*

Salsifis
Tragopogon

Le nom salsifis vient du vieux latin *solsequium*, de *sol* (soleil) et de *sequens* (qui suit). Le capitule demeure en effet pointé vers le soleil toute la journée. La plante ne manque pas de noms : barbe-de-bouc, salsifis blanc, des champs, des prés à fleurs jaunes, sauvage. On en fait un ersatz de café.

Alisme à feuilles subcordées
Alisma subcordatum

Taille : *10-90 cm (4-36 po) ; fleur 6 mm (¼ po) de diamètre.*
Traits : *feuilles ovales ou cordiformes sur longs pétioles ; fleurs blanches à 3 pétales, abondantes au sommet de pédoncules ramifiés.*
Habitat : *rivières, lacs, fossés, rivages vaseux.*
Floraison : *juin-septembre.*

Alismes (plantains d'eau)
Alisma

Partout dans l'hémisphère Nord, on peut voir ces plantes pousser dans l'eau peu profonde ou les sols détrempés. Elles n'ont aucune parenté avec le plantain, mais leurs feuilles à longs pétioles se ressemblent. En eau plus profonde, elles peuvent avoir des feuilles rubanées sous l'eau.

Sagittaire à larges feuilles
(sagittaire latifoliée)
Sagittaria latifolia

Taille : *30 cm-1,50 m (1-5 pi) ; fleur 2-4 cm (³/₄-1½ po) de diamètre.*
Traits : *feuilles sagittées à longs pétioles ; fleurs blanches à 3 pétales et à centre jaune et duveteux (mâles) ou à bouton vert (femelles), en verticilles de 3 ; fruits en grappes rondes et denses.* **Habitat :** *rivières, lacs, étangs, marais.*
Floraison : *juillet-septembre.*

Sagittaires *Sagittaria*

Les tubercules farineux des sagittaires, semblables aux pommes de terre nouvelles, étaient utilisés couramment par les Amérindiens. Ils se forment près des racines à moins de 1,50 m (5 pi) de la plante mère. Comme ils flottent lorsqu'ils se détachent de la racine, il n'était pas difficile d'en faire la cueillette dans les fonds vaseux des lacs et des rivières.

Echinodorus *Echinodorus*

En dépit de leurs fruits épineux, ces membres de la famille des plantains d'eau se font souvent prendre pour des sagittaires à feuilles non sagittées. Leurs fleurs ont des organes mâles et femelles, tandis que celles des sagittaires sont unisexuées en deux rangs sur le même pédoncule.

Echinodorus à feuilles cordées
Echinodorus cordifolius

Taille : *12,5-40 cm (5-16 po) ; fleur 1,5-2,5 cm (½-1 po) de diamètre.*
Traits : *feuilles cordiformes ou ovales à longs pétioles ; fleurs blanches à 3 pétales en verticilles sur tiges dressées et stolons arqués ; fruits ronds et poilus.*
Habitat : *berges vaseuses, eaux peu profondes.*
Floraison : *juillet-octobre.*

Zostère marine
(herbe à bernaches)
Zostera marina

Taille: *30 cm-1,20 m (1-4 pi) de long; fleur minuscule.*
Traits: *feuilles linéaires, denses et tapissantes sur tiges rampantes, sous la limite de haute marée; fleurs vertes en longues gaines axillaires.*
Habitat: *baies, bancs, rivages.*
Floraison: *juin-septembre.*

Zostères *Zostera*

Plutôt que le vent, comme pour les graminées, ce sont les marées qui pollinisent ces plantes. Leurs minuscules fleurs mâles projettent des nuages de pollen dans l'eau. Quand un grain filiforme de pollen touche le stigmate d'une fleur femelle, il s'enroule autour.

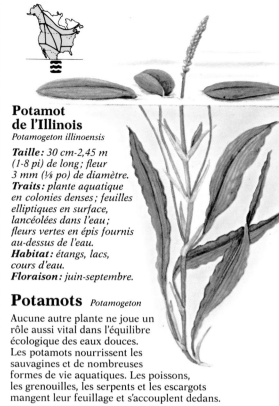

Potamot de l'Illinois
Potamogeton illinoensis

Taille: *30 cm-2,45 m (1-8 pi) de long; fleur 3 mm (⅛ po) de diamètre.*
Traits: *plante aquatique en colonies denses; feuilles elliptiques en surface, lancéolées dans l'eau; fleurs vertes en épis fournis au-dessus de l'eau.*
Habitat: *étangs, lacs, cours d'eau.*
Floraison: *juin-septembre.*

Potamots *Potamogeton*

Aucune autre plante ne joue un rôle aussi vital dans l'équilibre écologique des eaux douces. Les potamots nourrissent les sauvagines et de nombreuses formes de vie aquatiques. Les poissons, les grenouilles, les serpents et les escargots mangent leur feuillage et s'accouplent dedans.

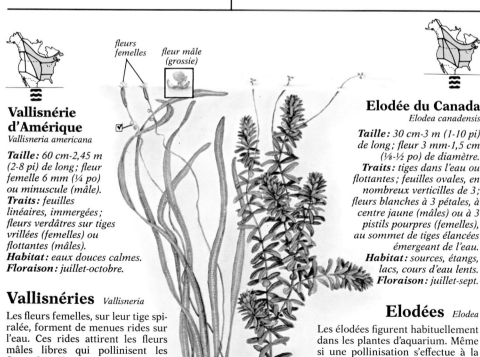

fleurs femelles
fleur mâle (grossie)

Vallisnérie d'Amérique
Vallisneria americana

Taille: *60 cm-2,45 m (2-8 pi) de long; fleur femelle 6 mm (¼ po) ou minuscule (mâle).*
Traits: *feuilles linéaires, immergées; fleurs verdâtres sur tiges vrillées (femelles) ou flottantes (mâles).*
Habitat: *eaux douces calmes.*
Floraison: *juillet-octobre.*

Vallisnéries *Vallisneria*

Les fleurs femelles, sur leur tige spiralée, forment de menues rides sur l'eau. Ces rides attirent les fleurs mâles libres qui pollinisent les fleurs femelles. Après quoi, les pédoncules vrillent un peu plus et les fruits se développent dans l'eau.

Elodée du Canada
Elodea canadensis

Taille: *30 cm-3 m (1-10 pi) de long; fleur 3 mm-1,5 cm (⅛-½ po) de diamètre.*
Traits: *tiges dans l'eau ou flottantes; feuilles ovales, en nombreux verticilles de 3; fleurs blanches à 3 pétales, à centre jaune (mâles) ou à 3 pistils pourpres (femelles), au sommet de tiges élancées émergeant de l'eau.*
Habitat: *sources, étangs, lacs, cours d'eau lents.*
Floraison: *juillet-sept.*

Elodées *Elodea*

Les élodées figurent habituellement dans les plantes d'aquarium. Même si une pollinisation s'effectue à la surface de l'eau, elles se multiplient surtout par des fragments de leurs tiges grêles et flottantes.

FLEURS SAUVAGES

469

Xyris
Xyris

En dépit de leurs feuilles linéaires, les xyris sont apparentés aux ananas. On s'en doute en examinant l'organe noueux duquel émergent, une ou deux à la fois, leurs petites fleurs jaunes. La plupart des xyris nord-américains ne croissent que dans les tourbières et les marais littoraux du Sud-Est, mais le xyris tordu s'étend plus au nord.

Xyris tordu (xyris grêle)
Xyris torta

Taille : 15-90 cm (6-36 po) ; fleur 3-6 mm (⅛-¼ po) de diamètre. **Traits :** fleurs jaunes à 3 pétales et base conique, au sommet d'une tige filiforme et nue ; feuilles basales, rigides, linéaires, souvent tordues. **Habitat :** tourbières, prés, rivages. **Floraison :** juillet-septembre.

Eriocaulons *Eriocaulon*

La plupart des 400 espèces de ce groupe sont tropicales et subtropicales. Plusieurs abondent pourtant sur les grèves des Etats de l'est du continent. L'ériocaulon septangulaire *(Eriocaulon septangulare)* se rencontre même à Terre-Neuve. Toutes les espèces se ressemblent.

Eriocaulon comprimé
Eriocaulon compressum

Taille : 20-75 cm (8-30 po) ; fleur 5 mm-1,5 cm (¼-½ po) de diamètre. **Traits :** fleurons blancs réunis en bouton au sommet d'une tige filiforme et nue ; feuilles basales, linéaires, souples. **Habitat :** tourbières, bords d'étang. **Floraison :** mai-juillet.

Comméline commune
Commelina communis

Taille : 15-75 cm (6-30 po) de long ; fleur 2-2,5 cm (¾-1 po) de diamètre. **Traits :** tiges charnues, rampantes ; fleurs bleues à 2 grands pétales ronds et un petit, solitaires et à base verte ; feuilles lancéolées. **Habitat :** jardins, champs, bois clairs, friches. **Floraison :** juin-octobre.

Commélines *Commelina*

Les fleurettes éphémères de la comméline (qui ne durent qu'un matin) ont deux grands pétales bleus très voyants et un tout petit pétale blanc presque invisible. Cela incita Linné à lui donner le nom des trois frères Commelin, dont deux furent des botanistes renommés, l'autre étant mort jeune.

Ephémère de l'Ohio
Tradescantia ohiensis

Taille : 20-90 cm (8-36 po) ; fleur 2,5-4 cm (1-1½ po) de diamètre. **Traits :** fleurs bleues ou pourpres (parfois blanches) à 3 pétales, en bouquets axillaires et terminaux ; feuilles longues, étroites. **Habitat :** prairies, bois clairs, fourrés, prés. **Floraison :** avril-juil.

fleur blanche

Ephémères *Tradescantia*

Les éphémères sont sensibles aux radiations nucléaires, ce qui en fait des détecteurs aussi sûrs que beaux à voir. Les poils des étamines exposées virent du rose au bleu plus ou moins intense selon la puissance des radiations. En dénombrant au microscope le nombre des cellules qui ont changé de couleur, on peut en calculer l'exposition.

mode de croissance

Scirpe vigoureux
Scirpus validus

Taille: *60 cm-3 m (2-10 pi); fleur 6 mm-1,5 cm (¼-½ po) de long.*
Traits: *tiges dressées, tubulaires, nues; inflorescences écailleuses, lancéolées et rouge-brun de fleurons sans pétales, groupées en bouquets pendants presque au bout des tiges.*
Habitat: *tourbières, marais, eaux peu profondes.*
Floraison: *juin-septembre.*

Scirpes Scirpus

Les scirpes appartiennent à la famille du carex, tout comme l'éléocharide et la plupart des plantes de la page qui suit. Les scirpes abritent et nourrissent plusieurs sortes d'oiseaux chanteurs et de sauvagines. Les rats musqués raffolent de leurs racines; loutres et ratons laveurs chassent en paix sous leurs longues tiges.

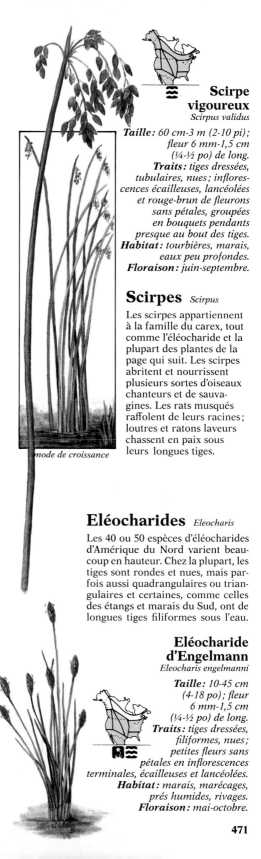

mode de croissance

Jonc épars
Juncus effusus

Taille: *30 cm-1,80 m (1-6 pi); fleur 3 mm (⅛ po) de diamètre.*
Traits: *tiges dressées, fines, terminées par une feuille tubulaire et pointue; feuilles basales petites et lancéolées; fleurs jaune paille ou brunes en bouquets compacts presque au sommet des tiges.*
Habitat: *marais, tourbières, berges, bords de lac, fossés, fourrés humides.*
Floraison: *juin-sept.*

Joncs Juncus

C'est depuis des millénaires qu'on tresse le jonc en vannerie. Aujourd'hui encore on en fait toutes sortes d'articles: nattes, chapeaux, fonds de chaise, bateaux. Les feuilles papyracées et les fleurs du jonc ressemblent à celles du carex et des graminées, mais le groupe est apparenté aux lis. Ses fleurs à trois pétales, bien que pollinisées par le vent et moins voyantes que celles des lis, ont la même structure; ses fruits, comme ceux des lis, sont des capsules remplies de graines et non des grains comme chez le carex.

Eléocharides Eleocharis

Les 40 ou 50 espèces d'éléocharides d'Amérique du Nord varient beaucoup en hauteur. Chez la plupart, les tiges sont rondes et nues, mais parfois aussi quadrangulaires ou triangulaires et certaines, comme celles des étangs et marais du Sud, ont de longues tiges filiformes sous l'eau.

Eléocharide d'Engelmann
Eleocharis engelmanni

Taille: *10-45 cm (4-18 po); fleur 6 mm-1,5 cm (¼-½ po) de long.*
Traits: *tiges dressées, filiformes, nues; petites fleurs sans pétales en inflorescences terminales, écailleuses et lancéolées.*
Habitat: *marais, marécages, prés humides, rivages.*
Floraison: *mai-octobre.*

Souchet comestible
(amande de terre)
Cyperus esculentus

Taille: 15-75 cm
(6-30 po); fleur 6 mm-
2,5 cm (¼-1 po) de long.
Traits: minuscules
fleurs en inflorescences
écailleuses lâchement
groupées au sommet
de tiges triangulaires;
feuilles linéaires, rigides,
basales et en verticilles
sur la tige.
Habitat: pâturages,
champs humides, prés.
Floraison: août-octobre.

Souchets *Cyperus*

Le souchet est caractéristique des carex, plantes des sols humides à inflorescences compactes sur tiges triangulaires. Ici, les bouquets floraux jaillissent d'un verticille foliaire. Les tubercules de l'amande de terre sont comestibles.

Linaigrette à feuilles étroites
Eriophorum angustifolium

Taille: 30-60 cm
(1-2 pi); fleur
2,5-5 cm (1-2 po)
de diamètre.
Traits: fleurs à poils
soyeux formant une
houppe cotonneuse
sur des tiges
triangulaires; feuilles
linéaires, espacées sur la tige.
Habitat: toundra,
tourbières, prairies humides.
Floraison: mai-août.

Linaigrettes
Eriophorum

Les houppes cotonneuses des linaigrettes couvrent les tourbières et les prés du Nord d'un blanc manteau à la fin de l'été. Les 10 espèces de notre continent sont circumboréales.

Carex porc-épic
Carex hystricina

Taille: 30-90 cm
(1-3 pi); fleur 2,5-6,5 cm
(1-2½ po) de long.
Traits: feuilles longues,
rugueuses, en touffes à la
souche, éparpillées sur
des tiges triangulaires;
fleurs verdâtres en épis
terminaux fins (mâles) ou
en épis retombants et
poilus presque au
sommet des tiges
(femelles).
Habitat: marais,
marécages, fossés,
rivages.
Floraison: juin-octobre.

Carex
Carex

La plupart des 2 000 espèces de carex poussent dans des sols humides; quelques-unes toutefois surgissent partout, dans les plaines arides comme dans les hautes montagnes. Le carex des ours (*Carex ursina*) et le carex des pierres (*Carex saxatilis*) peuplent de vastes régions de la toundra arctique.

Arundinaire géante
Arundinaria gigantea

Taille: 1,50-9 m
(5-30 pi);
épillet 4-6,5 cm
(1½-2½ po)
de long.
Traits: tiges
robustes, ligneuses,
inextricables; feuilles
elliptiques ou
lancéolées; épillets
écailleux en bouquets ramifiés.
Habitat:
marécages, bois
humides, berges,
terres d'alluvion.
Floraison: avril-
mai (rarement).

Arundinaires
Arundinaria

Seule l'arundinaire géante est indigène parmi les graminées de la tribu des bambous (environ 60 groupes et plus de 700 espèces). Certaines espèces de bambous ne fleurissent que tous les 40 ou 50 ans et, entre-temps, se multiplient par leurs rhizomes. Toutes les plantes d'une région fleurissent en même temps, fructifient et meurent, leurs tiges se desséchant, quel que soit leur âge.

Uniolas *Uniola*

Pour apprécier la beauté des graminées illustrées ici et dans les quatre prochaines pages, il faut les examiner de près. Remarquez la forme et la texture des feuilles minces, la délicatesse des épillets, haut perchés sur les tiges creuses. Chez l'uniola paniculée, espèce menacée d'extinction, les épillets se groupent en panicules retombants qui ondulent au vent du large.

Uniola paniculée
Uniola paniculata

Taille : *90 cm-1,80 m (3-6 pi) ; épillet 1,5-2,5 cm (½-1 po) de long.*
Traits : *épillets jaune paille ou violets en panicules souples au sommet d'une tige robuste ; feuilles rubanées, ondulées.*
Habitat : *dunes côtières.*
Floraison : *juin-nov.*

Pâturin des prés
Poa pratensis

Taille : *5-90 cm (2-36 po) ; épillet 3-6 mm (⅛-¼ po) de long.*
Traits : *feuilles rubanées, en touffes et éparpillées sur la tige ; épillets en épis ramifiés sur tiges filiformes ; plante gazonnante.*
Habitat : *pelouses, champs, prairies, prés, bois clairs.*
Floraison : *mai-août.*

Pâturins *Poa*

Aucune graminée n'est aussi appréciée comme pâture que les pâturins et, des 250 espèces, aucune ne rivalise avec le pâturin des prés pour la beauté. Comme le pâturin comprimé *(Poa compressa)*, il nous est venu d'Europe.

Fragmites (roseaux)
Phragmites

Parmi les graminées indigènes, il n'y a que l'arundinaire géante qui soit plus grande qu'eux. Ils forment d'immenses colonies dans les marais et cours d'eau du monde entier. Leurs épillets à poils soyeux sont décoratifs, mais stériles ; la plante se multiplie par ses racines qui atteignent 9 m (30 pi) de long.

Fragmite (roseau) commun
Phragmites communis

Taille : *1,20-4,5 m (4-15 pi) ; épillet 1,5 cm (½ po).*
Traits : *épillets fauves ou pourprés en longs épis plumeux au sommet de tiges robustes ; feuilles rubanées ou lancéolées, rigides, éparpillées.*
Habitat : *marais, rivages, berges, fossés.*
Floraison : *juillet-sept.*

Seigle cultivé
Secale cereale

Taille : *45-90 cm (18-36 po) ; épillet 1,5 cm (½ po) de long.*
Traits : *épillets à barbelures rigides, en épis denses au sommet d'une tige dressée ; feuilles souples, rubanées, éparpillées sur la tige.*
Habitat : *champs, friches, bords de route.*
Floraison : *juin-août.*

Seigles *Secale*

Le seigle porte, en épis touffus, des épillets denses contenant généralement deux fleurs à graines. Le seigle cultivé vient d'Eurasie, mais il est maintenant implanté partout dans le monde. On le plante chez nous en bordure des routes pour enrayer l'érosion.

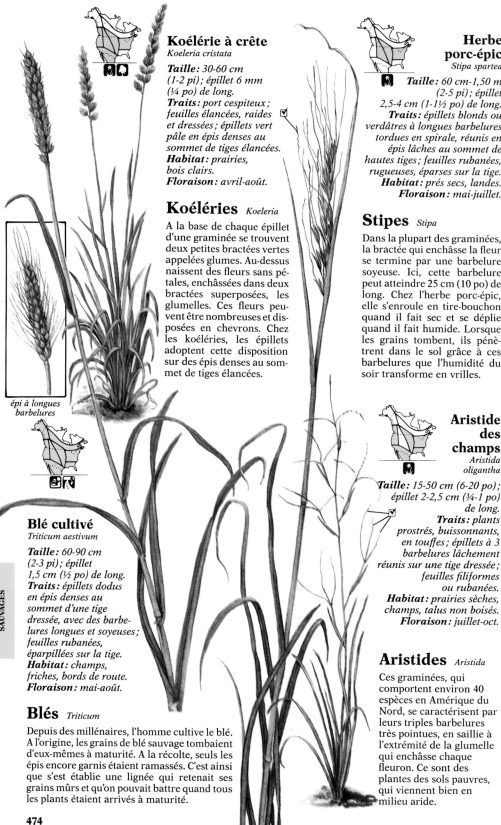

Koélérie à crête
Koeleria cristata

Taille: 30-60 cm
(1-2 pi); épillet 6 mm
(¼ po) de long.
Traits: port cespiteux;
feuilles élancées, raides
et dressées; épillets vert
pâle en épis denses au
sommet de tiges élancées.
Habitat: prairies,
bois clairs.
Floraison: avril-août.

Koéléries *Koeleria*

A la base de chaque épillet
d'une graminée se trouvent
deux petites bractées vertes
appelées glumes. Au-dessus
naissent des fleurs sans pétales, enchâssées dans deux
bractées superposées, les
glumelles. Ces fleurs peuvent être nombreuses et disposées en chevrons. Chez
les koéléries, les épillets
adoptent cette disposition
sur des épis denses au sommet de tiges élancées.

*épi à longues
barbelures*

Blé cultivé
Triticum aestivum

Taille: 60-90 cm
(2-3 pi); épillet
1,5 cm (½ po) de long.
Traits: épillets dodus
en épis denses au
sommet d'une tige
dressée, avec des barbe-
lures longues et soyeuses;
feuilles rubanées,
éparpillées sur la tige.
Habitat: champs,
friches, bords de route.
Floraison: mai-août.

Blés *Triticum*

Depuis des millénaires, l'homme cultive le blé.
A l'origine, les grains de blé sauvage tombaient
d'eux-mêmes à maturité. A la récolte, seuls les
épis encore garnis étaient ramassés. C'est ainsi
que s'est établie une lignée qui retenait ses
grains mûrs et qu'on pouvait battre quand tous
les plants étaient arrivés à maturité.

Herbe porc-épic
Stipa spartea

Taille: 60 cm-1,50 m
(2-5 pi); épillet
2,5-4 cm (1-1½ po) de long.
Traits: épillets blonds ou
verdâtres à longues barbelures
tordues en spirale, réunis en
épis lâches au sommet de
hautes tiges; feuilles rubanées,
rugueuses, éparses sur la tige.
Habitat: prés secs, landes.
Floraison: mai-juillet.

Stipes *Stipa*

Dans la plupart des graminées,
la bractée qui enchâsse la fleur
se termine par une barbelure
soyeuse. Ici, cette barbelure
peut atteindre 25 cm (10 po) de
long. Chez l'herbe porc-épic,
elle s'enroule en tire-bouchon
quand il fait sec et se déplie
quand il fait humide. Lorsque
les grains tombent, ils pénè-
trent dans le sol grâce à ces
barbelures que l'humidité du
soir transforme en vrilles.

Aristide des champs
Aristida oligantha

Taille: 15-50 cm (6-20 po);
épillet 2-2,5 cm (¾-1 po)
de long.
Traits: plants
prostrés, buissonnants,
en touffes; épillets à 3
barbelures lâchement
réunis sur une tige dressée;
feuilles filiformes
ou rubanées.
Habitat: prairies sèches,
champs, talus non boisés.
Floraison: juillet-oct.

Aristides *Aristida*

Ces graminées, qui
comportent environ 40
espèces en Amérique du
Nord, se caractérisent par
leurs triples barbelures
très pointues, en saillie à
l'extrémité de la glumelle
qui enchâsse chaque
fleuron. Ce sont des
plantes des sols pauvres,
qui viennent bien en
milieu aride.

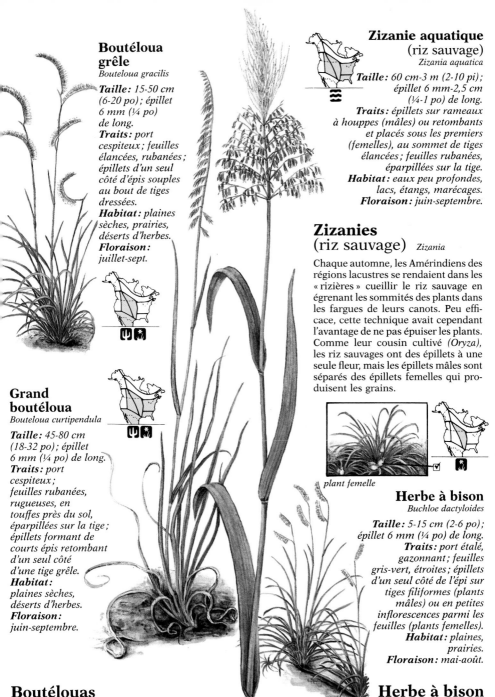

Boutéloua grêle
Bouteloua gracilis

Taille: *15-50 cm (6-20 po); épillet 6 mm (¼ po) de long.*
Traits: *port cespiteux; feuilles élancées, rubanées; épillets d'un seul côté d'épis souples au bout de tiges dressées.*
Habitat: *plaines sèches, prairies, déserts d'herbes.*
Floraison: *juillet-sept.*

Grand boutéloua
Bouteloua curtipendula

Taille: *45-80 cm (18-32 po); épillet 6 mm (¼ po) de long.*
Traits: *port cespiteux; feuilles rubanées, rugueuses, en touffes près du sol, éparpillées sur la tige; épillets formant de courts épis retombant d'un seul côté d'une tige grêle.*
Habitat: *plaines sèches, déserts d'herbes.*
Floraison: *juin-septembre.*

Boutélouas
Bouteloua

Autrefois, les bisons des vastes prairies de l'Ouest se nourrissaient surtout de boutélouas. Ce sont aujourd'hui des plantes fourragères bien adaptées aux hautes plaines et au Sud-Ouest aride où elles profitent de la brève saison des pluies pour croître. Les vents desséchants qui suivent augmentent leur teneur en protéines et les animaux sauvages en raffolent comme les animaux domestiques.

Zizanie aquatique
(riz sauvage)
Zizania aquatica

Taille: *60 cm-3 m (2-10 pi); épillet 6 mm-2,5 cm (¼-1 po) de long.*
Traits: *épillets sur rameaux à houppes (mâles) ou retombants et placés sous les premiers (femelles), au sommet de tiges élancées; feuilles rubanées, éparpillées sur la tige.*
Habitat: *eaux peu profondes, lacs, étangs, marécages.*
Floraison: *juin-septembre.*

Zizanies
(riz sauvage) *Zizania*

Chaque automne, les Amérindiens des régions lacustres se rendaient dans les « rizières » cueillir le riz sauvage en égrenant les sommités des plants dans les fargues de leurs canots. Peu efficace, cette technique avait cependant l'avantage de ne pas épuiser les plants. Comme leur cousin cultivé *(Oryza)*, les riz sauvages ont des épillets à une seule fleur, mais les épillets mâles sont séparés des épillets femelles qui produisent les grains.

plant femelle

Herbe à bison
Buchloe dactyloides

Taille: *5-15 cm (2-6 po); épillet 6 mm (¼ po) de long.*
Traits: *port étalé, gazonnant; feuilles gris-vert, étroites; épillets d'un seul côté de l'épi sur tiges filiformes (plants mâles) ou en petites inflorescences parmi les feuilles (plants femelles).*
Habitat: *plaines, prairies.*
Floraison: *mai-août.*

Herbe à bison
Buchloe

La seule espèce de ce groupe constitue la plante fourragère basse la plus importante dans le centre des grandes plaines. Grâce à ses racines rampantes, les stolons, elle est l'une des rares graminées à pouvoir gazonner le sol, les autres poussant surtout en touffes. Les colons des Prairies en découpaient des carrés pour construire leur maison.

Barbon de Gérard
Andropogon gerardii

Taille: 60 cm-2,45 m
(2-8 pi); épillet 6 mm-
1,5 cm (¼-½ po) de long.
Traits: feuilles rubanées,
touffues à la base,
abondantes sur les tiges;
épillets verts ou bronze à
barbelures filiformes, en
épis élancés réunis en
bouquets fourchus.
Habitat: prairies, rivages,
falaises, sols humides.
Floraison: juin-septembre.

Barbon de Virginie
Andropogon virginicus

Taille:
60 cm-1,20 m
(2-4 pi); épillet
3 mm (⅛ po).
Traits: plant
buissonnant;
feuilles rubanées,
denses à la base;
épis lâches à
longues bractées
paille avec de longs
poils soyeux.
Habitat: prés,
champs en
friche.
Floraison:
août-novembre.

Cenchre pauciflore
Cenchrus pauciflorus

Taille: 5-90 cm
(2-36 po); épi 6 mm
(¼ po) de diamètre.
Traits: feuilles rubanées,
éparpillées sur tiges rampantes;
minuscules épillets en capsules
épineuses pourpres ou paille.
Habitat: grèves, champs
sableux, déserts d'herbes.
Floraison: juin-octobre.

Cenchres *Cenchrus*

Chaque capsule épineuse de ces graminées rampantes est un épi complet à un
ou plusieurs épillets d'une seule fleur.
Couvertes de minuscules barbes, les
épines sont en réalité des ramilles modifiées stériles.

Barbons *Andropogon*

Ces plantes doivent leur nom aux
longs poils qui ornent leurs épis. Elles
poussent à peu près sur tous les continents; le barbon de Gérard abondait
autrefois dans les prairies à hautes
herbes qui couvraient la majeure partie du Midwest supérieur. Le barbon à
tiges minces se rencontre plutôt dans
les grandes plaines et les prairies sèches de l'Ouest, mais aussi dans les
hautes terres de l'Est. Les bractées
rousses du barbon de Virginie sont un
paysage d'hiver fami-
lier du Midwest
et du Sud-Est.

Barbon à tiges minces
Andropogon scoparius

Taille: 30 cm-1,20 m
(1-4 pi); épillet 6 mm
(¼ po) de long.
Traits: feuilles
rubanées, en touffes à
la base, éparpillées sur
des tiges grêles; épillets
à dents velues, en épis
anguleux parmi de
petites bractées jaunes.
Habitat: hauts
plateaux, prairies,
champs.
Floraison: juillet-oct.

Faux-sorgho jaune
Sorghastrum nutans

Taille: 90 cm-3 m
(3-10 pi); épillet
6 mm-1,5 cm
(¼-½ po) de long.
Traits: feuilles
rubanées, rugueuses,
en touffes à la base,
éparpillées sur tiges
grêles; 2 ou 3 épillets
brun doré, poilus et
à longues barbelures
par épi, formant des
bouquets plumeux.
Habitat: prairies
humides,
champs, landes.
Floraison: août-sept.

Faux-sorghos
Sorghastrum

Les terres riches et noires
dans lesquelles poussent
le faux-sorgho jaune
et le barbon de Gérard
conviennent aussi à des
graminées plus utiles.
Derrière la charrue des
colons, les prairies à
hautes herbes sont donc
rapidement devenues
des terres à maïs.

FLEURS SAUVAGES

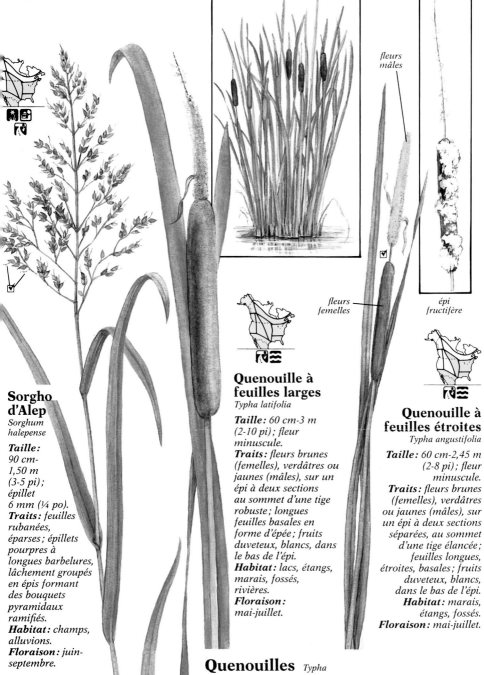

Sorgho d'Alep
Sorghum halepense

Taille: 90 cm-1,50 m (3-5 pi); épillet 6 mm (¼ po).
Traits: feuilles rubanées, éparses; épillets pourpres à longues barbelures, lâchement groupés en épis formant des bouquets pyramidaux ramifiés.
Habitat: champs, alluvions.
Floraison: juin-septembre.

Sorghos *Sorghum*

De ces graminées on tirait autrefois, en Afrique et en Asie, des grains, du fourrage et un sirop. Plusieurs espèces sont cultivées aux mêmes fins en Amérique du Nord. Le sorgho d'Alep aurait été importé de Turquie en 1830. Acclimaté et redevenu sauvage, il est devenu une mauvaise herbe.

fleurs mâles

Quenouille à feuilles larges
Typha latifolia

Taille: 60 cm-3 m (2-10 pi); fleur minuscule.
Traits: fleurs brunes (femelles), verdâtres ou jaunes (mâles), sur un épi à deux sections au sommet d'une tige robuste; longues feuilles basales en forme d'épée; fruits duveteux, blancs, dans le bas de l'épi.
Habitat: lacs, étangs, marais, fossés, rivières.
Floraison: mai-juillet.

fleurs femelles

épi fructifère

Quenouille à feuilles étroites
Typha angustifolia

Taille: 60 cm-2,45 m (2-8 pi); fleur minuscule.
Traits: fleurs brunes (femelles), verdâtres ou jaunes (mâles), sur un épi à deux sections séparées, au sommet d'une tige élancée; feuilles longues, étroites, basales; fruits duveteux, blancs, dans le bas de l'épi.
Habitat: marais, étangs, fossés.
Floraison: mai-juillet.

Quenouilles *Typha*

Les quenouilles, appelées aussi massettes ou cannes de jonc, sont fort utiles. En hiver, les rhizomes se cuisent comme des pommes de terre; on en fait de la farine. Les bourgeons dormants sont excellents, cuits à la vapeur. Les jeunes pousses se consomment nature ou cuites et, avant maturité, les épis floraux s'apprêtent comme des épis de maïs. Plus tard, le pollen abondant des fleurs mâles donne tel quel une farine très fine. Les feuilles ne sont pas comestibles, mais on peut les tresser. Enfin, avec le duvet blanc des fruits on fait des oreillers et des coussins et, en cas d'urgence, le campeur qui a froid peut en garnir son sac de couchage ou ses vêtements.

arbre garni de mousse espagnole

Tillandsie usnoïde (mousse espagnole)

Tillandsia usneoides

Taille : *jusqu'à 7,50 m (25 pi) de long ; fleur 6 mm (¹/₄ po) de diamètre.* **Traits :** *tiges grises à feuilles écailleuses gris-vert, en toison retombante ; fleurs vertes, petites, peu visibles.* **Habitat :** *branches d'arbre, fils, poteaux.* **Floraison :** *avril-juillet.*

Tillandsie recourbée

Tillandsia recurvata

Taille : *5-15 cm (2-6 po) ; fleur 1,5 cm (½ po) de long.* **Traits :** *feuilles grises, chevelues, en touffes denses ; fleurs bleues ou violettes en épis élancés au sommet de tiges filiformes.* **Habitat :** *arbres, fils, poteaux.* **Floraison :** *toute l'année.*

Guzmanie à épi unique

Gusmania monostachia

Taille : *30-60 cm (1-2 pi) ; fleur 6 mm-1,5 cm (¹/₄-½ po) de long.* **Traits :** *feuilles rubanées en rosette à coupe centrale ; fleurs blanches entre des bractées vertes ou vermillon au sommet d'un pédoncule dressé.* **Habitat :** *tertres, forêts subtropicales.* **Floraison :** *toute l'année.*

Tillandsies *Tillandsia*

La tillandsie usnoïde et la tillandsie recourbée ne sont pas des parasites. Membres des broméliacées comme l'ananas, ce sont des épiphytes qui ne cherchent qu'un support. Ces plantes se nourrissent de ce que la pluie ramasse sur les feuilles et l'écorce des arbres et, quand elles poussent sur des poteaux de clôture, des poussières que recueille leur feuillage écailleux.

Guzmanies *Guzmania*

Ces plantes épiphytes, comme les ananas, recueillent l'eau de pluie dans des dépressions en forme de coupe à la base de leurs feuilles et y trouvent de quoi se nourrir. Une seule espèce de ce groupe, qui en compte 126, est originaire d'Amérique du Nord ; la plupart des autres poussent dans les forêts de l'Amérique tropicale.

Symplocarpes *Symplocarpus*

La chaleur qui se crée à l'intérieur de la gaine florale (la spathe) du chou puant est si intense qu'elle fait fondre la neige au printemps. Attirés par son odeur fétide, les mouches et les moustiques fertilisent les minuscules fleurs de son épi globuleux, le spadice. A Sumatra pousse un cousin géant du chou puant dont le spadice atteint 4,5 m (15 pi) ; c'est parfois un éléphant qui le fertilise en venant boire l'eau de la spathe.

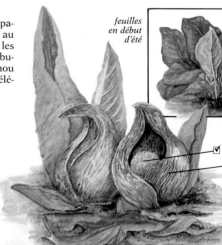

feuilles en début d'été

Symplocarpe fétide (chou puant)

Symplocarpus foetidus

Taille : *15 cm-1 m (6-40 po) ; fleur 6 mm (¹/₄ po) de diamètre.* **Traits :** *spathe pourpre et vert enfermant un spadice couvert de fleurs ; grandes feuilles après la floraison.* **Habitat :** *marécages ; bois humides, prés.* **Floraison :** *février-avril.*

478

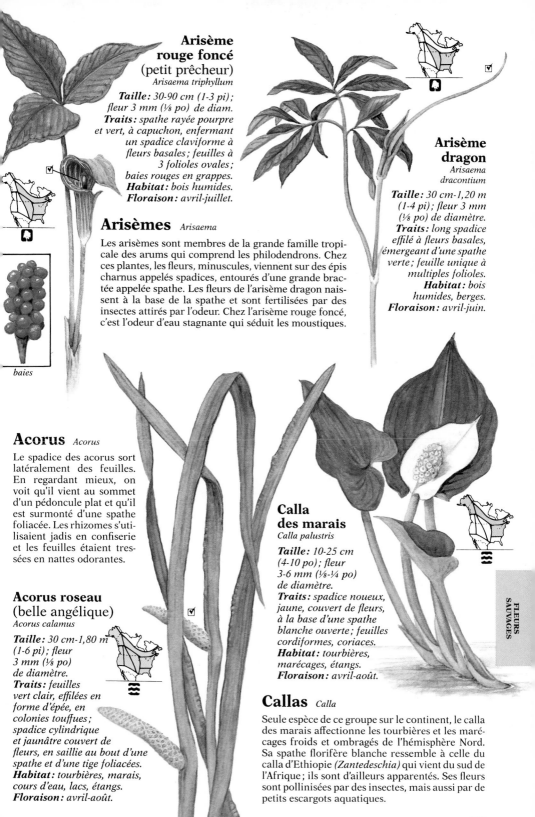

Arisème rouge foncé
(petit prêcheur)
Arisaema triphyllum

Taille: 30-90 cm (1-3 pi);
fleur 3 mm (⅛ po) de diam.
Traits: spathe rayée pourpre
et vert, à capuchon, enfermant
un spadice claviforme à
fleurs basales; feuilles à
3 folioles ovales;
baies rouges en grappes.
Habitat: bois humides.
Floraison: avril-juillet.

Arisèmes *Arisaema*

Les arisèmes sont membres de la grande famille tropicale des arums qui comprend les philodendrons. Chez
ces plantes, les fleurs, minuscules, viennent sur des épis
charnus appelés spadices, entourés d'une grande bractée appelée spathe. Les fleurs de l'arisème dragon naissent à la base de la spathe et sont fertilisées par des
insectes attirés par l'odeur. Chez l'arisème rouge foncé,
c'est l'odeur d'eau stagnante qui séduit les moustiques.

baies

Arisème dragon
Arisaema dracontium

Taille: 30 cm-1,20 m
(1-4 pi); fleur 3 mm
(⅛ po) de diamètre.
Traits: long spadice
effilé à fleurs basales,
émergeant d'une spathe
verte; feuille unique à
multiples folioles.
Habitat: bois
humides, berges.
Floraison: avril-juin.

Acorus *Acorus*

Le spadice des acorus sort
latéralement des feuilles.
En regardant mieux, on
voit qu'il vient au sommet
d'un pédoncule plat et qu'il
est surmonté d'une spathe
foliacée. Les rhizomes s'utilisaient jadis en confiserie
et les feuilles étaient tres-
sées en nattes odorantes.

Acorus roseau
(belle angélique)
Acorus calamus

Taille: 30 cm-1,80 m
(1-6 pi); fleur
3 mm (⅛ po)
de diamètre.
Traits: feuilles
vert clair, effilées en
forme d'épée, en
colonies touffues;
spadice cylindrique
et jaunâtre couvert de
fleurs, en saillie au bout d'une
spathe et d'une tige foliacées.
Habitat: tourbières, marais,
cours d'eau, lacs, étangs.
Floraison: avril-août.

Calla des marais
Calla palustris

Taille: 10-25 cm
(4-10 po); fleur
3-6 mm (⅛-¼ po)
de diamètre.
Traits: spadice noueux,
jaune, couvert de fleurs,
à la base d'une spathe
blanche ouverte; feuilles
cordiformes, coriaces.
Habitat: tourbières,
marécages, étangs.
Floraison: avril-août.

Callas *Calla*

Seule espèce de ce groupe sur le continent, le calla
des marais affectionne les tourbières et les marécages froids et ombragés de l'hémisphère Nord.
Sa spathe florifère blanche ressemble à celle du
calla d'Ethiopie *(Zantedeschia)* qui vient du sud de
l'Afrique; ils sont d'ailleurs apparentés. Ses fleurs
sont pollinisées par des insectes, mais aussi par de
petits escargots aquatiques.

FLEURS
SAUVAGES

479

Oronce aquatique
Orontium aquaticum

Taille: 30-60 cm (1-2 pi); fleur 3-6 mm (⅛-¼ po) de diam. **Traits:** spadice florifère jaune or sur tige blanc et rouge; petite spathe à la base; feuilles pointues, à long pétiole. **Habitat:** marais, étangs. **Floraison:** avril-juin.

Pontédérie à feuilles cordées
Pontederia cordata

Taille: 30 cm-1,20 m (1-4 pi); fleur 6 mm-1,5 cm (¼-½ po) de diam. **Traits:** fleurs bleues à 2 marques jaunes sur le pétale central du haut, en épis denses sur tige à feuille unique; feuilles cordiformes ou lancéolées à longs pétioles. **Habitat:** étangs, lacs, marécages, cours d'eau. **Floraison:** juin-novembre.

Oronces *Orontium*

Au premier coup d'œil, les oronces paraissent dotés d'un spadice jaune sans spathe au sommet d'une tige claviforme. A vrai dire, ils ont une toute petite spathe qui ressemble à une bractée engainant la base de la tige. Autre trait: l'eau glisse sur leurs feuilles cireuses sans les mouiller.

Pontédéries
Pontederia

Selon certains botanistes, la plante à feuille étroite du Sud-Est n'est qu'une variété de l'espèce illustrée ici; selon les autres, elle constitue une espèce autonome.

Peltandre de Virginie
Peltandra virginica

Taille: 30-90 cm (1-3 pi); fleur 3-6 mm (⅛-¼ po) de diamètre. **Traits:** feuilles sagittées, coriaces, longuement pétiolées; spadice florifère dissimulé dans une longue spathe verte. **Habitat:** marécages, tourbières, étangs, cours d'eau, bords de lac. **Floraison:** avril-juin.

Jacinthes d'eau *Eichhornia*

Autrefois vendue comme plante ornementale, la jacinthe d'eau est aujourd'hui la mauvaise herbe aquatique la pire au monde. Elle augmente mille fois en deux mois et seuls les lamentins s'en nourrissent. Aussi ne tardent-elles pas à boucher les voies d'eau.

Jacinthe d'eau
Eichhornia crassipes

Taille: 5-95 cm (2-37 po); fleur 4-6,5 cm (1½-2½ po) de diamètre. **Traits:** plant flottant sur pétioles gonflés; feuilles charnues, rondes ou réniformes; épis voyants de fleurs violettes à ocelle jaune sur le pétale central du haut. **Habitat:** rivières, lacs, méandres. **Floraison:** avril-octobre.

Peltandres *Peltandra*

On peut confondre peltandres et sagittaires (*Sagittaria*) avant la floraison. Pourtant, les nervures secondaires des feuilles sont en chevrons chez les peltandres, parallèles à la nervure médiane chez les sagittaires. Les Amérindiens réduisaient en farine les racines des peltandres et des oronces.

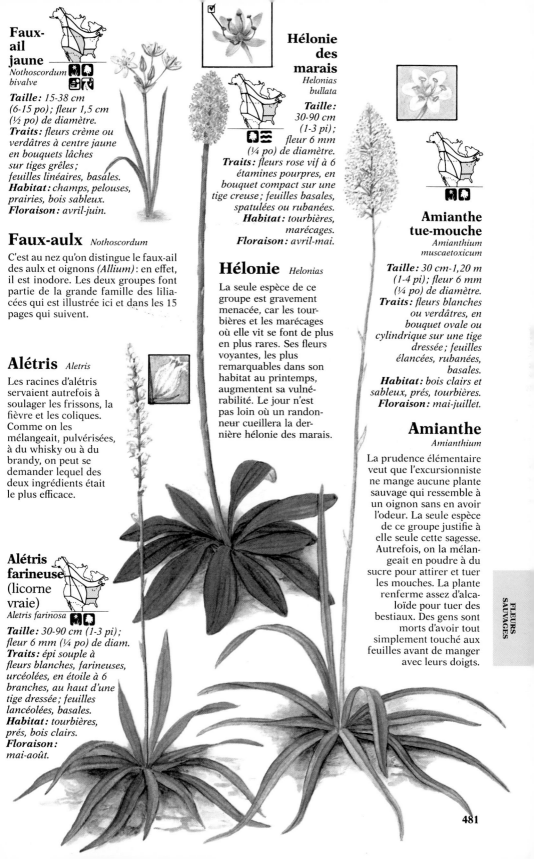

Faux-ail jaune
Nothoscordum bivalve

Taille: *15-38 cm (6-15 po); fleur 1,5 cm (½ po) de diamètre.*
Traits: *fleurs crème ou verdâtres à centre jaune en bouquets lâches sur tiges grêles; feuilles linéaires, basales.*
Habitat: *champs, pelouses, prairies, bois sableux.*
Floraison: *avril-juin.*

Faux-aulx *Nothoscordum*

C'est au nez qu'on distingue le faux-ail des aulx et oignons *(Allium)*: en effet, il est inodore. Les deux groupes font partie de la grande famille des liliacées qui est illustrée ici et dans les 15 pages qui suivent.

Alétris *Aletris*

Les racines d'alétris servaient autrefois à soulager les frissons, la fièvre et les coliques. Comme on les mélangeait, pulvérisées, à du whisky ou à du brandy, on peut se demander lequel des deux ingrédients était le plus efficace.

Alétris farineuse
(licorne vraie)
Aletris farinosa

Taille: *30-90 cm (1-3 pi); fleur 6 mm (¼ po) de diam.*
Traits: *épi souple à fleurs blanches, farineuses, urcéolées, en étoile à 6 branches, au haut d'une tige dressée; feuilles lancéolées, basales.*
Habitat: *tourbières, prés, bois clairs.*
Floraison: *mai-août.*

Hélonie des marais
Helonias bullata

Taille: *30-90 cm (1-3 pi); fleur 6 mm (¼ po) de diamètre.*
Traits: *fleurs rose vif à 6 étamines pourpres, en bouquet compact sur une tige creuse; feuilles basales, spatulées ou rubanées.*
Habitat: *tourbières, marécages.*
Floraison: *avril-mai.*

Hélonie *Helonias*

La seule espèce de ce groupe est gravement menacée, car les tourbières et les marécages où elle vit se font de plus en plus rares. Ses fleurs voyantes, les plus remarquables dans son habitat au printemps, augmentent sa vulnérabilité. Le jour n'est pas loin où un randonneur cueillera la dernière hélonie des marais.

Amianthe tue-mouche
Amianthium muscaetoxicum

Taille: *30 cm-1,20 m (1-4 pi); fleur 6 mm (¼ po) de diamètre.*
Traits: *fleurs blanches ou verdâtres, en bouquet ovale ou cylindrique sur une tige dressée; feuilles élancées, rubanées, basales.*
Habitat: *bois clairs et sableux, prés, tourbières.*
Floraison: *mai-juillet.*

Amianthe *Amianthium*

La prudence élémentaire veut que l'excursionniste ne mange aucune plante sauvage qui ressemble à un oignon sans en avoir l'odeur. La seule espèce de ce groupe justifie à elle seule cette sagesse. Autrefois, on la mélangeait en poudre à du sucre pour attirer et tuer les mouches. La plante renferme assez d'alcaloïde pour tuer des bestiaux. Des gens sont morts d'avoir tout simplement touché aux feuilles avant de manger avec leurs doigts.

Dame-d'onze-heures
(belle-d'onze-heures)
Ornithogalum umbellatum

Taille: *10-38 cm (4-15 po); fleur 2-2,5 cm (¾-1 po) de diamètre.*
Traits: *fleurs étoilées blanches à rayure ou reflet vert et 6 tépales étalés, lâchement réunies au sommet d'une tige nue; feuilles linéaires, basales, vert foncé à rayure centrale pâle.*
Habitat: *friches, prés, pelouses, bords de route.*
Floraison: *avril-juin.*

Ornithogales   *Ornithogalum*

Les fleurs des liliacées ont trois pétales et trois sépales. Chez les ornithogales, pétales et sépales se ressemblent tellement que les botanistes ont créé le mot « tépale » pour les désigner. Ces plantes vénéneuses viennent d'Afrique et d'Eurasie, mais quelques espèces, importées pour orner les jardins au printemps, se sont acclimatées et vivent ici dans la nature.

Lloydie tardive
Lloydia serotina

Taille: *5-15 cm (2-6 po); fleur 6 mm-1,5 cm (¼-½ po) de diam.*
Traits: *fleurs blanches veinées de pourpre, solitaires; feuilles basales, linéaires ou filiformes.*
Habitat: *toundra, crêtes de hautes montagnes.*
Floraison: *juillet-août.*

Lloydies   *Lloydia*

Les liliacées ont d'ordinaire des bulbes charnus pour résister à la sécheresse, ou encore des rhizomes ou des tubercules qui leur permettent de traverser l'hiver sans dommage. Les lloydies ont l'originalité de présenter les deux: bulbes et rhizomes. Une douzaine d'espèces de lloydies vivent dans les montagnes d'Europe et d'Asie; une seule se rencontre dans les Rocheuses et dans la toundra arctique.

Brodiéas   *Brodiaea*

Le brodiéa est une plante de la famille des liliacées qui porte le nom d'un botaniste écossais, James Brodie. Le genre compte plusieurs espèces et porte aussi le nom de jacinthe de Californie. La base bulbeuse du brodiéa divergent est délicieuse à manger. Le groupe comprend également le brodiéa élégant, le brodiéa violet et le brodiéa jaune. Le brodiéa volubile est, chose rare chez les liliacées, une plante grimpante qui continue à grandir et à fleurir, même détachée du sol.

Brodiéa divergent
Brodiaea laxa

Taille: *12,5-75 cm (5-30 po); fleur 2-4,5 cm (¾-1¾ po) de long.*
Traits: *fleurs pourpres, bleues ou blanches, en entonnoir, lâchement réunies au sommet d'un pédoncule nu; feuilles longues, élancées, basales.*
Habitat: *champs, collines herbeuses, champs d'armoise littoraux, bois clairs.*
Floraison: *avril-août.*

Brodiéa élégant
Brodiaea elegans

Taille: *10-45 cm (4-18 po); fleur 2,5-4 cm (1-1½ po) de diam.*
Traits: *fleurs violettes ou pourpre foncé, en entonnoir, à 6 tépales étalés, lâchement réunies au sommet d'une tige nue; feuilles longues, linéaires, basales (souvent fanées à la floraison).*
Habitat: *plaines sèches, collines herbeuses, pinèdes.*
Floraison: *avril-juillet.*

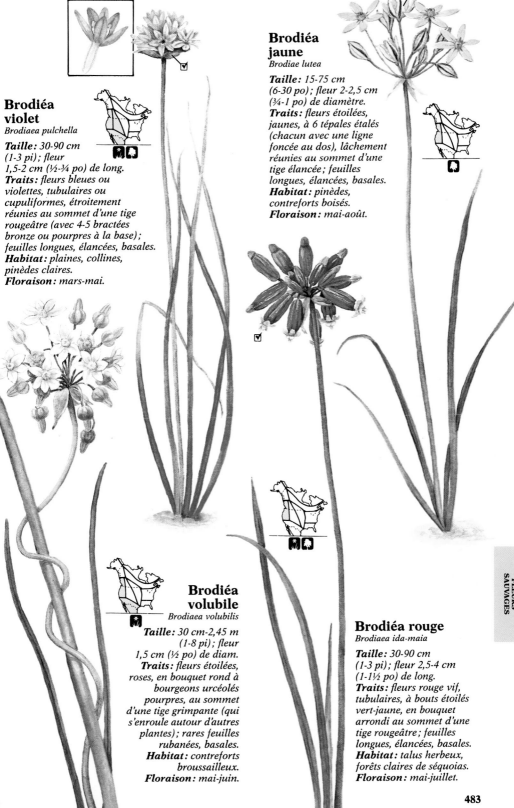

Brodiéa violet
Brodiaea pulchella

Taille: *30-90 cm (1-3 pi); fleur 1,5-2 cm (½-¾ po) de long.*
Traits: *fleurs bleues ou violettes, tubulaires ou cupuliformes, étroitement réunies au sommet d'une tige rougeâtre (avec 4-5 bractées bronze ou pourpres à la base); feuilles longues, élancées, basales.*
Habitat: *plaines, collines, pinèdes claires.*
Floraison: *mars-mai.*

Brodiéa jaune
Brodiae lutea

Taille: *15-75 cm (6-30 po); fleur 2-2,5 cm (¾-1 po) de diamètre.*
Traits: *fleurs étoilées, jaunes, à 6 tépales étalés (chacun avec une ligne foncée au dos), lâchement réunies au sommet d'une tige élancée; feuilles longues, élancées, basales.*
Habitat: *pinèdes, contreforts boisés.*
Floraison: *mai-août.*

Brodiéa volubile
Brodiaea volubilis

Taille: *30 cm-2,45 m (1-8 pi); fleur 1,5 cm (½ po) de diam.*
Traits: *fleurs étoilées, roses, en bouquet rond à bourgeons urcéolés pourpres, au sommet d'une tige grimpante (qui s'enroule autour d'autres plantes); rares feuilles rubanées, basales.*
Habitat: *contreforts broussailleux.*
Floraison: *mai-juin.*

Brodiéa rouge
Brodiaea ida-maia

Taille: *30-90 cm (1-3 pi); fleur 2,5-4 cm (1-1½ po) de long.*
Traits: *fleurs rouge vif, tubulaires, à bouts étoilés vert-jaune, en bouquet arrondi au sommet d'une tige rougeâtre; feuilles longues, élancées, basales.*
Habitat: *talus herbeux, forêts claires de séquoias.*
Floraison: *mai-juillet.*

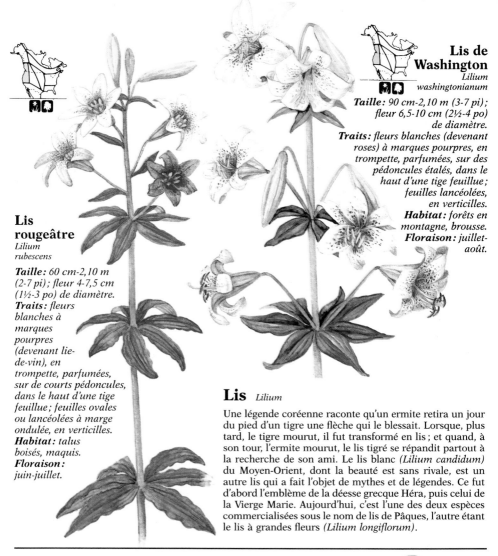

Lis rougeâtre
Lilium rubescens

Taille: *60 cm-2,10 m (2-7 pi); fleur 4-7,5 cm (1½-3 po) de diamètre.*
Traits: *fleurs blanches à marques pourpres (devenant lie-de-vin), en trompette, parfumées, sur de courts pédoncules, dans le haut d'une tige feuillue; feuilles ovales ou lancéolées à marge ondulée, en verticilles.*
Habitat: *talus boisés, maquis.*
Floraison: *juin-juillet.*

Lis de Washington
Lilium washingtonianum

Taille: *90 cm-2,10 m (3-7 pi); fleur 6,5-10 cm (2½-4 po) de diamètre.*
Traits: *fleurs blanches (devenant roses) à marques pourpres, en trompette, parfumées, sur des pédoncules étalés, dans le haut d'une tige feuillue; feuilles lancéolées, en verticilles.*
Habitat: *forêts en montagne, brousse.*
Floraison: *juillet-août.*

Lis *Lilium*

Une légende coréenne raconte qu'un ermite retira un jour du pied d'un tigre une flèche qui le blessait. Lorsque, plus tard, le tigre mourut, il fut transformé en lis ; et quand, à son tour, l'ermite mourut, le lis tigré se répandit partout à la recherche de son ami. Le lis blanc *(Lilium candidum)* du Moyen-Orient, dont la beauté est sans rivale, est un autre lis qui a fait l'objet de mythes et de légendes. Ce fut d'abord l'emblème de la déesse grecque Héra, puis celui de la Vierge Marie. Aujourd'hui, c'est l'une des deux espèces commercialisées sous le nom de lis de Pâques, l'autre étant le lis à grandes fleurs *(Lilium longiflorum)*.

mode de croissance

Hémérocalle fauve
Hemerocallis fulva

Taille: *60 cm-1,80 m (2-6 pi); fleur 7,5-12,5 cm (3-5 po) de diamètre.*
Traits: *fleurs fauves, en trompette, solitaires ou gémellées au sommet d'une tige nue; feuilles longues, en lanières, basales.*
Habitat: *champs, prés, friches.*
Floraison: *mai-juillet.*

Hémérocalles *Hemerocallis*

On trouve en Amérique du Nord deux espèces: l'hémérocalle fauve et l'hémérocalle jaune *(Hemerocallis flava)* ; ce sont des hybrides d'espèces eurasiennes qui, à défaut de donner des graines viables, se multiplient par des racines fibreuses, différentes des bulbes ou cormus des lis. Ephémères, les fleurs se succèdent sur la tige mais ne durent chacune qu'un jour.

Lis de Philadelphie
Lilium philadelphicum

Taille: *30-90 cm (1-3 pi); fleur 5-9 cm (2-3½ po) de diam.* **Traits:** *fleurs orange ou écarlates à 6 tépales en entonnoir, sur pédoncules grêles, en bouquets sur tige feuillue; feuilles lancéolées, verticillées ou éparses.* **Habitat:** *prairies, prés, bois clairs.* **Floraison:** *juin-août.*

Lis du Canada
Lilium canadense

Taille: *60 cm-1,50 m (2-5 pi); fleur 5-9 cm (2-3½ po) de diam.* **Traits:** *fleurs jaunes ou orangées, campanulées, inclinées au bout de pédoncules grêles, dans le haut d'une tige feuillue; feuilles lancéolées, verticillées.* **Habitat:** *prés humides, fourrés, bois.* **Floraison:** *juin-août.*

Lis léopard
Lilium pardalinum

Taille: *60 cm-2,45 m (2-8 pi); fleur 5-7,5 cm (2-3 po) de diamètre.* **Traits:** *fleurs rouge orangé à marques marron, campanulées, à 6 tépales étalés et réfléchis, inclinées au bout de pédoncules grêles dans le haut d'une tige robuste; feuilles lancéolées, verticillées.* **Habitat:** *prés humides en montagne, bois clairs, berges.* **Floraison:** *mai-juillet.*

Lis superbe
Lilium superbum

Taille: *60 cm-2,45 m (2-8 pi); fleur 7,5-12,5 cm (3-5 po) de diamètre.* **Traits:** *fleurs orange ou rougeâtres à marques pourpres, à 6 tépales réfléchis en turban, inclinées au bout de pédoncules grêles, dans le haut d'une tige robuste; feuilles lancéolées, verticillées.* **Habitat:** *bois humides, prés.* **Floraison:** *juillet-septembre.*

Lis tigré
Lilium tigrinum

Taille: *60 cm-1,50 m (2-5 pi); fleur 7,5-12,5 cm (3-5 po) de diamètre.* **Traits:** *fleurs orange, mouchetées, à 6 tépales réfléchis en turban; feuilles lancéolées, sur tige velue; bulbilles bleu-noir à l'aisselle des feuilles.* **Habitat:** *champs, fourrés.* **Floraison:** *juillet-septembre.*

FLEURS SAUVAGES

Calochortus de Kennedy
Calochortus kennedyi

Taille: 10-38 cm (4-15 po); fleur 5-9 cm (2-3½ po) de diamètre. **Traits:** fleurs cupuliformes jaunes ou vermillon à marques brunes au centre; feuilles rubanées. **Habitat:** déserts, talus secs, pinèdes de pignons. **Floraison:** avril-juin.

Calochortus de Nuttall
Calochortus nuttallii

Taille: 15-50 cm (6-20 po); fleur 5-6,5 cm (2-2½ po) de diamètre. **Traits:** fleurs cupuliformes blanches à marques jaunes et pourpres; feuilles élancées, à marge enroulée, basales. **Habitat:** plaines sèches, talus, pinèdes. **Floraison:** mai-août.

variété jaune

Calochortus bleu
Calochortus coeruleus

Taille: 2,5-15 cm (1-6 po); fleur 1,5-2 cm (½-¾ po) de diamètre. **Traits:** fleurs bleu pâle, frangées et duveteuses; feuilles rubanées, plutôt basales. **Habitat:** bois clairs, pentes rocheuses. **Floraison:** mai-juillet.

variété pou

Calochortus joli
Calochortus venustus

Taille: 20-60 cm (8-24 po); fleur 5-7,5 cm (2-3 po) de diamètre. **Traits:** fleurs cupuliformes blanches, jaunes, rouges ou pourpres, 2-3 taches foncées par pétale; feuilles linéaires, basales. **Habitat:** prés secs, talus, bois clairs. **Floraison:** mai-juillet.

Calochortus *Calochortus*

Avant que les Mormons réussissent à cultiver les déserts qui entourent le Grand Lac Salé, ils mangeaient les bulbes de calochortus, comme l'avaient fait pendant des siècles les Utes et les Paiutes de la région. Et lorsque leur première récolte fut détruite par une invasion d'insectes, c'est encore sur les bulbes de calochortus qu'ils se rabattirent pour survivre. C'est pourquoi l'Utah a choisi le calochortus de Nuttall comme emblème floral. Nature, les bulbes ont un goût de noisette; cuits, ils ressemblent aux pommes de terre.

Dispore (mandarin) jaune
Disporum lanuginosum

Taille: 38-75 cm (15-30 po); fleur 2-2,5 cm (¾-1 po) de diam. **Traits:** fleurs jaune-vert, campanulées, retombantes au bout de rameaux feuillus; feuilles ovales à bout pointu, duveteuses. **Habitat:** bois fertiles, fourrés. **Floraison:** mai-juin.

Dispores *Disporum*

Ces membres sylvestres des liliacées se caractérisent par de jolies fleurettes délicates et dansantes au bout d'un pédicelle filiforme. Leur forme de lanternes chinoises leur a valu le nom populaire de mandarins.

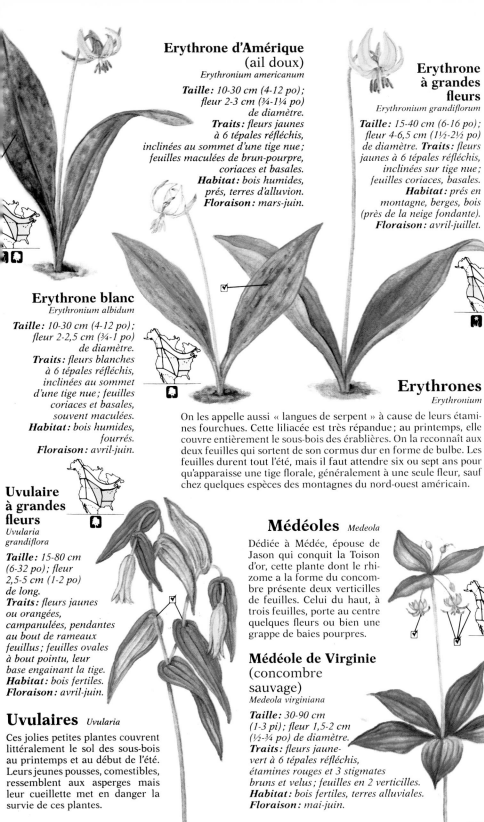

Erythrone d'Amérique
(ail doux)
Erythronium americanum

Taille : *10-30 cm (4-12 po) ;
fleur 2-3 cm (¾-1¼ po)
de diamètre.*
Traits : *fleurs jaunes
à 6 tépales réfléchis,
inclinées au sommet d'une tige nue ;
feuilles maculées de brun-pourpre,
coriaces et basales.*
Habitat : *bois humides,
prés, terres d'alluvion.*
Floraison : *mars-juin.*

Erythrone à grandes fleurs
Erythronium grandiflorum

Taille : *15-40 cm (6-16 po) ;
fleur 4-6,5 cm (1½-2½ po)
de diamètre.* **Traits :** *fleurs
jaunes à 6 tépales réfléchis,
inclinées sur tige nue ;
feuilles coriaces, basales.*
Habitat : *prés en
montagne, berges, bois
(près de la neige fondante).*
Floraison : *avril-juillet.*

Erythrone blanc
Erythronium albidum

Taille : *10-30 cm (4-12 po) ;
fleur 2-2,5 cm (¾-1 po)
de diamètre.*
Traits : *fleurs blanches
à 6 tépales réfléchis,
inclinées au sommet
d'une tige nue ; feuilles
coriaces et basales,
souvent maculées.*
Habitat : *bois humides,
fourrés.*
Floraison : *avril-juin.*

Erythrones
Erythronium

On les appelle aussi « langues de serpent » à cause de leurs étamines fourchues. Cette liliacée est très répandue ; au printemps, elle couvre entièrement le sous-bois des érablières. On la reconnaît aux deux feuilles qui sortent de son cormus dur en forme de bulbe. Les feuilles durent tout l'été, mais il faut attendre six ou sept ans pour qu'apparaisse une tige florale, généralement à une seule fleur, sauf chez quelques espèces des montagnes du nord-ouest américain.

Uvulaire à grandes fleurs
*Uvularia
grandiflora*

Taille : *15-80 cm
(6-32 po) ; fleur
2,5-5 cm (1-2 po)
de long.*
Traits : *fleurs jaunes
ou orangées,
campanulées, pendantes
au bout de rameaux
feuillus ; feuilles ovales
à bout pointu, leur
base engainant la tige.*
Habitat : *bois fertiles.*
Floraison : *avril-juin.*

Uvulaires *Uvularia*

Ces jolies petites plantes couvrent littéralement le sol des sous-bois au printemps et au début de l'été. Leurs jeunes pousses, comestibles, ressemblent aux asperges mais leur cueillette met en danger la survie de ces plantes.

Médéoles *Medeola*

Dédiée à Médée, épouse de Jason qui conquit la Toison d'or, cette plante dont le rhizome a la forme du concombre présente deux verticilles de feuilles. Celui du haut, à trois feuilles, porte au centre quelques fleurs ou bien une grappe de baies pourpres.

Médéole de Virginie
(concombre sauvage)
Medeola virginiana

Taille : *30-90 cm
(1-3 pi) ; fleur 1,5-2 cm
(½-¾ po) de diamètre.*
Traits : *fleurs jaune-
vert à 6 tépales réfléchis,
étamines rouges et 3 stigmates
bruns et velus ; feuilles en 2 verticilles.*
Habitat : *bois fertiles, terres alluviales.*
Floraison : *mai-juin.*

487

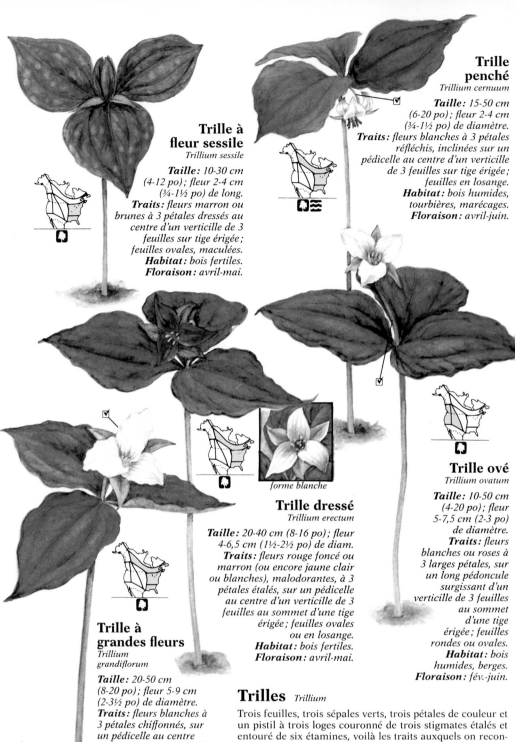

Trille à
fleur sessile
Trillium sessile

Taille: *10-30 cm
(4-12 po); fleur 2-4 cm
(¾-1½ po) de long.*
Traits: *fleurs marron ou
brunes à 3 pétales dressés au
centre d'un verticille de 3
feuilles sur tige érigée;
feuilles ovales, maculées.*
Habitat: *bois fertiles.*
Floraison: *avril-mai.*

Trille
penché
Trillium cernuum

Taille: *15-50 cm
(6-20 po); fleur 2-4 cm
(¾-1½ po) de diamètre.*
Traits: *fleurs blanches à 3 pétales
réfléchis, inclinées sur un
pédicelle au centre d'un verticille
de 3 feuilles sur tige érigée;
feuilles en losange.*
Habitat: *bois humides,
tourbières, marécages.*
Floraison: *avril-juin.*

forme blanche

Trille dressé
Trillium erectum

Taille: *20-40 cm (8-16 po); fleur
4-6,5 cm (1½-2½ po) de diam.*
Traits: *fleurs rouge foncé ou
marron (ou encore jaune clair
ou blanches), malodorantes, à 3
pétales étalés, sur un pédicelle
au centre d'un verticille de 3
feuilles au sommet d'une tige
érigée; feuilles ovales
ou en losange.*
Habitat: *bois fertiles.*
Floraison: *avril-mai.*

Trille ové
Trillium ovatum

Taille: *10-50 cm
(4-20 po); fleur
5-7,5 cm (2-3 po)
de diamètre.*
Traits: *fleurs
blanches ou roses à
3 larges pétales, sur
un long pédoncule
surgissant d'un
verticille de 3 feuilles
au sommet
d'une tige
érigée; feuilles
rondes ou ovales.*
Habitat: *bois
humides, berges.*
Floraison: *fév.-juin.*

Trille à
grandes fleurs
*Trillium
grandiflorum*

Taille: *20-50 cm
(8-20 po); fleur 5-9 cm
(2-3½ po) de diamètre.*
Traits: *fleurs blanches à
3 pétales chiffonnés, sur
un pédicelle au centre
d'un verticille de 3 feuilles
sur tige érigée; feuilles
ovales ou en losange.*
Habitat: *bois
fertiles, fourrés.*
Floraison: *avril-mai.*

Trilles *Trillium*

Trois feuilles, trois sépales verts, trois pétales de couleur et
un pistil à trois loges couronné de trois stigmates étalés et
entouré de six étamines, voilà les traits auxquels on reconnaît un trille. Dans son nom, on retrouve le mot latin *tres*,
allusion à cette disposition en trois des différents organes de
la plante. Les fleurs s'autofécondent, mais il se produit une
certaine pollinisation croisée par les insectes qu'attire
l'odeur fétide plus ou moins forte de certaines espèces.
Le trille à grandes fleurs est l'emblème floral de l'Ontario.

Asperge officinale
Asparagus officinalis

Taille: *30 cm-2,10 m (1-7 pi);
fleur 3-6 mm (⅛-¼ po) de diamètre.*
Traits: *port érigé, ramifié; touffes de
ramilles vertes; fleurs blanc-vert, campanulées,
retombantes sur pédicelles grêles; baies rouges.*
Habitat: *champs, prés, bords de route
et de voie ferrée.*
Floraison: *mai-juin.*

turions comestibles

Asperges *Asparagus*

Au printemps apparaissent des bourgeons tendres qui, s'ils ne sont
pas cueillis, donnent de hautes tiges dont le feuillage ressemble à
celui de la fougère. (Ces tiges signalent les colonies d'asperges en hiver.) On prend souvent les ramilles pour des feuilles; celles-ci se réduisent à une écaille brunâtre à l'aisselle des touffes de ramilles.
L'asperge plumeuse *(Asparagus setaceus)* est une espèce tropicale
vendue comme plante verte.

Aulx, oignons
Allium

Les Amérindiens désignaient les prairies à
l'extrémité sud du lac Michigan du nom de
she-kag-ong ou « là où poussent des oignons ». Aujourd'hui, cet endroit s'appelle
Chicago. Les oignons poussent dans tout
l'hémisphère Nord. Les éleveurs les redoutent, car si leurs vaches mangent de ces
plantes ou même les hument en les piéti-
nant, leur lait a mauvais goût.

Ail du Canada
Allium canadense

Taille: *20-60 cm
(8-24 po); fleur
6 mm-1,5 cm (¼-
½ po) de diam.*
Traits: *fleurs étoilées
roses ou blanches,
en bouquet lâche, à
bulbilles brun-vert,
sur tige nue; feuilles
linéaires, basales.*
Habitat: *prés
humides, bosquets.*
Floraison: *mai-juin.*

Ail trilobé (ail des bois)
Allium tricoccum

Taille: *15-45 cm
(6-18 po); fleur
6 mm-1,5 cm (¼-
½ po) de diam.*
Traits: *fleurs
blanches, étoilées en
bouquet rond sur tige
nue; feuilles basales,
elliptiques, fugaces.*
Habitat: *bois fertiles.*
Floraison: *juin-juillet.*

Oignon des prairies
Allium stellatum

Taille: *20-75 cm (8-30 po);
fleur 6 mm-1,5 cm (¼-½ po)
de diamètre.*
Traits: *fleurs étoilées
roses ou lavande, en
bouquet rond sur tige
nue; feuilles linéaires,
charnues, basales.*
Habitat: *prairies,
talus rocheux.*
Floraison:
juillet-septembre.

Oignon de Drummond
Allium drummondii

Taille: *10-30 cm
(4-12 po); fleur
6 mm-1,5 cm
(¼-½ po)
de diamètre.*
Traits: *fleurs
rose pourpré ou
blanches, en
bouquet lâche sur
tige nue; feuilles
linéaires, basales.*
Habitat: *prairies
sèches, plaines.*
Floraison:
mars-juin.

*feuilles
au
printemps*

Bloomérie safran
Bloomeria crocea

Taille: *12,5-63 cm (5-25 po); fleur 2-2,5 cm (¾-1 po) de diam.*
Traits: *fleurs jaune or à 6 tépales étalés (souvent à lignes foncées au centre), lâchement réunies sur une tige grêle; feuille solitaire, élancée, basale.*
Habitat: *herbages secs, chênaies.*
Floraison: *avril-juin.*

variété rayée

Narthécie de Californie
Narthecium californicum

Taille: *30-60 cm (1-2 pi); fleur 1,5-2 cm (½-¾ po) de diamètre.*
Traits: *fleurs jaune-vert, étoilées, à étamines piquées de rouge, en épi terminal lâche; feuilles linéaires, basales, denses.*
Habitat: *prés humides, bois marécageux, tourbières.*
Floraison: *juillet-août.*

Blooméries *Bloomeria*

Pour distinguer les blooméries des brodiéas, il faut examiner leur fleur. Chez les blooméries, les six tépales (pétales et sépales identiques) sont séparés et les six étamines couronnent des filaments au-dessus de coupelles à nectar. Les tépales des brodiéas sortent d'une base tubulaire et les étamines forment une couronne centrale.

Narthécies *Narthecium*

Ils sont cousins du bâton de Jacob (*Asphodeline lutea*), cette plante méditerranéenne dont on aurait jonché les champs Elysées de la mythologie grecque. Le petit narthécie d'Amérique (*Narthecium americanum*) est rare; on ne le trouve que dans les plaines côtières et les pinèdes de l'Est.

Hypoxide hirsute
Hypoxis hirsuta

Taille: *5-30 cm (2-12 po); fleur 1,5-2 cm (½-¾ po) de diamètre.*
Traits: *fleurs étoilées, jaunes, lâchement groupées au sommet d'une tige nue; feuilles longues, fines, en touffes.*
Habitat: *prés, prairies, champs, bois clairs, fourrés.* **Floraison:** *avril-septembre.*

Plante à savon
Chlorogalum pomeridianum

Taille: *60 cm-3 m (2-10 pi); fleur 2,5-5 cm (1-2 po) de diam.*
Traits: *fleurs blanches à nervures médianes pourpres ou vertes, en bouquets ramifiés sur tige robuste; feuilles basales, rubanées, à marge ondulée.*
Habitat: *plaines sèches, brousse, bois clairs.*
Floraison: *mai-août (le soir).*

rosette de feuilles

Hypoxides *Hypoxis*

Comme les alétris (p. 481), les hypoxides ne sont pas des graminées, mais des liliacées. Ils en ont toutefois l'allure, avec leur petite grappe de fleurs étoilées de couleur blanche ou jaune, scintillant parmi des touffes de feuilles très étroites.

Chlorogalums *Chlorogalum*

Les Amérindiens de l'Ouest faisaient des nattes et des brosses avec leurs fibres. Leurs bulbes servaient de savon; on les mangeait aussi rôtis, et leur jus donnait une colle pour garnir les flèches de plumes et une pâte pour soigner les éruptions causées par l'herbe à la puce.

Amaryllis de Virginie
Zephyranthes atamasco

Taille: *10-30 cm (4-12 po); fleur 5-9 cm (2-3½ po) de diamètre.*
Traits: *fleurs blanches à reflets rougeâtres, en entonnoir, au sommet d'une tige nue; feuilles étroites, basales.* **Habitat:** *bois humides, clairières, terres alluviales.*
Floraison: *mars-mai.*

Zéphyranthes
Zephyranthes

La brise d'ouest qui succède souvent aux ondées printanières dans le Sud-Est et sur la côte du golfe du Mexique apporte les effluves de diverses espèces de zéphyranthes. L'amaryllis de Virginie aux jolies fleurs teintées de rouge est l'une des deux espèces à remplacer parfois les lis de Pâques.

Lophiole américaine
Lophiola americana

Taille: *30-90 cm (1-3 pi); fleur 6 mm (¼ po) de diam.*
Traits: *fleurs laineuses à l'extérieur et à houppes de poils jaune vif à l'intérieur, en bouquets denses sur une tige blanche et laineuse; longues feuilles linéaires et basales.* **Habitat:** *tourbières, pinèdes humides, savane détrempée.*
Floraison: *mai-septembre.*

Lophiole *Lophiola*

La lophiole en fleur ne ressemble à aucune autre plante. En examinant de près un de ses fleurons, on constate sa singularité, car les six tépales sont marron à l'intérieur, mais leur coloris est éclipsé par les touffes de poils jaunes qui les recouvrent. L'espèce est unique.

Crinole américaine
Crinum americanum

Taille: *30-90 cm (1-3 pi); fleur 9-14 cm (3½-5½ po) de diamètre.*
Traits: *fleurs étoilées blanches à marques roses, en bouquet lâche sur une tige robuste; feuilles rubanées, un peu dentées.*
Habitat: *marais, marécages à cyprès, forêts humides, berges.*
Floraison: *mai-novembre.*

Crinoles *Crinum*

Il y a plusieurs espèces tropicales de cette plante et de nombreux hybrides. Quelques sujets, comme la crinole à feuilles larges *(Crinum latifolium zeylanicum)*, sont vivaces jusqu'à New York. Mais la crinole américaine est la seule espèce indigène dans l'Amérique du Nord continentale.

Fritillaire pudique
Fritillaria pudica

Taille: *7,5-30 cm (3-12 po); fleur 1,5-2 cm (½-¾ po) de diam.*
Traits: *1-3 fleurs jaunes retombantes au sommet de tiges nues; feuilles rubanées, surtout basales.*
Habitat: *déserts d'herbes, collines, bois clairs, brousse.*
Floraison: *mars-juin.*

Fritillaires *Fritillaria*

Le cormus bulbeux de la fritillaire est entouré d'une masse de bulbilles qui ressemblent à des grains de riz. Les ours et les rongeurs les déterrent, tandis que les ruminants se régalent du feuillage. Ces cormus et leurs bulbilles sont bons à manger, crus ou cuits.

baies

baies

Clintonie boréale
Clintonia borealis

Taille: 15-40 cm (6-16 po);
fleur 1,5-2 cm (½-¾ po) de long.
*Traits: fleurs jaunes, campanulées,
lâchement groupées au sommet
d'une tige nue; 3 feuilles basales,
ovales, luisantes; baies bleues.
Habitat: bois fertiles, talus en montagne.
Floraison: mai-juin.*

Clintonies
Clintonia

Les jolies baies des
clintonies sont aussi
typiques que leurs fleurs.
La clintonie en ombelle *(Clintonia
umbellata)*, commune dans les
montagnes du Sud-Est, a des fleurs
blanches à marques foncées et des
baies noires. La clintonie à une
fleur *(Clintonia uniflora)* des
montagnes de l'Ouest a une fleur
blanche et une baie bleue.

Sceau-de-Salomon biflore
Polygonatum biflorum

Taille: 30 cm-1,80 m
(1-6 pi); fleur 1,5-2,5 cm
(½-1 po) de long.
*Traits: fleurs blanc-vert
en clochettes pendantes
sous une tige arquée; feuilles
ovales; baies bleu foncé.
Habitat: bois, fourrés, berges.
Floraison: mai-juillet.*

Sceaux-de-Salomon
Polygonatum

La légende raconte que le roi Salomon,
ayant reconnu les vertus médicinales de la
plante, en aurait marqué le rhizome de son
sceau. D'après la doctrine des signatures,
les cicatrices du rhizome le rendaient pro-
pice à guérir les meurtrissures, contusions
et autres plaies.

Streptopes *Streptopus*

Cette plante se reconnaît à ses petites fleurs en clochettes
au bout d'un pédicelle tordu. Son nom vient de deux
mots grecs: *streptos*, tordu, et *pous*, tige. Il est descriptif
de la façon dont viennent les fleurs de cette plante.
Chacune naît du côté opposé à une feuille, plutôt qu'à
l'aisselle de celle-ci; puis son pédicelle se tord de sorte
que la fleurette pend sous la feuille. Le streptope blanc,
avec ses pédicelles anguleux, mérite bien son nom.

Streptope rose
(rognon-de-coq)
Streptopus roseus

Taille: 15-75 cm
(6-30 po); fleur
6 mm-1,5 cm
(¼-½ po) de long.
*Traits: fleurs roses,
en clochettes sous les
feuilles, sur pédicelles
filiformes; feuilles ovales,
alternes sur tige anguleuse.
Habitat: bois fertiles,
fourrés. Floraison: mai-juillet.*

Streptope amplexicaule
(streptope blanc)
Streptopus amplexifolius

*Taille:
30 cm-1,20 m
(1-4 pi); fleur
1,5 cm (½ po) de long.
Traits: fleurs crème en clochettes à
6 pétales réfléchis, solitaires et
retombantes sous les feuilles, sur des
pédicelles fortement tordus; feuilles ovales
engainantes; tige anguleuse.
Habitat: bois fertiles, fourrés.
Floraison: mai-juillet.*

Vératre vert (tabac du diable)
Veratrum viride

Taille:
60 cm-2,10 m
(2-7 pi); fleur
1,5-2 cm (½-¾ po)
de diamètre.
Traits: fleurs
étoilées jaune-vert,
en épis denses
sur tige robuste;
grandes feuilles
engainantes à
nervures accusées.
Habitat: bois
humides, marais,
montagnes,
berges.
Floraison:
mai-août.

Vératre de Californie
Veratrum californicum

Taille: 60 cm-1,80 m
(2-6 pi); fleur 1,5-2,5 cm
(½-1 po) de diamètre.
Traits: fleurs étoilées
blanches, en
plusieurs épis
denses au
sommet d'une
tige robuste;
grandes feuilles
engainantes à
nervures accusées.
Habitat: bois
humides, berges,
marécages.
Floraison:
juin-août.

Vératres
Veratrum

Ces jolies liliacées sont des plantes vénéneuses. Les alcaloïdes toxiques qu'elles renferment attaquent le système nerveux, ralentissent les pulsations cardiaques et font tomber la tension artérielle. Ces redoutables caractéristiques peuvent être cependant bénéfiques et leurs vertus médicinales étaient connues des Amérindiens comme des Européens et des Asiatiques. Elles sont encore utilisées de nos jours dans le traitement de l'hypertension.

Xérophylles *Xerophyllum*

Les ours raffolent au printemps des racines et des jeunes pousses des xérophylles, tandis que les rongeurs et divers ruminants en mangent les fleurs, les tiges et les graines. La chèvre de montagne consomme, elle, les feuilles basales, sèches et raides. Le groupe comprend deux espèces, celle-ci et le xérophylle faux-asphodèle *(Xerophyllum asphodeloides)* qui fréquente les pinèdes et les montagnes boisées de l'Est.

Xérophylle vigoureux   *Xerophyllum tenax*

Taille: 30 cm-1,80 m (1-6 pi); fleur 1,5 cm (½ po) de diam.
Traits: fleurs étoilées crème, en bouquet dense et arrondi
au sommet d'une tige robuste; feuilles en aiguilles, raides,
à marge rugueuse, plus serrées près du sol que dans le haut.
Habitat: talus secs, prés en montagne, forêts claires.
Floraison: mai-août.

Lis des sables

Leucocrinum montanum

Taille: *5-15 cm (2-6 po); fleur 2,5-4 cm (1-1½ po) de diamètre.*
Traits: *fleurs blanches, tubulaires, à pétales en étoile, nichées dans une touffe de feuilles linéaires.*
Habitat: *montagnes, brousse.*
Floraison: *avril-juin.*

fleur mâle solitaire

Chamélirion

Chamaelirium

Chez la seule espèce de ce groupe, des plants distincts portent les fleurs mâles et femelles. La longue aigrette florale du plant mâle (illustrée ici) s'incline gracieusement, tandis que l'inflorescence femelle est plus courte et dressée.

Lis des sables   *Leucocrinum*

Les fleurs parfumées du lis des sables s'épanouissent près du sol, dans une rosette de feuilles longues et étroites. Les tiges souterraines sortent directement d'une souche charnue. C'est la seule espèce de ce groupe.

Camassies   *Camassia*

Les Indiens de l'Ouest faisaient cuire les bulbes de quamash dans un four de pierres chaudes: c'était leur pain quotidien. La sanglante guerre du Plateau éclata lorsque le gouvernement américain les obligea à quitter les terres où ces plantes poussaient; la défaite du grand chef Joseph Nez-percé eut lieu en 1877. Les bulbes des cinq espèces sont comestibles, mais on peut les confondre avec des cousins vénéneux.

Chamélirion jaune

Chamaelirium luteum

Taille: *30 cm-1,20 m (1-4 pi); fleur 6 mm (¼ po) de diamètre.*
Traits: *fleurs blanches en long épi terminal; feuilles spatulées, en rosette près du sol, éparpillées sur la tige.*
Habitat: *bois humides, prés, tourbières.*
Floraison: *mai-juillet.*

Quamash

Camassia quamash

Taille: *20-75 cm (8-30 po); fleur 2,5-6,5 cm (1-2½ po) de diamètre.*
Traits: *fleurs bleues en étoile, groupées en épis sur une tige nue; feuilles linéaires, basales.*
Habitat: *prés humides.*
Floraison: *avril-juillet.*

Jacinthe sauvage

Camassia scilloides

Taille: *20-60 cm (8-24 po); fleur 1,5-2,5 cm (½-1 po) de diamètre.*
Traits: *fleurs bleu pâle en étoile, groupées en épis sur une tige nue; feuilles linéaires, basales.*
Habitat: *prés humides, prairies, bois clairs.*
Floraison: *avril-juin.*

Zigadène élégant
Zigadenus elegans

Taille: 30-90 cm (1-3 pi);
fleur 1,5-2,5 cm (½-1 po) de diam.
Traits: fleurs blanches à centre
vert, en étoile, groupées en épi
souple au sommet d'une tige
dressée; feuilles linéaires, basales.
Habitat: prés en montagne,
prairies, bois clairs.
Floraison: juin-août.

Zigadènes *Zigadenus*

Les bulbes des zigadènes sont vénéneux au point d'en être mortels.
Comme ils ressemblent à ceux des ca-
massies, qui ne sont pas à point au
moment de la floraison, les Amérindiens devaient les distinguer à des
traits subtils. C'était une question de
vie ou de mort pour eux.

baies

Maïanthème du Canada
Maianthemum canadense

Taille: 5-15 cm (2-6 po); fleur
3-6 mm (⅛-¼ po) de diamètre.
Traits: fleurs blanches à 4 tépales
en épi terminal dense;
tige à 2 ou 3 feuilles
ovales ou
cordiformes; baies
rouges, tachetées.
Habitat: bois humides,
fourrés, clairières.
Floraison: mai-juillet.

Maïanthèmes *Maianthemum*

Ces liliacées diffèrent de toutes les autres par
leurs fleurs. Leurs pièces florales ne viennent pas
en groupes de trois ou de six, mais plutôt de deux
et de quatre. En plus des feuilles nées sur les tiges
florales, les maïanthèmes en ont d'autres, issues
directement du rhizome souterrain, mais qui se
fanent avant la floraison.

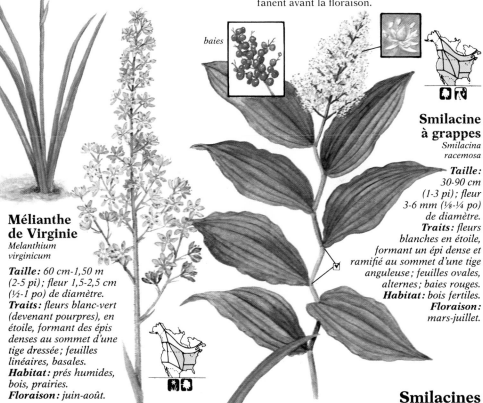

baies

Smilacine à grappes
Smilacina racemosa

Taille:
30-90 cm
(1-3 pi); fleur
3-6 mm (⅛-¼ po)
de diamètre.
Traits: fleurs
blanches en étoile,
formant un épi dense et
ramifié au sommet d'une tige
anguleuse; feuilles ovales,
alternes; baies rouges.
Habitat: bois fertiles.
Floraison:
mars-juillet.

Mélianthe de Virginie
Melanthium virginicum

Taille: 60 cm-1,50 m
(2-5 pi); fleur 1,5-2,5 cm
(½-1 po) de diamètre.
Traits: fleurs blanc-vert
(devenant pourpres), en
étoile, formant des épis
denses au sommet d'une
tige dressée; feuilles
linéaires, basales.
Habitat: prés humides,
bois, prairies.
Floraison: juin-août.

Mélianthes *Melanthium*

En vieillissant, les fleurs de mélianthe passent du
blanc-vert au pourpre et deviennent presque noires; leur nom signifie d'ailleurs « fleur noire ».
C'est ce qui, avec leurs feuilles plus étroites, groupées près du sol, les distingue des vératres.

Smilacines *Smilacina*

Smilacina est un diminutif de Smilax, femme
d'une beauté légendaire qui fut, dit-on, changée en
fleur. Les smilacines ressemblent aux sceaux-de-
Salomon par leurs tiges articulées, mais leurs
fleurs et leurs fruits sont groupés en grappes terminales plutôt qu'éparpillés sur la tige comme
chez ces derniers.

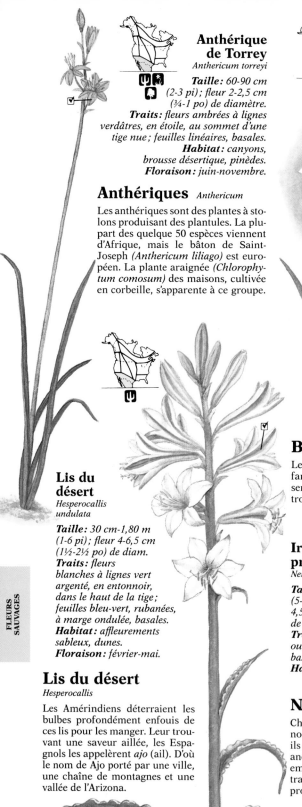

Anthérique de Torrey
Anthericum torreyi

Taille: 60-90 cm (2-3 pi); fleur 2-2,5 cm (¾-1 po) de diamètre. **Traits:** fleurs ambrées à lignes verdâtres, en étoile, au sommet d'une tige nue; feuilles linéaires, basales. **Habitat:** canyons, brousse désertique, pinèdes. **Floraison:** juin-novembre.

Anthériques *Anthericum*

Les anthériques sont des plantes à stolons produisant des plantules. La plupart des quelque 50 espèces viennent d'Afrique, mais le bâton de Saint-Joseph *(Anthericum liliago)* est européen. La plante araignée *(Chlorophytum comosum)* des maisons, cultivée en corbeille, s'apparente à ce groupe.

Lis du désert
Hesperocallis undulata

Taille: 30 cm-1,80 m (1-6 pi); fleur 4-6,5 cm (1½-2½ po) de diam. **Traits:** fleurs blanches à lignes vert argenté, en entonnoir, dans le haut de la tige; feuilles bleu-vert, rubanées, à marge ondulée, basales. **Habitat:** affleurements sableux, dunes. **Floraison:** février-mai.

Lis du désert
Hesperocallis

Les Amérindiens déterraient les bulbes profondément enfouis de ces lis pour les manger. Leur trouvant une saveur aillée, les Espagnols les appelèrent *ajo* (ail). D'où le nom de Ajo porté par une ville, une chaîne de montagnes et une vallée de l'Arizona.

Bermudienne blanche
Sisyrinchium albidum

Taille: 10-40 cm (4-16 po); fleur 1,5 cm (½ po) de diam. **Traits:** fleurs blanches ou bleu pâle, en étoile, sur pédicelles filiformes au sommet d'une tige plate; feuilles linéaires, rigides, basales. **Habitat:** champs secs, prés. **Floraison:** avril-juin.

Bermudienne
Sisyrinchium bermudiana

Taille: 15-60 cm (6-24 po); fleur 2-2,5 cm (¾-1 po) de diamètre. **Traits:** fleurs bleues ou violettes, en étoile, sur pédicelles filiformes au sommet de tiges plates; feuilles linéaires, rigides, basales. **Habitat:** prés humides, champs, bois. **Floraison:** mai-juillet.

Bermudiennes *Sisyrinchium*

Les bermudiennes font partie de la famille des iris: les feuilles se superposent près du sol et chaque fleur porte trois étamines centrales en colonne.

Iris des prairies
Nemastylis geminiflora

Taille: 12,5-60 cm (5-24 po); fleur 4,5-6,5 cm (1¾-2½ po) de diamètre. **Traits:** fleurs bleues à centre blanc, solitaires ou gémellées au sommet d'une tige; feuilles basales, en forme d'épée, à pli central. **Habitat:** prairies. **Floraison:** mars-juin.

Némastylis *Nemastylis*

Chaque année, cette plante produit de nouveaux bulbes mais, chose curieuse, ils poussent directement en dessous des anciens. On peut en trouver jusqu'à six empilés ainsi, le plus jeune poussant à travers tous les autres. La plante se reproduit aussi par graines.

Iris *Iris*

L'iris porte le nom d'une déesse grecque, messagère des dieux. Ses fleurs sont constituées de neuf pièces réunies trois par trois : trois pétales extérieurs (en fait les sépales), appelés « segments extérieurs », trois pétales intérieurs, les « segments intérieurs », et trois crêtes, les filets du pistil. La base de chaque sépale se combine à un filet pour former un tube dont l'entrée est soulignée par des lignes, une tache de couleur ou des barbes. Lorsqu'un insecte ou un oiseau vient chercher du nectar au fond d'un tube, le stigmate de la crête s'incline pour cueillir le pollen qu'il transporte. A l'intérieur, les étamines en déposeront sur son dos. L'iris est l'emblème floral du Tennessee.

Iris printanier
Iris verna

Taille : 12,5-30 cm (5-12 po) ; fleur 4-5 cm (1½-2 po) de diamètre. **Traits :** fleurs violettes à marques jaunes sur les sépales et à pétales dressés ; feuilles rigides, groupées à la base de la tige. **Habitat :** landes à pins, bois sableux, sol tourbeux. **Floraison :** mars-mai.

Iris du Missouri
Iris missouriensis

Taille : 30-90 cm (1-3 pi) ; fleur 6,5-7,5 cm (2½-3 po) de diamètre. **Traits :** fleurs bleues ou lilas à marques jaunes, blanches ou pourpres sur les sépales et à pétales dressés ; feuilles en forme d'épée, vert pâle, serrées à la base d'une tige robuste. **Habitat :** prés humides, plaines. **Floraison :** mai-juillet.

Iris de Virginie
Iris virginica

Taille : 45-75 cm (18-30 po) ; fleur 6,5-9 cm (2½-3½ po) de diam. **Traits :** fleurs lavande ou violettes, avec marques duveteuses jaunes sur les sépales et pétales étalés ; feuilles en épée, arquées, groupées à la base d'une tige souple. **Habitat :** marais, marécages, bords de lac. **Floraison :** avril-juillet.

Iris rouge
Iris fulva

Taille : 60 cm-1,50 m (2-5 pi) ; fleur 7,5-10 cm (3-4 po) de diamètre. **Traits :** fleurs brun-rouge ou bronze à sépales et pétales étalés à nervures foncées ; feuilles en forme d'épée, nombreuses à la base, éparpillées sur la tige ramifiée. **Habitat :** prés humides, marais, berges. **Floraison :** avril-juin.

Iris faux-acore (iris des marais)
Iris pseudacorus

Taille : 60-90 cm (2-3 pi) ; fleur 7,5-10 cm (3-4 po) de diam. **Traits :** fleurs jaunes à lignes foncées sur de larges sépales et à petits pétales dressés ; feuilles rigides, en forme d'épée, basales. **Habitat :** marais, berges, bords de lac. **Floraison :** avril-août.

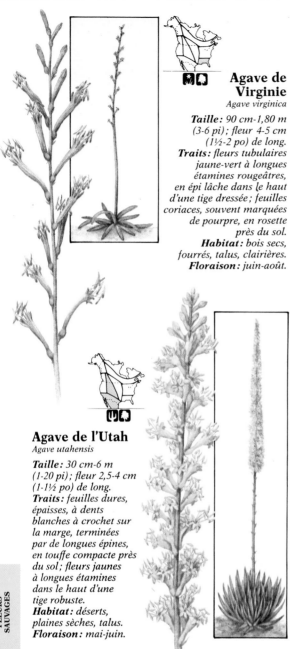

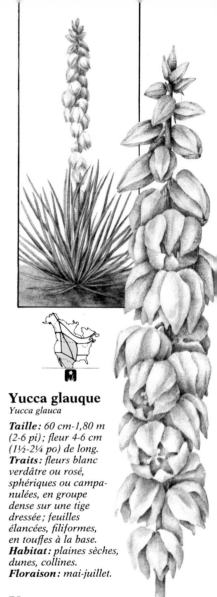

Agave de Virginie
Agave virginica

Taille: *90 cm-1,80 m (3-6 pi); fleur 4-5 cm (1½-2 po) de long.*
Traits: *fleurs tubulaires jaune-vert à longues étamines rougeâtres, en épi lâche dans le haut d'une tige dressée; feuilles coriaces, souvent marquées de pourpre, en rosette près du sol.*
Habitat: *bois secs, fourrés, talus, clairières.*
Floraison: *juin-août.*

Agave de l'Utah
Agave utahensis

Taille: *30 cm-6 m (1-20 pi); fleur 2,5-4 cm (1-1½ po) de long.*
Traits: *feuilles dures, épaisses, à dents blanches à crochet sur la marge, terminées par de longues épines, en touffe compacte près du sol; fleurs jaunes à longues étamines dans le haut d'une tige robuste.*
Habitat: *déserts, plaines sèches, talus.*
Floraison: *mai-juin.*

Yucca glauque
Yucca glauca

Taille: *60 cm-1,80 m (2-6 pi); fleur 4-6 cm (1½-2¼ po) de long.*
Traits: *fleurs blanc verdâtre ou rosé, sphériques ou campanulées, en groupe dense sur une tige dressée; feuilles élancées, filiformes, en touffes à la base.*
Habitat: *plaines sèches, dunes, collines.*
Floraison: *mai-juillet.*

Agaves *Agave*

Ces plantes grasses à feuilles remarquables ont une longévité étonnante. Lorsqu'elles parviennent à maturité, parfois après plus de 50 ans, une hampe florale se dresse au centre de la rosette. Elle est garnie de fleurons tubulaires fertilisés par des chauves-souris à langue longue qui parcourent la hampe ou volent sur place en suçant le nectar. (Certaines chauves-souris viennent chaque année du Mexique au moment de la floraison.) La rosette meurt en général après la floraison. Toutefois, l'agave de Virginie et d'autres espèces bulbeuses produisent chaque année une touffe de feuilles épineuses et une hampe florale.

Yuccas *Yucca*

La fertilisation des yuccas s'effectue seulement par l'entremise de pronubas porteuses du pollen de yucca, mais en retour, ces insectes ne se reproduisent que s'ils ont des yuccas à fertiliser. La pronuba du yucca ne mange jamais; ses articles buccaux ont pour seule fonction de façonner le pollen en une petite boule. Après l'accouplement, la femelle transporte cette boule sur une autre fleur; elle confie ses œufs aux ovaires de cette fleur avant d'enfoncer le pollen dans le pistil. Après l'éclosion, les larves se nourrissent de graines de yucca avant de se métamorphoser. L'emblème floral du Nouveau-Mexique est un yucca. (Voir aussi le yucca arborescent à feuilles courtes, dans la section des arbres.)

Smilax *Smilax*

La plupart des smilax sont des grimpants ligneux aux tiges épineuses qui envahissent les forêts de l'Est. Les rhizomes de sujets tropicaux donnent la salsepareille, ingrédient tonique et aphrodisiaque à ne pas confondre avec la plante homonyme qui sert à fabriquer la racinette *(root beer)*. Le raisin de couleuvre est une herbacée sans épines dont les organes aériens meurent en hiver.

Smilax herbacé (raisin de couleuvre)
Smilax herbacea

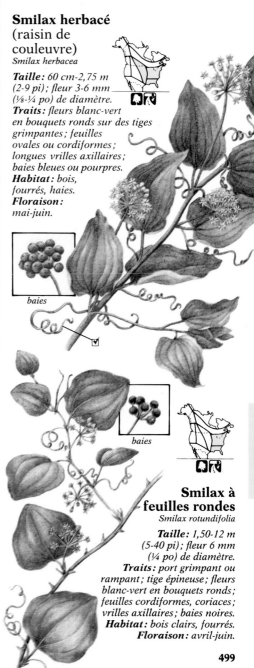

Taille: *60 cm-2,75 m (2-9 pi); fleur 3-6 mm (⅛-¼ po) de diamètre.*
Traits: *fleurs blanc-vert en bouquets ronds sur des tiges grimpantes; feuilles ovales ou cordiformes; longues vrilles axillaires; baies bleues ou pourpres.*
Habitat: *bois, fourrés, haies.*
Floraison: *mai-juin.*

baies

Yucca filamenteux
Yucca filamentosa

Taille: *60 cm-3 m (2-10 pi); fleur 2-4 cm (¾-1½ po) de long.*
Traits: *fleurs blanc-vert, sphériques ou campanulées, en hampe dense au sommet d'une tige robuste; feuilles en forme d'épée, à marge armée de fibres filiformes, en touffes au pied du plant.*
Habitat: *grèves, dunes, champs sableux, pinèdes.*
Floraison: *mai-septembre.*

baies

Smilax à feuilles rondes
Smilax rotundifolia

Taille: *1,50-12 m (5-40 pi); fleur 6 mm (¼ po) de diamètre.*
Traits: *port grimpant ou rampant; tige épineuse; fleurs blanc-vert en bouquets ronds; feuilles cordiformes, coriaces; vrilles axillaires; baies noires.*
Habitat: *bois clairs, fourrés.*
Floraison: *avril-juin.*

Cypripède acaule
(sabot de la vierge)
Cypripedium acaule

Taille: *15-40 cm (6-16 po);
fleur 5-12,5 cm (2-5 po)
de diamètre.*
Traits: *fleurs blanches ou
roses, labelle gonflé et veiné,
pétales latéraux bruns, tordus;
feuilles ovales, opposées, au sol.*
Habitat: *bois, tourbières.*
Floraison: *avril-juillet.*

Cypripède royal
Cypripedium reginae

Taille: *30-90 cm
(1-3 pi); fleur 5-10 cm
(2-4 po) de diamètre.*
Traits: *fleurs à labelle
gonflé rose et tépales
blancs, solitaires ou
gémellées; feuilles
engainantes.*
Habitat: *bois, tourbières.*
Floraison: *mai-août.*

Cypripède soulier
(sabot de la Vierge)
Cypripedium calceolus

Taille: *10-60 cm (4-24 po);
fleur 5-15 cm (2-6 po) de diamètre.*
Traits: *fleurs jaunes à labelle gonflé
et pétales latéraux spiralés bruns ou
verdâtres, solitaires ou gémellées;
feuilles ovales, engainantes.*
Habitat: *bois fertiles, tourbières.*
Floraison: *avril-août.*

Cypripède des montagnes
Cypripedium montanum

Taille: *25-70 cm
(10-28 po); fleur
5-10 cm (2-4 po)
de diamètre.*
Traits: *fleurs à labelle
gonflé blanc et pétales
latéraux spiralés
pourpres, en groupes de
1-3 dans le haut de la tige;
feuilles engainantes.*
Habitat: *bois clairs, talus.*
Floraison: *mai-juillet.*

Cypripède candide
(cypripède blanc)
Cypripedium candidum

Taille: *15-35 cm
(6-14 po); fleur 2,5-5 cm
(1-2 po) de diam.* **Traits:**
*fleurs à labelle gonflé blanc
et pétales latéraux spiralés
verdâtres; feuilles oblongues
engainantes.* **Habitat:** *prés
humides, prairies, tourbières.*
Floraison: *avril-juin.*

Cypripèdes *Cypripedium*

Le cypripède royal est l'emblème floral de l'Ile-du-Prince-Edouard et de l'Etat du Minnesota. Les cypripèdes ne renferment pas de nectar, mais leur labelle gonflé attire les insectes par une odeur similaire qui vient de l'intérieur. Une fois dans la fleur, l'insecte n'en peut sortir qu'en se faufilant dans l'un des deux petits canaux, derrière le labelle; ce faisant, il se couvre de pollen. L'expérience ne lui ayant rien appris, il fait de même sur une autre fleur; s'il s'agit d'un sujet femelle, il laissera en sortant son pollen sur les stigmates.

Triphora à trois fleurs
Triphora trianthophora

Taille: *7,5-30 cm (3-12 po);
fleur 1,5-2 cm (½-¾ po) de diam.*
Traits: *3 fleurs retombantes,
rose pâle ou blanches, à marques
verdâtres sur un labelle
chiffonné, au sommet d'une
tige feuillue; feuilles ovales,
charnues, engainantes.*
Habitat: *bois fertiles.*
Floraison: *juillet-octobre.*

Triphoras *Triphora*

Les orchidacées, illustrées dans ces pages
et les six qui suivent, ont trois sépales et
trois pétales autour d'un seul organe cylindrique, le gynostème, qui combine étamines et pistil. Le pollen est au sommet et
l'ovaire juste en dessous. Le pétale du
bas, plus large que les autres, forme le
labelle qui accueille les insectes.

Calypso bulbeux
Calypso bulbosa

Taille: *5-20 cm (2-8 po); fleur
2,5-5 cm (1-2 po) de diamètre.*
Traits: *fleurs roses à labelle gonflé
moucheté de jaune et de pourpre;
feuille ovale, solitaire, basale.*
Habitat: *bois frais et moussus,
tourbières.* **Floraison:** *avril-juillet.*

Calypso *Calypso*

La seule espèce de ce genre ressemble à un
cypripède par son labelle gonflé. Sans odeur
ni nectar, le calypso attire les insectes au
moyen d'une touffe de poils jaunes semblable aux étamines des fleurs riches en pollen.

Aréthuse bulbeuse
Arethusa bulbosa

Taille: *5-25 cm
(2-10 po); fleur 2,5-4 cm
(1-1½ po) de diamètre.*
Traits: *fleurs rose
magenta à large labelle
orné de marques pourpres et de poils
jaunes; feuille solitaire, linéaire,
après la floraison.*
Habitat: *tourbières.*
Floraison: *mai-août.*

Aréthuse *Arethusa*

Ce groupe comprenait autrefois toutes les
fleurs de cette page, sauf les calypsos. Il ne
lui reste qu'une espèce, une rare orchidée des
tourbières qui fleurit brièvement, puis produit une seule feuille linéaire. Les insectes,
attirés par le parfum de la fleur, se posent
sur le labelle et, guidés par trois crêtes jaunes, se rendent au nectar dans la gorge.

Cléiste divariqué
Cleistes divaricata

Taille: *15-70 cm
(6-28 po); fleur
2,5-5 cm (1-2 po) de long.*
Traits: *fleurs roses ou
blanches, tubulaires, à 3 sépales
brunâtres étalés et une bractée
foliacée verte; feuille ovale ou
lancéolée, solitaire, à mi-hauteur
d'une tige élancée.*
Habitat: *landes humides à pins,
tourbières, prés sableux.*
Floraison: *avril-juillet.*

Cléistes *Cleistes*

Ici, les trois sépales étalés sont très
différents des pétales qui forment
un tube autour de l'organe central.
(Chez le calypso et plusieurs orchidées, seul le labelle est différent;
les cinq autres pièces appelées tépales sont identiques comme le
sont pétales et sépales chez les liliacées.) Le cléiste divariqué est le
seul représentant en Amérique du
Nord d'un groupe surtout tropical.

Pogonie langue-de-serpent
Pogonia ophioglossoides

Taille: *7,5-60 cm
(3-24 po); fleur
1,5-2,5 cm (½-1 po)
de diamètre.*
Traits: *fleurs roses ou blanches à poils
jaunes au centre d'un labelle frangé;
feuille ovale ou elliptique, solitaire,
à mi-hauteur d'une tige élancée.*
Habitat: *prés humides, tourbières,
marécages, fossés.*
Floraison: *mai-août.*

Pogonies *Pogonia*

Au sommet de l'organe qui surplombe le
labelle de la pogonie se trouvent deux masses sphériques de pollen, les pollinies, et derrière, les stigmates. Quand l'insecte entre
dans la fleur, il fait basculer une pièce qui re-
couvrira les pollinies pendant qu'il se déleste
de son pollen sur les stigmates. En se retirant, il dénude les pollinies et reçoit le pollen
qu'il ira livrer à une autre fleur.

Listère cordée
Listera cordata

Taille: 7,5-28 cm (3-11 po); fleur 3-6 mm (⅛-¼ po) de diamètre.
Traits: fleurs vertes ou pourpres à 2 petites pointes à la base d'un labelle fourchu, en bouquets souples; feuilles cordiformes, opposées.
Habitat: bois fertiles.
Floraison: mai-août.

fleur verte

Listères *Listera*

L'insecte qui suit à la piste le nectar sur le labelle fourchu fait jouer une pièce au sommet de l'organe central; il en sort un jet de sécrétion poisseuse et deux pollinies. Effrayé, l'insecte s'envole, les pollinies collées au dos. La pièce se relève, exposant de la sorte les stigmates qui recevront le pollen du prochain visiteur.

Liparis à feuilles de lis
Liparis lilifolia

Taille: 10-30 cm (4-12 po); fleur 1,5-2 cm (½-¾ po) de diamètre.
Traits: fleurs à labelle pourpre, pétales latéraux filiformes et sépales incurvés verdâtres, sur de longs pédoncules; feuilles luisantes, opposées, basales.
Habitat: bois fertiles.
Floraison: mai-juillet.

Liparis *Liparis*

Comme les listères, les liparis sont des orchidées sauvages à deux feuilles. Chez ces derniers, elles sont grandes et naissent de la souche même du plant, tandis que chez les listères, elles sont petites et implantées à mi-hauteur sur la tige.

Corallorhize maculée
Corallorhiza maculata

Taille: 20-75 cm (8-30 po); fleur 1,5 cm (½ po) de diamètre.
Traits: fleurs pourpres à labelle plissé blanc maculé de pourpre, en hampe souple au sommet d'une tige jaunâtre et nue.
Habitat: bois fertiles.
Floraison: avril-sept.

Corallorhize striée
Corallorhiza striata

Taille: 23-50 cm (9-20 po); diamètre 2-2,5 cm (¾-1 po).
Traits: fleurs jaunâtres rayées rose et pourpre, en épi souple au sommet d'une tige nue, magenta ou jaunâtre.
Habitat: bois fertiles.
Floraison: mai-août.

Corallorhizes
Corallorhiza

La graine d'une orchidée ne renferme aucun élément nutritif. Pour se développer, elle doit être « contaminée » par un champignon spécial qui établit avec elle une relation de symbiose grâce à quoi la plantule reçoit les aliments et les enzymes dont elle a besoin jusqu'au moment où elle est autonome. Les corallorhizes, quant à elles, ne deviennent jamais autonomes. Leurs rhizomes continuent de compter sur les champignons pour se nourrir. Après de nombreuses années, la tige florale, dépourvue ou presque de chlorophylle, bourgeonne; sa seule fonction est de donner des graines.

FLEURS SAUVAGES

502

Orchis brillant
Orchis spectabilis

Taille: *12,5-30 cm (5-12 po); fleur 1,5-2 cm (½-¾ po) de diamètre.*
Traits: *fleurs pourpres ou roses à capuchon, labelle blanc et éperon entre des bractées foliacées; feuilles luisantes, opposées, basales.*
Habitat: *bois fertiles.*
Floraison: *avril-juin.*

Orchis Orchis

Personne ne sait pourquoi les libellules et les abeilles sont attirées par l'éperon de l'orchis; la fleur est inodore et l'éperon, sans nectar. Les insectes en ressortent chargés d'une ou de deux pollinies collées à la tête comme des cornes. En moins de 30 secondes, elles sèchent et s'arquent vers l'avant pour que le pollen touche les stigmates de la fleur suivante.

Habénaire à feuilles orbiculaires
Habenaria orbiculata

Taille: *15-60 cm (6-24 po); fleur 2-4 cm (¾-1½ po).*
Traits: *fleurs blanc-vert à labelle élancé et long éperon, en épi souple; feuilles rondes, luisantes, opposées, basales.*
Habitat: *bois fertiles et humides.*
Floraison: *juin-septembre.*

Habénaire blanchâtre
Habenaria leucophaea

Taille: *30 cm-1,20 m (1-4 pi); fleur 2-4 cm (¾-1½ po) de diamètre.*
Traits: *fleurs blanches à labelle tripartite frangé et long éperon, en épi lâche au haut d'une robuste tige feuillue; feuilles lancéolées, engainantes.*
Habitat: *prairies humides, prés, tourbières.*
Floraison: *mai-août.*

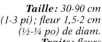

Habénaire papillon
Habenaria psycodes

Taille: *30-90 cm (1-3 pi); fleur 1,5-2 cm (½-¾ po) de diam.*
Traits: *fleurs lavande ou pourpres à labelle tripartite frangé et long éperon, en épi dense au sommet d'une tige feuillue.*
Habitat: *bois humides, prés, fossés, marécages, tourbières.*
Floraison: *juin-août.*

Habénaire ciliée
(habénaire frangée)
Habenaria ciliaris

Taille: *30-90 cm (1-3 pi); fleur 1,5-2 cm (½-¾ po) de diamètre.*
Traits: *fleurs orange vif à labelle plumeux et long éperon, en épi dense au sommet d'une tige feuillue.*
Habitat: *bois humides, prés, tourbières.*
Floraison: *juin-sept.*

Habénaires Habenaria

« S'il n'y avait pas d'insectes sur terre, écrivait Darwin, nos plantes n'auraient jamais de belles fleurs, mais de ces misérables inflorescences comme on en voit... chez les herbacées, les épinards, les patiences et les orties qui laissent au vent le soin de les polliniser. » Les orchidées illustrent bien la thèse du grand naturaliste. Plusieurs semblent avoir été conçues par un esprit malin et brillant pour attirer un type d'insectes. Lorsqu'un lépidoptère à longue trompe vient pomper le nectar d'une habénaire, une ou deux pollinies se collent sur sa tête pour fertiliser les stigmates de la fleur suivante. Dans le Grand Nord, des moustiques rendent à de minuscules orchidées les mêmes services.

Aplectrum d'hiver
Aplectrum hyemale

Taille : *30-60 cm (1-2 pi) ;*
fleur 1,5-2 cm (½-¾ po) de diam.
Traits : *fleurs jaunâtres ou*
pourprées à labelle blanc tacheté
de pourpre, en épi peu dense
au sommet d'une tige nue ;
feuille solitaire, fanée avant
la naissance de la tige.
Habitat : *bois humides et fertiles.*
Floraison : *mai-juin.*

Aplectrum *Aplectrum*

La seule espèce de ce groupe est dotée
d'un cormus en forme de bulbe qui se
développe de façon curieuse. Celui
qui produit l'unique feuille en été
donne aussi un second cormus au
bout d'un court rameau souterrain.
La feuille dure tout l'hiver et se fane
avant que la tige naisse du second cormus. Le premier alors se dégrade et le
cycle recommence.

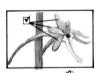

Tipulaire discolore
Tipularia
discolor

Taille : *10-60 cm*
(4-24 po) ; fleur 6 mm-
1,5 cm (¼-½ po) de diam.
Traits : *fleurs vert*
pourpré pâle à labelle
élancé, long éperon et 3
tépales d'un côté ; feuille
solitaire, fanée avant la
naissance de la tige.
Habitat : *bois fertiles.*
Floraison : *juin-sept.*

Tipulaires
Tipularia

L'observateur qui examine la
délicate tige florale du tipu-
laire croirait voir un essaim
de tipules atrophiées accrochées à une paille. Chaque
année, un cormus se forme
au bout d'une rangée de
vieux cormus. La plupart du
temps, le cormus de tête
produit une seule feuille
qui survit à l'hiver. De
temps à autre s'élève à
la place une tige florale.

Goodyéries
Goodyera

Ces orchidées produisent au sol une rosette de grandes feuilles qui ressemble à
celle du plantain. Ces feuilles sont persistantes et souvent ornées d'un motif blanc
rappelant des écailles de serpent. Au milieu de la rosette s'élève la tige dont les
fleurs sont pollinisées surtout par les
bourdons friands du nectar des labelles.

Goodyérie à feuilles oblongues
Goodyera oblongifolia

Taille : *30-45 cm (12-18 po) ; fleur*
6 mm-1,5 cm (¼-½ po) de diam.
Traits : *fleurs blanc-vert*
en spirale sur un épi
ou d'un seul côté,
au sommet d'une tige velue ;
feuilles panachées de blanc
effacé, en rosette près du sol.
Habitat : *bois.*
Floraison :
juin-septembre.

Goodyérie rampante
Goodyera repens

Taille : *18-45 cm*
(7-18 po) ; fleur
6 mm-1,5 cm (¼-½ po) de diam.
Traits : *fleurs blanc-vert*
en épi dense au sommet
d'une tige velue ; feuilles
velues, marquées de blanc,
en rosette près du sol.
Habitat : *bois, fourrés.*
Floraison : *juillet-août.*

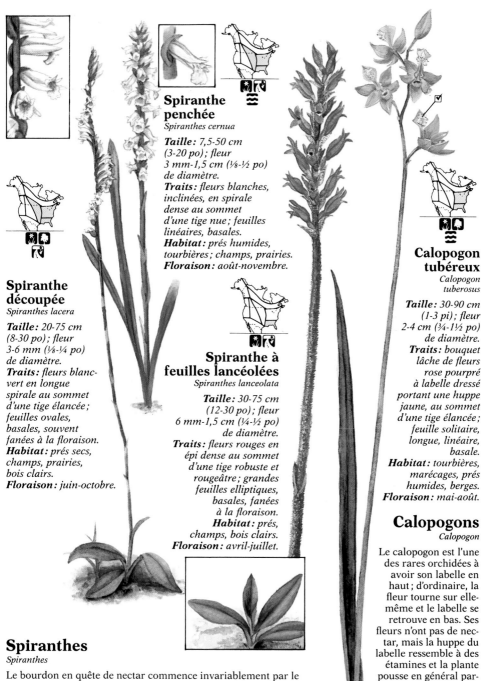

Spiranthe penchée
Spiranthes cernua

Taille: 7,5-50 cm
(3-20 po); fleur
3 mm-1,5 cm (⅛-½ po)
de diamètre.
Traits: fleurs blanches,
inclinées, en spirale
dense au sommet
d'une tige nue; feuilles
linéaires, basales.
Habitat: prés humides,
tourbières; champs, prairies.
Floraison: août-novembre.

Spiranthe découpée
Spiranthes lacera

Taille: 20-75 cm
(8-30 po); fleur
3-6 mm (⅛-¼ po)
de diamètre.
Traits: fleurs blanc-
vert en longue
spirale au sommet
d'une tige élancée;
feuilles ovales,
basales, souvent
fanées à la floraison.
Habitat: prés secs,
champs, prairies,
bois clairs.
Floraison: juin-octobre.

Spiranthe à feuilles lancéolées
Spiranthes lanceolata

Taille: 30-75 cm
(12-30 po); fleur
6 mm-1,5 cm (¼-½ po)
de diamètre.
Traits: fleurs rouges en
épi dense au sommet
d'une tige robuste et
rougeâtre; grandes
feuilles elliptiques,
basales, fanées
à la floraison.
Habitat: prés,
champs, bois clairs.
Floraison: avril-juillet.

Calopogon tubéreux
Calopogon tuberosus

Taille: 30-90 cm
(1-3 pi); fleur
2-4 cm (¾-1½ po)
de diamètre.
Traits: bouquet
lâche de fleurs
rose pourpré
à labelle dressé
portant une huppe
jaune, au sommet
d'une tige élancée;
feuille solitaire,
longue, linéaire,
basale.
Habitat: tourbières,
marécages, prés
humides, berges.
Floraison: mai-août.

Calopogons
Calopogon

Le calopogon est l'une des rares orchidées à avoir son labelle en haut; d'ordinaire, la fleur tourne sur elle-même et le labelle se retrouve en bas. Ses fleurs n'ont pas de nectar, mais la huppe du labelle ressemble à des étamines et la plante pousse en général parmi des fleurs qui en ont. Quand un insecte vient sur ces fausses étamines, le labelle s'avance et s'affaisse, laissant tomber son hôte sur le gynostème. En essayant de se redresser, l'insecte se charge ou se déleste de pollen.

Spiranthes
Spiranthes

Le bourdon en quête de nectar commence invariablement par le bas d'un épi floral. Les spiranthes, comme les goodyéries, en profitent pour pratiquer la pollinisation croisée. Quand la fleur est jeune, le labelle et le gynostème qui le surplombe sont si étroitement rapprochés que l'insecte ne peut atteindre le nectar. Pendant qu'il s'y emploie, deux pollinies se collent sur sa tête ou son dos. Quand la fleur vieillit, le labelle s'abaisse un peu et l'insecte en se faufilant laisse du pollen sur ses stigmates poisseux. Comme l'épi s'épanouit de bas en haut, l'insecte pollinise les vieilles fleurs inférieures d'un épi avec le pollen prélevé sur les jeunes fleurs supérieures d'un autre épi.

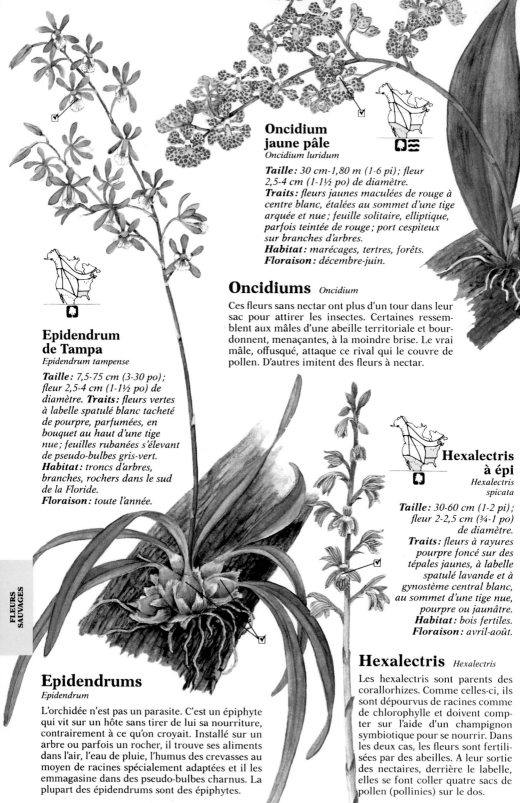

Oncidium jaune pâle
Oncidium luridum

Taille : *30 cm-1,80 m (1-6 pi) ; fleur 2,5-4 cm (1-1½ po) de diamètre.*
Traits : *fleurs jaunes maculées de rouge à centre blanc, étalées au sommet d'une tige arquée et nue ; feuille solitaire, elliptique, parfois teintée de rouge ; port cespiteux sur branches d'arbres.*
Habitat : *marécages, tertres, forêts.*
Floraison : *décembre-juin.*

Oncidiums *Oncidium*

Ces fleurs sans nectar ont plus d'un tour dans leur sac pour attirer les insectes. Certaines ressemblent aux mâles d'une abeille territoriale et bourdonnent, menaçantes, à la moindre brise. Le vrai mâle, offusqué, attaque ce rival qui le couvre de pollen. D'autres imitent des fleurs à nectar.

Epidendrum de Tampa
Epidendrum tampense

Taille : *7,5-75 cm (3-30 po) ; fleur 2,5-4 cm (1-1½ po) de diamètre.* **Traits :** *fleurs vertes à labelle spatulé blanc tacheté de pourpre, parfumées, en bouquet au haut d'une tige nue ; feuilles rubanées s'élevant de pseudo-bulbes gris-vert.* **Habitat :** *troncs d'arbres, branches, rochers dans le sud de la Floride.* **Floraison :** *toute l'année.*

Hexalectris à épi
Hexalectris spicata

Taille : *30-60 cm (1-2 pi) ; fleur 2-2,5 cm (¾-1 po) de diamètre.*
Traits : *fleurs à rayures pourpre foncé sur des tépales jaunes, à labelle spatulé lavande et à gynostème central blanc, au sommet d'une tige nue, pourpre ou jaunâtre.*
Habitat : *bois fertiles.*
Floraison : *avril-août.*

Epidendrums
Epidendrum

L'orchidée n'est pas un parasite. C'est un épiphyte qui vit sur un hôte sans tirer de lui sa nourriture, contrairement à ce qu'on croyait. Installé sur un arbre ou parfois un rocher, il trouve ses aliments dans l'air, l'eau de pluie, l'humus des crevasses au moyen de racines spécialement adaptées et il les emmagasine dans des pseudo-bulbes charnus. La plupart des épidendrums sont des épiphytes.

Hexalectris *Hexalectris*

Les hexalectris sont parents des corallorhizes. Comme celles-ci, ils sont dépourvus de racines comme de chlorophylle et doivent compter sur l'aide d'un champignon symbiotique pour se nourrir. Dans les deux cas, les fleurs sont fertilisées par des abeilles. A leur sortie des nectaires, derrière le labelle, elles se font coller quatre sacs de pollen (pollinies) sur le dos.

Polyrrhize de Linden
Polyrrhiza lindenii

Taille: *15-33 cm (6-13 po);
fleur 6,5-7,5 cm (2½-3 po) de diamètre.*
Traits: *fleurs blanc-vert à labelle
blanc divisé en 2 lobes tordus et à long
éperon, au sommet d'une tige souple
et nue; racines vertes, étalées
sur les troncs d'arbres.*
Habitat: *marécages, tertres,
forêts dans le sud de la Floride.*
Floraison: *avril-août.*

Polyrrhizes *Polyrrhiza*

Un seul membre de ce petit groupe d'orchidées antillaises dépourvues de feuilles se trouve en Floride où il s'installe sur les troncs des chênes verts et des palmiers royaux. Ses racines vertes à chlorophylle permettent à la plante de s'alimenter et les fleurs sont pollinisées par un sphinx.

Vanillier
Vanilla planifolia

Taille: *60 cm-6 m
(2-20 pi); fleur
7,5-11,5 cm (3-4½ po)
de diamètre.*
Traits: *bouquets de
fleurs vert crémeux à
labelle jaune-vert, tubulaire
et frangé, sur tiges grimpantes;
feuilles oblongues,
charnues; longues gousses
vertes ou brunes.*
Habitat: *forêts.*
Floraison: *toute l'année.*

Vanilliers *Vanilla*

Parfois visités par des insectes et des colibris, les vanilliers sont rarement pollinisés de façon naturelle. Ce sont les éleveurs commerciaux qui doivent s'en charger s'ils veulent que la plante produise les précieuses graines dont ils tirent l'essence de vanille. Cela se fait à la main, en levant la pièce qui sépare les pollinies des stigmates et en les pressant ensemble.

Eburophyton
Eburophyton austinae

Taille: *10-65 cm
(4-26 po); fleur 2-3 cm
(¾-1¼ po) de diam.*
Traits: *fleurs
blanches à labelle
maculé de jaune,
en bouquet souple
au sommet d'une tige
blanche; feuilles
blanches et écailleuses.*
Habitat: *bois fertiles
en montagne.*
Floraison: *juin-sept.*

Eburophyton
Eburophyton

Mise à part sa macule jaune, l'éburophyton, seule espèce du groupe et seule orchidée nord-américaine dépourvue de chlorophylle, est blanc comme la neige. Il se nourrit d'humus en forêt grâce à un champignon symbiotique qui « contamine » ses racines fibreuses et partage avec lui sa nourriture.

Epipactis géant
Epipactis gigantea

Taille: *30 cm-1,20 m
(1-4 pi); fleur 4-6,5 cm
(1½-2½ po) de diam.*
Traits: *fleurs verdâtres
ou roses à labelle
bipartite veiné de marron
(comme une bouche
à langue sortie), entre des
bractées foliacées, dans le
haut de la tige; feuilles
lancéolées, engainantes.*
Habitat: *berges, sources,
rivages, prés.*
Floraison: *mars-août.*

Epipactis *Epipactis*

L'épipactis est pollinisé par des mouches. Elles se posent sur le bout du labelle et vont sucer le nectar à l'arrière. En s'en allant, elles frôlent d'abord le stigmate sous le gynostème, puis une pièce poisseuse et enfin une pollinie friable qui les enduit du pollen dont elles féconderont la fleur suivante.

507

Plantes non florifères

Fougères, mousses, algues, lichens : on accorde généralement peu d'attention à ces plantes minuscules et sans apparat, considérées comme des végétaux inférieurs. Mais si l'on se donne la peine de les observer de plus près, on s'émerveillera de découvrir les complexités que recèle ce petit monde.

« Mais il n'y a rien là ! » s'exclamèrent les enfants devant un terrarium de fougères et de mousses. Ils étaient à la recherche, bien sûr, de vie animale et, pour eux, la végétation n'était qu'un cadre et non pas un milieu à observer en soi.

Dans la nature, les arbres, les fleurs et les animaux attirent immédiatement notre attention, mais pas ces modestes plantes non florifères, tellement moins spectaculaires qu'un chêne altier ou qu'un champ de marguerites. A l'exception des fougères, elles n'ont pas de vaisseaux pour faire circuler l'eau, ce qui leur permettrait de s'élever au-dessus du sol ; pas de fleurs, pas de fruits non plus pour égayer un feuillage souvent terne, car elles se reproduisent par des organes microscopiques appelés sores.

Et pourtant ce monde lilliputien devient fascinant quand on l'observe attentivement. Sa taille réduite a un avantage : dans un tout petit carré, on rencontre une multitude d'espèces : des mousses étoilées, de longues algues en ruban, des fougères de multiples textures, formes et couleurs. Et tout près, si le milieu devient plus sec ou plus humide, c'est une nouvelle gamme d'espèces qui se présente. Les formes varient avec le cycle de croissance : la fougère voit ses crosses devenir frondes ; les pétioles fertiles produisent leurs sores ou leurs urnes ; les feuilles roussissent à l'automne.

Où trouver les plantes non florifères

Elles ont désespérément besoin d'humidité pour accomplir leur cycle vital. Et pourtant, certaines espèces peuvent survivre à des expositions extrêmes au soleil, au vent, à la sécheresse. En période d'aridité, les mousses, les lichens et certaines fougères brunissent et se recroquevillent, pour ressusciter dès la première pluie.

En Amérique du Nord, c'est dans les forêts marécageuses qu'on trouve la plus grande variété de plantes non florifères. L'osmonde royale y déploie ses grandes touffes de frondes ; les mousses viennent vêtir les troncs couchés. Dans les tourbières poussent les sphaignes, dans les champs les fougères-aigles communes, sur le bord des marais et des étangs les prêles.

Les régions rocheuses, avec leurs fissures, leurs corniches et leurs grottes humides, sont également des milieux propices. Même dans les prairies où dominent pourtant les fleurs et les graminées, les moraines créent des environnements favorables aux lichens et aux mousses.

Les plantes sans fleurs aiment généralement ramper sur le sol, mais certaines espèces parmi les lichens, les enthériques, les algues d'eau douce et les mousses se plaisent sur les troncs d'arbres (et pas seulement du côté du nord comme on le prétend) ; en climats chauds et humides, des fougères s'installent même sans façon sur les branches.

Comment utiliser cette section

• Mieux connues, plus répandues et plus complexes aussi, les fougères occupent les pages 510-522 ; au début, le texte en bleu cite les traits nécessaires à leur identification. Aux pages 522-524 se trouvent des espèces apparentées — lycopodes, sélaginelles, isoètes et prêles —, différentes des fougères à première vue, mais proches parentes de celles-ci par leur structure et leur mode de reproduction.

• Les mousses, les hépatiques et les anthocérotales, plantes prostrées qui forment des touffes ou des tapis, se trouvent aux pages 525-527. Elles ont de minuscules tiges feuillées sans racines ni vaisseaux, fixées au sol par des poils absorbants ; certaines portent au sommet une urne

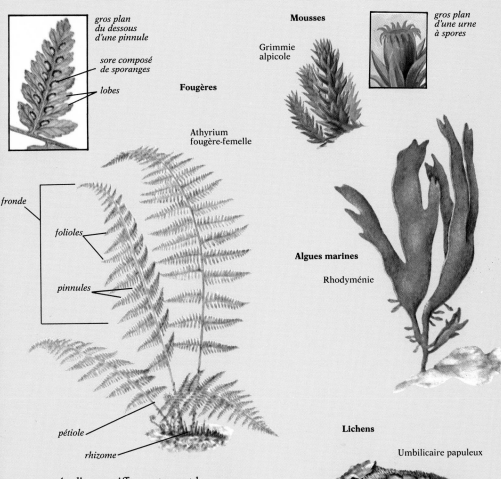

gros plan du dessous d'une pinnule

sore composé de sporanges

lobes

Fougères

Mousses

Grimmie alpicole

gros plan d'une urne à spores

Athyrium fougère-femelle

fronde

folioles

pinnules

Algues marines

Rhodyménie

pétiole

rhizome

Lichens

Umbilicaire papuleux

couronnée d'une coiffe contenant les spores. (L'urne illustrée ci-dessus est différente, car elle est en partie dissimulée sous les feuilles.) Ces urnes facilitent l'identification des mousses. Elles ont un trait particulier : à maturité, elles dégagent un nuage de spores si on s'amuse à les pincer.

• Les algues marines figurent aux pages 528-531. La rhodyménie ci-dessus est une algue rouge ; mais il en existe des vertes et des brunes.

• Dans les pages 532 et 533 se trouvent les lichens, végétaux complexes formés par l'association d'une algue et d'un champignon vivant en symbiose. On les divise en trois groupes : les lichens crustacés (formant une croûte indétachable), les lichens foliacés (plats et semblables à une feuille) et les lichens fruticuleux (ou ramifiés comme un arbuste). Les lichens comme celui qui est illustré ci-dessus sont

d'un vert gris ou brun selon le champignon qui leur est associé. La cladonie à petite crête, qui est un lichen fruticuleux, a des extrémités rouges ; d'autres espèces sont entièrement ou partiellement rouges ou orange.

• Les champignons, parfois classés parmi les plantes non florifères et qui, comme elles, se reproduisent au moyen de spores, forment une section à part qui commence à la page 534.

Les fougères. Légères, délicates, gracieuses, les fougères ont une beauté moins évidente que celle des fleurs sauvages; pour les apprécier et les identifier, il faut les regarder de près. Leurs frondes sont de formes très variées, parfois simples et rubanées, parfois triangulaires, parfois plus ou moins profondément divisées en un, deux, trois et même quatre groupes de pinnules. Les fougères se reproduisent par des spores enfermées dans des sporanges groupés en sores. Ces spores se trouvent tantôt sous les frondes, tantôt sur des tiges autonomes. Les frondes à spores sont dites fertiles; les autres, stériles. La souche est formée de rhizomes qui rampent à ras du sol. Pour en savoir davantage sur ces plantes non florifères, lisez les deux pages qui précèdent.

Osmonde cannelle
Osmunda cinnamomea

Taille: *60-90 cm (2-3 pi).*
Traits: *frondes en grosses touffes; frondes fertiles et sporanges verts devenant bruns; folioles des frondes stériles non découpées jusqu'au rachis; poils bruns laineux.*
Habitat: *marécages, marais, bois humides.*
Spores: *avril-juin.*

pinnules stériles

Osmonde royale
Osmunda regalis

Taille: *60 cm-1,20 m (2-4 pi).*
Traits: *grosse touffe sur monticule de racines; grandes pinnules; sporanges groupés au sommet des frondes; pétioles rougeâtres à l'ombre.*
Habitat: *marécages, marais.*
Spores: *avril-juin.*

Osmondes
Osmundaceae

Répandues et voyantes, les osmondes poussent dans les terres humides de l'Est; on n'en trouve pas dans l'Ouest. Leurs frondes ont plus de 60 cm (2 pi) de long, et pétioles et rhizomes forment des monticules importants. En pépinière, le terreau de racines d'osmonde sert à cultiver les orchidées et d'autres épiphytes. Leurs sporanges bruns ou noirâtres renferment des spores éphémères qui doivent germer en une ou deux semaines.

Osmonde de Clayton
Osmunda claytoniana

Taille: *60-90 cm (2-3 pi).*
Traits: *frondes fertiles entrecoupées de folioles à sporanges (ou nues près du centre); autres frondes arquées; folioles non découpées jusqu'au rachis, plus longues au centre du pétiole.*
Habitat: *bois humides, bords de route.*
Spores: *mai-juin.*

pinnules

Botryche de Virginie
Botrychium virginianum

Taille: 5-45 cm (2-18 po).
Traits: tige solitaire à fronde triangulaire presque horizontale, composée de folioles très découpées; sporanges en grappes au sommet d'un épi dressé.
Habitat: bois fertiles. **Spores:** mai-juillet.

sommité de l'épi fertile

Ophioglosse vulgaire
Ophioglossum vulgatum

Taille: 15-25 cm (6-10 po).
Traits: feuille solitaire, non découpée, à bout émoussé; sporanges en 2 rangs au sommet d'un épi dressé et gonflé.
Habitat: bois, prés, bords de marais, fossés humides et herbeux. **Spores:** juin-août.

Botryches et ophioglosses
Ophioglossaceae

Ces plantes, dont la parenté avec les fougères reste hypothétique, posent de nombreux problèmes aux botanistes. Il est certain qu'elles se distinguent des autres plantes. Toutes les espèces ont une tige unique dotée d'un rameau foliacé latéral et d'un épi dressé à sporanges. On les croirait rares; c'est plutôt qu'on les confond avec d'autres plantes ou qu'elles se dissimulent dans la végétation. Elles croissent dans les herbages humides, les bois clairs et dans les cimetières du Sud-Est.

pinnule stérile   pinnule fertile

Lygodier du Japon
Lygodium japonicum

Taille: 1,50-4,50 m (5-15 pi) de long.
Traits: port grimpant; folioles stériles bipennées, longues et triangulaires, à bout pointu; petites folioles fertiles à sporanges sur épis saillants.
Habitat: bois clairs, brousse, berges, bords de route. **Spores:** août-sept.

Fougères grimpantes et gazonnantes
Schizaeaceae

Ces plantes ressemblent peu à des fougères. Les grimpants peuvent passer pour du lierre, les autres, comme le schizéa nain *(Schizaea pusilla)* des tourbières du Nord-Est, pour des graminées, mais les petits sores des frondes fertiles les identifient comme fougères.

Lygodier palmé
Lygodium palmatum

Taille: 90 cm-1,20 m (3-4 pi).
Traits: port grimpant sur arbustes ou jeunes plants; folioles opposées, lobées comme des feuilles d'érable; sporanges sur petites folioles terminales.
Habitat: tourbières, bois humides.
Spores: août-sept.

511

Capillaires et analogues
Adiantaceae

De toutes les fougères, celles-ci sont les plus xérophytiques, ce qui veut dire les mieux adaptées à la sécheresse. Même si plusieurs espèces comme le capillaire du Canada poussent en forêt, la plupart des autres préfèrent des habitats rocheux. Le cheveu-de-Vénus *(Adiantum capillus-veneris)*, par exemple, vit sur des rochers qu'asperge une cascade, depuis les Etats du Sud jusqu'aux Rocheuses canadiennes. Cette espèce et quelques autres proches parentes viennent bien dans la maison, pourvu qu'on les garde au frais.

A part quelques exceptions, comme l'acrostic géant de Floride *(Acrostichum danaeifolium)* qui peut atteindre 2,50 m (8 pi) de hauteur, les capillaires sont plutôt de petite taille. Certains s'étendent en rang à partir de rhizomes souterrains. Les espèces à frondes en touffes ont des pétioles longs, grêles, noirs et luisants qui forment des masses inextricables.

Les spores apparaissent non sur des pétioles spéciaux, mais sur les folioles, le long du rachis. Dans certains cas, la marge du limbe s'enroule par-dessus les sporanges pour les protéger. On parle alors de fausse induse ou indusie (du latin *indusium* : tunique), la vraie étant une petite lame très mince qui recouvre et protège le sore chez les fougères arborescentes et chez les aspléniacées.

Adiante du Canada
(capillaire du Canada)
Adiantum pedatum

Taille : *30-60 cm (1-2 pi).*
Traits : *verticilles en éventail de folioles portées à l'horizontale ; pinnules oblongues, à sporanges du côté denté ; pétioles noirs et grêles.*
Habitat : *bois fertiles.*
Spores : *août-octobre.*

pinnule fertile

pinnule stérile

Cryptogramme faux-acrostic
Cryptogramma acrostichoides

Taille : *12,5-25 cm (5-10 po).*
Traits : *frondes lisses, coriaces, luisantes ; frondes stériles à pinnules courtes, larges et dentées ; frondes fertiles longues, dressées, à pinnules étroites ; marge de la pinnule fertile enroulée sur les sporanges.*
Habitat : *falaises, éboulis.* **Spores :** *juillet-septembre.*

pinnule fertile

sporanges

Pityrogramme triangulaire
Pityrogramma triangularis

Taille : *12,5-38 cm (5-15 po).* **Traits :** *frondes triangulaires, bipennées, vertes dessus, jaune vif ou blanches dessous ; sporanges sur le dessous, de chaque côté du rachis.*
Habitat : *fissures ombragées et humides sur talus rocheux ou berges.* **Spores :** *mai-juillet.*

Adiante de Californie (capillaire de Californie) *Adiantum jordanii*

Taille : *15-30 cm (6-12 po).*
Traits : *larges frondes étalées (et non horizontales) ; pinnules en demi-cercle à nervures rayonnantes, sur pétioles ; sporanges sur la marge arrondie des pinnules.* **Habitat :** *talus humides et ombragés, berges.*
Spores : *juin-juillet.*

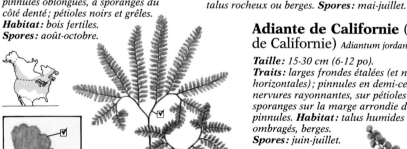

pinnule fertile

pinnule fertile

segments fertiles

Cheilanthe de fée
Cheilanthes feei

Taille: *10-25 cm (4-10 po).*
Traits: *frondes divisées en minuscules segments ronds; fins poils blancs dessus, toison rousse dessous; pétioles velus; marge des segments fertiles enroulée sur les sporanges.*
Habitat: *fissures rocheuses sèches et ombragées, falaises.* **Spores:** *juillet-septembre.*

Chei-lanthe gracieuse
Cheilanthes gracillima

pinnule fertile

Taille: *10-25 cm (4-10 po).*
Traits: *pétioles en touffes; pinnules elliptiques, lisses, vert foncé dessus, velues et blanches dessous; sporanges partiellement recouverts par la marge enroulée des pinnules.* **Habitat:** *fissures rocheuses en montagne.* **Spores:** *juillet-sept.*

pinnules fertiles

Cheilanthe laineuse
Cheilanthes lanosa

Taille: *25-45 cm (10-18 po).*
Traits: *pétioles éparpillés (et non en touffes), la partie feuillue étroite et longue; poils roux (plus denses au bas); sporanges partiellement recouverts par la marge enroulée des pinnules.*
Habitat: *rochers, falaises.*
Spores: *juillet-septembre.*

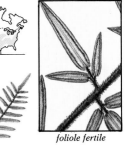

foliole fertile

Pelléade à stipe pourpre
Pellaea atropurpurea

Taille: *25-50 cm (10-20 po).*
Traits: *pétioles brun-pourpre ou noirs, un peu velus; folioles et pinnules grandes et lancéolées, triangulaires ou cordiformes; frondes fertiles plus longues que les stériles; sporanges recouverts par la marge enroulée des folioles.*
Habitat: *fissures en roc calcaire.*
Spores: *juillet-octobre.*

foliole fertile

Pelléade glabre
Pellaea glabella

Taille: *12,5-38 cm (5-15 po).*
Traits: *semblable à la pelléa pourpre mais plus petite, avec pétioles plus luisants, plus rouges et sans poils; frondes fertiles et stériles identiques; sporanges dans la marge enroulée des folioles.*
Habitat: *fissures en roc calcaire.*
Spores: *juillet-septembre.*

pinnules fertiles

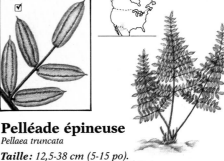

Pelléade épineuse
Pellaea truncata

Taille: *12,5-38 cm (5-15 po).*
Traits: *frondes très rigides; folioles perpendiculaires au pétiole, divisées en pinnules carénées à bout pointu; sporanges recouverts par la marge enroulée des folioles.* **Habitat:** *roc sec et exposé (non calcaire).* **Spores:** *juin-septembre.*

513

Hyménophyllacées
Hymenophyllaceae

Parmi ces fougères des climats tropicaux, les plus délicates de toutes, certaines ont des frondes d'à peine 1,5 cm (½ po). Leurs feuilles, qui ne sont qu'une couche de cellules sans limbe protecteur, requièrent une humidité constante et l'ombre d'une grotte.

Trichomane des Appalaches
Trichomanes boschianum

Taille: *5-15 cm (2-6 po) de long.*
Traits: *minces frondes translucides, en dentelle, sur souche velue et rampante; sporanges en urnes à un poil.* **Habitat:** *recoins ombragés de falaises calcaires, cavernes.* **Spores:** *août-octobre.*

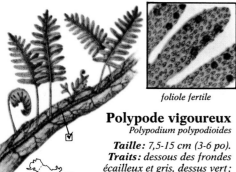

foliole fertile

Polypode vigoureux
Polypodium polypodioides

Taille: *7,5-15 cm (3-6 po).* **Traits:** *dessous des frondes écailleux et gris, dessus vert; rachis déprimé et vésicules en relief; les frondes s'enroulent en période sèche et se déroulent par temps humide; souche rampante en surface.* **Habitat:** *rochers (au nord), troncs et branches d'arbres (au sud).* **Spores:** *juillet-septembre.*

Polypode de Virginie (tripe-de-roche)
Polypodium virginianum

Taille: *10-25 cm (4-10 po).* **Traits:** *frondes persistantes, coriaces, lisses; folioles découpées près du rachis; rhizomes entrelacés.* **Habitat:** *rocs ombragés en forêt.* **Spores:** *juillet-septembre.*

Polypodes Polypodiaceae

Les frondes coriaces et persistantes des polypodes attestent un milieu où l'humidité est variable. Chez nous, ils s'agrippent à des rochers couverts d'humus; sous les tropiques, ils poussent sur les arbres. Le groupement des sporanges en gros sores ronds est caractéristique du groupe.

Fougères arborescentes Cyatheaceae

Ces fougères des bois et des champs ont une taille marquée et des frondes étalées, pennées et bipennées. Elles comprennent le ptéridium des aigles, une des rares espèces répandues partout au monde, et les grandes fougères arborescentes tropicales, *Cyathea* et *Dicksonia*, cultivées en serre mais aussi en jardin dans les endroits chauds comme la côte californienne. Les espèces indigènes, trop envahissantes, sont rarement ornementales.

pinnule fertile

Dennstaedtia à lobules ponctués
Dennstaedtia punctilobula

Taille: *38-90 cm (15-35 po).*
Traits: *frondes délicates, lisses, jaune-vert, à poils un peu poisseux, arquées au sommet; sporanges en urnes sur la marge des pinnules; vient en colonies.* **Habitat:** *bords de champs, clairières en forêt; sol sableux.* **Spores:** *juillet-octobre.*

Fougère-aigle commune (ptéridium des aigles)
Pteridium aquilinum

Taille: *60-90 cm (2-3 pi).* **Traits:** *larges frondes rugueuses, horizontales, triangulaires, découpées en 3 grandes folioles triangulaires; vient en colonies.* **Habitat:** *champs, brousse, terrains brûlés, clairières; sols pauvres.* **Spores:** *juillet-août (souvent absentes).*

FOUGÈRES

Aspléniacées Aspleniaceae

C'est la famille la plus diversifiée qui soit; elle compte quelque 3 000 espèces de par le monde et, chez elle, l'exception est de règle. On la trouve des tropiques à l'Arctique; ses membres vont du plus petit au plus grand; ses frondes sont simples ou très divisées. Les espèces proches parentes à l'intérieur de cette famille ont fortement tendance à s'hybrider, produisant des formes intermédiaires qui portent leur propre nom, mais qui se reproduiront par la suite comme des formes normales: l'asplénosore pinnatifide en est un exemple. Toutes les fougères illustrées dans cette page et dans les six qui suivent sont des aspléniacées.

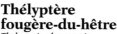

sporanges

Thélyptère de Kunth
Thelypteris kunthii

Taille:
60 cm-1,50 m (2-5 pi).
Traits: grandes frondes à toison blanche; folioles inférieures de taille non réduite; marge non enroulée sur les sporanges; nervures non ramifiées.
Habitat: tertres, bois à basse altitude, talus rocheux.
Spores: mai-novembre.

Thélyptère fougère-du-hêtre
Thelypteris phegopteris

Taille: 25-50 cm (10-20 po).
Traits: frondes étroites, triangulaires, arquées, à membrane foliacée reliant les folioles sauf les 2 paires du bas qui sont retombantes; pétioles et dessous des frondes velus.
Habitat: collines rocheuses et humides, falaises, bois; souvent près des cours d'eau.
Spores: juillet-septembre.

paire inférieure de folioles

Thélyptère à hexagones
(grande thélyptéride du hêtre)
Thelypteris hexagonoptera

Taille: 38-75 cm (15-30 po).
Traits: larges frondes triangulaires et velues; folioles opposées, reliées par une membrane.
Habitat: bois fertiles et épais.
Spores: juillet-septembre.

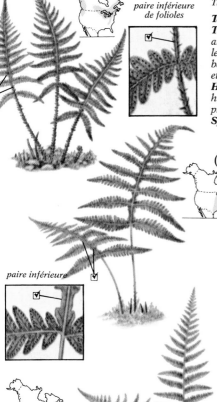

paire inférieure

foliole stérile

foliole fertile

Thélyptère de New York
Thelypteris noveboracensis

Taille: 38-60 cm (15-25 po).
Traits: folioles longues au centre des frondes, petites et triangulaires en bas; sporanges près de la marge (non enroulée) des pinnules. **Habitat:** bois humides. **Spores:** juin-septembre.

Thélyptère des marais
Thelypteris palustris

Taille: 38-75 cm (15-30 po).
Traits: folioles inférieures de tailles équivalentes; folioles fertiles à nervures ramifiées et marge enroulée sur frondes hautes; sporanges alignés loin de la marge. **Habitat:** marais, marécages, bois et prés humides. **Spores:** juillet-sept.

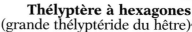

FOUGÈRES

pinnule
fertile

foliole
fertile

Doradille des murailles
Asplenium ruta-muraria

Taille: *4-16,5 cm (1½-6½ po) de long.*
Traits: *frondes délicates,
triangulaires, à folioles pétiolées en
losange et pinnules dentées;
sporanges en sores denses près des nervures.*
Habitat: *rochers calcaires ombragés; parfois
sur le mortier des vieux murs.*
Spores: *juin-octobre.*

Doradille
chevelue
Asplenium trichomanes

Taille: *7,5-20 cm (3-8 po)
de long.* **Traits:** *frondes
stériles plates, rayonnantes; frondes fertiles
longues, à sores en croissant; pétioles rigides,
brun-pourpre, luisants, survivant aux folioles;
folioles ovales, opposées, un peu dentées.*
Habitat: *fissures rocheuses ombragées,
surtout sur calcaire.* **Spores:** *juin-octobre.*

lobe à
sporanges

foliole
fertile

Asplénosore
pinnatifide
Asplenosorus pinnatifidus

Taille: *7,5-15 cm (3-6 po) de long.*
Traits: *frondes arquées, rayonnantes, coriaces,
à longue pointe effilée; moitié inférieure lobée;
sores en croissant près des nervures; hybride de
la doradille des montagnes et de la camptosore à
feuilles radicantes.* **Habitat:** *falaises de grès,
roc acide.* **Spores:** *juin-octobre.*

pinnule
fertile

Doradille des montagnes
Asplenium montanum

Taille: *7,5-18 cm (3-7 po) de long.* **Traits:** *frondes
épaisses, vert luisant, bipennées, retombantes;
pinnules à marge irrégulière; sporanges près des
nervures.* **Habitat:** *fissures dans le grès,
le quartzite, le granit ou le schiste.* **Spores:** *juin-oct.*

Doradille ébène
(doradille noire)
Asplenium platyneuron

Taille : *15-45 cm (6-18 po).*
Traits : *frondes fertiles dressées;
frondes stériles courtes, étalées;
pétioles bruns et luisants; folioles allongées,
engainant le pétiole à la base, avec oreillette
supérieure; sporanges près des nervures,
se rejoignant parfois au rachis.*
Habitat : *vieux champs, bois, bords de route.*
Spores : *mai-septembre.*

Doradille ambulante
(camptosore à feuilles radicantes)
Asplenium rhizophyllum (Camptosorus rhizophyllus)

Taille: *10-30 cm (4-12 po) de long.*
Traits: *frondes sagittées, simples, arquées
(parfois aplaties), à extrémité effilée portant des
plantules; sporanges éparpillés près des nervures.*
Habitat: *falaises et rochers moussus, surtout sur
roche calcaire.* **Spores:** *juillet-octobre.*

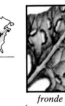

fronde fertile

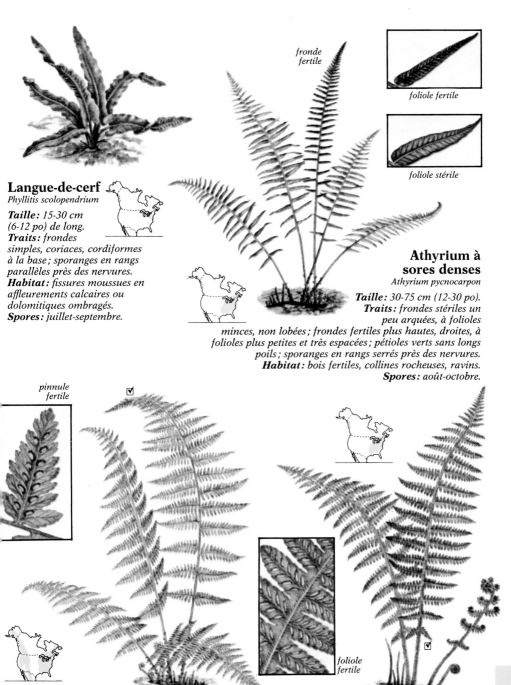

fronde
fertile

foliole fertile

foliole stérile

Langue-de-cerf
Phyllitis scolopendrium

Taille: *15-30 cm (6-12 po) de long.*
Traits: *frondes simples, coriaces, cordiformes à la base; sporanges en rangs parallèles près des nervures.*
Habitat: *fissures moussues en affleurements calcaires ou dolomitiques ombragés.*
Spores: *juillet-septembre.*

Athyrium à sores denses
Athyrium pycnocarpon

Taille: *30-75 cm (12-30 po).*
Traits: *frondes stériles un peu arquées, à folioles minces, non lobées; frondes fertiles plus hautes, droites, à folioles plus petites et très espacées; pétioles verts sans longs poils; sporanges en rangs serrés près des nervures.*
Habitat: *bois fertiles, collines rocheuses, ravins.*
Spores: *août-octobre.*

pinnule
fertile

foliole
fertile

Athyrie fougère-femelle *Athyrium filix-femina*

Taille: *30-90 cm (1-3 pi).*
Traits: *frondes délicates et très découpées à extrémité retombante et pinnules finement dentées; pétioles lisses, cassants, à double fibre à l'intérieur; sporanges courts et incurvés.* **Habitat:** *bois fertiles, marécages.* **Spores:** *juillet-août.*

Athyrie fausse-thélyptère *Athyrium thelypterioides*

Taille: *45-90 cm (18-36 po).* **Traits:** *folioles rigides, plus étroites à la base, très découpées (sans atteindre le rachis); paire inférieure retombante; longs poils pâles sur le dessous, le pétiole et la nervure médiane; sores longs, droits, argentés au début.* **Habitat:** *bois fertiles et humides.* **Spores:** *juillet-septembre.*

517

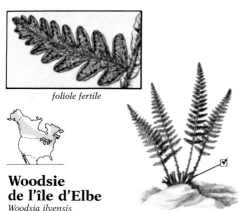

foliole fertile

foliole fertile

Woodsie de l'île d'Elbe
Woodsia ilvensis

Taille: 12,5-38 cm (5-15 po). **Traits:** pétiole velu et écailleux, à une articulation cassante donnant plusieurs chicots de même hauteur; folioles velues et blanches (plus tard rousses dessous); sporanges velus près de la marge. **Habitat:** talus rocheux, corniches. **Spores:** juillet-octobre.

Woodsie à lobes arrondis *Woodsia obtusa*

Taille: 25-50 cm (10-20 po). **Traits:** pétioles non articulés; folioles très espacées; rares écailles délicates, fauve clair sur les tiges et l'envers des frondes; sporanges écailleux. **Habitat:** moraines; talus et bois rocheux. **Spores:** juillet-octobre.

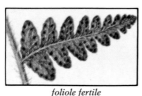

foliole fertile

foliole fertile

Woodsie des rochers
Woodsia scopulina

Taille: 12,5-38 cm (5-15 po). **Traits:** pétioles non articulés; aucun chicot; pétioles et dessous des frondes sans écailles, mais à rares poils blancs; sporanges velus. **Habitat:** falaises, éboulis. **Spores:** juillet-oct.

Woodsie de l'Orégon
Woodsia oregana

Taille: 12,5-38 cm (5-15 po). **Traits:** pétioles non articulés, bruns à la base, jaunes au-dessus; aucun chicot; pas d'écailles ni de poils blancs; sporanges velus. **Habitat:** falaises, éboulis. **Spores:** juillet-octobre.

Cysto-ptère bulbifère
Cystopteris bulbifera

foliole avec sporanges et bulbille

Taille: 25-50 cm (10-20 po) de long. **Traits:** frondes larges à la base, retombantes au sommet; folioles espacées, à une ou plusieurs bulbilles rondes (qui tombent et germent); pétioles et nervures médianes vert-rose; sporanges éparpillés. **Habitat:** falaises calcaires, marécages de pins blancs ou de feuillus. **Spores:** juin-août.

Cystoptère fragile
Cystopteris fragilis

foliole fertile

Taille: 15-30 cm (6-12 po). **Traits:** frondes dressées, plus larges au centre, mourant et repoussant au milieu de l'été; folioles minces, espacées, pennées ou bipennées; pétioles glabres, cassants, foncés à la base, puis verts; sporanges éparpillés. **Habitat:** rochers; parfois en sol forestier. **Spores:** mai-août.

Polystic faux-lonchitis

Polystichum lonchitis

Taille: 15-45 cm (6-18 po).
Traits: frondes luisantes, vert foncé, s'amenuisant à la base et au sommet; folioles pointues, à dents poilues et oreillette; pétioles écailleux; sporanges en 2 rangs.
Habitat: forêts rocheuses, surtout en montagne. **Spores:** juillet-septembre.

foliole fertile

foliole stérile

Polystic faux-acrostic

Polystichum acrostichoides

Taille: 30-75 cm (12-30 po).
Traits: frondes persistantes, épaisses; folioles pointues, dentées, à oreillette; pétioles écailleux; folioles fertiles plus petites, dans le haut des frondes, à 2 rangs de sporanges.
Habitat: bois, berges.
Spores: juin-oct.

Polystic épineux

Polystichum munitum

foliole fertile

Taille: 50 cm-1,25 m (20-50 po).
Traits: frondes dressées, persistantes; folioles à dents velues et oreillette; folioles fertiles identiques aux stériles; pétioles à grosses et petites écailles; sporanges en 2 rangs ou plus. **Habitat:** forêts, talus rocheux; à l'ombre.
Spores: mai-août.

Onoclée sensible

Onoclea sensibilis

Taille: 38-75 cm (15-30 po).
Traits: frondes stériles finement veinées, divisées en bas, lobées en haut; frondes fertiles brunes à pinnules perlées, visibles l'hiver. **Habitat:** sol humide, marais, marécages.
Spores: mars-mai.

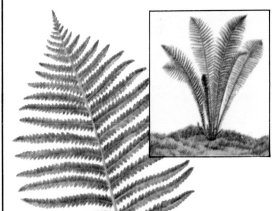

Matteuccie fougère-à-l'autruche

Matteuccia struthiopteris

Taille: 60 cm-1,80 m (2-6 pi). **Traits:** touffe en gerbe; frondes stériles plumeuses, plus larges au centre, folioles lobées; frondes fertiles courtes, rigides, brunes, dressées en hiver. **Habitat:** berges boisées, marais. **Spores:** avril-juin.

pinnule fertile

Dryoptère fougère-mâle
Dryopteris filix-mas

Taille: *38-75 cm (15-30 po).* **Traits:** *frondes lancéolées, s'amenuisant à la base; pétioles très écailleux; folioles minces; sores réniformes, entre la marge et la nervure médiane.* **Habitat:** *talus rocheux, forêts fertiles.* **Spores:** *juillet-sept.*

pinnule fertile

Dryoptère à sores marginaux
Dryopteris marginalis

Taille: *38 cm-1 m (15-40 po).* **Traits:** *frondes lancéolées, persistantes, ne s'amenuisant pas à la base; pétioles écailleux, surtout près du sol; folioles épaisses, bleu-vert foncé, redressées au sommet; sores réniformes, à la marge.* **Habitat:** *forêts, talus rocheux, marécages.* **Spores:** *juin-octobre.*

fronde fertile

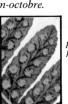

pinnule fertile

Dryoptère à crêtes
Dryopteris cristata

Taille: *45-90 cm (1½-3 pi).* **Traits:** *frondes étroites; frondes fertiles dressées à folioles horizontales; frondes stériles plus courtes, étalées, persistantes; folioles inférieures plus petites, plus triangulaires; sores réniformes, tassés.* **Habitat:** *marécages, marais, bois humides.* **Spores:** *juin-septembre.*

base des folioles fertiles

Dryoptère de goldie
Dryopteris goldiana

Taille: *60 cm-1,20 m (2-4 pi).* **Traits:** *frondes imposantes, rétrécissant abruptement au sommet; pétioles écailleux, surtout à la base; folioles très découpées, plus larges à mi-hauteur; sores réniformes, éparpillés.* **Habitat:** *bois fertiles et humides.* **Spores:** *juillet-octobre.*

pinnule fertile

Dryoptère spinuleuse
Dryopteris spinulosa

Taille: *45-90 cm (1½-3 pi).* **Traits:** *frondes très découpées, arquées; folioles triangulaires; pétioles écailleux; sur les folioles inférieures, première pinnule du bas plus longue que son opposée; sores réniformes.* **Habitat:** *marécages, marais, bois humides.* **Spores:** *juillet-octobre.*

FOUGÈRES

520

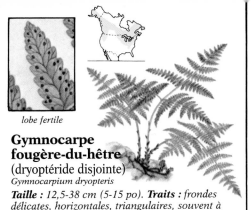

lobe fertile

Gymnocarpe fougère-du-hêtre
(dryoptéride disjointe)
Gymnocarpium dryopteris

Taille : 12,5-38 cm (5-15 po). **Traits :** frondes délicates, horizontales, triangulaires, souvent à 3 folioles ; folioles inférieures triangulaires ; sores minuscules, ronds. **Habitat :** bois frais, talus rocheux. **Spores :** juillet-septembre.

sporanges

fronde fertile

Blechnum en épi
Blechnum spicant

Taille : 30-90 cm (1-3 pi). **Traits :** frondes stériles courtes, persistantes, étalées, découpées près du rachis ; frondes fertiles grandes, dressées, à pinnules linéaires espacées, couvertes de sporanges. **Habitat :** talus humides et ombragés, surtout en forêts conifériennes. **Spores :** juillet-sept.

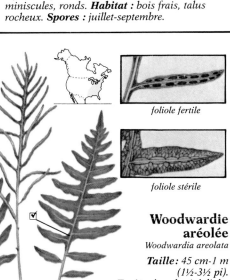

foliole fertile

foliole stérile

Woodwardie aréolée
Woodwardia areolata

Taille : 45 cm-1 m (1½-3½ pi).
Traits : frondes à folioles alternes, non divisées jusqu'au rachis ; folioles à nervures réticulées ; frondes stériles vert foncé ; frondes fertiles plus rigides, à folioles étroites et 2 chaînes de sores.
Habitat : tourbières, marécages.
Spores : juillet-octobre.

foliole fertile

foliole stérile

Woodwardie de Virginie
Woodwardia virginica

Taille : 60 cm-1,20 m (2-4 pi).
Traits : frondes semblables à celles de l'osmonde cannelle, mais non cespiteuses ; rang de nervures réticulées ; sores en chaîne près des nervures ; pétioles luisants, brun violacé.
Habitat : marécages, tourbières, zones humides en forêt. **Spores :** juillet-sept.

Woodwardie géante
Woodwardia fimbriata

Taille : 1,20-1,80 m (4-6 pi).
Traits : énormes frondes oblongues en touffes ; folioles très découpées ; sores allongés, près de la nervure médiane.
Habitat : zones inondées dans les contreforts montagneux.
Spores : mai-août.

détail d'une foliole fertile

Salvinie petite
Salvinia minima

Taille: *feuilles 2-2,5 cm (¾-1 po)*
de long. **Traits:** *feuilles flottantes,*
presque rondes, velues dessus,
rougeâtres dessous; spores
en sacs globuleux sous les feuilles,
pendant dans l'eau.
Habitat: *étangs, réservoirs,*
eaux dormantes. **Spores:** *juil.-oct.*

feuilles et
sporocarpes

Salvinies Salviniaceae

Ces fougères si délicates en apparence peuvent envahir un réservoir. Les masses de racines immergées
sont en réalité des feuilles spéciales qui absorbent les
sels minéraux et portent les sporocarpes.

feuilles

Azolla de la Caroline
Azolla caroliniana

Taille: *feuilles jusqu'à 2,5 mm*
(¹⁄₁₀ po) de long. **Traits:** *plantes*
flottantes; feuilles gris-vert (à
l'ombre) ou rougeâtres (au soleil), à double
rang de lobes imbriqués. **Habitat:** *étangs, cours*
d'eau lents, méandres. **Spores:** *juin-septembre.*

Azollas Azollaceae

Ces fougères aquatiques ont la réputation d'asphyxier
les moustiques. Dans les rizières asiatiques, les algues
nitrifiantes qui logent sur leurs feuilles maintiennent
la fertilité des sols. Des espèces à peu près identiques
à l'azolla de la Caroline poussent dans l'ouest et le
Midwest des Etats-Unis.

Marsiléa velue
Marsilea vestita

Taille: *7,5-15 cm (3-6 po).*
Traits: *frondes flottantes*
semblables à des trèfles à 4 feuilles;
sores durs, en forme de noisette,
à la base. **Habitat:** *fossés,*
prés, berges, bords d'étang.
Spores: *mai-septembre.*

Marsiléas
Marsileaceae

Adaptées aux prairies sèches, ces fougères inusitées
apparaissent dans les étangs formés par les averses
printanières. Leurs pétioles grêles s'ancrent dans la
vase, les crosses se déroulent et le cycle s'accomplit
en quelques semaines.

Lycopodes Lycopodiaceae

Les lycopodes sont voisins des prêles et des
fougères. Ces ravissantes plantes persistantes ont des feuilles étroites et denses et des
sporanges petits, nombreux et serrés. Elles
se multiplient en rampant ou en produisant
des plantules car leurs spores, réunies en petits cônes terminaux, germent rarement. Ces
spores donnent une poudre hydrophobe qui
sert en pharmacie pour enrober les pilules;
on l'utilise aussi en pyrotechnie car sa com-
bustion est fulgurante.

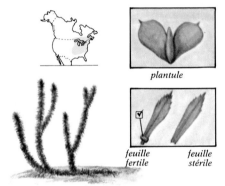

plantule

feuille
fertile

feuille
stérile

Lycopode brillant
Lycopodium lucidulum

Taille: *7,5-15 cm (3-6 po).*
Traits: *tiges dressées, ramifiées; feuilles*
luisantes, vert foncé, dentées; sores orange
clair à la base des feuilles supérieures
coiffées de plantules vertes et plates.
Habitat: *bois humides.* **Spores:** *sept.-oct.*

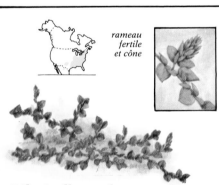

rameau
fertile
et cône

Sélaginelle apode
Selaginella apoda

Taille: *2,5 cm (1 po).* **Traits:** *port*
rampant; plante vert pâle avec 2 rangs de
petites feuilles au sommet et de grandes
feuilles plates de chaque côté; spores en
cônes carrés au bout des rameaux.
Habitat: *rochers infiltrés, prés humides;*
marais (parmi les carex). **Spores:** *juil.-sept.*

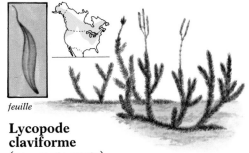

feuille

rameau

Lycopode claviforme (courants verts)
Lycopodium clavatum

Taille: *10-25 cm (4-10 po).*
Traits: *tiges rampantes et rameaux dressés; feuilles étroites devenant filiformes; pousses fertiles plus hautes que les autres; spores en cônes touffus.*
Habitat: *bois, brousse; sols sableux.*
Spores: *septembre-octobre.*

Lycopode digité
Lycopodium digitatum

Taille: *12,5-25 cm (5-10 po).*
Traits: *tiges dressées à rameaux plats rayonnants; longues tiges rampantes sur le sol ou en terreau de feuilles; feuilles petites, coriaces, plates, à bout pointu, en 4 rangs; spores en cônes au sommet de rameaux plus grands.*
Habitat: *bois de regain secs en altitude; sols acides.*
Spores: *septembre-octobre.*

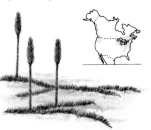

feuille

rameau

Lycopode palustre
Lycopodium inundatum

Taille: *7,5-10 cm (3-4 po).*
Traits: *tiges rampantes et rameaux dressés; feuilles étroites, lisses, vert pâle (non persistantes); spores en cônes buissonnants.*
Habitat: *tourbières, marais sableux, fossés, landes de pins, bords d'étang.*
Spores: *septembre-octobre.*

Lycopode foncé
Lycopodium obscurum

Taille: *10-18 cm (4-7 po).*
Traits: *forme arborescente, très ramifiée; rameaux aplatis à feuilles très étroites; pousses fertiles au sommet du plant; spores en cônes.*
Habitat: *bois, tourbières.* **Spores:** *août-octobre.*

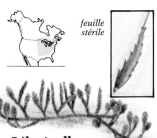

feuille stérile

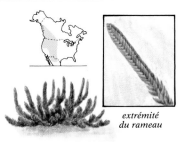

extrémité du rameau

Sélaginelles
Selaginellaceae

Ces plantes menues et délicates passent souvent pour des mousses ou des lycopodes. Elles forment d'épais tapis avec leurs rameaux dressés sur des tiges rampantes et filiformes et leurs minuscules feuilles imbriquées. Les rameaux fertiles portent des cônes de spores. La sélaginelle à feuilles écailleuses (*Selaginella lepidophylla*), qui pousse au Texas et au Mexique, est étonnante: sèche, elle forme une boule serrée; dès qu'on l'arrose, elle s'étale à plat.

Sélaginelle des rochers *Selaginella rupestris*

Taille: *2,5-7,5 cm (1-3 po).*
Traits: *plante rampante; tiges dressées à rameaux espacés; feuilles stériles étroites à marge velue et bout pointu; rameaux fertiles quadrangulaires à feuilles plus grandes.*
Habitat: *rochers, bois secs et sableux.* **Spores:** *août-septembre (souvent à d'autres moments).*

Sélaginelle dense
Selaginella densa

Taille: *1,5-4 cm (½-1½ po).*
Traits: *masse compacte de tiges; feuilles étroites à marge finement velue et bout pointu.*
Habitat: *champs d'armoise, déserts, talus secs et rocheux, prés alpins.*
Spores: *août-septembre (souvent à d'autres moments).*

Isoètes
Isoetaceae

A les voir, on dirait des herbacées; les isoètes sont pourtant apparentés aux fougères et portent, non des graines, mais des spores. On les trouve sur tout le continent, près des lacs froids ou en haute montagne, dans les étangs éphémères des prairies et parmi les roches. Leur souche est souvent bulbeuse.

Isoète à spores épineuses
Isoetes echinospora

Taille: 7,5-38 cm (3-15 po).
Traits: souche bulbeuse; feuilles semblables à de l'herbe ou de la ciboulette, articulées, larges et arrondies à la base où se trouvent les sporanges; spores comme des grains de sucre.
Habitat: étangs ou lacs, rivages. **Spores:** juin-octobre.

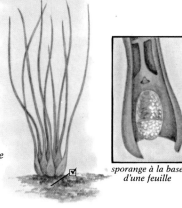

sporange à la base d'une feuille

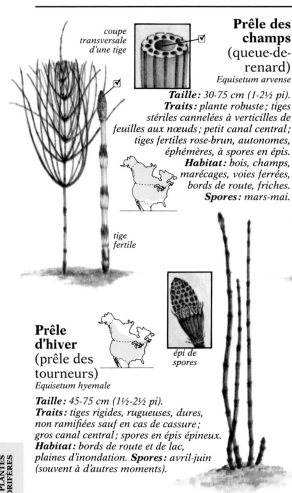

coupe transversale d'une tige

Prêle des champs
(queue-de-renard)
Equisetum arvense

Taille: 30-75 cm (1-2½ pi).
Traits: plante robuste; tiges stériles cannelées à verticilles de feuilles aux nœuds; petit canal central; tiges fertiles rose-brun, autonomes, éphémères, à spores en épis.
Habitat: bois, champs, marécages, voies ferrées, bords de route, friches.
Spores: mars-mai.

tige fertile

épi de spores

Prêle lisse
Equisetum laevigatum

Taille: 30-60 cm (1-2 pi).
Traits: tiges lisses et rigides (qui meurent en hiver); gros canal central; spores en épis arrondis au sommet.
Habitat: champs secs, prairies, fossés, marais.
Spores: juillet-août.

épi de spores

Prêle d'hiver
(prêle des tourneurs)
Equisetum hyemale

Taille: 45-75 cm (1½-2½ pi).
Traits: tiges rigides, rugueuses, dures, non ramifiées sauf en cas de cassure; gros canal central; spores en épis épineux.
Habitat: bords de route et de lac, plaines d'inondation. **Spores:** avril-juin (souvent à d'autres moments).

Prêle fluviatile
Equisetum fluviatile

Taille: 60-90 cm (2-3 pi). **Traits:** tiges délicates, fines, souples, feuillues; très gros canal central; spores en épis.
Habitat: marais, fossés, marécages, étangs.
Spores: juin-août.

Prêles Equisetaceae

Il y a des centaines de millions d'années, les prêles dominaient parmi les végétaux; peu à peu, elles ont été supplantées par les plantes à graines. On les reconnaît à leurs tiges cannelées et noueuses dont certaines sections sont rugueuses. Elles ont généralement un canal central entouré de plus petits canaux. Les prêles se plaisent en milieu très humide. Les cuisinières se servaient autrefois des espèces sans feuilles pour récurer leurs casseroles.

Mousses Musci

On appelle communément ainsi des espèces florifères comme la mousse d'Espagne, des algues comme le bryopsis à écorce et des lichens comme la cladonie. En termes scientifiques, cependant, les mousses sont des plantes prostrées, dépourvues des racines et des vaisseaux qui, chez les fougères et les plantes florifères, transportent l'eau. Elles ont un cycle complexe et se reproduisent au moyen de spores. Ces spores viennent généralement au sommet d'une longue tige, dans une urne couverte d'un capuchon qui se détache à maturité. L'identification, pour être précise, doit souvent se faire au microscope.

mousse
en eau
courante

Fissidense à grandes frondes
Fissidens grandifrons

Taille : *5-10 cm (2-4 po).*
Traits : *plantes rugueuses, rigides, bleu-vert foncé ; feuilles imbriquées et engainantes, à nervure médiane, sur 2 rangs ; urnes rares.*
Habitat : *eau courante, sur calcaire.*

mode de croissance

Sphaigne de Magellan
Sphagnum magellanicum

Taille : *15-20 cm (6-8 po).*
Traits : *touffe spongieuse, rouge vif (rose-vert à l'ombre) ; rameaux dodus, groupés, étalés ou tombants, formant rosette au sommet ; feuilles arrondies, imbriquées, très concaves ; urnes rares.*
Habitat : *tourbières, généralement au soleil.*

tige femelle avec urne

Leucobrye glauque
Leucobryum glaucum

Taille : *5-10 cm (2-4 po).*
Traits : *tapis dense et blanc (bleu-vert lorsqu'il est mouillé) ; feuilles épaisses, très étroites, abondantes ; urnes rares.*
Habitat : *bois humides ; sur le sol ou le bois très pourri.*

Cératode pourpre
Ceratodon purpureus

Taille : *jusqu'à 2,5 cm (1 po).*
Traits : *touffe dense, veloutée, verte (brune en séchant) ; feuilles étroites à marge enroulée sous la nervure médiane terminée par un court poil rouge ; tiges et urnes rouge-pourpre ; urne penchée, velue, à opercule conique.*
Habitat : *terrains secs et bouleversés, bords de route, champs, toits.*

Funarie hygromètre
Funaria hygrometrica

Taille : *1,5 cm (½ po).*
Traits : *tapis peu dense, jaune-vert pâle ; urnes nombreuses, grandes, asymétriques, penchées ou retombantes sur tiges longues, tordues, ondulées.*
Habitat : *terrains bouleversés, surtout sur sol nu et brûlé ; pots en serre.*

tige femelle avec urne

Dicrane à balai
Dicranum scoparium

Taille : *5-10 cm (2-4 po).*
Traits : *tiges dressées ; feuilles pointant dans la même direction (comme balayées par le vent) ; feuilles étroites, à nervure médiane complète ; urne cintrée, perpendiculaire à la tige, à coiffe fendue latéralement.*
Habitat : *bois, sur sol ou terreau de feuilles.*

AUTRES PLANTES
NON FLORIFÈRES

525

Grimmie alpicole
Grimmia alpicola

Taille: 2,5 cm (1 po).
Traits: plants rigides en petites touffes ou coussinets, verts (mouillés) ou noirâtres (secs); feuilles dressées dans le haut, entourant l'urne frangée de dents rouges.
Habitat: lieux exposés, montagnes; sur roc calcaire sec.

urne

Brye argenté
Bryum argenteum

urne

Taille: 1,5 cm (½ po).
Traits: coussinet de plantes ramifiées, denses, luisantes, vert argenté; feuilles largement ovales, à pointe aiguë, imbriquées, collées à la tige, à nervure médiane incomplète; urne rouge, retombante, opercule à pointe courte.
Habitat: trottoirs, toits, champs, friches.

Thuidie délicat
(mousse-fougère)
Thuidium delicatulum

Taille: 5-10 cm (2-4 po) de long.
Traits: tapis plumeux et ramifié; feuilles de la tige en ovale allongé, plus grandes que celles des rameaux; peu d'urnes.
Habitat: bois; sol humide ou détrempé, terreau de feuilles, bois pourri.

Climatie arbustive
Climacium dendroides

Taille: 5-10 cm (2-4 po).
Traits: tiges dressées et ramifiées (forme arborescente), vert-jaune ou vert foncé; feuilles larges et couchées sur la tige, plus étroites et étalées sur les rameaux; tige souterraine rampante; peu d'urnes.
Habitat: régions marécageuses; humus humide, bois pourri.

Mnie lancéolé
Mnium cuspidatum

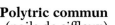

Taille: 2,5-4 cm (1-1½ po).
Traits: tiges dressées; feuilles ovales denses au sommet (plus petites à la base); tiges rampantes (non illustrées) à 2 rangs de feuilles; urne inclinée à opercule pointu sur tige dressée.
Habitat: bois, champs, pelouses, bords de route; à l'ombre.

Hypne à tige grêle
Hypnum imponens

Taille: 5-10 cm (2-4 po) de long.
Traits: plants prostrés, ramifiés, lisses, plumeux; feuilles incurvées; urne redressée sur tige.
Habitat: marécages, bois conifériens; bois pourri, humus, pied des arbres.

Polytric commun
(poils-de-siffleux)
Polytrichum commune

Taille: 15-30 cm (6-12 po). **Traits:** hautes tiges filiformes; feuilles élancées, dentées, étalées (couchées par temps sec), à lamelles longitudinales vertes sur le dessus; urne quadrangulaire (avec coiffe velue jusqu'à maturité) sur une longue tige; les sujets sans urnes ont parfois des « boutons floraux » jaunes.
Habitat: bois, tourbières.

AUTRES PLANTES
NON FLORIFÈRES

Atrichum ondulé
Atrichum undulatum

Taille : *2,5-6,5 cm (1-2½ po).*
Traits : *feuilles étroites, ondulées, à nervure médiane étroite couverte de plusieurs lamelles vertes ; urne verte (brune et très enroulée quand elle est sèche), arquée, un peu inclinée, à longue tige, à coiffe fendue latéralement avant maturité.*
Habitat : *bois humides ; terrains bouleversés, surtout berges et arbres déracinés.*

urne mûre

Tétraphide pellucide
Tetraphis pellucida

Taille : *1,5 cm (½ po).*
Traits : *touffe dense de tiges dressées ; feuilles elliptiques à nervure médiane complète ; plants stériles terminés par une coupe feuillue ; urne dressée, à 4 dents triangulaires au sommet, sur longue tige.*
Habitat : *marécages, bois ; bois pourri, sol.*

plant stérile *urne mûre*

Hépatiques et anthocérotales
Hepaticae et Anthocerotae

Ces plantes mènent à peu près la même vie que les mousses et leurs organes de reproduction ressemblent à des urnes sans opercule ni coiffe. En réalité, ce sont des petits bourgeons verts appelés propagules. L'hépatique a déjà eu la réputation de guérir les maladies du foie à cause de son thalle aplati aux contours lobés.

Anthocéros léger
Anthoceros laevis

Taille : *1,5 cm (½ po) de large.*
Traits : *thalle plat, vert foncé, à contour festonné ; capsule sporifère dressée, jaune-vert, s'ouvrant par deux valves pour révéler une mince colonne centrale.*
Habitat : *terrains bouleversés ; argile nue et humide ; bords de route, champs en jachère.*

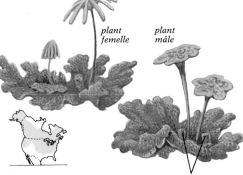

plant femelle *plant mâle*

Marchantie polymorphe
Marchantia polymorpha

corbeilles à propagules

Taille : *5-7,5 cm (2-3 po) de large.*
Traits : *thalle rubané, ramifié, coriace, vert foncé, à marques en losange et petites corbeilles à propagules sur le dessus ; rameaux en ombelle.*
Habitat : *sol nu et humide ; bois détrempé, âtres de feux de camp, serres, jardins.*

Ricciocarpus flottant
Ricciocarpus natans

Taille : *1,5 cm (½ po) de large.*
Traits : *thalles verts, flottants, plats, en éventail ou cordiformes, un peu lobés, recouverts d'écailles filiformes violettes ; canaux fourchus correspondant aux lobes ; organes reproducteurs enfouis.*
Habitat : *marais, mares stagnantes près d'un cours d'eau, flaques d'eau ; épaves dans la vase.*

Bazzanie trilobée *Bazzania trilobata*

Taille : *10-15 cm (4-6 po) de long.*
Traits : *tige prostrée, à ramifications en Y d'égales longueurs ; feuilles en 2 rangs, imbriquées, vert foncé, terminées par une pointe émoussée à 3 dents ; face ventrale à petites feuilles dentées et (parfois) radicelles ; rarement frutescente.*
Habitat : *forêts conifériennes humides ; vieilles souches, berges tourbeuses, rochers.*

face ventrale de la tige

Les algues. Plantes aquatiques, les algues poussent en général sur un support, roc ou coquillages. La plupart vivent sur les rivages, mais on en trouve à des profondeurs de 30 m (100 pi) ou plus, tant que la lumière suffit à la photosynthèse. Chez les algues vertes, la chlorophylle domine; chez les algues brunes et rouges, elle est masquée par d'autres pigments. Les algues sont dépourvues de racines, de tiges et de feuilles. La reproduction est asexuée ou sexuée selon qu'elle implique des spores ou des cellules appelées gamètes.

Bryopsis à écorce *Bryopsis corticulans*

Taille: 7,5-20 cm (3-8 po).
Traits: algue semblable à une fougère, vert foncé et luisante, à nombreux rameaux opposés.
Habitat: rochers balayés par la houle.

Algues siphonées Siphonales

La plupart de ces algues vertes (et de leurs analogues) vivent dans des eaux chaudes où leur membrane s'imprègne de calcaire. C'est le cas de l'acétabularie crénelé *(Acetabularia crenulata)* et du pénicille capité *(Penicillus capitatus)* qui vivent en eaux calmes au large de la Floride, la première espèce s'étendant à l'ouest jusqu'au Texas.

Laitue de mer *Ulva lactuca*

Taille: jusqu'à 60 cm (2 pi) de long et de large.
Traits: lame mince, vert laitue, à marge unie ou chiffonnée, sans tige.
Habitat: lits de vase ou rochers, estuaires ou rivages marins.

Ulotricales Ulotrichales

Ces algues poussent des tropiques à l'Arctique, mais les espèces d'eau douce sont à peu près invisibles. Chaque plant comporte des cellules individuelles entourées d'une paroi de cellulose. (Les siphonales n'ont pas de parois cellulaires.) Cette structure et d'autres traits laissent croire que des plantes plus complexes que les algues ont pu naître d'un ancêtre semblable à la laitue de mer.

Mousse d'Irlande crépue (mousse perlée) *Chondrus crispus*

Taille: 5-15 cm (2-6 po).
Traits: touffe ramifiée à membrane coriace violet verdâtre, pourpre ou jaune.
Habitat: étangs salés, corniches rocheuses, eaux profondes.

Gigartinale étoilée *Gigartina stellata*

Taille: 5-15 cm (2-6 po). **Traits:** touffe peu ramifiée à membrane rouge-pourpre foncé ou brunâtre; nodules sur les surfaces larges. **Habitat:** étangs salés en limite de marée basse, rochers balayés par la vague.

Algues rouges cartilagineuses Gigartinales

Ce grand groupe renferme plusieurs espèces remarquables et commercialement rentables. La mousse d'Irlande crépue, indigène des deux côtés de l'Atlantique, donne la carraghénine que l'on utilise comme stabilisant et émulsifiant dans la crème glacée et le yogourt, par exemple; des extraits de la plante sont ajoutés aux flans et aux gelées de fruits. Ces algues rouges et d'autres analogues poussent souvent en abondance sur des rochers exposés à marée basse.

ALGUES

Por-phyre perforé
Porphyra perforata

Taille: *15-30 cm (6-12 po)
de long.* **Traits:** *lame mince,
lisse, glissante, de teinte variable
(gris-rose, rouge-pourpre ou
gris-vert), à marge chiffonnée.*
Habitat: *rochers ou autres
algues; limite de marée haute
ou moyenne.*

Bangiales   Bangiales

Les bangiales sont fragiles d'aspect; entre les marées, elles sèchent et se recroquevillent. Mais elles
sont très résistantes. Riches en protéines et en
iode, elles se consomment crues ou cuites; en
Orient, notamment, on s'en sert comme aliment et
comme condiment. Une espèce japonaise est l'une
des rares algues cultivées par l'homme.

Main-de-mer palmée
Rhodymenia palmata

Taille: *30-50 cm (12-20 po).*
Traits: *plante à une ou
plusieurs lames larges,
coriaces et rouge-pourpre,
parfois garnies de lames
plus petites à la marge.*
Habitat: *rochers, coquillages,
grandes algues; limites de marée.*

Rhodyméniales
Rhodymeniales

Dans le nord de l'Europe, on mâche les rhody-
méniales depuis le Moyen Age. Certaines espèces apparentées de la côte Ouest ressemblent
beaucoup à la main-de-mer palmée; d'autres,
gonflées, font davantage penser à une grappe
de raisin ou aux doigts d'un gant.

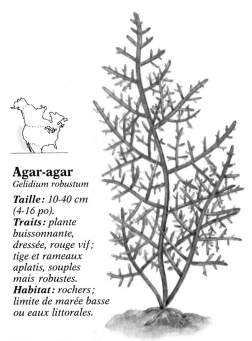

Agar-agar
Gelidium robustum

Taille: *10-40 cm
(4-16 po).*
Traits: *plante
buissonnante,
dressée, rouge vif;
tige et rameaux
aplatis, souples
mais robustes.*
Habitat: *rochers;
limite de marée basse
ou eaux littorales.*

Némalionales   Nemalionales

Les algues marines sont encore peu utilisées, mais
elles jouent déjà un rôle important en alimentation. Comme les parois cellulaires des némaliona-
les et d'autres algues gélatineuses ne sont pas
assimilables, elles ne renferment pas de calories;
aussi les utilise-t-on dans les préparations pour
régimes alimentaires amaigrissants. Comme les
bactéries ne peuvent pas non plus les digérer, elles
fournissent un milieu idéal pour la culture des
bactéries en laboratoire.

Dasye pédicellé
Dasya pedicellata

Taille: *7,5-75 cm
(3-30 po).* **Traits:** *plant
peu ou très ramifié à
segments ronds, élancés,
velus, rouge-pourpre
plus ou moins foncé.*
Habitat: *coquillages,
cailloux; eaux calmes et peu
profondes, sous la limite de marée basse.*

Céramiales   Ceramiales

Le dasye pédicellé est une exception dans cette
famille dont les membres sont en général petits et
peu voyants. Grand, plumeux, haut en couleur, il
domine dans les natures mortes d'algues qu'on
colle sur papier. Les céramiales ont une structure
délicate et régulière qu'on peut voir en examinant
un rameau à la loupe ou au microscope.

ALGUES

Cheveux-de-sorcière
Chorda filum

Taille: *jusqu'à 4,50 m (15 pi) de long.* **Traits:** *cordes élancées, brunes, non ramifiées, atteignant presque la surface de l'eau; partie inférieure creuse.* **Habitat:** *cailloux, coquillages, sous la limite de marée basse en lieux abrités.*

Fucus
Fucales

Ce sont les algues les plus avancées sur le plan de la reproduction; elles se reproduisent comme les animaux, par des gamètes, sans spores d'aucune sorte. Le fucus est doté de cavités sexuelles, ou conceptacles, rejetant les unes des spermatozoïdes, les autres des œufs, qui, aussitôt fécondés, tombent au fond, se fixent et se développent. L'espérance de vie d'un fucus est de trois ans; le groupe occupe une aire importante. Constituant essentiel du goémon ou varech, on l'utilise pour le fourrage. Ses cendres donnent de l'iode, du bromure et de la potasse.

Laminaire saccharine
(laminaire à sucre)
Laminaria saccharina

Taille : *jusqu'à 4,50 m (15 pi) de long.* **Traits :** *ruban simple et large, brun-olive, à marge plissée (en été) : pruine blanche lorsque la lame est sèche ; stipe robuste fixé au rocher par des crampons.* **Habitat :** *rochers sous la limite de marée basse.*

Laminariales Laminariales

Les algues brunes les plus remarquables sont celles-ci et elles comprennent des plantes parmi les plus grandes au monde. De structure élaborée, elles ont un stipe cylindrique, des lames plus ou moins rubanées et des crampons pour se fixer à un support. Elles se reproduisent au moyen de millions de spores qui donnent des plantules. Celles-ci produisent des gamètes qui nagent librement ; une fois accouplées (et ce n'est pas un mince exploit dans tout un océan), elles se développent rapidement. L'une des espèces les plus imposantes, le néréocystis de Luetkean, devient adulte, se reproduit et meurt en un an.

Néréocystis de Luetkean
Nereocystis luetkeana

Taille : *jusqu'à 40 m (130 pi) de long ; stipe jusqu'à 35 m (115 pi) de long.* **Traits :** *nombreuses lames brunes flottantes unies au stipe par une vessie bulbeuse.* **Habitat :** *rochers, eau profonde.*

Fucus
vésiculeux
Fucus vesiculosus

Taille: *10-90 cm (4-36 po).*
Traits: *algue mucilagineuse brun olive; lames aplaties se ramifiant souvent en Y, à nervure médiane en saillie, parfois garnie d'une paire de flotteurs ovales de chaque côté.*
Habitat: *rochers, corniches; rivages marins.*

Sargasse
baccifère
Sargassum filipendula

Taille: *15-90 cm (6-36 po).* **Traits:** *algue jaune ou brunâtre; organes ramifiés en forme de tige; lames à marge dentée semblables à des feuilles; vésicules-flotteurs ronds comme des baies sur courtes tiges.*
Habitat: *rochers, coquillages; limite de marée basse ou en dessous.*

Macrocystide
pyrifère
Macrocystis pyrifera

Taille: *jusqu'à 70 m (230 pi) de long; lames 25-75 cm (10-30 po) de long.*
Traits: *algue brune à long organe en forme de tige et thalles en forme de feuille émanant de vésicules creuses sur organes latéraux; lames se détachant d'une lame hémisphérique au sommet.*
Habitat: *rochers, sable grossier; eaux profondes.*

Postelsie
à palmes
Postelsia palmaeformis

Taille: *30-60 cm (1-2 pi); lames 15-25 cm (6-10 po) de long.*
Traits: *algue brun olive ressemblant à un palmier miniature; stipe creux, souple, dressé lorsque l'eau se retire; vastes colonies.*
Habitat: *rochers balayés par la vague.*

Lichens Lichenes

Capables de résister au froid et à la sécheresse, les lichens poussent là où peu de plantes s'acclimatent: sur les rochers et les pierres tombales, dans les déserts et le Grand Nord. Ce sont d'étranges végétaux formés par l'association d'une algue microscopique et d'un champignon. L'algue, capable de photosynthèse, fournit la nourriture; le champignon apporte, croit-on, l'eau et l'ombre.

Un tel couple pourrait avoir du mal à se reproduire. La nature y a vu. Dans la plupart des cas, des fragments du lichen, les sorédies, le reproduisent à la façon d'une bouture. Parfois, le lichen dégage des spores de champignon et des cellules d'algue. Parfois aussi le vent dissémine seulement les spores qui, rencontrant une algue libre, s'unissent à celle-ci pour produire un lichen.

Bouillis, les lichens donnent des teintures dont se servent notamment les Ecossais pour fabriquer le fameux « Harris Tweed ». On en tire des articles pour fumeurs et des médicaments. Si le létharie-renard ne sert plus à tuer les renards, quelques espèces n'en sont pas moins toxiques. D'autres sont comestibles et servent de plantes fourragères aux rennes et aux caribous.

Peltigère canin *Peltigera canina*

Taille: 6,5-20 cm (2½-8 po) de long.
Traits: thalle foliacé, lobé, coriace; dessus velu, bleu-gris ou brun pâle (sec), brun foncé (humide); dessous laineux, blanc ou fauve, parcouru de veines brun pâle; cupules reproductrices à la marge, dressées, comme des canines.
Habitat: bois humides, bords de route ombragés.

Lobarie pulmoné
Lobaria pulmonaria

Taille: 5-25 cm (2-10 po) de large.
Traits: thalle irrégulièrement lobé à surface ridée; dessus brun olive (sec), vert vif (humide); dessous tacheté fauve et blanc; mal fixé à l'arbre.
Habitat: troncs d'arbres; marécages de feuillus, forêts humides.

Xanthorie élégant (parmélie élégante)
Xanthoria elegans

Taille: 2,5-5 cm (1-2 po) de large. **Traits:** rosette orange vif; cupules reproductrices groupées au centre; solidement fixé au roc.
Habitat: rochers où perchent des oiseaux, pierres tombales, bords de lac rocheux, falaises en montagne.

Rhizocarpe géographique
Rhizocarpon geographicum

Taille: 1,5-10 cm (½-4 po) de large.
Traits: thalle crustacé jaune vif ou vert-jaune, nervuré et ourlé de noir; cupules reproductrices minuscules, noires, inscrites dans le thalle.
Habitat: roc exposé; plateaux, montagnes.

Umbilicaire papuleux
Umbilicaria papulosa

Taille: 2,5-10 cm (1-4 po) de large.
Traits: thalle plat à marge déchiquetée, verruqueux, brun clair, cassant (sec) ou coriace (humide); cupules reproductrices lisses et noires; crampons de fixation au centre.
Habitat: falaises exposées, corniches, rochers.

LICHENS

Parmélie ridée
Parmelia sulcata

Taille: *2,5-10 cm (1-4 po) de large.*
Traits: *thalle foliacé à réseau de nervures et de crêtes; dessus vert-gris, dessous noir à nombreux rhizoïdes.*
Habitat: *troncs d'arbres; bois, bords de route.*

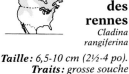

Cladine des rennes
Cladina rangiferina

Taille: *6,5-10 cm (2½-4 po).*
Traits: *grosse souche ronde et grise; articles ramifiés comme des bois de cerf, à surface laineuse et extrémités digitées; rameaux souvent perforés à la base.*
Habitat: *sol de toundra aride; dans le Nord, sur sol sableux.*

Usnée barbue
Usnea cavernosa

Taille: *15-25 cm (6-10 po) de long.*
Traits: *touffes pendantes, à filaments vert-gris pâle teintés de jaune, de longueurs variables, reliés à l'arbre par une écorce souvent fendillée laissant voir la moelle intérieure blanche.*
Habitat: *troncs et rameaux de conifères.*

Evernie mésomorphe
Evernia mesomorpha

Taille: *5-10 cm (2-4 po) de long.*
Traits: *touffes retombantes, fixées au tronc en un seul point; rameaux mous, jaune-vert pâle, irrégulièrement anguleux; pruine verte en surface.*
Habitat: *troncs de conifères et parfois de feuillus.*

Létharie-renard
Letharia vulpina

Taille: *2,5-10 cm (1-4 po) de long.* **Traits:** *touffes pendantes à rameaux vert pâle ou jaunes; surface poudreuse.*
Habitat: *sur conifères.*

Cladonie verticillée
Cladonia verticillata

Taille: *2,5-7,5 cm (1-3 po).*
Traits: *rangs superposés de coupelles gris-vert; écailles plates à la base, disparaissant peu à peu.*
Habitat: *sol sableux, vieux bois; champs, bords de route, au soleil.*

Cladonie à coupelle
Cladonia pyxidata

Taille: *1,5 cm (½ po).*
Traits: *coupelles à pied gris, écailleuses; grosses écailles agglomérées à la base.*
Habitat: *sable, vieux bois, roc couvert de terreau; lieux secs et ensoleillés.*

Cladonie à petite crête
Cladonia cristatella

Taille: *2,5-4 cm (1-1½ po).*
Traits: *petites crêtes écarlates; tiges globuleuses, écailleuses, grises (sèches) ou vert-gris (humides); écailles peu visibles à la base.* **Habitat:** *sol sableux, vieux bois; lieux secs.*

Champignons

L'étrange beauté des champignons fascine, tout autant que leur diversité ou l'originalité de leur mode de vie. Vous voudrez peut-être même y mettre la dent.

L'univers des champignons est plein de surprises. Il y en a des phosphorescents; certains bleuissent au toucher, d'autres explosent sous vos yeux, d'autres encore ressemblent à des nids remplis d'œufs. Les champignons sont des plantes cryptogames, c'est-à-dire dont les organes de reproduction sont cachés; ils ont un mode de croissance particulier et sont incapables de fabriquer eux-mêmes leur nourriture. Comme les fougères et les mousses, ils se reproduisent au moyen de spores microscopiques logées soit sous le chapeau, comme chez l'amanite, soit en surface, comme chez l'hydne corail, soit à l'intérieur, comme chez la vesse-de-loup.

Une fois disséminées, les spores assurent la reproduction de la plante. Cette dissémination s'effectue sous l'action du vent, de la pluie ou des insectes. Lorsque les spores tombent en terrain favorable, un sol humide par exemple, elles se transforment en un réseau de filaments souterrains blanchâtres, appelé mycélium, que l'on aperçoit parfois en remuant la terre, le bois ou les autres matières dans lesquelles poussent les champignons.

Arrivé à maturité, le mycélium donne naissance à des organismes charnus, producteurs de spores, qu'on appelle communément des champignons. Certains d'entre eux, la précieuse truffe notamment, sont souterrains.

Si le champignon proprement dit a la vie brève, le mycélium dure des dizaines d'années et même des siècles. Sa longévité dépend de ses sources d'alimentation car, contrairement aux plantes vertes, le champignon, dépourvu de chlorophylle, est incapable de fabriquer sa nourriture. Ce problème, chaque espèce le résout à sa façon. Le pleurote en forme d'huître, par exemple, s'alimente de bois pourri ou de matières organiques mortes. D'autres espèces se nourrissent de plantes ou d'animaux, qu'elles peuvent contaminer et faire mourir. Le cordyceps orangé, pour sa part, consomme des insectes.

De nombreuses espèces se nourrissent aux dépens d'arbres vivants, d'une façon qui leur est bénéfique à tous deux. Le mycélium s'amalgame alors aux radicelles de l'arbre. Cette association est parfois

Attention... avant de manger des champignons sauvages

Découvrir les champignons, savoir les identifier et les reconnaître est une grande source de joie. Mais on peut aussi souhaiter y goûter. Or, il est extrêmement dangereux de manger des champignons sauvages à l'aveuglette. Certains sont mortels; d'autres peuvent causer des intoxications graves. Aucun signe sûr ne distingue les champignons vénéneux des champignons comestibles. Une règle absolue s'impose donc : <u>ne jamais manger de champignons sauvages si peu que ce soit sans les avoir fait au préalable identifier par un mycologue averti et sans avoir obtenu de lui l'assurance qu'ils sont comestibles.</u>

Chanterelle ciboire

Clitocybe lumineux

On peut aisément confondre certains champignons toxiques et comestibles. La chanterelle ciboire, par exemple, est délicieuse. Hélas, elle ressemble beaucoup au clitocybe lumineux, qui est toxique : même forme, même coloris, même couleur de spores. Et si les différences sont évidentes, on a rarement les deux champignons ensemble pour les comparer.

tout à fait spécifique, tel champignon ne pouvant croître que sur tel arbre. Vous faites alors d'une pierre deux coups : en sachant identifier l'arbre, vous êtes en mesure d'identifier le champignon.

Dans les régions du continent où l'hiver est clément, la cueillette des champignons s'effectue toute l'année ; certaines espèces, telle la collybie à pied velouté, ont même une prédilection pour les temps froids. Mais chez nous, les automnes pluvieux et les printemps humides restent les saisons les plus favorables. Si vous découvrez une talle, notez-la : certains champignons réapparaissent au même endroit chaque année au même moment.

Comment utiliser ce guide

Les champignons sont répartis en groupes, d'après la forme et l'emplacement de l'organe porteur de spores. Ce sont :
• Les champignons à lamelles : c'est le groupe le plus important, auquel on a joint la chanterelle ciboire (pp. 536 à 548).

• Les champignons à tubes : le dessous est tapissé d'une membrane spongieuse criblée de trous par où s'échappent les spores (pp. 550 et 551, en haut).
• Les polypores : fermes sinon coriaces, ils poussent sur les arbres et les vieilles souches ; les spores sortent par les pores sous le chapeau (pp. 550 à 553).
• Les hydnacées : leurs spores se trouvent sur le chapeau ou en dessous au bout de dents ou d'aiguillons (pp. 552 et 553).
• Les vesses-de-loup : les spores produites à l'intérieur du champignon se répandent lorsqu'il éclate (pp. 554 et 555).
• Les autres groupes incluent les clavaires (p. 549) et les champignons gélatineux ou en forme de coupe (pp. 556 à 559).

Attention : Quand le nom scientifique est suivi du terme « *complex* », cela signifie que ce champignon comporte plusieurs espèces très semblables que les scientifiques n'ont pas fini d'étudier. Il faut donc être prudent en l'identifiant.

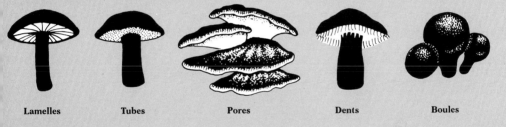

| Lamelles | Tubes | Pores | Dents | Boules |

Comment identifier un champignon

Couleur générale. Pour identifier un champignon, ne vous fiez pas à la couleur du spécimen illustré ici ; lisez la description. Certaines espèces changent de teinte selon l'endroit où elles poussent (au soleil, elles seront plus pâles qu'à l'ombre) et leur degré de vieillissement (l'hygrophore vermillon jaunit avec l'âge). Notez si le champignon porte des marques (rayures ou taches de couleurs différentes) et s'il se colore à la cassure (coupez-le sur le long et pincez la chair).

Couleur des spores. Les spores sont microscopiques ; on ne peut les voir à l'œil nu. En tas, cependant, elles révèlent leur couleur et celle-ci est importante pour bien identifier les champignons à lamelles. Pour faire une sporée (accumuler des spores), ôtez le pied et posez le chapeau du champignon sur du papier blanc. Couvrez avec un verre ou un bol. Au bout de quelques heures, soulevez le chapeau ; vous devriez voir des traces colorées. Si vous ne distinguez rien, passez le doigt sur le papier ; les spores blanches se voient mieux sur la peau.

Mode d'insertion des lamelles. Tranchez le champignon au milieu ; vous verrez comment les lamelles se rattachent au pied. Elles peuvent être libres, c'est-à-dire dégagées du pied, ou attachées à celui-ci (voir illustrations ci-contre).

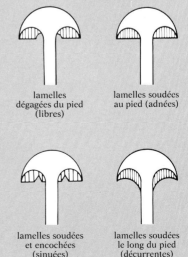

lamelles dégagées du pied (libres)

lamelles soudées au pied (adnées)

lamelles soudées et encochées (sinuées)

lamelles soudées le long du pied (décurrentes)

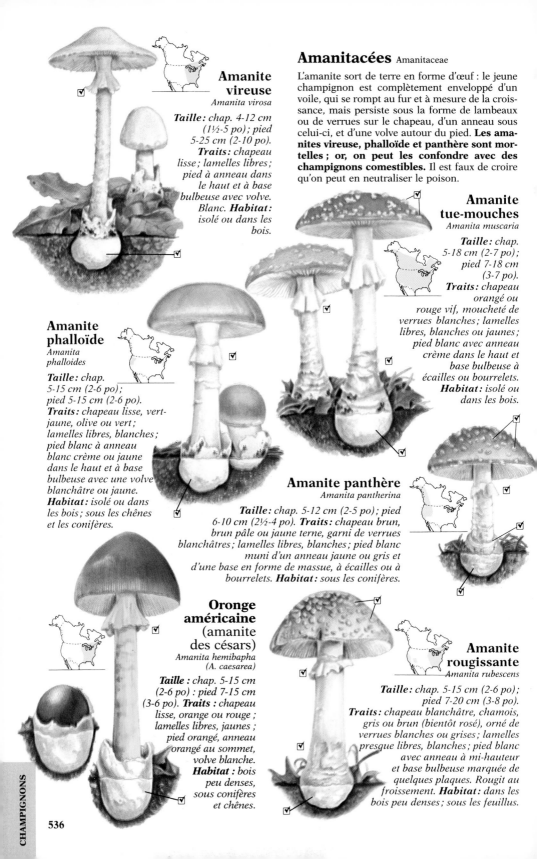

Amanite vireuse
Amanita virosa

Taille: *chap. 4-12 cm (1½-5 po); pied 5-25 cm (2-10 po).* **Traits:** *chapeau lisse; lamelles libres; pied à anneau dans le haut et à base bulbeuse avec volve. Blanc.* **Habitat:** *isolé ou dans les bois.*

Amanitacées Amanitaceae

L'amanite sort de terre en forme d'œuf : le jeune champignon est complètement enveloppé d'un voile, qui se rompt au fur et à mesure de la croissance, mais persiste sous la forme de lambeaux ou de verrues sur le chapeau, d'un anneau sous celui-ci, et d'une volve autour du pied. **Les amanites vireuse, phalloïde et panthère sont mortelles ; or, on peut les confondre avec des champignons comestibles.** Il est faux de croire qu'on peut en neutraliser le poison.

Amanite tue-mouches
Amanita muscaria

Taille: *chap. 5-18 cm (2-7 po); pied 7-18 cm (3-7 po).* **Traits:** *chapeau orangé ou rouge vif, moucheté de verrues blanches; lamelles libres, blanches ou jaunes; pied blanc avec anneau crème dans le haut et base bulbeuse à écailles ou bourrelets.* **Habitat:** *isolé ou dans les bois.*

Amanite phalloïde
Amanita phalloides

Taille: *chap. 5-15 cm (2-6 po); pied 5-15 cm (2-6 po).* **Traits:** *chapeau lisse, vert-jaune, olive ou vert; lamelles libres, blanches; pied blanc à anneau blanc crème ou jaune dans le haut et à base bulbeuse avec une volve blanchâtre ou jaune.* **Habitat:** *isolé ou dans les bois ; sous les chênes et les conifères.*

Amanite panthère
Amanita pantherina

Taille: *chap. 5-12 cm (2-5 po); pied 6-10 cm (2½-4 po).* **Traits:** *chapeau brun, brun pâle ou jaune terne, garni de verrues blanchâtres; lamelles libres, blanches; pied blanc muni d'un anneau jaune ou gris et d'une base en forme de massue, à écailles ou à bourrelets.* **Habitat:** *sous les conifères.*

Oronge américaine (amanite des césars)
Amanita hemibapha (A. caesarea)

Taille: *chap. 5-15 cm (2-6 po) : pied 7-15 cm (3-6 po).* **Traits:** *chapeau lisse, orange ou rouge ; lamelles libres, jaunes ; pied orangé, anneau orangé au sommet, volve blanche.* **Habitat:** *bois peu denses, sous conifères et chênes.*

Amanite rougissante
Amanita rubescens

Taille: *chap. 5-15 cm (2-6 po); pied 7-20 cm (3-8 po).* **Traits:** *chapeau blanchâtre, chamois, gris ou brun (bientôt rosé), orné de verrues blanches ou grises; lamelles presque libres, blanches; pied blanc avec anneau à mi-hauteur et base bulbeuse marquée de quelques plaques. Rougit au froissement.* **Habitat:** *dans les bois peu denses ; sous les feuillus.*

Amanite citrine
Amanita citrina

Taille: *chap. 2-12 cm (1-5 po);
pied 6-12 cm (2½-5 po).*
Traits: *chapeau jaune-vert pâle, à
plaques grises ou rosées; lamelles
libres, blanches ou jaunes; pied
blanc muni d'un anneau blanc ou
jaune au sommet et d'une base
bulbeuse à volve mal définie.*
Habitat: *sous les feuillus
ou dans les bois mixtes.*

Amanite vaginée *Amanita vaginata "complex"*

Taille: *chap. 4-7 cm
(1½-3 po); pied 7-12 cm
(3-5 po).* **Traits:** *chapeau
lisse, gris-bleu; lamelles
libres, blanches; pied
blanchâtre ou gris, parfois
avec des cercles de poils
plats; aucun anneau; pied
à base peu bulbeuse et
volve blanche.*
Habitat: *tous les
types de bois.*

Lépiotacées Lepiotaceae

Les lépiotes ont souvent un pied à anneau, mais
sans volve à la base. Plusieurs affectionnent les
endroits habités. *Lepiota lutea* croît en serre et
même dans le sol des plantes empotées, tandis que
la lépiote américaine *(Lepiota americana)*, qui
rougit au froissement, vient au pied des arbres, et
surtout des érables, qui poussent en bordure des
rues et sur les pelouses.

Lépiote lisse
Lepiota naucina

Taille : *chap.
4-10 cm (1½-4 po) ;
pied 6-12 cm (2½-5 po).*
Traits : *chapeau lisse, blanc-gris ;
lamelles libres, blanches, puis
rosées ; pied blanc à anneau
mobile et base bulbeuse ; jaunit
au froissement ; spores blanches.*
Habitat : *terrains herbeux.*

Lépiote élevée
Lepiota procera

Taille:
*chap. 6-15 cm
(2½-6 po); pied
15-25 cm (6-10 po).*
Traits: *chapeau blanchâtre
parsemé d'écailles brunes
s'espaçant vers la marge;
lamelles libres, blanches,
virant au rose et au brun
avec l'âge; pied blanchâtre
à écailles brunes, avec un
anneau frangé et mobile au
sommet; spores blanches.*
Habitat: *champs,
pelouses et clairières.*

Lépiote de Morgan
*Lepiota molybdites
(Lepiota morgani)*

Taille: *chap. 7-30 cm
(3-12 po); pied
7-25 cm (3-10 po).*
Traits: *chapeau
blanc ou chamois à
écailles brun-rose;
lamelles libres,
blanches, bientôt
jaunes puis olive;
pied lisse, blanc,
brunissant au
froissement
ou avec l'âge,
à anneau mobile;
spores vert fade.
Vient souvent en ronds.*
Habitat: *terrains herbeux.*

Lépiote déguenillée
Lepiota rachodes

Taille: *chap. 7-20 cm (3-8 po);
pied 10-20 cm (4-8 po).* **Traits:** *chapeau blanc
à écailles gris-rose à brunes; lamelles libres,
blanches, bientôt maculées de brun; pied
blanc devenant jaune ou brun au froissement,
avec un anneau frangé; spores blanches.*
Habitat: *sols riches en humus, détritus,
compost; granges et serres.*

Hygrophore conique
Hygrophorus conicus

Taille: *chap. 2-6 cm (1-2½ po); pied 5-10 cm (2-4 po).* **Traits:** *chapeau rouge ou orangé teinté d'olive; lamelles adnées puis libres, blanches puis olive, orange ou jaunes; pied comme le chapeau. Le champignon noircit au froissement et avec l'âge. Spores blanches.* **Habitat:** *sous les conifères.*

Hygrophore russule
Hygrophorus russula

Taille: *chap. 5-11 cm (2-4½ po); pied 2-7 cm (1-3 po).* **Traits:** *chapeau visqueux à l'humidité, rose ou brun rosé souvent rayé de pourpre; lamelles adnées puis décurrentes, blanches virant au rose maculé de pourpre; pied blanc puis rose ou rouge pourpré; spores blanches.* **Habitat:** *sous les chênes ou les pins.*

Hygrophore vermillon
Hygrophorus miniatus

Taille: *chap. 1-4 cm (½-1½ po); pied 2-5 cm (1-2 po).* **Traits:** *chapeau rouge puis orangé ou jaune; lamelles plus ou moins adnées, de même couleur que le chapeau ou plus pâles; spores blanches.* **Habitat:** *sur le sol ou la mousse, dans les bois de feuillus ou mixtes.*

Hygrophoracées Hygrophoraceae

Rouges, orange, jaunes ou blanc brillant, ces champignons hauts en couleur égaient les sous-bois ombragés. L'hygrophore perroquet *(Hygrophorus psittacinus)*, largement répandu en Amérique du Nord, est d'un vert dense qui tranche sur les autres champignons. Cette famille présente un trait particulier: les lamelles ont la consistance de la cire au toucher.

Le lait perle à la cassure des lamelles

Lactaire à lait abondant
Lactarius volemus

Taille: *chap. 5-7 cm (2-3 po); pied 5-7 cm (2-3 po).* **Traits:** *chapeau et pied fauve orangé ou bruns, malodorants; lamelles adnées puis décurrentes, crème, brunissant à la cassure; lait abondant, blanc, poisseux; spores blanches.* **Habitat:** *bois de feuillus ou mixtes.*

Lactaire décevant
Lactarius deceptivus

Taille: *chap. 5-23 cm (2-9 po); pied 4-10 cm (1½-4 po).* **Traits:** *chapeau cotonneux à marge enroulée; lamelles décurrentes; pied velouté; champignon tout blanc, brunissant avec l'âge; lait blanc tachant la chair de brun; spores blanches.* **Habitat:** *sous les conifères, surtout les sapins; dans les bois mixtes.*

Russules et lactaires Russulaceae

Le lactaire tient son nom du latin *lactare* (« qui sécrète du lait »): ce champignon exsude à la cassure un latex blanc, carotte, rouge sang ou même bleu comme chez le lactaire indigo *(Lactarius indigo)*. Les russules, dont le nom vient du latin et veut dire « plat rouge », n'exsudent pas de lait et n'apparaissent pas toujours dans le coloris que suggère leur nom; elles peuvent être pourpres, jaunes, orange, vertes et même noires. Lactaires et russules abondent dans les bois en été et en automne. Certains petits mammifères s'en régalent et y laissent la marque de leurs dents.

Lactaire délicieux
Lactarius deliciosus

Taille: *chap. 4-10 cm (1½-4 po); pied 2-6 cm (1-2½ po).* **Traits:** *chapeau, lamelles et pied orange, devenant verdâtres à la fin; chapeau visqueux à l'humidité, taché de clair comme le pied; lamelles très décurrentes; lait orangé, peu abondant.* **Habitat:** *sous les conifères.*

Russule émétique
Russula emetica

Taille: *chap. 5-11 cm (2-4½ po); pied 5-11 cm (2-4½ po).* **Traits:** *chapeau visqueux, rouge vif devenant terne, à marge cannelée; lamelles adnées, blanches; spores blanches.* **Habitat:** *tourbières, mousse sous les conifères.*

Russule à pied court
Russula brevipes

Taille: *chap. 7-20 cm (3-8 po); pied 2-5 cm (1-2 po).* **Traits:** *chapeau déprimé, blanchâtre puis brun; lamelles décurrentes, blanches ou teintées de vert, à taches brunes; pied blanc (brun à la cassure).* **Habitat:** *sous les conifères.*

Lentin joli
Lentinus lepideus

Taille: *chap. 5-20 cm (2-8 po); pied 4-15 cm (1½-6 po).* **Traits:** *chapeau à petites écailles brunes sur fond chamois; lamelles crème, écartées, décurrentes, dentelées à l'arête; pied blanchâtre avec un anneau au sommet et des écailles dessous, jaune à base brun rougeâtre à la fin; spores crème.* **Habitat:** *souches de conifères.*

Tricholomacées et analogues
Tricholomataceae

Cette famille groupe plus d'un millier d'espèces qui ont peu en commun sinon des spores blanches ou de teinte claire. Toutes les espèces décrites dans les trois pages et demie qui suivent appartiennent à ce groupe. Leur mycélium peut croître sur du bois ou dans le sol. Celui de l'armillaire couleur de miel peut aller des racines d'un arbre à celles d'un autre et, contrairement à la plupart des champignons, faire mourir son hôte. Mis au jour, il émet une faible lumière. Le mycélium du marasme d'oréade forme sous les pelouses des cercles vert sombre qu'on appelle « ronds de sorcière » et favorise la croissance de l'herbe.

Schizophylle commun
Schizophyllum commune
(Classé maintenant par les experts parmi les polypores, voir p. 550)

Taille : *chap. 1-2 cm (½-1 po).* **Traits :** *champignon poilu, dur, en éventail, blanc à gris (brun-gris quand il est mouillé); lamelles grises rayonnantes, à arêtes fendues ou rainurées; aucun pied; spores rosâtres.* **Habitat :** *en groupe sur du bois mort d'arbres feuillus.*

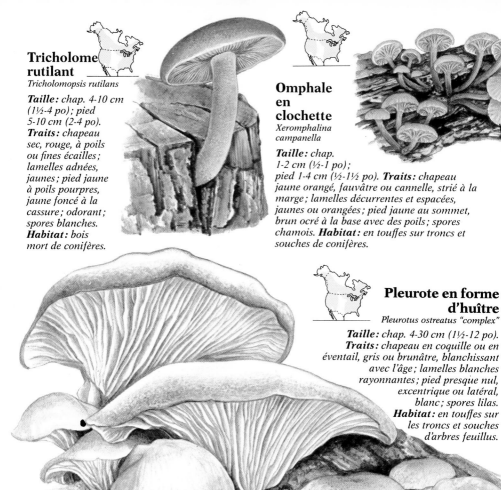

Tricholome rutilant
Tricholomopsis rutilans

Taille: *chap. 4-10 cm (1½-4 po); pied 5-10 cm (2-4 po).* **Traits:** *chapeau sec, rouge, à poils ou fines écailles; lamelles adnées, jaunes; pied jaune à poils pourpres, jaune foncé à la cassure; odorant; spores blanches.* **Habitat:** *bois mort de conifères.*

Omphale en clochette
Xeromphalina campanella

Taille: *chap. 1-2 cm (½-1 po); pied 1-4 cm (½-1½ po).* **Traits:** *chapeau jaune orangé, fauvâtre ou cannelle, strié à la marge; lamelles décurrentes et espacées, jaunes ou orangées; pied jaune au sommet, brun ocré à la base avec des poils; spores chamois.* **Habitat:** *en touffes sur troncs et souches de conifères.*

Pleurote en forme d'huître
Pleurotus ostreatus "complex"

Taille: *chap. 4-30 cm (1½-12 po).* **Traits:** *chapeau en coquille ou en éventail, gris ou brunâtre, blanchissant avec l'âge; lamelles blanches rayonnantes; pied presque nul, excentrique ou latéral, blanc; spores lilas.* **Habitat:** *en touffes sur les troncs et souches d'arbres feuillus.*

Astérophore vesse-de-loup
Asterophora lycoperdoides

Taille: *chap. 1-2 cm (½-1 po); pied 2 cm (1 po).* **Traits:** *chapeau lisse, blanchâtre, puis pulvérulent et brun; lamelles adnées, espacées, blanchâtres, parfois réduites à de fins plis; pied blanc; spores blanches.* **Habitat:** *sur les russules pourrissantes.*

Armillaire couleur de miel
Armillaria mellea "complex"

Taille: *chap. 2-12 cm (1-5 po); pied 4-15 cm (1½-6 po).* **Traits:** *chapeau visqueux à l'humidité, poilu ou écailleux au centre sur fond jaune clair, mie ou brun; lamelles adnées ou décurrentes, blanches ou crème, puis tachetées de brun; pied blanc, chamois ou brun, à anneau au sommet; cordonnets noirs dans le bois ou l'humus environnant; spores blanches ou crème.* **Habitat:** *en touffes sur troncs et souches; parfois au pied des arbres.*

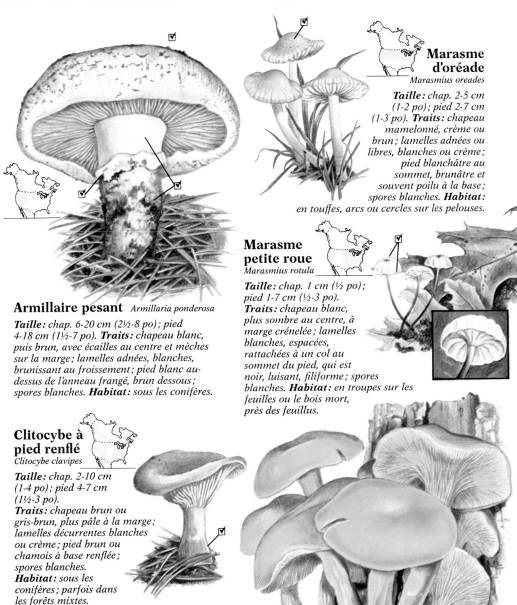

Marasme d'oréade
Marasmius oreades

Taille: *chap. 2-5 cm (1-2 po); pied 2-7 cm (1-3 po).* **Traits:** *chapeau mamelonné, crème ou brun; lamelles adnées ou libres, blanches ou crème; pied blanchâtre au sommet, brunâtre et souvent poilu à la base; spores blanches.* **Habitat:** *en touffes, arcs ou cercles sur les pelouses.*

Marasme petite roue
Marasmius rotula

Taille: *chap. 1 cm (½ po); pied 1-7 cm (½-3 po).* **Traits:** *chapeau blanc, plus sombre au centre, à marge crénelée; lamelles blanches, espacées, rattachées à un col au sommet du pied, qui est noir, luisant, filiforme; spores blanches.* **Habitat:** *en troupes sur les feuilles ou le bois mort, près des feuillus.*

Armillaire pesant   *Armillaria ponderosa*

Taille: *chap. 6-20 cm (2½-8 po); pied 4-18 cm (1½-7 po).* **Traits:** *chapeau blanc, puis brun, avec écailles au centre et mèches sur la marge; lamelles adnées, blanches, brunissant au froissement; pied blanc au-dessus de l'anneau frangé, brun dessous; spores blanches.* **Habitat:** *sous les conifères.*

Clitocybe à pied renflé
Clitocybe clavipes

Taille: *chap. 2-10 cm (1-4 po); pied 4-7 cm (1½-3 po).* **Traits:** *chapeau brun ou gris-brun, plus pâle à la marge; lamelles décurrentes blanches ou crème; pied brun ou chamois à base renflée; spores blanches.* **Habitat:** *sous les conifères; parfois dans les forêts mixtes.*

Lépiste nu (tricholome nu)
Lepista nuda

Taille: *4-15 cm (1½-6 po); pied 3-10 cm (1¼-4 po).* **Traits:** *chapeau violet passant au gris-violet ou ocre puis au brun; lamelles partiellement adnées, lilas puis brunes; pied lilas à fins poils blancs, brunissant avec l'âge; spores couleur de chair.* **Habitat:** *en forêt ou sur débris de plantes.*

Clitocybe lumineux
Omphalotus olearius

Taille: *chap. 5-12 cm (2-5 po); pied 5-20 cm (2-8 po).* **Traits:** *chapeau, lamelles et pied malodorants, jaune safran ou orangés; lamelles décurrentes et luminescentes; spores crème.* **Habitat:** *en touffes sur les souches ou les racines enfouies, surtout des chênes.*

541

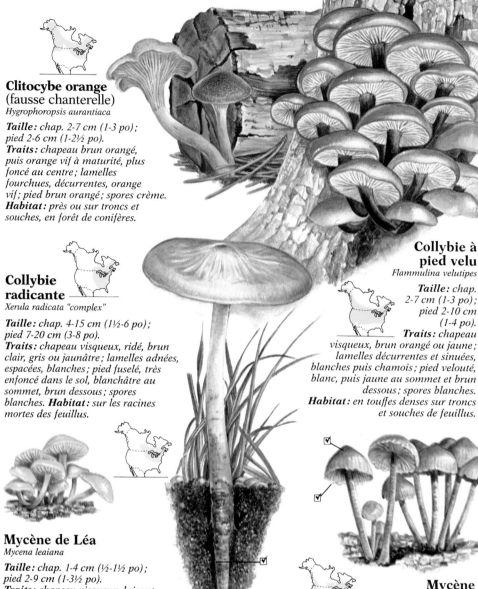

Clitocybe orange
(fausse chanterelle)
Hygrophoropsis aurantiaca

Taille: *chap. 2-7 cm (1-3 po);
pied 2-6 cm (1-2½ po).*
Traits: *chapeau brun orangé,
puis orange vif à maturité, plus
foncé au centre; lamelles
fourchues, décurrentes, orange
vif; pied brun orangé; spores crème.*
Habitat: *près ou sur troncs et
souches, en forêt de conifères.*

Collybie radicante
Xerula radicata "complex"

Taille: *chap. 4-15 cm (1½-6 po);
pied 7-20 cm (3-8 po).*
Traits: *chapeau visqueux, ridé, brun
clair, gris ou jaunâtre; lamelles adnées,
espacées, blanches; pied fuselé, très
enfoncé dans le sol, blanchâtre au
sommet, brun dessous; spores
blanches.* **Habitat:** *sur les racines
mortes des feuillus.*

Mycène de Léa
Mycena leaiana

Taille: *chap. 1-4 cm (½-1½ po);
pied 2-9 cm (1-3½ po).*
Traits: *chapeau visqueux, luisant,
orange vif, puis jaune; lamelles
adnées, saumon ocré ou jaune
orange, à arêtes orange vif; pied
visqueux, orange ou jaune; spores blanches.*
Habitat: *en touffes serrées sur troncs
et souches de feuillus.*

Collybie à pied velu
Flammulina velutipes

Taille: *chap.
2-7 cm (1-3 po);
pied 2-10 cm
(1-4 po).*
Traits: *chapeau
visqueux, brun orangé ou jaune;
lamelles décurrentes et sinuées,
blanches puis chamois; pied velouté,
blanc, puis jaune au sommet et brun
dessous; spores blanches.*
Habitat: *en touffes denses sur troncs
et souches de feuillus.*

Mycène à pied rouge
Mycena haematopus

Taille: *chap. 1-4 cm (½-1½ po);
pied 2-7 cm (1-3 po).* **Traits:** *chapeau
campanulé ou conique, à marge souvent frangée,
fauve au centre, gris ocre vers la marge; lamelles
blanches ou gris ocre, puis maculées de fauve;
pied brun, exsudant un lait rouge
à la cassure; spores blanches.*
Habitat: *bois pourri.*

Mycène pur
Mycena pura

Taille: *chap. 1-4 cm (½-1½ po); pied 2-10 cm (1-4 po).*
Traits: *chapeau lilas, pourpre ou rose terne, parfois à teinte
grise ou brune, à odeur de radis; lamelles plus ou moins
adnées; lamelles et pied blancs, puis de la couleur
du chapeau; spores blanches.* **Habitat:** *en forêt.*

Laccaire laqué
Laccaria laccata

Taille: *chap. 1-5 cm (½-2 po); pied 2-10 cm (1-4 po).* **Traits:** *chapeau plus ou moins lisse, brun franc ou rosé, pâlissant avec l'âge; lamelles adnées, un peu décurrentes, espacées, roses; pied de la couleur du chapeau; spores blanches.* **Habitat:** *sur mousse, humus ou sol humide, en forêt ou dans les clairières.*

Tricholome roux
Tricholoma vaccinum

Taille: *chap. 4-7 cm (1½-3 po); pied 5-7 cm (2-3 po).* **Traits:** *chapeau sec, brun-roux, à écailles ou poils fins; marge laineuse au début; lamelles adnées ou sinuées, blanches, rayées ou maculées de brun roux; pied à poils fins, brun-roux; spores blanches.* **Habitat:** *sous les conifères.*

Tricholome équestre
Tricholoma flavovirens

Taille: *chap. 5-12 cm (2-5 po); pied 2-10 cm (1-4 po).* **Traits:** *chapeau vert-jaune, brun au centre; lamelles partiellement adnées, jaunes; pied jaune clair, blanc au sommet; spores blanches.* **Habitat:** *en forêt, sous les pins, sapins ou trembles.*

Tricholome prétentieux
Tricholoma portentosum

Taille: *chap. 4-10 cm (1½-4 po); pied 5-12 cm (2-5 po).* **Traits:** *chapeau gris ou brunâtre, parfois violacé, à poils fins et sombres; lamelles adnées ou sinuées, jaune clair; pied blanc ou jaune; spores blanches.* **Habitat:** *sous les conifères.*

Volvariacées Pluteaceae

La plupart des champignons de ce livre sont assez communs dans nos bois. La volvaire soyeuse fait exception. C'est un sujet rare et sa grande beauté en fait une découverte de choix. Tous les membres de la petite famille des volvaires ont des spores roses. (Les seuls autres champignons à présenter des spores de cette teinte sont les entolomes et quelques tricholomes.) Certaines volvaires ont également une ample volve à la base, trait qui ne se retrouve pas chez les plutées, beaucoup plus répandus.

Volvaire soyeuse *Volvariella bombycina*

Taille: *chap. 5-20 cm (2-8 po); pied 5-20 cm (2-8 po).* **Traits:** *chapeau soyeux, blanc, puis jaune clair, à marge frangée; lamelles libres, blanches, puis rosées; pied souvent courbe, blanc, engainé d'une ample volve, sans anneau; spores roses ou brunâtres.* **Habitat:** *troncs, souches ou blessures des feuillus.*

Entolomacées Entolomataceae

Bien qu'il soit parfois difficile de distinguer entre eux les différents membres de cette famille, ils sont tous très différents des autres champignons. S'il est vrai que les entolomes ont des spores roses, comme les volvaires, leurs lamelles sont adnées et ils sont dépourvus de volve à la base. Les masses globuleuses blanches qui identifient immédiatement l'entolome avorté sont des malformations; c'est le mycélium de l'armillaire couleur de miel qui envahit l'entolome et le rend difforme.

Entolome avorté (clitopile avorté)
Entoloma abortivum

Taille: *chap. 4-10 cm (1½-4 po); pied 4-10 cm (1½-4 po).*
Traits: *chapeau gris ou gris-brun à plaques délavées; lamelles adnées ou décurrentes, grises puis rose terne; pied gris-blanc; masses globuleuses blanches souvent à proximité.* **Habitat:** *sur l'humus ou le bois pourri.*

entolome
mal formé
(avorté)

Entolome livide
Entoloma sinuatum

Taille: *chap. 6-15 cm (2½-6 po); pied 4-15 cm (1½-6 po).*
Traits: *chapeau gris ocré ou jaune livide; lamelles sinuées, jaunâtres puis rose terne; pied robuste, blanc; spores rose terne.*
Habitat: *bois mixtes ou sous les conifères.*

Nolanie saumon
Nolanea salmonea

Taille: *chap. 2-5 cm (1-2 po); pied 4-11 cm (1½-4½ po).*
Traits: *chapeau campanulé ou conique, saumon; lamelles adnées, saumon; pied saumon; spores brun rosé.*
Habitat: *forêts et marécages.*

Gomphide glutineux
Gomphidius glutinosus

Taille: *chap. 2-10 cm (1-4 po); pied 4-10 cm (1½-4 po).* **Traits:** *chapeau visqueux, gris, brun ou gris pourpré, se maculant de noir avec l'âge; lamelles décurrentes, blanches puis grises; pied jaune sous l'anneau visqueux; spores noirâtres.*
Habitat: *sous les conifères.*

Gomphidiacées Gomphidiaceae

Le terme grec *gomphos* veut dire « clou » ou « cheville », allusion à la forme du champignon quand il est jeune. A maturité, les lamelles sont brun foncé ou noires, épaisses, fortement décurrentes et légèrement cireuses. Les 25 espèces poussent sous les conifères.

Coprinacées Coprinaceae

Le chapeau et les lamelles des coprins deviennent noirs et déliquescents avec l'âge. En tombant sur le sol, cette encre chargée de spores assure la reproduction de l'espèce. Le coprin chevelu est un excellent comestible quand il est récolté jeune, avant de noircir. Cependant certaines espèces sont toxiques: le coprin noir d'encre peut provoquer des malaises bénins mais désagréables si on le consomme avec de l'alcool.

Coprin chevelu
Coprinus comatus

chapeau déliquescent

Taille: *chap. 2-6 cm (1-2½ po); pied 7-20 cm (3-8 po).*
Traits: *chapeau cylindrique, blanc et écailleux, puis noir à marge retroussée; lamelles blanches, puis roses et noires; pied blanc à anneau et base bulbeuse; spores noires.*
Habitat: *gazons et bords de routes.*

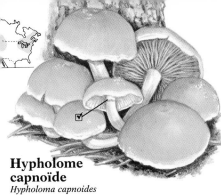

Hypholome capnoïde
Hypholoma capnoides

Taille: *chap. 2-7 cm (1-3 po); pied 5-10 cm (2-4 po).* **Traits:** *chapeau convexe puis étalé, orange, ocre ou fauve à marge jaune; lamelles adnées puis libres, blanches puis grises et brun pourpré; pied jaune au-dessus d'un anneau velu, brun ou fauve en dessous; spores brun pourpré.* **Habitat:** *en touffes sur les conifères.*

Hypho- lome couleur de brique
Hypholoma sublateritium

Taille: *chap. 2-10 cm (1-4 po); pied 5-10 cm (2-4 po).* **Traits:** *chapeau roux au centre, à marge chamois frangée et poilue; lamelles adnées, blanchâtres puis gris pourpré; pied blanc souvent à anneau poilu au sommet; spores brun pourpré.* **Habitat:** *en touffes sur troncs et souches de feuillus.*

Strophaires et analogues
Strophariaceae

Un grand nombre de champignons hallucinogènes appartiennent à cette famille. Quelques petits et rares hypholomes sont depuis longtemps utilisés par les Amérindiens du Mexique durant les cérémonies religieuses; dans certaines régions, il est même interdit d'avoir en sa possession *Psilocybe cubensis* qui croît au Canada.

Hypholome en touffe
Hypholoma fasciculare

Taille: *chap. 1-7 cm (½-3 po); pied 5-12 cm (2-5 po).* **Traits:** *chapeau jaune, orangé ou brun au sommet; lamelles adnées puis libres, jaune soufre ou verdâtres; pied blanc au-dessus d'un anneau pubescent, brun en dessous; spores brun pourpré.* **Habitat:** *en touffes sur troncs de conifères et de feuillus.*

Coprin micacé
Coprinus micaceus

Taille: *chap. 2-6 cm (1-2½ po); pied 2-7 cm (1-3 po).* **Traits:** *chapeau ovoïde puis campanulé et étalé, brun ou fauve, garni de particules brillantes, bientôt liquéfié et noir; lamelles blanches, puis noires; pied blanc; spores noires.* **Habitat:** *en touffes sur souches ou racines enfouies.*

Coprin noir d'encre
Coprinus atramentarius

Taille: *chap. 2-7 cm (1-3 po); pied 4-15 cm (1½-6 po).* **Traits:** *chapeau ovoïde puis conique, brun clair ou gris, puis noir; lamelles blanches, puis noires; pied blanc; spores noires.* **Habitat:** *souches et bois pourri ou enfoui.*

Psilocybe des foins
Psathyrella foenisecii

Taille: *chap. 1-4 cm (½-1½ po); pied 2-7 cm (1-3 po).* **Traits:** *chapeau brun foncé, pourpré ou gris, puis fauvâtre; lamelles adnées, brun pourpré; pied cassant, fauve ou blanc terne; spores brun pourpré.* **Habitat:** *pelouses.*

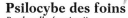

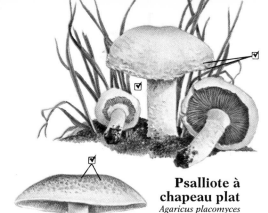

Agaric champêtre
Agaricus campestris

Taille: *chap. 2-10 cm (1-4 po);
pied 2-7 cm (1-3 po).* **Traits:** *chapeau blanc, parfois
à écailles brunes et marge frangée; lamelles libres,
roses, puis brun pourpré et noires; pied blanc à
anneau fugace; spores brun pourpré.*
Habitat: *terrains herbeux dégagés.*

Psalliote à chapeau plat
Agaricus placomyces

Taille: *chap. 4-10 cm
(1½-4 po); pied 7-15 cm
(3-6 po).* **Traits:** *chapeau
malodorant et blanc à
écailles brunes ou grisâtres
au centre; lamelles libres,
blanches puis roses et brun
pourpré; pied à anneau,
blanc mais brunissant à la
base; spores brunes.*
Habitat: *en forêt de
feuillus.*

Psalliote des jachères
Agaricus arvensis

Taille: *chap. 6-20 cm
(2½-8 po); pied
6-20 cm (2½-8 po).*
Traits: *chapeau blanc,
jaune au froissement,
parfois à centre jaune
ou marge frangée;
lamelles libres,
blanches, puis roses
et grises; pied blanc,
jaunissant, à plaques
cotonneuses sous
l'anneau;
spores brunes.*
Habitat: *pelouses.*

Agaricacées et analogues
Agaricaceae

Le champignon vendu en magasin, appelé champignon
de couche, appartient à cette famille. Il ne faudrait pas
pour autant en déduire que tous les agarics sont comestibles; mieux vaut obtenir le feu vert d'un expert avant
d'y goûter. D'ailleurs il est assez facile de confondre les
amanites mortelles avec la jeune psalliote.

Paxillacées Paxillaceae

Dans cette petite famille (quatre ou cinq espèces), les lamelles se séparent net du chapeau
quand on les décolle du doigt. La paxille à pied
noir *(Paxillus atrotomentosus)*, identifiable à
sa marge enroulée et à son pied velu, vient fréquemment sous les conifères.

Paxille enroulée
Paxillus involutus

Taille : *chap. 4-15 cm
(1½-6 po) ; pied 4-10 cm
(1½-4 po).* **Traits :** *chapeau
jaune-brun clair, puis brun
pourpré, à marge enroulée
et cannelée au début ;
lamelles décurrentes,
jaune olive, brunes à
la cassure ; pied brun
clair, souvent maculé
de brun ; spores brunes.
Champignon toxique.*
Habitat : *bois mixtes,
sous les conifères.*

Conocybe tendre
Conocybe tenera

Taille: *chap. 1-2 cm
(½-1 po); pied 4-7 cm
(1½-3 po).* **Traits:** *chapeau campanulé ou
conique, brun, puis
ocre; lamelles adnées
ou libres, brunes;
pied fin, fragile, brun;
spores brun-rouge.*
Habitat: *pelouses, bois
peu denses.*

Bolbities et analogues Bolbitiaceae

Le conocybe tendre, hôte de nos pelouses, est si
fragile que souvent il dure moins d'un jour; c'est
d'ailleurs un trait qu'on retrouve fréquemment
dans cette famille. Son nom dérive du grec *bolbi-
ton* qui veut dire « bouse de vache », matière
qu'affectionnent certaines espèces. Les bolbities
ont toutes des spores brun roux ou brun terreux.

Cortinariacées et analogues
Cortinariaceae

Les cortinaires se caractérisent par la présence d'un voile appelé cortine qui demeure effiloché à la marge du chapeau. **Plusieurs membres de cette grande famille sont dangereux ; certaines galérines contiennent, comme les amanites, des amatoxines, qui attaquent le foie et les reins et pour lesquelles il n'existe pas d'antidote spécifique.**

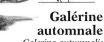

Galérine automnale
Galerina autumnalis

Taille : *chap. 2-6 cm (1-2½ po) ; pied 2-7 cm (1-3 po).*
Traits : *chapeau visqueux, jaune ocré à brun ; lamelles adnées ou décurrentes, brun-roux ; pied brun strié de blanc, à anneau mince au début ; spores brun-roux.* **Habitat :** *troncs pourris.*

Inocybe conique
Inocybe fastigiata

Taille : *chap. 2-5 cm (1-2 po) ; pied 4-7 cm (1½-3 po).*
Traits : *chapeau campanulé ou conique à marge parfois fendue, brun-fauve ou jaune, à poils plats rayonnants et à odeur fétide ; lamelles adnées ou sinuées, blanches puis grises, olive et brunes ; pied blanc à brun ; spores brunes.* **Habitat :** *en forêt.*

Pholiote squarreuse
Pholiota squarrosoides

Taille : *chap. 2-10 cm (1-4 po) ; pied 4-10 cm (1½-4 po).*
Traits : *chapeau blanc ou chamois, visqueux sous ses écailles brunes ; lamelles adnées ou sinuées, blanches, puis brunes ; pied blanc écailleux, lisse au sommet, à anneau velu ; spores brunes.*
Habitat : *en touffes sur troncs et souches de feuillus.*

Cortinaire à bracelets
Cortinarius armillatus

Taille : *chap. 5-12 cm (2-5 po) ; pied 6-15 cm (2½-6 po).*
Traits : *chapeau rouge brique ; lamelles plus ou moins adnées, brun-roux ; pied brun à bracelets rouges ; spores brun-roux.*
Habitat : *sous les bouleaux ; dans les forêts mixtes.*

Cortinaire violet
Cortinarius violaceus

Taille : *chap. 5-10 cm (2-4 po) ; pied 6-12 cm (2½-5 po).*
Traits : *chapeau, lamelles et pied violet foncé ; lamelles plus ou moins adnées ; spores brun-roux.* **Habitat :** *bois de conifères.*

Cortinaire cannelle
Cortinarius cinnamomeus

Taille : *chap. 2-5 cm (1-2 po) ; pied 2-7 cm (1-3 po).* **Traits :** *chapeau brun ou cannelle ; lamelles adnées, jaunes puis brunes ; pied jaune ou brun ; spores brun cannelle.* **Habitat :** *sous les conifères.*

Cortinaire à moitié rouge
Cortinarius semisanguineus

Taille : *chap. 2-7 cm (1-3 po) ; pied 2-7 cm (1-3 po).*
Traits : *lamelles adnées, rouge sang ; chapeau brun roux ; pied jaune terne ; spores brun-roux.*
Habitat : *dans la mousse sous les conifères.*

Cantharellacées et analogues
Cantharellaceae

Remarquable par son chapeau en entonnoir à marge ondulée, la chanterelle n'a pas de vraies lamelles ; elle présente plutôt des plis largement espacés, plus ou moins profonds, souvent fourchus et à arête émoussée. Cet excellent comestible, l'un des plus recherchés au monde, peut être aisément confondu avec des espèces dangereuses, comme le clitocybe lumineux et la fausse chanterelle.

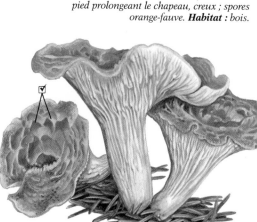

Craterelle fausse-corne d'abondance
Craterellus fallax

Taille : *chap. 2-7 cm (1-3 po) ; H 2-12 cm (1-5 po).* **Traits :** *chapeau brun foncé en entonnoir, puis brun grisâtre ; dessous lisse ou un peu ridé, brun, puis gris jaunâtre, noircissant au froissement ; pied prolongeant le chapeau, creux ; spores orange-fauve.* **Habitat :** *bois.*

Chanterelle ciboire (girole)
Cantharellus cibarius

Taille : *chap. 2-15 cm (1-6 po) ; pied 2-7 cm (1-3 po).* **Traits :** *chapeau orangé ; plis fauves, espacés, fourchus, à arête émoussée ; pied comme le chapeau ou plus clair, fonçant au pli ; spores crème.* **Habitat :** *bois et bord de routes.*

Chanterelle couleur brique
Cantharellus lateritius

Taille : *chap. 2-9 cm (1-3½ po) ; pied 2-5 cm (1-2 po).* **Traits :** *chapeau orange, plus pâle avec l'âge ; dessous jaune capucine, lisse puis ridé ; pied comme le chapeau ou plus clair ; spores jaune orangé.* **Habitat :** *bois de feuillus peu denses.*

Chanterelle à flocons
Gomphus floccosus

Taille : *chap. 4-16 cm (1½-6½ po) ; H 9-20 cm (3½-8 po).* **Traits :** *chapeau écailleux, parfois visqueux et en entonnoir, rougeâtre ou orangé puis plus clair ; dessous veiné ou ridé, crème comme le pied ; spores ocrées.* **Habitat :** *bois de conifères ou mixtes.*

Chanterelle en forme de trompette
Cantharellus tubaeformis

Taille : *chap. 1-6 cm (½-2½ po) ; pied 2-5 cm (1-2 po).* **Traits :** *chapeau brun jaunâtre foncé, puis plus clair et gris ; plis espacés, jaunes, puis gris ou violets, fourchus, à arête émoussée ; pied jaune ou orangé ; spores blanches ou jaunes.* **Habitat :** *lieux humides, bois moussu.*

Chanterelle claviforme
Gomphus clavatus

Taille : *chap. 2-10 cm (1-4 po) ; H 5-12 cm (2-5 po).* **Traits :** *chapeau en forme de cône renversé, tronqué au sommet, plus ou moins creux, pourpre clair puis jaune terne ou chamois ; extérieur ridé de veinules, vineux ou pourpre, puis noisette ; pied prolongeant le chapeau, chamois terne ou lilas clair ; spores ocrées.* **Habitat :** *bois de conifères.*

Clavariacées Clavariaceae

La plupart des membres de cette intéressante famille sont des champignons saprophytes (qui se nourrissent de matières organiques en décomposition). On croit que certaines espèces s'alimentent aux dépens d'arbres vivants en mêlant leur mycélium aux racines de ceux-ci. Les clavaires n'ont pas de lamelles ; les spores se trouvent à la surface.

Clavaire fusiforme
Clavulinopsis fusiformis

Taille : H 1-15 cm (½-6 po).
Traits : clavule haute, fuselée, jaune vif, pointue au sommet, parfois aplatie. **Habitat :** en touffes dans les bois peu denses.

Clavaire tronquée
Clavariadelphus truncatus

Taille : L 2-6 cm (1-2½ po) ; H 7-15 cm (3-6 po).
Traits : clavule en forme de massue, plate au sommet, ridée, jaune, puis dorée et rose-brun ; pied blanc. **Habitat :** sous les conifères.

Clavaire dorée
Ramaria aurea

Taille : touffe, L 5-15 cm (2-6 po), H 5-12 cm (2-5 po) ; pied 2-5 cm (1-2 po). **Traits :** clavule ramifiée jaune, or ou orange à pointe jaune ; pied blanc ; ne change pas de couleur au froissement. **Habitat :** sous les feuillus.

Clavaire cendrée
Clavulina cinerea

Taille : touffe, L 2-6 cm (1-2½ po) ; H 2-10 cm (1-4 po).
Traits : clavule ramifiée, grise, plus étroite dans le haut ; pied blanc.
Habitat : en troupes sur mousse ou aiguilles de conifères.

Clavicouronne en forme de boîte
Clavicorona pyxidata

Taille : touffe, L 2-9 cm (1-3½ po) ; H 5-10 cm (2-4 po).
Traits : rameaux fins formant une cupule au sommet, blancs ou jaunes, puis chamois ou rosés et bruns dans le bas à la fin.
Habitat : en touffes sur troncs et souches de feuillus.

Clavaire chou-fleur
Sparassis crispa

Taille : L 7-16 cm (3-6½ po) ; H 3-15 cm (1¼-6 po). **Traits :** champignon en forme de chou-fleur, à rameaux entrelacés, plats, blancs à crème ; pied enraciné dans le sol. **Habitat :** sous les conifères.

549

Bolet américain
Suillus americanus

Taille: *chap. 2-10 cm (1-4 po); pied 2-9 cm (1-3½ po).*
Traits: *chapeau jaune vif à plaques chamois ou brunes et à marge frangée au début; tubes jaune terne, brunissant au froissement; pied jaune vif tacheté de points rouges ou rouge-brun; spores rouge-brun terne.*
Habitat: *sous les pins blancs.*

Champignons à tubes
Boletaceae et Strobilomycetaceae

Les champignons à tubes présentent sous le chapeau une membrane spongieuse criblée de petits trous qui remplace les lamelles. Chez certaines espèces, des fragments du voile général qui enveloppe les jeunes sujets subsistent sous la forme d'un anneau ou d'une zone anneliforme. Le mycélium des champignons s'associe toujours aux racines des arbres en une union parfois si spécifique que le champignon ne peut croître qu'en dessous d'une seule espèce d'arbres.

Bolet jaune
Suillus luteus

Taille: *chap. 4-15 cm (1½-6 po); pied 4-10 cm (1½-4 po).*
Traits: *chapeau visqueux brun, marron ou fauve; tubes blancs ou jaunes; pied à anneau, parsemé de points jaune clair; spores rouge-brun terne.*
Habitat: *sous les pins et les épinettes.*

Bolet à pied creux
Suillus cavipes

Taille: *chap. 2-10 cm (1-4 po); pied 4-9 cm (1½-3½ po).*
Traits: *chapeau sec, poilu, brun, brun-rouge ou orangé; tubes décurrents, jaunes, devenant ternes; pied creux dans le bas, à anneau se changeant en cerne, jaune au-dessus, brun dessous; spores brunes.* **Habitat:** *sous les mélèzes.*

Boletin peint
Suillus pictus

Taille: *chap. 2-10 cm (1-4 po); pied 4-10 cm (1½-4 po).*
Traits: *chapeau à écailles et poils rouge terne laissant voir la chair jaune; tubes jaunes, bruns au froissement; pied jaune au-dessus de l'anneau, blanc ou rouge en dessous; spores brunes.*
Habitat: *sous les pins blancs.*

Bolet élégant
Suillus grevillei

Taille: *chap. 5-15 cm (2-6 po); pied 4-10 cm (1½-4 po).*
Traits: *chapeau visqueux, brun-rouge ou jaune; tubes jaunes, brunissant au froissement, olivâtres avec l'âge; pied jaune au-dessus de l'anneau, rouge-brun rayé dessous; spores brunes.* **Habitat:** *sous les mélèzes.*

Polypores
Polyporaceae et Ganodermataceae

Les polypores, qui sont souvent en forme d'éventail ou de spatule, poussent sur des troncs, des souches et des arbres vivants. Sous le chapeau se trouvent des pores qui, comme les tubes des champignons précédents, produisent des spores; leur taille varie beaucoup: certains sont microscopiques. Les polypores sont en général coriaces et ligneux, surtout s'ils ont de l'âge. La membrane inférieure du jeune ganoderme plat est assez souple pour qu'on puisse y dessiner au poinçon. En vieillissant, le champignon sèche et durcit, mais conserve son dessin. Les polypores peuvent atteindre des dimensions considérables. Un rare spécimen du polypore noble (*Oxyporus nobilissimus*), prélevé sur une épinette dans le nord-ouest du littoral du Pacifique, pesait 135 kg (300 lb). (*Voir aussi* Schizophylle commun, p. 539.)

Polypore de la pruche
Ganoderma tsugae

Taille: *chap. 5-20 cm (2-8 po); pied (s'il y a lieu) 2-15 cm (1-6 po).*
Traits: *chapeau en éventail, lustré, rouge acajou ou brun terne; pores blancs ou bruns; pied rouge acajou, luisant, central ou excentrique.*
Habitat: *sur troncs et souches de conifères.*

Bolet pomme de pin
Strobilomyces floccopus

Taille : *chap. 4-15 cm (1½-6 po) ; pied 5-15 cm (2-6 po).*
Traits : *chapeau gris à noir, écailleux ou à mèches, à marge laineuse au début ; tubes blancs, rougissant puis noircissant au froissement, gris avec l'âge ; pied floconneux ; spores noires.*
Habitat : *sous les feuillus.*

Bolet amer
Tylopilus felleus

Taille : *chap. 5-30 cm (2-12 po) ; pied 4-15 cm (1½-6 po).*
Traits : *chapeau brun cannelle ; tubes blancs, brunissant au froissement, roses avec l'âge ; pied blanc au sommet, brun plus bas, réticulé ; spores rose terne.*
Habitat : *près des troncs et souches de conifères.*

Bolet bicolore
Boletus bicolor

Taille : *chap. 5-15 cm (2-6 po) ; pied 5-10 cm (2-4 po).*
Traits : *chapeau rouge pourpré, craquelé, montrant la chair jaune ; tubes jaune vif, bleuissant au froissement ; pied jaune au sommet, rouge en bas ; spores olive.* **Habitat :** *sous les feuillus.*

Bolet comestible (cèpe)
Boletus edulis

Taille : *chap. 7-25 cm (3-10 po) ; pied 10-18 cm (4-7 po).*
Traits : *chapeau brun clair ou brun franc ; tubes blancs, puis vert-jaune ; pied bulbeux, blanc au sommet, chamois ou brun clair dans le bas, réticulé ; spores brunes.*
Habitat : *sous les conifères.*

Bolet séduisant
Boletus speciosus

Taille : *chap. 5-20 cm (2-8 po) ; pied 7-20 cm (3-8 po).*
Traits : *chapeau rouge-brun, laineux ou poilu au début ; tubes jaune vif ; pied rouge-brun, réticulé dans le haut ; spores brunes.*
Habitat : *près ou sur troncs et souches de conifères.*

Ganoderme plat
Ganoderma applanatum

Taille : *5-50 cm (2-20 po).*
Traits : *chapeau dur, ligneux, en éventail, gris clair ou foncé, parfois brun, marqué de sillons et de rides ; pores blancs ou brun clair ; aucun pied.* **Habitat :** *troncs et souches de feuillus, blessures d'arbres vivants.*

Polypore versicolore
Trametes versicolor

Taille: *chap. 2-7 cm (1-3 po).*
Traits: *troupe de petits chapeaux imbriqués à bandes, gris, bleu et noir ou blanc, jaune et brun; zones veloutées ou poilues alternant avec zones satinées; dessous blanc ou jaune; aucun pied.*
Habitat: *sur le bois mort ou les blessures des feuillus et parfois des conifères.*

Polypore en touffe
Grifola frondosa

Taille: *20-65 cm (8-25 po).*
Traits: *masse considérable de chapeaux imbriqués, gris dessus, blancs ou jaunes dessous; pied court, épais, très ramifié.*
Habitat: *près des troncs et souches de feuillus.*

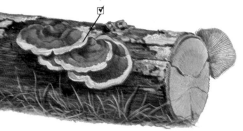

Lenzites des clôtures
Glocophyllum saepiarum

Taille: *chap. 2-10 cm (1-4 po).*
Traits: *chapeau mince, souple, lisse ou velu, brun havane vif, à marge blanche, jaune ou orange; dessous à pores ou à lamelles; aucun pied.*
Habitat: *troncs et souches de conifères.*

Polypore soufré
Lactiporus sulphureus

Taille: *chap. 5-50 cm (2-20 po).* **Traits:** *chapeau charnu ou ferme, à marge ondulée, orange, saumon ou jaune, plus clair avec l'âge; pores jaune soufre, pâlissant avec le temps; pied court ou absent.* **Habitat:** *en touffes sur troncs, souches et bois des conifères et des feuillus.*

Hydnacées
Hydnaceae

Cette famille comporte des sujets tendres, durs ou cassants. Chez certains, les aiguillons pendent sous le chapeau; chez d'autres, ils constituent presque tout le champignon. Les spores se situent sur ces aiguillons. L'échinodonte à teinture dont se seraient servis les Amérindiens du Pacifique pour obtenir une teinture orange fait pourrir le cœur des arbres.

gros plan

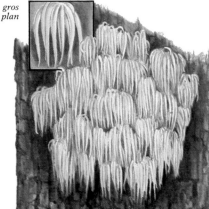

Hydne corail
Hericium coralloides "complex"

Taille: *12-30 cm (5-12 po).*
Traits: *rameaux entrelacés blancs, puis crème, portant aux extrémités seulement des aiguillons pointus.*
Habitat: *sur blessures d'arbres vivants ou troncs morts de feuillus.*

CHAMPIGNONS

Polypore marginé
Fomitopsis pinicola

Taille: *chap. 5-40 cm (2-16 po).*
Traits: *chapeau dur ou ligneux, épais, brun-rouge foncé ou gris noirâtre, poisseux, à marge rouge orangé; dessous blanc teinté de jaune, puis brun.*
Habitat: *souches et troncs d'arbres morts ou parfois vivants.*

Amadouvier
Fomes fomentarius

Taille: *chap. 5-20 cm (2-8 po).*
Traits: *chapeau en sabot de cheval, coriace, à croûte dure, ocre clair ou gris-brun, puis gris-noir; dessous gris-brun; aucun pied.* **Habitat:** *souches et troncs morts de feuillus ou blessures d'arbres vivants.*

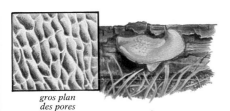

gros plan des pores

gros plan des pores

Polypore alvéolé
Polyporus alveolaris

Taille: *chap. 1-10 cm (½-4 po); pied, s'il y a lieu, 1 cm (½ po).*
Traits: *chapeau plus ou moins cassant, ocre ou brique, plus clair à la fin, à écailles fines; dessous blanc et alvéolé; pied blanc.*
Habitat: *isolé ou en touffes sur bois mort de feuillus.*

Dédale rugueux
Daedaleopsis confragosa

Taille: *chap. 2-15 cm (1-6 po).*
Traits: *chapeau gris ou brun, zoné, coriace, rigide; dessous blanc ou brun à lamelles ou pores longs, ronds ou irréguliers; pied absent.* **Habitat:** *bois mort de feuillus; blessures d'arbres vivants.*

Echinodonte à teinture
Echinodontium tinctorium

Taille: *chap. 4-20 cm (1½-8 po).*
Traits: *chapeau en forme de sabot de cheval, ligneux, vert-noir ou brun foncé, craquelé, moussu; intérieur orange; aiguillons robustes, plats, chamois ou gris-brun.* **Habitat:** *conifères vivants.*

Hydne sinué
Dentinum repandum

Taille: *chap. 5-15 cm (2-6 po); pied 2-7 cm (1-3 po).*
Traits: *chapeau brun orangé plus ou moins terne; aiguillons crème ou saumon clair; pied blanc ou comme le chapeau.* **Habitat:** *sous les conifères et les feuillus.*

Satyre des chiens
Mutinus caninus

Taille : H 5-10 cm (2-4 po).
Traits : *pied rose ou rouge, alvéolé, à glèbe verdâtre et visqueuse dans le haut ; volve formée par les restes de l'œuf à la base.*
Habitat : *seul ou en touffes sur sol humide ou débris ligneux.*

Satyre puant
Phallus ravenelii

Taille : H 10-15 cm (4-6 po). **Traits :** *pied cylindrique, visqueux ou sec, blanc, alvéolé, à un ou deux anneaux bruns ; chapeau perforé au sommet par un cercle blanchâtre, à glèbe vert-gris ou olive ; volve formée par les restes de l'œuf à la base.*
Habitat : *sciure ou débris de bois.*

Phallacées Phallaceae

À l'origine, les phallus sont enfermés dans une enveloppe en forme d'œuf ; ils la crèvent rapidement et en quelques heures atteignent leur taille adulte. Le champignon porte au sommet une couche visqueuse et malodorante contenant les spores. Attirés par cette glèbe, les insectes en assurent la dissémination.

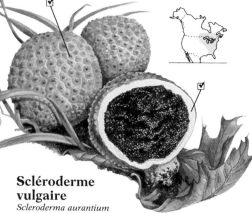

Scléroderme vulgaire
Scleroderma aurantium

Taille : 2-10 cm (1-4 po).
Traits : *champignon globuleux à enveloppe ocrée, craquelée, formant de petites verrues sombres ; chair blanche, puis pourpre ou noire, ferme mais bientôt poudreuse ; paroi interne épaisse et blanche en coupe ; spores brunes ou noires.*
Habitat : *forêt ou lieux dégagés ; près des arbres, troncs ou souches.*

Lycoperdons et analogues
Lycoperdaceae

Il n'y a pas de coin aussi reculé soit-il en Amérique du Nord, et même en plein désert, où l'on ne trouve un de ces champignons. Les enfants apprennent vite à les faire exploser en les écrasant du pied ; il s'en échappe alors une fumée poudreuse pleine de spores. Quand on pense à la quantité de spores contenues dans la chair spongieuse des vesses-de-loup, on s'étonne de ne pas en avoir un constamment sous le pied. La vesse-de-loup géante à elle seule en renferme environ 70 billions et pourtant ce n'est pas une espèce commune, ce qui est dommage car elle est très bonne à manger. **D'autres vesses-de-loup sont également comestibles, mais il faut être prudent : on peut les confondre avec de très jeunes amanites mortelles.**

Vesse-de-loup géante
Calvatia gigantea

Taille : 15-50 cm (6-20 po).
Traits : *champignon globuleux, blanc, virant avec l'âge au jaune-brun ou olivâtre du centre vers l'extérieur ; relié au sol par un cordonnet.*
Habitat : *terrains herbeux, à l'orée des bois.*

Cyathe strié
Cyathus striatus

Taille : L 0,5-1 cm
(¼-½ po) ; H 0,5-1,5 cm
(¼-⅝ po).
Traits : *champignon en
forme de gobelet, brun
foncé et poilu à l'extérieur,
blanchâtre ou noir et rayé
à l'intérieur ; pourvu au
fond de quelques œufs
ronds et plats, foncés.*
Habitat : *en troupes sur
débris ligneux.*

Géastre à trois plis
Geastrum triplex

Taille : 5-10 cm
(2-4 po), segments inclus.
Traits : *sac central
globuleux, brun-gris clair,
s'ouvrant en segments
pointus, gris-brun clair
dessus, plus foncés
dessous ; spores bistre pâle.*
Habitat : *sol riche en
humus, forêts de feuillus.*

Nidulariales Nidulariaceae

Les « œufs » des « nids » renferment une multitude de spores. Quand la pluie les projette hors du nid, leur paroi extérieure se dégrade et les spores se disséminent assurant la reproduction de l'espèce. Ces champignons viennent en troupes, par centaines parfois. On trouve souvent *Cyathus stercoreus* dans les jardins fertilisés au fumier.

Géastres Geastraceae

Au début, le champignon, complètement refermé sur lui-même, ressemble à une vesse-de-loup. En cours de croissance, une enveloppe externe se déploie, révélant un sac sporifère qui explose sous la pression du doigt laissant échapper un nuage de spores. Ce sont sans doute les gouttelettes de pluie qui dans la nature remplissent cet office.

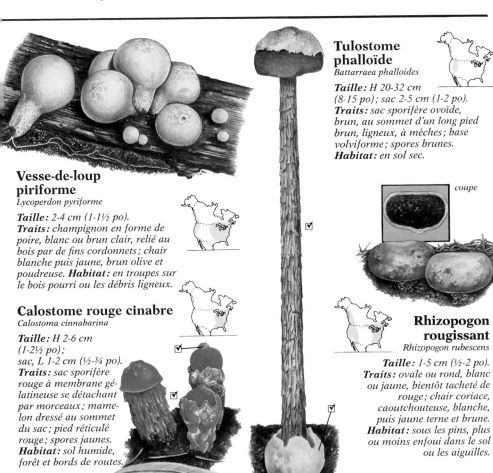

Tulostome phalloïde
Battarraea phalloides

Taille : H 20-32 cm
(8-15 po) ; sac 2-5 cm (1-2 po).
Traits : *sac sporifère ovoïde,
brun, au sommet d'un long pied
brun, ligneux, à mèches ; base
volviforme ; spores brunes.*
Habitat : *en sol sec.*

coupe

Vesse-de-loup piriforme
Lycoperdon pyriforme

Taille : 2-4 cm (1-1½ po).
Traits : *champignon en forme de
poire, blanc ou brun clair, relié au
bois par de fins cordonnets ; chair
blanche puis jaune, brun olive et
poudreuse.* **Habitat :** *en troupes sur
le bois pourri ou les débris ligneux.*

Calostome rouge cinabre
Calostoma cinnabarina

Taille : H 2-6 cm
(1-2½ po) ;
sac, L 1-2 cm (½-¾ po).
Traits : *sac sporifère
rouge à membrane gé-
latineuse se détachant
par morceaux ; mame-
lon dressé au sommet
du sac ; pied réticulé
rouge ; spores jaunes.*
Habitat : *sol humide,
forêt et bords de routes.*

Rhizopogon rougissant
Rhizopogon rubescens

Taille : 1-5 cm (½-2 po).
Traits : *ovale ou rond, blanc
ou jaune, bientôt tacheté de
rouge ; chair coriace,
caoutchouteuse, blanche,
puis jaune terne et brune.*
Habitat : *sous les pins, plus
ou moins enfoui dans le sol
ou les aiguilles.*

Trémelles Tremellales

Il ne faut pas se laisser tromper par l'aspect gélatineux de ces champignons ; leur chair est d'une texture si dense qu'il faut un outil tranchant pour la couper. Les trémelles desséchées, même depuis longtemps, retrouvent vie et croissance lorsqu'on les plonge dans l'eau. Voilà pourquoi le dacrymyces palmé et la trémelle mésentérique se rencontrent fréquemment en forêt à la fonte des neiges, lorsque le bois est très humide. Dès qu'ils reprennent vie, ils se remettent à produire des spores.

Exidie glanduleuse
Exidia glandulosa

Taille : *2-20 cm (1-8 po).*
Traits : *pustules gélatineuses, irrégulières, brunes ou brunnoir, marquées de verrues brunes laissant des taches noires en séchant.*
Habitat : *sur bois de feuillus.*

Trémelle mésentérique
Tremella mesenterica

Taille : *L 2-10 cm (1-4 po) ; H 4 cm (1½ po).*
Traits : *champignon gélatineux, dur, plissé et lobé en forme de cervelle, jaune orangé.*
Habitat : *bois mort de feuillus.*

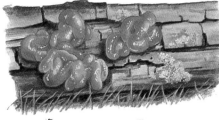

Dacrymyces palmé
Dacrymyces palmatus

Taille : *1-6 cm (½-2½ po).*
Traits : *champignon gélatineux mais dur, puis mou et aqueux, jaune orange ou rouge orangé ; semblable à des pétales pliés.*
Habitat : *troncs et souches de conifères.*

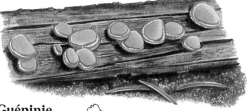

Guépinie alpine
Guepiniopsis alpinus

Taille : *0,5-1 cm (¼-½ po).*
Traits : *cupule jaune ou orange d'aspect gélatineux ; pied très court.*
Habitat : *en petites touffes sur bois de conifères.*

Trémellodon gélatineux
Pseudohydnum gelatinosum

Taille : *chap. 2-5 cm (1-2 po) ; pied 2-7 cm (1-3 po).*
Traits : *chapeau translucide, blanchâtre, gélatineux, épais mais souple ; aiguillons blancs ; pied absent ou court et excentrique.*
Habitat : *bois mort des conifères.*

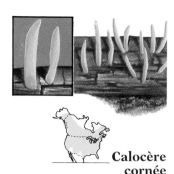

Calocère cornée
Calocera cornea

Taille : *0,5-2 cm (¼-1 po).*
Traits : *champignon ferme et gélatineux, en forme de massue ou d'aiguille, cassant lorsqu'il est sec, parfois ramifié, jaune ou orangé.*
Habitat : *bois mort.*

Sphériales et analogues
Sphaeriales

C'est peut-être le groupe de champignons le plus considérable ; il passe pourtant souvent inaperçu, ses membres se réduisant à des traces noires sur des débris végétaux. Certains d'entre eux n'en sont pas moins redoutables pour les arbres. En effet, ils sont responsables de la terrible maladie de l'orme et de la brûlure du châtaignier. Le blanc qui attaque les feuilles du lilas, du phlox, du prunier, du cerisier et de plantes herbacées appartient à ce groupe ; s'il nuit à l'aspect de son hôte, il ne lui cause pas un tort funeste.

Nodule noir du cerisier
Apiosporina morbosa

Taille : *1-4 cm (½-1½ po) sur 2-30 cm (1-12 po).*
Traits : *champignon cylindrique, dur, vert olive puis noir, en forme de nodules ou de renflements irréguliers.*
Habitat : *rameaux et branches des pruniers et cerisiers vivants ou morts.*

Doigt noir
Xylaria polymorpha

Taille : *2-10 cm (1-4 po).*
Traits : *champignon noir et rugueux en forme de massue ; chair blanche, dure et ligneuse.*
Habitat : *bois en décomposition ou enfoui.*

Cordyceps orangé
Cordyceps militaris

Taille : *L 0,1-0,5 cm (¹⁄₁₆-¼ po) ; H 2-7 cm (1-3 po).*
Traits : *champignon en forme de massue, orangé, ponctué de minuscules orifices au sommet.*
Habitat : *en parasite des chrysalides ou des chenilles enfouies dans le sol ou le bois pourri.*

coupe

Daldinie concentrique
Daldinia concentrica

Taille : *2-5 cm (1-2 po).*
Traits : *champignon dur, globuleux ou hémisphérique, rose-brun en surface, puis noirci de spores, à zones concentriques grises et noires à l'intérieur.*
Habitat : *troncs et souches de feuillus.*

Dermatose des russules
Hypomyces lactifluorum

Traits : *croûte orange ou rouge orangé, parsemée de points orange vif ou rouges ; couvre le champignon entier ou seulement le pied et les lamelles qu'elle réduit à de vagues plis.*
Habitat : *russules et lactaires.*

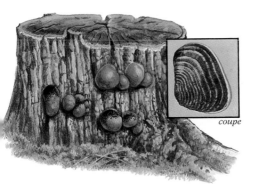

Nectrie rouge cinabre
Nectria cinnabarina

Taille : *0,1 cm environ (¹⁄₁₆ po).*
Traits : *petit coussinet rouge orangé, puis rouge sombre.*
Habitat : *en troupes sur les branches mortes des arbres.*

Pézizacées et analogues
Pezizales

Les champignons de ce groupe varient beaucoup en apparence. La morille et le gyromitre ont, en commun avec les petits champignons très colorés de ci-dessous, des sacs sporifères microscopiques logés soit dans le creux du chapeau, soit sur sa face externe. La morille est un excellent comestible, mais la prudence est toujours de mise car elle peut être confondue avec des espèces toxiques. Le gyromitre doit être séché; sinon, il est toxique.

Pézize écorce d'orange
Caloscypha fulgens

Taille: 1-5 cm (½-2 po).
Traits: cupule jaune orangé, fendue d'un côté ou désaxée, tachée de bleu-vert à l'extérieur.
Habitat: en touffes dans les bois humides de conifères.

Pézize écarlate
Sarcoscypha coccinea

Taille: L 1-5 cm (½-2 po).
Traits: cupule écarlate, blanchâtre à l'extérieur; pied très court ou absent.
Habitat: sur bois de feuillus.

Pézize baie
Peziza badioconfusa

Taille: 2-10 cm (1-4 po). **Traits:** cupule peu profonde, brune ou pourprée, chamois terne à l'extérieur, puis entièrement noire. **Habitat:** sur le sol en forêts de feuillus.

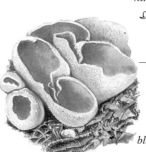

Pézize orangée
Aleuria aurantia

Taille: 2-10 cm (1-4 po).
Traits: cupule rouge orangé vif, blanche à l'extérieur, translucide.
Habitat: en touffes sur chemins de terre ou sentiers.

Urnule cratériforme
Urnula craterium

Taille: L 2-7 cm (1-3 po); H 5-12 cm (2-5 po).
Traits: cupule profonde, brun-noir à l'intérieur, gris-brun puis noire à l'extérieur.
Habitat: en touffes sur le sol ou les arbres en forêts de feuillus.

Pézize des sables
Sarcosphaera crassa

Taille: L 2-11 cm (1-4½ po).
Traits: cupule profonde, gris lilas ou rose, à marge ondulée, blanche à l'extérieur; pied court et épais ou absent.
Habitat: en forêt; plus ou moins enfouie dans le sol.

Calycelle citrine
Calycella citrina

Taille: 0,2-0,5 cm (⅛-¼ po). **Traits:** cupule peu profonde ou disque jaune vif, soudés parfois les uns aux autres en grandes troupes. **Habitat:** bois mort de feuillus.

Chlorosplénie verdissante
Chlorociboria aeruginascens

Taille: 0,5-4 cm (¼-1½ po).
Traits: cupule peu profonde bleu-vert terne; pied très court. **Habitat:** en touffes sur troncs et branches mortes de conifères.

Léotie lubrique
Leotia lubrica

Taille : chap. 1-4 cm (½-1½ po) ; pied 1-6 cm (½-2½ po). **Traits :** chapeau ovale et pied en forme de massue, visqueux, jaune terne, chamois ou bruns, parfois olivâtres. **Habitat :** en touffes sur le sol ou la mousse, en forêt.

Gyromitre comestible
Gyromitra esculenta

Taille : chap. 4-10 cm (1½-4 po) ; pied 2-7 cm (1-3 po). **Traits :** chapeau irrégulier, ridé, plissé comme une cervelle, sans alvéoles, brun ou rouge-brun ; pied blanchâtre. **Habitat :** sous les conifères.

Morille comestible
Morchella esculenta

Taille : chap. 2-5 cm (1-2 po) ; pied 4-10 cm (1½-4 po). **Traits :** chapeau prolongeant le pied, gris ou jaune clair à brun, à alvéoles profonds et côtes irrégulières ; pied blanc. **Habitat :** vergers, bois de feuillus, terrains herbeux, sols humides, près des ormes morts, parfois dans les jardins.

coupe

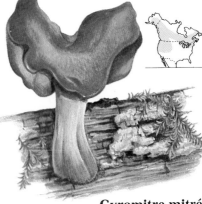

Gyromitre mitré
Gyromitra infula

Taille : chap. 2-12 cm (1-5 po) ; pied 2-11 cm (1-4½ po). **Traits :** chapeau en forme de selle, peu ridé, ocre, brun foncé ou pourpré ; pied blanchâtre ou teinté de brun. **Habitat :** sur bois de conifères morts ; parfois en forêt.

coupe

Verpe de Bohême
Verpa bohemica

Taille : chap. 1-2 cm (½-1 po) ; pied 7-10 cm (3-4 po). **Traits :** chapeau campanulé, jaune-brun, fixé au sommet du pied, libre plus bas, ridé et plissé, marqué de côtes profondes ; pied creux, blanc, jaune ou ocre. **Habitat :** terrains humides.

Helvelle lacuneuse
Helvella lacunosa

Taille : chap. 1-5 cm (½-2 po) ; pied 4-12 cm (1½-5 po). **Traits :** chapeau en forme de selle, un peu ridé ou plissé, gris ; pied gris clair, à sillons profonds. **Habitat :** en forêt ; parfois sur le bois pourri.

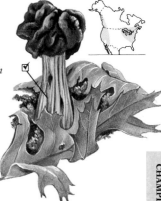

Index des noms français

A

Abalone, 238
Abeille : charpentière, domestique, 274
Abutilon de Théophraste, 367
Acacia ongle-de-chat, 315
Acajou de montagne, 313
Acétabularie crénelé, 528
Achigan
  à grande bouche, 197, 219
  à petite bouche, 219
Achillée, 461
  fausse, 459
  fausse, de Douglas, 459
  millefeuille, 461
Achlys : de Californie, à trois feuilles, 349
Acléisanthe à longues fleurs, 354
Acmée : digitale, -tortue de l'Atlantique, 239
Aconit : d'Amérique, bleu, sauvage, 344
Acorus roseau, 479
Acoupa, 225
Acrostic géant de Floride, 512
Actée : à gros pédicelles, rouge, 345
Actinoméris à feuilles alternes, 457
Adénostome fasciculé, 327
Adiante : de Californie, du Canada, 512
Adlumie fongueuse, 352
Agar-agar, 529
Agaric champêtre, 546
Agaricacée, 546
Agave : de l'Utah, de Virginie, 498
Agone verruqueux, 217
Agripaume cardiaque, 428
Agrostemme githago, 359
Aigle, 106
  doré, 108
  pêcheur, 108
  royal, 108
  à tête blanche, 108
Aiglefin, 211
Aigrette : bleue, grande, neigeuse, roussâtre, 85
Aiguillat commun, 201
Aiguille de mer de l'Atlantique, 212
Ail, 481, 489
  des bois, 489
  du Canada, 489
  doux, 487
  faux-, 481
  faux-, jaune, 481
  trilobé, 489
Ailante glanduleux, 320
Aile d'ange, 260
Airelle, 326
  arborescente, 326
  en corymbes, 326
  à feuilles étroites, 326
  à gros fruits, 377
Albacore, 232
Alcée de Floride, 308
Alétris farineuse, 481

Algue : rouge cartilagineuse, siphonée, 528
Alisier, 330
Alisme à feuilles subcordées, 468
Alkénenge, 415
Alligator, 158, 160
  américain, 160
Alouette : cornue, hausse-col, 123
Alternanthe des marais, 362
Amadouvier, 553
Amande de terre, 472
Amanitacée, 536-537
Amanite
  des césars, 536
  citrine, 537
  panthère, 536
  phalloïde, 536
  rougissante, 536
  tue-mouches, 536
  vaginée, 537
Amaryllis de Virginie, 491
Ambystome, 183
Amélanchier : arborescent, du Canada, 313
Amianthe tue-mouche, 481
Amie américaine, 205
Amiral : points-rouges, pourpré, 265
Ammobrome de sonora, 421
Amphisbène de Floride, 171
Amphiume, 182
Amsinckie panachée, 423
Amsonia, 411
Anaphale marguerite, 452
Anchois du Nord, 205
Ancolie : bleue, du Canada, jaune, à longs éperons, 345
Andromède glauque, 325
Anémone : de Caroline, à cinq folioles, cylindrique, occidentale, pulsatile, 348
Anémone de mer blanche, 284
Anémonelle pigamon, 343
Ange : de l'Atlantique, du Pacifique, 201
Angélique : cultivée, noir pourpré, 407
Anguille : d'Amérique, -congre, d'eau douce, 207
Anhinga d'Amérique, 83
Anisote rosé de l'érable, 270
Anolie de mer, 206
Anolis de la Caroline, 166
Anomie : de l'Atlantique, fausse, du Pacifique, 255
Antennaire, 213, 453
  négligée, 453
Anthérique de Torrey, 496
Anthocéros léger, 527
Anthocérotale, 527
Antilope d'Amérique, 66
Aphide, 278

Apios d'Amérique, 391
Aplectrum d'hiver, 504
Apocyn : chanvrin, à feuilles d'Androsème, 411
Apogon : -conque, -éponge, flamboyant, maculé, 219
Apollon, 268
Arachnide, 280
Araignée
  brune, 280
  fileuse brune, 280
  fileuse sédentaire, 280
  -loup, 281
  à pattes pectinées, 280
Aralie, 321, 404
  de Californie, 404
  épineuse, 321
  à grappes, 404
  à tige nue, 404
Aranéide, 280
Arbousier de Menzies, 311
Arbre
  à anémones, 323
  à chapelet, 394
  de Josué, 322
  de Judas, 314
  de neige, 321
  à oseille, 311
  aux pipes, 339
  aux 40 écus, 297
  à savon, 317
Arche : massive, ovale, zèbre, 252
Arctie, 270
Arctostaphyle raisin-d'ours, 377
Arctostaphylos, 325, 377
Aréthuse bulbeuse, 501
Argémone sanguine, 350
Argiope dorée, 280
Argynne : cybèle, royal, 264
Arisème : dragon, rouge foncé, 479
Aristide des champs, 474
Aristoloche : dure, de Watson, 339
Armérie maritime, 364
Armillaire
  couleur miel, 539, 540, 544
  pesant, 541
Armoise, 331, 438
  étoilée, 331
  tridentée, 331
Arpenteuse du printemps, 270
Arundinaire géante, 472
Asaret : du Canada, occidental, 338
Asclépiade, 412-413
  commune, 412
  du désert, 413
  incarnate, 412
  des sables, 413
  tubéreuse, 412
  verte, 413
  verticillée, 413
Asile gris commun, 276
Asiminier trilobé, 298
Asperge : officinale, plumeuse, 489
Aspléniacée, 515

Asplénosore pinnatifide, 516
Aster : -bruyère, éricoïde, à feuilles cordées, à feuilles de linaire, feuillu, de Nouvelle-Angleterre, 451
Astérophore vesse-de-loup, 540
Astragale : du Canada, à fruits charnus, de Pursh, 389
Athyrie
  fausse-thélyptère, 517
  fougère-femelle, 509, 517
  à sores denses, 517
Atoca, 326, 377
  gros, 377
Atrichum ondulé, 527
Atriplex, 324
Aubépine givrée, 313
Aulne : de l'Oregon, rouge, 307
Aunée, 452
Aurélie-lune, 285
Aurin, 211
Auripare verdin, 128
Autour des palombes, 106
Avocette d'Amérique, 94
Azolla de Caroline, 522
Azur printanier, 266

B

Bacchante de Virginie, 331
Bagre, 210
Baguenaudier de la sierra, 329
Baileya à rayons plats, 458
Baïonnette d'Espagne, 322
Balane, 283
Balbuzard, 106, pêcheur, 108
Baleine, 72-75
  grise de Californie, 75
Baliste, 222, 234
  gris, 234
Balourou, 213
Banane de mer, 206
Bangiale, 529
Baptisie : leucanthe, teintée, 392
Bar : blanc, cabrilla, des eaux tempérées, rayé, 218
Barbarée vulgaire, 374
Barbe-de-moine, 417
Barbon : de Gérard, à tiges minces, de Virginie, 476
Barbotte brune, 210
Barbue, 234
  de rivière, 210
Bardane : grande, mineure, petite, 463
Barge : hudsonienne, marbrée, 95
Barracuda du Nord, 227
Bassaride rusée, 58
Bâton de Jacob, 490
Bâton de Saint-Joseph, 496

F

Faisan : de chasse, de Colchide, à collier, 111
Faucheur, 280
Faucon, 106
pèlerin, 109
des prairies, 109
Fauvette *voir* Paruline
Fauvette à fourneau, 139
Favole alvéolaire, 553
Férocactus de Wislizen, 355
Feuille douce, 310
Fève : gourgane, des marais, 388
Févier : aquatique, épineux, 315
Ficoïde glaciale, 362
Filipendule : des prés, rouge, 385
Fissidense à grandes frondes, 525
Fissurelle, 238
géante, 239
rugueuse, 238
volcan, 239
Fistulaire : rouge, tabac, 215
Flétan : de l'Atlantique, de Californie, 234
Fleur
d'une heure, 366
de lune, 417
de mai, 377
de la Passion, 372
Fondule : du Pacifique, pygmée, 214
Forestiéra : acuminé, de Floride, 329
Forficule (petite), 279
Fou de Bassan, 83
Fougères, 510-521
arborescentes, 514
gazonnantes, 511
grimpantes, 511
Fougère-aigle commune, 514
Foulque d'Amérique, 89
Fourchette, 456
Fourmi : noire gâte-bois, rouge importée, 274
Fragmite commun, 473
Fraise des champs, 385
Fraisier de Virginie, 385
Framboisier, 327
Fransérie, 438
Fraséra joli, 409
Fraxinelle commune d'Europe, 428
Frelon à livrée jaune, 263, 275
Frêne, 321
d'Amérique, 321
blanc, 321
épineux commun, 320
à une feuille, 321
gras, 321
noir, 321
puant, 320
rouge, 321
Fritillaire pudique, 491
Fuchsia de Californie, 395
Fucus, 530
vésiculeux, 531
Fuligule : à collier, à dos blanc, milouinan, petit, à tête rouge, 92

Funarie hygromètre, 525
Fusain de l'Est, 329

G

Gadellier américain, 326
Gaillarde jolie, 459
Gaillet : gratteron, piquant, 444
Gainier : du Canada, du Pacifique, 314
Galane glabre, 434
Galax à feuilles rondes, 379
Galérine automnale, 547
Galle spongieuse du chêne, 275
Gallinule poule-d'eau, 89
Gambusie mouchetée, 214
Ganoderme plat, 550, 551
Garibaldi, 227
Garrot
de Barrow, 93
commun, 93
d'Islande, 93
à œil d'or, 90, 93
petit, 93
Gaufre brun, 53
Gaulthérie couchée, 377
Gazon d'Espagne, 364
Geai : bleu, gris, à gorge blanche, du Mexique, des pinèdes, de Steller, 124
Géastre à trois plis, 555
Gecko varié, 166
Gélinotte : des armoises, huppée, à queue fine, 110
Gelsémie, 404
Genévrier : commun, à une graine, rampant, de l'Utah, de Virginie, 296
Gentiane : d'Andrews, à calice, frangée, du froid, jaune, pubérulente, 408
Géocoucou, grand, 113
Géomètre, 270
Géranium, 401
maculé, 332, 401
de Richardson, 401
de Robert, 401
Gérardie pourpre, 430
Germandrée du Canada, 426
Germon atlantique, 232
Gesse : brillante, japonaise, maritime, 388
Gigartinale étoilée, 528
Gila : monstrueux, suspect, 171
Gilia : à longues fleurs, rouge, 419
Gingembre : occidental, sauvage, 338
Ginkgo bilobé, 297
Ginseng : d'Amérique, d'Asie, à cinq folioles, à trois folioles, petit, 405
Girelle de Californie, 225
Girole, 548
Gland de mer ivoire, 283
Glaux maritime, 382
Glécome, 427

Gloire du matin, 416
rouge, 417
Glouton, 59
Glycine : arbustive, du Kentucky, 394
Glyptopleure soyeuse, 467
Gnaphale à feuilles obtuses, 453
Gobe-mouches, 369
Gobemoucheron gris-bleu, 136
Goberge, 211
Gobie : à bandes bleues, violet, 231
Gobie-ventouse, 233
Goéland
argenté, 102
d'Audubon, 102
à bec cerclé, 102
de Californie, 102
de Heermann, 103
à manteau noir, 102
marin, 102
Goglu des prés, 144
Gommier bleu, 313
Gomphide glutineux, 544
Gomphidiacée, 544
Gonelle : rayé, des roches, 231
Goodyérie : à feuilles oblongues, rampante, 504
Gordonie à feuilles glabres, 308
Gorgone fouet-de-mer, 284
Grande éclaire, 351
Graptémyde de Ouachita, 163
Grassette, 383, 440
vulgaire, 440
Grèbe : à bec bigarré, cornu, élégant, esclavon, 81
Grémil laineux, 422
Grenouille, 181, 188, 192-195, 213
à aréoles, 195
des bois, 195
-léopard, 195
-léopard du Sud, 195
des marais, 195
de mer, 213
mouchetée, 195
du Nord, 195
à pattes rouges, 194
verte, 194
vraie, 194-195
Grillon domestique, 277
Grimmie alpicole, 509, 526
Grimpereau brun, 129
Grindélie : commune, squarreuse, 448
Grive
des bois, 134
à collier, 134
à dos olive, 134
fauve, 135
à joues grises, 134
solitaire, 134
Grizzli, 64
Grogneur : multicolore, pigfish, à raies jaunes, 224
Grondin rayé, 216
Gros-bec
errant, 148
des pins, 150

à poitrine rose, 149
à tête noire, 149
Groseillier : à fleurs, à grappe, à maquereau, 326
Grue : blanche, du Canada, 87
Grunion de Californie, 214
Guêpe, 274, 275
de l'Est, 275
fouisseuse, 275
à nid rigide, 275
à taches blanches, 275
vespide, 275
Guépinie alpine, 556
Gui : d'Amérique, faux, vrai, 397
Guifette noire, 105
Guillemot marmette, 105
Guimauve officinale, 367
Guiraca bleu, 148
Guitare de mer, 203
Guppy, 214
Guzmanie à épi unique, 478
Gymnocarpe fougère-du-hêtre, 521
Gyrin noir, 282
Gyromitre : comestible, mitré, 559
Gyroselle : de la sierra, de Virginie, 380

H

Habénaire : blanchâtre, cillée, à feuilles orbiculaires, frangée, papillon, 503
Halésier de Caroline, 326
Hamamélis de Virginie, 323
Hanneton, 273
Hareng du Pacifique, 205
Harfang des neiges, 114
Harle
couronné, 90, 93
grand, 93
huppé, 93
Hart rouge, 328
Hélénie amère, 459
Hélianthe : annuel, tubéreux, 456
Hélianthème du Canada, 372
Hélice mouchetée, 262
Hélonie : des marais, 481
Héliotrope : arboresent, des oiseaux, 423
Hélisome à trois volves, 250
Héloderme : horrible, suspect, 171
Helvelle lacuneuse, 559
Hémérocalle : fauve, jaune, 484
Hémiptère, 278
Hémitriptère atlantique, 217
Hépatique, 344, 527
acutilobée, 344
d'Amérique, 344
Herbe
d'amour, 364
à bernaches, 469
à bison, 475
-à-chats, 426
du cheval, 429

du diable, 364
à dindes, 461
-à-douze-dieux, 380
aux écus, 381
à mille trous, 365
aux perles, 422
porc-épic, 474
à poux, grande, 453
à poux, petite, 453
à puce, 398
à Sainte-Barbe, 374
à savon, 359
-à-souder, 446
aux verrues, 351
Hermine, 60
Héron
  garde-bœufs, 85
  grand, 84
  grand, blanc, 84
  vert, 84
Hespérie : ardente, à
  damier, maculée, à
  taches argentées, 268
Hétéromèle à feuille
  d'arbousier, 327
Hêtre : américain, à
  grandes feuilles, 303
Hexagramme de roche,
  217
Hexalectris à épi, 506
Hiatellidée, 260
Hibou : moyen duc, des
  marais, 115
Hippocampe rayé, 215
Hirondelle
  à ailes hérissées, 126
  bicolore, 126
  à face blanche, 126
  à front blanc, 126
  des granges, 126
  noire, 127
  pourprée, 127
  de rivage, 126
  rustique, 126
Homard, 283
Hottonie gonflée, 382
Houstonie : bleue, à
  feuilles lancéolées,
  443
Houx : d'Ahon,
  d'Amérique, décidu,
  touffu, verticillé,
  vomitif, 316
Huart : à collier, à gorge
  rousse, 80
Hudsonie tomenteuse,
  372
Huître : américaine,
  comestible, creuse
  du Pacifique, fronde,
  indigène du
  Pacifique, 255
Huîtrier : d'Amérique, de
  Bachman, 94
Hulséa alpin, 458
Hydnacée, 535, 552-553
Hydne
  corail, 552
  sinué, 553
Hydraste du Canada, 343
Hydrocotyle en ombelle,
  407
Hydromètre, 282
Hydrophylle de Virginie,
  421
Hygrophoracée, 538
Hygrophore : conique,
  perroquet, russule,
  vermillon, 538
Hyménophyllacée, 514

Hyménoxys acaule, 458
Hypholome : capnoïde,
  couleur de brique,
  en touffe, 545
Hypne à tige grêle, 526
Hypoxide hirsute, 490

I

Ibis : blanc, à face blanche, falcinelle, 86
Ichneumon, 275
If : arbustier du Canada,
  de l'Ouest, 288
Iguane
  du désert, 167
  à petites cornes, 168
  sourd, grand, 166
  sourd, petit, 166
Immortelle blanche, 452
Impatiente : du Cap, pâle,
  402
Indigo : d'Asie, faux, des
  prairies (faux), 392
Indigotier : faux, nain
  (faux), 388
Inocybe conique, 547
Insecte, 263-279, 282
  à courtes antennes, 276
  d'eau douce, 282
  à longues antennes,
  276
  à suture circulaire, 276
Inule aulnée, 452
Ipomée, 416
  bonne-nuit, 417
  à feuilles fines, 416
  hédéracée, 416
  patate-sauvage, 416
  pennée, 417
  pourprée, 416
  quamoclit, 417
  rouge, 417
Iris, 497
  faux-acre, 497
  des marais, 497
  du Missouri, 497
  des prairies, 496
  printanier, 497
  rouge, 497
  de Virginie, 497
Isia isabelle, 270
Isoète à spores épineuses,
  524
Isopyre faux-pigamon,
  343
Ivésie de Gordon, 385

J

Jacinthe
  d'eau, 480
  sauvage, 494
Jamboneau : à dents
  de scie, de
  Méditerranée, 252
Jargeau, 388
Jaseur : d'Amérique, bo-
  réal, des cèdres, 136
Jasmin de Caroline, 404
Jeffersonie à deux
  feuilles, 350
Jonc épars, 471
Jujubier, 317
Julienne des dames, 375
Junco : à ailes blanches,
  ardoisé, à dos roux,
  à tête grise, 153

K

Kalmie : à feuilles
  d'Andromède, à
  feuilles étroites, 325
Ketmie : à feuille de
  hallebarde, des
  marais, militaire,
  vésiculeuse, 366
Koélérie à crête, 474
Kramère à feuilles
  lancéolées, 405
Krigie de Virginie, 466
Kudzu, 394
Kyphose des Bermudes,
  225

L

Labre à tête bleue, 228
Laccaire laqué, 543
Lactaire, 538-539
  décevant, 538
  délicieux, 539
  indigo, 538
  à lait abondant, 538
Lagopède à queue
  blanche, 110
Laitue, 464
  du Canada, 464
  de mer, 528
Lamantin, 71
Lamier embrassant, 426
Laminaire : saccharine,
  à sucre, 530
Laminariale, 530
Lampourde glouteron,
  452
Lamproie marine, 203
Langloisie ponctuée, 419
Langue-de-cerf, 517
Langue-de-chien, 423
Lanterne chinoise, 415
Lapin à queue blanche,
  57
Laquaiche : argentée,
  aux yeux d'or, 205
Larréa tridenté, 328
Lasthénie dorée, 459
Laurier, 299, 325
  de Californie, 299
  des montagnes, 325
  sassafras, 299
Lavande de mer, 364
Layia : chrysanthème,
  glanduleuse, 458
Lédon du Groenland, 324
Légionnaire uniponctuée,
  271
Lemming, 48, 49
  brun, 49
  campagnol-, boréal, 49
  campagnol-, de Cooper,
  49
Lentin joli, 539
Lenzites des clôtures, 552
Léotie lubrique, 559
Lépiotacée, 537
Lépiote : américaine,
  déguenillée, élevée,
  lisse, de Morgan, 537
Lépisosté : osseux, d'eau
  douce, 204
Lépiste nu, 541
Lespédézie à capitules
  ronds, 393
Létharie-renard, 533
Lethocère, 282
Leucobrye glauque, 525

Lewisia amère, 361
Lézard, 158-159, 166-171
  -alligator multicaréné,
  170
  des armoises, 168
  des clôtures, 168
  à collier, 167
  épineux, 168
  -fouet du Nouveau-
  Mexique, 170
  -fouet de l'Ouest, 170
  -fouet à six raies, 170
  léopardin, 166
  léopardin à museau
  arrondi, 166
  nocturne du désert, 167
  à queue zébrée, 167
  sans pattes de
  Californie, 171
  de verre, 170
  de Wislizen, 166
Lézardelle penchée, 338
Liane
  langue-à-chat, 447
  -trompette, 439
Liatride : à épis,
  rugueuse, 448
Libellule triste, 279
Libythée à museau, 267
Lichen, 532-533
Licorne vraie, 481
Lierre
  de Boston, 401
  terrestre, 427
Lièvre : d'Amérique,
  antilope, de
  Californie, de
  Townsend, 57
Lièvre de mer de Willcox,
  249
Likenée, 271
Lilas bleu de Californie,
  328
Limace (grande), 262
Limande, 234
Lime à grande tête, 234
Limnée : d'eau stagnante,
  d'étangs, 250
Limonie de Caroline,
  364
Limule de l'Atlantique,
  284
Lin : cultivé, de Virginie,
  403
Linaigrettèa feuilles
  étroites, 472
Linaire vulgaire, 437
Linanthe à fleurs d'œillet,
  420
Lingue, 217
Linnée boréale, 445
Liparis à feuilles de lis,
  502
Liquidambar styracifère,
  300
Lis, 484
  blanc, 484
  du Canada, 485
  du désert, 496
  d'un jour, 415
  à grandes fleurs, 484
  léopard, 485
  de Philadelphie, 485
  rougeâtre, 484
  des sables, 494
  superbe, 485
  tigré, 485
  de Washington, 484
Lis d'eau : blanc, jaune,
  340

568

Index des noms scientifiques